AHMET ÜMİT

Ahmet Ümit, 1960'ta Gaziantep'te doğdu. 1983'te Marmara Üniversitesi Kamu Yönetimi Bölümü'nü bitirdi. 1985-1986 yıllarında, Moskova'da, Sosyal Bilimler Akademisi'nde siyaset eğitimi gördü. Şiirleri, 1989 yılında *Sokağın Zulası* adıyla yayımlandı. 1992'de ilk öykü kitabı *Çıplak Ayaklıydı Gece* yayımlandı. Bunu *Bir Ses Böler Geceyi*, *Agatha'nın Anahtarı*, *Şeytan Ayrıntıda Gizlidir* adlı polisiye öykü kitapları izledi. Hem çocuklara hem büyüklere yönelik *Masal Masal İçinde* ve *Olmayan Ülke* kitapları ile farklı bir tarz denedi. 1996'da yazdığı ilk romanı *Sis ve Gece*, polisiye edebiyatta bir başyapıt olarak değerlendirildi. Bu romanın ardından *Kar Kokusu*, *Patasana* ve *Kukla* yayımlandı. Bu kitapları *Ninatta'nın Bileziği*, *İnsan Ruhunun Haritası*, *Aşk Köpekliktir*, *Beyoğlu Rapsodisi*, *Kavim*, *Bab-ı Esrar*, *İstanbul Hatırası*, *Sultanı Öldürmek* ve *Beyoğlu'nun En Güzel Abisi* adlı kitapları izledi. Ahmet Ümit'in, İsmail Gülgeç'le birlikte hazırladığı *Başkomser Nevzat - Çiçekçinin Ölümü* ve *Başkomser Nevzat - Tapınak Fahişeleri* ve Aptülika (Abdülkadir Elçioğlu) ile birlikte hazırladığı *Başkomser Nevzat - Davulcu Davut'u Kim Öldürdü?* adlı çizgi romanları da bulunmaktadır. Eserleri yirminin üzerinde yabancı dile çevrilmiştir. Yazarın tüm yapıtları Everest Yayınları tarafından yayımlanmaktadır.

www.ahmetumit.com
www.twitter.com/baskomsernevzat
www.instagram.com/baskomsernevzat
www.facebook.com/ahmetumitfanclub
www.facebook.com/yazarahmetumit
www.facebook.com/groups/ahmetumitiryakileri
www.facebook.com/elvedaguzelvatanim
www.facebook.com/sehsuvarsami

AHMET ÜMİT

ELVEDA

güzel

VATANIM

§

Yayın No 1474
Türkçe Edebiyat 550

Elveda Güzel Vatanım
Ahmet Ümit

Editör: Mehmet Said Aydın
Kapak tasarımı: Füsun Turcan Elmasoğlu
Sayfa tasarımı: Zülal Bakacak
Son okuma: Ahmet Özel

1. Basım: Aralık 2015 (250.000 Adet)

ISBN: 978 - 605 - 141 - 948 - 0
Sertifika No: 10905

Baskı ve Cilt: Melisa Matbaacılık
Matbaa Sertifika No: 12088
Çiftehavuzlar Yolu Acar Sanayi Sitesi No: 8
Bayrampaşa/İstanbul
Tel: (0212) 674 97 23 Faks: (0212) 674 97 29

EVEREST YAYINLARI
Ticarethane Sokak No: 15 Cağaloğlu/İSTANBUL
Tel: (0212) 513 34 20-21 Faks: (0212) 512 33 76
e-posta: info@everestyayinlari.com
www.everestyayinlari.com
www.twitter.com/everestkitap
www.facebook.com/everestyayinlari
www.instagram.com/everestyayinlari

Everest, Alfa Yayınları'nın tescilli markasıdır.

ELVEDA

güzel

VATANIM

Elveda Güzel Vatanım'ı yazarken desteklerini esirgemeyen, Okan Üniversitesi Mütevelli Heyeti Başkanı sevgili ağabeyim Bekir Okan'a, ustam Selim İleri'ye, iflah olmaz bir edebiyat tutkunu olan sevgili ağabeyim Erol Üyepazarcı'ya, yazar dostum Mario Levi'ye, Prof. François Georgeon'a, anayasa profesörü Mustafa Koçak'a, Prof. Dr. Ahmet Sherif'e, tarihçi Necdet Sakaoğlu'na, tarihçi Kansu Şarman'a, tarihçi Ece Zerman'a, yayıncı Fahri Aral'a, Yunanca çevirmenim Thanos Zarangalis'e, Makedonca çevirmenim Aneta Matovska'ya, Alfa Yayın Grubu Genel Müdürü Vedat Bayrak'a, Kalem Ajans'tan Nermin Mollaoğlu'na, İstanbul Tanpınar Edebiyat Festivali'nden Mehmet Demirtaş'a, Pera Palas Genel Müdürü Pınar Kartal Timer'e, Pera Palas'ın Eski Halkla İlişkiler Müdürü Cevat Bayındır'a, Mey İçki çalışanları Levent Kömür ile Halil Arıt'a, avukatım Aydın Kurban'a, romanımı yazarken her türlü kolaylığı sağlayan Club Marco Polo çalışanlarına ve her kitabımı okuyarak, kıymetli fikirlerini benimle paylaşmaktan bıkmayan vefakâr dostlarım, Figen Bitirim'e, Kemal Koçak'a, Oral Esen'e, Ayhan Bozkurt'a, Erdinç Çekiç'e, Mert Orçun Özyurt'a, kızım Gül Ümit Gürak'a, oğlum Gürkan Gürak'a, elbette torunum Rüzgar'a ve eşim Vildan Ümit'e sonsuz teşekkürlerimi sunarım. Bu güzel insanların katkısı olmasaydı, bu roman da olmazdı.

10 Ekim 2015 Cumartesi günü Ankara'da katledilen
barış savunucularının aziz hatırasına...

Devletin derinlikleri, toprağın derinliklerinden daha karanlıktır...

"16 Haziran günü İzmir'e gelişimde uygulanmak üzere bir suikast tertibi keşfolunmuş ve önemli failler suçüstü yakalanıp, tutuklanmışlardır. Tutuklananlar, itiraflarda bulunmuşlardır. Tutuklanması istenen Sarı Efe, suikastın düzenleyicileri arasındadır. Hiç şüphesiz, Sarı Efe'nin İstanbul'da bağlı bulunduğu örgütü ve iş birliği yaptığı arkadaşları vardır. İzmir'deki suikastın başarıya ulaşması halinde adı geçen örgütün suikasttan sonra izleyeceği siyaset için bu gece ve yarın gereken önlemler için toplantı yapmaları beklenir.

Sarı Efe tutuklanmış ise ondan alınabilecek ilk basit bilgiler üzerine, henüz tutuklanmamış ise tutuklanmadan sonra bu örgütü ve toplantıyı ortaya çıkarmak için önlem alınmalıdır."

Reisicumhur Gazi Mustafa Kemal'in,
İstanbul Polis Müdürü Ekrem Bey'e
çektiği şifreli mesajdan...

"Reis Beyefendi, şimdi asıl meseleye geliyorum, gizli teşkilat konusuna. Taa İttihat ve Terakki programının yapıldığı günden beri farz ettiğiniz gizli teşkilat meselesine. O gizli teşkilat tarafından verilen suikast kararından katiyen malumatım yoktur. Bir insanın bir şeyi yaptığını ispat etmek gerekir. Ben bir şey yapmadığımı nasıl ispat edebilirim? Ben bütün hayatımda hiçbir zaman, hiçbir kimseye karşı -hatta en müthiş düşmanlarıma karşı, hayatıma, şerefime, namusuma tecavüz edenlere karşı- şiddet kullanmadım. Ve şiddet kullanılmasına da hiçbir zaman razı olamamış, taraftar olmamış bir insanım. Hiçbir hareketimde, hiçbir konuşmamda, hiçbir yazımda şiddet yoktur."

İzmir Suikastı davasında, eski Maliye Bakanı
Cavit Bey'in İstiklal Mahkemesi'nde
yaptığı savunmadan...

"Ölüm, şehirlerimizi kaybetmekle başlar..."

※

Günaydın Ester, (1. Gün, Sabah)

Sonunda güneş doğdu. Pencereden içeri sızmaya çalışan o kasvetli grilik yerini dupduru bir maviliğe bıraktı. Balkon kapısını açıp dışarı çıktım. Nemli bir rüzgâr çarptı yüzüme. Başımdaki ağırlığı giderir umuduyla derin derin içime çektim nemli sabah havasını; hoşuma gitti, hatta bir parça canlandırdı beni. Şehir uyanmıştı; caddeden yükselen bağırış çağırış, sakaların, yoğurtçuların çıngırakları, araba gürültüleri... Pera'da o bildik telaş... Aşağıda Kasımpaşa'nın eteklerinde bir süt birikintisi gibi bembeyaz uzanıyordu Haliç. Üzerinde kül rengi lekeler halinde birkaç tekne... Selanik'in uysal denizini hatırladım; körfezden açıklara doğru uzanan o sonsuz maviliği...

Selanik'teki evimin balkonu, zannederim çok daha genişti bu odanınkinden... Zannederim derken içim acıyor, insan doğduğu şehri, yaşadığı evi unutabilir mi? Elbette unutamaz, ama zaman, hatıraları siliyor birer birer. "Ölüm, şehirlerimizi kaybetmekle başlar." Kim söylemişti bu cümleyi hatırlamıyorum, ne yazık ki doğru... Doğru lakin eksik. Ölüm, şehirlerimizi kaybetmekle başlar, vatanımızı kaybetmekle neticelenir. Şu anda, kâbusu andıran bu duygu kemiriyor içimi. Şehrimi çoktan yitirdim, sıra vatanıma geldi. Belki onu da çoktan yitirdim ama farkında değilim...

Sahi nedir vatan? Bir toprak parçası mı, uçsuz bucaksız denizler, derin göller, yalçın dağlar, verimli ovalar, yemyeşil ormanlar, kalabalık şehirler, tenha köyler mi? Hayır, bütün bunların ötesinde bir anlam taşır vatan. Ne sadece toprak parçası, ne su havzaları, ne ağaç silsilesi... Annemizin şefkati, babamızın saçlarına düşen ak, ilk aşkımız, doğan çocuğumuz, dedelerimizin mezarlarıdır vatan... Vatanı olmayan insanın hayatı da olmaz. Evet, bir vakitler zihnim, kalbim bu fikirlerle doluydu. Şimdi? Şimdi bilmiyorum...

Evet, nasıl ki o koca vatan parça parça dağıldıysa, fikirlerim, ideallerim, bütün hayatım gözlerimin önünde eriyor. Yok, endişelenme, henüz bedenim yerli yerinde, ne var ki ruhum epeydir can çekişiyor. O kadar acı verici ki, bazen neden uzatıyorsun bu işkenceyi diyorum. Bazen kendi elimle son vermek istiyorum bu hazin maceraya. Sonra vazgeçiyorum. Ölümden korktuğumdan değil, yaşamayı sevdiğimden de değil, sadece o tuhaf merak duygusu yüzünden. Ama belki de bütün bunlara gerek kalmayacak, ülkenin yeni sahipleri son verecekler yorgun bedenimde hâlâ çarpmayı sürdüren bu inatçı kalbin çırpınışlarına. Bu ihtimal, kuvvetle muhtemel... Arkadaşlarımın başına gelen, zannederim benim de başıma gelecek. Ya karanlık bir köşede kafama sıkılmış bir kurşunla ya da ustaca tezgâhlanmış bir mahkeme kararıyla yağlı ilmeğin ucunda can vereceğim. Evet, hissediyorum; her an, her saat, her gün çember daralıyor. O yüzden yazıyorum bu satırları sana.

Peşimdeler Ester... Eski ittihatçıların hiçbirine hayat hakkı tanımayacaklar. İzmir Suikastı bir bahane. Nihai hesaplaşma başladı. İzmir'de kurulan darağaçları yetmedi, Ankara'da da astılar bizimkileri. Suçlu suçsuz ayırt etmiyorlar. Kara Kemal ki, asla bulaşmamıştır bu suikasta, onu bile ortadan kaldırdılar. Güya intihar etmiş, hem de bir kümeste. Olacak iş mi bu? Kendini öldürdüğü yetmiyormuş gibi bu işi bir de kümeste yapıyor. Düpedüz itibarsızlaştırma. Tek tek ortadan kaldırıyorlar herkesi. Artık eminim, sıra bana geliyor. Bu kadar ittihatçıyı zindana atan, sürgüne yollayan, öldüren irade beni sağ bırakır mı? O sebepten taşındım Beşiktaş'taki evden. Pera Palas'a bu sebepten geldim. Ev sahibem Madam Melina da ölünce, beni dert edecek kimse kalmadı şu koca dünyada.

Tutuklanırsam birileri beni görsün, öldürülürsem birileri fark etsin diye. Ölmeyi göze aldım ama onursuzca olmasın istiyorum bu iş. Kara Kemal'in başına gelen benim başıma da gelmesin. Hayır, vesvese yapmıyorum, bundan adım gibi eminim. Halbuki hiçbir tehlike arz etmiyorum onlar için. Ama fark etmez, belli ki kalemimiz kırılmış, belli ki dönüş yok bu karardan.

Peşimdeler Ester... Kendimi acındırmaya çalışmıyorum, merhamet dilenmiyorum. Fakat sana yazmak mecburiyetindeyim. Lütfen beni affet, lütfen bana kızma... Evet, biliyorum kırgınsın... Belki de bana inanmayacaksın. Hâlâ siyasi maksatlar peşinde olduğumu düşüneceksin. Hayır, şerefimle temin ederim ki böyle bir niyetim yok. Bunu bir dertleşme sanma, günah çıkarma olarak da görme, bir tür kendi kendine hesaplaşma diyebilirsin. "Kendinle hesaplaşıyorsan niye beni karıştırıyorsun?" diye sorabilirsin. "Bunca yıldan sonra nerden geldim aklına?" diye sitem edebilirsin. Aslında hiçbir zaman çıkmamıştın ki aklımdan. Hiçbir zaman senden ayrı bir ben olmamıştı ki...

Evet, sözlerime inanmasan da hakikat bu. Selanik'in dar sokaklarında beni bırakıp gittiğin o gün, belki de bilhassa o gün deli gibi âşıktım sana. "Hayır, ben değil, sen bıraktın," diyeceksin. "Aldığımız karara uymadın, beni yalnız koydun," diyeceksin... Evet, haklısın, öyle yaptım. Bu münasebeti bitiren sen değil, bendim... Niye mi? Vatan için, millet için, o mukaddes dava için diyebilirim ama eksik kalır. Mesele çok daha karışık... İşte biraz da bu sorunun yanıtını bulabilmek için yazıyorum. Çünkü seni niye terk ettiğimi aslında ben de tam olarak bilmiyorum. Belki başa dönersem, belki yaşadıklarımızı yeniden hatırlarsam, belki yeniden yaşamaya başlarsam, neden kaçtığımın yanıtını bulmuş olacağım...

Biliyorum, belki de sana yolladığım zarfları hiç açmayacaksın, tek satırını bile okumayacaksın yazdıklarımın. Hiç önemli değil. Zarfları açmasan da ben, yazdıklarımı okuduğunu hayal ederek, ömrümün son günlerini mesut bir adam olarak geçireceğim. Evet, gözlerimi, aklımı, yüreğimi, hakikate kapatacağım, ruhum ne istiyorsa, onu gerçekleşmiş sayacağım. Diyeceksin ki bu bencillik, hatta zalimlik, belki de rezilce... Bütün aşağılamaları kabul ediyorum. Üstelik bu davranış hiç de yakışmıyor bana. Senin bildiğin Şehsuvar Sami bu tür ucuzluklara kalkışmazdı, böyle pespayelikler peşinde koşmazdı, haklısın ama yaşadıklarımı birine anlatmam lazım. Ve ne yazık ki bu çığırından çıkmış dünyada, vatan olma vasfını çoktan yitirmiş bu ülkede, sırlarımı paylaşacağım senden başka kimsem yok.

"Söyle bana Şehsuvar, katil mi olacaksın?"

❊

Merhaba Ester, (1. Gün, Öğleden Sonra)

Bu öğleden sonra sesini duydum odamda. "Katil mi ola-caksın?" Rüya değildi, vallahi değildi, o kadar yakından geli-yordu ki sesin, sanki yanıbaşımdaydın. Öfke, kaygı dolu his-lerle azarlıyordun beni:

"Söyle bana Şehsuvar, katil mi olacaksın?"

O kadar sahiciydi ki sesin, aptalca bir beklentiye kapıldım; gözlerim telaşla taradı belki de ömrümün son günlerini ge-çirdiğim bu hüzünlü otel odasının her bir köşesini. Elbette yoktun, yine de kalkıp banyoya bile baktım, hatta kapıyı açıp koridora... Yoktun, olamazdın. Bu sözleri çok önce, henüz bedenimiz bu kadar yorgun düşmemiş, henüz ruhumuz bu kadar örselenmemiş, henüz gönlümüz umutlarla doluyken söylemiştin...

Yaz sonuydu... Asmalardan sarkan mor üzümlerin şenlen-dirdiği o bahçedeydik, balıkları çoktan ölmüş taştan havuzun başında... Sararmaya başlayan yapraklardan daha solgun gö-rünüyordu yüzün, hiddetle gözlerini bana dikmiştin. Aslında tahmin ediyordun Paris'e seninle gitmeyeceğimi. Belki de ce-miyete katıldığımı duymuştun, duymasan bile hissediyordun.

"İttihat ve Terakki'ye katılacağım," dediğim an, dayana-mayıp patlamıştın: "Katil mi olacaksın?"

İlk kez bu kadar öfkeli görüyordum seni, bu kadar çaresiz, bu kadar umutsuz... Teskin etmeye çalıştıysam da dinlemedin. Doğru da yaptın, çünkü yalan söylüyordum, işin aslı çoktan katılmıştım cemiyete.

Evet, utanarak yazıyorum, senden gizlediklerim arasında bu da vardı. Beni azarladığın o günden bir yıl önce, 1907 yılının yazı... Hani sen Paris'ten, Baudelaire'in mısralarıyla süslü mektuplar gönderiyordun ya bana.

"O akşamlarda gün batımı, tarlalar ve kanallar.

Ve şehri olduğu gibi yakutlara, altınlara boğar."

Şiirin, aşkın ve hürriyetin payitahtını anlata anlata bitiremiyordun.

"Mutlaka kaçmamız lazım," diyordun. "Burada yaşamalıyız... Lüksemburg Bahçeleri'ne bakan çatı katındaki küçük bir evde... İlk romanını yazmaya burada başlamalısın, ağaçların yaprakları tatlı bir kederle solarken..."

Pantheon'da dolaşıyordun. Alnında "Vatan, Büyük İnsanlara Minnettardır," yazılı o medeniyet mabedinde, Voltaire, Victor Hugo, Jean-Jacques Rousseau'nun mezarlarını tavaf ediyordun...

"İşte özgür düşüncenin sarayı... Dillerden, dinlerden, ırklardan kurtulmuş insanlığın mekânındayım. Bizim yerimiz burası... Vive liberté, égalité, fraternité! Yani yaşasın hürriyet, müsâvât, uhuvvet!"

O sokaklarda ben de yürümüştüm, ben de o büyük insanların heykellerini bir parça şaşkın ama hep hayranlıkla seyretmiştim. Neler hissettiğini o kadar iyi biliyordum ki, yazmadıklarını bile. Üstelik sen o tutku dolu mektupları kaleme alırken, ben de ardı ardına sıraladığın o sloganları, ülkemizde hakim kılmak için cemiyete katılmakla meşguldüm.

"Yaşasın hürriyet, yaşasın eşitlik, yaşasın kardeşlik..."

Evet, sen Paris'te o büyük insanların mezarlarının arasında dolaşırken, ben de onların ideallerini rehber olarak seçmiştim kendime. Belki bütün hayatımı değiştirecek, belki sevdiğim insanları mutsuz edecek, belki ölümüme yol açacak bir rehber. Yanlış anlama, cemiyete katılmamdan seni sorumlu tutuyor değilim, hatta beni yemin törenine götüren kişi Leon Dayı olmasına rağmen bunu söylemem haksızlık olur...

Evet, Leon Dayı... Onun adını okuyunca eminim çok şaşıracaksın. Ne var ki, hakikat bu; beni cemiyete tavsiye eden kişi oydu. Yıllarca sakladım bunu ama artık saklayacak sır kalmadı. Ne sır, ne cemiyet ne de korunması gereken dava arkadaşları... Ama 1907 yılının o yaz akşamında beni, cemiyet evine götüren Leon Dayı gizliliğe azami ölçüde riayet ediyordu.

Leon Dayı'ya sakın kızma. O iflah olmaz bir romantikti. Üstelik cemiyetteki çoğu insan gibi parçalanmakta olan bir imparatorluğu kurtarmaktan çok, Fransız İhtilali'nin şiarlarıyla sarhoş olmuş, inkılapçı bir romantikti. Aslına bakarsan ben de öyleydim, hepimiz öyleydik. Ama o, hepimizden farklıydı, belki de sosyalist bir düzenin hayallerini kuruyordu. Şu sendikacı Avram'ı hatırlarsın... Hani Bulgar kökenli olan... Ne kadar sıkı fıkılardı onunla. Bir defasında da *Komünist Manifesto*'yu tutuşturmuştu elime...

"İhtilale bir de bu açıdan bak bakalım..."

Okudum ama bana pek hitap etmedi... Her neyse, elbette Leon Dayı bizi ayırmak maksadıyla teklif etmedi cemiyete girmemi, -gerçi seninle birlikte olmamızdan pek hoşnut olduğunu söyleyemeyeceğim. Neyse, tek amacı vardı onun, benim hürriyet davasında yerimi almam. Onu hiç suçlamadım zaten. Kan bağımız yoktu ama hayatta en fazla önemsediğim insanlardan biriydi. Dünyaya bambaşka gözlerle bakmamı sağlamıştı. Yeri gelmişken bir itirafta daha bulunayım. Yahudilere karşı taşıdığım önyargıyı kıran kişi de oydu. Evet, senden çok önce... Belki bizi birbirimize hazırlayan da oydu. Elbette farkında olmadan...

Evet, senin Paris'te yaşayacağımız günlerin hayalleriyle başının döndüğü o gecelerden birinde, Leon Dayı cemiyete katılmam için yemin törenine götürmüştü beni. Daha arabada bağlamıştı gözlerimi, gideceğimiz yeri görmemem gerekiyordu ama limana inen dar sokaklardan birinde olduğumuzu biliyordum. Uzaktan uzağa gelen seslerden, kokulardan, rüzgârın taşıdığı tuzlu nemden anlamıştım bunu. Biraz zorlasam hangi sokakta olduğumuzu çıkarabilirdim ama yapmadım; zihnimi kapadım, keşfetmemeyi, bilmemeyi, anlamamayı seçtim. Düzayak, giriş katındaydı gittiğimiz ev. Ev olduğundan da emin değildim aslında, belki bir devlet dairesiydi, belki de bir avukatlık bürosu. Dediğim gibi, azıcık kafa yorsam elimle koymuş gibi bulurdum orayı, yapmadım. Çaldığımız kapı açılmadan önce, ince bir erkek sesi:

"Kim o?" dedi içeriden.

"Hilal" diye parolayı söyledi Leon Dayı.

Hepsi bu, sonra kilidin sesini duydum, hiç gıcırdamadan açıldı kapı.

"Buyurun," dedi az önceki ince erkek sesi.

Sert bir tütün kokusu çarptı burnuma.

"Benden buraya kadar," dedi Leon Dayı. "Artık bu arkadaşa emanetsin. Tanrı yardımcın olsun."

Bir şeyler mırıldandım ama o kadar heyecanlıydım ki, ne dediğimi ben bile anlamadım.

"Şöyle geçelim," dedi sigara tiryakisi adam. Koluma girdi, usulca sürükledi beni içeriye. "Sola doğru döneceğiz, dikkat et," diye uyardı. Beş on adım attıktan sonra, "Bir kez daha sola," diye mırıldandı. Biraz ilerledik, "Şimdi sağa dönüyoruz, tamam dur." Durduk, bir başka kapıyı açtı. "Evet, içeri giriyoruz."

Girdik. Belli belirsiz bir küf kokusu çarptı burnuma, nedense bir şarap mahzeni geldi aklıma. Gözlerimi kapatan bezin karanlığı aydınlanır gibi oldu ama hiçbir şey seçemiyordum hâlâ. Zannederim bir ışığın altına gelmiştim. Soluğu tütün kokan adam beni bırakıp çekildi. İşte o anda duydum öteki sesi.

"Neden cemiyetimize katılmak istiyorsun?"

Tok, kendinden emin bir ses. En küçük bir dostluk belirtisi yoktu, düşmanlık da yoktu, askerî bir emir gibi duygusuzdu, soğuktu.

"Va... Vatan," diye kekeledim. "Vatanın kurtuluşu için, hürriyet için, kardeşlik için..."

Tam kendimi toparlayıp meramımı anlatmaya başlamıştım ki, o ses yeniden gürledi.

"Bu davanın büyük fedakârlıklar istediğini, gerekirse ölmek, öldürmek zorunda kalacağını biliyorsun, değil mi?"

Cevap vermeden önce ardı ardına yutkundum sonra sözcükler kendiliğinden döküldü ağzımdan...

"Biliyorum... Bu kutsal mesele için, bu vatan için ölürüm, öldürürüm. Hayatımın başka bir maksadı yoktur..."

Kısa bir sessizlik oldu, ayak sesleri duydum, yankıları gitgide artan ayak sesleri, sonra o tütün kokusu. Birinin gözümdeki bezi çıkardığını fark ettim. Işıktan gözlerim kamaştı. Kafalarına siyah kukuletalar geçirmiş, siyah pelerinler içinde üç adam oturuyordu karşımdaki üç koltukta. Aramızda sadece bir masa vardı. Boyları posları nasıldır anlamam mümkün değildi ama o siyah pelerinlerin içinde olduklarından daha iri göründükleri muhakkaktı.

"Yemin etmelisin," dedi orta koltukta oturan adam; bu, deminden beri duyduğum sesin sahibiydi. Pelerinin altından çıkardığı eliyle, masanın üzerini gösterdi. *"Kur'an*, silah ve bayrak üzerine yemin et!"

Sağ elimi *Kur'an*'ın, sol elimi tabancanın üzerine koydum. "Vatan için, hürriyet için, kardeşlik, eşitlik ve adalet için kanımın son damlasına kadar mücadele edeceğime yemin ederim."

"Aramıza hoşgeldin," diye gürledi. "İttihat ve Terakki Cemiyeti'ne üyeliğin hayırlı olsun... 1117... Evet, üyelik numaran. Bu sayıyı hafızana hiç silinmeyecek şekilde kaydet. Sakın, ama sakın unutma. Yeminine sadık kalmanı, vatanseverlik haysiyetini kanının son damlasına kadar korumanı temenni ederim. Allah yardımcın olsun."

İşte böyle başladı cemiyetteki maceram. Aslında yemin töreninin bütün görkemine rağmen beni çok önemsediklerini düşünmüyordum. Ritüelleri böyle herhalde diye geçiriyordum içimden ama yanılıyormuşum. İki hafta sonra vazifelendirildim. Hayır, tehlikeli işler değildi bunlar. Kurye olarak çalışıyordum. Defalarca Selanik'ten, Manastır'a, Manastır'dan Üsküp'e, Üsküp'ten Ohri'ye gidip geldim.

"Çok temiz bir yüzün var," diyordu cemiyetteki bağlantım. "Kimse senden şüphelenmez. Üstelik gözleri hep askerlerin üzerinde, senin masum görünüşlü, genç biri olman büyük avantaj."

Ama bir süre sonra sıkıldım. Vatanın kurtuluşu için sadece kuryelik yapmak, bununla mı geçecekti ömrüm? Yine de bu meseleyi dile getirmedim. İyi ki de getirmemişim. Sabreden derviş misali sonunda muradıma erecektim... Muradıma ermek dediğim hadise, sen uyarmadan önce beni katil yapacak olan vakaydı.

Kimden bahsettiğimi bilmiyorsun ama anlatacağım. Bu sabah odamda yapayalnız otururken kulaklarımda bir kez daha çınlayan o soru: "Katil mi olacaksın?" aslında geç kalmış bir ikazdı. Evet, sen o soruyu sormadan çok önce, ben katil olmuştum!

"Zamanı gelmiş fikirden daha güçlü bir şey yoktur."

※

Sevgili Ester, (1. Gün, Akşamüzeri)

"Mühim olan korkuyu yenmek," derdi rahmetli babam. "Yoksa o melun his rezil eder, yerin dibine sokar insanı." Babamın sözlerini hatırlamama sebep olan olay bu öğleden sonra vuku buldu. Sana yazmak için masanın başına oturmuştum ki, sesler duydum, evet, kapının önünde... Ayağa kalkıp dışarıyı dinledim. Koridorda bir şeyler oluyordu... Bağırış, çağırış, patırtı gürültü... Polisler zannettim. Galiba o an gelmişti. Bileklerime kelepçeyi vurup sürükleyerek götürecekerdi beni buradan. Bu kadar çabuk mu? Niye şaşırıyorum ki? Onları beklemiyor muydum zaten? Evet, sonunda kapıyı çalmaya başladılar... Kendimi toparlayıp açtım ama karşımda asık suratlı polisler değil, kat hizmetlisi kadın duruyordu. Gözleri iri iri açılmıştı, telaşla,

"Yangın!" diye bağırıyordu. "Yangın çıktı beyim, yangın... Lütfen aşağıya inin."

Birden gülmeye başladım. Zavallı kadın neler olup bittiğini anlamadan, şaşkınlıkla bakarken, ben kahkahalarla kendi halime gülüyordum. Neyse, apar topar indirildik aşağıya. Lobi ana baba günü... Ayılıp bayılan kadınlar mı dersin, çığlık atanlar mı? Allahtan başka yerlere sıçramadan alevler söndürüldü de yeniden döndük odalarımıza.

Hemen oturamadım yazdıklarımın başına... Yatağımın dayalı olduğu duvarda, koyu kahverengi konsolun birkaç karış yukarısına asılmış gümüş çerçeveli bir fotoğraf var. Önceden de görmüştüm ama, şimdi sana bu satırları yazarken, daha da önem kazanıyor bu fotoğraf. Üzerinde Pera Palas'ın bulunduğu Rue des Petit Champs'in fotoğrafı bu. 24 Temmuz 1908'de çekilmiş. Küçük meydan hıncahınç insan dolu. Fotoğrafın altında Fransızca şöyle yazıyor: "24 Temmuz 1908'de askerî öğrencilerin yeniden ilan edilen anayasa şerefine yaptığı gösteri." Bundan tam 18 yıl önce...

Bu fotoğrafın bulunduğu odada kalmam da sanırım bir tesadüf değil. Pera Palas'ın genç müdürü Reşit, Trablusgarp'ta şehit düşen Selanikli Tüfekçi Yusuf'un oğlu. Çocukluğunu bilirim Reşit'in, bir yaz Fransızca dersi vermişliğim bile vardır. Üstelik o da benim gibi Galatasaray Sultanisi mezunu. Yani bir tür ağabeyiyim onun. Zannederim biraz da bu sebeple, evine gelmiş kıymetli bir misafirmişim gibi ağırlıyor beni; öyle alakalı, öyle hürmetkâr. Üstelik başımın belada olduğunu bilmesine, beni korumaya kalkışmanın kendisine çok pahalıya mal olacağının farkında olmasına rağmen. Onun elaya çalan kestane rengi gözlerinde, o hayranlıkla karışık saygı ifadesini görmek tarifsiz bir mutluluk veriyor bana. İnsanlara hâlâ itimat etmemi sağlıyor. Yani demem o ki Esterciğim, belki de Reşit bilhassa bu fotoğrafın asılı olduğu odayı verdirmiştir bana. Bir tür yadigâr-ı hürriyet olarak. Bilmiyorum, belki aldanıyorumdur, belki de bu odada kalıyor olmam sadece güzel bir tesadüftür ama itiraf etmeliyim ki, ilk ihtimalin hakikat olması daha çok hoşuma giderdi.

24 Temmuz 1908... Aslında 23 Temmuz 1908, yani bu fotoğraf çekilmeden bir gün önce. Hatırlarsan, o gün, Basra Körfezi'nden Adriyatik'e kadar bütün Osmanlı yurdunun kaderini belirleyen bir inkılap gerçekleşmişti. Şimdi önemsizleştirilmeye çalışılsa da o yaz olanlar, sadece ülkemizin değil, bütün dünyanın kaderini etkileyecek devasa bir sarsıntıydı. Sultan'ın emriyle yıllardır rafa kaldırılan anayasa, milletin isteğiyle yeniden yürürlüğe giriyordu. Hem de öncekinden çok daha fazla haklar sunarak. Önce Manastır'da duyuldu hürriyetin sesi, ardından üç kıtaya birden yayıldı. O ses o kadar güçlü, o kadar haklı ve o kadar zaruriydi ki, çaresiz kalan despot, anayasayı yeniden kabul etmek zorunda kaldı. Oysa

senin de bildiğin gibi Abdülhamit, mecbur kalmadıkça ne bir adım ileri ne de bir adım geri giderdi...

Evet, hayallerimizdeki hürriyetle o gün tanışmıştık; 23 Temmuz 1908'de... Selanik'te... O günü hatırlıyor musun? Nasıl da tatlı bir meltem esiyordu o sabah. Sadece tenimizi değil, gönlümüzü, ateşler içinde yanan aklımızı da okşuyordu sanki. Derin bir maviliğe bürünmüştü deniz, sanki binlerce yıl öncesinin kahramanları çıkıp gelecekti ufuktan uzun gemileriyle...

Erkendi, çok erken buluşmuştuk... Kıpırtılı denizin kıyısındaki küçük parktaydık. Genellikle tenha olan o avuç içi kadar yeşillik, nasıl da kalabalıktı. Her zaman oturduğumuz, dut ağacının altındaki o ahşap banka beş kişi birden çökmüştü. Herkes sokaklardaydı, herkes yürüyor, herkes konuşuyor, herkes tartışıyordu. Yüzlerce yıllık suskun duvarlarda beyannameler hep aynı talebi haykırıyordu: "Kanun-i Esasi yürürlüğe girsin!" "Yaşasın Meşrutiyet!" Renk renk pankartlarda aynı slogan patlıyordu: "Yaşasın Hürriyet, Yaşasın Eşitlik, Yaşasın Kardeşlik, Yaşasın Adalet!"

Çocuklar gibi mesuttuk, çocuklar gibi mesuttu insanlar... Namık Kemal'in dizelerini okuyordum sana:

"Ne efsunkâr imişsin âh ey didâr-ı hürriyet

Esir-i aşkın olduk, gerçi kurtulduk esaretten..."

Herkesin, hepimizin yüzünde taptaze bir heyecan, alışılmadık bir güzellik... Yepyeni bir şey başlıyordu şehirde, en cahil olanlar bile hissediyordu bunu. Gemiciler, hamallar, ırgatlar, hatta etini satan kadınlar. Ve zenginler, tütün fabrikalarının sahipleri, tüccarlar, bankerler, masonlar... Türkler, Yunanlar, Bulgarlar, Arnavutlar, Sırplar... Osmanlı sancağı altında toplanmış ne kadar millet, Müslüman, Hıristiyan, Musevi ne kadar din ehli varsa bu şehirde, o gün hepsi sokaktaydı. Ayrılığı gayrılığı unutmuş yeni bir toplum için omuz omuza vermişlerdi...

Bunları zaten biliyorsun, bilmediğin o mahşeri kalabalıktaki en mesut kişinin ben olduğumdu. Sadece ideallerimin gerçekleştiğini gördüğüm için değil, aynı zamanda yanımda sen olduğun için... Belki bu satırları okurken buruk bir gülümseme belirecek dudaklarında, belki inanmayacaksın yazdıklarıma ama doğru söylüyorum. Yanı başımda dikilen o incecik bedenin, ikinci bir yürekmiş gibi avucumda atan minicik elin... Keşke hep böyle olsaydı, keşke hürriyet için dövüşürken yanımda hep sen olsaydın... Ama olmadı, olmuyormuş işte... O zamanlar aksini düşünsem de şimdi anlıyorum ki, kader karşısında hep acze düşermiş insan. Vatanı kurtaracak iradeye sahip olsa bile, kendi ömür çizgisini değiştirecek kudreti bulamazmış kendinde. Mazeret olsun diye söylemiyorum, eğer peşimdekiler fırsat verir de, eğer ömrüm vefa eder de, aklımdaki ve yüreğimdekileri anlatabilirsem sana, daha iyi anlayacaksın ne demek istediğimi...

O muhteşem güne geri dönelim yine. Sahil boyunca akan kalabalığa karışarak Olimpos Meydanı'na ulaşmıştık. Hiç bırakmamıştım elini, kimse görmemişti bizi. Görse de umurumuzda değildi bir Müslüman'ın bir Yahudi kızın elini tuttuğunun fark edilmesi. Ülkede ihtilal olurken kim aldırırdı ki böyle bir münasebetsizliğe? Hürriyet artık bu şehrin havasına, suyuna, toprağına karışmıştı. Evet, sadece biz iki aptal âşık değil, bütün bir Selanik; denizi, gökyüzü, ağaçları, sokakları, binaları ve insanlarıyla tek vücut, tek ses, tek irade olmuş tarihin o haklı isteğini yerine getiriyordu. Ve hiç kuşkusuz inkılap anında hoşgörüyü en fazla hak eden eylem, aşk olacaktı.

Olimpos Meydanı'ndaki kahveye girdiğimizde çoktan tıklım tıklım dolmuştu içerisi. İnsanların gözlerinde umut, yüreklerinde sevinç, sıkılı yumruklarında inanç vardı.

"Olması gerekeni istiyoruz," diyordu konuşmacı. "Hürriyeti seçmiş ülkelerde ne varsa, biz de onu istiyoruz. Vatanın kalkınması için başka çare yok."

Sonra sokaklara vurmuştuk yeniden kendimizi, başımızda denizden esen meltemin değil isyanın sarhoşluğu... Ve sen o kadar güzeldin ki, bir köşe başında dayanamayıp dudaklarından öpmüştüm seni. Kıpkırmızı olmuştu yanakların, usulca itmiştin beni,

"Yapma," demiştin. "Paris'te değiliz. İnkılap tamam, ama Selanik'te kimse bu kadarını kaldıramaz."

Sonra koşmaya başlamıştık sahil boyunca çocuklar gibi, kimse kınamıyordu, kimse tuhaf tuhaf bakmıyordu ardımızdan. Fevkalade günler, fevkalade hisler oluşturuyordu insanlarda. Binlerce yıllık gelenekler, hemen ortadan kalkmasa da birkaç günlüğüne unutuluyordu.

Nitekim o gece, sabaha kadar hürriyeti tattı şehir. İnkılabın renkli bayrağı aynı coşkuyla taşındı ertesi güne. Hiç kuşkusuz isyanın doruk noktası, Umumi Müfettiş Hüseyin Hilmi Paşa'nın vilayet konağında yaptığı konuşmaydı. Yani Yıldız Sarayı'ndaki despotun teslim olduğunun delili olan, o telgrafın okunduğu an... Vilayet konağının geniş bahçesindeki kalabalığı yararak, Hilmi Paşa'ya yaklaşmıştık. Her zaman hem Abdülhamit'e hem de bizim cemiyete yakın durmayı başarmış paşanın yüzünde şaşkınlıkla karışık bir heyecan vardı. Kırçıl bıyıkları gerginlik içinde titriyor, gür sesi boğuk çıkıyordu. Güya yeni anayasanın ilan edildiğini müjdeleyen telgrafı okuyordu ama bakışları, yüzündeki kıpırtılar tereddüt doluydu. Ya, bu anayasa da otuz yıl önce olduğu gibi rafa kaldırılırsa? Ya, sultan, dağdaki çeteleri ya da imparatorluğun toprak kayıplarını bahane ederek monarşiye geri dönerse? Ya, bu işe bulaşmış zabitlerden hesap sormaya kalkarsa? Ama katiyetle yanılıyordu, bu akış geri döndürülemezdi. Sadece bizim vatanımızda değil, daha üç yıl önce Rusya'da ayaklanan halk, iki yıl önce İran'da patlak veren inkılap gösteriyordu ki, komşu ülkelerde de insanlar hürriyet istiyordu artık. İçeride ve dışarıda şartlar müsait hale gelmiş, meşrutiyetin doğumu başlamıştı. Victor Hugo'nun söylediği gibi: "Zamanı gelmiş fikirden daha güçlü hiçbir şey yoktur."

Fakat bu fikrin başarıya ulaşması için elbette bedel ödenmesi, cesaret gösterilmesi, can alınıp can verilmesi gerekiyordu. Evet, tıpkı insanın doğumu gibi yeni dönemin ebesi olan inkılap da kansız olmazdı. Bu adeta kadim bir kanundu. Ama tarihsel kanunları uygulamak için her zaman kahramanlara ihtiyaç vardı. İsimlerini sayamayacağım, o kahramanları sen de çok iyi tanıyorsun. 1889'da kurulan İttihad-ı Osmanlı Cemiyeti'nden bu yana sürgüne, zindana ve ölüme aldırmadan meşrutiyet için dövüşen o aziz insanlar... Fakat o zamanlar erkendi, demir henüz tavına gelmemişti. Tarih mührünü henüz bize vermemişti. Ta ki 1906 yılında Makedonya'daki uyanış başlayıncaya kadar. Ta ki iki sene sonra Kolağası Resneli Niyazi pala bıyıklarını burup, 1908'de askerleriyle dağa çıkıncaya kadar. Ve onu Ohrili Eyüp Sabri ve Kolağası Enver'le öteki hürriyet mücahitleri takip edinceye kadar.

Ama despot anında tepki göstermişti bu isyana. Abdülhamit, Yıldız Sarayı'ndan yönettiği o karanlık ve kanlı rejiminin sonsuza kadar sürmesi için paşalarının en acımasızını yollamıştı vatan evlatlarının üzerine. Evet, Şemsi Paşa'dan söz ediyorum. Padişahın eli kanlı Arnavut celladından. İsmini duyan Arnavutların bile korkuyla titredikleri o despottan. O despotun 7 Temmuz 1908'de, yani bizim inkılap aşkıyla sokaklara döküldüğümüz günden 16 gün önce öldürülmesinden söz ediyorum. Evet, bu kez sultanın değil, vatanseverlerin dediği olmuştu, inkılabı boğmaya gelen zalim, kendi kanında boğulmuştu.

Hayır, o suikastta tetiği ben çekmedim ama o cinayet işlenirken oradaydım. Suçumu hafifletmek için söylemiyorum, eğer "tetiği çek" deselerdi, gözümü kırpmadan onu da yapardım. Çünkü vatanın içine düştüğü vaziyet bunu gerektiriyordu. Şemsi Paşa bu topraklarda yanmaya başlayan hürriyet ateşini söndürmek istiyordu. O, bunu yapamadan, biz onun hayat ateşini söndürdük.

"Hiç şikâyet etme, senin kararın."

İyi Akşamlar Ester, (1. Gün, Akşam)

Yazdıklarımı bu akşamüstü gönderdim sana. Karanlık çökmeden hemen önce, otelin postanesinden... Cadde-i Kebir'deki umumi postane hiç emniyetli değil, zaten otelden çıkar çıkmaz düşüyorlar peşime. Bazen sinsice, bazen göstere göstere. Sanki korkmamı, telaşa kapılmamı, belki de kaçmamı istiyorlar. Hayır, bu mutluluğu tattırmayacağım onlara. Hiçbir zaman "Şehsuvar Sami panikledi," diye kayıt düşemeyecekler takip raporlarına. Ama yazdıklarımın sana ulaşmasına da engel olmalarını istemiyorum. Bu yüzden otelin içindeki küçük postaneden gönderiyorum mektuplarımı.

Keşke hepsini bir anda yazabilsem, keşke bir çırpıda dökebilsem içimdekileri... Sabırsızlığımdan değil, endişemden... Sana yolladığım mektupta yer alanlar anlatacaklarımın çok küçük bir kısmı. Belki bir girizgâh, belki bir romanın ilk sayfaları... Son yirmi senenin dökümü, son yirmi senede altüst olan bir dünyanın, altüst olan bir imparatorluğun, altüst olan hayatlarımızın hikâyesi. Yeryüzünü kana bulayan o lanet olası umumi harbin, yok olan ideallerin, umutların, inançların, ama asla bitmeyen bir aşkın hikâyesi... Dur hemen çatma kaşlarını. Biliyorum yaşadıklarımızdan sonra aşktan bahsetmeye hakkım yok. Ama ne olur, yazdıklarıma inanmasan da, karar vermek için hiç değilse son satırı bitirmeyi bekle. Rica ediyorum, hiç değilse bu kadarını esirgeme benden...

Yazdıklarımı postaneye götürürken merdivenleri değil, asansörü kullanmıştım. Bilirsin hep meraklıydım makinelere. Üç Fransız hanımla indik aşağıya. Ne yalan söyleyeyim üçü de çok şıktı, çok güzel kokuyordu. Paris'te Ahmed Rıza Bey'le yemeğe gittiğimiz Rue des Ecoles'deki restoranı hatırladım. Henüz yirmi yaşında bile yoktuk, restoran güzel hanımlar ve şık beylerle doluydu, ama o salondaki en güzel kız sendin. Fakat itiraf etmeliyim ki, o anda gözüm seni dahi görmüyordu, pürdikkat Ahmed Rıza'nın söylediklerini dinliyordum. Ülke hakkında, dünya hakkında, din hakkında söylediklerini. Ne kadar cüretkârdı, ne kadar mantıklı, sözlerini hep bilimle bağlıyordu. O sıralar hayatın sadece akıldan, mantıktan, bilimden ibaret olduğunu zannediyordum. İnsan iradesinin bütün bir toplumu, hatta bütün dünyayı, tarihi değiştirebileceğini sanıyordum. Ahmed Rıza'nın sözleri tek tek çözüyordu zihnimdeki düğümleri. Bütün sorularımı cevaplıyor, bütün tereddütlerimi gideriyordu. O benim için sadece İttihat ve Terakki'nin fikir babası değil, ulvi bir bilgeydi, çok kıymetli bir Osmanlı aydını... Sen de gözlerinle gördün, Fransızlar nasıl saygıyla yaklaşıyorlardı ona.

Ahmed Rıza o zamanlar benim tek kahramanımdı. Aslında, zaman zaman keşke hep öyle kalsaydı, keşke ben de bu büyük münevverin yolundan gitseydim diye düşünüyorum. Eğer öyle olsaydı senin dileğin de gerçekleşmiş olurdu. Ve ben bugün, bu otel odasında kıstırılmış bir av hayvanı gibi yakalanmayı beklemek yerine, belki romanlarıyla tanınan bir yazar olurdum. Belki fikirlerimle çok daha faydalı olurdum memlekete... Belki romanlarım görünmez bir koruyuculuk zırhı da sağlardı bana...

Sağlar mıydı? Halide Edip Hanım'a sağladı mı? Kadıncağız şimdi kim bilir hangi ecnebi ülkede ayakta kalmaya çalışıyor. Öyle bir zamanda yaşıyoruz ki bırakalım yarınımızı, bugünümüzden emin olmak bile mümkün değil. Yine de pişman değilim, sadece büyük bir öfke var içimde, derin bir hayal kırıklığı. Bütün hayatımı elimden almışlar gibi. "Hiç şikâyet etme, senin kararın" diyeceksin, haklısın. Bunu ben tercih ettim, üstelik istediğim başka bir hayat olmasına rağmen, üstelik sana rağmen... Neyse, bu konuya geri döneceğiz nasılsa... Ben hikâyemi anlatmaya devam edeyim istersen; 1908 Temmuz'unun sıcak günlerinden bahsediyordum, Meşrutiyet'in hemen öncesinden, ilk suikastımdan, Manastır'ın ortasında, ahalinin gözleri önünde Şemsi Paşa'yı nasıl katlettiğimizden.

3 Temmuz 1908'i hatırlar mısın bilmem. Kolağası Resneli Ahmed Niyazi'nin dağa çıktığı gün... Büyük olaylar zincirinin başladığı gün... Zabitlerinin isyan ettiğini duyan Abdülhamit işin ciddiyetini hemen anladı mı bilinmez ama her zamanki pimpirikliliğiyle derhal harekete geçti. Hamlesi çok akıllıcaydı. Bütün Arnavutların takdirini kazanmış, Makedonya'daki çetelerin korkulu rüyası Şemsi Paşa'yı, nam-ı diğer Şemso'yu vazifeye çağırmıştı.

"Aralarında ordu mensuplarının da bulunduğu kendini bilmez bir çete ayaklanarak dağa çıkmış, Devlet-i Aliyye'ye isyan etmiştir; ne kadar asker gerekiyorsa alınıp, ne tedarik yapılacaksa yapılıp, bu vatan ve millet düşmanlarının defteri tez dürüle ki, başka kendini bilmezlere misal olsun."

Şemso, Mitroviçe'de bulunuyordu o sıralar. Padişahtan gelen telgraf üzerine hiç vakit kaybetmeden hazırlıklara girişti. Pek de heyecanlanmamıştı tecrübeli asker; kim bilir bu bastıracağı kaçıncı isyan olacaktı, yok edeceği kaçıncı çete. Fakat ilk kez yanılıyordu. Bu defa karşısında ahalinin malına mülküne tasallut etmiş it kopuk takımı değil, milletin iradesini hakim kılmak, tarihin hükmünü yerine getirmek isteyen hamiyetli insanlar vardı.

Şemso'nun tedarikleri sürerken saraydan ikinci bir telgraf daha geldi. Bu ikinci telgrafta emir tekrarlanıyor ve Abdülhamit'in öyle her kuluna bahşetmeyeceği "selam-ı şahane" ekleniyordu en alta.

Padişahından gelen bu ulvi iltifatla iyice şevklenen yaşlı kurt, süratle ordusunu topladı. Kendisine tahsis edilmiş bir trenle, iki tabur asker ve otuza yakın Arnavut korumasıyla çıktı sefere. Fakat daha tren yola koyulmadan, haberini almıştı cemiyet. Ne pahasına olursa olsun, Şemsi Paşa'yla askerleri durdurulacaktı. Hemen, ilk istasyonda, yani Selanik'te. Selanik olmazsa Manastır'da, orada da olmazsa Resne'de. Olmazsa! Olmazsa diye bir şey yoktu. Ne pahasına olursa olsun, Şemsi Paşa'ya mani olunacaktı. İsyanı sürdürmenin başka yolu yoktu...

Nerden mi biliyorum? Çünkü Selanik'ten Manastır'a İttihat ve Terakki Merkez-i Umumisi'nin, "Eğer Şemsi Paşa Selanik'te vurulamazsa, Manastır teşkilatının suikast için lüzumlu hazırlıkları yapmasını" emreden mesajını taşıyan kişi bendim. Haberleşmek için şifreli telgraflar da kullanıyorduk ama Şemsi Paşa'nın öldürülmesi gibi hayati önem taşıyan konularda, cemiyetin güvenilir kuryeleri yola çıkarılıyordu. Teşkilata alındığımdan bu yana defalarca mesaj taşımıştım ama hiçbiri bunun kadar mühim değildi. Hiçbiri bu mesaj gibi hayatımı değiştirmeyecekti.

Hatırlayacağını zannetmiyorum ama bir gün önce sana "Dedemin miras meselesiyle alakalı olarak, Manastır'daki eniştemiz Mehmed Ali Bey'i görmeye gidiyorum," demiştim. Elbette yalandı, hem de o küçük beyaz yalanlardan değil, kanlı bir planı saklamak için söylenmiş sinsi bir yalan. Ama cemiyeti ve seni korumak için söylenmiş bir yalan. 5 Temmuz sabahı Şemsi Paşa Mitroviçe'den trene binerken ben de Selanik'ten ayrılıyordum. Bu acımasız adamın öldürülmesi mesajını götürüyordum Manastır'daki cemiyete.

"Neden bu kadar acımasız davrandınız?" diyebilirsin. "Neden paşayla konuşmak, onu ikna etmek yerine öldürmeyi tercih ettiniz?"

Aslında bu yolu denemek isteyenler de vardı. "Sonuçta Şemsi Paşa da bir Osmanlı zabiti, bizi anlayacaktır, memleket felakete gidiyor, onu da davaya kazanabiliriz," diyen arkadaşlarımız çıktı elbette. Nitekim onunla konuştular da, hem de bizzat müstakbel damadı, Manastır Jandarma Tabur Kumandanı Rıfat Bey. Üstelik son derece cüretkâr bir üslupla, "Askerlerimiz size itaat etmez" diye onu ikaz ederek. Ama Şemsi Paşa laftan anlayacak bir adam değildi. Hem sultana körü körüne sadıktı, hem de meşrutiyetten ve isyancılardan ölesiye nefret ediyordu. İnkılapçı zabitlere, onu ortadan kaldırmaktan başka çare bırakmamıştı.

Şemsi Paşa'nın treni 6 Temmuz'da gelmişti Selanik'e. Cemiyetin beklemeye hiç tahammülü yoktu, hemen o gün, orada defterini dürmek istiyordu bu eli kanlı zalimin. O sebepten daha geceden itibaren bizim fedailer istasyona yerleşmişlerdi. Ama işler planlandığı gibi gitmedi. Selanik'teki yetkililer de muhtemel bir suikasta karşı fevkalade emniyet tedbirleri almışlardı. Şemsi Paşa'nın Arnavut korumaları kimseye göz açtırmıyordu. Cemiyetin fedaileri, -ki aralarında Yakup Cemil gibi attığını vuran namlı adamlar olmasına rağmen- hedefteki paşanın yanına yaklaşamadılar bile. Artık tek ihtimal kalmıştı; onu Mareşallik Dairesi'ne giderken yolda öldürmek. Çünkü Şemso gelişmeler hakkında bilgi almak için İbrahim Paşa ile görüşmek istiyordu. Ne yazık ki, bu plan da uygulanamadı. Cemiyet gündüz gözüne, şehrin ortasında yapılacak bu saldırıda, tetiği çekecek fedainin yakalanmasından korktu. Yakalanan fedai konuşursa vay halimizeydi. Hele bir de Şemsi Paşa ölmezse... Abdülhamit'in hafiyeleri herkesi tutuklayarak, cemiyetin belini kırabilirdi.

Böylece sultanın vicdansız adamı, rahatça Mareşallik Dairesi'ne gitti. İbrahim Paşa, bu kıymetli misafiri alay-ı vâla ile karşıladı ama Şemso'nun kahvesinin keyfini çıkartabildiğini hiç zannetmiyorum. Müşir İbrahim Paşa vaziyetin vahametini bütün ciddiyetiyle anlattı ona. Bu, daha önce bastırılan bölgesel isyanlara hiç benzemiyordu. Ordudan, ahaliden, memleketin her kesiminden destek alıyordu. Daha birkaç gün önce, Beyaz Kule'nin bahçesinden çıkarken üzerlerine ateş açılan hükümet memurları Hacı Hakkı Bey ile Şuayip Efendi hadisesinden bahsetti. O suikastta Hacı Hakkı Bey sağ kurtulurken, Şuayip Efendi Allah'ın rahmetine kavuşmuştu.

Belki de ilk o zaman endişeye kapıldı bir yılan kadar soğukkanlı olan Şemsi Paşa. Belki de ilk o zaman anladı nasıl belalı bir işe bulaştığını ama elbette yılmadı. Ortalıkta Yıldız Sarayı'nın hükmü vardı, hem de Abdülhamit'in "selam-ı şahane"leriyle... Gerçi artık yaşı altmışa dayanmış, gözünün feri sönmeye başlamıştı, fakat o acımasız yüreği hâlâ çarpmaya devam ediyordu. Bir an kaygıya kapılmış olabilir ama sadece bir an, sonra "Bu kadar güç vazifelerden muvaffakiyetle çıktıktan sonra, nasıl olsa bu isyanı da bastırırım," diye kendini ikna etmiş olmalı ki, inkılapçıların üzerine yürümek için, vakit kaybetmeden tekrar istasyona dönmüştü.

İstasyonda gerilim son haddini bulmuştu, cemiyet fedailerinin hepsinin eli silahlarına yakın duruyordu, Şemso görünür görünmez basacaklardı kurşunu. Bir kez ellerinden kaçırmışlardı ama ikinci kez kurtulamayacaktı bu meşrutiyet düşmanı. Yine olmadı, sürpriz bir kararla cemiyet, paşayı Selanik'te vurmaktan vazgeçti. Bu suikasttan vazgeçilmesinin sebebi, istasyonda çıkacak büyük çaplı bir çatışmada yabancıların da ölme ihtimaliydi. Çünkü fedailer Şemso'ya ateş etmeye başlayınca, korumaların karşılık vermesi kaçınılmazdı. Eğer o arbedede yabancılar ölürse, başta İngiltere ve Rusya olmak üzere büyük devletlerin Makedonya'ya müdahalesi için iyi bir gerekçe ortaya çıkacaktı.

Daha birkaç hafta önce İngiliz Kralı VII. Edward ile Rus Çarı Nikola'nın Reval'de yaptıkları görüşmede vatanımız hakkında alınan yıkıcı kararlar biliniyordu. O yüzden cemiyet, Şemso'nun vurulmasını Manastır'a bıraktı. Bu karar, Şemsi Paşa gibi benim de kaderimi derinden etkileyecekti. Eğer Arnavut Paşa o gün, o istasyonda vurulsaydı, belki de cemiyetin fedailer örgütüne katılamayacak, sadece önemsiz bir kurye olarak kalacaktım. Belki de seninle birlikte hayallerimizi gerçekleştirecek, Yahudilerden, Türklerden, belki de bizzat tarihin kendisinden kaçarak Paris'te yepyeni bir hayata başlayacaktık... Olmadı... Demek ki sadece seçimlerimiz değil, rastlantılar da belirliyormuş insanın hayatını...

Kapı vuruluyor, oda hizmetlisi geldi galiba... Özür dilerim, mektubu yine kesmek zorundayım. Ama emin olabilirsin, çok ara vermeyeceğim.

"Ne yapıyorsun, asıl katil kaçıyor!"

✳

İyi Geceler Ester, (1. Gün, Gece)

İyi geceler, diyorum ama kim bilir bu yazdıklarım ne zaman eline geçecek, kim bilir günün hangi saatinde okuyabileceksin? Önemli değil, okuman kâfi elbette, ancak bu satırları yazarken nasıl bir ruh halinde olduğumu bilmeni istiyorum. Bu akşam, anlatacaklarımı bitiremeden çıkmak zorunda kalmıştım odadan. Oysa Şemsi Paşa'nın nasıl vurulduğunu, bu olayın benim hayatımı nasıl değiştirdiğini yazacaktım sana. Oda hizmetlisi, Reşit'in mesajını getirmişti. Akşam otelin restoranında yiyeceğimiz yemeği hatırlatıyordu. Birlikte vakit geçirirsek sıkıntılarımdan kurtulacağımı zannediyor bu nazik otel müdürü. Dertlerimi kendisiyle paylaşmamı istiyor. Halbuki bunu yaparsam onun da başını belaya sokmuş olurum. Hem rahmetli babası Yusuf Bey'in aziz hatırasına duyduğum hürmet, hem kardeşim yerine koyduğum bu genç adamın iyilikleri engel oluyordu sırlarımı onunla paylaşmama.

İşin kötüsü, bu ketumluğumu izah da edemiyorum. Belki anlatsam Reşit de bu kadar merak etmeyecek, bu kadar üzerime düşmeyecek. Ama yapamıyorum işte. Bu akşam da öyle oldu. Yemek boyunca, adabını, terbiyesini bozmadan sorular sordu. Ben de değme diplomatlara şapka çıkartacak bir söz cambazlığıyla, onu kırmadan sorularını savuşturup durdum. Çaresiz kaldığım anlarda da lafı yemeklere getirdim; ki, otelin aşçısı hakiki bir şölen sofrası hazırlamıştı bize. Kremalı tavuk çorbası, tereyağlı mercan filetosu, puf böreği, sebzeli piliç kızartması... Hele en son sunulan o tatlı... İncecik açılmış yufkalar fındık parçacıklarıyla doldurulmuş, kıvamında bir şerbetle tatlandırılmıştı... Sizin samsada tatlısına benziyordu. Paloma Nine nasıl da güzel yapardı samsadayı!

"Sefaradların İspanya'dan getirdiği en şahane tatlı," diyerek şen kahkahalarından birini koyverdikten sonra eklerdi: "Ama samsadanın en lezzetlisi bu evde yapılır."

Sık sık Selanik'i düşünüyorum şu sıralar... Yeşil boyalı panjurlarını, kireç beyazı evlerini, seninle birlikte yürüdüğümüz Arnavut kaldırımlarını... Hatıralar durmaksızın hücum ediyor zihnime. Benim için şu an yaşadıklarım, artık bütün enteresanlığını yitirdi. Henüz kırkı bulmadan ihtiyar bir adam gibi geçmişimle birlikte yaşamaya başladım. Bazen öyle hatıralar canlanıyor ki hafızamda, kendim bile şaşırıyorum. Belki de artık yapacak hiçbir işim kalmadığından, mühim bir gayem bulunmadığındandır. Belki de adım adım ölüme yaklaştığımdan. Elbette sık sık, seninle tartışmalarımızı hatırlıyorum. Ve her geçen gün daha çok hak veriyorum sana.

"Yapma Şehsuvar, senin mizacın siyasete uygun değil," demiştin. Beni benden daha iyi tanıyormuşsun. Doğruymuş, hele fedailik, kahramanlık, hiçbiri bana göre değilmiş. Pişmanlıkla söylenmiş sözler değil bunlar, son yirmi yılın dökümü. Sakın yanlış anlama, yaptıklarımı küçümsemiyorum, dahası bağlı olduğum fikirlere hiçbir zaman ihanet etmedim. Ne arkadaşlarıma, ne cemiyete ne de davama. Korktum, evet ölesiye korktum ama başa çıkmayı öğrendim o duyguyla. Benimkisi bir tür kendini bulma, bir tür içe dönüş, tefekkür. Fırtınalı okyanuslardan kurtulup, ölü bir denizde batmayı bekleyen yelkenli gibi çaresiz, öylece kalakalmışken, insan daha iyi değerlendiriyor kendini. İnkar etmiyorum, bu son yirmi yılda dünyanın serüveni geçti başımdan, suikastlar, hükümet darbeleri, harpler ama onlardan geriye pek bir iz kalmamış olmalı ki, sadece sen ve Selanik beliriyor olanca canlılığıyla gözlerimin önünde.

Yine dağıttım, kusura bakma... Belki iyi bir yazar da olmazdı benden. Neyse... Reşit'ten bahsediyordum değil mi? Evet, derdimi tasamı, başıma gelenleri öğrenmek için can atıyordu. Meraktan mı, yardım etmek istediğinden mi diye düşünürken bir ara gözlerinde öyle tuhaf bir ifade yakaladım ki, ürpermekten kendimi alamadım; sanki bir tür hinlik vardı, kurnazca, hatta sinsice bir mana.

Yoksa, babasının ölümü için mi suçluyordu beni? Trablusgarp'ta onu koruyamadığım için mi? Babasını orada bırakıp, sağ salim payitahta döndüğüm için mi? Hayır, Reşit böylesi saçma düşüncelere kapılmayacak kadar mantıklı biriydi. Öfke değil zaten, sanki hesaplı bir bakış vardı gözlerinde. Gizli bir maksadın peşindeymiş gibi. Yoksa, o da mı? Bir gece, otelde el ayak çekilince beni cellatlarıma teslim etmek için miydi bütün bu izzetüikram?

Hayır, haksızlık ediyordum. Hemen uzaklaştırdım bu düşünceyi kafamdan. Evhama kapılmanın manası yoktu, zavallı Reşit'in babasının arkadaşına, aynı okulda okuduğu ağabeyine yardım etmekten başka bir gayesi yoktu. Ama başımdan geçenleri, aklımdaki soruları ona anlatamazdım. Hem anlatsam da anlamazdı, bu kanlı kapışmada babasını yitirmiş olmasına rağmen anlayamazdı.

Yeryüzünde beni anlayacak tek kişi vardı, o da sendin. Çünkü en çok sana acı çektirmiştim, en çok seni hayal kırıklığına uğratmış, mutluluğunu elinden almış, ruhunu incitmiştim. Evet, kendimle birlikte senin de hayatını mahvetmiştim. Belki "Artık geçmişte kaldı, artık bunların hiçbir önemi yok" diyeceksin ama var. Evet, benim için çok büyük önemi var. Sen okumasan da, bilmek istemesen de anlatmak zorundayım. Hiç değilse bu kadarını borçluyum sana. Neden bu seçimi yaptığımı, neden o acımasız kararı verdiğimi izah etmeliyim, tabii yapabilirsem... En azından denemeliyim. Lütfen yazdıklarımı okumaya devam et, lütfen beni anlamaya çalış, hiç hak etmesem de lütfen bu kadarını çok görme bana...

Şemsi Paşa'nın Selanik'ten sağ salim ayrılmasında kalmıştık. Umudu boğmaya gelenleri taşıyan o tren yaklaşadursun, Manastır'daki arkadaşların hepsi panik içindeydi. Şemso, Selanik gibi cemiyetin en güçlü olduğu bir şehirde vurulamadıysa Manastır'da nasıl öldürülecekti? Üstelik zaman gitgide daralıyordu. Çaresiz kalan arkadaşlar işi kiralık katil tutmaya kadar vardırırken, Atıf adında bir mülazım Büyük İskender'in kördüğümü çözmesi misali kestirip attı:

"Ben yaparım."

Üstelik ilk kez söylemiyordu; iki gün önce yine aynı kararlılıkla dile getirmişti bu isteğini.

"Şemsi Paşa Selanik'te öldürülmezse, Manastır'da onu ben vururum."

Belki o zaman kimse kulak asmamıştı genç mülazımın sözlerine ama şimdi hepimiz inanıyorduk. Evet, ben de oradaydım, eniştem Mehmed Ali Bey'le birlikte, Süleyman Askeri Bey de yanımızdaydı. Aslında cesaret edebilsem, Mülazım Atıf'tan önce, "Bırakın ben vurayım Şemsi Paşa'yı," diyecektim. Etrafımdakiler o kadar çaresiz, o kadar berbat bir haleti-ruhiye içindeydiler ki, birinin çıkıp, "Merak etmeyin ben bu işi hallederim," demesi gerekiyordu. Elbette kimse benim gibi genç ve tecrübesiz birine güvenmezdi. Üstelik zabit bile değildim. Silah kullanabileceğim akıllarının ucundan geçmezdi. Sadece Mehmed Ali enişte bilirdi bu işlere meraklı babamın, tek oğlunu bir silahşor gibi yetiştirdiğini.

"Kendimizi savunabilmemiz lazım evladım, öyle bir çağda yaşıyoruz ki, korkarım asker olmasan bile harp etmek mecburiyetinde kalabilirsin."

Babamın sürgüne yollandığı o cehennem şehrindeki ölümünden sonra daha fazla alakadar olmaya başladım silahlarla, ta ki seninle tanışıncaya kadar. Yalan söylemiyorum, seni tanıdıktan sonra hiçbir silaha elimi sürmedim. Belki de hiç sürmeyecektim, olaylar beni Şemsi Paşa suikastının tam ortasına düşürmeseydi eğer.

Şemsi Paşa'nın treni 7 Temmuz'da geldi Manastır'a. Kulakları tırmalayan bir boru sesi bu meşum anı bütün Manastır'a duyurdu. Mülazım Atıf, "Ben Şemsi Paşa'yı vururum," demesine rağmen, ne kendisinin ne de cemiyetin hiçbir hazırlığı yoktu. Koca İttihat ve Terakki böyle acemiliği nasıl yapar, diyeceksin ama öyleydi. Kararlı insanlar vardı sadece, cesur ve kendinden emin insanlar. İşte Mülazım Atıf onlardan biriydi. Derin bir sükûnetle bakan gözleri, kıpırtısız yüzü ölüm dahil, her türlü fedakârlığı yapmaya hazır olduğunu gösteriyordu. Nasıl olacak bu iş diye şaşkın şaşkın düşünürken, eniştem Mehmed Ali Bey beni sakin bir köşeye çekti.

"İşin vahametini görüyorsun Şehsuvar," dedi gözlerini yüzüme dikerek. "Atıf kendini feda ediyor. Onun bu kahramanlığı boşa gitmemeli. Bu suikast mutlaka muvaffak olmalı. Yoksa dağdaki arkadaşlarımızı bir felaket bekliyor, hepimizi yok edecekler. İnkılap daha başlamadan bitecek. Atıf mutlaka o tetiği çekmeli. O tabancadan çıkan kurşun mutlaka hedefini bulmalı. Ama olmazsa, o kurşun hedefini bulmazsa..." Sağ elini omzuma koydu. "Biliyorum senin vazifen değil, biliyorum bu iş için talim görmedin, lakin hazırlıksız yakalandık... Ben çok göz önündeyim. Hakkımda cemiyet yöneticisidir diye dedikodular aldı yürüdü. Bu halimle Atıf'ı kollayamam, yapmaya kalksam zarar veririm. Belki cemiyet bazı tedbirler alacaktır, fakat emin değilim... Şemso'nun defteri Selanik'te dürülmeliydi, olmadı, çok geç kalındı... Yani diyeceğim şu ki, seni burada kimse tanımaz. Yani Atıf'ın arkasında olsan. Muhtemelen Atıf vurur paşayı ama olur da vuramazsa... Bunu senden istemeye salahiyetim yok, ancak Atıf muvaffak olamazsa..."

Bana duyduğu güven başımı döndürmüştü, sözünü tamamlamasına müsaade etmedim.

"Onun başladığı işi ben bitiririm," dedim heyecanla. "Bana bir silah ver yeter."

Gözlerinin çakmak çakmak olduğunu gördüm, sımsıkı sarıldı bana.

"Rahmetli baban sağ olsaydı, kim bilir ne kadar iftihar ederdi seninle."

"Bu, aynı zamanda babamın intikamı olacak. Meşrutiyet kazanınca onun da ruhu şad olacak."

"Öyle olacak," dedi iri gövdesini geri çekerken. "Despotun katlettiği bütün şehitlerimizin ruhu şad olacak."

Belinden beylik Nagant tabancasını çıkarıp uzattı.

"Beni hiç utandırmadı, seni de utandırmaz inşallah."

O andan itibaren bir gölge gibi ayrılmadım Mülazım Atıf'ın peşinden. Beni fark etmemiş olması imkânsızdı ama ne dönüp bakıyor, ne gülümsüyor ne de selam veriyordu. Belki de cemiyetin beni görevlendirdiğini düşünüyor, sokaktaki hafiyelerin vaziyeti anlamaması için böyle soğuk davranıyordu. Belki de eniştem, onu kollayacak kişinin ben olduğumu kulağına fısıldamıştı.

Bu arada Şemsi Paşa, istasyondan bir arabayla telgrafhaneye gitmişti. Muhtemelen olan biten hakkında saraya rapor vermek niyetindeydi. Atıf Bey de benim gibi suikast için bunun kaçırılmaz bir fırsat olduğunu düşünmüş olacak ki, Manastır'ın ortasından geçen Drahor Nehri'nin karşısındaki telgrafhaneye yöneldi. Son derece sakindi, sanki ölmeye, öldürmeye değil de yürüyüşe çıkmış gibi küçük adımlarla arşınlıyordu telgrafhanenin önündeki caddeyi. Bir ara lokantaya girip karnını bile doyurdu. Onu gören zabit dostlarıyla sohbet ediyor, gelen geçenle selamlaşıyor ama gözünü bir an olsun telgrafhanenin kapısından ayırmıyordu.

Boğucu bir hava vardı, nemli, alabildiğine sıcak. Telgrafhanenin önü ana baba günüydü. Bir zamanlar dağdaki eşkıyaların kellelerini tespih taneleri gibi ipe dizip meydanlarda teşhir eden bu acımasız paşayı görmeye gelmişti millet. Aslında herkesin kafasında aynı soru dolanıyordu: Bu kez de muvaffak olacak mıydı Şemso? Hep yaptığı gibi isyancıları bozguna uğratıp, Devlet-i Aliyye'nin şerefini kurtarabilecek miydi? Herkeste bir tedirginlik, bir kuşku hakimdi. Üstüne üstlük bu boğucu hava iyice bunaltıyordu ahaliyi, karamsar yapıyordu herkesi. Bir ara ılık bir rüzgâr esti dağdan. Ortalığı serinletmek şöyle dursun, kırdan topladığı çeri çöpü, tozu toprağı boca etti telgrafhanenin önünde toplanan ahalinin üzerine; kalabalık şöyle bir dalgalandı ama kimse dağılmadı. Ağzına burnuna dolan tozları elinin tersiyle silen bir ihtiyar,

"Zelzele, zelzele alameti bunlar," diye söylendi. "Böyle sıcak mı olur be! Allah beterinden saklasın." ·

Birkaç kişi dönüp ters ters baktı adama.

"Ne bakıyorsunuz? Böyle cenabet hava gördünüz mü bugüne kadar?" Gözlerini kül rengi gökyüzüne dikti. "Aha, yaz ortasında güneş de yok oldu işte."

"Yağmur yağacak be Şaban Dayı," dedi sıska bir delikanlı. "Geçen sene de aynı böyle olmuştu ya hatırlasana. Sele gitmişti ortalık."

Şaban Dayı laf yetiştirecekti ki, kalabalık nehir boyundaki kavaklar gibi dalgalanmaya başladı.

"Geliyor, geliyor, Şemsi Paşa geliyor..."

Atıf'ın oturup kahvesini içtiği masaya çevirdim bakışlarımı. Yoktu, evet, bizim genç mülazım ortalıktan kaybolmuştu. Telaşa kapıldım. Nereye gitmişti bu adam? Yoksa son anda korkup vaz mı geçmişti? Eğer öyleyse, bu işi benim bitirmem gerekecekti. Sağ elim kendiliğinden belimdeki Nagant tabancaya uzandı. Güvenilir bir dost gibi öylece duruyordu kuşağımın arasında. O anda gördüm bizim zabiti; kaçtığı filan yoktu, emin adımlarla telgrafhaneye yürüyordu. Önüne çıkan insanları sakince aralayarak, "Müsaade edin, vazifeliyim," diye fısıldıyor, her adımda kurşun sıkacağı adama biraz daha yaklaşıyordu.

Şemso daha ortalıkta yoktu ama adamları teyakkuza geçmiş, telgrafhanenin önünde Lândon arabası hazırlanmış, Arnavut korumaların bir kısmı atlarına doğru yürümeye başlamışlardı. Evet, o kadar kendilerinden eminlerdi ki ciddi hiçbir tedbir almamışlardı. Cemiyetin en güçlü olduğu Selanik'te başlarına bir iş gelmeyen Arnavut korumalar, hatta belki Şemso bile rahatlamış, Manastır'da herhangi bir suikast tehlikesiyle karşılaşmayacaklarını düşünmeye başlamışlardı. Boşuna dememişti babam: "İnsanın en zayıf anı, kendini en güçlü hissettiği andır," diye. İşte Şemsi Paşa'nın ölümüne yol açacak hata da bu olacaktı. Ama adım adım düşmanına ilerleyen Mülazım Atıf bütün bunların dışındaydı. Çekeceği tetikten çıkan kurşunun hedefindeki adam gibi, kendisini de öldüreceğinden emin olmasına rağmen kararlılıkla ilerliyordu telgrafhaneye doğru.

Atıf'ı gözden kaybetmemek için ben de açtım ayaklarımı, fakat bir yandan da dikkat çekmekten, acemiliğim yüzünden her şeyi berbat etmekten korkuyordum. Atıf'la aramdaki mesafeyi koruyarak kalabalığa karıştım. Ahalinin arasında yürümek oldukça güçtü, feslerin, sarıkların, şapkalar denizinde bizim mülazımı yitirmemek için gayret ederek, milleti ite kaka güç bela telgrafhanenin kapısına yaklaştım.

Önünde bir sıra insan kalınca durmuştu Atıf, ben de hemen gerisinde dikilmeye başladım. Artık sabırsızlanan milletin gözü kulağı telgrafhanenin kapısındaydı ama en çok da Atıf'la benim. Bir ara başını hafifçe çevirdi, göz göze geldik. Cesaret vermek için gülümsedim, yüzünde hiçbir değişiklik olmadı, belki beni görmedi bile. Usulca başını çevirip kısılmış gözlerini ahşap kapıya dikti. Sağ elim yine kendiliğinden silahıma uzandı, onun eli de tabancasının kabzasını kavramış olmalıydı. Fakat kapıda hareketlilik sürmesine rağmen, Şemso bir türlü görünmüyordu. Boğazımın kuruduğunu hissediyordum, boğucu hava, gerginliğimi iyice artırıyordu. Sanki Mülazım Atıf değil de ben çekecektim tetiği. Sonra bunun hiç de o kadar uzak bir ihtimal olmadığını anladım. Mehmed Ali eniştemin söylediği gibi, o yapamazsa, ben yapmalıydım. İşte o anda bu vazifeyi yerine getirmek için münasip bir pozisyonda olmadığımı fark ettim. Kırmızı fesi başına en az iki numara büyük olan, önümdeki ufak tefek adamı dirseğimle itekleyerek, aramızda birkaç kişi kalacak şekilde Atıf'ın hizasına geldim. Şimdi benim de önümde sadece tek sıra vardı, Şemsi Paşa'nın bineceği Lândon araba ise sadece birkaç metre önümde duruyordu. Öyle ki arabayı çeken kır atlardan biri kendini tutamayıp çişini Arnavut kaldırımın üzerine bırakınca önümdeki insanlarla birlikte, ben de birkaç adım geriye çekilmek zorunda kaldım.

Aslında çok zaman geçmemişti ama her saniye bitmek tükenmek bilmediğinden sanki saatlerdir Şemso'yu bekliyormuşum gibi geliyordu. Eminim Atıf da aynı sabırsızlık içindeydi. "Çıksın artık şu adam da bitsin bu işkence!" Belki de yanılıyordum, belki de Atıf göründüğü kadar sakindi. Ölümü göze almış adam, Azrail'den niye korksun ki?

"Yok, gelmeyecek galiba Şemsi Paşa," dedi sağ yanımda dikilen sarıklı adam. Ekşi ekşi ter kokuyordu. "Boşa bekliyoruz burada."

"Gelmeyip de ne yapacak be!" Önümdeki, siyah şapkalı adamdı konuşan. "Geceyi telgrafhanede mi geçirecek koca paşa?"

Sarıklı cevap vermedi, ters ters baktı yalnızca. O anda yeniden dalgalandı kalabalık.

"Geliyor, geliyor, işte geliyor..."

Sahiden de telgrafhanenin tahta kapısı aralanmış, önden iki asker dışarı fırlamıştı bile. Lândon arabanın hizmetlileri toparlanırken, bakışlarım Atıf'a kaydı. Sağ omzunun belli belirsiz kıpırdandığını hissettim. Sanırım tabancasını çıkarıyordu, başlıyordu işte, ben de yutkunarak Nagant'ımın kabzasını sımsıkı kavradım. Ardı ardına üniformalı, üniformasız insanlar sökün etti kapıdan, sonra bastonuna dayanmış Şemsi Paşa göründü. Ağır ağır ama kendinden emin adımlarla yürüyordu.

Ne yalan söyleyeyim hayal kırıklığına uğramıştım; hakkında o kadar korkutucu hikâyeler dinlediğim o zalim kumandan, yürümekten aciz olan bu ihtiyarlığın eşiğindeki adam mıydı? Yeniden Atıf'a baktım, o da benim gibi mi düşünüyordu acaba? Hayır, genç mülazım duygularını hiçbir şeyin etkilemesine müsaade etmemişti, gözlerini dikmiş avını izliyordu. Ben de aynısını yaptım ama böyle olunca onun hareketlerini kaçıracaktım. Kendi budalalığıma öfkelenerek bir kez daha bakışlarımı bizim zabite çevirdim. Atıf'ın silahını usulca kaldırdığını gördüm. Benimki gibi Nagant bir tabanca vardı elinde. Önündeki adamı kendine siper alarak, silahını güvenli bir şekilde tutuyordu. O ana kadar kimse bu hareketini görmemişti. Ben de tabancamı çıkardım ama kaldırmadım. Atıf hiç beklemeden Nagant'ını önündeki adamın omzunun üstünden Şemsi Paşa'ya doğrultmuştu bile.

Nasıl bu kadar sakin olabiliyor, diye düşünüyordum. Bırak, birine ateş etmeyi o ana tanık olmak dahi korkutmuştu beni ama bu genç mülazımın gösterdiği kahramanlık, ruhumu ele geçirmeye çalışan paniği durduruyor, bütün bu kalabalığı, Şemsi Paşa'yı, onun gözü kara korumalarını oracıkta bırakıp kaçmama engel oluyordu.

Derin derin nefes alıp kendimi toparlamaya çalışırken patladı Atıf'ın tabancası. Silah sesiyle birlikte, önce büyük bir sessizlik çöktü kalabalığa. Bakışlarım Şemsi Paşa'ya çevrilmişti. Adamın yüzünden korkudan çok, şaşkınlık okunuyordu. Kim, nasıl cüret edebilmişti buna? O anda anladım Şemso'nun vurulmadığını, kurşun kafasını sıyırıp geçmişti. Kalabalıktaki sessizlik, bağırış çağırışa dönüşürken ikinci kez patladı Atıf'ın Nagant'ı. Şemsi Paşa'nın sarsıldığını gördüm, incecik bir "Ah" nidası çıktı çatlak dudaklarının arasından. Dehşetten iri iri açılmış gözleri kurşunun geldiği yöne kaydı ama hiçbir şey göremeden olduğu yere yığıldı. O anda bir kez daha bastı tetiğe Atıf, işi şansa bırakmak istemiyordu, ama bu kurşun boşa gitmişti. Paşa'nın yıkıldığını gören ahali ise suikastı nihayet idrak etmiş, panik içinde birbirini ezerek kaçışmaya başlamıştı. Bazıları cadde boyunca sıvışmanın yollarını ararken, bazıları karşılıklı sıralanan kahvehanelere, lokantalara doluşmuş, bazı talihsizler de o itiş kakış içinde kendini Drahor Nehri'nin ılık sularında bulmuştu.

Bana gelince, tuhaf şey, ruhumu zayıf düşüren o aşağılık korkunun tümüyle yok olduğunu hissettim. Artık gurura benzer bir sevinçle yüceliyordu gönlüm. Evet, muvaffak olmuştuk, inkılabı yok etmeye gelen adamı, biz yok etmiştik. Ne kadar önemli bir vazife yaptığımızı şimdi anlıyordum. Atıf üzerine düşeni yerine getirmişti, şimdi sıra bendeydi, ne pahasına olursa olsun onu korumalı, acımasız Arnavut fedailerin eline düşmesine mani olmalıydım. Etrafındakilere çarparak olay mahallinden uzaklaşmaya çalışan genç mülazımın peşi sıra koşturdum. Atıf dar caddenin belediyeye açılan tarafına yönelmişti; çünkü burası daha sakindi. Ama bu yola girmesinin önemli bir sakıncası vardı; kalabalık olmadığından kısa sürede kabak gibi ortalıkta kalmıştı. Koşuyordu koşmasına ama çıkarmayı unuttuğu kılıcı ona engel oluyor, yeterince hızlanamıyordu; hatta iki kez ayağı kılıcına takılıp, tökezledi, Allahtan düşmedi. O anda silahımı havaya kaldırıp ardı ardına ateş etmeye başladım. Şaşıran korumalar ellerinde silahlarıyla bana döndüler. İçlerinden birisi namluyu üzerime doğrulttu ama yanındaki sakallı arkadaşı, "Ne yapıyorsun, asıl katil kaçıyor," diye uyarınca yeniden Atıf'a döndü. Pek bir işe yaramamıştı havaya ateş açmam. Şaşkınlıklarını atlatan Arnavut fedailer, mavzerlerine davranıp, paşalarını vuran suikastçinin peşine düşmüşlerdi yeniden.

İşin kötüsü, ben Atıf kadar çabuk davranamadığımdan geride kalmıştım, hızlanıp koşmaya başlasam, mavzerlerin menziline girmiş olacaktım. Sevindirici olan yan şuydu ki, Arnavut Fedailer, ayakta ateş ediyorlardı, bu da isabet ettirmelerini güçleştiriyordu. Atıf'ın hızla sokağın ucuna yaklaştığını gördüm, bu beni umutlandırdı, köşeyi dönerse kurtulması daha kolay olacaktı. Bir ara döndü elindeki tabancayı ardı ardına iki kez ateşledi. Arnavutları ürküttü bu davranış, ama sadece bir anlığına, sonra ateşe devam ettiler, bizim mülazım cadde boyunca koşmayı sürdürüyordu. Neredeyse köşeye ulaşmıştı ki, birden duraksadı, eğilip sağ bacağına baktı, eyvah vurulmuştu. Şimdi düşecek, bu gözü dönmüş yırtıcılara kurban olacak diye geçirdim içimden. Hatta silahımı Arnavutlara çevirerek tetiğe basmaya hazırlanıyordum ki, genç mülazım yeniden koşmaya başladı. Evet, sağ ayağının üzerine eskisi gibi güvenle basamıyordu ama ilerlemeyi sürdürüyordu. Beş adım, on adım, yirmi adım... Oh, işte nihayet dönmüştü köşeyi...

Ama Arnavutlar bırakmadılar peşini. Kan kokusu almış av köpekleri gibi tutkuyla atıldılar ardından. Durur muyum, ben de onları izledim. O kargaşada kim kimden yana belli değildi artık, aramızda halktan insanlar bile vardı. O arada Arnavutları durdurmaya çalışan cemiyet üyeleri de arbedeye müdahil olmuşlardı. Anlayacağın ortalık iyice karışmıştı...

Neyse, sokağın başına geldiğimde Atıf'ın sırra kadem bastığını gördüm. Derin bir nefes alırken, Arnavutlar burunlarından soluyarak söyleniyorlardı:

"Nereye gitti bu herif?"

Atıf'ı kaçırdıklarını anlayınca bana döneceklerini bildiğimden, en yakın ara sokağa saparak ben de uzaklaştım olay yerinden. Daha sonra öğrenecektim Atıf'ın akıbetini. Kaçamayacağını anlayınca, akıllıca bir davranışta bulunarak, o sokaktaki bir kunduracıya sığınmıştı. Sokaklar sakinleşinceye kadar o dükkânda kalmış, ardından asıl saklanacağı yer olan Mahmud Bey'in evine ulaşmıştı. Daha sonra da Süleyman Askeri Bey'in desteğiyle önce Resne'ye ardından da Ohri'deki güvenli mekâna götürülmüştü. Yıllar sonra İstanbul'da karşılaştığımızda şöyle diyecekti:

"O suikastın en fena tarafı, ne Şemsi Paşa'yı beklerken geçmek bilmeyen dakikalar ne de Arnavut fedailerin mavzerlerinden çıkan kurşunlardı, Manastır'dan Resne'ye giderken yakalanmamak için giydiğim o kara çarşaftı."

"Bu imparatorluk bizim için imkânsızlık demek Şehsuvar!"

❊

İyi Günler Ester, (2. Gün, Sabah)

Bu sabah oteldeki kahvaltıyı kaçırdım, uyandığımda vakit öğleye geliyordu. Dün gece öyle kaptırmışım ki kendimi yazmaya, yatağıma uzanıp gözlerimi kapadığımda neredeyse şafak sökmek üzereydi. Şikâyet ettiğimi zannetme, bundan açıkça bir gurur duyduğumu da söylemeliyim; çünkü bir anlığına kendimi eserlerini yazarken masanın başında uyuyakalan o büyük üstatlar gibi hissetmiştim. Şaka bir yana, sana yazmak, mektup aracılığıyla da olsa seninle bağlantı kurmak, sana dair düşünmek, seninle yaşadıklarımızı tekrar tekrar hatırlamak nasıl mesut ediyor beni bilemezsin. Ama daha önemlisi, içim dışım, gecem gündüzüm seninle doluyor. Rüyamda bile sen vardın. Selanik'in dar sokaklarında yürüyorduk. Kaldırımlara taşmış kahvehane masalarında domino oynayan ihtiyarlar vardı. Yunanca küfrediyordu biri, İspanyolca şarkı söylüyordu öteki, Türkçe pazarlık yapıyordu bir başkası.

"Paris'te bunları göremeyiz," diyordum. "Burası bir imparatorluk. Burası dillerin, dinlerin, ırkların bahçesi..." O kışkırtıcı gülümsemelerinden biri beliriyordu dudaklarında.

"Ama bu imparatorluk bizim için imkânsızlık demek Şehsuvar," diyordun. Usulca sokuluyordun ama dokunmadan

47

uzaklaşıyordun. "Selanik'te ancak bu kadar yaklaşabilirsin bana." Başını sallıyordun. "Ama Paris... Anlasana, aşkımızı yaşayabileceğimiz tek yer Paris. Burası ölmekte olan bir imparatorluk ama Paris yepyeni bir dünya. Yepyeni başlangıçlar, yepyeni umutlar..."

Sonra yan yana otururken buluyordum ikimizi. Sanırım Odeon Müzikholü'ndeydik. *Lüksemburg Kontu* operetini izliyorduk birlikte... Aklımı başımdan alan o kokun, küçük kulaklarını örten bukle bukle kızıl saçların, gözlerinin rengini siyahtan lacivert dönüştüren o gülümsemen... Orkestra çalmaya başlarken uyandım. Meğer temizlikçi kadın dakikalardır odanın kapısını vuruyormuş.

"Bugün temizlik yok," diye bağırdım. "Niye rahatsız ediyorsunuz beni?"

Neden öfkelendiğimi anlamadı zavallı. Nasıl anlatırdım ona bir mucizeyi berbat ettiğini, nasıl anlatırdım en mesut olduğum anlardan birini elimden aldığını.

Uyanınca da hemen kalkamamıştım yataktan. Aklım, ruhum, bedenim seninle doluydu. Neydi demin gördüğüm; bir rüya mı, yoksa unutamadığım bir hatıra mı? O kadar sahiciydi ki, hani rüzgâr bulutları sürükler de Olimpos Dağı'nın karlı tepesi olanca çıplaklığıyla belirirdi ya gözlerimizin önünde, öyle canlı, öyle hakiki... Ama ister rüya olsun, ister hatıra, o güzellik bozulmuştu işte. Beni bu hayal kırıklığından kurtaracak tek çare yeniden yazının başına dönmekti.

O hevesle kalktım, tıraş olmadan sadece yüzümü yıkadım, yemek için bile aşağıya inmedim. Yazma isteğimin, gündelik hayatın manasız teferruatları tarafından dağıtılmasına müsaade edemezdim. Öğle yemeğini odama istedim. Üstünkörü bir atıştırmanın ardından yeniden çöktüm yazımın başına...

Şemsi Paşa suikastında tetiği ben çekmemiştim, hatta doğru dürüst bir yardımım bile olmamıştı Atıf'a ama davranışım çok takdirle karşılanmıştı. Cesur mülazım kayıplara karışıncaya kadar olay mahallinde bulunmam, havaya ateş açmam, Arnavut korumaların arasında korkmadan dolaşmam, olan biteni gözleyen cemiyet üyelerinin nazarıdikkatinden kaçmamıştı. Elbette bizim Mehmed Ali eniştenin de tavsiyesiyle bir anda kuryelikten fedailer grubunun üyeliğine yükselmiştim. O zaman nasıl sevindiğimi anlatamam. Evet, şimdi aynı kanaatte değilim, belki Şemsi Paşa'nın vurulma anında orada bulunmasaydım daha iyi olacaktı. Belki değil, mutlaka çok daha iyi olacaktı. Fakat bu suikasta bulaşmasaydım bile isyanın bütün vatanı altüst eden o derin tesirinden kendimi ne kadar koruyabilirdim ki? İnsan, tarihin rüzgârı karşısında, okyanusa düşmüş bir ceviz kabuğu gibidir. Ne kadar şuurlu davranmaya çalışırsa çalışsın, kaderi dalgaların insafına kalmıştır. Emin olabilirsin, Şemsi Paşa suikastına katılmasaydım da başka bir olayda yine kavganın en ön safında bulacaktım kendimi.

"Öyle olmayabilirdi," diyeceksin, "Bak, ben, senin gibi olmadım," diyeceksin.

Ama senin baban zorla Fizan'a gönderilmedi, ne karısıyla ne de oğluyla vedalaşamadan o sürgün kentinde genç yaşta vefat etmedi. Kibir değil, hayır sitem de etmiyorum, senin küçük yaşta anneni kaybetmiş olmanı da unutmuş değilim, sadece bu topraklarda yaşayıp da olan bitene sessiz kalınamayacağını anlatmak istiyorum.

"Kalanlar olmadı mı?" diyeceksin.

Evet, olanı biteni görmezden gelerek, boyun eğerek, el etek öperek, saraya yanaşmak için olmaz türlü rezilliği göze alarak, zavallı hayatlarını sürdüren şahsiyetsizler oldu elbette. Böylesi bir hayatı tercih etmektense ölmeyi yeğlerim ki, senin de aynı kanıda olduğundan eminim. Senin o boyun eğmez, dizgine vurulmaz ruhun da eminim benimle aynı hisleri paylaşırdı. Hep söylediğim gibi bizi buluşturan genç bedenlerimizin arzularından çok, boyun eğmeyen kalplerimizdi, yeni olanı keşfetmeye açlık duyan ruhlarımızdı. Sen edebiyatı seçmemizi istedin. Evet, edebiyat, sonsuz bir isyandı. Politika gibi sadece bu devirle, bu dönemle, bugünle sınırlı değildi. Evet, belki edebiyat kurtarıcımız olabilirdi, lakin inkılap beni hazırlıksız yakaladı. Ardı ardına sökün eden olaylar, büyük acılar, büyük umutlar, o naif gençlik hayallerimizi geçersiz kıldı. Sakın mazeretler bulmaya çalıştığımı, bahaneler icat ettiğimi sanma! Hayır, kendi kusurlarımın, kendi mesuliyetimin farkındayım. İstiyorsan o itirafı da yaparım: Evet, hatalı olan benim, ne olursa olsun, karşı koyabilirdim. Haklısın, bu sevdaya sahip çıkabilirdim, Yapamadım, haklısın, isyanın cazibesine kapıldım. İnkılap, aşka üstün geldi.

Keşke o zamanlar söyleseydim sana bunu. "Artık fikrimi değiştirdim, artık şahsi hayatlarımızın hiçbir önemi yok, koca bir imparatorluğu kurtarmanın yanında bizim küçük sevdamızın ne önemi olabilir?" diyebilseydim. Yapamadım. Ama kendime haksızlık da etmek istemiyorum; böylesi bir itiraf, girdiğim mücadelenin tabiatına tersti. Otuz yıldır aralıksız süren istibdada karşı dövüşen bir cemiyetin üyesiydim. Mensupları öldürülmüş, zindana atılmış, sürgüne gönderilmiş, her an tehlike altındaki bir teşkilata dahil olmuştum. Dahil olmak ne kelime, öteki üyeler gibi ben de gençliğimi, onurumu ve namusumu bu cemiyete adamıştım. O nedenle teşkilatla alakalı konuları, hayatımda en çok değer verdiğim insana, yani sana bile söyleyemezdim; böylesi bir davranış arkadaşlarımı tehlikeye atmak olurdu.

Evet, suskunluğumun nedeni biraz da buydu. Belki de beni anlamanı bekliyordum; nihayetinde aynı açılardan bakıyorduk dünyaya, kurtuluşu aynı fikirlerde buluyorduk, aynı hayat tarzını benimsemiştik. Zaten bu yüzden sevmemiş miydik birbirimizi? Leon Dayı'nın yanında karşılaştığımız o ilk gün, o karanlık kış ikindisinde bir güneş gibi ışıldayan başını kaldırarak, George Sand takma adını kullanan Fransız kadın yazardan bahsedişin... Hayata, zamana, insanlara, hatta bana isyan eder gibi konuşman. Seni dinlerken ağır ağır güzelliğini keşfedişim yahut güzelliğinin beni ağır ağır esir alması...

Evet, seni neden sevdiğimi çok iyi biliyorum. Neden unutamadığımı da... Bunu izah etmek için sayfalarca yazabilirim ya da bir cümlede anlatabilirim. Ama itiraf etmeliyim ki, senin, beni neden sevdiğini tam olarak bilmiyorum. Ne sen açıkladın bunu ne de ben sordum. Evet, o aptalca gururumdan. Bir erkek niçin beğenildiğini sorabilir mi bir kadına? Ne yapayım eninde sonunda Osmanlı erkeğiyiz işte, bir yanımız doğulu. Gerçi bir keresinde, "Sen farklısın," demiştin. "Sen, onlara benzemiyorsun."

Bu yüzden mi sevmiştin acaba beni? Farklı olduğum için mi? Neydi o farklılık, yazar olmak istemem mi? Karaladığım o acemi hikâyeler mi? Belki de bir Yahudi kızı sevecek kadar cesur olmam. Başta annem Mukaddes olmak üzere ailemin tüm fertlerini hatta cemiyetteki arkadaşlarımı karşıma almak anlamına geliyordu bu. Evet, cemiyetteki arkadaşlarımı bile... Ne kadar ilerici fikirleri savunsalar da mesele kadınlara geldiğinde, ölmüş dedelerimizle aynı tepkiyi vermeye hazırdı hepsi. Ahmed Rıza'nın sözlerini hatırlıyorum. Paris'te Sorbonne Üniversitesi'nin önündeki kafelerden birinde oturuyorduk. Kahvelerimizi getiren garson kız uzaklaşırken şöyle demişti:

"Bizim Osmanlı aydınları Paris'te iki meseleye çok şaşırırlar; ilki, kadınların garsonluk yapacak kadar hayatın içinde oluşuna, ikincisi ise," eliyle hemen karşımızda dikilen Auguste Comte heykelini işaret etmişti. "Böylesi anıtlara. İkisi de bize çok yabancı. İlerleme bir zaman meselesidir aziz kardeşim, eşitlik ve güzelliğin toplumumuzda vazgeçilmez değerler olabilmesi için epeyce zamana ihtiyacımız var."

Ahmed Rıza gibi çağının çok ilerisinde bir aydın bile böyle düşünüyordu. Böylesi şartlarda benim, Yahudi bir kıza deli gibi âşık oluşum, seninle bir hayat yaşamayı göze alışım şüphesiz büyük cesaret gerektiriyordu. Evet, hiç çekinmeden söyleyebilirim ki, sahiden her şeyi göze almıştım. Ama bu meselede övgünün büyük payı elbette sana düşer. Çünkü sen benden daha fazla risk alıyordun. Çünkü senin cemaatin de en az benimkiler kadar tutucuydu. Hatta belki daha fazla... Üstelik sen bir kadındın... Fakat kimseyi umursamıyordun. Sana bakıyordum ve sanki gelecekten gelmiş birini görüyordum karşımda. Bırak Selanik'i, bütün bir dünyayı umursamıyordun... Aşkımızdan başka hiçbir konunun kıymetiharbiyesi yoktu gözünde.

"Hayatın en güzel bencilliğidir aşk."

Öyleydi, aynı zamanda en yıkıcı, en acımasız hislerinden biriydi. Bu kadar güçlü, bu kadar tutkulu olman, beni hem mutlu ediyor hem de korkutuyordu. Ya bir gün beni sevmekten vazgeçersen? Hiç şüphem yok, eğer o gün gelirse, arkana bakmadan giderdin. Belki de sana duyduğum hisleri diri tutan da bu kaygıydı. Her an seni kaybedebilecek olmam.

"Aslında bizim aşkımız imkânsız," demiştim sana. Leon Dayı'nın yazıhanesinde yalnız kaldığımız o muhteşem anlardan birinde. "Nasıl neticelenecek bu iş?"

"Bütün aşklar imkânsızdır Şehsuvar," diye karşılık vermiştin. "İmkânsızlık olmazsa aşk söner. Ve hepsinden mühimi, aşk bir ticaret değildir benim yakışıklı aptalım. Aşk, neticeyle alakadar olmaz, bugüne bakar, sadece bugüne, hatta şu ana... Ateş yandığı sürece vardır, o tutku sönmediği sürece..."

İşte, hep o tutkunun sönmesinden korkmuştum. Beni bırakıp başka birine gitmenden. O kadar çok genç vardı ki etrafında. Ama kaderin şu cilvesine bak ki, giden sen değil, ben oldum. Ama hakikatte hiçbir yere gittiğim yoktu, bedenim, aklım senden kopmuş olsa da ruhum her zaman seninleydi, hep de öyle olacak. Senin sözlerini başka biçimde söyleyecek olursam, "Evet, imkânsızlık, aşkı hep diri tutuyor... Imkânsızlık, tutkunun ölmesine asla izin vermiyor."

Cemiyete katıldığım zaman senden ayrılacağımı hiç düşünmemiştim. Çocukluk günlerimden kalan bir alışkanlıkla, kendimi kandırmıştım. Benimle gurur duyacaktın, Osmanlı ülkesine hürriyeti getirmek isteyen kahramanlardan biri olacaktım. Hürriyeti, kardeşliği, eşitliği ve adaleti... Ve sen daha çok sevecektin beni, daha çok büyüyecektim gözünde. Zaferden sonra çok daha mesut bir hayata başlayacaktık. Zaten bir inkılap ne kadar sürebilirdi ki? Bir despot daha ne kadar dayanabilirdi? Elbette kısa sürede Abdülhamit yıkılacak, meşrutiyet ilan edilecek, ardından istediğimiz o yeryüzü cenneti kurulmuş olacaktı. Paris'e de o zaman gidecektik işte... Onurlu bir ülkenin, onurlu sanatçıları olarak...

O kadar genç, o kadar tecrübesiz, o kadar iyimserdim ki, tarihin, gönlümüze göre akacağına inanıyordum. Elbette olmadı, elbette duvara tosladım. Çünkü tarihin vicdanı yoktu. Çünkü tarih insanları düşünmezdi. Ne insanları, ne aşklarını ne de hayatlarını. Biz, ona yön vermeye çabalasak da, o kendi kafasına göre akmayı sürdürürdü. Ülkeler parçalanmış, milletler yok olmuş, şehirler yağmalanmış, insanlar katledilmiş hiç umurunda olmazdı!

Aslında bunları yazmak istemiyordum; ben kim, fertle tarih arasındaki ilişkiyi izah etmek kim? Ama bir kez kendini sorgulamaya başlayınca, nerede duracağını bilemiyor insan. Dağıttıysam kusura bakma, hemen geliyorum mevzuya... Evet, Şemsi Paşa'nın öldürülmesinde kalmıştık.

Şemso'nun vurulduğu haberi, adeta bir zelzele tesiri yapmıştı Yıldız Sarayı'nda. Sultan, tehlikenin ilk kez bu kadar büyük, bu kadar yakın olduğunu fark ediyordu. Biliyorsun, Abdülhamit hep korkuyla yaşamıştır. Amcası Abdülaziz'in ölümünden beri o derin tedirginliği taşıyordu. Abdülaziz'in tahttan indirilmesiyle başlayan olaylar kendisinin padişah olmasıyla neticelense bile, bu kadim endişeden hiç kurtulamamıştı. Hatta amcası Abdülaziz'in katili olduğuna inandığı Mithad Paşa gibi devlet adamlarını, sinsice yok etmesine rağmen o pimpirikli halini üzerinden hiç atamadı. Yıllardır süren taht kavgaları, şehzadelerin acımasızca öldürülmesi, kurnazca tezgâhlanan isyanların yarattığı korku, görünmez bir deri gibi kaplamıştı, hafif kambur, ince uzun bedenini. O meşum huzursuzluk, şahsiyetinin değişmez bir parçası olarak mezara kadar takip etmişti Abdülhamit'i. Ama bu kez vaziyet farklıydı. Bu kez, hayalî bir korku değil, hakiki bir tehlike vardı onun için. Güçlü bir paşası, gündüz vakti imparatorluğun önemli bir vilayetinde, o kadar korumanın gözleri önünde öldürülmüştü. Üstelik dağlara çıkan zabitlerin ardı arkası kesilmiyordu. Bu vaziyet hiç ama hiç hayra alamet değildi. Yine de isyanın hakiki manasını idrak edebilmesi için, Tatar Osman Paşa'nın dağa kaldırıldığını duyması gerekecekti...

Hatırlar mısın o günlerde, Manastır dönüşünün ertesi sabahı sizin eve uğramıştım. Paloma Nine terastaki divanda her zamanki köşesine oturmuş, şu sizin romanzalardan birini söylüyordu. Sabah güneşinin tadını çıkarıyor diye düşünüyordum ki, hamarat kadının önündeki tepside fasulye ayıkladığını fark ettim. Nasıl da dalıp gitmişti... Yaptığı işe mi, yoksa söylediği o sevda şarkısındaki hicran dolu hikâyeye mi, kestirmek zordu. Gölgem, güneşini engellemiş olmalı ki şarkısını yarıda kesip başını kaldırdı. Işıktan kamaşan gözlerini kısarak kim olduğumu çıkarmaya çalıştı bir süre. Beni tanıyınca dişsiz ağzını gösteren bir gülümseme belirdi incecik dudaklarında.

"Şehsuvar, kuzum sen misin?"

"Benim Nona Paloma," dedim usulca omzuna dokunarak. "Kolay gelsin."

"Teşekkür ederim evlatçığım... Gel, gel otur şöyle."

Pek oralı olmadım, seni sordum. Ferini yitirmiş gözleri, efkâr dolu bir ifadeyle iyice gölgelendi.

"Ester burada, ama boş ver şimdi onu." Eliyle divanı gösterdi yine. "Gel, gel otur yanıma şöyle."

Reddetmek ayıp olacaktı, gösterdiği yere çöktüm.

"Sen okumuş çocuksun Şehsuvar, anlat bakalım, neler oluyor? Bir paşayı mı ne vurmuşlar Manastır'da? Bizim Leon'da bir neşe, bir neşe, sanki sultan yapacaklar kendisini. Askerler dağa çıktı diyor, saraya telgraf yağıyormuş meclisi aç diye. İnkılap mı, ne olacak diyor. Soruyorum, ancak ne

Leon anlatıyor ne de Ester... Sen iyi çocuksun, söyle bakalım ne inkılabıymış bu?"

"İstibdat yıkılıyor Nona Paloma," dedim sevinçle. "Sonunda despottan kurtulacağız. Millet ayaklanıyor... Kanun-i Esasi yeniden ilan edilecek..."

Ben böyle pürneşe açıklamalar yaptıkça onun sevimli yüzüne karamsar bir ifade hakim oldu.

"Doğruymuş demek..." Burnunu çekerek yeniden fasulyeleri ayıklamaya koyuldu. "Hayırlısı diyeceğim ama olmayacak... Hiç hayırlı olmayacak..."

"Niye öyle söylüyorsun Nona Paloma? Vatana hürriyet gelecek, eşitlik olacak, milletler, dinler yeniden kardeş olacak..."

O sevimli kırış kırış yüzünü bana çevirdi.

"Hiç öyle olmayacak... Daha beter olacak. Bu memleket yıkılacak, Eliyahu Anavi yardımcımız olsun. Bizi bu şehirden sürecekler..."

Sözlerinden çok gözlerinin derinliklerine kadar sinen o kaygı etkilemişti beni. Yine de sormadan edemedim:

"Kim yapacakmış onu?"

"Hıristiyanlar," dedi sanki birinin bizi duymasından korkuyormuş gibi. "Hıristiyanlar, bilmiyor musun sanki. Yunanlar, Bulgarlar, Ulahlar, belki de Sırplar, artık kimin gücü kime yeterse..." Çaresizlik içinde başını salladı. "Osmanlı yıkılacak çocuğum... Hepimizin felaketi olacak... Atalarımızın, dedelerimizin mezarını bırakıp yine yollara düşeceğiz... Siz Türkler küçük Asya'ya, biz Yahudiler kim bilir nereye? Ama ben hiçbir yere gidemem..." Sözlerinin etkisini kendisi de yeni fark etmiş gibi derinden bir "Ah!" çıktı ince dudaklarının arasından. "Ah! Ne büyük felaket!" Sonra ellerini yukarı kaldırdı. "Ey kudretli Tanrım, ne olur vakit geçirmeden al canımı. Ne olur şu güzel ülkenin dağıldığını gösterme bana. Ne olur başka bir şehirde ölmeme müsaade etme."

İşte tam o sırada geldin. Üzerinde seni daha da ince gösteren, narçiçeği uzunca bir elbise vardı, başında zeytin yeşili bir eşarp; açıkta kalan saçların pırıl pırıl yanıyordu temmuz güneşinde. Dudaklarında hep o cüretkâr, kimseyi umursamayan gülümseme. Gülümsediğini gördüğüm anda unutuvermiştim Paloma Nine'nin kaygılarını. Zaten sözleri de hiç yatmamıştı kafama. Oysa ne kadar haklıymış. Çok geçmeden söyledikleri tek tek hakikat olacaktı. Zavallı ninecik yaklaşan felaketi hepimizden önce sezmişti. Ama biz o kadar kaptırmıştık ki kendimizi olayların akışına, başımıza geleceklerin hiçbirini görememiştik.

Paloma Nine için tek tesellim, imparatorluk dağılmadan, harbin yıkımını yaşamadan, çok sevdiği Selanik'te toprağa verilmiş olmasıdır. En azından kâbusunun hakikate dönüştüğünü görmeden öldü. Bu büyük yıkımın dehşetini hissetmeden huzura kavuştu.

O temmuz günü yanımıza geldiğinde, Paloma Nine ile konuştuklarımızdan habersizdin. "Manastır'a bir gittin, koca Osmanlı paşasını vurdular," diye takılmıştın bana. "Senden korkulur Şehsuvar..."

Bir an, sırrımı biliyorsun sanmış, şaşkınlıkla bakmıştım yüzüne. Tabii hiçbir mana verememiştin bu tuhaf bakışa.

"Ne oldu yanlış bir lakırdı mı ettim?" demiştin, sonra da üstelemeden koluma girerek bahçenin derinliklerine sürüklemiştin beni. İşte, o anda olanı biteni anlatmak gelmişti içimden. Yalan söylemenin getirdiği o büyük ağırlıktan kurtulmak istemiştim ama cemiyete ettiğim yemini hatırlayınca vazgeçmiştim bu kararımdan. Olaylar öylesine hızlanmıştı ki, Paloma Nine'nin aksine, inkılabın bize vaat edilenden çok daha güzel bir hayat getireceğine inanıyordum, hem de en kısa sürede. Öyle de oluyordu zaten. Sultan Abdülhamit hakimiyeti kaçırmıştı bir kez elinden. Şemsi Paşa'nın vurulmasından bir gün sonra Firzovik'te yabancılara toprak verileceğini duyan Arnavutlar sokaklara dökülmüştü. Gösteriyi bastırmak için bölgeye gönderilen Jandarma Kumandanı Galip Bey, bizim Mehmed Ali eniştenin yakın arkadaşı ve elbette İttihat Terakki'nin sadık bir üyesiydi. Bölgeye varır varmaz, sarayın emrinin aksine, sayıları otuz bine yaklaşan isyancıları bastırmak yerine, "Eğer meşrutiyet ilan edilirse, topraklarınızı elinizden kimse alamaz," diyerek, Arnavutları Yıldız Sarayı'na karşı ayaklandırmıştı. Çok değil on iki gün sonra, Üsküp, Kalkandelen, Gostivar, Mitroviçe, Priştine, Yenipazar ve öteki yörelerden gelen otuz bin Arnavut adına padişaha çekilen 180 imzalı telgrafta anayasanın derhal yürürlüğe sokulmasını, aksi takdirde silahlı halkın payitahta yürüyeceği ilan ediliyordu. Osmanlı tebaası içinde kendisine en sadık milletlerden biri olan Arnavutların bu umulmadık çıkışı, padişahın moralini iyice bozmuştu. Ama saraya son darbe henüz indirilmemişti.

Şemsi Paşa'nın vurulmasının hemen ardından Abdülhamit, Üsküp Mıntıka Kumandanı Tatar Osman Paşa'yı payitahta çağırmış, bölgenin idaresini ona teslim etmişti. Madem Şemso muvaffak olamamıştı, o zaman Osman Paşa bu meseleyi hallederdi. Koca Devlet-i Aliyye'nin şerefiyle kimse oynayamazdı. Fakat artık çok geçti, nitekim, Paşa'nın tayininden anında haberimiz olmuştu. Cemiyetin Merkez-i Umumisi derhal toplanmış, bu yeni tehlikeyi enine boyuna tartışmıştı. Bu kez çıkan karar, suikast değildi, Osman Paşa öldürülmek yerine, dağa kaldırılacaktı. Bu önemli vazifeyi de zaten dağda olan Niyazi Bey ve çetesi ifa edecekti. Osman Paşa'nın neden öldürülmeyeceği ise yazılı bir raporla açıklanmıştı.

Evet, artık tahmin edeceğin üzere, o raporu da ben götürecektim, Resneli Niyazi'ye. Döndükten on gün sonra apar topar Manastır'a doğru yeniden yola çıkışımın sebebi de o zaman uydurduğum gibi miras evraklarımızdaki eksiklik değil, bu mühim raporu isyancılara ulaştırmaktı...

"Bana yalan söylerken hiç yüzün kızarmıyor muydu, hiç utanmıyor muydun?" deyişini duyar gibiyim. Utanıyordum elbette, utanmak ne kelime, yerin dibine geçiyordum fakat yapmak mecburiyetindeydim...

Yine bir şeyler oluyor... Odamın önünde biri var. Anahtarını kilide soktu. Biri düpedüz kapımı açmaya çalışıyor... Oda hizmetlisi mi? Kusura bakma, yine ara vermek zorundayım...

"Ölümle yüzleşmek, ölmeyi düşünmekten daha iyidir."

❈

İyi Akşamlar Ester, (2. Gün, Akşam)

Artık anlamış bulunuyorum, bir yazarın otel odasına kapanıp eserini sakince tamamlama isteği asla mümkün olmayacak bir dilektir. Evet, her saat, her gün yeni bir olayla yarıda kalıyor yazdıklarım. Bu kez de güya odasını şaşıran şişman bir adam yüzünden dağılmıştı dikkatim. Evet, tıkırtıları duyup kapıyı açtığımda, elindeki anahtarı odamın kilidine sokmaya çalışan tombul bir zatla karşılaştım. Katları karıştırdığını söyledi. Elindeki anahtarın üzerindeki sayıya baktım 310 yazıyordu, benim oda numaram ise 410'du. Adam tam altımdaki odada kalıyordu.

"Kusura bakmayın," dedi mahcup bir tavırla. "Öğleden sonra İtalyan şarabını fazla kaçırmışım galiba."

Elbette inanmadım, polisler beni yokluyordu. Bugün sokağa çıkmadım ya, odamda olup olmadığımı merak ediyorlardı. Etsinler, umurumda değil, hiç renk vermedim. Yalanına kandığımı göstermek için özrünü kabul ettim. Hatta daha inandırıcı olsun diye, "İtalyan şarabının üzerine sert bir Türk kahvesi içseydiniz odanızı şaşırmazdınız," diye sitemde bulundum. Kerli ferli, şişman adam özürler dileyerek uzaklaştı kapımdan. Ama ne huzur kalmıştı ne de yazma isteğim. Balkona çıktım, şahane bir akşamüstü başlıyordu dışarıda. Haliç sırtlarında ağır ağır sönen güneş, binaların camlarına aksediyor, bütün İstanbul bal rengi bir ışıkla yıkanıyordu.

Caddede bir koşuşturmadır sürüyordu; bazıları için gün sona ererken, bazıları içinse hayat şimdi başlıyordu. Sokağa çıkma isteği doğdu içimde. Evlerine çekilen yorgun insanları görmek, Cadde-i Kebir'e akan keyif ehli kişilerle rastlaşmak. Belki böylece neşem yerine gelirdi, belki yazmak için gereken kuvveti yeniden bulurdum kendimde. Bu ani hevesle odaya döndüm. Kâğıtları, kalemimi topladım, odaya süs olarak konulan çinili sobanın altındaki zulama yerleştirdim. Tıraş oldum, yıkandım, giyindim.

Lobiye indiğimde, kadınlı erkekli bir ecnebi topluluğuyla karşılaştım. Önce şaşırdım ama bu insanların rötarlı gelen Orient Ekspres'in müşterileri olduğunu anlamakta gecikmedim. Hepsi de kayıt yaptırıp, bir an önce odalarına gitmek için can atıyorlardı. Hepsi Avrupalıydı, muhtemelen hepsi de zengindi ve muhtemelen Harb-i Umumi sırasında yapmışlardı servetlerini. Neden böyle bir yargıda bulunduğumu bilmiyorum. Aslında hiçbirini tanımıyordum bu insanların, en küçük bir malumatım yoktu haklarında. Belki de harple hiç alakaları olmamıştı. Fakat Harb-i Umumi hayatımızı öylesine sarsmış, öylesine mahvetmişti ki, bir zamanlar düşman kampında olan bu insanları görünce önyargılı davranmaktan kendimi alamıyordum.

Neyse, öyle ya da böyle, bilirsin kalabalıklardan hiç hazzetmem ama bu kez büyük bir memnuniyetle karşıladım bu ecnebi topluluğunu. Çünkü beni takip eden hafiyelerden kurtulmama yardım edebilirlerdi. Salonda, lobide gizlice beni gözetleyen birileri varsa, onlar fark etmeden atabilirdim kapağı dışarı. Aslında öyle kuşku uyandıran birilerini de görmedim, hatta odamın kapısını yoklayan o zat bile yoktu ortalıkta.

Hayır, otelin içinde değil, sokakta bekliyorlardı beni. Köşedeki tütüncünün önünde duran buruşuk elbiseli, gri fötr şapkalı adamı görür görmez tanıdım. Beşiktaş'ta beni takip eden ekipte bu zehir hafiye de vardı. Sahilde gezinirken, tramvaya binerken bir gölge gibi hiç ayrılmamıştı peşimden. Tuhaf şey, adamı fark edince, içimde bir heyecan uyandı. Çökmüş omuzlarım dikleşti, dizlerime beklenmedik bir kuvvet geldi, uzun sürmüş bir uyuşukluktan kurtulmuş gibi anında dinçleşti zihnim.

"Ölümle yüzleşmek, ölmeyi düşünmekten daha iyidir," derdi rahmetli Basri Binbaşı. "O sebepten tehlikeyi fazla düşünmeyin, önlem almayın demiyorum ama kötü ihtimalleri uzaklaştırın kafanızdan. Düşmanla karşılaştığınız an, hatta ilk silah patladığı an, çok daha iyi hissedeceksiniz kendinizi."

Bu akşam saatlerinde, Pera'nın ortasında kimsenin silah patlatacağını zannetmiyordum ama Basri Bey'in ne demek istediğini çok daha iyi anlıyordum şimdi.

Caddedeki dükkânların ışıkları teker teker yanıyordu, henüz kalabalıklar ortalıkta gözükmese de mekân sahipleri, birkaç saat sonra gelecek müşterileri için hazırlıkları tamamlamıştı çoktan. Vitrinlerden kaldırımlara yansıyan ışıkların alacasında Tepebaşı Tiyatrosu'na yürüdüm. Elbette gri şapkalı gölgem de ayaklanmıştı. Ama sadece ondan ibaret değildi peşimdekiler; tiyatronun önüne geldiğimde kahverengi kasketli, siyah deri ceketli biri daha eklendi kuyruğuma. Bir kişi daha olmalıydı, üçlü takip... Teşkilat-ı Mahsusa günlerinden biliyordum... Biz de aynı metodu uygulardık, önemli şahısları takip ederken. Yabancı casuslar yahut şüpheli şahıslardan bahsediyorum, elbette cemiyet için tehlikeli gördüğümüz herkes de kolayca bu listeye dahil edilebilirdi. Meşrutiyeti kurmaya çalışan, hürriyet âşığı idealist bir gençten, casusluğa nasıl geçtin, diye düşünüyorsundur, merak etme hepsini anlatacağım...

Neyse, Tepebaşı Tiyatrosu'nun önüne gelince durdum, sanki alakadar oluyormuş gibi akşamki temsilin afişlerine baktım. "Kamelyalı Kadın" sahneleniyordu. Afişlerin asıldığı vitrinin penceresinden karşı kaldırımda dikilen kahverengi kasketli adamı gözlüyordum aslında. İtalyan Evi'nin kapısında durmuş, güya sigarasını yakıyordu. İşte o anda mühim bir hatada bulundu, Bristol Otel'e bakarak, birine el işareti yaptı. Kısacık, bir anlığına yapılan küçük bir hareketti ama gördüm.

Sakince döndüm, işte üçüncü hafiye de oradaydı; kısa boylu, tıknaz bir adam. Muzırlığım tuttu, caddenin karşısına, Bristol Otel tarafına geçtim. Kendisine yöneldiğimi fark edince, yüzü karıştı, bakışlarını kaçırdı. İnadına yürüdüm üzerine. Paniğe kapıldı, ne yapacağını bilemedi. Geri dönmeye kalksa, hayır çok geçti, dursa tuhaf kaçacaktı, çaresiz o da bana doğru yürümeye başladı. Sol kulağının arkasındaki binayı kerteriz almıştım, mütemadiyen oraya bakıyordum. Hafiye kendisine mi, başka bir yere mi baktığımdan emin olamıyor, asabı iyice bozuluyordu. Onu fark ettiğim anlaşılırsa amirlerinden sağlam bir zılgıt yiyecek, belki de vazifeden alınacaktı. Adım adım birbirimize yaklaşıyorduk. Bu gerginliğe daha fazla tahammül edemedi, aramızda sadece birkaç adım kala, niyetimi anlamak için gözlerini yüzüme dikti; ne bakışımı değiştirdim ne adımlarımı yavaşlattım. Hemen kaçırdı bakışlarını. Bir adım o attı, bir adım ben, karşı karşıya geldik, hafifçe sağa kayarak hızla geçtim yanından. Büyük bir rahatlama duydu adamcağız, aldığı derin nefesi birkaç adım ilerisinden bile hissettim. Kahkaha atmamak için kendimi zor tutuyordum. Gitgide kalabalıklaşan kaldırımda sakin adımlarla yürüyüşümü sürdürerek, Büyük Londra Oteli'ni geçtim.

Takipçilerim de ilk şaşkınlıklarını atlatmış, yeniden peşime takılmış olmalıydılar ama kısa boylu, tıknaz adam daha temkinli olacaktı artık. Hacopulo Pasajı'nın girişine gelince bir an durdum, geldiğim yöne baktım. Evet, akıllanmışlardı, hiçbiri görünmüyordu ortalıkta. Sebepsiz bir neşeyle girdim pasaja. Oldum olası severim burayı, sen de hoşlanmıştın. Hatırlarsın, Mekteb-i Sultani'den mezun olduğum yıl İstanbul'a gelmiştin, güya Balat'taki Lillia Hala'nı ziyarete, ama asıl maksadın elbette beni görmekti. Dünyanın en güzel mezuniyet hediyesiydi senin gelişin. Birlikte bu pasaja girmiştik, Namık Kemal'in *İbret* gazetesini çıkardığı yeri göstermiştim sana. Ahmed Mithat Efendi'nin kaldığı evin alt katıydı, zaten matbaa da bu çalışkan yazarımıza aitti. İki yazarın sürgün günlerinden bahsetmiştik... Sonra lacivert bir şapka almıştık sana. "Paris'te şimdi bunlar meşhur," diye yeminler etmişti Ermeni terzi... Yaz başıydı, pasajdaki ağaçlar çoktan çiçek açmıştı. Güzel günlerdi, çok güzel günler...

Peşimde hafiyelerle akşam alacasında yürürken seni ne kadar özlediğimi hatırladım bir kez daha. Burnumun direği sızladı, gözlerim nemlendi, yutkundum... Bırakmadım kendimi tabii, genç cumhuriyetin polis raporlarına "takip ettiğimiz şüpheli şahıs, birdenbire ağlamaya başladı" diye kayıt düşülmesini hiç istemem. Hacopulo Pasajı'ndan geçerken, birlikte yemek yediğimiz İran Lokantası'na girmeyi düşündüm bir an, safranlı pilavını sevmiştin buranın. Ne yalan söyleyeyim öteki yemekleri hatırlamıyorum. Evet, İran Lokantası'na girmeyi düşündüm ama hemen vazgeçtim; hatıraları depreştirmenin manası yoktu. Hayır, daha fazla duygusallık istemiyordum bu akşam. Terzilerin, kahvehanelerin, lokantaların arasından geçerek Cadde-i Kebir'e çıktım.

Bir hayli kalabalıktı cadde. Peşimdekiler telaşa kapılmışlardır, şimdi kaybedeceğiz herifi diye. Sakince, sanki zevkli bir akşam gezintisindeymişim gibi yürüdüm. Şehir işgalden kurtulalı hepi topu üç yıl olmasına rağmen cadde eski debdebesine kavuşmuştu. Yanımdan geçen şık giysili kadınlar, erkekler, gösterişli mağazalarda sergilenen pahalı mallar. Harp de, kıtlık da yoksullar için felaket demekti, parası olan her devir gemisini yürütüyordu. Işıklı vitrinlerdeki kumaşları, mücevherleri, giysileri değil ama sonbahar gecesinin tadını çıkaran insanları seyrederek Mekteb-i Sultani'nin önüne geldim. Yıllarca bana yuva olmuş okuluma bakarken, arkadaşlarımdan birini değil de, efsanevi müdür Tevfik Fikret'i hatırladım. 31 Mart'ta gericiler meşrutiyete karşı ayaklandıklarında kapıya dikilip "Benim cesedimi çiğnemeden kimse bu mektebe dokunamaz," diyen büyük şairi... Namuslu adamdı, dünyanın, ülkenin acısını içinde hisseden bir adam. Sonradan onu da düşman etmişti cemiyet kendine. Hüzünlendim. Sanki olanı biteni unutmama yardım edebilirmiş gibi kaçırdım bakışlarımı okulumuzun kapısından.

Kalabalığı caddede bırakıp Cité de Péra'ya girdim. Pastanenin, terzinin, fırının önünden geçtim, yine Yorgo'nun Meyhanesi'nde aldım soluğu. Adımımı atar atmaz Hristo'nun neşeli sesi çınladı kulaklarımda.

"Vay hoş gelmişsin Şehsuvar Bey, sefalar getirmişsin..."

İçmeye hiç niyetim yoktu aslında, sarhoş olunacak değil, bilakis gece gündüz ayık durulması icap eden zamanlardı. Hep oturduğum yere, pencerenin kenarındaki masaya çöktüm. Meze istemedim ama Hristo'nun,

"Bir kadehcikten bi' şey olmaz Şehsuvar Bey," ısrarına hayır diyemedim. Palamut akını varmış. Lacivert sırtlı bir derya kuzusunu, rokası bol bir salata eşliğinde mideye indirdim. Peşimdekilerden deri ceketli olanı bir kez geçti pencerenin önünden, umursamadım. Artık ne korkuyor, ne kızıyor ne de ciddiye alıyordum onları, vazifelerini icra etmeye çalışıyorlardı adamlar, hepsi buydu.

Otele dönerken bütün dertlerim, meselelerim yerli yerinde durmasına rağmen kendimi çok daha iyi hissediyordum. Sanki bu dünyadan, bu ülkeden, bu şehirden ve beni bekleyen bütün tehdit ve tehlikelerden kurtulmuş gibiydim. İşte bu hissiyatla girdim otele, bu hissiyatla oturdum yazı masasına. Ve bugünden çok daha umutlu, çok daha mesut olduğumuz ayaklanma günlerini yazmaya başladım yeniden.

Yıldız'daki padişah, isyanı bastırmak için Tatar Osman Paşa'yı görevlendirmişti. Ne yapılıp edilecek, Şemsi Paşa'nın muvaffak olamadığı vazife eksiksiz olarak tamamlanacaktı. Elbette artık herkes daha temkinliydi, daha dikkatli ve daha ürkek. Öyle ya, bir paşa daha katledilirse ne olurdu Devlet-i Aliyye'nin hali? Bu sebepten misliyle güvenlik tedbiri alınmıştı ama karşılarında gizli bir cemiyet vardı. Ve bizzat Tatar Osman Paşa olmasa bile onun en yakınındaki subaylardan birinin İttihat ve Terakki üyesi olması işten bile değildi. Zavallı Osman Paşa da farkındaydı bunun. Fakat elden ne gelir, emir büyük yerdendi, ucunda ölüm de olsa yerine getirilecekti. Yine de yılların tecrübesiyle farklı bir yol izlemeyi tercih etti Paşa. Manastır'a gelince, dağa asker yollamak ya da şehirde tutuklamalara başlamak yerine, bir heyet oluşturup cemiyetin üyelerini tespite kalkıştı. Ne var ki çok geçti, ne yaparsa yapsın, artık inkılabı kimse bastıramazdı, Makedonya dağlarında tutuşan isyan ateşini asla söndüremeyeceklerdi.

Şemso'nun vurulmasıyla vatan evlatları manevi bir galibiyet almışlardı, daha da önemlisi millet, Abdülhamit'in bir paşasının öldürülebileceğini görmüş, saraya duydukları korku azalır gibi olmuştu. Gibi diyorum, çünkü kati zafer henüz sağlanamamıştı, sarayın sert bir darbesiyle vaziyet anında tersine dönebilirdi. Binlerce yıldır krallara, imparatorlara, padişahlara körü körüne boyun eğmiş, büyük isyan ve ayaklanma tecrübelerinden yoksun bu halk, devlet baskısını görür görmez bizi hain ilan ederek, "Padişahım çok yaşa!" demeye başlayabilirdi. Üstelik, ardı ardına iki paşanın öldürülmesi tepki toplayabilir, Yıldız Sarayı, isyan hareketini yabancı devletlerle bir tür iş birliği gibi gösterip, "Bakın işte bunlar vatan haini," diyerek milleti aleyhimize kışkırtabilirdi. Abdülhamit'in eline böylesi kozlar vermek istemeyen cemiyet, işte bu nedenle Tatar Osman Paşa'yı öldürmeye değil, bir süreliğine dağa kaldırmaya karar vermişti.

İttihat Terakki Merkez-i Umumisi'nin Resneli Niyazi'ye gönderdiği mesajı, vaktinde ulaştırmam bu sebepten çok mühimdi. Tabii, götürdüğüm şifreli mektubun içinde neler yazdığından o zamanlar bihaberdim. Meşrutiyetin ilanından sonra anlayacaktım, mintanımın altında, kalbimin üstünde kutsal bir emanetmiş gibi taşıdığım o mektubun içinde neler yazdığını.

On gün önce geldiğim yolu trenle gerisin geri katederek Manastır'a ulaştım. İstasyonda Mehmed Ali eniştem karşıladı beni. Sevinçle sarıldık. Görüşmediğimiz kısa süre içinde büyük olaylar meydana gelmiş, vatan adeta şahlanıp ayağa kalkmıştı. İkimiz de sevinçliydik, ikimiz de ne yaptığımızı biliyor, böylesi büyük bir direnişin içinde yer almaktan gurur duyuyorduk. Fakat oturup birbirimize memnuniyetimizi anlatacak sıra değildi, öyle hızlanmıştı ki zaman, her saatin her dakikanın önemi vardı. Manastır'da cemiyetin tedarik ettiği araba gelinceye kadar oyalandım. Bu süreyi de on gün önce Mülazım Atıf'ın, Şemso'yu vurmadan önce yemek yediği lokantada karnımı doyurarak geçirdim. Mehmed Ali eniştem bir an olsun yalnız bırakmamıştı; artık anlamışsındır, bir akraba olarak değil, bir cemiyet üyesi olarak karşılamıştı beni. Ama herhangi bir şüphe vuku bulduğunda akraba olduğumuzu söyleyerek kurtaracaktık vaziyeti. Bundan daha iyi bir emniyet tedbiri olamazdı.

Allah'a şükür hiçbir mesele çıkmadı, trenden indikten bir saat sonra iki siyah atın çektiği bir arabayla Resne'ye doğru yola çıkmıştım bile. Yanımda teyzem olduğunu söyleyeceğim Ulviye Hanım'la on yaşındaki oğlu Hasan vardı. Cemiyet işi şansa bırakmak istemiyordu; otuz iki yıllık yönetiminde Abdülhamit'in en başarılı olduğu alan hafiyelik teşkilatıydı. Gerçi son vakitlerde bu işin de cılkı çıkmış, gelen jurnaller o kadar artmıştı ki, hangisinin hakikaten kuşkulu bir durum, hangisinin göze girmek için yapılan bir ihbar olduğu tespit edilemez olmuştu. Yine de sultan için hafiyelik teşkilatı vazgeçilmez önemdeydi; öyle ki 1905 yılında Edward Jorris adlı Belçikalı bir anarşistin yaptığı bombalı suikastın önlenememesi, hatta Abdülhamit'in bu saldırıdan bir anlık gecikmeyle şans eseri kurtulması bile hafiyelere duyduğu büyük güveni azaltmamıştı. Zaten başka çaresi de yoktu. Onca baskıya, onca zulme rağmen sayıları her geçen gün artan muhaliflerle başka türlü nasıl başa çıkabilirdi?

Resne'nin girişindeki Şaşı Fehim Ağa'nın çiftliğinde indik arabadan. Şaşı dediklerine bakma, son derece yakışıklı, sırım gibi upuzun bir adamdı, sadece ela gözleri biraz şehlaydı, o kadar. Yetmişinde olmasına rağmen dimdik yürüyordu, hafızası, zekâsı benden daha iyiydi. Sanki öz evladıymışız gibi muhabbetle karşıladı bizi. Devasa çınarın altındaki sekiye sofra kurdurdu, biz karnımızı doyururken, Niyazi Bey'in Lahça üzerine yürüdüğünü anlattı. Bu gece olmazsa, yarın sabah ulaşırmış oraya. Ulviye Hanım'la oğlu Hasan yanımızdan ayrılınca kaygıyla baktı yüzüme.

"Amma bitap görünüyorsun kızanım," dedi. "Bu gece kal, yarın çıkarsın yola."

Yorgundum, uykusuzdum, fakat durmak olmazdı, ucunda ölüm de olsa, bir an evvel Resneli Niyazi'yi bulmalıydım.

"Sağ ol Fehim Ağa," dedim kararlı bir tavırla. "Vazife beklemez."

Üstelemedi, altıma yağız bir at çekip, yanıma silahlı iki adam kattı. Dağlar tehlikeliydi, sadece bizimkiler değil, eşkıyalar, soyguncular, bir sürü başıbozuk çete cirit atıyordu etrafta. Hava kararırken çıktık yola. Ilık bir yaz gecesiydi, hoyrat bir rüzgâr atlarımızın yelelerini şefkatle okşuyordu. İki saat kadar sakince yol aldık, ne bir eşkıya çetesi, ne bir asker müfrezesi. Ama karanlığın iyice koyulaştığı, aksine ağaçların seyrekleştiği bir vadiden geçerken, sert bir ses duyuldu:

"Dur! Nereye gidiyorsunuz?"

Fehim Ağa'nın iki adamı önüme geçtiler.

"Resne'den geliyoruz," dedi doru atlısı. "Lahça'ya gidiyoruz."

Ağaçların arasındaki ses yeniden gürledi:

"Kimi görmeye gidiyorsunuz?"

"Kardeşimi," dedi bizim doru atlı süvari. "Lahça'da Sakar kardeşimizi göreceğiz."

Evet, cemiyetin parolasıydı söylediği ve cevap yerine ulaştı. Ağaçlıkların arasından bir düzineye yakın adam çıktı açıklığa. Temkinliliği bırakmamışlardı, hepsinin elleri tetikteydi. Biraz yaklaşınca, bir kahkaha koptu gelenlerin arasından.

"Hamdi, ulan Kel Hamdi, sen değil misin lan o?"

Doru atın sırtındaki fedai de kahkahayı koyverdi.

"Vay Tikveşli Nuri. Ulan sesinden tanımalıydım seni be. Başka kimde vardır o eşek anırtısına benzeyen höykürme."

Hamdi bir anda atından inmiş, Tikveşli Nuri'yle sarmaş dolaş olmuştu. Bulgar çetelerin etrafta dolaştığı görülmüştü, beklenmedik bir baskına uğramaktan korktukları için yolu tutmuşlardı. İyi haberse, Resneli Niyazi'nin Lahça'ya girmek üzere olduğuydu. Yolu koruyan çetecilerin, konakladıkları şeker pınarının suyundan içtikten sonra yeniden koyulduk yola. Gece ilerledikçe serinlik artıyor, çiy yağıyordu üzerimize. İçimin titrediğini hissediyordum ama yanımdaki namlı çetecilere fark ettirmemeye çalışıyordum. Öyle "Acemi oğlan tir tir titriyordu atın üzerinde," dedirtmezdim kendime. Lahça'ya geldiğimizde ortalık sakindi. Niyazi Bey ve çetesinin henüz buraya intikal etmediği anlaşılıyordu.

"İçeriye girmeyelim," diyerek atını yolun dışına sürdü Hamdi. "Şu kuytuda bekleyelim hele, sabah ola, hayrola."

Atların sırtındaki örtüleri yere yayıp uzandık. O kadar yorulmuşum ki, anında dalmışım uykuya. Sırtımı dürtükleyen bir namlu uyandırdı beni. Gözlerimi açınca karşımda, olanca heybetiyle Resneli Niyazi'yi gördüm. Boynunda bir dürbün, elinde bir tüfekle azarladı beni.

"Vazife böyle mi icra edilir delikanlı?"

Apar topar ayağa fırladım.

"Şey efendim," diye gevelerken, çeteciler kahkahayla gülüyorlardı. Nasıl utandığımı anlatamam. Niyazi Bey'in o korku nedir bilmeyen gözlerindeki mana değişti, bir çocuk gibi muzipleşti.

"Latife ediyorum," dedi pala bıyıklarının altındaki dişlerini gösteren sıcak bir gülümsemeyle. "Arkadaşlar saatlerdir yolda olduğunu anlattılar, çok yorulmuşsun. Bizim de senden geri kalır yanımız yok ya..."

Baktım, Kel Hamdi'yle öteki çeteci kıs kıs gülüyordu uzaktan. Ama şimdi alınganlık gösterilecek sıra değildi. Merkez-i Umumi'nin verdiği zarfı, mintanımın içinden çıkardım, isyanın gözdesi olan bu kolağasına uzattım. Aldı, zarfı açtı. Mektubun şifreli olduğunu anlayınca,

"Gel benimle," diyerek ilerideki ceviz ağacına yürüdü. Derhal takibe koyuldum. Kısa boylu bir mülazım da bizimle birlikte yürüyordu. Ceviz ağacının altına gelince mektubu uzatarak emretti:

"Bizim lisanımıza çevir şunu Bahri."

Mülazım Bahri yanlarında taşıdıkları portatif masayı açtı, bazı defterler, kitaplar çıkardı. Niyazi Bey de ben de tek kelime etmeden, bu genç subayın çalışmasını izliyorduk. Sonunda ayağa kalktı, eliyle masanın üzerindeki mektubu işaret etti.

"Buyurun Kumandanım, okumanız için hazırdır."

"Sağ olasın Bahri," diyerek masanın başına geçti. Şifresi çözülmüş mektubu sessizce okumaya başladı.

O mektubu okurken, ben de bu kahraman zabitin, neredeyse kalın kaşlarına değecek kadar kafasını tümüyle örten başlığın üzerindeki yazıyı sökmeye çalışıyordum. Daha önceden işittiğim gibi, iki kelime yazılıydı nakışlı şapkasının üzerinde: "Vatan Fedaisi". Kendisini izlediğimden habersiz olan Niyazi okumayı bitirince,

"Demek doğruymuş," diye mırıldandı kendi kendine. Sonra ışıltılı bakışlarını bana çevirdi. "Allah yardımcımız olsun evlat. Vazife yerine getirilecektir."

O sabah Lahça'da köylerden ve Resne'den gelen yiyeceklerle karnımızı doyurduk. Günlerdir dağlarda olan bu insanların arasında kendimi bir tuhaf hissediyordum. Resneli'nin adamları Victor Hugo'nun romanlarında anlattığı Fransız ihtilalcilerine hiç benzemiyorlardı. Hayır, hayal kırıklığı içinde değildim, aksine despot bir padişaha isyan eden bu saçları, sakalları uzamış, kirli üniformalar içindeki askerlerin, romanlarda okuduğum o Fransız ihtilalcilerinden çok daha hakiki, çok daha sahici olduklarını düşünüyordum. Üstelik çok daha naif. Sen de bizimle gel demeleri için neler vermezdim, ama hayır, acele Selanik'e dönmem, mesajı yerine ulaştırdığımı bildirmem gerekiyordu. Öyle de yaptım...

İki fedaimle birlikte önce Resne'ye, sonra Manastır'a, oradan da ilk trenle Selanik'e, senin yanına döndüm. Ben bu yolculuğu yaparken, Niyazi Bey de kendisine verilen emri, eksiksiz olarak yerine getirmişti. 22 Temmuz'u 23'e bağlayan gece Manastır'a inip, Tatar Osman Paşa'nın konağını basarak dağa kaldırmıştı. Ertesi sabah da Manastır'da toplar atılarak meşrutiyet ilan edilmişti... Sonrası domino taşı gibi gelecek, vilayetler peş peşe meşrutiyeti ilan edeceklerdi. Ve Yıldız Sarayı'nda yapayalnız kalan Abdülhamit Han tarihin bu dayatmasına daha fazla direnemeyecekti.

"Fakat bir kusuru var, çok içiyor.
Aşktan diyorlar..."

※

Günaydın Ester, (3. Gün, Sabah)

Şaşılacak şey, bu sabah erkenden uyandım, oysa yine gecenin bir yarısı koymuştum başımı yastığa. Üstelik karışık rüyalar görmüştüm sabaha kadar. Resneli Niyazi'yle Fransa'ya giden bir gemideyiz. Bir İngiliz paşasını vuracakmışız güya. Ama bir de bakıyorum ki, suikast düzenleyeceğimiz kişi bizim Enver Paşa, yanımdaki de Resneli Niyazi değil, cemiyetin gözü kara tetikçisi Yakup Cemil... Halbuki hiç yıldızımız barışmamıştı onunla. Neyse, öylece uyandım işte. Yok, kan ter içinde filan değil, bu tuhaf rüyaya rağmen nedense içimde bir sevinç... Sultani'de okurken, Selanik'e dönmek için Sirkeci'den trene bindiğimde kalbimi saran neşeye benzer bir his. Şaşırdım, çünkü epeydir uzaktım böyle iyimserliklere. Biteviye hayal kırıklığına uğrayınca, umut etmeye korkuyor insan. Ama bazen hayat, sen kılını kıpırdatmasan da mutlulukla dolduruyor içini.

Önce bir banyo yaptım, ardından giyinip kahvaltıya indim. Dün Orient Ekspres'le gelen turist kalabalığıyla karşılaşmam bile kaçırmadı neşemi. Otelin kıdemli başgarsonu İhsan, o her zamanki el çabukluğuyla köşede bir masa ayarladı bana. Böylece kurtuldum o ecnebi kalabalığının arasında kalmaktan. Hafiften şişmanlamaya başlamış olmama rağmen, bu sabah bir hovardalık yapıp yumurtasıyla, balıyla, sütüyle sağlam bir ziyafet çektim kendime. Son lokmamı çiğnerken, dün akşamüzeri kapımı kurcalayan şişman adam girdi içeriye. Boş masa aranıyordu ki beni gördü, irkilir gibi oldu sonra toparladı, başını usulca eğerek selam verdi. Elbette aldım selamını, üstüne üstlük bir de tatlı tatlı gülümsedim. Ama başgarson yanıma gelince de sormadan edemedim:

"İhsan Bey, şu kapının sol tarafındaki masaya oturan şişman adamı tanıyor musunuz?"

Çaktırmadan, kapıya doğru baktı.

"Nurullah Bey'den bahsediyorsunuz... Evet, kendisi daimi müşterimiz olur. Sakaryalıdır, zahire tüccarı." Çaktırmadan göz ucuyla süzdü bizim tombulu. "Valla, günahı söyleyenlerin boynuna, harp zenginlerinden diyorlar. Hani vagon ticaretiyle köşeyi dönenlerden. İttihatçıların desteğiyle dünyanın parasını kazandı diyorlar. Ama kibar adamdır, cömerttir de, fakat bir kusuru var, çok içiyor. Aşktan diyorlar. Maksim'de çalışan Galina adında bir Rus'a sevdalanmış... Şu dünya güzeli haraşolardan birine. Kadına evlenme teklif etmiş, fakat Galina kocasını bırakmak istemiyormuş. Bana kalırsa bizimkini söğüşlemek için işi yokuşa sürüyor. Nurullah Bey de kendini içkiye vurmuş. Yılın altı ayını Pera Palas'ta geçirir. İlahi adalet Şehsuvar Bey, millet yokluk çekerken, undan, şekerden servet yaparsan, sonunda bir Rus dilberine kaptırırsın hepsini. Ne demişler, haydan gelen huya gider."

Şaşkınlıkla dinlemiştim İhsan'ın sözlerini. Hayır, adamın hikâyesi değildi ilginç olan, kuruntularımın aklımı ele geçirmesiydi. Oysa nasıl da emindim, adım atarken bile güçlükle nefes alan şu zahire tüccarının sinsi bir hafiye olduğundan. E, işte böyle ağır ağır delirtiyorlar insanı. Ama kabahat bendeydi, daha sakin olmalıydım, korkunun aklımı bu kadar kolay ele geçirmesine izin vermemeliydim. Belki de abartıyordum, belki de kimsenin benimle bir zoru yoktu. Ki, normali de buydu aslında; ben ununu elemiş, eleğini asmış bir adamdım. O kadar yaşlanmamış olsam da içim boşalmıştı. Üstelik muhalif de değildim. Niye olayım ki; artık hayalini kurduğum, uğruna dövüştüğüm bir rejim vardı bu ülkede: Cumhuriyet. Ama rejim aleyhine çalışmadığımı bir türlü anlatamıyordum onlara. Yoksa niye düşsünler peşime? Hem de göstere göstere...

Belki de anlamaya çalışıyorlardı beni, hakiki niyetimi öğrenmek istiyorlardı. Evet, belki husumet de duymuyorlardı, sadece küçük bir şüphe. Demek ki şüphelerini giderirsem, onlara kendimi izah edebilirsem, korkacak bir durum kalmayacaktı. O anda pencerenin camına vuran ışık kadar aydınlık göründü istikbal gözüme. O umutla kalktım kahvaltı masasından. Ağzını şapırdatarak yemek yiyen zahire tüccarı Nurullah Bey'i izleyerek keyfimi kaçırmak istemiyordum. Kahvemi yukarıda içmeye karar verdim. Kahveyle birlikte gazetelerimi de odama istedim.

Gazeteler, kahveden önce geldi. *Cumhuriyet* gazetesini aldım elime. İki sene önce, bizim cemiyetin Merkez-i Umumi binası olan Pembe Konak'ta yayın hayatına başlayan bu gazete, adından da anlaşılacağı üzere yeni rejimin ateşli bir savunucusuydu. Ön sayfada Reisicumhur Mustafa Kemal'in yaptığı bir konuşma tam metin olarak verilmişti. Öteki haberlerde harbin yaralarının sarılmasından bahsediliyor, derhal "İktisadi ve içtimai bir şahlanışa geçilmesinin mecburiyeti" vurgulanıyordu.

İkdam gazetesine baktım; aynı minval üzerine haberler, köşe yazıları. *Vakit* de farklı değildi. Geçen yıl bastırılan Kürt ayaklanmasındaki İngiliz parmağını ifşa eden bir makale, alayla valayla ön sayfadan duyurulmuştu. Yazıda Terakkiperver Cumhuriyet Fırkası da tenkit edilerek eski ittihatçıların isyandaki rolü anlatılıyordu. Büyük bölümü yalandı. Yazan herifi de tanıyordum. İbrahim Naşit, namıdiğer, Aristokrat İbrahim. Soy kütüğü saraya kadar uzanıyordu ama soysuzun biriydi. İstanbul'un işgali sırasında bir arkadaşımızı saklamasını rica etmiştik, kati bir tavırla reddetmişti. Bakma şimdi cumhuriyet hükümetine kuyruk salladığına, biz iktidardayken sağlam bir ittihatçıydı, mütareke zamanında ise makul bir Damat Ferit'çi. Ciğeri beş para etmeyen her devrin adamlarından biriydi anlayacağın. Aklınca bu iftiraları atarak mütareke zamanındaki kötü sicilini temize çıkartacak. Yazdığı çirkeflik manzumesinin ortalarına geldiğimde sıkıldım, gazeteyi elimden atmak istedim ama içimden bir ses okumamı söylüyordu. İnat ettim son cümlesine kadar okudum. İyi de yapmışım, satırlar ardı ardına dizilince, bu yazıyı İbrahim Naşit adındaki o cibilliyetsizin kaleme alamayacağını fark ettim. Hayır, bu yazı devlette ve toplumda bir tasfiye harekatını zorunlu gören bir hükümet memuru tarafından kaleme alınmış olmalıydı. Makale şu sözlerle tamamlanıyordu: "Şeyh Said İsyanı ve İzmir Suikastı'nın da ispatladığı gibi içimizde yaşayan hainlere asla müsamaha göstermemeliyiz. Genç cumhuriyetimiz bir yol ayrımına gelmiş bulunuyor, artık eskinin çürümüş kadro ve şahsiyetleriyle kati olarak hesaplaşmadan inkılabımızın muvaffak olması mümkün değildir."

Yeni bir durumdan bahsetmiyordu ama tek bir ittihatçı kalmayıncaya kadar bu tasfiye harekâtının durmayacağını ilan ediyordu. Hayır, beni asla rahat bırakmayacaklardı. Masum olmam, onlar için hiçbir tehlike arz etmemem mühim değildi, lanetli bir maziye sahiptim, bunun bedelini ödemeliydim. Kara Kemal, Cavit Bey ve daha nice masum insan, İzmir Suikastı bahane edilerek nasıl öldürüldüyse, ben de ortalıktan kaldırılmalıydım. Aslına bakılırsa hâlâ yaşıyor olmam mucizeydi. Kahvaltı masasında kapıldığım iyimserlik, anında sönüvermişti ama korku veya dehşet de hissetmiyordum. Sadece yazdıklarımı tamamlayamamaktan endişe ediyordum. O sebepten kahvemi içer içmez, oturdum masanın başına ve on sekiz yıl öncesinin o benzersiz haletiruhiyesini, o güzel yaz ayının coşkulu hislerini yazmaya koyuldum.

Evet, meşrutiyetin ilanı hepimizi adeta sarhoş etmişti. Herkes ama herkes kendini kaybetmiş gibiydi. Aklımıza hiç gelmeyen, hayallerimize sığdıramadığımız olaylar cereyan ediyordu. Rum, Bulgar, Ulah ve Arnavut eşkıyalar -ki bunlar birbirleriyle de kanlı bıçaklı düşmanlardı- dağlardan iniyor, silah bırakıyor, boyun eğiyor, inkılaba ve meşrutiyete sadakatlerini ilan ediyorlardı.

"İşte bu," diyordu Leon Dayı yumruklarını sıkarak. "Bizim ihtilalimiz işte bu. Geç kalmıştık, nihayet başardık. Artık Osmanlı ülkesine hürriyet geldi."

Tümüyle aynı fikirdeydim, onunla aynı coşkuyu paylaşıyordum ama sen durgunlaşmıştın. O ilk günkü heyecanın ağır ağır sönüyordu. Nümayişler, konuşmalar eskisi kadar etkilemiyordu artık seni. Elbette Paloma Nine gibi kötümser değildin, bu büyük inkılabın bir felaketle neticeleneceğine inanmıyordun fakat nedense bizim gibi tutkulu değildin, soğuktun, uzaktın, temkinliydin. Birkaç gün sonra evinize gelmiştim, cemiyet üyesi kadınların toplantısı vardı lokalde.

"Hadi oraya gidelim," diye teklif etmiştim.

"Hayır," demiştin. "Burada, bahçede kalalım, bana Poe'dan şiir oku."

Öyle kederli bir halin vardı ki, seni kıramadım. Amerikalı melankolik şairin, "Kuzgun" adlı şiirini okumaya başladım. Sanki her bir sözcüğün, her bir dizenin anlamını içinde hissetmek istercesine gözlerini kapadın, şiir bitince de uzanıp elime dokundun.

"Biz de Poe gibi, ızdırabımızla alay etmeyi başardığımızda insan olmaya bir adım daha yaklaşacağız."

Ne demek istediğini anlamamıştım, açık konuşmak gerekirse biraz da bozulmuştum. Milletin el ele verip, kendi hürriyetini, kendi ülkesini yeniden yarattığı bu isyan günlerinde hangi ızdıraptan bahsediyordun? İnsan olmaksa işte tam zamanıydı. Bütün vatan esaretten kurtulmuştu. Osmanlı dil, din, ırk ayrımı olmadan yeniden tek bir millet haline geliyordu. Bundan daha yüce bir ideal olabilir miydi? Biraz da sert bir sesle bunları söyleyince,

"Bunlar slogan," diye çıkışmıştın. "Ben, fertten bahsediyorum, tek tek insanlardan, kendimizden..." Çatılan kaşlarımdan hiçbir şey anlamadığımı fark edince de açıklamıştın. "Şu sokakları dolduran kalabalıkların kaç tanesi, Poe gibi sadece insan olmanın kederini hissedebilir? Onların bu görkemli isyanı, herhangi bir canlının hayatta kalma çabasından daha manalı değil ki. Elbette biz sosyalleşmiştik, hürriyet, kardeşlik ve eşitlik isteyecek kadar geliştik ama hâlâ insan olmanın derinliği bütün bu kalabalıkların hareketlerinden uzaklarda bir yerde duruyor. Ben siyasetten, demokrasiden ya da ihtilalden bahsetmiyorum. Bunları lüzumsuz filan da saymıyorum, sadece hayatın manasından söz ediyorum. Niye yaşıyoruz? Amacımız ne? Varolma meselesi yani, ruhumuzdaki o kadim sızı..."

Hiç katılmıyordum düşüncelerine, dahası kızıyordum sana. Yıllardır baskı altında inleyen milletler, prangalarını kırmış, despotizme başkaldırırken, kendi bunalımlarımızdan, sıkıntılarımızdan yakınmanın sırası mıydı şimdi?

"İsyana, doğrudan katılmadığın için böyle hissediyorsun," dedim küçümseyen bir edayla. "Eğer, dağlardaki meşrutiyetçi çeteler gibi..."

Lafı ağzımda koymuştun.

"Ne alakası var? İstesem kolayca yapabilirim bunu. Leon Dayım anında yazdırır adımı cemiyetin kadınlarının arasına. Hatta sen, elimden tutar götürürsün biraz sonra başlayacak toplantıya. Başka zaman hatırlanmasalar da şu sıralar pek revaçta bu kadınlar. Doğunun özgürlük için dövüşen hürriyetçi kadınları... Anında sivrilirim aralarında. Hem elim kalem tutuyor hem ağzım laf yapıyor. Bir haftaya kalmaz kahraman ilan ederler beni... Meşrutiyet için fena da olmaz. Hürriyet kahramanı genç kadın. Fransızların Jeanne d'Arc'ı varsa, bizim de..."

Yanlış anlayacağımdan çekinmiş olacaksın ki, aniden sustun, sadece başını salladın. Sonra siyah gözlerini yüzüme diktin.

"Elbette bütün bu isyanlar, bu hürriyet kavgası, çok saygı değer, elbette çok gerekli, tabii ki hayatın da bir parçası ama bir de fert olarak biz varız. Evet, öteki insanlarla birlikte bir camia oluşturuyoruz, fakat yine de ötekilerden farklıyız. Mesela sen yazar olmak istiyorsun, seni ötekilerden ayıran bu. Onlar gibi hisseder, dünyayı onlar gibi anlar, onlar gibi tahlil eder, onlar gibi düşünürsen olmaz. Senin bambaşka, yepyeni bir bakış açın olmalı. Çünkü bir edebiyatçı kronikçi değildir, yani tarihte olup biteni kaleme almaz. Tarihte olup bitenlerin, yazdığı karakterler üzerindeki etkisini anlatır, böylece biz okurlar da o kahramanlarla aynı haletiruhiye içerisine girer, kendi benliğimizle yüzleşme imkânı buluruz."

Bunları söyledikten sonra uzanıp şiir kitabını almıştın elimden.

"Yok, bugün gitmeyelim kadınların toplantısına, günlerdir dinliyoruz insanları zaten. Biz şiire dönelim artık, edebiyata, güzelliğe..."

Hayır, seni dinlemedim. Yaz güneşiyle ısınan otların baygın kokularıyla havası ağırlaşan, insana bir uyuşukluk, derin bir rehavet veren o bahçede daha fazla kalamazdım. Canını sıkmak pahasına da olsa, belki de bilhassa canını sıkmak için, seni o kiraz ağacının altında Poe'nun kitabıyla birlikte bırakıp çıktım evinizden. O kadar emindim ki haklılığımdan yol boyunca söylenip durdum. Ama sonra, biz ayrıldıktan çok sonra harpten ve siyasetten uzak kaldığım anlarda tekrar düşündüm o yaz gününde bana söylediklerini. Bazen hak verir gibi olsam da genellikle katılmadım fikirlerine. Dünyanın cehenneme döndüğü o günlerde, insanların kadın, çocuk, yaşlı ayrımı yapılmadan vahşice katledildikleri bir çağda ruhumuzun acılarını dert etmek, kusura bakma ama biraz züppelik gibi geliyordu bana. Fakat aradan geçen onca yılın ardından, şimdi bu otel odasında kendi ruhumla baş başa kalınca, söylediklerin daha bir anlamlı geliyor, sanki yavaş yavaş seni anlamaya başlıyorum. Anlamaya başlıyorum diyorum, çünkü durum hâlâ benim için müphem; çünkü hâlâ neyin doğru, neyin yanlış olduğundan pek emin değilim. Oysa 1908 yılının Temmuz ayında, hakikat, senin o incecik bedenin, kömür karası gözlerin, rüzgârda bir isyan bayrağı gibi uçuşan kızıl saçların kadar sarihti gözlerimin önünde.

Bu sabah öyle sevinçli uyanmamın nedeni de galiba o günleri yeniden hatırlamamdı. Hatırlamak değil de belki hissetmiş olmam. Evet, senelerce evvel yaşanan o büyük altüst oluşun ruhumda yarattığı mutluluğu hissederek uyanmıştım bu sabah. Oysa coşkular sönmüş, tutkular küllenmiş, Paloma Nine'nin söylediği gibi inkılap mutluluklardan çok, derin acılar getirmişti hepimize. Ama o sıcak temmuz ayında bu hislerin oldukça uzağındaydım. Bilhassa Hürriyet Meydanı'nda, Hürriyet Kahramanı Enver Bey'i dinlerken... Evet, hiç unutamayacağım hatıralardan biriydi bu konuşma. O zamanlar binbaşı olan Enver'i ilk kez bu kadar yakından görüyordum. Resneli Niyazi'den epeyce farklıydı. Evet, onun gibi korkusuzdu ama daha yakışıklıydı; gözlerinde öfkeden çok hırs vardı, hırs değil de tutku. Evet, sönmek bilmez bir tutku. Ve sonsuz bir kendine güven. Sonsuz bir kendine iman. Öyle ki, bir süre sonra hayallerini hakikat sanacaktı, daha mühimi etrafındakileri de inandıracaktı buna. Evet, her lider gibi o da ahaliyi etkileyebilme kabiliyetine sahipti. Uzun boylu değildi, fakat dimdik duruyordu, sanki başı, gökyüzünde çoğalan beyaz bulutlara değecekmiş gibi dimdik. Ve çok etkili konuşuyordu, kendisini dinleyenlerin tüylerini diken diken edecek kadar etkili...

"Vatandaşlar!" diye haykırıyordu. "İstibdat artık sona erdi. Artık kötü yönetim yok. Artık korkmaya da gerek yok. Bulgarlar, Yunanlar, Sırplar, Romenler, Yahudiler, Müslümanlar yok. Şu gördüğünüz mavi gökyüzünün altında hepimiz eşitiz. Hepimiz kardeşiz, Osmanlı olmaktan gurur duyuyoruz. Avrupa artık imparatorluğumuz üzerindeki nüfuzunun kırıldığını kabul etmelidir..."

Fazlasıyla iyimser, fazlasıyla abartılı laflardı bunlar ama söylediğim gibi isyan hepimizin başını döndürmüştü ve belki de içimizde en fazla sarhoş olan Enver Bey'di. Üstelik o günlerde hiç de sakil kaçmıyordu bu türden konuşmalar. Sözlerimiz havada uçuşan sesler gibi etkisiz değildi artık. Abdülhamit'in zulmüyle inleyen ülkede zindanların kapıları teker teker açılıyor, kendi vatanında esir düşmüş Osmanlı evlatları birer birer hürriyetlerine kavuşuyorlardı. Hâlâ sultanın çıkarlarını korumaya çalışan valiler, bizzat bulundukları yörenin halkı tarafından azlediliyor, hafiyeler tartaklanıyor, tutuklanıyordu. Payitahtta elli bin kişilik bir kalabalık Bab-ı Âli'ye yürüyordu. Serez'den Harput'a, Bursa'dan Beyrut'a kadar bütün Osmanlı yurdu inkılabı kutluyordu. Fakat bütün bu toz dumanın arkasındaki hakikat bambaşkaydı. Bu büyük çalkantıya, bu sosyal altüst oluşa rağmen hâlâ kati bir zafer kazanamamıştık. Meşrutiyet ilan edilmiş olmasına rağmen otuz iki yıldır millete kan kusturan despot hâlâ Yıldız Sarayı'nda Devlet-i Aliyye'yi yönetiyordu, onun hafiyeleri ve memurları hâlâ vazife başındaydı. Seçimlerin yapılacağından söz ediliyordu ama yıllardır gizli çalışmış cemiyetimizin henüz hukuki konumu açıklık kazanamamıştı. Leon Dayı'nın söylediği gibi, "İnkılap yapmış ama iktidar olamamıştık."

Bu sözleri Enver Bey'i dinledikten sonra birlikte avukatlık bürosuna giderken söylemişti Leon Dayı. Muhtemelen o sırada sen, kiraz ağacının altında oturmuş, bilmem hangi melankolik şairin şiirlerini okuyordun. Belki bana kızıyordun, belki üzgündün ama ağladığını hiç zannetmiyorum. Nefretten kasılsan bile o zayıflığı göstermezsin sen... Evet, tek başınayken bile nemlenmez gözlerin. Bu mümkün mü? İnsan bu kadar güçlü olabilir mi? Yoksa çok güçsüz, çok kırılgan olduğun için mi öyle görünmek istiyordun? O alaycı, umursamazlığın seni koruyan bir tür zırh mıydı?

Bu meseleyi de çok düşündüm. Belki daha bebek yaşta annemi kaybetmenin getirdiği bir katılık, babanın seni bırakıp Paris'e gitmesi, orada başka bir kadınla evlenmesi... Çok erken bir olgunlaşma. Sevgisiz büyüme diyemeyeceğim, çünkü Paloma Nine de, Leon Dayı da büyük bir şefkatle yaklaşıyorlardı sana. Seni şımarttıklarını bile söyleyebilirim. O gün Leon Dayı'yla senin hakkında da konuşmuştuk.

"Ester nerde?" diye sormuştu sahil boyunca yürürken.

Artık bu tür toplantılarla alakadar olmadığını söylemiştim; tecrübeli adamdı; yüzümün gölgelenmesinden, sesimin tınısından bir mesele olduğunu anlamıştı.

"Kavga mı ettiniz yoksa?"

Geçen gün konuştuklarımızı anlattım. Düşünceli düşünceli başını salladı.

"Çare arıyor," diye mırıldandı. Aniden durdu. "Sizin işiniz çok zor." Gözlerimin içine baktı. "Bunu biliyorsun değil mi Şehsuvar?"

"Benim de hayatımı zorlaştırdınız" diye bize mi kızıyordu, yoksa "size niye müsaade ettim ki?" diye kendine mi, anlayamadım.

"Biliyorum efendim," diye onayladım. "Biliyorum..."

Tekrar yürümeye başladı.

"Ester, eşi benzeri olmayan bir kızdır. Fevkalade bir insandır. Ben büyüttüğüm için söylemiyorum, onu kendi kızım kadar sevdiğim için de söylemiyorum. Sahiden öyle bir insan. Zamanının çok ötesinde. Bunun iyi eğitim almış olmasıyla, Paris'te okumuş olmasıyla filan alakası yok. Bu biraz tuhaf gelecek sana ama onun gizli bir yeteneği var. Tanrı ona bir hediye vermiş. Belki de bir ceza... Evet, onun felaketi sezinleme becerisi var. Tıpkı annem gibi. Bütün Yahudi kadınlarında vardır bu duygu. Sahiden diyorum... En azından benim tanıdığım Yahudi kadınlarında vardı. Musa Peygamber, kavmimizi Mısır'dan kurtardığından beri, binlerce yıl ülke ülke, memleket memleket sürüldükten, kovulduktan sonra edinmiş olmalılar bu yeteneği..."

Sustu; ben de ağzımı açıp tek kelime etmedim. Aklımızı kurcalayan bu meseleyi kendi kendimize ölçerek, biçerek bir süre öylece yürüdük.

"Evet," dedi sonunda başını sallayarak. "Evet, Ester çare arıyor. Seninle birlikte olmak için çare arıyor. Elbette kendi mutluluğu için yapıyor bunu, çünkü seni seviyor, seninle yaşamak istiyor. Biliyor ki sen siyasete bulaştıkça uzaklaşacaksınız birbirinizden. Paris'e de bunun için gitmek istiyor. Belki de bütün bu olanları çok önceden sezinlediği için... Evet, çocukça bir fikre sahip, sanatın sizi kurtaracağını zannediyor. Sen romancı olacaksın, o şair... Ve sanatın ve aşkın şehri Paris, kendi öz çocuklarıymış gibi bağrına basacak sizi. Ne Yahudilik ne Müslümanlık, adına kültür denilen bambaşka bir din. İşte o zaman ortadan kalkacak sizi ayıran her şey...

Ester bunu düşlüyor. Hayır, hiçbir zaman açıkça söylemedi bunları bana ama biliyorum, herkes gibi, hepimiz gibi, bütün dünya gibi, o da bir çıkmaza girmiş durumda. Onun bulduğu hal yolu bu. Biz ise, yani seninle ben, bambaşka bir rüzgâra kapıldık. İşin kötüsü, olaylar bu raddeye gelmişken artık ray da değiştiremeyiz..." Tekrar durdu. "Yanlış mı düşünüyorum? İsyan ülkeyi kasıp kavururken, hürriyet bu kadar yakınımızdayken hadi bana müsaade arkadaşlar, diyebilir misin?"

Kötü yerimden yakalamıştı. Sadece omuz silkmekle yetindim.

"Talat Bey, seni bana gönderdiğinde çok olumlu ifadeler kullanmıştı hakkında. Ama onun gibi önemli bir adam kefil olmasa da yine yanımda tutardım seni. Çünkü tanıdıkça daha çok sevdim. Çünkü gerçek bir vatanperversin, samimisin, dürüstsün, itimat edilir bir gençsin. Hayır, sen kendi mutluluğun için, vatanından vazgeçemezsin. Ülke ateşler içinde kalmışken, kendi gönül yangınını söndürmenin peşinde koşmazsın. Yanılıyor muyum? Cemiyete girerken ettiğin yemini bozabilir misin? Hürriyet, kardeşlik, eşitlik ve adalet için dövüşmekten vazgeçebilir misin?"

Ne diyeceğimi bilemiyordum; utanıyordum, çok utanıyordum ama öte yandan büyük bir tepki duyuyordum Leon Dayı'ya. Evet, söylediklerinin hepsi doğruydu. Üstelik defalarca aynı soruyu kendi kendime sormuş, aynı cevabı vermiştim. Ama Leon Dayı sorunca, beni köşeye sıkıştırmaya çalıştığını zannettim, bizi ayırmak istediğini düşündüm. Derin bir güvensizlik kapladı yüreğimi, kapkaranlık bir kuşku... Demek ki en başından beri karşıymış münasebetimize, diye geçirdim aklımdan. Zaten hep acayip gelmişti bana, Leon Dayı'nın bize gösterdiği hoşgörü. Demek o sıcak davranışların hepsi sahteymiş. Beni kandırmak için öyle görünüyormuş. Ne kadar açık fikirli, ne kadar medeni olursa olsun, hangi Yahudi isterdi ki öz kızı yerine koyduğu biricik yeğenini bir Müslümanla evlendirmeyi? Tuhaf bir histi, bir yandan aşağılık duygusu hissediyordum, bir yandan küçümseme ve elbette çığ gibi çoğalan bir öfke. Büyük saygı duyduğum, o şefkat dolu, o bilge insan, yıllarca işlenen din düşmanlığının da yardımıyla bir anda şeytana dönüşüvermişti gözümde. Yahudi'ydi işte, bizim aramıza katılmasının nedeni de Selanik'te kendi cemaati için bir devlet kurmaktı. Bir de utanmadan kardeşlikten, eşitlikten, adaletten bahsediyordu. Ben böyle içten içe kendimi kötülükle zehirlerken,

"Bana kızma Şehsuvar," dedi Leon Dayı müşfik bir sesle. "Senin düşmanın değilim, aksine senin dava arkadaşınım. Ester'le birlikte olmanıza da karşı değilim. Olsaydım, münasebetinizi çok önceden engellerdim. Şu an, Ester'le gidiyorum desen, benim için mesele değil. Paris'e gitmeniz için elimden gelen her türlü imkânı kullanırım. Bunun için de seni ne ayıplar, sana ne küser ne de kızarım. Ben de genç oldum, ben de sevda denen bu hissi yaşadım. Lakin mesele ben değilim, sensin. Daha dün 'Kuryelik basit bir vazife, ben fedailer arasına girmek istiyorum,' diyen sen, isyan dalga dalga ülkeye yayılırken, Ester'le Paris'e gidebilecek misin?"

Doğru söylüyordu, ister istemez bakışlarımı kaçırdım.

"Demek istediğim bu Şehsuvarcığım. Demek istediğim işte bu aziz kardeşim. Ester'den ayrıl demiyorum sana. Sadece benim biricik kızımın ne düşündüğünü anlatmaya çalışıyorum. Onu daha iyi anlaman için, onun ne istediğini bilmen için. Saklayacak değilim, bütün bunları da senden çok Ester'in mutluluğu için yapıyorum."

Yüreğimi bir bukağı gibi sıkan öfke geçmemişti ama Leon Dayı'nın beni kandırmaya çalışmadığını anlamıştım. O göründüğü gibi biriydi. Söyledikleri doğru ya da yanlış olabilirdi ama sözlerinde samimiydi. Yalancı olan bendim, nitekim az önce kapıldığım yıkıcı hisleri saklayarak riyakârca davranmayı sürdürdüm.

"Rica ederim efendim, size niçin kızayım? Sadece içinde bulunduğumuz meseleyi izah etmek istemiştim."

İnanmadı tabii ama daha fazla utandırmak istemediğinden üstüme gelmedi.

"İyi o zaman, lakin şunu anlamalısın, işiniz kolay değil. Benim tanıdığım Ester, inatçıdır, kendi bildiğinden şaşmaz. Şunu da söylemek mecburiyetindeyim ki, eğer Ester, tek başına Paris'e gitmek isterse, onu desteklemekten geri durmam. Böyle olsun istemem ama o gün gelirse, lütfen bu davranışımı sana karşıymışım gibi yorumlama."

Dürüst insanların neden yalana ihtiyaç duymadıklarını o anda fark ettim. Çünkü onlar inandıkları gibi hareket ediyorlardı, çünkü onların kendi doğruları vardı ve kimse onları bunun dışına çıkaramazdı. Belki hiçbir zaman farkına varmadı ama Leon Dayı, benim en iyi öğretmenlerimden biriydi. Ne yazık ki bunu kendisine söyleme fırsatı bulamadım.

O gün Leon Dayı'nın söyledikleri, senin hakkındaki düşüncelerimi biraz olsun yerli yerine oturtsa da, kafamdaki soruları, kaygıları, endişeleri tümüyle giderememişti. Sadece onun sözleri değil, kendime yaptığım izahat, yanımda yokken bile seninle yaptığım tartışmalar, sık sık geçmişi hatırlayıp tahlillerin girdabında kaybolmalar, hiçbiri ama hiçbiri sorularıma cevap olamadı.

Zannederim o sebepten böyle çaresiz kaldım. O sebepten, bu duygusal gidiş gelişleri, bu ruhsal altüst oluşları, sönüp sönüp yeniden kabaran o sonsuz öfkeyi, o dinmek bilmez hasreti hiç ama hiç kaybetmedim. Ve zannederim yine bu sebepten, yani bütün ömrüm boyunca çözemediğim tek muamma sen olduğun için, bu aşkı hiçbir zaman unutmadım, unutamadım; hiç kapanmayacak mukaddes bir yara gibi hep canevimin en mahrem yerinde sakladım.

Biliyorum, belki de gülüp geçeceksin bu yazdıklarıma. Belki de öfkeleneceksin; madem öyleydi, o zaman neden beni bıraktın, neden benimle gelmedin diyeceksin. Buna verecek hem çok cevabım var, hem hiç cevabım yok. Yani neden öyle davrandığımı tam olarak ben de izah edemiyorum kendime. Bazen iyi bir sebep buluyorum, bazen de ne kadar mantıklı olursa olsun bulduğum bütün sebepler saçma geliyor bana... Belki senin verebilecek çok daha iyi bir cevabın vardır, çok daha iyi bir açıklaman...

Bir dakika... Bir dakika... Telefon çalıyor, bakmasam... Amma da ısrarcı... Bakmayacağım, hayır, kim olursa olsun bu münasebetsiz, açmayacağım telefonu... Niye vazgeçmiyor ki? Bu ne inat? Mühim bir şey olmasın? Baksam mı? Özür dilerim Ester, yine ara vereceğim...

"Devlette devamlılık esastır."

✳

Merhaba Ester, (3. Gün, Akşamüzeri)

Çalan telefon sebebiyle ara verdiğim yazıma nihayet dönebildim. Hakikaten acayip bir meseleyle karşı karşıyaydım. Adamlar pis bir oyun peşindeydiler. Beni takip eden hafiyelerden bahsediyorum. Tutuklamadan önce, sinirlerimi harap ederek haletiruhiyemi çökertmek istiyorlardı. Böylece benliğimi diledikleri gibi yoğurmayı, şahsiyetimi ayaklarının altına almayı umuyorlardı. Yeni rejimin hafiyelerini küçümsemekle hata yaptığımı anlıyordum. Oysa devlette devamlılık esastı. Benim peşimde olan adamlar, Osmanlı'nın yüzlerce yıllık zaptiye geleneğinin bir parçasıydılar. Zalimlik kadar sinsiliği, vahşet kadar kurnazlığı da miras almışlardı.

Neyse daha fazla merakta bırakmayayım seni. Bu öğleden sonra telefonu açtığımda aşina olduğum bir ses, "Şehsuvar Bey, Kubbeli Salon'da bir arkadaşınız sizi bekliyor," diyordu. Hemen çıkardım sesin sahibini, resepsiyondaki Ömer adındaki gençti. Önce otel müdüründen bahsediyor sandım.

"Reşit Bey mi?" diye sordum.

"Hayır," dedi sorumu yadırgayarak. "Başka bir beyefendi."

"Peki kimmiş? Adını söyledi mi?"

"Bir dakika şuraya yazmıştım. Evet, Binbaşı... Binbaşı Basri'ymiş..."

Tüylerim diken diken oldu; çünkü Binbaşı Basri on dört yıl önce, tıpkı Reşit'in babası Yusuf gibi Trablusgarp'ta şehit düşmüştü. Evet, çölün ortasındaki o cenneti andıran vahada, benim kucağımda... Biri benimle çok kötü bir oyun oynuyordu. Peki, kimdi bu meçhul adam? Kim olacak peşimdeki alçaklardan biri. Belki de gittiğimde kimseyi bulamayacaktım. İnmesem, hiç çıkmasam odamdan, duymamış gibi yapsam, bu telefon hiç gelmemiş gibi. Daha iyi bir fikir geldi aklıma.

"Adam hâlâ orada mı?" diye sordum Ömer'e. "Senden rica etsem bir bakar mısın, hakikaten bekliyor mu beni?"

Eminim çok acayip bulmuştur bu isteğimi Ömer ama itiraz etmedi çocuk. Kısa bir sessizliğin ardından,

"Orada efendim," dedi. Sanki o esrarengiz adamın duymasından çekinir gibi fısıltıyla konuşmaya başlamıştı. "Kahvesini içerek sizi bekliyor..."

Artık kaçacak halim yoktu, mademki bekliyordu gidip görecektim bu tuhaf ziyaretçiyi.

Kubbeli Salon'a girince, önce tanıyamadım, bordo kadife koltukta oturan, yakışıklı yüzünde yılışık bir ifadeyle bana bakan adamı. Elbette Basri Bey değildi ama birkaç adım atıp yaklaşınca çıkardım: Mehmed Esad... Üsküplü Mehmed Esad. Fedailer grubundaki ilk yoldaşımdı, tabii kumandanımız Basri Bey'i saymazsak. İyi de neden adını saklamıştı, neden Basri Bey'in adını kullanmıştı? Neden olacak her zamanki münasebetsizliğinden. Güya kendince latife yapıyordu. Uçları hafifçe yukarı doğru kıvrılmış bıyıklarını burarak ayağa kalkarken, ben de duygularımı gizleyen bir gülümseme takındım.

"Vay Şehsuvar kardeş," diyerek muhabbetle sarıldı bana. "Hiç değişmemişsin yahu!"

Yalan söylüyordu; değişmiştim. Ne beni tanıdığı günlerdeki o heyecan vardı yüzümde, ne de o eski gençlik ateşi kalmıştı gözlerimde. Alnımdaki çizgiler derinleşmiş, saçlarım kırçıllaşmış, belim hafiften eğilmişti. Ama olsun, aynı yalanı ben de onun için söyledim.

"Sen de hiç değişmemişsin."

Oysa ağarmaya başlamış kıvırcık saçlarına, bakımlı bıyıklarına, sinekkaydı tıraşına rağmen karşımdaki adam da yaşlı görünüyordu. Mehmed Esad da benim gibi henüz kırkında bile yoktu. Biraz dikkatli bakınca kahverengi gözlerinin derinliklerinde, saklamaya çalıştığı o derin yorgunluk fark ediliyordu zaten. Bu ruh halini gizlemek için gevrek gevrek güldü.

"Değişmedik tabii. Biz tarih yazmış bir nesiliz, zaman denen o görünmez musibet başa çıkabilir mi bizimle?" Alaycı bir ifade belirdi yüzünde. "Edebî bir cümle oldu değil mi? Ne de olsa Şehsuvar Sami'nin arkadaşıyız..." Birden ciddileşti. "Nasıl gidiyor senin şu yazı işi?"

Panikledim. Nerden biliyordu yazdıklarımı? Yoksa sana gönderdiklerim onların eline mi geçmişti?

"Hep bahsederdin ya bir roman yazacağım diye... Ben hastanedeyken anlatmıştın hani... Yazdın mı o romanı?"

Böyle söyleyince rahatladım, yaptığım boşboğazlıklardan biliyordu yazıya olan merakımı.

"Nerede?" diye söylendim. "Roman yazmak kim, biz kim? Boşver şimdi eski hayalleri de buyur oturalım. Sahi, Pera Palas'ta kaldığımı kimden öğrendin?"

"Konuşuruz..." diye geçiştirdi koltuğa çökerken. "Selanik'te kimsen kalmış mıydı? Ailenden diyorum..."

Tekrar bir kuşku düşürdü içime bu sözleri. Selanik derken seni mi ima ediyordu?

"Annemin mezarı kaldı Mehmed, bir de hatıralar..."

Buruk gülümsedi.

"Hep öyle..." Karşılaştığımızdan beri ilk samimi haliydi bu. "Üsküp'te de bizimkilerin mezarları kaldı sadece. Koca bir imparatorluk Şehsuvar... Koca bir imparatorluk çöktü..." Yutkundu, yine ürkek gözlerle baktı etrafa ama öyle kuşku uyandıracak kimse yoktu. Oldukça sakin sayılırdı kaliteli mobilyalarla döşenmiş geniş salon. Yaşlı bir Fransız çift, kahvelerini içiyorlardı köşede, hangi milletten olduğunu kestiremediğim üç genç kız pencereye yakın bir divana kurulmuş, neşeli bir muhabbete tutuşmuşlardı. Her zamanki gibi İhsan Bey el pençe divan duruyordu kapıda. Kendisine baktığımı görünce bize yöneldi.

"Ne arzu ederdiniz Şehsuvar Bey?"

Eski arkadaşıma baktım. Mehmed sehpanın üzerindeki boş kahve fincanını gösterdi.

"İçtim, teşekkür ederim."

"Ben de bi' şey almayayım İhsan, belki daha sonra..."

Başgarson uzaklaşırken, çok da mühimsemez görünerek yeniden sordum Mehmed'e:

"Neden kendi adını söylemedin resepsiyondaki çocuğa? Niye kendini Basri Bey diye tanıttın?"

Cevap vermek yerine, sigara paketini çıkardı, kapağını açarken kederli bir bakış fırlattı.

"Maziyi yâd etmek için. Bugünlerde kimse eski günleri hatırlamak istemiyor." Belli belirsiz gülümsedi. "Alındın mı yoksa?"

Omuzlarımı silktim.

"Yok canım niye alınayım, sadece acayip geldi biraz. Yıllar önce şehit düşmüş kumandanının bir otelin salonunda seni beklemesi pek sık rastlanacak bir vaka değil de..."

İğneleyici sözlerime aldırmadı, tabakayı uzattı.

"Yaksana..."

Cibali'de üretilen cumhuriyetin yeni sigaraları, al beni dercesine sıralanıyordu gözümün önünde. Siperlerde geçen bitmek bilmez gecelerde, politik buhranın başını alıp gittiği sıkıntılı günlerde en yakın dostum olmuştu tütün. Ama o serüvenlerle dolu mazi gibi sigara da çok eskilerde kalmıştı artık benim için.

"Doktor yasakladı," dedim başımı sallayarak. "Bir verem vakası atlattım. Bekir Ağa Bölüğü'nde kapmışız... Şanslıydım, başlangıç dönemiymiş, kurtardık işte."

Kaygılanmıştı. Hepimiz gibi o da değişmiş, o eski burnundan kıl aldırmayan havasından sıyrılmıştı.

"Geçmiş olsun. Aman dikkat et kendine, sen bize lazımsın daha..."

Biz derken kimi kastediyordu acaba? Sır vermeyen yüz ifadesiyle bir sigara aldı, sonra paketi cebine attı. Yakıp derin bir nefes çekti, dudaklarının arasından salonun boşluğuna yayılan kül rengi dumana bakarken açıkladı.

"Beni buraya eski dostlarımız yolladı." Kahverengi gözlerini ciddi bir anlam bürüdü. "Ne düşündüğünü merak ediyorlar."

Neden bahsediyordu bu adam? Nasıl bir belanın içine sürüklemek istiyordu beni?

"Eski dostlarımız kim?" diye sordum koltuğuma yaslanarak. "Artık pek dostumuz kalmadığını düşünüyordum. İzmir Suikastı'ndan sonra herkes düşman oldu ittihatçılara..."

Hayal kırıklığına uğramış gibi gölgelendi yakışıklı yüzü.

"O kadar kötümser olma," diye mırıldandı. "Belki bizim cemiyet işbaşında değil ama ülkeyi hâlâ bizim fikirlerimiz yönetiyor. Abdülhamit'in hafiyeleriyle boğuştuğumuz günleri düşün. Hepsi bitti, onları mağlup ettik." Sigarayı tuttuğu elini yana açarak abartılı bir sesle, Tevfik Fikret'ten şu mısraları okumaya başladı:

"'Ümidimiz bu: Ölürsek de biz, yaşar mutlaka,

Vatan sizinle, şu zindan karanlığından uzak!'

O karanlık yıkıldı artık Şehsuvar. Hepimizin özlemi meşrutiyet değil miydi? Oldu işte. Hatta şimdi ondan çok daha ilerideyiz. Bak, cumhuriyeti kurduk. Aklına gelir miydi hiç? Monarşi yıkıldı, büyük bir inkılap bu..."

Böyle tutkulu konuşmasına rağmen sesindeki inançsızlık onu ele veriyordu, evet, söylediklerine asla kendisi de inanmıyordu. Ona bir vazife verilmişti, yerine getirmeye çalışıyordu. Önce itiraz etmemeyi, gizli bir onaylama halinde kalmayı düşündüm ama o kadar uzun süredir sessiz kalmıştım ki, kendime yediremedim.

"O inkılap 1908'de yapıldı Mehmed," dedim incinmiş bir sesle. "O meclis 23 Nisan 1920'de değil, senin de çok iyi bildiğin gibi, 17 Aralık 1908'de açıldı... Ama kimse bunu hatırlamak istemiyor artık. Ülkenin hürriyet kavgası sanki 1919'da başlamış gibi davranıyor herkes... İstibdadın acımasız baskısına karşı yürütülen 30 yıllık mücadeleyi, bu uğurda ölenleri, zindanlarda çürüyenleri, sürgünlerde heba olanları herkes unutmuş görünüyor. Oysa kurtuluş harbimize katılanların hepsinin kökleri oraya dayanıyor. Bugün muvaffak olunan ne varsa, hepsinin temelleri o yıllarda atıldı. Yanlış anlama; daha sonra yaptığımız hataları görmezden gelmiyorum, bugünkü zaferi de küçümsemiyorum. Cumhuriyet hepimizin idealiydi, hepimizin çabasıyla kuruldu, ayrıca bu rejimi kuran insanlara saygı da duyuyorum. Şu kadim hakikati bilmez değilim: Tarihi yenenler yazar. Hep böyle oldu, bundan sonra da böyle olacak. Bunu anlıyor ve kabul ediyorum... İnan, hiçbir itirazım yok... Hatta onları desteklemek gerektiğine de inanıyorum..." Gözlerimi yüzüne diktim. "Ama rica ederim birbirimize karşı dürüst olalım. Eski günlerin hatırına, lütfen söyle, kim yolladı seni bana? Ne istiyorlar benden?"

Hemen cevap veremedi, iki kez ardı adına yutkundu, sigarasından bir nefes daha çekti ama acı gelmiş olacak ki, daha yarısına gelmemiş izmariti kül tablasında ezdi.

"Milli Emniyet, yani hükümet..." diye kekeledi. "İsim isteme benden..." Salonun kapısına kaçamak bir bakış attı. "Teşkilat-ı Mahsusa değil bu, yepyeni bir yapı, en baştan tesis ediliyor. Ama şu kadarını söyleyeyim, senin hakkında verilmiş bir kararları yok. Anlamaya çalışıyorlar..."

O yüzden mi takip ediyorlardı beni? Kimlerle görüştüğümü tespit ederek ne yapmak istediğimi çıkarmaya mı çalışıyorlardı? Sorsa mıydım Mehmed Esad'a, niye bu adamlar peşimde diye? Hayır, kendi durumumu açıklamak yerine, onun söyleyeceklerini dinlemeliydim.

"Açık olacağım," diye sürdürdü sözlerini. "Ne de olsa sana bir can borcum var. Evet, yıllar önce Selanik'teki o sokakta hayatımı kurtarmış olduğunu unutmuş değilim."

"Ben değil, Basri Bey kurtardı. O istemeseydi, bırakıp giderdim yaralı halinle seni orada."

İnanmadı, minnettar bir bakış attı.

"Gitmezdin, sen öyle biri değilsin. Ben giderdim, çünkü hata yapanın bedelini ödemesi gerektiğini düşünürüm. Orada acele eden bendim, hata yapan bendim. Bunun neticesinde vurulmuştum. Benim yüzümden siz de yakalanabilirdiniz, gitmeniz gerekirdi ama gitmediniz. Evet, rahmetli Basri Bey ve sen hayatımı kurtardınız... Neyse, şimdi maziyi tartışacak halimiz yok. Ama beni sırtında taşıdığın o akşam hep hatırımdadır. O sebepten sana karşı açık olacağım. Evet, seni merak ediyorlar. Mesela İzmir Suikastı hakkında ne düşünüyorsun? İdam edilen şahıslar için hislerin ne? Daha da mühimi bugünkü hükümet için çalışır mısın?"

Büyük bir şaşkınlık içindeydim. Beni tutuklayacaklarını, sorgulayacaklarını, mecbur kalırlarsa işkence edeceklerini hatta karanlık bir köşede kafama bir kurşun sıkacaklarını zannediyordum, oysa tartışmak için eski bir arkadaşı yollamışlardı. Hiç de alışılmış bir metod değildi bu. Suskunluğum uzun sürünce tekrar sordu Mehmed:

"Hı, ne diyorsun Şehsuvar? Ne düşünürsün böyle bir teklif karşısında? Mazide mühim işler yaptın, şimdi niye yapmayasın? Tabii kimse bilmeyecek böyle bir vazife aldığını. Teşkilat-ı Mahsusa'da olduğu gibi, Karakol Teşkilatı'nda olduğu gibi yine gizli çalışacaksın..."

Aslında duyduklarıma inanmak zor geliyordu.

"Çalışacağım! Yani cumhuriyet hükümeti beni vazifeye mi çağırıyor? Böyle mi söylediler sana?"

Hatalı bir laf etmiş gibi hemen çark etti:

"Tam böyle demediler ama bence meramları bu..." İnanmayan gözlerle kendisini süzdüğümü fark edince, "Yapma Şehsuvar," dedi kırılmış gibi. "Onca yılın siyasetçisiyiz, o kadarını da anlayalım artık."

Yanılıyordu veyahut beni yanıltmak istiyordu, İzmir Suikastı'nın ardından bütün ittihatçıları temizlemeye başlamışken, benim gibi cemiyetin sadık adamlarından birini niye yanlarına alsınlardı ki? Akıl alır gibi değildi. Ama aptal rolü oynamakta fayda vardı.

"Beni sakıncalı bulmuyorlar yani?" diye sordum. "Kendileri için tehlikeli olmadığımı mı düşünüyorlar?"

Kararlılıkla başını salladı.

"Evet, tam da böyle düşünüyorlar..."

Dudaklarıma müstehzi bir gülümsemenin yerleşmesine mani olamadım.

"Gülme öyle," diye çıkıştı. "Düşünüyorlar dedim, eminler demedim. Anlamak istiyorlar; bugünkü rejime nasıl bakıyorsun? Gazi Paşa hakkındaki fikirlerin neler?"

"İzmir Suikastı'yla alakam var mı?" diye ekledim alaycı bir sesle.

Tasdik edercesine başını salladı.

"O da var tabii. Gerçi Mustafa Kemal'i öldürmek isteyen Ziya Hurşit'i sevmediğini biliyorlar, Sarı Edip Efe'yle arandaki husumetin de farkındalar. Ama sen de takdir edersin ki, İzmir Suikastı acayip bir olay. Nereye çeksen, oraya gidiyor. Unutma, bugünün emniyetçileri de bizim gibi eski ittihatçı. Biz kırk kişiyiz, kırkımız da birbirimizi biliriz meselesi. "

Mehmed Esad'ın söyledikleri doğru olabilirdi: Hakikaten de genç cumhuriyetin neredeyse bütün lider kadrosu ittihatçı kökenliydi. Dolayısıyla, sırf eski ittihatçı olduğum için benden uzak durmayabilirlerdi. Pekâlâ benimle çalışmak isteyebilirlerdi. Kolaycılığı seven tarafım bu fikre meyledecekti ki, aynı soru bir kez daha yankılandı beynimde, o halde neden resmî yoldan irtibat kurmadılar, neden Mehmed Esad'ı yolladılar?

Bakışlarım eski arkadaşımın üzerinde gezindi. Şık giyimine, kendinden emin duruşuna rağmen, tuhaf bir çekingenlik sinmişti hareketlerine. Sanki gizli bir maksadı varmış gibiydi. Ya söyledikleri tümüyle yalansa? Ya onu, ittihatçılar yolladıysa? Öyle ya hükümetin cemiyetteki herkesi tutuklayacak ya da asacak hali yoktu. Ya ağzımı yokluyorsa, ya cemiyeti toparlamak için adam arıyorlarsa? Yok, Mehmed Esad'a güvenmem için hiçbir sebep yoktu. Zaten, eski arkadaş filan diyorum ama aslında ilk karşılaştığımız günden itibaren kanım hiç ısınmamıştı ona. Bakma şimdi romanla ilgili sorular sorduğuna, hep küçümsemişti yazar olma isteğimi. Üstelik yıllardır görmemiştim onu, hakkında hiçbir haber almamıştım. Bu tereddüdümü belli etmedim elbette. Yapmam gereken dürüst olmaktı, şeffaf olmaktı, saklayacak hiçbir sırrım yoktu ki benim.

"Peki, şöyle anlatayım o vakit," dedim sesimi biraz yükselterek. "Siyasetle hiçbir ilişiğim yok. Karabekir Paşa'nın Terakkiperver Cumhuriyet Fırkası'na bile üye olmadım. Saklayacak değilim, bizzat Karabekir Paşa istedi üye olmamı, hatta ona kalsa yöneticilik vazifesi almalıymışım. Katiyetle reddettim. Doktor Adnan Bey girdi araya, yine kabul etmedim. Rahmetli Kara Kemal'in ısrarlarını da dinlemedim. Kanun çerçevesinde olsa da siyaset yapmak istemiyorum. Ne kadar isabetli bir karar verdiğimi, partinin kapatılmasıyla da ortaya çıktı zaten. Çünkü senin gibi düşünüyorum, biz olmasak da, fikrimiz iktidarda. Devletin başında Talat Paşa ya da Enver Paşa'nın yerine Mustafa Kemal Paşa'nın olması benim için dert değil. Ne cumhuriyetle, ne de hükümetle hiçbir meselem yok. Tek arzum, tek dileğim, kalan ömrümü huzur içinde geçirmek..."

Büyük bir alakayla dinliyordu sözlerimi ama aklını kurcalayan bir mevzu olmalıydı ki, sağ eliyle bıyığını çekiştirip duruyordu.

"Sakın yanlış anlama," dedi elini bıyığından çekerek. "Sana inanmıyor değilim ama bilirsin bu işleri, bütün sorular cevaplanmalı."

"Çekinme sor."

"O zaman, neden Beşiktaş'taki evden ayrıldın? Oraya gittiğimde bulamadım seni." Bakışları Kubbeli Salon'da dolaştı. "Niçin bu otelde kalıyorsun?"

Olanca dürüstlüğümle cevapladım.

"Çünkü korkuyorum... Tutuklanmaktan, işkence görmekten, öldürülmekten korkuyorum. Başıma bir iş gelirse birileri görsün, milletin haberi olsun istiyorum... Evet, hiç öyle bakma yüzüme, hakikaten korkuyorum... İzmir Suikastı'nda suçluların yanında masumlar da asıldı. Zavallı Cavit Bey! Ne alakası vardı o suikastla adamcağızın... Eğer İsmet Paşa'nın şerhi olmasaydı ve subaylar mahkemeye gelmeseydi, Karabekir Paşa'nın canına kastedeceklerdi. Kara Kemal'i de öyle harcadılar. Bir de iftira atıyorlar, intihar etti diye, hem de tavuk kümesinde... Biliyorsun olanları... Düpedüz saçmalık, bildiğin vesvese...

Evet, madem dürüstçe konuşuyoruz, bunları da söyleyelim, Gazi Paşa hâlâ çekiniyor cemiyetten. Hâlâ İttihat ve Terakki'nin kendisine darbe yapacağını zannediyor. Kendisini desteklemeyen bütün eski ittihatçıları da hain olarak görüyor. Oysa artık cemiyet yok. Silahına sarıldı mı hükümet yıkmaya kalkan ittihatçı fedailer de yok. Sarı Edip Efe gibi ayak takımı kaldı ortalıkta. Onlar da sadece tetik çekmeyi bilirler, büyük düşünmek, büyük işlerde muvaffak olmak onlara göre değildir. İzmir Suikastı'nı da ağızlarına yüzlerine bulaştırdılar işte.

Şu hakikatin anlaşılması lazım, biz mağlup olduk. Evet, tarih bir şans vermişti bize ama beceremedik, muvaffak olamadık. Böylece de çekildik sahneden. Talat, Cemal ve Enver, evet liderlerimiz de öldü. Bitti artık. Neden hâlâ kabul etmiyorlar bunu, anlamış değilim. Bak hâlâ benim tehlikeli bir adam olduğumu zannedenler var. Fakat değilim, inan ki değilim. Namusum, şerefim üzerine yemin ederim ki değilim, siyasetle bir alakam kalmadı benim. Cemiyet kalıntılarıyla filan da bir irtibatım yok..."

Sessizce dinliyordu sözlerimi, oturduğum yerden ona doğru eğildim.

"Yorgunum Mehmed, sadece yorgunum... Senin gibi, hepimiz gibi, koca bir imparatorluktan bakiye kalan herkes gibi çok yorgunum. Kılımı kıpırdatmadan yüz yıl uyusam bile dinlenemeyecek kadar yorgun..."

Derinden bir iç geçirerek sigara paketini çıkardı yine. İçinden bir tane aldı. Ucunu masaya vurdu, dudaklarının arasına yerleştirmeden önce, sanki az sonra idam hükmümü verecek bir savcı gibi büyük bir ciddiyetle yüzüme baktı.

"Anlıyorum" dedi başını usulca sallayarak. "Çok iyi anlıyorum, ama asıl mesele ötekilere anlatmakta."

Bu sözlerin ardından derin bir suskunluk başladı aramızda. Sohbeti yeniden canlandırmak için birkaç teşebbüste daha bulundu eski silah arkadaşım ama benim hevesim kaçtığından kısa cevaplar vermekle yetindim. Anlamıştı, pek üstelemedi, müsaade isteyip kalktı. Ama giderken, "Seni görmeye gelebilir miyim?" diye sormayı ihmal etmedi.

"Bunun için müsaade istemene gerek yok," dedim o müstehzi gülümsemeyi yeniden takınarak. "Bendeniz bu şahane otelde, gönüllü bir sürgünlük yaşıyorum. Bir yere kaçacak halim yok. Hem kaçacak olsam, hafiyeleriniz müsaade etmez..." Sonra güya dostça bir tavırla koluna dokundum. "Şaka şaka, senin gibi eski bir dostu görmek beni mesut eder."

Mehmed Esad'ı uğurladıktan sonra, kafamda gitgide ağırlaşan cevapsız sorularla baş başa kalmıştım Pera Palas'ın salonunda. Tuhaf görünüyor olmalıyım ki, başgarson İhsan yanıma gelip "İyi misiniz Şehsuvar Bey?" diye sorma mecburiyetini hissetti. Derhal toparlanmam lazımdı. Bir an sanki Mehmed hiç gelmemiş gibi, o asap bozucu konuşmaları hiç yapmamışız gibi davranmayı düşündüm. Hepsini unutup odama dönmek, yeniden yazı masamın başına oturmak, sana yazmak... Bugünün karamsarlığından kurtulup on sekiz yıl öncesinin o coşku dolu isyan günlerine dönmek... Bunu kısmen başardım da. Kısmen diyorum, çünkü odama çıkıp sana bu satırları yazmama rağmen kafamdaki o rahatsız edici sorulardan, o tuhaf tedirginlikten tümüyle kurtulamadım. Ki, yukarıda okuduklarının aslında bu derin kaygının kâğıda dökülmüş halinden başka bir şey değildi...

Yazdıklarım seni nasıl etkileyecek bilmiyorum ama bana hiçbir faydasının olmadığını da itiraf etmeliyim. Penceremin dışında hızla çöken akşamdan daha koyu bir karanlık büyüyor içimde... Biraz ara versem iyi olacak. Bu çok sevdiğim odanın bej rengi duvarları, açık yeşil perdeleri, antika konsol, duvardaki peyzaj, eski fotoğraflar üstüme üstüme gelmeye başladı. Sanki bir cenderenin içindeyim... İşgalden sonra İngilizlerin bizi kapattığı Bekirağa Bölüğü'ndeki o soğuk, insafsız hücre gibi... Nefes alamıyorum, havaya ihtiyacım var, çıkıp dolaşmam gerek... Kusura bakma Ester, yazmayı bırakmak mecburiyetindeyim...

"Av olan bendim..."

⁂

İyi Geceler Ester, (3. Gün, Gece)

Umarım yazdıklarımla seni endişelendirmemişimdir. Şimdi daha iyiyim. Beni gafil avlayan Mehmed Esad'ın gelişiydi. Yani Milli Emniyet'in benimle irtibat kurma tarzı... Hâlâ maksatlarının ne olduğunu anlayamamış olmama rağmen, şimdi yeniden eski sükûnetime kavuşmuş bulunuyorum. Dışarı çıkmak iyi fikirmiş; bu yaşlı kentin güngörmüş sokaklarını adımlamak, Pera'nın o ışıklı mekânlarına girip çıkmak, eğlence peşinde koşan insanların arasına karışmak iyi geliyor. Yürüdükçe endişelerim dağıldı, denizden esen nemli rüzgâr aklımın koridorlarına yapışıp kalmış karamsarlığı sürükleyip götürdü. Hangi yazardı o, yürürken daha iyi kurgulayabiliyorum eserlerimi diyen? Elbette benim durumum o yazarınki gibi hayalî bir hal değildi, neticesi belki de hayatıma mal olabilecek kadar ciddi bir vaziyetti. Ama birilerinin bu vaziyeti ustalıkla kurgulamış olma ihtimali de hayli yüksekti.

Evet, uzun yürüdüm bu defa. Pera Palas'tan, Pangaltı'ya kadar... Hızlı değil kısa ve yavaş adımlarla. Her adımda, olanları ölçüp biçerek, her adımda neler olabileceğini hesaplayarak. Ve bu iki saatlik yürüyüşün sonunda verdiğim tek karar, beklemek oldu. Hiçbir teşebbüste bulunmadan, bugün de, yarın da beklemeliydim. Çünkü av olan bendim, üstelik teslim de olmuştum. Evet, kaderimi avcılarımın eline bırakmıştım, ne kaçacak, ne de direnecektim. Galiba, hafiyeler de bu niyetimi anladıkları için beni rahat bırakmaya karar vermişlerdi. Evet, bu akşam kimse takılmamıştı peşime. Ne dünkü üç kafadar, ne de başkaları vardı kuyruğumda. Böylece biraz daha inandım Mehmed Esad'ın sözlerine. Demek ki, eski silah arkadaşım benimle irtibat kurunca, resmî hafiyelerini çekmişlerdi peşimden. Ama kati bir kanaate varmam için kâfi malumata sahip değildim, o sebepten beklemem gerekiyordu. Evet, sabırla ve umut etmeden beklemeliydim. Çünkü yeni hayal kırıklıklarını kaldıracak takatim yoktu.

Beklemek korkunçtur diyeceksin, haklısın öyleydi. Bu gergin, sıkıntılı ve birbirinin aynı dakikalarla başa çıkmanın bir tek yolu vardı. Hem de oldukça keyifli bir yol: Yazmak... Kelimeleri ardı ardına sıralarken seni düşünmek. Bütün incelikleri, bütün zalimlikleri, çirkinlikleri ve güzellikleriyle maziyi yazmak... Hatırlamak değil, adeta tekrar yaşamak. Sana yazmamın bana armağan ettiği mucize buydu işte: Göremediklerimi, dokunamadıklarımı, söyleyemediklerimi, adeta yaşıyormuş gibi hissedebilmek...

Yürüyüşten döner dönmez yine kâğıtları önüme çektim, kalemi elime aldım ve yazmaya başladım. Mübalağa olacak biliyorum ama çalışkan bir yazar gibi hissediyorum kendimi. İlham perilerinin başında haleler oluşturduğu şanslı bir sanatçı. Bedenimin zaruri ihtiyaçları da olmasa, hiç kalkmayacağım masanın başından. Bir kez daha hak veriyorum sana, evet, bende yazar kumaşı varmış. Gerçi yazdıklarım hayalî olaylar değil, hakikatin ta kendisi, üstelik kendi başımdan geçenleri aksettiriyorum ama kaleme sarılmak için güçlü bir istek duyduğum da inkâr edilmez bir vaka. Elbette bunlar bir insanı yazar yapmaz, hele bu yaştan sonra hiç yapmaz.

Treni çoktan kaçırdığımın farkındayım, mutluluğumuz gibi yazarlık da artık pek mümkün olmayacak bir ihtimal benim için. Ama 1908 yılının sonbaharında İstanbul'a değil, seninle Paris'e gitseydim hakikat olabilecek bir ihtimal. Ama olmadı, olaylar beni şiirin ve aşkın şehrine değil, yaşlı ve yorgun payitahtımıza savurdu. Fakat dur, daha oraya gelmedik, daha temmuz ayındayız, sonbaharda yapılacak seçimler var ülkenin gündeminde ve ben son derece karmaşık hisler içindeydim. Bir yanda sen varsın, şahsi hayallerimiz, hülyalarımız, bir yanda bütün görkemiyle kanımı ateşleyen isyan.

"Bir gün beni unutacaksın," demiştin. "Büyük bir yazar olacaksın, kadınlar pervane gibi dönecek etrafında. Seninle konuşabilmek, esmer tenine dokunabilmek için birbirleriyle yarışacaklar. Ve o kadar güzel olacaklar ki kapılıp gideceksin birinin cazibesine."

Öyle olmadı, inkâr edecek değilim, bazı maceralar yaşadım hanımlarla, üstelik çok da güzel olanları vardı aralarında ama hiçbiri senin yerini tutmadı, tutamadı. Hayır, senin rakibin kadınlar değil, inkılaptı. O temmuz isyanı, kadınlardan çok daha evvel çelmişti gönlümü. Evet, seni, o kiraz ağacının altında Poe'nun şiirleriyle baş başa bırakıp gittiğim gün, başlamıştı aramızdaki ayrılık. Ve sen ilk o gün hissetmiştin bizi bekleyen mutsuz istikbali. Ama yine de hemen vazgeçmedin benden, bunun için şükran borçluyum sana. Böylece iki ay daha birlikte olduk... Her ne kadar tartışmalı, kavgalı, sancılı olsa da, şimdi anlıyorum ki hayatımın en güzel günlerini yaşamışım o iki ay boyunca. Yalan söyleyecek değilim, kaderimi tayin edecek en önemli siyasi adımları da o iki ay içinde atmıştım. Biraz onlardan bahsetmek istiyorum sana, yıllar önce anlatamadıklarımı şimdi yazmak istiyorum.

Evet, sonunda muradıma ermiştim, cemiyet nihayet fedaileri arasına almıştı beni. Bu, çok büyük bir şerefti. Vatanseverliğinden, namusundan, cesaretinden kuşku duyulmayan cemiyet üyelerine nasip olan bir şeref. Birden büyük bir adam olarak görmeye başlamıştım kendimi. O günlerde kapıldığım tuhaf bir hissi aktarmadan geçemeyeceğim. Fedailer arasına karışınca, bir ara kendimi Mülazım Atıf gibi hissettim. Evet, saçma bir durum ama ne zaman kendimi düşünsem, Şemsi Paşa'yı vuran o vatan kahramanının siması geliyordu gözlerimin önüne. Sanki artık Şehsuvar Sami değil, Mülazım Atıf'tım... Neden hürriyet için Fizan'da hayatını kaybeden babam değil de o genç mülazım dersen, cevabım yok. Babam mülayim bir adamdı, münevverdi, çok okurdu, asla kıyıcı değildi. Hatta Robespierre'e öfkelenirdi. "Saçmalıyor bu herif, ihtilalin başarıya ulaşması için illa da şiddet şart değil!" diye. Çok iyi silah kullanırdı ama değil birini vurmak, canlı tek bir mahluka çevirmemişti Revolver'inin namlusunu. "Baban seni görseydi gurur duyardı," derdi arkadaşlarım. Hiç emin değilim bundan. Babam Emrullah Bey nazariyatçıydı. Fikri, fiiliyattan daha mühim bulurdu. O da senin gibi düşünürdü, oğlunun bir tetikçi değil, bir yazar olmasını isterdi. "En mühim mücadele, fikirle yapılandır, şiddet eninde sonunda onu uygulayana dönen bir bumerangdır," derdi. Belki sağ olsaydı, ikiniz el ele verip kaderimi değiştirebilirdiniz ama öldürdüler onu. Bizzat Abdülhamit öldürdü, hayatta kalmanın imkânsız olduğu o çöl kentine sürgüne yollayarak. O dayanılmaz sıcağın içinde, kendi terinde ağır ağır boğularak öldü babacığım. Belki de ta o zaman ölmüştü benim yazarlık hayalim, babam bir deri bir kemik kalmış bedeniyle o kumdan kabre konulduğu anda... Evet, acı, hep acı ve keder. Ne yazık ki ömrümüzün büyük durakları bu ızdıraptan ibaret...

Neyse, biz yine Selanik'e dönelim, Enver Bey'in konuşmasından bir gün sonra avukatlık bürosuna gelmiştin. Aslında çok şaşırtmıştı bu davranışın beni. Küstüğünü, darıldığını, bir süre benimle konuşmayacağını sanıyordum. Aksine çok samimiydin, çok sevecen. Bir kitap vardı elinde, Voltaire'in *Candide ya da İyimserlik* adındaki şaheseri. Armağan almıştın bana. Dün Leon Dayı'nla yaptığımız konuşmanın bütün kötümserliğini silmişti bu kitap. "Çok eğleneceksin, müthiş bir hiciv, şahane bir üslup." Umurumda değildi kitabın üslubu; bana gelmiştin ya, bana gülümsüyordun ya, benimle ilgileniyordun ya, bu kafiydi. Kitabın sayfalarını açıp birkaç satır okumaya kalkmıştın ama fırsat vermedim, seni kollarıma aldım, gözlerinin içine baktım. Öylece kaldık bir süre...

"Beni bırakma Şehsuvar," dedin teslim olmuş bir sesle. "Bana da, kendine de bu kötülüğü yapma."

Verecek cevabım olmadığı için değil, seni canımın içine sokmak istediğim için uzanıp öpmüştüm dudaklarından. Aramızdaki ayrılığı bütünüyle ortadan kaldırmak, kendi bedenlerimizden, kendi şahsiyetimizden kurtulmak, seninle bir olmak, aynı insana dönüşmek için... O anda hayattaki gayen ne diye sorsalar, hiç tereddüt etmeden, "Ester," derdim. "Ester'in aşkı, sevdası... Bana, Ester'le geçecek bir ömür bağışlayın yeter."

Sen de hissetmiş olmalısın ki, soluk soluğa fısıldamıştın kulağıma"

"Bu bir şans. Her zaman, herkese böyle gülümsemez aşk, bu şansı heba etmeyelim."

"Etmeyeceğiz," diye mırıldanmıştım tekrar sana sarılırken. "Asla etmeyeceğiz."

Hayır, seni kandırmıyordum, inanıyordum o anda söylediklerime ama öğleden sonra fedailer grubuyla karargâhta buluştuğumda bambaşka bir haletiruhiyeye bürünmüştüm.

Bu fedai grubuyla üçüncü görüşmemdi. İlk temas, Şemsi Paşa'nın vurulmasının ardından Selanik'e döndüğümün beşinci günü yapılmıştı. İlk buluşmada sadece Basri Bey vardı. Evet, hayatta tanıdığım en iyi insandı Basri Bey. Ve yıllar sonra Trablusgarp'ta gözlerimin önünde hayata elveda diyecek efsanevi kumandan.

Beyaz Kule'nin karşısındaki bahçelerden birinde görüşmüştük. Orta boylu, yapılı bir adamdı, açık kestane rengi gözlerinde, insana dostluk aşılayan bir sıcaklık vardı. Burnu iriceydi ama gür bıyıkları bu kusurunu gizliyor, azametli bir ifade veriyordu yüzüne. İlk görüşmede kanım ısınmıştı o zamanlar kolağası rütbesinde olan Basri Bey'e. Yaz sıcağında, denizden esen ılık rüzgâra karşı soğuk biralarımızı içerken ikaz etmişti beni ilk kumandanım:

"Cemiyet mensubu olmak başkadır, fedailer grubuna girmek başka. Burası harbin ön cephesidir. Verilen vazifeler çok daha mühim, çok daha tehlikelidir. Bak Şehsuvar kardeşim, çok gençsin, öldürmek mecburiyetinde kalabilirsin, daha fenası öldürülebilirsin."

"Çok mühim, çok tehlikeli, ölmek, öldürmek..." gibi kelimeler bir kulağımdan girip ötekinden çıkıyordu, öyle coşku doluydum ki, daha o an biri silahını çekip bütün mermilerini üzerime boşaltsa gam yemezdim. Biranın etkisi değil elbette, fedailer grubunun önemli bir kumandanın yanında olmak sarhoş ediyordu beni. Üstelik Atıf gibi mülazım değil, bir kolağası konuşuyordu karşımda.

"Hepsine hazırım efendim."

Şöyle bir süzdü beni.

"Düşünmeden konuşuyorsun, gençlik heyecanıyla karar veriyorsun..."

"Yok efendim... Asla... Ben ne söylediğimi biliyorum. Kararlıyım."

Sağ elinin işaret parmağını kaldırarak susturdu beni.

"İtiraz etme, şimdi evine git, iyice düşün taşın. Yarın sabah gene burada buluşalım. Gelmezsen, kızmam, korkak biri olduğunu da zannetmem, cemiyete böyle rapor da vermem. Başka bir alanda, başka bir vazifeyle katkı sağlarsın davamıza. Bize katılmak istediğinden emin olmalıyım, daha mühimi sen emin olmalısın. Tamam mı? Yarına kadar mühlet, kati kanaatini ver, öyle gel. Çünkü sonrası yok bunun, bir kere girdin mi dönüşü yok. Ne sen üzül, ne biz zor durumda kalalım..."

İncinmiş, kırılmıştım, ne manaya geliyordu şimdi bu? Yoksa gözü tutmamış mıydı beni? Kabul, olduğumdan daha genç gösteriyordum ama bunun ne önemi vardı ki? Bedenimle, ruhumla bu davaya adamıştım kendimi. Hayal kırıklığı içinde döndüm evime. Zavallı, anacağım, "Neyin var Şehsuvar?" deyip kaygılandı yatıncaya kadar.

O gece gözüme uykunun kırıntısı girmedi. Elbette attığım adımın neticesi üzerine tasa duymuyordum. Kararımı vermiştim bir kere. Ne zannediyorlardı ki beni? Gel geç akıllı bir maceracı mı? Ne olacaktı yani, vatan istibdadın altında inim inim inlerken kendi canımı mı düşünecektim? Önemli bir vazifenin ortasındayken, sarhoştum aydım, ben bu işten caydım deyip vaz mı geçecektim? O bitmek bilmeyen saatleri hiç unutamam, adeta bir cehennem azabıydı, sabahı nasıl iple çektiğimi anlatamam. En büyük korkum, kapısına kadar gelmişken, fedailer grubunun beni kifayetsiz bulması, bu kutsal vazife için gereken cesaret ve beceriye sahip olmadığımı düşünmeleriydi...

Sonunda Kolağası Basri Bey'le buluşma vakti geldi çattı. Yüreğim ağzımda korka korka gittim bira bahçesine... Ya görüşmeye gelmezse? Bir daha buluşmayı bile gerekli görmemişse? Ama korkum boşunaydı, Basri Bey bir çitlembik ağacının altındaki masaya tek başına kurulmuş sabah kahvesini höpürdetiyordu. Yaklaştığımı fark edince, gözlerini yüzüme dikerek, şöyle bir ölçtü biçti beni. Ezikliğimi belli etmeden, karşısındaki iskemleye oturdum. Ee, verdin mi kararını demesini bekledim, hiç oralı değildi.

"Ne içersin?" diye sordu.

"Kahve," diye kendiliğinden döküldü kelime ağzımdan. "Sade kahve."

Gülme lütfen, evet şekerli severim ama böyle mühim, böyle ciddi bir adamın yanında şekerli kahve isteyemedim işte. Tamam, şimdi düşününce çocukça geliyor... Öyleydim zaten... Yeterince olgun olsaydım, bugünkü aklım olsaydı, sadece kahveyi istediğim gibi söylemekle kalmaz belki de... Belki de... Bilmiyorum, orası hâlâ müphem. "Kusura bakma

Basri Kumandanım, bütün gece düşündüm, bu iş bana göre değil, ben, sevgilimle Paris'e gideceğim," der miydim, bundan hiç emin değilim. Neyse, Basri Bey garsona kahveyi söyledi, sonra müşfik bir ışıkla aydınlanan kahverengi gözlerini bana dikti.

"Eee, ne diyorsun?"

Aslında boşuna soruyordu, ne karar verdiğimi biliyordu zaten.

"Ben aynı karardayım Kumandanım. Sizce de münasipse aranıza katılmak benim için büyük şeref olacak."

Yüzünü aydınlatan bir gülümseme belirdi kalın bıyıklarının altında.

"Aramıza hoş geldin Şehsuvar kardeş..."

Saatler boyunca çektiğim bütün o işkenceler, bütün o tereddütler, kendimi itham etmeler, hepsi bir anda sona ermişti.

"Evet, artık sen de bizden birisin." Ardından sesini biraz kısarak sordu: "Silahın var mı?"

"Babamın bana hatıra bıraktığı bir Revolver var... Elim ona alışkındır..."

"Tamam, işe yarıyorsa ne âlâ, yoksa bakarız çaresine... Öğleden sonra atış talimine gideceğiz, bakalım nasılmış silahşorluğun?"

İşlerin bu kadar hızlanması hoşuma gitmişti. Öğleden sonra atlı bir arabayla Selanik'in dışına çıktık. Şehri kuşatan yedi tepenin ardında, taşlık bir arazide durduk. Arabayı ve sürücüsünü orada bırakıp küçük bir vadiye yürüdük. Vakit ikindiye gelmesine rağmen ortalık cayır cayır yanıyordu. Yaşlı bir söğüdün gölgesine sığındık. Otuz metre kadar uzaklıktaki, taştan seti gösterdi Basri Bey.

"Bu mesafe iyi mi?"

"İyi," dedim başımı sallayarak. "Biraz daha uzak olabilir."

İnanmayan gözlerle şöyle bir süzdü beni.

"Önce bu mesafeyi bir tecrübe edelim de..."

Sıcağa aldırmadan taştan sete yürüdü. Setin arkasından üç bira şişesi çıkardı, yan yana dizdi. Söğüdün gölgesine döndüğünde kan ter içinde kalmıştı. Fesini çıkarıp alnındaki ter damlacıklarını sildikten sonra eliyle şişeleri gösterdi.

"Hadi bakalım, göster marifetini!"

Sıcağın verdiği sıkıntı mı, imtihan ediliyor olmanın verdiği heyecan mı boğazım kupkuru olmuştu. Belimden Revolver'i çıkarırken, elimin belli belirsiz titrediğini fark ettim. Bu kötüydü işte. Rahmetli babamın sözlerini hatırladım.

"Ne bileğinin sağlamlığı ne gözünün keskinliği, hiçbiri önemli değildir silah atarken, önemli olan sakin olmaktır. Tabancayı bedeninin bir uzvu gibi hissetmelisin, gerisi kendiliğinden gelir."

Derin derin soluk aldım, nefesimi tuttum, Revolver'i omzumun hizasına kadar kaldırdım, en sağdaki şişeye nişan aldım. Gez, göz, arpacık, uzatmadan bastım tetiğe, silahın patlama sesine, bir şişe kırılması eşlik etti. Bir daha bastım, tetiğe, ikinci şangırtı, üçüncüsünde de aynı netice. Sanki sıcak kaybolmuş, serin bir rüzgâr çıkmış gibi rahatlamıştım.

"Aferin!" diye söylendi Basri Bey. "Üçte üç. Şimdi hedefleri küçültelim biraz..."

Taş sete yönelirken,

"Ben halletsem..." diyecek oldum.

Kati bir ifadeyle başını salladı.

"Herkes kendi işine baksın. Senin vazifen hedefi vurmak."

Bu kez üç küçük konserve kutusunu kırılan şişelerin yerine koydu.

"Ne duruyorsun?" dedi uzun adımlarla söğüdün gölgesine dönerken. "Şu konserveleri de devir bakalım."

Hiç acele etmedim. "Silah atarken en büyük düşmanın kendine duyduğun güvendir," diyen babamı hatırladım yine. "Hedefin ister bir taş olsun, ister bir kuş, asla küçümseme, başaracağından asla emin olma. Bir yanın hep temkinli olsun, hafif kaygılı."

İlk kez tetiğe basacakmış gibi dikkatle yeniden doğrulttum Revolver'i. Üç kez bastım tetiğe, üç konserve kutusu da ardı ardına uçuverdi havaya. Basri Bey'in gözlerindeki tereddüdün tümüyle kaybolduğunu gördüm.

"Söyledikleri kadar varmış, rahmetli Emrullah Bey iyi yetiştirmiş seni."

Böyle söylemesine rağmen yaptığımız talimi kâfi bulmamış olacak ki, iki düzineye yakın fişek yaktırdı bana, Allah'a şükür ikisi hariç hepsi buldu hedefini kurşunlarımın. Ancak bu neticeden sonradır ki, elimi dostça sıktı.

"Cesaretin de, atıcılığın kadar iyiyse, cemiyet iyi bir silahşor kazandı demektir." İtimat dolu bakışlarını gözlerime dikerek sabah söylediği sözleri tekrarladı. "Aramıza hoş geldin

Şehsuvar Sami." Ama sesi artık daha inançlıydı, daha samimi. Arabaya dönerken sanki kırk yıllık ahbap gibi senli benli olmuştuk. Ailemden konuşmaya başladık. Babamın ölümünden sonra annemin neler hissettiğini, çektiğimiz güçlükleri sordu. Sanki bir ağabey gibi özel meselelerimle alakadar oldu. Elbette senden bahsetmedim, o da sormadı zaten. Leon Dayı'nın avukatlık yazıhanesinde çalıştığımdan haberdardı ama seninle aramızdaki münasebeti bilmiyordu. Selanik'e döndüğümüzde, "Yakında seni arayacağım," dedi. Ama araya, Resneli Niyazi'ye kuryelik meselesi girdi. Senin, bana Voltaire'in *Candide ya da İyimserlik* kitabını verdiğin o güne kadar görüşmemiştik Kolağası Basri Bey'le.

O gün senden ayrıldıktan sonra bana bildirilen adrese gittim. Cemiyet tarafından sahte kimlikle kiralanan, güya tütün ticareti yapılacak olan küçük bir yazıhaneydi burası. Basri Bey yalnız değildi içeride, ince uzun, kömür gibi kara kaşlı, kara bıyıklı, kıvırcık saçlı bir zabit vardı yanında: Evet, bugün otele gelen Mehmed Esad... Görür görmez küçümseyerek baktı elimde duran Voltaire'in kitabına.

"İdadiye çevirdiler," burayı diye mırıldandı. "Bize dövüşecek adamlar lazım, onlar çoluk çocuk yolluyor."

Mülazımdı Mehmed Esad; asker olduğu için kendini benden daha üstün görüyordu. Daha önce de işitmiştim bu tartışmayı. Aslında, Fransız İhtilali'nin yüzüncü yılında, yani 1889 senesinde İttihad-ı Osmanî adıyla kurulan cemiyetin, ancak 1906'da askerlerin arasında taraftar bulmasıyla hakiki bir güç haline geldiği iddia ediliyordu. Zannederim Mehmed Esad da bu fikre inanan alıklardan biriydi. Birlikte ölüme, öldürmeye gideceğimiz dava arkadaşımın gösterdiği bu kabalık canımı sıkmıştı. Neredeyse bütün hevesim kaçacaktı... Allahtan yardımıma Basri Bey yetişti.

"Rahat bırak delikanlıyı Mehmed," diye ikaz etti. Elimdeki kitaba göz attı. "Hem ne var? Voltaire okuyor, fena mı?"

Hiç umursamadan omuz silkti Mehmed.

"Kitap okuma vakti geçti kumandanım, artık silaha sarılma vakti."

Sen ona aldırma gibilerden sevecen bir bakış attı bana kumandanımız.

"Silahlarımıza sarılacağız zaten," dedi kaba zabite dönerek. "Ama muvaffak olmak için önce iyi etüd yapmamız lazım."

Kibirli mülazım da en az benim kadar merakla bakmıştı bu aklıselim askere.

Eliyle masayı gösterdi kumandanımız.

"Lütfen oturun arkadaşlar."

Mehmed Esad, sanki bulaşıcı bir hastalığım varmışçasına, iskemlesini çekerek mümkün olduğunca uzağa oturdu benden.

"Evet, bir suikast ihbarı aldık. Şemsi Paşa'nın Arnavut fedailerinden ikisi, cemiyetin ileri gelenlerini vurmayı planlıyormuş. Şemsi Paşa'nın mezarının başında, *Kur'an* üzerine intikam yemini etmişler. Bu işin tevatür kısmı, bence sarayın direktifiyle harekete geçiyorlar. Evet, Şemsi Paşa vurulduktan iki gün sonra alınmış bu karar, planı, programı o günlerde yapılmış. Anlayacağınız ok yaydan çıkmış. Ve siyasetten zerre kadar anlamayan bu avanak silahşorlar, Şemsi Paşa'ya bir sadakat nişanesi olarak tetiğe basmakta tereddüt etmeyecekler. Hedefteki kişi de Talat Bey."

Küstah zabitle birlikte ben de irkildim oturduğum iskemlede.

"Evet, mühim bir hedef seçmişler kendilerine. Nasıl ki biz Şemsi Paşa'yı vurarak isyanın bastırılmasını önlediysek, onlar da Talat Paşa'yı, yani cemiyetin beynini ortadan kaldırarak inkılabı zayıf düşürmek istiyorlar. Onların bu menfur amaçlarının gerçekleşmesine müsaade edemeyiz. Talat Bey için hazırladıkları o soğuk mezara onları gömmek boynumuzun borcudur."

Daha ben neler olup bittiğini anlamaya çalışırken Mehmed Esad vaziyeti kavramıştı.

"Kimmiş bu herifler?"

Kahverengi deri çantasından bir zarf ile bir kroki çıkardı Basri Bey.

"Yanık Halid ile Kısır İsmail..." Zarfın içinden çıkardığı bir fotoğrafı uzattı. "Adamlar bunlar işte."

Mülazım çevik bir hareketle kaptı fotoğrafı. Önce ilgiyle baksa da gitgide merakı azaldı, sonra da masanın üzerine bıraktı.

"İkisini de tanımıyorum, herhalde hiç karşılaşmadım bu zibidilerle."

Bu defa ben uzandım fotoğrafa.

"Sen nereden tanıyacaksın Kâtip Çelebi?" diye sataştı bana. "Boşuna yorma aklını, çıkaramazsın bu herifleri..."

Aldırmadım, anlaşılan bir müddet böyle gidecekti bu zabitle münasebetimiz. Üç kişi vardı fotoğrafta ama biraz dikkatli bakınca, ortadaki kişinin üzerindeki giysilerden Bulgar Komitacısı olduğunu anladım. Sağ gözünün birkaç santim üzerindeki kanlı, kara delik, öldürülmüş olduğunu gösteriyordu. Namlı bir eşkıya olmalıydı ki, Şemsi Paşa'nın iki silahşoru bir gurur vesilesi olarak almışlardı öldürdükleri adamın cesedini aralarına. Ama daha tuhafı bu iki silahşor hiç de yabancı görünmedi gözüme. Özellikle kısa boylu olanı, yüzünün yarısı yanık izleriyle dolu olanı...

"Ben bunlarla nerede karşılaştım?" diye mırıldandım. "Evet, evet hatırlıyorum gördüm ben bu herifleri..."

Basri Bey merakla gözlerini yüzüme dikmişti ama nobran zabit hiç inanmamıştı sözlerime.

"Rüyanda görmüşsündür evladım, senin mektebin önünden geçmez bu sergerde takımı..."

Gitgide daha çok canımı sıkıyordu bu adam ama kendimi tuttum, tekrar baktım fotoğrafa.

"Manastır'da..." Evet, hatırlamıştım. Basri Bey'e bakarak tekrarladım. "Evet Manastır'da gördüm onları... Şemsi Paşa'nın vurulduğu yerde..."

Kumandanımız anlamaya çalışıyordu ama mülazım alaycı bir ifadeyle başını salladı.

"Atıf'ın yanındaydım deme şimdi..."

Söylememem lazımdı ama tecrübesizlik işte, daha fazla çenemi tutamadım.

"Elbette yanındaydım, eğer onun başına bir iş gelseydi, Şemsi Paşa'yı ben vuracaktım..."

Abartılı bir kahkaha koyuverdi.

"Atma be birader, sen kim Atıf'ın yanında olmak kim?" Ciddileşerek Basri Bey'e döndü. "Yapacağımız iş çok mühim, üçüncü kişi olarak böyle hayalci gençleri yanımıza almak doğru mu?"

Buz gibi bir ifade belirdi kumandanımızın yüzünde.

"Belki de seni almamamız lazım." Oturduğu yerden Mehmed Esad'a eğildi. "Geldiğinden beri takılıp duruyorsun Şehsuvar'a. Ne biliyorsun onun geçmişi hakkında? Tanıyor musun bu kardeşimizi?"

Şaşırmıştı küstah zabit.

"Ama kumandanım," diye toparlamaya çalıştı.

"Aması maması yok Mehmed, bizi cemiyet seçti. Bizler belli vasıflara sahip olduğumuz için buradayız. Cemiyet, seni de, beni de, Şehsuvar'ı da çok iyi tanıyor. Bizi buluşturduğuna göre bir sebebi olmalı. Yok, ben cemiyete güvenmiyorum diyorsan o başka. Yaz maruzatını, arz edeyim Merkez-i Umumiye'ye..."

Suratı düştü bizim cakalı mülazımın.

"Estağfurullah, olur mu öyle şey. Yani ben..."

Basri Bey dinlemiyordu artık.

"Bizim aramızdaki en önemli husus itimattır. İcabında, senin için canımı verebilmeliyim, sen de Şehsuvar için. Şehsuvar da benim için. Şimdi sen, dava arkadaşına itimat etmediğini mi söylüyorsun?"

Pişkinliğe vurdu Mehmed.

"O kadar değil canım, latife ettim biraz."

"Bu konularda latife olmaz. Hele bizim aramızda hiç olmaz. Bu tür lakırdıları bir daha duymak istemiyorum. Anlaşıldı mı?"

Cüretkâr gülümsemesi yılışmaya dönüşen mülazım.

"Anlaşıldı kumandanım," diye toparlandı. "Siz nasıl emredersiniz."

Mesele kapanmış gibi görünüyordu ama şimdi de bende derin bir itimatsızlık uyanmıştı. Biliyordum ki, baş başa kaldığımızda yine maraza çıkaracaktı bu kendini bilmez asker. Nasıl olacaktı bu iş? İtiraz etmedim tabii, oluruna bıraktım. Bazen bizim çabamıza ihtiyaç kalmadan hayat çözerdi meseleleri.

Suikast düzenleyeceğimiz Arnavutların kaldıkları evlerin krokisi üzerinde çalıştık o gün, hangi sokaktan, hangi saatlerde geçiyorlar, hepsini tek tek anlattı Basri Bey. Ama bu kâfi değildi, yarın buluşup tatbikat yapacaktık, ertesi gün de vazifeyi tamamlayacaktık... Evet, yakında ikinci kez insan avına çıkacaktım. Öldürmek için silahımı doğrultacak, kurbanımın gözüne bakacak ve tetiğe basacaktım. Katil mi olacaksın demiştin ya, bu defa hakikaten katil olacaktım.

"İki hüzünlü çiçek gibi bakan,
iri kara gözlerin..."

※

Merhaba Ester, (4. Gün, Sabaha Karşı)

Gece yarısı, o korkunç rüyayla uyandım yine... Oysa ara vermişti, ne zamandır uykularımı bölmüyordu bu kâbus. Artık ruh dünyamda ne değişiklikler olduysa, yine tebelleş olmuştu bu meşum rüya başıma. Kalktım, ışığı yaktım, su içtim... Dışarıda karanlık bir gece. Nedense pencereyi açmaya çekindim. Odanın içinde dolaştım bir süre... Sonra yatağın kenarına oturdum, ben yastığıma, yastığım bana baktı bir süre... Yok, uykum kaçmıştı bir kez, yatağa uzanmak, gözlerimi kapamak hiçbir işe yaramayacaktı. Banyoya girdim, yüzümü yıkadım, sonra oturdum masaya, yine yazmaya koyuldum...

İlk kez 31 Mart Ayaklanması'nın ardından görmüştüm bu kâbusu. Daha doğrusu ayaklanmayı bastırıp, asileri telef ettiğimiz o cumartesi gününün gecesinde... O günleri teferruatıyla yazacağım sana, şimdi sadece gördüğüm korkunç rüyayı anlatmak istiyorum. Selanik'teymişim. Bir sonbahar gecesi... Cemiyete girdiğim şu yemin töreni. Yıllar önce başımdan geçenlerin aynısı. Leon Dayı beni bir binanın önüne getiriyor. Gözlerim bağlı... Parolayı söylüyoruz, kapı açılıyor. Leon Dayı beni kapıda bırakıp ayrılıyor. Her şey aynı. Nefesi tütün kokan adam giriyor yine koluma. Ama farklı bir his var içimde; korkuyorum, oysa yıllar önce o binaya girdiğimde korkudan çok heyecan duymuştum. Koridorlardan geçerken belli belirsiz sesler çalınıyor kulağıma. Rüzgâr sesiyle, insan fısıltısı karışımı ince bir uğultu. Sanki bir kalabalığın arasından geçiyorum, birbirlerine beni gösteriyor, fısıltıyla hakkımda konuşuyorlar. Konuşma da değil sanki hep bir ağızdan beni suçluyorlar. Çocuklar, yaşlılar, kadınlar, erkekler... Görmüyorum elbette onları ama hissediyorum. Hepsi, herkes beni gösteriyor. Lanetli biri gibi değil, suçlu biri gibi. Korkuyorlar benden, evet, bunu da hissediyorum, sesleri yeterince güçlü çıkmıyor. Sadece bir uğultu, uğursuz bir uğultu... "Kim bunlar?" diye soruyorum refakatçime. Cevap vermiyor, sanki o sinir bozucu fısıltı korosunun yarattığı tesiri bozmaktan korkuyor. "Kim bunlar?" diyorum yeniden sesimi yükselterek. Anında bıçak gibi kesiliyor fısıltılar. Despotun huysuzlandığını fark eden mazlumlar gibi sus pus oluyor herkes. O zaman cevap geliyor refakatçimden:

"Bana mı soruyorsun? Yaptıklarını hatırlamıyor musun?"

"Ne yaptım ki!" diyerek duruyorum olduğum yerde. "Neden bahsediyorsun sen?"

Kolumdan tutarak savuruyor öne doğru.

"Bilmezden gelme, hepsinin hesabını vereceksin."

Neredeyse düşeceğim, son anda toparlıyorum. Sağ elim çekip alıyor gözlerimi kapatan bandı. Ama ortalık o kadar karanlık ki tam olarak anlayamıyorum nerede olduğumu.

"Yakın ışıkları," diye bağırıyor refakatçi. "Yakın ışıkları, görsün her şeyi."

Gözlerimi kamaştıran lambalar birer birer parlıyor. Şaşkınlıkla etrafıma bakınıyorum. Yanılmamışım her yanda insanlar var. Fakat burası bir koridor değil, bir tiyatro. Evet, ortası sahne olan, etrafı izleyici koltuklarıyla çevrili yüksek, çok yüksek bir tiyatro. En üstte üç kat loca çevremi sararak tırmanıyor tavana doğru. Gülkurusu koltukların hepsi dolu. Localar da öyle, her taraf salkım saçak insan ama kimsede çıt yok. Az önceki fısıltılar çoktan dinmiş, sadece tavandan sarkan kristal avizenin parlak taşlarında, refakatçimin hâlâ çınlayan sesi.

"Yakın ışıkları, görsün her şeyi!"

Oysa her şeyi tam olarak göremiyorum. İnsanlar var ama yüzlerini seçemiyorum. Evet, sanki hiçbirinin yüzü yok. Ağızları, gözleri, burunları var fakat nasıl söylesem, belli değil. Belki hepsini tanıyorum, belki hiçbiriyle karşılaşmadım. Ama hepsinde itham eden o bakış. Evet, gözleri yok ama bakışlarının ağırlığını üzerimde hissediyorum. Sahi kim bu insanlar? Benim burada ne işim var? Bunları sormak için refakatçimi arıyorum. Başımı çevirince görüyorum onları. Az önce burada mıydı bu masa? Evet, yıllar önce beni teşkilata alan üç siyah kukuletalının oturduğu masa beliriyor karşımda.

"Nasıl savunacaksın kendini?" diyor ortadaki kukuletalı adam. O kendinden emin seste en küçük bir dostluk belirtisi yok, düşmanlık da yok, askerî bir emir gibi duygusuz, soğuk.

"Ne? Ne yaptım ki savunacağım kendimi?" diye soruyorum şaşkınlıkla. "Kusura bakmayın ama neden bahsettiğinizi anlamıyorum."

"Acı, acı çektirdin." Pelerinin altındaki eliyle etrafımızdaki insanları işaret ediyor. "Bu zavallıların hepsine çok acı çektirdin..."

Koltuklarda oturan insanlara bakıyorum, nedense bir eziklik, bir utanç hissediyorum içimde...

"Onları tanımıyorum bile... Onlara nasıl bir kötülük yapmış olabilirim ki?"

"Öyleyse, tanıdığın biri anlatsın." Sağ eliyle bu kez yanındaki kukuletalıyı gösteriyor. "Anlat, anlat sana yaptıklarını."

Bir an umutlanıyorum, yoksa Basri Bey mi? Öyle ya, beni cemiyete alan üç kişiden biri de oymuş. Bizzat Basri Bey açıklamıştı çöldeki o korkunç günde. İyimserliğim artarken, Basri Bey olmasını umduğum kukuletalı ayağa kalkıyor; incecik biri, sanki düşecekmiş gibi sallanıyor boşlukta. Hayır, fedailer grubundaki kumandanım bu kadar zayıf değildi, aksine güçlü bir gövdesi vardı, ayaklarının üzerine sağlam basardı. Peki, o zaman kim bu? Merakla, konuşmasını bekliyorum, belki sesini duyarsam çıkarabilirim. Ama konuşmak yerine aniden başlığını sıyırıp atıyor. Hayretten dilimi yutacak gibi oluyorum. Karşımda sen duruyorsun. Evet, o karanlık pelerinin altından sen çıkıyorsun. Bukleli kızıl saçların, durgun yüzünde, iki hüzünlü çiçek gibi bakan iri kara gözlerin.

"Ester... Ester..." diyebiliyorum sadece...

Ne bir gülümseme, ne ağzından dökülen tek bir sözcük, öylece bomboş bakıyorsun yüzüme.

"Anlatsana!" diyor yanındaki kukuletalı. "Sana neler yaptığını, hayatını nasıl mahvettiğini söylesene!"

Yine konuşmuyorsun, gözlerin usulca önüne, masanın üzerindeki bir nesneye kayıyor. Ben de bakıyorum, bayrağın üzerinde bir Karadağ tabancası görüyorum. Solgun yüzündeki ifadeyi hiç değiştirmeden silaha uzanıyorsun. O anda başlıyor etrafımızı saran izleyicilerin fısıltısı. Tabancayı alıp bana doğrulturken fısıltılar artıyor, açıkça dile getirmeseler de, sanki hepsinin beklentisi aynı; tetiğe basmanı, canımı almanı istiyorlar. Korkmuyorum, hayır ama üzülüyorum, içim sızlıyor... Benden bu kadar çok mu nefret ediyorsun? Bu kadar çok mu kırdım seni? Kahroluyorum, hatta bir an önce bas şu tetiğe de, bitir şu ızdırabı diye geçiriyorum içimden.

"Yapma!" diye gürlüyor ortadaki kukuletalı. "Yapma Ester, o senin işin değil."

Adama dönüyorsun, ne acı, ne öfke var yüzünde; kaybedecek hiçbir şeyi olmayanların bomboş gözleriyle bakıyorsun. Sonra bana çeviriyorsun bakışlarını, bir an yüzün canlanır gibi oluyor, konuşacaksın diye umutlanıyorum, hayır buruk bir gülümseme beliriyor dudaklarında, o an silahı çevirip şakağına dayıyorsun...

"Dur!" diye bağırıyorum. "Dur, yapma!"

Hiç bozmuyorsun gülümsemeni, sadece gözlerini kırpıyorsun bir kere, ardından usulca basıyorsun tetiğe.

Orada uyandım işte... Evet, vicdan azabı çekiyorum, evet içim hiç rahat değil. Ne kadar unutmaya çalışsam da, ne kadar saklamak istesem de bir türlü kurtulamıyorum bu melun hislerden. Uyanıkken aklıma gelmeyenler, irademin zayıfladığı anda bir kâbus olup çöküyor üzerime. Kaç kişinin canını yaktığımı, ne kadar insanı üzdüğümü bilmiyorum. Belki senden daha masumları vardı aralarında, belki çok daha büyük kötülükler yaptım onlara ama sadece sen kanatıyorsun içimdeki yarayı. Aşk, dünyanın en büyük bencilliğidir.

Bak, hâlâ kendimi anlatıyorum sana. Oysa senin neler yaptığını, nasıl yaşadığını ölesiye merak ediyorum. Paris'te olduğunu biliyorum. Zaten o sebepten, babanın bendeki adresine yolluyorum bu mektupları. Ama başka hiçbir malumatım yok hakkında. Sahi ne yapıyorsun Ester, nasılsın, mutlu musun, şiir yazıyor musun yine? Yoksa bıraktın mı? Yoksa sen de benim gibi bıktın mı bu hayattan? Belki de âşık olmuşsundur. Eminim benden çok daha iyi biridir. Senin gibi bir kızı bırakıp gitmeyecek kadar da akıllı. Aslında ne kadar acı bir haberdir bu benim için. Hiç hakkım olmamasına rağmen hep bana sadık kalmış olmanı umuyorum. Elbette imkânsız bu. Ama umut ediyorum işte. Üstelik aradan on sekiz sene geçmiş olmasına rağmen... Ve çıldırasıya merak ediyorum seni. Öyle ya da böyle, bir haber alsam. Küçücük bir haber. "Ester iyiymiş, Paris'te mutluymuş. Lüksemburg Bahçeleri'ne bakan bir çatı katında yaşıyormuş..." Yok, ne bir mektup, ne bir selam, ne bir sitem... Hiç haber gelmiyor senden... Ve galiba hiçbir zaman da gelmeyecek.

Dehşetli sigara çekiyor canım. Birazdan geçer, hep böyle oluyor, sanki afyon krizi gibi. Çok sürmez, az sonra geçer...

Neyse mademki uyandım, mademki aldım kalemi elime, devam edeyim bari hikâyeme... Gülme, biliyorum meddah gibi oldu ama samimi sözler bunlar. Üstelik bir romancı olmadığım için hoş görülebilir kusurlar. Romancı dedik ya, bozmayalım o zaman yazının akışını. Evet, maziye dönelim yine. Evet, fedailer grubuna nasıl katıldığımı anlatıyordum. Yanık Halit ile Kısır İsmail... Hedefimiz onlardı, çünkü onların hedefinde de cemiyetin beyni, teşkilatçısı, hepimizin Büyük Efendi'si Talat Bey vardı. Kararı vermiş, kalemi kırmış, hükmü kesmişlerdi. Büyük Efendi öldürülecek, cemiyetin beyni yok edilecekti, tabii biz müsaade edersek.

Gireceğimiz çatışmanın siyasi sebepleri buydu ama Arnavut silahşorlarla kapışmak benim için başka bir anlam ifade ediyordu. Kendimi ispatlamak, cesaretimi sadece Basri Bey'e ve Mehmed Esad adındaki o küstah zabite değil, aynı zamanda kendime de göstermek.

Hemen ertesi gün geçtik harekete. Hayır, adamları hemen o gün vurmayı düşünmüyorduk, suikastın tatbikatını yapacaktık sadece. Buluşma noktamız Şeyh Hortacı Camii'nin kapısıydı. Yanık Halit ile Kısır İsmail, tarihî camiye paralel olarak denize inen yan sokaktaki müstakil evlerden birinde kalıyorlardı. Her akşam da yemeklerini, caminin arkasındaki küçük meydanda bulunan Arnavut Lokantası'nda yiyorlardı.

Caminin kapısına vardığımda ne Basri Bey ne de Mehmed Esad görünüyordu ortalıkta. Erken mi gelmiştim acaba? Tarihî kapıdan içeri süzüldüm, şadırvana yöneldim. Basri Bey'in söylememesine rağmen ne olur ne olmaz diye baba yadigârı Revolver'i de almıştım yanıma. Şadırvana oturdum, güya abdest alır gibi elimi, yüzümü yıkamaya başladım. Şadırvanın tahta oturaklarına yayılmış iki mümin daha vardı namaz öncesi temizlik yapan. Bir yandan onları gözlüyor, bir yandan da mümkün olduğunca yavaş hareket ediyordum. Öyle ya, arkadaşlarım gelmeden kalkmak zorunda kalmamalıydım şadırvandan. Fakat ne kadar yavaş da olsam, sonunda abdesti almayı tamamladım. Mecburen kalktım. Yüzlerce yıl önce Roma İmparatoru Galerius'un kendine mezar olarak yaptırdığı daha sonra Aziz Georgios Kilisesi olarak Hıristiyanlara hizmet vermiş, ardından da Müslümanlara ibadethane olan bu daire şeklindeki kadim anıtın, iri yaz gülleriyle süslü geniş bahçesinde dolaşmaya başladım. Mümkün olduğunca kapıdan uzaklaşmamaya gayret ediyordum ki,

"Sigara var mı, sigara?" diyen bir sesle irkildim. "Tanrı'nın bu aciz mahlukuna bir sigara."

Şehrin zararsız meczubu Tiresias'tı bu.

"Sigara filan yok," diye azarladım. "Korkuttun beni Tiresias."

Eğlenceli bir tavırla gülümsedi.

"Ne korkuyorsun be! İnsan, Tanrı'nın evinde korkar mı?" İri mavi gözleri kuşkuyla bahçede gezindi. "Korkma," diye fısıldadı. "Korkma, Müslüman olsan da korkma, şeytan giremez buraya. Aziz Georgios korur bizleri."

"Aziz Georgios mu kaldı? Burası cami artık."

İddiacı bir çocuk gibi dikildi karşımda.

"Şimdilik, ama yakında cami olmayacak."

Allah'ın bu tatlı delisine laf yetiştirecektim ki, kapıya yaklaşan Basri Bey'i gördüm. O da benim gibi caminin şadırvanına yönelmişti, hemen ardından Mehmed Esad da sökün etti. İkisi de zabit giysilerini çıkarmış, sivil giyinmişlerdi.

"Hadi, hadi işine," diyerek Tiresias'ı kışkışladıktan sonra şadırvana yöneldim. Güya abdest alır gibi kollarını kıvırıp, ellerini ılık suya daldırmış olan arkadaşlarımın yanına çöktüm. Vakit kaybetmeden sadede geldi Basri Bey.

"Arnavutlar lokantada... Az önce siparişlerini verdiler, biz burada konuşurken yemeklerini kaşıklamaya başlamışlardır muhtemelen. Fazla vaktimiz yok. Üçümüz ayrı ayrı yürüyeceğiz, arkalarından. Ben sokağın sağında olacağım, Mehmed solunda, sen geriden geleceksin Şehsuvar. Bu pozisyonumuzu hiç bozmayacağız. En önemlisi, mümkün olduğu kadar uzak duracağız adamlardan ve birbirimizden. Bizi fark ederlerse iş suya düşer. Arnavutlar eve girdikten sonra, tekrar buluşacağız. Durumu iyi etüd etmemiz lazım. Yarın, suikast anında kim nerede duracak, tetiğe ilk kim basacak, önce hangisini vuracağız? Bu soruların cevapları kafamızda açık olması lazım. Adamları takip ederken, bu mevzular da aklınızda olsun, yarın karşımıza çıkabilecek herhangi bir kötü ihtimale hazırlıklı olalım. Anlaşıldı mı?"

Sessizce onayladık kumandanımızı.

"İyi o zaman, hadi dağılalım."

Önce Basri Bey çıktı camiden, ardından Mehmed, en son da ben. Güneş çoktan batmıştı, ama bilirsin, Selanik'in şu aydınlık akşamlarından biriydi. "Körfezin ışığı şehre vuruyor," derdi rahmetli babam. Takip için hiç iyi bir zaman değildi, karanlıkta daha iyi saklanabilirdik. Küçük meydana yaklaştığımda ne Basri Bey'i gördüm ne de bizim küstah mülazımı. Ama buralarda bir yerlerde olduklarından emindim, belki de sindikleri yerden bana bakıp içten içe alay ediyorlardı, bizim acemi oğlan aptal aptal dolanıyor ortalıkta diye. Arnavut Lokantası, sizin Yahudilerin işlettiği bir denizcilik şirketiyle, Bulgar Dimitri'nin fırının arasındaydı. Mesaisini tamamlayan denizcilik şirketi çoktan kapamıştı kepenklerini, bunu fırsat bilen lokanta sahibi, dört masa birden atmıştı komşu kapının önüne. İşte o dört masanın ilkinde oturuyordu Arnavut silahşorlar. Bunu fark ettiğimde artık çok geçti. Talat Bey gibi mühim bir adamı vurmaya gelen silahşorların göze batmayacak kuytu yerlerde yemek yiyeceğini zannetmiştim. En azından lokantanın içinde oturacaklarını düşünmüştüm. Bir an geriye dönsem diye geçirdim, hayır bu kuşku uyandırırdı. İstifimi bozmadan yürümeyi sürdürdüm. Bir yandan da Basri Bey izliyorsa ne öfkelenmiştir bana diye kahroluyordum. Hele bir de Mehmed Esad gördüyse, mutlaka suratıma vuracaktı bu hatamı. Oysa Arnavut silahşorlar durumdan tümüyle habersiz gibiydiler. Birinin sırtı bana dönüktü, yüzü yanık olanı ise yemeğini bitirmiş, keyifle sigarasını tüttürüyordu. Yaklaşınca başını kaldırdı göz göze geldik. İnsanı rahatsız eden, vahşi bir pırıltı vardı bakışlarında. Telaşlandım, ya beni tanıdıysa? Öyle ya, ben fotoğraflarından çıkarmıştım onları. Ya o da, Şemso vurulurken benim telgrafhanenin önünde olduğumu hatırlarsa? Hemen kaçırdım bakışlarımı ve hiç düşünmeden Dimitri'nin fırınına daldım. Bilirsin aksi adamdı Dimitri. Kapıda beni görünce,

"Kapatıyoruz," dedi sinek kovalar gibi elinin tersini havada sallayarak. "Ekmek bitti."

Ben de ekmek almak için yanıp tutuşmuyordum ama fırından elim boş çıkarsam Arnavut silahşorun kuşkusunu çekmekten korkuyordum. En sevimli gülümsememi takındım, en saygılı ses tonuyla izah etmeye çalıştım.

"Ekmek almayacağım ki." Tahta tezgâhlarda sergilenen kurabiyeleri gösterdim. "Şunlardan istiyorum."

Göz ucuyla kurabiyelere baktı.

"Onlar bayat, yarın sabah gel, tazeleri çıkmış olur."

Adamın dürüstlüğü tutmuştu ama benim de başka çarem yoktu.

"Bayatları lazım zaten," diye uydurdum. "Annem pasta yapacakmış... Bayat kurabiye katılıyormuş içine..."

Kirpi tüyleri gibi dik kaşlarını çattı.

"Nasıl pastaymış o?"

"Ne bileyim Dimitri Usta, komşumuz vermiş tarifini."

Sinirli sinirli başını salladı.

"Ne anlarmış sizin komşu pastadan," dedi ama kurabiyelerin olduğu tezgâha yürümekten de geri durmadı. "Lezzetsiz bir tatlı çıkacak ortaya. Bana ne! Ne kadar istiyorsun?"

Omuz silktim,

"Bilmem, ver yarım okka işte."

Birkaç dakika sonra elimde kurabiye paketiyle çıktım Dimitri'nin fırınından. Arnavutların masasına şöyle bir göz attım, toparlanıyorlardı. Elimdeki paketle alakadar oluyormuş gibi yaparak, ileriteki sokaktan sağa saptım. Basri Bey'in söylediğine göre Arnavutların da bu sokağa girmesi gerekiyordu. Fakat benim, adamların arkasından gelmem kararlaştırılmıştı, oysa artık önlerindeydim. Kendime saklanacak bir köşe bulmalıydım ki, geride kalıp olanı biteni görebileyim.

"Şehsuvar... Şehsuvar..." diyen bir sesle irkildim. Başımı çevirince Kürt Recep'le karşılaştım, manav dükkânından bana el sallıyordu. Babam memurluğu sırasında çok yardım etmişti ailesine. Vefalı insanlardı, onlar da babamın sürgünlük yıllarında hep destek olmuştu bize. Ama şimdi Recep'le konuşacak halim mi var benim derken, farkına vardım ki, aradığım fırsat tam da buydu. Recep'in dükkânı içeri doğru uzanıyordu. Oraya kapağı atarsam, Arnavutlar da, iki arkadaşım da beni görmeden, geçip giderlerdi önümden. Gerçi Recep kepenkleri indirmek üzereydi ama bana da fazla zaman gerekmiyordu zaten.

"Merhaba Recep," diyerek manava yöneldim. "Ne haber, nasılsın?"

Dükkânın önüne çıkıp elimi sıktı.

"İyiyim Allah'a şükür. Asıl sen ne yapıyorsun burada, birinin evini filan mı arıyorsun?"

Salak salak etrafa bakınırsan olacağı buydu işte, bu tür işlerle hiç alakası olmayan bizim Kürdoğlunu bile şüphelendirmiştim.

"Kiralık bir yer varmış," diyerek aklıma ilk gelen yalanı uydurdum. "Bizim avukatlık bürosu için... İşler büyüdü, mekân küçük geliyor da artık..."

Çakır gözleri etraftaki binalarda şöyle bir dolandı...

"Allah Allah, hangisiymiş ki?"

İşi ciddiye almıştı.

"Yanlış sokağa mı girdim acaba? Belki de bir üstteki sokaktadır. Ee sende ne var ne yok? İşler yolunda mı?"

"Allah'a bin şükür," dedi gözlerinin içi gülerek. "Bu dükkânı yeni açtık ama maşallahı var, karnımızı doyuruyor ziyadesiyle..." Eliyle dükkânın önündeki tahta kürsüyü gösterdi. "Otursana şöyle, oğlana söyleyeyim, iki kahve kapıp gelsin."

"Yok, yok böyle iyiyim..." İlk kez görüyormuş gibi dükkânın içine baktım. "Oo epeyce büyükmüş senin burası..."

Gurura benzer bir ifade belirdi yüzünde...

"Büyük, büyük... Gel, gel de içeriye bak..."

Dükkâna girerken sokağa göz attım, henüz kimsecikler görünmüyordu. Ağır adımlarla Recep'i izledim...

"Bak, içeride küçük bir mağara var. Tadilat sırasında çıktı. Romalılardan mı ne kalmış... Mezar filan dediler ya, ne iskelet gördüm, ne de ölü... Ama çok iş görüyor, boş sandıkları koyuyorum. Çok da serin..."

Bir yandan dükkân sahibini dinliyor, bir yandan da adamlar ne zaman geçecek diye sokağı kolluyordum. Recep kocaman bir kese kâğıdının içine kayısıları doldurmaya başlarken gördüm Arnavutları, hiç acele etmeden salına salına çıktılar sokağın köşesinden. Bu kadar rahat olmalarına şaşırdım doğrusu, sen kalk İttihat Terakki'nin en önemli adamlarından birini vurmaya gel ve böyle elini kolunu sallaya sallaya dolaş sokaklarda...

"Kayısıların son demi," diyen Recep'in sözleri dağıttı dikkatimi. "Götür eve, Mukaddes Teyze yesin... Sahi nasıl teyzem?"

Gözümü sokaktan ayırmadan cevapladım.

"İyi, iyi, ihtiyarlık işte... Ama zahmet etmeseydin kayısı filan..."

"Ne zahmeti, feda olsun Mukaddes Teyzeme... Neye bakıyorsun sen yahu?"

Hemen yüzümü ona döndüm.

"Şu kiralık yer için... Emin olamadım da, karşıdaki ev mi diye bakıyordum..."

"Cık," dedi dişlerinin arasından. "Orayı kiraya vermezler... Kunduracı Lefter'in evi orası... Sekiz çocuk, itiş kakış yaşıyorlar işte. Alt katını da dükkân yapmış adam... Çıkar mı hiç?"

Arnavutlar, manavın önünden geçip sokak boyunca ilerlemeye başlamışlardı, şimdi sıra bizimkilerde diye düşünürken ikisi de aynı anda göründü. Yolun sağından yürüyen Basri Bey biraz daha gerideydi, Mehmed konuşulduğu gibi sol kaldırımda ilerliyordu. Bedeni hafifçe öne eğilmişti, bakışlarını avına kilitlemiş bir atmaca gibi gergindi. Kumandanımız ise adeta evine dönen bir aile babası gibiydi; sakin ve kendinden emin. Benim de artık Recep'le vedalaşıp tatbikattaki yerimi alma vaktim gelmişti. Basri Bey'le Mehmed de dükkânın önünden geçtikten sonra,

"Eh, bana müsaade artık," dedim kayısı paketini de alırken. "Üst sokağa da bir bakayım, oradan eve giderim..."

O kadar kolay değildi tabii bu bonkör delikanlıdan kurtulmak, kayısının yanı sıra bir kese kâğıdına küçük ama birbirinden lezzetli şeftaliler doldurduktan sonra ancak bıraktı yakamı. Elimde kese kâğıtlarıyla, ömrünün ilk suikast tatbikatına katılmak ancak benim gibi bir acemiye yakışırdı doğrusu. Allahtan arkadaşlarım bu halimi görmüyorlardı, göremeyeceklerdi de... İlk fırsatta atacaktım elimdeki fazlalıkları... O anda fark ettim, hemen önümde yürüyen seyyar şekerciyi. Çocukken çok sevdiğim o rengârenk macunlardan satan adamlardan biriydi. Tezgâhını omzuna koymuş sokak boyunca ilerliyordu ama bir tuhaflık vardı. Önce ne olduğunu anlayamadım, sonra uyandım. Bu adamın yorgun olması gerekiyordu, bu sıcakta gün boyunca Selanik sokaklarını arşınlamış, tezgâhındaki macunları bitirmeye çalışmıştı ama oldukça zinde görünüyordu. Saatlerdir sırtında taşıdığı tezgâh, hiç değilse belini biraz olsun bükmüş olmalıydı, ne gezer, adam dimdikti ve genç bir kaplan gibi kaldırımın üzerinde sekerek ilerliyordu.

Önce vehmediyorum diye düşündüm, "Aptallık yapma Şehsuvar, boş yere Mehmed Esad'a rezil olma," diye ikaz ettim kendimi. Ama içimden bir ses, macuncuyu gözden kaçırma diyordu, ben de öyle yaptım.

Öteki sokağa çıktığımızda, artık herkes görüş menzilimin içine girmişti. Sahile kadar dümdüz inen sakin sokağın sağ kaldırımında iki Arnavut silahşor, onların yirmi otuz metre kadar gerisinde ise Basri Bey'le Mehmed Esad ve bizimkilerin hemen ardında da şu tuhaf macuncu... Evet, bu küçük kafile birbirinden ayrı hep birlikte yürüyordu denize doğru. Sokağı kesen ana caddeye yaklaştıklarında Arnavutlar birdenbire durdu. Yok, kuşkulandıklarından filan değil. Zannederim biri sigarasını tazeleyecekti. Onlar durunca, Basri Bey de yavaşladı ama Mehmed Esad yürüyüşünü hiç bozmadı, belki de bozamadı. Kolay değil, heyecan insanın aklına tesir ediyordu. Belki de Arnavutların çok beklemeyeceklerini, yeniden yola revan olacaklarını umuyordu. Ama iki silahşorun hiç acelesi yoktu. Karşılıklı olarak sigaralarını tüttürerek, kahvedeymiş gibi sohbet ediyorlardı ayaküzeri. İşin tuhafı, önümdeki macuncu da yavaşlamaya başlamıştı... Neler oluyordu? Yoksa birileri bizi tuzağa mı düşürüyordu? Neden olmasın? Biz gizli bir cemiyetin üyeleriydik, nasıl ki onların arasında bizim adamlarımız varsa, bizim teşkilatımızda da onların hafiyeleri olabilirdi. Elimdeki paketleri, önünden geçtiğim evin eşiğine bıraktım hemen. Adımlarımı hızlandırdım ama fark edilmemek için sessizce yürüyordum. Ve elbette gözlerimi bir an olsun, önümdekilerden ayırmıyordum.

Mehmed Esad, kaçınılmaz olarak iki Arnavut'a yaklaşıyordu. İki silahşor da onu fark etmişti ama aldırmadılar. Olması gereken de buydu, tanımadıkları bir adamdan niye kuşkulansınlar? Fakat ne olduysa, Mehmed yanlarından geçerken oldu. Ortalıkta hiçbir sebep yokken, bizim mülazım birden silahını çekip adamlara doğrulttu. Neye uğradıklarını şaşıran

111

iki silahşor bir an tereddüt ettiler ama Mehmed'in ikazıyla ellerini havaya kaldırmak zorunda kaldılar. Bakışlarım, Basri Bey'e kaydı. O da en az benim kadar şaşkındı. Ne yapıyordu bu Mehmed Esad? Bir çuval inciri berbat edecekti. Ama dik başlı zabit yaptığının doğruluğundan emin, tehditkâr bir tavırla Arnavutlara bir şeyler söylüyordu. O anda fark ettim macuncunun hareketlendiğini... Evet, adam göz açıp kapayıncaya kadar tezgâhını yere bırakmış, silahını çektiği gibi Mehmed'e doğrultmuştu. Daha dur demeye kalmadan da, bastı tetiğe. Bütün bu olaylar olup biterken, ben elimi silahıma uzatmış ama çekmeye fırsat bulamamış, sadece bizim mülazımın kanlar içinde yere yuvarlandığını görmüştüm. Fakat olanlara daha fazla kayıtsız kalamayan Basri Bey silahına asılıp, üst üste sıktığı iki kurşunla macuncuyu yere devirmişti bile. Sanırım bana cesaret veren de bu oldu. Tabancamı çektiğim gibi onlara doğru koşmaya başladım. Bu arada kargaşayı fırsat bilen iki silahşor da silahlarına davranmışlardı ama koşarak geldiğimi fark edince duraksadılar. İşte o anda basmaya başladım tetiğe. Önce yanık yüzlü silahşor düştü yere, namluyu ötekine çeviriyordum ki, gerek kalmadı, Basri Bey'in tabancasından çıkan kurşunlar ardı ardına saplandı göğsüne. Silahları bir yana kendileri bir yana, ikisi de sırtüstü yıkıldılar yere.

Dar sokak genzimi yakacak kadar kesif bir barut kokusuyla kaplanmıştı. Basri Bey sakin adımlarla Arnavutlara yaklaştı, öldüklerinden emin olmak için birer kurşun daha sıktı başlarına. Sonra bana baktı, tek söz etmedi ama anladım. Tıpkı Basri Bey gibi ben de kendinden emin adımlarla yaklaştım sahte macuncuya. Tezgâhındaki kırmızı macundan daha koyu bir kan birikintisinin içinde yatıyordu genç adam. Ölmek üzereydi, hiç tereddüt etmeden ben de iki kez bastım tetiğe. Cansız bedeni iki kere zıpladı kaldırımının üzerinde, sonra tümüyle hareketsiz kaldı...

Korkunç diyeceksin, evet korkunçtu ama biz onları vurmasaydık, onlar bizi vuracaktı. Bir kavgaya girdiysen eğer, o kavganın şartlarına uymak zorundasın, şartlar seni eli kanlı bir katil yapsa bile... Mesele o kavgaya girmemekti ama ben girdim, ondan sonrası teferruattı. Adına tarih denilse de kanlı olaylardan oluşan devasa bir teferruat...

Dur, bu kısmı tamamlamadan önce Mehmed Esad paragrafını kapatalım. En azından mazideki paragrafını...

Tahmin edeceğin üzere Mehmed Esad ölmemişti. Ama ağır yaralıydı, biraz daha kan kaybederse, sabaha çıkmazdı. Basri Bey'e dua etsin, onu güç bela sırtlayıp bir arabaya attık. Şu sizin uzaktan akrabanız olan Mösyö David'e götürdük. Evet, şu altın çerçeveli gözlük takan, ufak tefek, asabi doktora. Arkadaşımızı kanlar içinde görünce, sanki onu biz yaralamışız gibi. "Bu ne yahu, ölüsünü getirseydiniz bari," diye azarladı. Eyvah kabul etmeyecek diye endişelendim ama uzatmadı, derhal aldı bizi hastaneye. Üstelik kayıt kuyut yaptırmadan. Uzun sürdü ameliyat, saatlerce, gecenin bir yarısına kadar. Ne Basri Bey, ne de ben ayrıldık ameliyathanenin kapısından ama ikimizin de umudu yoktu. Bu yaralarla zor atlatır diyorduk. Atlattı Mehmed Esad, ne denebilir ki, naturası sağlammış. İki haftaya kalmadan kalktı ayağa. Güvenli bir eve taşıdık onu. Her gün gittim ziyaretine, her gün konuştum onunla, bir hasta bakıcı gibi alakadar oldum. Sevdiğim biri olduğu için değil, vazifemin bir parçası olduğu için. Hatalı da davranmış olsa o benim yoldaşım, silah arkadaşımdı. İyileşinceye kadar da ayrılmadım yanından. Artık ayağa kalkacağı, kışlasına döneceği günden önceki akşam,

"Yarın sen gelme Şehsuvar," dedi Basri Bey emreden bir sesle. "Onun için elimizden geleni yaptık. Mehmed Esad'la yolumuz burada ayrılıyor. Artık bizim grupta yer almayacak."

O akşamdan sonra defalarca gördüm Mehmed Esad'ı. Selamlaştık, aynı masada oturduk, hatta aynı vazifenin içinde yer aldık. Ne var ki, o yaz akşamı olanları hiç konuşmadık bir daha. Fakat ne zaman, nerede karşılaşırsak karşılaşalım, hep bir mahcup, hep ezik bir ifade olurdu yüzünde. Ta ki, dün Pera Palas'ta beklenmedik bir anda, beni görmeye gelinceye kadar.

"İnsanoğlu, dünyanın en büyük muammasıdır."

※

Günaydın Ester, (4. Gün, Sabah)

Günaydın dediğime bakma, ancak öğleden sonra alabildim kalemi elime. Dün gece yazdıklarımı bitirdikten sonra adeta içim geçmiş, sızıp kalmışım masa başında. Güç bela attım kendimi yatağa. Uyandığımda vakit öğleyi bulmuştu yine. Sersem gibiydim, soğuk suyla yıkanınca kendime geldim biraz. Giyindim, karnımı doyurmak için çıktım odadan. Koridorda iki hizmetçi temizlik yapıyorlardı. Yok, artık evhamlarımdan kurtulduğum için beni izliyorlar diye aklıma gelmedi. Asansör meşguldü, otelin mermer merdivenlerini adımlayarak indim restorana. Öğle servisi henüz başlamamıştı ama başgarson sağ olsun, hemen bir peynirli omlet yaptırdı bana. Yanında da kocaman bir ayran. Bir yandan yemeğimi mideye indirirken, bir yandan da gazetelere göz atıyordum.

İkdam'da enteresan bir havadis vardı. Ankara'da silahlarıyla birlikte iki kişi yakalanmıştı. İfade vermeyi redseden bu iki tetikçinin, Yunanistan'a kaçan Çerkez Ethem'in adamları olduğu sanılıyordu. Yunan gizli servisinin de desteğiyle, Mustafa Kemal'e yönelik yeni bir suikast teşebbüsünden söz ediliyordu. Emniyet yetkilileri, böylesi alçakça tezgâhların amacına ulaşamayacağını, genç cumhuriyetimizin çelikten kalkanının cumhurreisimizi her zaman koruyacağını, bu nevi menfur emelleri olanların her zaman hüsrana uğrayacağını beyan ediyorlardı. Dikkatle okudum, ne eski ittihatçılardan bahsediliyordu ne de olay İzmir Suikastı'yla irtibatlandırılıyordu. Eh, bu da bir şeydi; her suikast teşebbüsünü ittihatçılara bağlama vehminden kurtulmuşlardı demek.

"Merhaba Şehsuvar ağabey."

Başımı kaldırınca otel müdürümüz Reşit'i gördüm.

"Oo merhaba Reşit, kusura bakma gazeteye dalmışım, fark etmedim geldiğini."

"Önemli değil," diyerek çöktü yanımdaki iskemleye. "Nasılsınız?"

Biraz gergin gibiydi, o samimi gülümsemesi de gizleyemiyordu tedirginliğini. Hatırımı sorarken bile sanki kötü bir haber alacakmış gibi karamsar görünüyordu.

"İyiyim Reşit... Hayrola, kötü bir havadis mi var?"

Etrafa kaçamak bir bakış attı.

"Biri gelmiş ziyaretinize... Çocuklar söyledi..."

Onu neden heyecanlandırıyordu ki Mehmed Esad'ın gelmesi? Benim ziyaretçilerimden Reşit'e neydi? Elbette bunları sormadım, sükûnetimi muhafaza etmeye çalıştım.

"Evet, Selanik'te tanıştığımız bir arkadaş. Yıllardır görüşmüyorduk. Beşiktaş'a gitmiş, evime. Bakkaldan öğrenmiş burada kaldığımı. Sohbet etmek istiyordu biraz."

Anlamak istercesine ilgiyle bakıyordu yüzüme.

"Size fenalığı dokunmaz inşallah."

Ne yani, beni düşündüğü için mi kurcalıyordu bu ziyareti?

"Sanmam, eski bir hemşerimden niye kötülük gelsin ki bana?" diyerek elimdeki gazeteyi masanın üzerine bıraktım. "Hatta memnun oldum geldiğine. Tanıdık biriyle laflamış oldum biraz. Selanik'ten konuştuk, eski hatıralardan." Sustum. "Yoksa, tanıyor musun Mehmed Esad'ı?"

"Yok, yok nereden tanıyacağım."

Konuşurken bakışlarını kaçırdı. Evet, bal gibi de tanıyordu ama nedense bana söylemek istemiyordu.

"Yanlış anlamayın Şehsuvar ağabey, ben sizi düşünüyorum. Başınıza kötü bir iş gelmesini istemiyorum. Biliyorsunuz, acayip bir devirden geçiyoruz. Taşlar yerine yeni yeni oturuyor. Kim, kimdir, kim kimin adamıdır kestirmek çok

115

güç. Böyle devirlerde kurunun yanında yaş da yanıyor. Yani dikkat etmekte büyük fayda var." Etrafa şöyle bir göz attıktan sonra sürdürdü sözlerini: "Ukalalık saymazsanız, dürüstlüğünden emin olmadığınız adamlarla görüşmeyin derim."

Kuşkulu bir bakış attım genç otel müdürüne.

"Sahiden tanımıyorsun değil mi Mehmed Esad'ı?"

Bir kez daha bakışlarını kaçırdı ama bu sefer kati bir ifadeyle başını sallamayı ihmal etmedi.

"Hayır, tanımıyorum, hiçbir malumatım yok hakkında. Mesele de bu zaten, tanısaydım, daha kati konuşurdum."

Yine umursamaz göründüm.

"O kadar da abartmayalım Reşit. Herkesten şüphe edilerek yaşanmaz ki. Yoksa konuşacak kimse bulamayız. Zaten burada kapanıp kalmışım, bir dostun ziyaretinden ne olacak?"

Hayır, sözlerim rahatlatmadı onu.

"Bakın Şehsuvar ağabey, hayatınıza müdahale eder gibi olmayayım ama konuşmak için daha itimat edilen dostlar bulabilirsiniz. Yıllardır görmediğiniz bir adam birden ziyaretinize geliyorsa, vardır bunun altında bir çapanoğlu."

Artık emindim, katiyetle tanıyordu Mehmed Esad'ı. Belki buraya geliş maksadını da biliyordu. Ama benimle paylaşmak istemiyordu. Yok, hiçbir koşulda bunu itiraf etmeyecekti. En iyisi üstelememekti, vurdumduymazlığımı sürdürdüm.

"Senin asabın bozulmuş biraz," dedim uzanıp dostça eline dokunarak. "Merak etme, bana bir şey olmaz. Hem, herkes saklanacak delik ararken, nerden bulacağım ben o eski, sadık dostları?"

Gözleri umutla ışıldadı.

"Biri var aslında. Binbaşı Cezmi... Trablusgarp'ta birlikte harp etmişsiniz..."

"Cezmi Kenan mı?" diye mırıldandım sevinçle. "Cezmi Bey hayatta mı?"

Yüzüme yayılan mutluluk Reşit'i de etkilemişti.

"Hayatta, hem de turp gibi. Munise Teyze, Balkan Harbi sırasında tifüsten ölmüştü. Biliyorsunuz çoluk çocuk da yok. Cezmi Amca tek başına yaşıyor. Haftada bir ziyaretine gidiyorum. Sizi görmekten de büyük bir mutluluk duyacaktır. İsterseniz birlikte gidelim bu hafta." Düşünceli bir ifade belirdi gözlerinde. "Hem belki, şu sizin eski arkadaşınız hakkında da malumat sahibidir. Biliyorsunuz, işgal sırasında, Karakol Teşkilatı'nı idare edenlerin arasındaydı Cezmi Amca... Belki de yakından tanıyordur şu Mehmed Esad adındaki arkadaşınızı."

Cezmi Kenan! Basri Bey'in şehit düşmesinden sonra emrine girdiğimiz kumandandı Binbaşı Cezmi. Ama onunla Trablusgarp'tan çok daha önce tanışmıştık aslında. 31 Mart Ayaklanması'nın bastırılması sırasında birlikteydik. Çoğu insan biraz tuhaf bulurdu onu ama bence dünyanın en cesur zabitlerinden biriydi. Bilhassa Trablusgarp'ta, bombaların durmak bilmeyen dalgalar halinde siperlerimize çarptığı, şarapnellerin dolu gibi üzerimize yağdığı, rüzgârın ateş püskürttüğü o cehennem günlerinde, İtalyan kuvvetleri bütün üstünlükleri, bütün acımasızlıklarına rağmen o sahilden çıkamadılarsa bu, Cezmi Kenan gibi kahramanların sayesinde olmuştu. Benim bile zaman zaman burada ne işim var, kaçıp canımı kurtarsam mı diye tereddüt ettiğim o kıyamet anlarında, Cezmi Bey siperden sipere koşarak, herkesin moralini yüksek tutmayı başarmıştı. Bir lahza olsun korku belirmemişti, onun bir çocuk masumiyetiyle bakan açık yeşil gözlerinde. Evet, onu tekrar görmek hoşuma giderdi. Üstelik anladığım kadarıyla Mehmed Esad muammasının çözülmesinde de bana yardım edecekti. Bizim Reşit'in söyleyemediği sırrı, Cezmi Bey ifşa edecekti demek ki.

"Valla çok sevinirim," dedim Reşit'e. "Yıllardır görmedim Binbaşı Cezmi'yi. Ziyaretine gitmek beni ziyadesiyle mutlu eder. Yahut buraya yemeğe davet etsek... Ne dersin daha mı iyi olur?"

Yüzü gölgelendi.

"Gelmez, otelin gözaltında olduğunu düşünüyor." Sesini kısarak ekledi. "Burası bir ihanet yuvası ona göre, kalanların çoğu da casus."

Tam bir ittihatçı konuşması. Herkesten, her şart altında şüphelen. Peki ya doğruysa? Öyle ya burada konaklayanların gerçekte kim olduğunu nasıl bilebiliriz ki? Hatta karşımdaki Reşit bile hükümet adına çalışıyor olabilir. Böylece daha kolay kontrol ederler geleni gideni. Evet, bu otelde bir casus aranıyorsa, baş zanlı Reşit olmalı. Çünkü bütün malumatlar onda. Yok canım, Mehmed Esad'dan sonra bir de bizim otel müdüründen mi şüpheleneceğiz? Ee, normal biz de eski ittihatçı değil miyiz? Peki, bizim Binbaşı Cezmi'nin bu muammanın içindeki rolü ne acaba? Hayır, işte bu mümkün değil.

O adamın namusuna kefilim, asla bulaşmaz böyle pis işlere... Ama uyanık olmak lazımdı; at iziyle it izinin birbirine karıştığı günlerdi bunlar. Ne sağlam adamlar görmüştüm, bir gecede arkadaşlarını satıp karşı tarafa geçen.

Hatırlar mısın bilmem? Bir gün edebiyat üzerine konuşuyorduk, neden Rus edebiyatında, Fransız romanlarında düello var da bizim romanlarımızda yok diye... Leon Dayı da masadaydı. Gerçi o, "Ahmed Mithad'ın *Hassan Mellah*'ını mı, yoksa Recaizade Ekrem'in *Araba Sevdası*'nı mı roman kabul edeceğiz? Bizde roman yok ki düello olsun," diyerek işin içinden çıkmıştı. Ama ne sen ne de ben bir açıklama getirebilmiştik bu meseleye.

Yıllar içinde çok düşündüm bu konuyu. Sahi bizde niye düello yoktu? Daha mı az cesurduk Ruslardan ya da Fransızlardan? Hiç zannetmiyorum. Cesaretin ırklarla, milletlerle alakası yoktu. En az öteki milletler kadar cesurduk biz de. Sadece fert olarak yeterince gelişmemiştik. Abdülhamit'ten ya da Osmanlı devrinden bahsetmiyorum, bu toprakların evveliyatı da böyleydi. Hep güçlü hükümdarlar, güçlü devletler... Öyle büyük bir baskı vardı ki insanların üzerinde, fert ortaya çıkamamıştı bir türlü. Kimse kendisi olamamış, hep bir lidere, bir öndere ihtiyaç duymuştu. Zannederim bu sebepten, sadece iki kişinin karşılıklı karar verdiği, teke tek yapılan düello bizde yaygınlaşmamıştı. Onun yerine bir güce dayanarak, düşman saydığımız kişileri yok etmeyi tercih etmiştik hep. Böylece; linç, pusu ve jurnal en çok başvurduğumuz metodlar olmuştu...

Masama çöküp, yeniden yazmaya başladığımda kuracağım ilk cümle bambaşkaydı aslında. Deminden beri yazdıklarım muhtemelen çok da umurunda olmamıştır senin, eminim aklın bir önceki mektubumda kalmıştır. Evet, Selanik'teki o yaz akşamında, yerde kanlar içinde yatan adama ateş eden acımasız Şehsuvar'ı düşünüyorsundur. Âşık olduğun, sana şiirler okuyan, hikâyeler yazan, o naif delikanlı, nasıl böyle soğukkanlı bir tetikçiye dönüşebildi diye kahroluyorsundur. Bunu ben de düşündüm; hayır, vicdan azabı duyarak değil, kendi soğukkanlılığıma şaşarak düşündüm. İnsanoğlu, dünyanın en büyük muammasıdır. İyi manada söylemiyorum, kötü manada da söylemiyorum, bütün o büyük zıtlıklarıyla birlikte söylüyorum. İnsan ruhu, henüz keşfedilmemiş kapkaranlık bir coğrafyadır. Vahşetle şefkat, korkuyla cesaret, nefretle sevgi, mantıkla delilik hepsi bir zihnin içinde hapsedilmiştir. Bazen kendimizi iyi biri zannederiz ama değilizdir, bazen kendimizi sevgi dolu biri zannederiz ama aslında öldürmeye yatkınızdır, zıddı da mümkün tabii. Sevgisiz bir ortamda büyüdüğü için nefret dolu olduğunu düşünen birinin elinin kötülük yapmaya gitmemesi gibi... Çoğumuz kim olduğumuzun farkında değiliz, bunu düşünmemişizdir bile. Düşünmek için başımıza sarsıcı bir olay gelmesi icap eder, kendi ruhumuzla yüzleşmek zorunda kalacağımız korkunç bir olay... Tıpkı o yaz akşamı beni acımasız bir katile dönüştüren o meşum suikast gibi.

Evet, o gece yarısı eve döndüğümde ben de kendimi hiç tanımadığımı fark ettim. Birkaç saat önce insanları öldürmüştüm ama en küçük bir rahatsızlık duymuyordum. Şekercinin vurduğu Mehmed Esad için üzülüyordum biraz... Evet çok değil, biraz. Bunun, Mehmed Esad'ın bana kötü davranmasıyla da bir alakası yoktu, verilen emirlere uymayarak hepimizin hayatını tehlikeye atmasıyla da... Kendi zaferimden öylesine etkilenmiştim ki, ne ölenler ne yaralanan arkadaşım umurumdaydı. Evet, ne kadar bencil bir insan olduğumu ilk kez o akşam anlayacaktım. Ruhumun karanlıklarında saklanan, bambaşka bir Şehsuvar Sami'yle ilk kez tanışacaktım.

Yıllarını Osmanlı maarifi için harcamış, sulh insanı babam Muallim Emrullah Bey'in baskısı üzerimden kalkınca, içimdeki mağara insanı ortaya çıkmıştı galiba. İşin tuhafı hiçbir korku duymuyordum bundan... Ne korku ne de utanç... Aksine kendimi daha güçlü hissediyordum, bütün dünyaya kafa tutabilecek kadar cesur... Üstelik bu gücü, bu cesareti kutsal bir davada kullanma fırsatı yakalamıştım, vatanımı yıkımdan kurtarmak, milletimi hür kılmak, tarihi yeniden yazmak için... Oysa değişen bendim, hayır o tetiği çekerken değil, çok daha önce, daha cemiyete girdiğim ilk gün başlamıştı bu değişim. Bunu hissetmiştim aslında, belki de o sebepten, cemiyete üye olduğumu saklamıştım senden. Belki de o yaz akşamı çektiğim tetik bendeki değişimin tamamlanmasıydı. İçimdeki öteki Şehsuvar'ın gözlerini açıp, evet, artık ben de varım dediği an...

O gün bunları sana anlatsaydım, nefret ederdin benden, muhtemelen şimdi de ediyorsundur. Yaptıklarımı düşündükçe bazen ben de nefret ediyorum kendimden, bazen de acıyorum kendime. Evet, acıyorum, bütün o kahramanlıklarla dolu geçmişime rağmen, hakikatte rüzgârın önünde sürüklenen bir zavallı olduğum için. Sadece zavallı mı, aynı zamanda gaflet içinde istikbali kestiremeyen bir akılsız... Üstelik yanında, senin gibi onu defalarca ikaz eden biri olmasına rağmen olacakları göremeyen iflah olmaz bir romantik.

Şimdi romantik kelimesini de yadırgayacaksın ama öyleyim, şu hayatta asla gerçekçi olamadım. Sana âşık olmam bunun en büyük ispatıdır. Rahmetli annemin dediği gibi, elim ekmek tuttuktan sonra namuslu bir Müslüman kızı bulup evlenmek yerine bir Yahudi kızını seçtim, hem de en aykırı olanını, en baş edilmezini...

Bunları menfi sözler olarak alma, hayranlığımdan böyle yazıyorum. Çünkü yaşadıklarım bana öğretti ki, bu ülkenin asıl meselesi, milletin hep boyun eğmesi, hayır diyememesi, suskunluğu erdem zannetmesi. Üstelik öyle kolayca vazgeçilecek alışkanlıklar değil bunlar. Etimize, kemiğimize işlemiş, tenimize sinmiş, binlerce yılın lanetli mirası... Bunları düşündükçe, daha da büyüyorsun gözümde. Bu da iyi değil aslında: Sen, benim için ulaşılmaz bir mücevher haline gelirken, ben gitgide küçülüyor, bir toz zerresine dönüşüyorum gözünde... Üstelik hatalı olan da benim, üstelik hiçbir izahat da bunu değiştiremeyecek, ne şimdi ne de gelecekte... Ama yine de hikâyemi anlatmaya devam edeceğim.

Evet, birileri peşimde... Kim olduklarını tam olarak bilmiyorum, amaçlarından da bihaberim ama nefesleri ensemde, yılların verdiği tecrübeyle hissediyorum ki, fazla vaktim yok. Önce kim yakalayacak, ilk darbeyi kim vuracak, ilk tetiği kim çekecek bilmiyorum... Avcımı seçmek gibi bir şansa sahip değilim, bir ceylan kadar savunmasız olmasam da beklemekten başka çarem yok. Yapabildiğim tek şey şu satırları yazmak sana... Onlar gelmeden, yazdıklarımı bitirmeliyim. Çünkü onlar geldiklerinde sadece bedenimi yok etmekle kalmayacaklar, pek de uzun olmayan ömrümün bütün izlerini silecekler. O sebepten vakit kaybetmek istemiyorum, o sebepten yeniden dönüyorum maziye.

Evet, Arnavut silahşorların öldürülmesinde gösterdiğim cesaret ve dirayet hem fedailer grubunda hem de cemiyette büyük takdir topladı. Alnımdan öpmüştü Basri Bey.

"Hakiki bir kahraman gibi davrandın Şehsuvar."

"Mübalağa ediyorsunuz, vazifemi yaptım efendim," diyecek oldum.

"Yok, öyle değil," diye kestirip attı. "Bundan çok daha tehlikesiz durumlarda eli ayağı titreyen, öylece apışıp kalan ne babayiğitler gördüm... Yok kardeşim, senin kanında var bu iş. Biz o gün sadece üç vatan hainini tepelemedik, senin gibi kıymetli bir vatan fedaisi kazandık. Tebrik ederim..."

Bu sözler dahi ayağımı yerden kesmeye yetecekken, asıl taltif, cemiyetin lideri, Talat Bey'den gelecekti. Ertesi gün yazıhanede oturmuş, Serez'de görülecek bir davanın dilekçelerini yazıyordum ki kapı açıldı, önden Talat Bey, ardından Leon Dayı girdi içeri, peşlerinden de dört sivil muhafız. Arnavutların suikast teşebbüsünden sonra tedbir almıştı cemiyet. Dört sivil salonda kaldı, cemiyetin iki mühim adamı çalıştığım odaya girdi. Ne zamandır görmüyordum Talat Bey'i. Hemen ayağa fırladım. Gelip sımsıkı sarıldı bana.

"Hayatımı kurtardın delikanlı," dedi o her zamanki neşeli haliyle. "Sağ olasın, sana bir can borcum var artık."

O kadar heyecanlanmıştım ki ne diyeceğimi bilemeden kem küm edip durdum.

"Baban nurlar içinde yatsın," diye sürdürdü. "Muallim Emrullah'ın oğlu olduğunu gösterdin." Gurur dolu bir gülümsemeyle Leon Dayı'ya baktı. "Söylediğim kadar varmış değil mi?"

Leon Dayı'nın gülümsemesi, onunki kadar aydınlık değildi.

"Şehsuvar iyidir," dedi sadece. "Cemiyet için çok daha faydalı işler yapacağına inanıyorum."

Ama Talat Bey'in neşesine diyecek yoktu, teklifsizce geçti oturdu masanın başına.

"Öyle olacak, artık devr-i istibdat bitti, devr-i hürriyet başladı... Artık bizim devrimiz... Ama sadece başladı, henüz zaferden çok uzağız. Devlet hâlâ Abdülhamit'in memurlarıyla yönetiliyor. O kurnaz Kayserili, devleti asla kolayca teslim etmeyecek... Bunca yıllık iktidarında öğrendiği her türlü kurnazlığı, her türlü hinliği yapacak. Gerektiğinde bir baba gibi şefkatli görünecek, gerektiğinde, 'Ben de sizin gibi düşünüyordum evlatlarım,' diyecek ama tıpkı Mithad Paşa'ya yaptığı gibi her an ipimizi çekmeye hazır olacak. Artık çok daha uyanık olmamız gerekiyor..."

"Başka türlü olması mümkün değil," dedi Leon Dayı karşısındaki koltuğa çökerken. "Bütün ihtilaller, iktidarı almakla başlar. Meşrutiyeti ilan ettirdik ama hâlâ kurumları ortada yok. Bir yanda padişah, bir yanda meclis. Asıl kavga şimdi başlıyor."

Ne dediklerini tam olarak anlamıyordum, muvaffak olmuştuk; Kanun-i Esasi yürürlüğü girecek, meclis açılacaktı, daha ne olsundu?

"O yüzden payitahta gitmeliyiz," diyerek sürdürdü Talat Bey. "Dersaadet bizi çağırıyor." Kestane rengi iri gözlerini bana çevirdi. "Sen de bizimle gelmelisin, Selanik artık misyonunu tamamladı. Dünya siyasetine yön vermek için, dünyanın gözünü diktiği şehirde olmalıyız. "

Büyük bir onurdu benim için, bizzat cemiyetin lideri tarafından payitahta çağrılmak ama sen ne olacaktın, yaşlı annem ne olacaktı?

"Buradaki işler..." diyecek oldum. "Mösyö Leon müşkül vaziyette kalmasın..."

Dayın manidar bir bakış atmakla yetindi bana, seninle münasebetimin farkında olmayan Talat Bey ise kocaman bir kahkaha koyuverdi.

"Merak etme Mösyö Leon işlerini her zaman halleder..." Gülüşü söner gibi oldu. "Anneni düşünüyorsan, o meseleyi de hallederiz. Burada kalırsa, ona bakacak birilerini memur ederiz, seninle gelmeye karar verirse, ona da bir hal çaresi buluruz... Ama senin mutlaka payitahtta olman lazım... Başka vazifeler bekliyor seni. Daha mahrem, daha mühim vazifeler..."

Mahrem ve mühim derken neyi kastettiği belliydi, davamızın düşmanlarıyla hesaplaşmak, hem de kanun yoluyla değil, bildiğimiz usulle. O zamanlar hiç de yanlış gelmiyordu bu metod bana. İhtilal namlunun ucundadır, kimden duydum bu cümleyi hatırlamıyorum ama aynen katılıyordum bu düşünceye. Yeterince kararlı olmazsak, sadece yaptığımız devrimi değil, aynı zamanda bütün vatanı kaybedebilirdik. Üstelik hoşuma gidiyordu bu mücadele şekli. Evet, yeri gelmişken itiraf etmeliyim, sadece romantik değil, aynı zamanda iflah olmaz bir sergüzeşttim ben. Belki bir romancı için gerekli bir ruh halidir bu sergüzeştlik ama hayat, her zaman hakikatin üzerinde yükselir. Ve gerçek bir maceranın verdiği hazzı, hiçbir roman veremez. Kim bilir ne maceralar bekliyordu beni payitahtta? Üstelik Leon Dayı da mebus olarak gelecekti İstanbul'a, o zaman seni ikna etmenin de bir yolunu bulurduk elbet. Hayatta en çok sevdiğin iki insanı kırmazdın herhalde... Fena halde yanıldığımı çok geçmeden anlayacaktım. Kendimi tanımadığımı o suikasttan sonra keşfetmiştim, seni hiç tanımadığımı ise bahçenizdeki o kavgamızdan sonra fark edecektim... Asmalardan sarkan mor üzümlerin şenlendirdiği o bahçede, o tahta kameriyenin altında...

"Vatan, hepsinden daha kıymetlidir."

✳

Merhaba Ester, (4. Gün, Akşam)

Tuhaf, akşam yemeği için sokağa çıktığımda yine kimse takılmadı peşime. Evet, evet, eminim geçen günkü hafiyelerin hiçbiri yoktu ortalıkta. Hayır, kendilerini saklamış olmaları mümkün değil, biraz iddialı olacak ama takip etselerdi mutlaka anlardım. Evet, emindim vazgeçmişlerdi. Zannederim, Mehmed Esad yüzünden.

"O işi ben hallederim, yakında kendi ellerimle teslim edeceğim size Şehsuvar Sami'yi" mi demişti? Yoksa, "Ondan şüphelenmeniz için hiçbir neden yok, cumhuriyet için tehlikeli biri değil, hatta bizimle çalışırsa çok daha iyi olur" mu demişti?

Her iki durumda da, Reşit'in kuşkusu yersizdi. Zaten anladığım kadarıyla, Mehmed Esad'ı suçlayan da Cezmi Kenan'dı. Dün akşam ya da bu sabah konuşmuş olmalılardı bu mevzu üzerine. Peki, ama Reşit nasıl teşhis etmişti Mehmed'i? Belli ki önceden tanıyordu. Otelden çıkarken görünce de şüphelenmişti. Resepsiyondaki gence sormuştu bu adam ne arıyor otelde diye. Ömer de anlatmıştı olan biteni. Üstelik Mehmed'in sahte isim verdiğini de öğrenince iyice işkillenmişti. Böylece beni ikaz etme lüzumunu hissetmişti. Ya haklıysa? Sahiden de itimat edilmeyecek biriyse Mehmed Esad? Mümkün tabii, epeydir görmedim adamı. Birdenbire karşıma çıkıverdi. Ama yaptığı teklif enteresandı. Bir hain, böyle bir teklifle gelir miydi? Hem Reşit'in sözlerine ne kadar güvenebilirdim? Belli ki Cezmi Kenan'ın tesiriyle böyle konuşuyordu. Tamam, dürüstlüğüne dürüsttü Cezmi Kenan, ama hep köşeli düşünürdü. Biri, bizden değilse ya düşmandı ya casus. Evet, belki de bir vehme kapılmıştır Cezmi. Uzun yıllar gizli teşkilatlarda çalışmış insanlar sıkça yapardı bu hatayı. Herkes birbirini hain zannederdi. Hele işgal İstanbul'unda, o kadar çok teşkilat, o kadar çok gizli cemiyet vardı ki, insan kime, hangisine inanacağına şaşırırdı.

Her neyse, Cezmi Kenan'la görüşmek bu konuda daha doğru bir kanıya varmamı sağlayabilirdi. Şimdilik dikkatli olmam lazım diyeceğim ama neye dikkat edecektim ki? Belki milli olmayan güçlerin oyununa düşmemeye. Gerçi yeni hükümetin gözünde böyle bir davranışın da hiçbir manası olmayabilirdi. Beni, Kara Kemal'in adamı zannediyorlardı. İzmir Suikastı sırasında ortadan kaldırılamayan azılı ittihatçılardan biri... Talat Bey'in ülkeden ayrılmasından sonra Küçük Efendi'nin sorumluluğunda faaliyet yürüttüğümü düşünüyorlardı ki, bu kısmen doğruydu. İşgale karşı direnmek için böyle bir bağlantıya ihtiyacım vardı. Hem başka türlü nasıl olacaktı ki, aynı cemiyetin üyesiydik, birbirimizi çok iyi tanıyor, birbirimize itimat ediyorduk. Üstelik milli müdaafaya karşı da bir mücadeleye girmedik. Aksine, cemiyet ya da kişi ayırmadan, Anadolu'ya silah ve cephane gönderdik. Hem de öldürülmek, işkence görmek, Bekir Ağa Bölüğü'nde çürümek, Malta'ya sürgüne gönderilmek pahasına... Teferruata girip canını sıkmak istemiyorum ama şu kadarını bil ki, öldürülmek dışında hepsini yaşadım bu zulümlerin. Lakin mağlup olmuş insanların mazeretlerini kimse dinlemez... Ne mazeretlerini, ne çektiği acıları, ne hayal kırıklıklarını, hatta ne de özürlerini... Mümkünse bu dünyada mağlup olmayacaksın Ester... Zayıf düşmeyeceksin, tökezlesen de yıkılmayacaksın, yıkılırsan kimse kaldırmaz seni düştüğün yerden. Çiğnenip gidersin çizmelerin altında... Neyse, bu konuya daha sonra geleceğiz zaten...

Akşam yemeği için sokağa çıktığımdan söz ediyordum. Pera Palas'tan ayrılır ayrılmaz, Asmalımescit'e saptım. Dar sokağın sonunda yer alan, Viyanalı bir karı kocanın işlettiği lokantaya girdim. Pek iştahım yoktu, porselen tabakta gelen kocaman şinitzelin ancak yarısını bitirebildim, o da sarışın Alman birasının yardımıyla. Yemekten sonra otele dönmek istemedim, yeni rejimin yeni ekonomisine ayak uydurmaya çalışan Cadde-i Kebir'e uzandım. Çok değil, üç yıl öncesinin esir İstanbul'unda, işgalci kuvvetlere kucak açmış olsa da kızamıyordum bu caddeye. Bilakis, İstanbul'da kendimi evimde hissettiğim yegane semtti Pera. Ama bu fikrimi çok az kişiyle paylaşabiliyordum, çünkü anında gayrimilli olmakla suçluyorlardı beni. Oysa koca İstanbul'da Selanik'e benzeyen tek yer burasıydı. Mağazalarından, dükkânlarından bahsetmiyorum, şık giysili erkekler ve kadınlardan da değil, birçok medeniyeti aynı anda kucaklamasından söz ediyorum.

Caddede yürürken birkaç dil birden çalınıyordu kulaklarıma. Fransızca, Rumca, Osmanlıca, Ermenice, Rusça... Tıpkı bizim küçük şehrimiz gibi. Belki de ülkede imparatorluk kültürünün hâlâ bariz olarak hissedildiği tek yer burasıydı. Tünel'e kadar indim, pasajdaki kahvehanelerden birine oturdum, ılık sonbahar gecesinin tadını çıkardım. Ama bir süre sonra tuhaf bir his çöktü üzerime, nedensiz bir melankoli. Hesabı ödeyip, otele döndüm. Masama oturdum ve 1908 yazının o sıcak günlerini hatırlamaya çalıştım.

1908 yazı, sadece bu büyük ama yoksul ülkenin değil, elbette bizim kaderimizi de geri dönülmez olarak değiştirecekti. O zaman sadece ülkedeki değişimin farkındaydım, üstelik bu beni mesut ediyordu, çünkü bu altüst oluşun herkese mutluluk getireceğini zannediyordum. İkimize ne olacağı mevzusu ise tahmin edilmesi oldukça güç bir meseleydi. Birlikte yürürken bir çatak çıkmıştı karşımıza, ne yazık ki farklı yolları seçmiştik. İşin berbat tarafı, ikimiz de kararlıydık, ikimiz de ayrılmak istemiyorduk kendi rotamızdan. Bu durumda, düşünmemek en iyisiydi, ben de öyle yapıyordum. Hem vatan, millet söz konusuysa hayatlarımızın ne önemi olabilirdi ki? Hatta sık sık seni suçluyordum; ülke bu haldeyken, insanlar acılar içinde kıvranırken, sadece kendini düşünüyorsun diye. Paris'te yaşanacak günler, edebiyat dergileri, sanat münakaşaları, züppe mösyöler, çıtkırıldım matmazeller, huysuz madamlar... Sanki dünyanın başka meselesi yokmuş gibi aklını aşk ve edebiyatla bozmuştun...

Düşüncelerimin çoğunda haklıydım ama şimdi anlıyorum ki hakikatin başka yönleri de varmış. Vatan için kendini feda etme kararı bile egoistçe bir davranış olarak telakki edilebilirmiş. Evet, bunda da bir tür bencillik bulunabilirmiş. Kendini sevdiği kadına adayan fedakâr bir âşık olmak yerine, kendini vatanına, milletine adayan bir fedai olmak çok daha anlamlı değil mi? Evet, hem takdire şayan, hem kahramanca, hem fedakârca ama öte yandan küçümseyici, hatta acımasız. O zamanlar bunun farkında olamayışım ne büyük talihsizlik, ne büyük bir haksızlık! Günah çıkarmak için söylemiyorum, böyle hissettiğim için dökülüyor bu kelimeler kalemimin ucundan. Ama dur, o kadar ileri gitmeyelim, çünkü 1908 yazındayız ve henüz ayrılmadık seninle.

Hatırlar mısın bilmem, bana Voltaire'in kitabını hediye ettiğinden üç gün sonra buluşmuştuk. Olan bitenden haberin yoktu ama Leon Dayı'nın söylediği gibi yaklaşan felaketi hissediyordun. Saklamaya çalışsan da belli oluyordu, tedirgindin, huzursuzdun. Vakit ikindiyi çoktan geçmişti, parlaklığını yitiren güneş ağır ağır çekiliyordu gökyüzünden. Deniz durgundu; ayaklarımızın altına serilmiş, rengini yitiren bir halı gibi uzanıyordu körfez boyunca.

"En çok denizi özleyeceğim," dedin birdenbire. "Paris'e gidince diyorum... O güzel şehrin tek eksiği deniz."

İşte bu senin tarzındı, hiç belli etmeden bir ucundan giriverirdin mevzuya. Sessiz kaldım ama bu beni kurtarmayacaktı.

"Biz de güneye ineriz," diye üsteledin. "Bilhassa yazları. Fransa'nın denizi de en az bizimki kadar güzeldir, belki bizimkinden daha güzel. Çok güzel deniz hamamları varmış... Ne de olsa Akdeniz..." Durdun, ısrarla yüzüme baktın. "Beni dinlemiyor musun?"

"Dinliyorum," dedim toparlanarak. "Evet, Akdeniz güzeldir ama biraz daha dalgalı." Rahatmış gibi görünmek için gülümsedim. "Ne de olsa bizimki körfez... Ama haklısın denizsiz şehirlerde yaşamak zor." Ellerimi yana açarak, denizin kokusunu derin derin içime çektim. "Şu mis gibi havayı nerede bulacağız?"

Milletin ne diyeceğini umursamadan omuzunla ittin beni.

"Dalga geçmesene!"

Evet, aramızdaki o sessiz gerginlik kırılmıştı.

"Dalga geçmiyorum," dedim gülerek. "Sen sordun ben de söyledim." Birden ciddileştim. "Sahi denizsiz nasıl yapacağız? Gözümüzü bu şehirde açtık. Önce bu şehrin sokaklarını, sonra denizini tanıdık. Ne yapacağız denizsiz?"

Belki de lafın nereye gideceğini tahmin ettiğin için cevap vermedin. Bu defa ben üsteledim.

"Ama İstanbul'a gitseydik..." dedim, bir yandan da sana bakıyordum. Acaba nasıl tepki verecektin? "Dersaadet'e diyorum... Evet, orada deniz var. Paris gibi olmasa da orası da bir başkent. Üstelik yeniliklere açık, belki de geleceğin Paris'i olacak kadar yeniliklere açık... Sadece fırsatları elinden alınmış. Sanayisi yok, kültürü gelişmeye muhtaç, insanları eğitimsiz. Ama umudu var." Yüzündeki ifade hiç değişmemişti, ne düşündüğünü anlamak imkânsızdı. Etkilendiğini düşünerek sözlerimi sürdürdüm. "Belki de Dersaadet'i, Paris yapmak bize kısmet olur..."

Siyah gözlerini bana çevirdin, derinlerinde kıpırdanan öfke kıvılcımlarını ilk o zaman fark ettim.

"Yüz küsur yıl Şehsuvar, en az yüz küsur yıllık bir zaman dilimi var Paris'le aramızda. Üstelik sadece iki inkılabı kıstas alırsak. Sen inkılabını daha dün yaptın, onlarsa yüz on dokuz yıl önce. İhtilali hazırlayan sanayiyi, içtimai vaziyeti, hayat şartlarını, sanatı tartışmıyorum... Dersaadet'i Paris yapmak, güzel hayal ama mümkün değil. Onun yerine Paris'e gidip başka bir hayat kurmak çok daha mümkün, çok daha hakiki bir gaye..."

Beklediğim tepkiydi yine de ayak diredim.

"Ama bir zamanlar Paris de böyle değildi..."

"Evet yüzlerce yıl önce değildi, ama şimdi böyle. Ne yazık ki bizim bir tek hayatımız var. Her yüzyılda bir, yeniden gelmiyoruz dünyaya, sadece bir hayat, üstelik her geçen gün azalan bir tek hayat. Kum saati çalışıyor, her dökülen tanecik ömrümüzden gidiyor. O tanecikler çok değerli. Yapma Şehsuvar, hakikat olması şüpheli bir istikbal için ömrümüzü harcamayalım."

Bu defa ben sustum, ayaklarımı sürüyerek usulca yürümeye başladım. Hayır, kaçmama izin vermedin, gelip dikildin karşıma.

"Yok Şehsuvar, ben yapmayacağım. Ben bu kıymetli zamanı boşa harcamayacağım. Senin de yapmanı istemem ama zorlayamam da. Bu çok büyük bir sorumluluk."

Yılışık bir gülümsemeyle vaziyeti kurtarmaya çalıştım.

"Niçin yapasın? Buna lüzum da yok," gibilerden bazı lakırdılar geveledim ama hiç ikna edici değildi, dahası korkakçaydı. Sadece baktın yüzüme, artık tek bir söz etmeden öylece baktın. Sonra sessizce yürümeye başladın, ben de eşlik ettim sana.

En az senin kadar ben de üzgündüm elbette. Kendi tercihimi yapmıştım ama seni sükûtu hayale uğrattığım için derin bir ızdırap duyuyordum. Ne bu aşkın bitmesini istiyordum ne de seni kaybetmeyi. Fakat görünmez bir uçurum büyüyordu aramızda. Her geçen gün daha çok derinleşiyor, her geçen gün daha çok uzaklaştırıyordu bizi birbirimizden. Ki, beş gün sonra gelen bir emirle payitahta gideceğimi öğrendim. Riayet etmemek mümkün değildi, zaten böyle bir fırsatı da kaçıramazdım. Hayır, henüz kalıcı olarak gitmiyordum. Fakat bunu bile açıklayamadım. Hem anneme, hem sana yalan söylemek zorunda kaldım. Güya avukatlık işleriyle ilgili bir meseleyi halletmeye gidiyordum Dersaadet'e. Külliyen yalandı, cemiyetimizin hükümetle görüşmek üzere yolladığı heyetin korumasını sağlayacak fedailerin arasında ben de olacaktım. Sen de inanmadın sözlerime zaten. Büyük bir kayıtsızlıkla dinledin açıklamamı. Yüzünde öyle bir ifade vardı ki, sanki "ne istiyorsan yap ama beni bu tür yalanlarla meşgul etme," der gibiydin.

Evet, eziliyordum karşında, utanç duyuyordum ama öfkeleniyordum da... Ne kadar kibirli bir insan olmuştun sen böyle, ne kadar bencil, ne kadar vurdumduymaz. Ne yazık ki bunları söyleyemiyordum yüzüne. Çünkü sana söz vermiş ama sözümü tutamamıştım. Üstelik senin gözünde hiçbir olay, bir aşkı ertelemek için kâfi sebep olamazdı. Elbette ben, öyle düşünmüyordum. Nitekim, ertesi gün Dersaadet'e giden trende herkesten önce almıştım yerimi. Fedai grubunun başında Basri Bey vardı, daha kimseler trene binmeden, kompartımanları tek tek dolaşmış, sadrazamla görüşecek heyetin can güvenliğini temin etmek için koltukların altlarına varıncaya kadar aramıştık. Ne bir bomba, ne bir silah ne de kuşkulu bir durumla karşılaşmıştık. Talat Bey ve heyetin öteki azaları trene binince de oturdukları kompartımanları sıkı bir emniyet çemberine almıştık. Yolculuk sırasında bir kez heyetin bulunduğu kompartımana girdim, biraz da asabi bir tavırla Talat Bey'in şu sözleri söylediğine şahit oldum:

"Said Paşa, hakiki kudretin kimde olduğunu öğrenecek. Biz Abdülhamit'e benzemeyiz. Ya milletin iradesine boyun eğecek ya da sadaret makamını terk edecek. İktidarın iki sahibi olmaz, ya onlar ya biz."

Bu konuşmayı duyduktan sonra anladım yaptığımız ziyaretin ne kadar mühim olduğunu. Sana bir kez daha kızdım içimden; ben bu kadar ciddi bir vazifeyle uğraşırken, sen mütemadiyen münakaşa çıkarıyor, aklımı karıştırıyordun. Hayır, artık seni düşünmeyecektim, bu meseleyi, hiç değilse bu seyahat sırasında silip atacaktım zihnimden. Çünkü heyetin emniyeti her şeyden, herkesten daha önemliydi. Neyse ki, payitahta varıncaya kadar da nahoş bir olay vuku bulmadı. Ama Talat Bey'le aramızda enteresan bir konuşma cereyan etti.

Gecenin geç vakitleriydi, heyetin kompartımanlarının bulunduğu koridorda nöbet tutuyordum. Bakışlarım, kendi müziğinin ahengiyle sarsılarak ilerleyen trenin dışında akan vatan toprağındaydı. Ekinler toplanmış, köylüler anızları yakmışlardı, bozkırı saran alevler, gecenin karanlığını seyrelterek, erken bir gün doğumunu müjdeliyordu. Yanan toprağın kokusu camdan içeri sızıyor, insanda tuhaf duygular uyandırıyordu.

"Ne düşünüyorsun?" diyen bir sesle irkildim. Telaşla döndüm, Talat Bey'in yorgun ama gülümseyen yüzüyle karşılaştım. "Hayrola, halledemediğin mühim bir mesele mi var?" Tıpkı Resneli Niyazi gibi hazırlıksız yakalamıştı beni. Utandım, bu acemilikten kurtulmam için daha kırk fırın ekmek yemem lazımdı anlaşılan. Ama Talat Bey'in yüzünde bir idarecinin değil, anlamaya çalışan bir ağabeyin şefkati vardı.

Ben de gülümsemeye çalışarak, dışarısını gösterdim.

"Memleketin halini düşünüyordum... Tıpkı şu tarlalar gibi cayır cayır yanıyor vatan..."

Dikkatle baktı dışarıya.

"Daha beter," dedi derinden bir iç geçirerek. "Daha beter Şehsuvar kardeş. Ülke paramparça oluyor. Güya inkılap yaptık ama hiçbir şeye muvaffak olamadık daha. Karşımızda saltanatın bütün gücüyle Abdülhamit dikiliyor. Boyun eğmiş gibi görünüyor ama ümüğümüzü sıkmak için fırsat kolluyor. Hakikaten zor, işimiz çok zor..." Bir süre suskun gözlerle dışarısını seyrettikten sonra bakışlarını yine bana çevirdi. "Ama sanki senin başka bir derdin var gibi..." Manidar bir ifade belirmişti gözlerinde. "Yoksa bir gönül işi mi?"

Münasebetimizi öğrenmiş miydi, boş atıp dolu tutmaya mı çalışıyordu, emin olamadım ama ketum davrandım.

"Estağfurullah, memleket bu haldeyken..."

Cebinden sigara tabakasını çıkardı, bana uzattı.

"Yak bakalım..."

Bilirsin o sıralar sigara içmiyordum ama aldım bir tane, bir tane de o çekti. Dudaklarının kenarına yerleştirdi, önce benimkini, sonra kendi sigarasını yaktı. Birer nefes çektik. Sigara dumanını üflerken, elinin tersiyle fesini hafifçe geriye itti.

"Evet, vatan bu haldeyken," diyerek tekrarladı sözlerimi. "Evet, Şehsuvar, bizim gibi adamlar için bir tek aşk vardır, o da vatan."

"Öyle efendim," diye başımı salladım. "Bu topraklar bizim her şeyimiz."

Sanki duymamış gibi kendi konuşmasına devam etti0

"Öte yandan hepimiz insanız... Mesela sen, daha çok gençsin, çok da tutkulu, elbette kadınlar ilgini çekecek... Elbette aşklar yaşayacaksın, elbette izdivaç yapacaksın ama şunu hiçbir zaman unutma: Aşkların hepsi gelip geçecek, bir sürü kadın girecek hayatına. Şu anda mühim gördüklerini bir gün gelecek unutacaksın. Bizim için bir tek sevda kalacak, sadece vatana duyduğumuz aşk, milletimize duyduğumuz muhabbet. Sadece o solmayacak, sadece bu ulvi his kalbimizdeki yerini kaybetmeyecek. Kadınlarla alakadar olma demeyeceğim ama sana ne kadar tesir etmiş olursa olsun hiçbir kadını, vatanına tercih etme. Emin ol, vatan, hepsinden daha kıymetlidir..."

O an anladım, senden haberdar olduğunu; elbette Leon Dayı anlatmıştı. Nasıl ki sen, cemiyetin emrine uyup Paris'e gelmeyeceğimi düşünüyorsan, onlar da senin aşkına kapılıp vatanı terk edeceğimi zannediyorlardı...

"Haklısınız Talat Bey," dedim inançlı bir sesle. "Hiçbir sevda, vatan aşkının yerini tutamaz."

İnandı mı bilmiyorum ama sigarasını bitirinceye kadar artık bu konudan bahsetmedi. İzmariti trenin penceresinden dışarı savurduktan sonra,

"Hadi sana iyi nöbetler," dedi omzuma vurarak. "Yarın zor bir gün olacak, gidip biraz kestireyim."

Talat Bey'in ardından gözlerimi yanan ufuklara diktim yine. Evet, bir karar vermem gerekiyordu, bu tereddütten kurtulmalıydım. Ne sana ne de cemiyete yalan söyleyebilirdim artık. Yıllar sonra Talat Bey'in, Yanyalı Hulusi Bey'in kızı Hayriye Hanım'la izdivaç yaptığını öğrendiğimde, o tren seyahatinde söylediklerini hatırladım. İçimde belli belirsiz bir öfke kabardı, ben, hayatta en çok sevdiğim kadından ayrılmıştım ama o ferdî mutluluğundan feragat etmemişti. Aynı hayal kırıklığını Enver Paşa, saraydan Naciye Sultan'la dünya evine girdiğinde de hissetmiştim... Bilmiyorum, belki de haksızlık yapıyordum bu insanlara. Sonra, onların ödedikleri bedeli gördükçe, geçti bu kırgınlığım... Şimdi ise hiç umursamıyorum bu tür tutarsızlıkları... Talat Paşa'nın söylediği gibi, hepimiz insan değil miyiz sonuçta?

Ertesi sabah Sirkeci Garı'na vardığımızda ateşli ama küçük bir topluluk karşıladı bizi. Aslında son derece mühim bir hadiseydi bu. İnkılabın merkezi, Balkanlardan kalkmış payitahta gelmişti. İttihat ve Terakki'nin iktidar yürüyüşünde tarihî bir an yaşıyorduk. Son derece samimi, son derece candan davranıyordu bizi karşılayanlar. Hepsi cemiyet üyesiydi, hepsi kendini ispatlamış şahsiyetlerdi, fakat kimseye itimat edemezdik. Bab-ı Âli'ye, Sadrazam'ın huzuruna çıkıncaya kadar bir an olsun ayrılmadık Talat Bey'in yanından. Heyet oldukça gergin girdi sadaret makamına, kapıda Talat Bey'in kumandanımız Basri Bey'e, "Her ihtimale hazırlıklı olun," diye fısıldadığını duydum. Bir tutuklama ihtimalinden mi endişe ediyordu, başka bir kaygısı mı vardı anlayamadım. Heyet içeri girerken Basri Bey de bizleri yanına çağırdı.

"Eliniz tetikte olsun," dedi etraftaki polislerden, zabitlerden çekinmeyerek. "Çok uzaklaşmayın, hepiniz beni görecek mesafede durun, işaret verirsem, hiç tereddüt etmeden harekete geçeceğiz."

Herkes kendilerine münasip bir köşe ararken, Basri Bey, yanında kalmamı işaret etti. Bab-ı Âli'nin tarihi kapısının sağ tarafına yürüdük.

"Çatışma mı çıkacak?" diye sordum. "Sadrazam böyle bir vukuatı göze alabilir mi? Her an tekrar dağa çıkabilir zabitlerimiz..."

Takdir eden bir bakış attı Basri Bey.

"Sen, çok çabuk yükseleceksin Şehsuvar. Öteki fedailerin hiçbiri olanın bitenin farkında değil. İcap ederse Devlet-i Aliyye'nin zabıtasıyla çatışacaklar, icap ederse hepsi ölmeyi göze alacak. Ama hiçbiri neden burada olduğumuzu bilmiyor. Halbuki içeride inkılabın kaderi tartışılıyor. Aferin Şehsuvar, aferin kardeşim, sen bunu görüyorsun... Evet, her şey olabilir. Sadrazam Mehmed Said Paşa, çok kurnaz bir siyasetçidir. Tam yedi kez sadaret makamına oturmuş. Abdülhamit'le çatışmayı göze almış, defalarca azledilmesine rağmen hep ayakta kalmış. İsterse Talat Bey'i tutuklatabilir, isterse silahlı bir çatışmayı bile göze alabilir. Aklına gelebilecek her türlü hinliği yapabilecek tıynette bir adamdır. Yani her ihtimale hazırlıklı olmak lazım. İnşallah olmaz ama mecbur kalırsak silahlarımızı çekip dalacağız içeri..."

Osmanlı hükümetinin makamına silahla dalmak! Ne kadar cüretkârca bir davranıştı. Eğer hükümet istese hepimizi oracıkta öldürtebilirdi. Ama hemen kovdum bu karanlık düşünceyi zihnimden. İnkılabı başarmıştık, artık bize zarar veremezlerdi. Gün kararlı olma günüydü: Abdülhamit'in gizli saray oyunlarına, Said Paşa'nın entrikalarına boyun eğmeyecektik. Evet, lüzum ediyorsa ölecek, öldürecektik ama prensiplerimizden asla geri adım atmayacaktık. Allahtan, korkulan olmadı, yaşlı sadrazam, bizim heyetin kararlı tutumu karşısında bocaladı, artık tek başına hüküm süremeyeceğini anlamıştı. Zaten çok geçmeden de sadaret makamını ezeli rakibi Kamil Paşa'ya bırakmak zorunda kalacaktı.

Hükümetle bu ilk müsabakamızdan zaferle çıkmış görünüyorduk. O galibiyette kendi payım da varmış gibi muzafferane bir tavırla döndüm Selanik'e. Ama bunlar küçücük muvaffakiyetlerdi, çözülmesi gereken asıl devasa meseleler bizi bekliyordu. Ve biz alabildiğine inançlı, alabildiğine cesur, alabildiğine kararlıydık ama aynı zamanda alabildiğine tecrübesiz...

"Tarihin iradesi karşısında fertlerin ne önemi var?"

※

Günaydın Ester, (5. Gün, Sabah)

Gece yarısı kapımın vurulmasıyla uyandım. Uyku sersemliği içinde neler olup bittiğini kavramaya çalışırken, birden hakikat kafama dank etti. Gelmişlerdi, günlerdir gerginliğimi bastırarak, gizliden gizliye belki de artık gelmeyecekler diye kendimi kandırdığım o kişiler nihayet gelmişti. Tuhaf olanı hiç korku duymamamdı. Kara Kemal öldürüldüğünde çok daha büyük bir telaşa kapılmıştım, çok daha büyük bir panik yaşamıştım. Oysa şimdi, kötü mukadderatı kabul eden bir idam mahkûmunun fevkalade sükûneti içindeydim. Hiç acele etmeden kalktım yataktan,

"Geliyorum, geliyorum, biraz sabır," dedikten sonra gümüş çerçeveli aynada saçımı başımı düzelttim. Evet, öyle şaşkın, pejmürde görünmek istemiyordum cellatlarıma. Telaşsız adımlarla yaklaşıp kapıyı açtım. Ama o da ne, karşımda Reşit durmuyor mu! Polisler yerine bir dostu görmek elbette rahatlatmıştı beni ama otel müdürünün alı al moru mor yüzünü fark edince vaziyetin hiç de parlak olmadığını anladım.

"Hayırdır inşallah," dedim beklenmedik misafirimi içeri buyur ederken. "Neler oluyor Reşit?"

Telaşla girdi içeri ama kapıyı kapamadan önce koridora göz atmaktan da kendini alamadı.

"Pek hayır değil Şehsuvar ağabey," dedi ardı ardına yutkunarak. "Polis baskın verecekmiş otele... Bir adamın peşindelermiş... Fazla tafsilat vermediler..."

Demek ilk hissimde yanılmamıştım, demek hakikaten alacaklardı bu gece. Yine de sormadan edemedim:

"Yani ben miymişim o adam?"

Çaresizlik içinde ellerini ovuşturdu.

"Bilmiyorum ama başka kim olabilir? Mehmed Esad alçağı ihbar ettiyse... Ah, ah, size demiştim, o adama itimat edilmez diye..."

Zavallı fena korkmuştu, kendi derdimi unutup onu teskin etmeye çalıştım:

"Dur, dur Reşit, hemen panikleme. Belki de bizimle alakası yoktur. Belki adi bir suçludur."

Çaresizlik içinde başını salladı.

"Hiç zannetmiyorum, mühim bir davadan bahseder gibi ciddiydi polis müdürü... Otelde tutuklama yapacağız deyince, elim ayağım birbirine dolaştı. Buraya geldiğimi öğrenseler beni de mahvederler ama sizi öyle hazırlıksız yakalamalarına gönlüm razı olmadı."

İtiraf etmeliyim ki, az önceki soğukkanlılığımı kaybetmiştim, yine de Reşit'ten çok daha iyi bir haldeydim. Zavallı, karşımda rüzgâra tutulmuş yaprak gibi titriyordu.

"Otur, şöyle otur," diyerek pencere önündeki, kum rengi berjer koltuğu gösterdim. "Sana bir bardak su vereyim."

Hayretle yüzüme baktı.

"Ne oturması, ne suyu Şehsuvar ağabey, farkında değil misiniz, biz mahvolduk. Belki de sizi Yunanistan'dan gelen suikastçı diye yakalayacaklar. Gazetelerde yazıyordu... Gazi Paşa'yı öldürmek için Çerkez Ethem bir katil yollamış. Öyle bir iftira atarlarsa, ne diyeceğiz? Aksini iddia edecek kimse de çıkmaz."

Aklını kaybetmiş gibiydi, belki işe yarar diye,

"Yeter," diye bağırdım. "Yeter Reşit. Kendine gel kardeşim. Bu ne telaş yahu!"

Azarlamam hiçbir işe yaramadı.

"Ne yapayım, çok korkuyorum Şehsuvar ağabey, benim çoluğum çocuğum var."

"İyi de, bizim bir suçumuz yok ki. Ben kanun kaçağı filan değilim, kendi halinde bir vatandaşım. Hele senin hiç suçun yok. Sen olmasaydın da yine bu otelde kalacaktım."

Gözlerindeki dehşetin azalmaya başladığını gördüm, daha bir güvenle sürdürdüm sözlerimi.

"Hem beni onlar iyi tanır, böyle alçakça bir suikastın içinde bulunmayacağımı hepsi bilir."

Suikast lafını duyunca yine sararmaya başladı yüzü.

"Yok ağabey, bilmezler. Bilseler de bilmezlikten gelirler. Adamlar az kalsın koca Kâzım Karabekir'i asacaklardı. Size mi acıyacaklar?" Ellerini dizlerine vurdu. "Yok, büyük bir oyun var bu işin içinde. O Mehmed Esad'ın gelmesi boşuna değil..."

Utanmasa koca adam karşımda hüngür hüngür ağlayacaktı. Babası Yusuf Bey'i hatırladım; o cesur askerin oğlu bu muydu? Omuzlarından tutup sertçe sarstım.

"Sana hiçbir şey olmayacak Reşit. Neden anlamıyorsun? Ben, burada kalan bir müşteriyim sadece."

İnanır gibi baktı gözlerime. İkna olurlar mı olmazlar mı gibilerden düşünüyordu, kafasına yatacak gibiydi ki, yine başladı titremeye.

"Ama buraya geldiğimi görmüşlerdir şimdi, nasıl izah edeceğim bunu?"

Evet, aptallık etmişti hakikaten.

"Sahi niye telefonla aramadın? Niye ta Şişli'den kalkıp buraya geldin?"

Göz ucuyla telefon ahizesine baktı.

"Dinleniyor diye düşündüm."

O da mümkündü fakat ne olursa olsun, bu zavallı adamı, acilen sakinleştirmem gerekiyordu.

"Şimdi beni iyi dinle Reşit," diyerek gözlerinin içine baktım. "Otele geldin, çünkü tutuklama sırasında polise yardımcı olmak istiyordun. Benimle de hiç temasın olmadı. Ne bu kata çıktın ne de beni gördün."

Yok, sakinleşecek gibi değildi, aklı biteviye felaket senaryoları üretip duruyordu.

"Ya çalışanlar?" diye mırıldandı. "Onlar gördüler ikimizin ne kadar samimi olduğunu. Ya polise anlatırlarsa?"

"Anlatsınlar, rahmetli babanla Trablusgarp'ta birlikte harp ettiğimi söylersin. Mekteb-i Sultani'den ağabeyin olduğumu da eklersin. Malum olmayan bir husus değil ki..." İtimat veren bir gülümseme yerleştirdim dudaklarıma. "Hadi Reşit, hadi rahatla artık. Hiçbir şey olmayacak. Şimdi toparlan, aşağıya in. Hafiyeler geldiklerinde onlara kolaylık göster, ne istiyorlarsa hemen yerine getir."

Utanır gibi olmuştu, korkuyla küçülen gözlerini kırpıştırdı.

"Ya siz? Siz ne yapacaksınız Şehsuvar ağabey?"

Hiç umursamıyormuş gibi omuz silktim.

"Hiçbir şey yapmayacağım, mukavemet filan göstermeyeceğim, kuzu kuzu istediklerini yerine getireceğim... Meramları neymiş anlayalım bakalım." Dostça vurdum sırtına. "Hadi, hadi, sen aşağıya in artık..."

Reşit'i gönderdikten sonra banyoya geçtim, elimi yüzümü yıkadım. Odaya dönüp elbisemi giymeye başlıyordum ki, bunun hatalı bir davranış olduğunu fark ettim. Hayır, beni uyurken bulmalıydılar. Öylece yatağa oturdum, beklemeye başladım. Tekrar o sakin ruh haline kavuşmuştum. "Tarihin iradesi karşısında fertlerin ne önemi var ki?" Belki hatırlarsın Ahmed Rıza'nın sözleriydi bunlar. Üstelik sen de hak veriyordun onun sözlerine. Fertlerin mutlu olması için bütün bir toplumun mutluluğuna ihtiyaç vardı, aslolan da işte buydu. Meseleye bu açıdan bakınca tek tek insanların hiçbir kıymeti yoktu.

Yatağıma oturmuş, kaçınılmaz sonumu beklerken kendimi bu sözlerle teselli ediyordum. Aslına bakarsan elimden başka bir şey de gelmezdi. Fakat dakikalar, saatler geçiyor, ne koridorda bir koşuşturma ne de kapımın önünde fısıldaşmalar oluyordu. Neyi bekliyordu bu adamlar?

Buna benzer bir hissi daha önce de yaşadığımı hatırladım. Altı sene evvel, yine böyle bir sonbahar gecesi. Sütlüce'de kaldığım ev basılmıştı. İşgalin ilk günlerinden itibaren İngilizlerin aranalar listesindeydim. Ama iki yıldır bulamamışlardı beni. Sık sık adres değiştiriyor, şüpheli bir şahıs görünce ya da olmaması icap eden bir olay vuku bulunca anında uzaklaşıyordum kaldığım semtten. Beni ele geçirmeleri çok zordu, adeta imkânsız. O sebepten, İngiliz askerleriyle, Vahdeddin'in sivil polislerini karşımda görünce hayrete düşmüştüm. Üstelik polisler doğrudan adımla hitap ediyorlardı bana: "Nihayet elimize geçtin Şehsuvar Sami," demişlerdi. "Bir atlarsın çekirge, iki atlarsın çekirge, üçüncüde düşersin kucağa." Oysa sahte bir kimlik bulunuyordu üzerimde. Yani benim Şahsuvar Sami olduğumu ispatlayacak hiçbir vesika yoktu ama adamlar it gibi biliyordu kim olduğumu. İnkar ettim elbette. Pis pis güldüler. "Müdüriyette görüşürüz," dediler. O vakitler, Sirkeci'deki Şahin Paşa Oteli'ndeydi Polis Müdüriyet-i Umumiyesi. Evet, bir oteli mekân tutmuştu emniyet. Doğrudan Kalkandelenli Hasan'ın huzuruna çıkardılar beni. İkimiz de birbirimizi çok iyi tanıyorduk. Ama gözünün içine baka baka yalan söyledim:

"Şehsuvar Sami adındaki şahıs ben değilim. Benim adım, elinizdeki vesikada da yazdığı üzere Kerim Şakir'dir..."

Kocaman bir kahkaha attı Polis Müdürü Hasan.

"Cesaretinize hayran kaldım Şehsuvar Bey," dedi alaycı bir sesle. "Lakin, hakkınızda sağlam jurnal var. Doğrudan İngiliz Kumandanlığından. Kim olduğunuzu biliyorlar. Hakikatleri burada söylemezseniz, sizi Kroker Otel'e alacaklar." Üzülmüş gibi baktı yüzüme. "Oranın şöhretini duymuşsunuzdur. Bizim burası gibi falaka, kaba dayakla kurtulamazsınız. İnce işkence yapıyorlar. Saatlerce çalışıyorlar insanın üzerinde. Beni dinlerseniz, burada verin ifadenizi. Çok malumat da istemiyoruz. Karakol Cemiyeti içinde ne vazife aldığınızı açıklayın, birkaç arkadaşınızın adını verin kâfi. Bakın, hepsini demiyorum, mesela üç kişiyi söyleseniz yeter."

Kesinlikle reddettim.

"Yanlışınız var," dedim başımı sallayarak. "Benim adım Kerim Şakir..."

Böylece Kroker Otel'e yolladılar beni... Yedi gün kaldım orada. Yedi gün boyunca işkence yaptılar bana. Bizzat İngilizlerin istihbarat zabiti, Yüzbaşı Bennett tarafından sorgulandım. Teferruata gerek yok ama muvaffak olamadılar, bir tek arkadaşımın ismini bile söylemedim onlara. Yedinci günün sonunda Bekir Ağa Bölüğü'ne gönderilince, ilginç bir malumat öğrendim yaramı saran Doktor Fehmi Ekrem'den. Bizi ihbar eden, Sessiz John adındaki casusmuş. Evet, İngilizler adına çalışan bir Osmanlı zabiti... Karakol Cemiyeti'nin idare heyetine sızmış, oradan öğrenmiş adresimi. Üstelik sadece ben değil. O gece, tam yirmi bir eve baskın düzenlenmiş, yirmi dokuz vatanperver gözaltına alınmış.

Altı sene önceki o meşum geceyi hatırlayınca iyice sıkıldı canım. Yine o korkunç şeyleri mi yaşayacaktım? Nefesim daralır gibi oldu. Kalktım, balkona çıktım. Bu ılık sonbahar gecesinin sükûnetini bozacak hiçbir belirti görünmüyordu caddede. Yeniden yatağıma girdim, yine beklemeye başladım.

Nihayet tan ağarırken kapım iki kez vuruldu. Ama hiç de öyle bir baskın havası yoktu kapının çalınışında. Sakin hatta çekingen bir parmağın dokunuşları... Ama bir parça heyecanlanmadım dersem yalan olur. Kalktım, kapıyı açtım, karşımda yine bizim Reşit... Fakat yüzündeki o korku yerini neşeli ama mahcup bir ifadeye bırakmış. Neredeyse bütün geceyi uykusuz geçirmesine rağmen çevik adımlarla girdi içeri...

"Boşa paniklemişiz Şehsuvar ağabey. Haklıymışsınız, Bursa'da karısı ve âşığını öldüren Nazif adında bir çiftlik sahibinin peşindeymişler. Bir üst katta, 505'te kalıyor. Patırtı gürültü çıkmadan aldılar katili. Günahı boynuna ama iki kişiyi öldürmesine rağmen pek bir masum görünüyordu. Ne korku yaşattı ama bize..."

Mevzuyu uzatmak istemedim:

"Geçmiş olsun."

Utangaç bir tavırla mırıldandı:

"Kusura bakmayın Şehsuvar ağabey, galiba biraz abarttım... Yani, bu tür olaylara pek alışkın değilim. Sizin nesil gibi değiliz biz. Umarım bir kusur edip kalbinizi kırmamışımdır."

O kadar masum, o kadar samimi bir hali vardı ki üzüldüm.

"Yok Reşit, kusura bakacak bir şey yok, hiçbir hatan olmadı. Bilakis otele geldiğim günden beri büyük dostluk gösterdin bana. Üstelik kendini de tehlikeye atarak." Bir adım yaklaştım. "Ama sana bir soru soracağım, lütfen çekinme, hakiki düşünceni söyle. Pera Palas'ta bulunmam, senin için mesele teşkil ediyorsa, derhal başka bir otele taşınabilirim. Biliyorsun, rahmetli babanın benim için yeri ayrıdır, sana zarar vermek istemem."

Yanaklarına yayılan kızıllığı, yorgun yüzünde çıkmaya başlayan sakallar bile gizleyemiyordu.

"Estağfurullah, o nasıl lakırdı, bana hiçbir zararınız yok," dedi ezik bir tavırla. "İstediğiniz kadar kalabilirsiniz otelde. Tamam, bu gece kaybettim kendimi biraz. Kusuruma bakmayın ne olur. Ama başka bir otele taşınırsanız hakikaten alınırım. Eminim rahmetli babamın ruhu da incinir bundan. Bilirsiniz, sizin onu saydığınız kadar, o da sizi sever ve sayardı. Rica ederim Pera Palas'tan ayrılmayın. Bunu aklınıza dahi getirmeyin."

Aslına bakılırsa, şu sıralar otel değiştirmem de hiç mantıklı değildi. Mehmed Esad muamması çözülmeden, yerimden kıpırdamamalıydım. Ama Pera Palas'tan ayrılma isteğimde samimiydim; bugün değilse yarın başka bir baskının olması işten değildi. Bana iyilik etmekten başka gayesi olmayan bu adamın başını daha fazla belaya sokmak istemiyordum.

"Bak Reşit, evli barklı adamsın," diye ısrar edecek oldum. Kaşlarını çatarak, sağ elini usulca kaldırdı.

"Lütfen ağabey, lütfen kapatalım artık bu konuyu. Daha fazla utandırmayın beni."

Yok, kararı katiydi, az önceki davranışından büyük pişmanlık duyuyordu anlaşılan. Daha fazla ısrar etmedim. Ama Reşit bununla yetinmedi, özür dileme mahiyetinde bir kahvaltı ısmarladı bana. Her zamankinden daha zengin, daha lezzetli bir kahvaltı. Odama dönünce, gözlerimden uyku akmasına, üzerimde tatlı bir yorgunluk çökmesine rağmen yatağa girmek yerine, masaya yöneldim. Ruhumdan gelen yazma isteği, bedenimin yorgunluğuna galip gelmişti.

Evet, seneler sonra ulaştığım yer işte buydu. Bir zamanlar otelleri basan, şüpheli şahısları yakalayan, sorgulayan, yeri geldiğinde kurşunlayan Şehsuvar, şimdi tutuklanacak, sorgulanacak, belki de kurşunlanacak adamlar listesinin ilk sıralarında yer alıyordu. Ne büyük bir muvaffakiyet! Bu hususta daha fazla lakırdıya lüzum yok, biz mazideki hikâyemize gelelim yine...

Payitahttan döndüğümüzde büyük bir ağırlık vardı üstümde. Artık ne seni ne de kendimi oyalayacak vakit kalmıştı. Emir yüksek makamdan geliyordu, lamı cimi yok, Selanik'teki işler, acilen yoluna konulacak, hemen İstanbul'a dönülecekti. Annemi sebep göstererek Kolağası Basri'yi razı edip, şehirde kalmak için on beş günlük müsaade almıştım. İlk hafta göz açıp kapayıncaya kadar geçti, Dersaadet'e devlet memurluğuna tayin edildiğimi söyleyerek annemi ikna etmeme, hayır dualarını almama rağmen, sana konuyla ilgili tek kelime söyleyememiştim. Ama bundan kaçış yoktu, konuşmak zorundaydım, hiç değilse bu kadarını borçluydum sana.

Ağustosun son günleriydi, nemli bir esinti vardı, asmalardan sarkan mor üzümlerin şenlendirdiği bahçenizde. Az önce verandada Paloma Nine'nin enfes çöreklerinden yemiş, şimdi baş başa dolaşıyorduk. Balıkları geçen kış ölen o taştan havuzun başına gelmiştik...

"İttihat ve Terakki'ye katılacağım." Evet, öylece damdan düşer gibi söyleyivermiştim. "Karar verdim, cemiyete üye olacağım."

Öne eğdiğin başını usulca kaldırmıştın, ışıltılı kızıl saçlarının arasından incecik yüzün görünüyordu, hayretle açılmış gözlerini yüzüme dikmiştin. Aslında olanı biteni tahmin ettiğini, cemiyete katıldığımı işittiğini, işitmesen bile artık bundan emin olduğunu biliyordum. Şimdi yalanımı yüzüme vuracak diye geçirmiştim içimden. Ama hiç beklemediğim bir tepki vermiştin.

"Katil mi olacaksın?"

İşte ilk, o zaman sormuştun bu soruyu. Yok, sahiden de farkında değildin olanın bitenin. Belki farkındaydın da, senden hiçbir şey saklamayacağımdan o kadar emindin ki, böyle bir ihtimalin hakikat olmasını düşünmek istemiyordun. Bu davranışınla açıkçası beni yerin dibine sokmuştun. Ne diyeceğimi bilemeden, bakışlarımı kaçırdım sadece.

"Söyle bana Şehsuvar, katil mi olacaksın?"

Çoktan katil oldum, demeliydim... Evet, insanları öldürdüm ama vatan için, hürriyet için, kardeşlik için, demeliydim. Bilirsin, Fransız İhtilali'nde olduğu gibi, liberté, égalité, fraternité... Bütün bu idealleri hakikat kılmak için... Ülkemizi, dünyayı değiştirmek için... Ama diyemedim.

"Niye katil olayım canım?" diyerek korkaklığımı sürdürdüm. "Her inkılapçı katil olmak zorunda mı?"

Nasıl oluyor da anlamıyorsun gibilerden başını salladın.

"Evet, ekseriyetle öyle... Danton, Robespierre, Saint-Just, Babeuf'e ne oldu? Önce öldürdüler, sonra öldürüldüler. Üstelik burası Fransa değil, bakma coğrafi olarak Avrupa'da olduğumuza, burası doğu, Şehsuvar. Bizde hayat daha serttir, daha acımasız... Herkesin bir hesabı var, bizim Yahudiler de kendi devletlerini kurmak istiyorlar... Evet, tam da burada, Selanik'te... Yunanlar farklı mı, Bulgarlar, Sırplar, Ermeniler... Herkes istiklal istiyor. Herkes kendi milletiyle birlikte yaşamak istiyor. Evet, bu herkesin hakkı, her millet kendi devletini kurabilir... Ama sadece bir devlet var, Devlet-i Aliyye. Sadece bir toprak parçası var, Osmanlı ülkesi... Kimse haklarından vazgeçmeye razı olmayacak. Çok değil birkaç hafta önce hürriyet diye el ele yürüdüğümüz bütün o milletler, kardeşlik türküsü söyleyen bütün o insanlar, birbirlerine

141

silah çekecekler. Acımasızca birbirlerini öldürecekler. Başka ihtimal yok Şehsuvar, ya zalim olacaksın ya mazlum, ya katil ya da kurban. Evet, vaziyet bu kadar açık. Ama anladığım kadarıyla sen kararını vermişsin, anladığım kadarıyla sen, zalim olmaya heves ediyorsun. Bu da kâfi derecede kötü ama yarın daha da beter olacak, çünkü eninde sonunda kaybedeceksin, o zaman da mazlum olacaksın, senin kıydıkların sana kıyacaklar... Bugüne kadar hep böyle oldu, bundan sonra da öyle olacak..." Yalvarır gibi baktın yüzüme. "Yapma Şehsuvar, sen bir yazarsın, herkeste yok bu kabiliyet. Herkes isyana katılabilir ama herkes yazamaz. Milletle birlikte sokaklara dökülmek yerine, bu yaşananları kâğıda dökmelisin. Gövdeni kurşunlara siper ederek inkılabı savunmaktan çok daha önemli bir vazife bu..."

Sonunda dayanamayıp söyledim dilimin ucuna kadar gelen sözleri.

"Ve daha güvenli. Hele bir de Paris'e gidersek hiçbir tehlikesi yok. Uzaklardan seyrederiz vatanımızın altüst oluşunu."

İtiraf ediyorum sesim biraz kibirli çıkmıştı. Ama aldırmadın, anlamak istercesine aklımın, kalbimin içindekileri görmek istermişçesine baktın gözlerimin derinliklerine.

"Sen korkak değilsin Şehsuvar, biz korkak değiliz, biz kaçmıyoruz. Aksine vatanın, milletin başına gelenleri yazmak için en uygun şartları hazırlıyoruz kendimize. Bu koca ülkede kaç Şinasi, kaç Namık Kemal çıktı, kaç Abdülhak Hamit var? Ama senin olmak istediğin o inkılapçılardan, o fedailerden yüzlerce var. Anlamıyor musun, sen farklısın Şehsuvar. İktidarı değiştirmek zordur ama daha zoru kültürü değiştirmektir, yazacağın romanlar bu çetin işi kolaylaştırabilir..."

O kadar emindin ki kendinden, bir an ben de inanır gibi oldum sözlerine, ama artık çok geçti. Kendimi köşeye sıkışmış gibi hissediyordum, bu da fena halde asabımı bozuyordu.

"Benim yetenekli olduğumu nereden biliyorsun? Selanik'te birkaç küçük dergide öyküleri neşredilince yazar mı oluyor insan?"

Gitgide sinirleniyordum ama sen yine aldırmadın, hâlâ beni ikna edebileceğini zannediyordun.

"Kendine haksızlık etme, okuma yazma öğrendiğimden beri edebiyatla içli dışlıyım." O aklımı başımdan alan tatlı gülümsemeni takındın. "Unutma, babam Fransa'da edebiyat profesörü... Latife bir yana sen hakikaten kabiliyetlisin Şehsuvar. Olmasan söylemem. Sade ben değil, Leon Dayım da dile getirdi kaç kez. Bunu biliyorsun zaten... Niye inkâr ediyorsun ki?" Duraksadın. Evet, gülümsemen öylece dondu kaldı dudaklarında. Gözlerinde her şeyi anladığını ispatlayan bir şaşkınlık, derin bir hayal kırıklığı belirdi. "Bana yalan söyledin değil mi? Onlara çok daha önce katılmıştın değil mi?" Tek tek dökülmüştü bu kelimeler ağzından ve o kurşun gibi ağırlaşan bakışların bir an olsun ayrılmıyordu üzerimden. "Çok daha evvel etmiştin o yemini. Kim bilir ne zamandır üyesin İttihat Terakki'ye. O Manastır'a gitmeler, tam da Şemsi Paşa'nın vurulduğu günlerde..." Başını ellerinin arasına aldın. "Tanrım, ne budalayım..." Yaptığıma hâlâ inanamıyormuş gibi hayretler içinde bakıyordun. "Hani birbirimize karşı dürüst olacaktık Şehsuvar? Hani yalan olmayacaktı aramızda?" Elinle usulca başına vurdun. "Tanrım, ne kadar budalaymışım."

"Seni tehlikeye atmak istemedim..." İlk aklıma gelen mazeret buydu. "Biliyorsun ki İttihat ve Terakki gizli bir cemiyet. Aslına bakarsan hâlâ tam olarak hukuki bir statü kazanamadı. Herhangi bir tutuklanma vaziyetinde, senin de başını belaya sokmak istemedim."

Derin bir hüzün kapladı siyah gözlerini.

"Yapma Şehsuvar, hâlâ aptal yerine koyuyorsun beni, yeter yapma! Beni umursamıyorsan, hiç değilse kendine duyduğun saygı yüzünden yalan söyleme artık. Beni kandırdın, hakikat bu. 'İnkılap, senden daha çekici geldi' de anlarım, 'Vatan, aşktan daha önemli' de anlarım. Ama seni korumak için filan laflarının arkasına saklanma." Kaşların çatıldı, gözlerinde öfke kıvılcımları çaktı. "Hem sen kim oluyorsun da beni korumaya kalkıyorsun? Ben çocukluğumdan beri bu olayların içindeyim zaten. Babam Paris'e keyfinden mi gitti zannediyorsun, görüşleri fazla liberal diye tepki çektiği için kaçmak zorunda kaldı bu rezil şehirden. Hem Osmanlı istibdadından, hem kendi cemaatinden... Leon Dayım ise daha sen doğmadan hürriyet hareketinin içindeydi. Hem Selanik'te, hem Paris'te, hem de Dersaadet'te..." Ağlamamak için kendini güç tutuyordun. Hayal kırıklığı içinde başını salladın. "Senin hakkında yanılmışım Şehsuvar... Yazık, hakikaten çok yazık..."

O kadar haklıydın ki ne diyeceğimi bilemedim, içine düştüğüm bu zavallı vaziyetten kurtulmak için yalandan bir öfkeye sarıldım.

"İyi o zaman, madem hakikatleri gördün, söyleyecek fazla bir şey yok. Ben gidiyorum."

Ne git dedin ne de kal. Sadece baktın, derin bir ızdırapla ağırlaşan siyah gözlerini yüzüme dikerek, sadece baktın. Ama bakışların o kadar itham edici, o kadar etkileyiciydi ki, yanında biraz daha kalsam, beni affet diye ayaklarına kapanabilirdim. Abartmıyorum, inan yapabilirdim bunu. İşte bu kadar alçalmaktan korktuğum için telaşla kalktım.

"Hoşça kal Ester," dedim güya fiyakalı bir tavırla. "Umarım mesut olursun."

Karşılık vermedin, muhtemelen arkamdan bile bakmadın, o tarumar olmuş bahçede, balıkları çoktan ölmüş o taş havuzun başında, hafızama nakşolan solgun bir resim gibi öylece kalakaldın...

"Bu, bir intikam oyunu değildi."

❊

Merhaba Ester, (5. Gün, Öğle)

Yine öğleye doğru uyandım. Oda hizmetlisi kadın alıştı artık bu halime. Ne zaman fırsat bulursa o zaman temizliyor odayı. Bazen üst üste iki gün girmediği oluyor içeriye. Sokaktaki hafiyeler gibi o da yolumu gözlüyor işini yapmak için. Gerçi sokaktakiler hâlâ yok ortalıkta. Gitgide daha çok inanıyordum Mehmed Esad'ın söylediklerine. Yine de emin olmak için Cezmi Bey'le buluşmayı beklemek lazım. O buluşmanın da olabileceğinden çok şüpheliyim ya, bu bizim tavşan yürekli Reşit'in, benim gibi mimli bir adamı, o kadim ittihatçıya götürmesini beklemek hayal olabilir. Kadim ittihatçı diyorum, çünkü Cezmi yenildiğimizi hiçbir zaman kabul etmedi. En son Terakkiperver Cumhuriyet Fırkası'nın İstanbul teşkilatında vazife yaptığını duymuştum. İki sene önce filan olmalı, Kara Kemal anlatmıştı.

"Matrak adam şu bizim Cezmi, aynı Enver Paşa gibi, arzularını hakikat zannediyor. Terakkiperver Cumhuriyet Fırkası'nın idarecisi değil de, sanki cumhuriyetin valisiymiş gibi davranıyor. Polislerle, zabıtayla filan da öyle konuşuyor. Sanki askerliği sona ermemiş, sanki hâlâ kendisi binbaşı, ötekiler de emir erleriymiş gibi... Fırsat bulursam, İttihat ve Terakki'nin iktidarda olmadığını söyleyeceğim ona. Yoksa hem kendi başını belaya sokacak hem etrafındakilerin."

Kara Kemal, muhtemelen bizim emekli binbaşıyı ikaz edemeden öldürülmüştü, belki o vazifeyi ifa etmek de bana düşecekti. Ama farklı bir Cezmi'yle de karşılaşabilirdim, belki de İzmir Suikastı'ndan sonra o da değişmişti. Baksana, ittihatçıların gözünü budaktan sakınmayan fedailerinden Mehmed Esad bile hükümet adına çalışmaya başladığını söylüyor. Dünya değişiyor, devir değişiyor, insanların değişmesi de normal değil mi? Yakında anlayacağız zaten. Mesele, Reşit'i, beni Cezmi'ye götürmesi için ikna etmekte. Gerçi, buluşma teklifi ondan geldi ama dün gece yaşananlardan sonra, her an cayabilirmiş gibi geliyor bana.

Hem haksız da sayılmaz, Cezmi'yle görüşmek tehlikeli olabilir. Muhtemelen o da benim gibi takibat altındadır. Ama başımdaki bu muammayı çözmek için bu kadarını göze almak zorundaydım.

Neyse daha bu buluşmaya vakit var, biz 1908 senesine dönelim yine. Büyük coşkuların, derin ızdırapların birlikte yaşandığı o fevkalade seneye. Ayrılmıştık, hem de birbirimizi sevmemize rağmen, hem de aşkımız henüz bitmemiş olmasına rağmen. Sebebini elbette biliyordum, birlikte olmamız imkânsızdı elbette anlıyordum. Mesele aklın kabul ettiğini, kalbe anlatmaktı. İşte onu beceremiyordum. Ayrılmıştık, lakin sen her zaman, her yerde yanımdaydın. Sadece dava arkadaşlarımla birlikteyken, zihnimi tümüyle vazifeme vererek senden kurtulabiliyordum. Çünkü kalp ağrısının tek çaresi her anının, her gününün dolu olmasıdır. Aklını sürekli olarak birbirinden mühim meselelerle meşgul etmelisin ki kaybettiğin sevgiliye dair hiçbir hatıra seni rahatsız etmesin. Fakat olmuyordu, vazifeler tamamlanınca, arkadaşlar uzaklaşınca, kendimle baş başa kalınca tekrardan başlıyordu o ızdırap. İçimdeki bu saklı kederi göremeyenler, gülen yüzüme bakıp beni mesut zannediyorlardı. Biçare anacığım da öyle zannetmişti işte. Elini öpüp, hayır duasını alıp Dersaadet'e gitmek için istasyonun yolunu tutmadan evvel, saçlarımı okşayarak okumuş üflemişti.

"Hayırlı olsun evladım," demişti üzüntüsünü gizleyerek. "Demek Bab-ı Âli Tercüme Odası'nda çalışacaksın. Ne kadar büyük şeref. Demek Devlet-i Aliyye, babanı Fizan'a sürerek işlediği kusuru, seni Dersaadet'e yollayarak telafi etmek istiyor. Bu vazifeyi kabul ederek doğru olanı yapıyorsun. Başmuallim

Emrullah Bey'in oğluna da bu yakışırdı zaten." Nemli gözlerini ak tülbendinin ucuyla sildikten sonra da eklemişti: "Hem devlete kin güdülmez. Kısmet işte, senin rızkın da payitahttaymış evladım. Ne diyelim ayrılık oldu, ölüm olmasın."

Oysa ölüm de olacaktı, zavallı anacığımın yaralı, yorgun yüreği bir de bu hasreti kaldıramayıp bir gece ansızın duruverecekti. Ama daha o günlere çok vardı, o sıralar ölüm dendiğinde gözlerimin önüne gelen, Selanik sahiline inen o dar sokakta kanlar içinde yatan üç erkek bedeniydi. Üç ölü genç erkek... Ne yazık ki gözümün önündeki bu görüntüler yeni ölümlerle çeşitlenecekti. Bizim için ecelinle ölmek büyük şanstı. Sadece cemiyettekiler için söylemiyorum, bütün cihan için böyleydi bu; artık insanın insan eliyle öldürüldüğü korkunç bir devir başlamak üzereydi. Evet, bu patlayan tabancalar, çok değil hepi topu altı yıl sonra ateşlenecek topların, atılacak bombaların ilk habercileriydi. Ama bizim arkadaşlarımızın birçoğu altı yıl sonrasını göremeyecekti. Neyse bu kadar girizgâh yeter, hikâyemizin payitahttaki bölümüne başlayalım istersen.

Dersaadet'e gelince, Basri Bey Beşiktaş'ta, Yıldız Sarayı'na kuş uçumu üç yüz metre uzaklıkta bir eve yerleştirdi beni. Ev, o kadar yakındı ki saraya, takılmadan duramadım bu iyi yürekli zabite:

"Ne o Basri Bey, sarayı ele geçirmek icap ederse zorlanmayalım diye mi bu kadar yakına getirttiniz beni?"

Latife bir yana, geniş ahşap merdivenleri olan bu iki katlı evi çok sevmiştim aslında. Sizinkinden çok daha küçük, ama en az sizinki kadar şirin bir de bahçesi vardı. Spiros adında bir berbere aitti burası ama berberin ruhu üç yıl önce huzura kavuştuğu için, karısı Madam Melina çekip çeviriyordu evi. Çok iyi bir kadındı Melina, enfes yemekler yapıyordu ama ağzından ev lafı çıkmasın, küplere biniyordu.

"Konak burası," diyordu. "Böyle büyük ev mi olur? Huzur içinde uyusun Spiros, az mı ter döktü yapılırken..."

Daha ilk görüşte ısınmıştı kanım bu yaşlı, tombul kadına. Gönlündekini saklamayan, ne düşünüyorsa pat diye yüzüne söyleyen dobra insanlar vardır ya, işte onlardandı Madam Melina. Her zaman sürmeli, iri mavi gözleri çoğunlukla neşeliydi. Sadece rahmetli kocasını hatırladığında koyu bir hüzün basardı geniş yüzünü. Hiç çocukları olmamıştı, belki de bu yüzden oğlu gibi sevdi beni. Ne yalan söyleyeyim, ben de sevdim onu. İkinci annem oldu. İstanbul'a tümüyle yerleştikten sonra hep bu evde kaldım. Ve sonunda altından hiçbir zaman kalkamayacağım büyük bir iyilik yaptı Madam Melina bana. Ölmeden önce, bütün mirasını, 1908 yılının sonbaharında bu eve kiracı olarak gelen o Selanikli delikanlıya bıraktı.

Mekteb-i Sultani'de tahsil görürken, İstanbul, Cadde-i Kebir'den ibaretti benim için, Meşrutiyet senelerinde ise Beşiktaş ve Bab-ı Âli'den ibaret oldu. Evet, güya işyerim, Bab-ı Âli yokuşundaki Müsâvât Neşriyat'ta mütercimlikti. Müsâvât Neşriyat paravandı. Kitap neşretmek dışında her şey yapılıyordu. Ama yalandan da olsa sevdiğim bir mesleğin erbabı gibi görünmek yine de gurur veriyordu bana. Öyle ki bir gün dayanamayıp, yayınevinde güya neşriyat sorumlusu olan Kâzım Bey'e sordum:

"Yok mu tercüme edilecek bir roman? Boş vakitlerimde uğraşayım biraz. Hem de size neşredecek bir kitap bulmuş oluruz."

Kaşlarını çatarak söylendi:

"Başımıza icat çıkarma Şehsuvar. Ben naşir değil, emekli askerim. Ne anlarım roman neşretmekten, matbaadan?"

Ama vazgeçmedim, Beyazıt'ta sonradan ahbap olacağım bir kitapçıya dadandım. Asıl adını hatırlamıyorum, latifeyle karışık "Kitap Sultanlığının Veziri" diye çağırıyordu esnaf onu. Bu feleğin çemberinden geçmiş, cin gibi uyanık adamdan bana Fransızca kitaplar bulmasını istedim.

"Üç gün sonra gelin," dedi Vezir kendinden emin bir tavırla. "Romanınız hazır olacak beyzadem."

Hakikaten de üç gün sonra gittiğimde Anatole France'ın *Le Lys Rouge* romanını uzattı bana.

"Bu işinizi görür mü? İsterseniz Victor Hugo'nun eserlerini getirteyim ya da Stendhal'ın kitaplarını..."

Teşekkür ederek aldım romanı. Ve derhal *Kırmızı Zambak* adıyla tercüme etmeye başladım. Geceleri erkenden odama çekilip elimde kâğıt kalem gaz lambası ışığında, okuyup yazdığımı gören Madam Melina daha bir itibar göstermeye başlamıştı bana.

"Aferin Şehsuvar Bey evladım. İyi ki sana kiralamışım odayı, bak ne güzel, kâğıt kalem hiç düşmüyor elinden."

148

Zavallı Madam Melina çok sonra öğrenecekti cemiyetin fedailerinden biri olduğumu. Trablusgarp'a gittiğimde bile Müsâvât Neşriyat'ın işleri için seyahat ettiğimi zannetti.

"Sana bu kadar iyiliği dokunan o kadına da mı yalan söyledin?" diyeceksin. Ama hakikati söyleseydim, endişelenecekti, üzülecekti, belki de kırılacak eskisi kadar saygı duymayacaktı bana. Neyse ki, benim müthiş romanlar yazacak müstakbel bir muharrir olduğumu düşündü senelerce.

"Tercüme, tercüme, bu kadarı kâfi," diye azarlıyordu zaman zaman. "Artık kendi romanını yazmalısın. İsmin de tam muharrir ismi, Şehsuvar Sami. Ne güzel durur kitap kapağının üzerinde."

Son senelerde umudu azalsa da bana inanmaktan vazgeçmedi hiç. Anlayacağın sevgili Ester, benden başka herkes inanmıştı yazar olacağıma. Ben ise o en verimli çağlarımı siyasetin emrettiği vazifeleri icra etmekle geçiriyordum. Müsâvât Neşriyat'ın asıl amacı, cemiyete, dolayısıyla meşrutiyete karşı olanların tespit edilmesi, mümkünse yıldırılması, olmuyorsa tesirsiz hale getirilmesiydi. Evet, artık biz de başlamıştık jurnal toplamaya... Cemiyetin gizli kanadı, teşkilatlandığı her yerde, kim kimdir, kimin yanındadır, kime muhaliftir suallerine cevap arıyordu. Çünkü, çok düşmanımız olduğuna inanıyorduk; hem sarayda, hem hükümet makamında hem de milletin arasında... Siyasetçiler, devlet memurları, mollalar, gazeteciler, askerler, esnaf... Ama bunların içinde en fenası Abdülhamit'in hafiyeleriydi... Gerçi, meşrutiyetin güneşi Memalik-i Osmani'ye üzerine doğar doğmaz Serhafiye Ziya Paşa kapağı çoktan İngiltere'ye atmıştı ama çoğu hâlâ aramızda dolaşıyor, hâlâ ortalığa nifak tohumları saçıyor, meşrutiyeti baltalamanın yollarını arıyorlardı...

Bu alçaklar güruhundan muhbir, rüşvetçi ve milletin ırzına dahi tasallut edecek kadar hayasız olan Fehim Paşa, Bursa'da halk tarafından linç edilerek öldürüldü. Memleketin farklı şehirlerine sinsice yerleştirilmiş hafiyeleri bir bir ortaya çıkarıyor, bu nifak merkezlerini, bu şer odaklarını tek tek, isim isim, adres adres tespit ediyorduk. Vatana hıyanetlerini hak ettikleri şekilde ödetiyorduk onlara.

O yıl Aralık'ın ilk günlerinde, bu zalimler güruhunun, belki de en alçağı olan İsmail Mahir Paşa'nın peşine düştük. Abdülhamit'in en güvendiği adamlardan biriydi. Eli kanlı arkadaşlarının akıbetlerini öğrendiğinden, kendi başına gelecekleri de tahmin ediyor, konağına kapanıp burnunun ucunu dışarı çıkarmıyordu. Onu sokağa çekmek için bir tezgâh kurduk. Yıldız Sarayı'ndan gönderilmiş gibi görünen şifreli bir telgrafla, güya padişahın kendisini çağırdığını duyurduk. Başlarda kuşkulansa da sonunda yolladığımız telgrafa inanarak çıktı evinden. Aradığımız fırsat, Sultan Mahmud'un türbesinin önünde ayağımıza gelmişti. Hak ettiği cezaya çarptırdık, elinde yüzlerce masumun kanı bulunan o mendeburu. Hayır, tetiği ben çekmedim, sadece tertibat alan grubun içindeydim.

Eminim bu satırları okurken, "Nasıl oluyor da insanların öldürülmesinden böyle bir sevinç duyuyorsun?" diye hayretlere kapılmışsındır yine. Ama unutma, çok değil daha altı ay önce İsmail Mahir Paşa gibi adamlar, vatanın en şerefli, en yiğit oğullarını jurnallediler, -ki, ölüme, sürgüne yolladıkları zabitlerin arasında cemiyete hiç bulaşmamış, suçu günahı olmayan insanlar dahi vardı- aileleriyle birlikte hepsinin hayatlarını mahvettiler. Tıpkı benim aileme yaptıkları gibi, tıpkı zavallı babama yaptıkları gibi.

Yanlış anlama, bu bir intikam oyunu değildi, ama biz o gün kararlı olmasaydık, bu adamlar tekrar kazanacaklardı. Onlar kadar akıllı, onlar kadar iradeli ve onlar kadar acımasız olmak zorundaydık. Meşrutiyeti başka türlü ayakta tutamazdık. Elbette bütün bu suikastlar tereyağından kıl çeker gibi olmadı, karşımızdaki adamlar da en az bizim kadar usta, bizden çok daha tecrübeli ve çok daha kıyıcıydılar. Öyle ki, İsmail Mahir Paşa suikastından sonra sarayın en kurnaz hafiyelerinden, cemiyetin yeminli düşmanı, acımasız katil Solak Kani'yi cezalandırırken az kalsın canımdan oluyordum.

Aralık ayının ortalarına doğruydu. Yılın ilk karı düşmüştü Dersaadet'e. Aylardır Solak Kani'yi kolluyorduk. Ama herif, sanki cin taifesindenmiş gibi öyle uyanık, öyle pire gibi çevikti ki, bir kaybedersen, bir daha bulana hak getire. Tam dokuz kez atlattı bizi, tam dokuz kez izini kaybettirdi. Fakat sonunda kaldığı yeri tespit ettik. Eyüp'te mezarlıkların hemen arkasında aşı boyalı, hortlaklarla, gulyabanilerle komşuluk eden iki katlı ahşap bir ev. Devr-i İstibdat'ta Solak Kani'ye ihbarcılık eden Leb-i Şeker Seyfi adında bir tellağın evi. Adından da anlaşılacağı üzere, tellaklık kadar başka konularda da hünerli olan bu rezil, aynı zamanda kadınlık vazifesi de veriyordu Solak Kani'ye.

Bütün şehirde sapkınlığıyla nam salmış Leb-i Şeker'in bizim ahlaksız hafiyenin yüreğinde yeri bir başkaymış. Bir afyona, bir de bu Leb-i Şeker denen me'bûna müptelaymış ki, haftada en az bir kere görmezse rahat edemezmiş. Bizim hafiyelerin günler süren tetkikleri neticesinde, Solak Kani'nin çarşamba geceleri eve girip, sabah ezanı okunurken çıktığını haber almıştık. Adamın defterini dürmek için kulağımız yolda, elimiz tetikte, haber bekliyorduk. Bir hafta sonra geldi beklediğimiz jurnal. Malumat doğruydu, haber katiydi; bizim sinsi hafiye, mezarlıkların arasına saklanmış bir günah mabedi gibi dikilen o meşum eve girmişti. Ama çarşamba değil cuma gecesi. Basri Bey, ben, bir de Mülazım Fuad hemen Eyüp'e intikal ettik. Evet, üç kişilik grubumuzun yeni üyesi bizim gibi Selanikli olan Fuad'dı. O kibirli Mehmed Esad'a hiç benzemiyordu, son derece nazik bir insandı, ne kadar cesurdu henüz bilmiyordum ama iyi bir edebiyat okuruydu, Fransızcası da en az benimki kadar iyiydi ama enteresandır, asıl alakası tiyatroydu. Yerli, ecnebi, Selanik'teki hiçbir piyesi kaçırmamıştı. Mehmed Esad gibi sanattan uzak nobran bir zabitten sonra Fuad'ın ekibe katılması bir armağan gibi gelmişti bana.

Sabah ezanı okunmadan, Leb-i Şeker'in evine yüz metre kadar mesafede bir tepenin ardına karargâh kurduk. Karargâh kurduk dediğime bakma, artık mezarlık bekçilerinin kullanmadığı ahşap bir kulübeye sığındık. Mezarların arasından kıvrılarak tellağın evine uzanan karlarla kaplı yol, sığındığımız kulübenin önünden geçiyordu. Solak Kani evden çıkarsa, mecburen önümüzden geçecekti. Kâğıt üzerinde hesaplarımız kusursuzdu ama sadece kâğıt üzerinde. Üstelik kulübede ne bir soba vardı ne mangal, hava da inadına soğuk, inadına nemli. Yardımımıza yıllarca Makedonya dağlarında eşkıya kovalamaktan edindiği tecrübeyle tedarikli gelen Basri Bey'in konyağı yetişti. Cebinden çıkardığı şişeyi uzattı.

"Şunu için arkadaşlar, ısınırsınız."

İçtik, iyi de geldi ama bir yere kadar. Sonunda zıplayarak ısınmaya kadar vardırdık işi. İçimizden de şu alçak, bir an evvel dışarı çıksa da tepeleyip sıcak bir yere kapağı atsak diye geçiriyorduk. Ama vakit ilerliyor, ne kapı açılıyor ne de Solak

151

Kani'nin cenabet suratı görünüyordu. Soğuğa daha fazla dayanamayan Mülazım Fuad,

"Gidip basalım şu evi," diye söylendi. "Valla donup gideceğiz yoksa bu kulübede."

O her zamanki sakin haliyle, elindeki konyak şişesini uzattı Basri Bey.

"Donmayız, donmayız, zaten çok sürmez şimdi çıkar iblis dışarı. Sabah namazına giden cemaatin arasına karışmak mecburiyetinde."

Konyak şişesini alan Fuad ağzına götürmedi.

"Ya çıkmazsa," diye itiraz etti. "Ya uyku ağır basar da yatakta kalmak isterse?"

Kendinden emin başını salladı Basri Bey.

"Çıkar, çıkacak... Abdülhamit'in en çok ihtimam gösterdiği husus, hafiyelerin eğitimi, disiplini. Onları beynelmilel prensiplere uygun şekilde yetiştirdi. O sebepten, sarayın hafiyeleri her zaman disipline riayet eder."

Bu sözler de tatmin etmemişti Mülazım Fuad'ı; üşüyordu çünkü, donuyordu. Şu lanet olası soğuk, zaten bozuk olan asabını iyice bozuyor, iyice sabırsız kılıyordu onu. Konyaktan dolu dolu bir yudum daha çekti. Şişeyi bana uzatırken,

"Javert'i hatırlıyor musun?" diye sordum. "Hani *Sefiller*'deki polis şefi..."

Şişeyi uzatan eli havada öylece kaldı bir an.

"Hatırlıyorum tabii..." Ben konyağı alırken sordu: "Ne alakası var Javert'in mevzuyla?"

"O da prensiplerine bağlı bir polisti... Sonuna kadar da öyle kaldı..."

Konyaktan bir yudum da ben içerken itiraz etti:

"Bizim hafiyelerin yanında Javert melek kalır..." Düşündü. "Ukalalık etmek istemem ama Victor Hugo biraz abartmış bence... Hep romantik tarafından bakmış meseleye... Öyle değil mi?"

Amacıma ulaşmıştım, zihni sevdiği bir konuyla meşgul olunca soğuğu unutmuştu Fuad.

"Niye romantik olsun?" diye tartışmayı alevlendirmeye çalıştım. "Bence oldukça realist. İyiliği de kötülüğü de sebepleriyle anlatıyor."

Üstü şiltesiz tahta divana oturdu.

"Ama insanı hep iyi olarak gösteriyor. Mesela başkahraman Jean Valjean, adam iyilik abidesi... Biraz daha zorlasa, tövbe tövbe, adam peygamber olacak. Böyle biri var mı hayatta? Yok azizim, sanatta en iyi anlatma tarzı komedidir. Mesela Moliere'in *Cimri* piyesindeki Harpagon karakterini düşün. Moliere, adamın para tutkusunu öyle anlatır ki, bir noktadan sonra, komik olaylar adeta bir drama dönüşür..."

Edebiyatla arası hiç de iyi olmayan zavallı Basri Bey dayanamadı:

"E yeter artık, Victor Hugo'ymuş, Moliere'miş... Gören de hafiye peşinde değil, muharrirler toplantısında zannedecek bizi..."

Sözünü tamamlayamadan Eyüp Camii'nin müezzini başladı sabah ezanını okumaya. Mübareğin öyle de güzel bir sesi vardı ki, ölmek, öldürmek, vahşi duygular değil, yüce hisler uyandırıyordu insanda. Hepsine boşverip Basri Bey'e izahata hazırlanıyordum ki, Leb-i Şeker'in tahta kapısının açıldığını fark ettim.

"Bi' dakika, bi' dakika," diye kırık pencereyi gösterdim. "Solak çıkıyor galiba."

İki arkadaşım da pencerenin önüne sinerek pürdikkat mezarlıktaki eve bakmaya başladılar... İlk tepki Fuad'dan geldi...

"Ama bu bir hanım. Baksanıza çarşaflı..."

Alacakaranlıkta gözlerimi kısarak seçmeye çalıştım. Haklıydı, bu bir kadındı. Burma bıyıklı, yeniçeri cüsseli bir hafiye beklerken, narin bedenli bir hanım zuhur etmişti.

"Yuh olsun!" diye mırıldandı Fuad. "Rezil herif bir de kadın almış yatağına."

Çok geçmedi, Basri Bey'in çatılan kaşları açıldı, hınzır bir gülümsemeyle aydınlandı yüzü.

"Ne kadını Fuad! Anlamadın mı, beklediğimiz herif bu. Evet, Solak Kani şu gelen çarşaflıdan başkası değil."

Şemsi Paşa'yı vuran Mülazım Atıf'ın bir çarşafa bürünerek Resne'ye kaçışını hatırladım. Bizim kullandığımız bu metodu Yıldız'ın hafiyeleri niye kullanmasınlardı? Üçümüz birden sarıldık silahlarımıza ama kulübeden çıkmadık. Kani yol alsın, önümüze düşsün diye sabırla bekledik. Birkaç dakika sonra değme hanımlara taş çıkartırcasına salınarak geçti önümüzden rezil herif. Beş metre kadar gittikten sonra, Basri Bey'in talimatıyla Fuad'la ikimiz fırladık dışarı.

153

"Kıpırdama," diye gürledi Mülazım Fuad. "Kısmetin buraya kadarmış Solak Kani."

İkimizin de tabancaları üzerine çevrilmişti, tetiğe dokunmamıza ramak kalmıştı ki, bir silah patladı, sırtımda bir yanma hissettim. O anda anladım patlayan tabancanın bizimkilerden biri olmadığını. Birden Basri Bey'in Revolver'i de konuşmaya başladı kulübenin penceresinden. Ben yere yığılırken, önümüzdeki adam "Ay, adam öldürüyorlar," diye çarşafını sıyırıp koşmaya başlamıştı. Evet, Solak Kani değil, Leb-i Şeker Seyfi'ydi kara kumaşın içinden çıkan. Abdülhamit'in akıllı hafiyesi, bizi fena faka bastırmıştı. Eyüp'te karlar içindeki o mezarlıkta kendimi kaybetmeden önce bu sözler geçmişti aklımdan.

Ayıldığımda hiç tanımadığım bir evdeydim, başucumda daha önce görmediğim bir adamla, Basri Bey vardı.

"Uyanıyor," dedi tanımadığım adam. "Söylediğim gibi birkaç güne kalmaz toparlar."

Olanı biteni anlamaya çalışırken, bizim tecrübeli kumandan yaklaştı.

"Geçmiş olsun Şehsuvar" dedi sağ elimi sımsıkı tutarak. "Nasılsın, iyi misin?"

Sersem gibiydim ama ağrı, sızı hissetmiyordum.

"Sağ olun Kumandanım, iyiyim." Bakışlarım Mülazım Fuad'ı aradı, odada göremeyince yoksa diye geçirdim içimden.

"Merak etme, Fuad da iyi," dedi ne düşündüğümü anlayarak. "Senin yaran dışında bir sıkıntımız yok. Ama yakında iyileşecek."

İşte böyle Esterciğim, acımasız olan biz değildik, yaşadığımız dünya, yaşadığımız çağ, bütün bir insanlıktı. Biz, bu vicdanını, bu merhametini yitirmiş dünyayı hale yola koymaya çalışıyorduk. Ama bu iş, romanlarda anlatıldığı kadar kolay değildi, mecburen kaba güce ve silaha başvuruyorduk, hem de kendi canımızdan olma pahasına...

154

"Mahvolduk evladım, mahvoldu vatan..."

✖

İyi Akşamlar Ester, (5. Gün, Akşam)

Nihayet şans perisi insafa gelmeye başladı. Evet, yarın Cezmi Kenan'a gideceğiz. Akşam yemeğinde konuştuk Reşit'le. Aslında onunla yemek yemeyi düşünmüyordum, dışarı çıkmayı, Taksim Bahçesi'ne kadar uzanmayı tasarlamıştım. Yeni bir orkestra gelmiş diyordu başgarson İhsan.

"Siz seversiniz, *Faust*'dan, *Traviata*'dan şarkılar söyleyen bir de Alman tenor varmış."

Evet, operayı seviyordum, sizin evde tanışmıştım bu sanatla. Biliyorum, sen pek hazzetmezdin ama Leon Dayı çok hoşlanırdı. Hatırlarsan, Giuseppe Verdi'nin *Rigoletto*'sunu izlemek için Venedik'e kadar gitmişti. Bir gün şakayla karışık, "Abdülhamit'le tek ortak yanımız bu sanat," demişti. "İkimiz de bayılıyoruz operaya." Ama benim operayı sevmeye başlamam, Leon Dayı'nın avukatlık bürosunda olmadı. Trablusgarp Harbi sırasında, İtalyanlardan ele geçirdiğimiz bir gramofon ve *Faust* operasının plaklarıyla oldu. Aynı çadırı paylaştığım zabitler başta karşı çıksalar da zamanla onlar bile alıştılar, bu alafranga müziğe. Pera Palas'a gelince de alafranga müziğe alakamı işiten Reşit bir gramofon koydurmuştu odama.

Neyse, yani bu akşam Taksim Bahçesi'ne gitmeyi, karnımı doyururken, bir yandan da ruhunu şeytana satan Faust'un kaderini anlatan şarkılar dinlemeyi planlamışken, lobide Re-şit'e yakalandım.

"Hayatta olmaz Şehsuvar ağabey," dedi kati bir ifadeyle. "Bu akşam benim misafirimsin."

"Yahu Reşit daha sabah senin misafirindik," diyecek ol-dum, dinlemedi, kaş göz işaretiyle İhsan'a masayı kurması-nı emretti. Dur, meraklısındır, menüyü de sıralayayım sana. Önce bir düğün çorbası, ardından paça böreği, salçalı sığır fi-letosu, jelatinli sülün ve kestane tatlısı. Tabii finalde de şeker-li Türk kahvesi... Evet bir yandan bu enfes yemekleri mideye indirirken, bir yandan da şu buluşma mevzusuna getiriyor-dum lakırdıyı. Sanki pek de mühimsememiş gibi,

"Şu bizim Binbaşı Cezmi," dedim ağzımdaki lokmayı çiğ-nedikten sonra. "Nasıl davranıyor sana? Yani onu ziyaret et-tiğinde diyorum."

Ne bir tedirginlik, ne bir heyecan belirdi yorgun yüzünde, "Çok iyi. Çok memnun oluyor beni gördüğüne."

İşte bu garipti. Bir yandan polisten ölesiye korkuyor, öte yan-dan eski bir ittihatçının evini ziyaret etmekten çekinmiyordu.

"Biliyorsunuz rahmetli babamla harbiyeden arkadaşlar," diye sürdürdü sözlerini. "Sizden, daha eski arkadaşlar." Du-raksadı. "Gidiyoruz değil mi?" Yan masaya bir göz attı. İştah-la yemeklerini mideye indiren, karı koca İngiliz'in bizi din-lemediğini görünce sürdürdü. "Hem size söyleyecekleri var sanırım... Şu Mehmed Esad'la ilgili... Size ziyarete geldiğini söyleyince telaşlandı, 'Şehsuvar'ı en kısa zamanda yanıma getir,' diye emretti. 'Çocuğun başını yakmasın, o alçak.' Bu mevzuda bir bildiği var herhalde Şehsuvar ağabey. Yanına gitsek çok iyi olacak."

Deli gibi merak ediyordum Mehmed Esad hakkında söy-leyeceklerini, fakat umursamaz görünerek, salçalı sığır fileto-suna uzattım çatalımı.

"Valla iyi olur. Cezmi Binbaşı'yı görmeyi ben de çok iste-rim." Etten küçük bir parça kopardım, çatalı ağzıma götür-meden sordum: "Ne zaman gideriz?"

Şarap bardağına uzanırken durdu.

"Yarın gidelim işte. Ne bekliyoruz ki? Yarın uygun mu si-zin için?"

Uygun ne kelime, şahaneydi, hazır Reşit de korkuyu üze-rinden atmışken, uzatmadan bu meseleyi halletmeliydim.

"Tamam, yarın olur. Saat kaçta gideriz?"

Şarabından bir yudum aldı.

"Üç ya da dört iyi mi? Öğleden sonra diyorum. Ben hep o saatlerde gidiyorum da..."

Şarabıma uzanırken onayladım:

"Anlaştık, yarın üçte lobide buluşalım."

Akşam yemeğimiz bu defa uzun sürmedi, ikimiz de dün gecenin yorgunluğunu taşıyorduk, kahvelerimizi içip kalktık. Sokağa çıkıp biraz yürüsem iyi olabilirdi ama bir üşengeçlik çöktü, odama çıktım. Zannederim yemek ağır gelmişti, belki de şarabın mahmurluğu. Bir süre yatağa uzandım, uykuyla uyanıklık arası gidip geldim. Sonra aniden ayıldım, kalktım, balkona çıktım. Işıkları günbegün artmasına rağmen eski ihtişamı kalmayan İstanbul'a baktım, bir zamanların görkemli payitahtına. Kentlerin kraliçesine. Nedense içimi burkan bir his geldi oturdu yüreğime. Aslında şehirler de kaybetmişti Harb-i Umumi'de. O şehirlerden biri de Dersaadet'ti işte. Ne kabahati varsa artık, başkent olmaktan çıkarılmıştı bir gecede.

Sahi bütün bu olan bitenlerde kimdeydi kusur? Kimdi bütün bu büyük yıkımın müsebbibi? Ne zaman değişmişti tarihin akışı? Nerede hata yapılmıştı? Saltanat rejimi kötü olduğu için mi kaybetmiştik? Kaybettiğimiz için mi saltanat rejimi kötü olmuştu? Yeni devre ayak uyduramamaktan söz ediyordu herkes. Ne zaman başlamıştı bu yeni devre ayak uyduramama meselesi? Fatih Sultan Mehmed'in zamansız ölümüyle mi? Birbiriyle kavgaya tutuşan iki şehzadesinden Cem Sultan'ın değil de, II. Bayezid'in galip çıkmasıyla mı? Yoksa Yavuz Sultan Selim'in halife olması mı mahva sürüklemişti bizi? Kanuni mi yapmıştı en büyük hatayı, Şehzade Mustafa'yı öldürerek? Belki de bir saray entrikası neticesinde yeniçerilerin Genç Osman'ı ahlaksızca ve hunharca katletmesiyle başlamıştı bu lanet. Lale Devri'nde saray hazinesi har vurup, harman savurulduğu için mi fakirleşmiştik? Ya da zaten en başından beri aksak bir iktisadi yapıyla mı idare ediliyorduk? Nerede kaptırdık Batılı devletlere üstünlüğü? Yoksa Batılı devletlere hiç özenmemeli miydik? II. Mahmud mu soktu bizi bu hatalı yola? Bir ihanet vesikası mıydı Tanzimat Fermanı? Abdülaziz haklı mıydı? Bize göre değil miydi meşrutiyet? İyi ama bugün medeniyetin öncülüğünü yapan ülkelerin hepsi bu yolu seçmemiş miydi? Bu yolu seçmeyen ülkelerin hepsi bizim gibi fakirlikten ve cehaletten kırılmıyor muydu? Yoksa Abdülhamit'in söylediği gibi acele mi etmiştik? Millet daha hazır değil miydi sultanın yanında bir de meclis olmasına? Biraz daha beklesek daha mı iyi olacaktı?

Mantıklı mantıksız ne kadar iddia, ne kadar fikir varsa, makûs talihimiz hakkında hepsi birer birer geçti kafamdan. Sonra böyle bir tefekküre dalmanın artık hiçbir manası olmadığını anladım. Geç kalmıştık, çok geç. Ama geç kalmış bir inkılaptan daha kötüsü, hiç olmamış bir inkılaptır. Evet, artık bir inkılabımız vardı. Kuvayı Milliyeciler onun tarihini 19 Mayıs'ta başlatsalar da, çok daha önce, 1908 yılının Temmuz ayında bütün vatanı ayağa kaldırmış olan bir inkılap. Belki de çok daha önce, II. Mahmud'la birlikte başlayan, bugün cumhuriyetle devam eden bir inkılap.

Hatırlar mısın bilmem, bir defasında, Leon Dayı, "İhtilal, fırtınalı bir denizde, dev dalgalarla boğuşarak kıyıya ulaşmaya çalışan, gövdesi halktan, direkleri teşkilattan, yelkenleri isyandan oluşan bir gemidir," demişti. O zamanlar çok hoşuma gitmişti bu benzetme, ama şimdi anlıyorum ki, eksik söylemiş. İhtilal fırtınalı bir denizde kıyıya ulaşmaya çalışmaz, aksine devasa dalgalarla boğuşmayı öğrenerek hiç batmadan hep denizin üzerinde kalmaya çalışır. Çünkü tarihi teşkil eden olaylar asla sabit değildir, asla belli kurallara göre hareket etmezler, hep dinamiktir, asla dizginlenemezler ve hepsinden önemlisi süreklidirler. Bilhassa isyan günleri, isyan yılları, birbiri ardına patlayan devasa olaylarla kendini ifade eder. Öyle bir an gelir ki, ne milletlerin hükmü kalır, ne partilerin ne de fertlerin...

Ama biz farkında değildik bu hakikatin. Kendimizden ve siyasi hayatın akışından memnunduk. 1908'in yaz aylarında Makedonya'nın lacivert sularına indirilen inkılabımız birbiri ardına üzerimize gelen dev dalgalara karşı, üstelik de süvarisi tecrübesiz olmasına rağmen denizin üzerinde kalmaya devam ediyordu. Bu mutlu ediyordu bizi, istikbale olan umudumuzu artırıyordu. Ama böyle sürmeyecekti, çok yakında payitahtta patlayacak bir fırtına allak bullak edecekti, hem ülkeyi, hem milleti hem de cemiyetimizi.

İlk darbe, yıllardır aç bir akbaba gibi Osmanlı İmparatorluğunun ölmesini bekleyen Avusturya–Macaristan İmparatorluğundan gelecekti. Onların kışkırtmasıyla Bulgarlar,

Güney Bulgaristan'a el koyacaklar, bir gün sonra da bizzat Avusturya-Macaristan İmparatorluğu, Bosna-Hersek'i ilhak edecekti. Yine aynı gün Girit, Yunanistan'a katılma kararı alacaktı. Bu karar yürürlüğe giremese de moral bozucuydu. Ve bütün bunlar bir rastlantı değildi. Başta İngiltere olmak üzere Batılılar, hürriyetini kazanan Osmanlı ülkesinin yeniden ayağa kalkmasından korkuyorlardı. Aralık ayında Meclis-i Mebusan'ın açılmış olmasından güya memnuniyet duyduklarını söyleyip, hakikatte ise meşrutiyetin öncüsü ve güvencesi İttihat ve Terakki'yi yıkmak için ellerinden geleni yapıyorlardı.

Hayret verici olan, bu sinsi planlarında en önemli rolü örümcek kafalı softaların oynamasıydı. Sanki yüzlerce yıllık geri kalmamızın sebebi kendileri değilmiş gibi hâlâ irtica peşinde koşarak, II. Mahmud'dan bugüne yapılan bütün ileri hamleleri bir daha geri gelmemek üzere ortadan kaldırmak istiyorlardı. Bu bozguncuların başında Derviş Vahdetî adında karanlık bir adam, arkasında ise medrese talebeleriyle, cahil subaylar güruhu vardı. İttihad-ı Muhammedî adında bir de cemiyet kurmuşlardı. Gazeteleri *Volkan*'da her gün İttihat Terakki liderlerine öfke ve kin kusuyorlardı.

Sadece onlar olsaydı, inkılap bu yol kazasına yine uğramazdı ama cemiyetin yanında yer alması gereken Prens Sabahattin'in Ahrar Fırkası da fırsatçı davranmaktan çekinmiyordu. Daha düne kadar cemiyetin bir parçası olan, saraydan gelen bu Jön Türk, amacına ulaşmak için gericilerle ittifaka girmekte tereddüt etmiyordu. Çünkü Prens Sabahattin, hem dışında kaldığı cemiyetten hem de en büyük siyasi rakip olarak gördüğü Ahmed Rıza'dan nefret ediyordu.

Prens Sabahattin ve Ahmed Rıza... İkisi de çok iyi eğitim görmüştü, ikisi de su katılmamış münevverlerdi. Fakat yıldızları hiçbir zaman barışmamıştı. Bu iki siyaset adamının aralarındaki fikir uyuşmazlıkları altı sene evvel Paris'te toplanan Birinci Jön Türk Kongresine kadar uzanıyordu. Prens Sabahattin kurtuluş umudunu ecnebi devletlere bağlamış, Ahmed Rıza ise bu teklife şiddetle karşı çıkmıştı. Zaten bu kongreden sonra da teşkilat ikiye bölünmüştü. Selanik'te Talat Bey'in kurduğu Osmanlı Hürriyet Cemiyeti, Ahmed Rıza'nın İttihat ve Terakki'siyle bütünleşince, Prens Sabahattin, ülke tarihinin en önemli anında etkisiz kalmıştı. Siyasi kayıplarının acısını çıkarmak istercesine, şimdi her türlü fırsatı kendi muvaffakiyeti için kullanmakta bir beis görmüyordu.

İşte bu ilan edilmemiş uğursuz ittifakın kirli niyetlerine, Abdülhamit'in sinsi çabaları da eklenince 31 Mart'taki o utanç verici isyan vuku buldu.

Silah seslerini duyduğumda, Beşiktaş'taki evimde uyumaktaydım. Baskına mı uğradık telaşıyla konsolun çekmecesindeki Revolver'ime uzandım. Hayır, eve hücum eden kimse yoktu. Yataktan kalktım, cumbanın penceresinden sokağa baktım. Ellerinde beyaz, kırmızı ve yeşil bayrak taşıyan birkaç medrese talebesi gördüm. Bu yeşil bayraklar İttihad-ı Muhammedî Cemiyeti'nin alametifarikasıydı. Medrese talebelerinin ardından küme küme askerler göründü, başlarında alaylı tabir ettiğimiz zabitler vardı. Neler oluyordu? Hızla giyinip, tahta merdivenlerden aşağıya indim, Madam Melina pencerenin önünde durmuş, perdenin aralığından kaygıyla sokağa bakıyordu. Beni fark edince,

"Ah! Şehsuvar Bey evladım," diye mırıldandı korkuyla. "Askerler ayaklanmış, ellerinde bayraklar, şeriat isteriz diye geçiyorlar kapımızın önünden..." İstavroz çıkardı. "Yüce İsa bizi korusun, mahvolduk evladım, mahvoldu vatan..."

Yaklaşıp, buza kesmiş elini avucumun içine aldım.

"Korkmayın Madam Melina," diyerek yatıştırmaya çalıştım. "Önemli bir hadise olduğunu zannetmiyorum. Belli ki maaşlarına zam gelsin diye nümayiş yapıyorlardır, ikindiye kalmaz durulur ortalık."

Daha sözümü bitirmemiştim ki, kapı hızlı hızlı vurulmaya başlandı. Zavallı Madam'ın yüzü kireç gibi oldu.

"Siz şuraya geçin," diyerek onu yan odaya yolladıktan sonra, belimden Revolver'imi çekip kapıya yaklaştım.

"Kim o?" diye seslendim. "Ne istiyorsunuz?"

"Benim, Şehsuvar, ben Basri..."

Kumandanımın sesini duyunca nasıl rahatladım anlatamam. Hemen açtım kapıyı. Elimde Revolver görünce,

"Demek duydun..." dedi heyecanını bastırmaya çalışarak. "Gericiler ayaklandı, Sultanahmet'te toplanıyorlar. Hadi hemen gidiyoruz..."

"Tamam, hemen geliyorum..."

Madamın saklandığı odanın kapısını açtım.

"Arkadaşım gelmiş," dedim en sakin gülümsememi takınarak. "Dediğim gibi, abartılacak bir durum yokmuş sokakta. Kendini bilmez bir grup asker bağırıp çağırıyormuş o kadar..."

Zavallı kadın o kadar çok inanmak istiyordu ki sözlerime...

"Öyle miymiş, isyan filan yokmuş yani... Oh, Tanrı razı olsun arkadaşınızdan, ben de çok korkmuştum, hepimizi kesecekler diye..." Anlayış bekleyen bir ifade belirdi yüzünde. "Yanlış anlamayın ama Şehsuvar Bey oğlum, o kadar çok vukuat oldu ki son zamanlarda, rüzgâr biraz hızlı esse ödümüz kopuyor işte."

"Yok, korkacak bi' şey yok. Ama siz yine de kapıyı kimseye açmayın." Yorgun yüzünün kararmaya başladığını görünce toparladım hemen. "Tedbirli olmakta fayda var diye söylüyorum."

Ev sahibemi endişeleriyle baş başa bırakıp kapıdan çıktığımda, çiçek açmış erik ağacının altında beni bekleyen Basri Bey'in yanında Mülazım Fuad'ı da gördüm. Demek birlikte gelmişlerdi. Sokakta gitgide artan o öfkeli asker ve talebe kalabalığına karıştık. Ahalinin arasında, bellerine soktukları hançerleri herkese gösteren sarıklı birkaç softa,

"Dinini seven, şeriat isteyen Ayasofya'ya koşsun..." diye bağırıyordu. "Ey Ümmet-i Muhammed, Ayasofya'ya!"

Elbette bu çağrının hususi bir manası vardı. Devlet-i Aliyye'deki önemli ayaklanmalar bu tarihî alanda gerçekleşmişti. Kalabalıkla birlikte biz de Sultanahmet'e akarken izaha koyuldu Basri Bey: "Ayaklanma gece yarısı Taşkışla'da başlamış. 4. Avcı Taburu'nun askerleri subaylarını esir alarak, gasp ettikleri silahlarla Meclis-i Mebusan'ı kuşatmışlar. Yıldız ve başka kışlalardan da katılım olmuş isyancılara. Şimdi de Sultanahmet Meydanı'nda toplanıyorlar işte. Her an, her dakika, her saat daha da artıyormuş Ayasofya'nın önündeki kalabalık. Vaziyet hiç iç açıcı değil. Kimin aklına gelirdi ki böyle bir isyan?"

Sinirli sinirli soludu Mülazım Fuad.

"Ben söylemiştim Basri Bey. Bizim harbiyelilerin burnu pek büyüdü. Astlarını, eratı hakir görüyorlar. Bir sürü alaylı subay ordudan atıldı. Büyük bir hoşnutsuzluk var demiştim. Kimsenin umurunda olmadı." Yanımızdan yöremizden geçenlere şöyle bir göz attı ama sesini kısmadan sürdürdü sözlerini. "Askerle konuşmazsanız, dertlerini dinlemezseniz, kışlada neler olup bittiğini bilmezseniz nasıl hakim olursunuz orduya?"

Yerden göğe kadar haklıydı, dayanamayıp ben de katıldım şikâyete:

"Hasan Fehmi'nin vurulması da tüy dikti," diye söylendim. "Niye vurdular ki o gazeteciyi? Muhalefeti birleştirmekten başka ne işe yaradı bu cinayet?"

"Hüküm vermekte acele etmeyelim," dedi kumandanımız. Sesi otoriterdi ama suçlayıcı değildi. "Ortalık karışık, Hasan Fehmi'yi bizimkilerin vurduğu belli değil. En azından bu meyanda bir malumat almış değilim. Alaylı subaylar diyorsun Fuad ama sadece onlar değil ki, bak medrese talebeleri de sokakta... Askerlik vazifesi yapacak olmaları ağır geldi hamiyetsizlere..." Yanımızdan geçen talebelere ters ters bakıp kafasını salladı. "Her neyse, olan oldu, nasıl kurtulacağımızı düşünelim bu ihanetten."

Hiç de aynı kanaatte değildim, isyan bağıra bağıra gelmişti. Çok değil on gün kadar önce İttihad-ı Muhammedî Cemiyeti'nin Ayasofya'da okuttuğu mevlüde katılan o büyük kalabalığı görmek yeterliydi bu isyanın yaklaştığını sezmek için. *Serbesti*'nin başyazarı Hasan Fehmi'nin cenazesine katılan on binlerce insan başlı başına mühim bir ikazdı. O büyük nümayişte bir araya gelen medrese öğrencilerine, alaylı subaylara, yobaz takımına, onların gözlerindeki öfkeye bakmak yeterliydi bugünün gelmekte olduğunu idrak etmek için. Hasan Fehmi'nin öldürülmesinin ardından başta *Serbesti* olmak üzere, *İkdam, Volkan, Yeni Gazete, Mizan, Osmanlı* gibi belli başlı muhalif gazetelerin bize karşı açık bir ittifak oluşturmasından anlamak lazımdı olacakları.

Anlamadık, çünkü Said Paşa'nın ardından Kamil Paşa'yı da sadrazamlıktan indirip yerine Hüseyin Hilmi Paşa'yı getirince manasız bir kibir gelmişti üzerimize. Evet, Mülazım Fuad haklıydı, bilhassa eğitimli subaylarda bir kendini beğenmişlik havası seziliyordu, bize hiç yakışmayan bir züppelik. Cemiyetin kuvveti çok abartılıyordu, her yerde, her kesimde var olduğumuz zannediliyordu, halbuki öyle değildi, daha çok eksiğimiz vardı ve henüz tek başımıza iktidara bile gelmiş değildik.

Elbette bu fikirlerimi söylemedim Basri Bey'e. Çekindiğim için değil, böylesi bozgun anlarında tartışmanın pek bir faydası olacağına inanmadığım için.

"Peki, biz nereye gidiyoruz?" diye sordum. "Niye karıştık bu güruhun arasına?"

Heyecanını saklamak için güya neşeli bir tavırla göz kırptı.

"Nereye olacak, Sultanahmet'e. Kambersiz düğün olur mu?"

Bunu hiç beklemiyordum, korktum, evet hatta bir parça panikledim; bizi paramparça ederlerdi o meydanda. Halimden ne düşündüğümü anlamıştı bizim koca kumandan.

"Endişe etmeye mahal yok, kimse tanımıyor bizi. Selanik'te cemiyet üyesi olduğumuzu bilen çok azdı, burada ise hiç yoktur. Zaten vaziyeti anlamaya gidiyoruz. Mecbur kalmadıkça silaha sarılmayacağız."

Doğruydu, ne cemiyetin lokaline gidiyorduk ne de gazetesine; sanki inkılap olmamış, sanki meşrutiyet ilan edilmemiş gibi sıkı bir gizli faaliyet içindeydik.

"Yine de uyanık olmakta fayda var," diye ikaz etmekten kendini alamadı. "Sarayın hafiyelerini henüz halledemedik. Nerede, nasıl vazife yapıyorlar bilmiyoruz. O sebepten, sakın ola ki kalabalıkta birbirimizi kaybetmeyelim..."

Beşiktaş'ın ana caddesine ulaşınca, güç bela atlı tramvaylardan birinde yer bulduk. Çoğu isyancı askerlerden oluşan kalabalığın arasında Karaköy'e doğru hareket ettik. İsyanı düzenleyenler nakil sırasında bile boş durmuyorlar, propagandayı her yerde sürdürüyorlardı. Bindiğimiz tramvayda da iri yarı bir çavuş Galata Köprüsü'ne varıncaya kadar ateşli söylevler verdi:

"Arkadaşlar; biz millet için, vatan için, dinimiz için yaşıyoruz. Halbuki İttihat ve Terakki Cemiyeti, milletimizi, vatanımızı, dinimizi ayaklar altına almaya çalışıyor. Buna rıza gösterirsek, Allah da, peygamber de bizi affetmez. Millete zulüm eden Mason Talat'ı da, bize şapka giydirmeye çalışan Meclis Reisi Ahmed Rıza'yı da, yazdığı yazılarla aramıza nifak sokan Hüseyin Cahit'i de, Şeref Sokağı'nın kuklası Sadrazam Hüseyin Hilmi Paşa'yı da istemeyiz... Bu haysiyetsiz herifler derhal vazifelerinden alınmalı, en ağır cezaya mahkûm edilmelidirler..."

"İdam, idam, idam," diye haykırıyordu kalabalık. O kadar gürültü çıkarıyorlardı ki, bir ara tramvayı çeken atlar ürküp yoldan çıkacak gibi oldular. Ama aldıran kim, çavuş tekrar başladı söyleve. Hakkını da yemeyelim, etkileyici bir sesi vardı adamın, samimiydi, güzel konuşuyordu. Atlı tramvayda bizden başka herkesi coşturmuştu. Elbette, etrafımızdaki isyancılarla birlikte biz de alkışlıyorduk, kim olduğumuzu bilse ölüm emrimizi vermekte zerre kadar tereddüt etmeyecek bu konuşmacıyı. Rolümüzü o kadar iyi yerine getiriyorduk ki, medrese öğrencilerinden biri üç yeşil bayrak tutuşturdu elimize. Eh, şimdi tam olmuştu, hakiki isyancılara dönüşmüştük.

Bunlar olup biterken tespit ettiğimiz bir vaziyet vardı ki, işte o bizi bir parça ümitvar kılıyordu. Bütün bu tutkulu laflara, cafcaflı lakırdılara rağmen askerlerde gizli bir çekingenlik, bir ürkeklik hissediyorduk. Hayır, aptalca bir iyimserlik değildi bizimkisi, hakikaten derin bir kaygı vardı insanların yüzlerinde. Büyük bir isyana kalkışmışlardı ama bu işin nereye varacağı meçhuldü. Koca hükümeti karşılarına almışlardı. Onları kışkırtanlar "Yıldız Sarayı yanımızda," diyorlardı ama doğru muydu bakalım? Abdülhamit Han'ın böylesi isyanlardan pek hazzetmediği, işlerin suhuletle neticelenmesini istediğini herkes bilirdi. Üstelik padişahın iznine de ihtiyaç yoktu, hükümet lüzum hissederse, orduyu üzerlerine sürer, medreseden geleni de, kışladan çıkanı da sokaklarda telef ederdi. Aradan seksen küsur yıl geçmiş olsa da Vaka-i Hayriye hafızalardan silinmiş değildi. II. Mahmud'un bir gecede katlettiği binlerce yeniçerinin akıbeti hâlâ dilden dile dolaşıyordu. Gerçi kendileri yeniçeri değildi ama sonuçta onlar gibi Devlet-i Aliyye'ye isyan eden askerlerdi.

Ayasofya Camii'nin önüne geldiğimiz ilk saatlerde isyancıların yüzlerinde, aynı çekingenliği gördük. Hâlâ ellerindeki bayrakları sallayarak coşkuyla sloganlar atıyor, hâlâ konuşmaları can kulağıyla dinliyor ama öte yandan sık sık ürkek gözlerle meydana açılan yollara bakıyorlardı. En küçük bir karmaşa olsa, sesler biraz yükselse hemen tedirgin oluyorlardı. Fakat öğle ezanı okunurken vaziyet değişti. Divan Yolu'ndan bir güruh meydana akmaya başladı. Ulemanın önderliğinde, medrese öğrencileri ve askerlerden oluşan bu kalabalık, büyük bir moral kattı meydanda toplananlara. Ayasofya'nın önü hep bir ağızdan getirilen tekbir sesleriyle inliyordu. Elbette koronun en önünde Derviş Vahdetî yer alıyordu. Allah'ın, Peygamber'in, *Kur'an*'ın zikredilmesiye kalabalık adeta coşmuştu. Kendilerini, Haçlılara karşı kutsal harbe katılmış mücahitler gibi hissediyor olmalılardı.

Bu kendi görüntüsü, kendi sesiyle sarhoş olmuş kalabalığı izlerken çok değil dokuz ay önce Selanik'te hürriyet, eşitlik, kardeşlik ve adalet nidalarıyla toplanan insanları düşünüyordum. Daha aradan bir yıl geçmeden iki önemli tarihsel olaya şahit olmak müthiş bir tecrübeydi ama o zamanlar böyle düşünmemiştim. Hissettiğim büyük bir hayal kırıklığıydı, büyük bir ümitsizlik. Ama tuhaftır, ne Basri Bey ne de Fuad karamsarlık içindeydi. İkisi de kendilerini vazifelerine kaptırmış, etrafı izliyorlardı. Ayasofya'nın önündeki durum hakkında yeterince malumat topladığımızı düşünen Basri Bey,

"Biraz da Bab-ı Âli'nin oraya gidelim," teklifinde bulunmuştu. "Hükümet binasının önünde neler olup bitiyor, kendi gözlerimizle görelim."

Tam kalabalığın arasından sıyrılıyorduk ki, bir el Basri Bey'i omzundan yakaladı.

"Bir dakika hemşerim, bir dakika. Sen Selanikli değil misin?"

Üçümüzden de en az bir baş uzun, kara yağız bir çavuştu bu. Galiba kumandanımızı tanımış, az sonra da kudurmuş kalabalığa duyurarak, bizi linç ettirecekti.

"Yok," diye omuz silkti Basri Bey. "Ben Prizrenliyim, aslen Arnavut'um... Ne oldu ki?"

İnanmayan gözlerle süzüyordu çavuş.

"Adın Basri değil mi senin?"

Sinirlenmiş gibi baktı kumandanımız.

"Ne Basri'si kardeşim, benim adım Ferruh... Prizrenli Ferruh..."

Tereddüt ediyordu çavuş ama sonunda kararı vermiş olacak ki,

"Sen gelsene az şöyle," diyerek kendine çekecek oldu Basri Bey'i, "Ne yapıyorsun kardeşim?" diye Fuad girdi araya. "İteklemesene zaten kalabalık, ahali birbirini mi ezsin istiyorsun?"

"Sahi kimsin yahu sen?" diye bu kez ben atıldım önüne. "Ne karıştırıyorsun ortalığı?"

Ama başçavuş kuru gürültüye pabuç bırakacak biri değildi. Fırıncı küreğini andıran iri elleriyle, hem Fuad'ı hem de beni itekledi.

"Asıl siz ortalığı karıştırıyorsunuz lan. Çekilin önümden, bu adam ittihatçı. Tanıyorum ben bunu. Selanikli bir zabit. İttihatçıların önde gelen zabitlerinden biri." Tekrar Basri

Bey'in yakasına yapışmıştı. Tartıştığımızı gören molla takımından iri yarı altı kişi etrafımızı sarmıştı. 'Bu iş buraya kadar,' diye düşündüm. Galiba üçümüzün de hayatı burada neticelenecekti. Bana söylediklerini hatırladım:

"Burası Fransa değil, bakma coğrafi olarak Avrupa'da olduğumuza, burası Doğu medeniyeti Şehsuvar. Bizde hayat daha serttir, daha acımasız... Başka ihtimal yok, ya zalim olacaksın, ya mazlum, ya katil ya da kurban. Evet, vaziyet bu kadar mühim... Yarın daha da beter olacak, çünkü eninde sonunda kaybedeceksin, o zaman mazlum olacaksın, senin kıydıkların sana kıyacaklar..."

O an gelmiş miydi? Bu kadar çabuk mu? Bütün fikirlerimin, bütün inançlarımın yıkıldığını, paramparça olduğunu hissettim. Bir an çek silahını, önce şu çavuşu vur, ardından tek kurşun kalıncaya kadar boşalt şu ne yaptığını bilmeyen güruhun üzerine diye geçirdim içimden, son kurşunu da kendi kafana sık, bitsin bu kâbus. Hatta elimi kuşağıma kaydırdım, tabancamın kabzasını kavrayacakken koptu kıyamet.

"Hüseyin Cahit... Hüseyin Cahit... Hüseyin Cahit'i yakaladık..."

İttihat Terakki'nin sadık kalemşoru Hüseyin Cahit o kadar nefret edilen bir kişiydi ki, hem çavuş, hem etrafımızı saran mollalar anında unuttular bizi. Çok daha büyük bir balık yakaladıklarını düşünerek sesin geldiği tarafa yöneldiler. Basri Bey ise kurtulduğumuza sevinmemiş gibi,

"Nasıl yani, Hüseyin Cahit'i mi yakalamışlar?" diye mırıldandı üzüntüyle. "Hadi, arkadaşlar yetişelim, belki kurtarırız onu."

Azrail henüz bırakmışken yakamızı, yeniden ölüme doğru gitmemizi istiyordu. Daha önceden de yazdığım gibi cesur adamdı Kolağası Basri, hem de çok cesur... Az önce bizi linç etmek isteyen isyancıların peşi sıra sol taraftaki yolun üzerinde dalgalanan güruha doğru ilerlemeye başladık. Ama yaklaşmak ne kelime, yerimizden bile kıpırdayamıyorduk. Sadece Lândon bir arabanın parçalarını seçebiliyorduk dalgalanan kalabalığın arasında. Çünkü Hüseyin Cahit ismi, meydandaki herkesi arabanın üzerine doğru harekete geçirmeye yetmişti. "Vurun! Vurun! Öldürün!" bağırışları arasında herkes arabaya yaklaşmaya çalışıyordu. "Şeriat isteriz!" ve tekbir sesleri arasında paramparça ettiler adamcağızı. Ancak neden sonra yaklaşabildik, Hüseyin Cahit'in linç edilmiş cesedine. Korkunç bir manzaraydı. Vücudu kanlı bir pelte halinde yatıyordu parçalanan arabanın birkaç metre ilerisinde; dişleri dökülmüş ağzı ardına kadar açıktı, alnının derisi kafatası ortaya çıkacak kadar yüzülmüştü. İşi biten kalabalık geri çekilirken, biz yaklaşıyorduk linç edilen gazeteciye, Basri Bey birden durdu. Eliyle işaret ederek bizi de durdurdu. Bakışları hunharca öldürülen gazetecideydi.

"Geri," diye fısıldadı. "Hadi, geri dönüyoruz."

İkimizin de hayret içinde baktığını görünce,

"Hüseyin Cahit değil," diye mırıldandı. "Bu adam Hüseyin Cahit değil."

Akşam öğrenecektik hakikati. Aklını yitiren kalabalığın linç ettiği kişi cemiyetimizin kalemşoru değil, Hüseyin Cahit'e çok benzeyen Lazkiye Mebusu Arslan Bey'di.

O anda fark ettim ki, bu tür durumlarda son ana kadar sükûnetimizi korumamız gerekiyordu. Eğer, çavuş, Basri Bey'i sürüklemeye kalktığında silahıma davransaydım, üçümüzü de hiç düşünmeden öldürürlerdi orada.

Neyse, biz yine o kanlı bahar gününe dönelim. Ayaklanmanın dinî bir kisveye bürünmüş olması bilhassa askerleri rahatlatmıştı. Çünkü sadece kendilerinin değil, medrese talebelerinin ve ulemanın da katıldığı kutsal bir kalkışmaya dönüşmüştü isyan. Öğleden sonra bin kişiye yakın deniz askeri de katıldı aramıza. Mollaların, medrese talebelerinin, alaylı subayların, Ahrar Fırkası yanlılarının korkusu anbean azalmaktaydı. Meclis-i Mebusan'ın kuşatılmış olması, *Tanin* ile *Şura-yı Ümmet* gazetelerinin basılması, İttihat ve Terakki kulüplerinin yağmalanması havadisleri geliyordu... Bunları duyan kalabalık vahşi zafer çığlıkları atıyordu. Elbette onları cesaretlendiren en önemli husus, hükümetin müdahalede geç kalmış olmasıydı. Evet, sadarettekilerin adeta basireti bağlanmıştı, kimse isyanı bastırma kararını veremiyordu.

Bir müdahale olmayacağını anlayan isyancılar iyice zıvanadan çıktı. Bir kısmı Harbiye Nezareti'ne girmeye kalkıştı, hükümetin emrinde olan askerler ancak havaya ateş açarak durdurabildi onları. Ordu, isyancılar Harbiye Nezareti'ne hücum ederken bile kararlı davranamıyor, mütecavizlerin üzerine ateş edemiyordu. Hal böyle olunca, isyan da amacına ulaşmakta gecikmedi. Ayaklanmanın başlamasının üzerinden yirmi dört saat geçmeden, hükümet düştü, bizim desteklediğimiz Hüseyin Hilmi Paşa yerine Ahmed Tevfik Paşa sadrazam olmuştu. Ama isyancılar yine de dağılmak istemediler, ta ki yeni Harbiye Nazırı Ethem Paşa Ayasofya'ya gelip onlara görünene kadar. Muvaffak olduklarından ve padişahın kendilerini affettiğinden emin olduktan sonra rahatladılar. Ama asıl gümbürtü de bunun ardından koptu. Amaçlarına ulaştıklarını gören askerler ve onlarla birlikte hareket eden güruh pervasızca silahlarını ateşlemeye başladı. Evlerine kaçan millet, kapıyı pencereyi sıkı sıkıya kapatarak, çoluğunu çocuğunu, arını namusunu muhafaza altına almaya çalıştı. Genizleri yakan barut kokusu gün doğana kadar kalkmadı sokaklardan...

Peş peşe cinayetler de işlenmişti; başka bir yanlış anlama sonucu; Adliye Nazırı Nazım Paşa, Meclis Reisi Ahmed Rıza'ya benzetilerek katledilirken, harbiyeli dört subay da sokaklarda şehit edilmişti. İttihat ve Terakki'nin üç gizli fedaisi olarak, bu kudurmuş kalabalığın arasında dolaşmaktan, olanı biteni hafızamıza kaydetmekten başka bir şey gelmiyordu elimizden. Sabahtan beri ayakta kalmanın yorgunluğuna, olayları çaresizce izlemenin getirdiği ruhsal yıkım da eklenince üçümüz de hem moral hem de bedensel olarak çökmüştük. Acayip bir başağrısı tebelleş olmuştu bana, Basri Bey'in sağ ayağı incinmiş, Fuad'ın ise açık teni yanmıştı güneşin altında durmaktan. Gece yarısı yıkılmış bir halde evlerimize dönerken,

"Acaba, hepimiz aynı yerde mi kalsak?" diye bir teklifte bulundu Mülazım Fuad. "Tek tek daha kolay avlarlar bizi."

Basri Bey'in kaşları çatıldı.

"Ne avlaması Fuad?" diye çıkıştı. "Ne biçim lakırdı bunlar? Kim kimi avlıyor? Bu çakal sürüsünün muvaffak olacağını mı zannediyorsun? Hükümet istifa etmişmiş, sadrazam değişmişmiş, hepsi palavra. Görmüyor musunuz İngilizlerin kışkırtması bu! Vahdetî'nin de, Prens Sabahattin'in de, o 'hakkımızı isteriz' diyen alaylı subayların da, hepsinin arkasında yabancı parmağı var. Bir de saraydaki o kurnaz ihtiyar. Ama çok sürmez, hüsrana uğrayacakları saatler yakındır, bizimkiler toparlanmaya başlamışlardır. Bakın, ne Talat'ı yakalayabildiler, ne Hüseyin Cahit'i ne de Ahmed Rıza'yı... Manastır'da, Selanik'te hazırlıklar başlamıştır çoktan. 3. Ordu, bugün yarın dayanır Dersaadet'in kapısına. İşte o vakit, çil yavrusu gibi dağılacak bu millet düşmanları, bu hamiyetsiz herifler, bu şer ittifakı. Yok, arkadaşlar moral bozmanın, imanımızı sarsmanın sırası değil. Vazifemizi unutmayacağız. Bugün Ayasofya'nın önünde gördüklerimizi, talebelerini kışkırtan Derviş Vahdetî gibi hainleri tıpkı bir fotoğraf makinası gibi hafızamıza nakşedeceğiz, hürriyet yeniden Dersaadet'in sokaklarında gezmeye başlayınca bu hainleri saklandıkları inlerinde bulup tek tek adalete teslim edeceğiz. En yüksek cezayı almaları için şahitlik yapacağız."

Bir kez daha saygı duymuştum Basri Bey'e. Zor zamanlarda sarsılmayan iradesi, tehlike anında gerilmeyen sinirleri ve akıllıca muhakemeleriyle bir kez daha örnek olmuştu bizlere. Ama kalbimiz, onun bu fedakârane, cesur sözlerine inansa bile aklımız, olayların hiç de öyle kolayca lehimize döneceğine ikna olmuyordu. Baksanıza adamlar bir günde hükümet değiştirmişlerdi, ne sadrazam kalmıştı ne harbiye nazırı... Şüphesiz ki Yıldız Sarayı gizli ya da aşikâr bir memnuniyet duyuyordu bu durumdan. Henüz meşrutiyetin kurulmasının üzerinden dokuz ay gibi kısa bir süre geçmesine rağmen, inkılap büyük bir buhrana düşmüştü. Elbette daha iki ay önce sadrazamlıktan alınan Kamil Paşa da gayet memnun olmuştu bu isyandan. Ama hepsinin sevinci kursaklarında kalacak, Basri Bey'in, o meşum akşamda söyledikleri hakikat olacaktı. Gerçi Hareket Ordusu'nun şehre gelmesi on gün kadar gecikecekti, fakat tarihin akışını geriye çevirmeye çalışanlar çok ağır bir hezimete uğrayacaklardı.

"Sadece sana yazmak ihtiyacı ayakta tutuyor beni."

Merhaba Ester, (6. Gün, Sabah)

Bu sabah erkenden uyandım, güneş doğmamıştı henüz. Başımda bir ağırlık vardı, dün geceki şaraptan mı? Zannetmem, kaliteli bir şaraptı, üstelik fazla da içmemiştim. Belki geç saatlere kadar yazmamın neticesidir. Gözlerimde de hafif bir yanma var zaten. Ama daha mühimi yazarken o günleri yeniden hatırlamam, adeta yeniden yaşamam. Gençken en korkunç olayları kaldırabiliyor insan. Harpler, isyanlar, suikastlar, ölümler. Şimdi düşünmesi bile zor geliyor bana. Galiba yazdıklarımın etkisinde kaldım. Gece boyunca bölük pörçük rüyalar görmemin sebebi de bu olsa gerek. Mazi sadece bir hatıralar toplamı değildir, aksine hep bugünle beslenen ve son nefesimize kadar bizi terk etmeyecek olan hayatımızın ta kendisidir. Biliyorum, geçmişi olmayan insanların, ne bugünleri ne de istikballeri olur ama bazen keşke böyle bir mazim olmasaydı diyorum. Keşke bütün bu acıları çekmemiş, keşke böylesi bir hayatı yaşamamış olsaydım. Dün gece sana yazarken bir kez daha kapıldım bu hisse. Ama vazgeçmek yok, ne kadar üzüntü verse de, ne kadar zor olsa da sana yazmaya devam edeceğim. Beni öldürmedikleri ya da bir zindana tıkmadıkları sürece kalemim susmayacak. Başımdan geçenleri kâğıda dökmeyi sürdüreceğim, üstelik okumayacağını, belki de zarflarını açmadan yırtıp atacağını bile bile.

Zira, sadece sana yazmak ihtiyacı ayakta tutuyor beni. O sebepten, tıpkı zorlu müsabakaya hazırlanan bir sporcu gibi gevşemeye hiç hakkım yok. Ne başımdaki ağırlık, ne midemdeki yanma, ne bedenimi saran halsizlik engel olabilir bana. Bu şuurla kalktım yatağımdan. Serin su canlandırdı bedenimi. Yine de aşağıya inmeyi göze alamadım. Kahvaltıyı odama istedim. Gelenlerin hepsini bitiremedim de, ama kahve iyi geldi. Adeta uyandırdı beni, zihnimi açtı, o anda acayip sigara çekti canım. Hatta isteyeyim getirsinler bir paket diye düşündüm ama sonra vazgeçtim. Hiçbir zaman iradem dışında işler yapmamıştım. Belki de cemiyetin bana kazandırdığı en önemli haslet buydu. Hayır, sigarayı bırakmıştım, asla tekrar başlamayacaktım. Masanın başına oturmadan önce, balkona çıktım yine, şehre değil, gökyüzüne bakmak için, derin bir nefes almak için. Lakin hevesim kursağımda kaldı.

Gökyüzü bulutlarla kaplanmıştı, sanki yağdı yağacaktı... Kör bir griye bürünmüştü deniz. Daha fazla bakamadım bu iç karartan havaya, odaya döndüm ve güya insanda mutluluk uyandıran bir mevsimi, ilkbaharı yazmaya başladım. Ancak 1909 yılının Dersaadet'inde hiç de hoş hisler uyandırmıyordu bu güzel mevsim.

Evet, inkılap Selanik'i ne kadar güzelleştirdiyse, bu ayaklanma payitahtı o kadar çirkinleştirmişti. Selanik'te herkes sokağa çıkmak, isyana katılmak için can atarken, Dersaadet'te ahali ortalıkta görünmeyerek, sokaktaki beladan uzak durmaya çalışıyordu. Yok, hiç abartmıyorum, şehir sakinlerinin neredeyse tamamı evlerine kapanmış, dükkânlarının kepenklerini günlerce açmamıştı. İsyancılar amaçlarına ulaşmış olmalarına rağmen sakinleşmek nedir bilmiyorlardı. Sürüler halinde kahvehanelere dalıyor, duvardaki resimleri indiriyor, hürriyet yazan levhaları paramparça ediyor, tesettüre uygun giyinmeyen kadınların saçlarını kesiyor, meyhaneleri talan ediyorlardı. Başta azınlık ahalisi olmak üzere kimsenin can ve mal güvenliği kalmamıştı koca şehirde.

Ertesi sabah Tophane'de bir kahvehanede buluşmuştuk üç kafadar. Basri Bey'in yüzünden düşen bin parçaydı. Çok sevdiği sade kahvesini bile içecek keyfi yoktu.

"Alçaklar, harbiyeli subayları öldürüyorlarmış sokakta," diye söylendi öfkeyle. "Onlarca subayı şehit etmiş kansızlar... Bunlara birinin dur demesi lazım."

Kıvılcımı alır almaz çakan bir barut fıçısı gibi anında patladı Fuad:

"Biz de onları öldürelim. Nasıl olsa elimizden başka bir şey gelmiyor. Nasıl olsa sivil giyimliyiz. Dalalım sokaklara, karşılaştıklarımıza basalım kurşunu... Ya herrü ya merrü..."

Çaresizce baktı Basri Bey.

"Bu Fransız ihtilalini anlatan bir piyes değil Fuad. Biz de o piyesin aktörleri değiliz. Bu hakikat. Öyle aklımıza her eseni yapamayız."

Tiyatro merakının yüzüne vurulması hoşuna gitmemişti genç zabitin.

"Ama Basri Bey," diyecek oldu...

Elini kaldırarak susturdu onu kumandanımız.

"Ben istemiyor muyum zannediyorsun Fuad? Öldürülen arkadaşlarımızın intikamını almayı, bu alçakları döktükleri kanda boğmayı arzu etmiyor muyum? Ama bize bir vazife verildi. 3. Ordu gelene kadar sıkacağız dişimizi." Bakışlarını kahvehanenin penceresinden denize çevirdi. Sanki birazdan devasa bir gemi yanaşacak da içinden şehri kurtarmaya gelen askerler çıkacakmış gibi umutla mırıldandı: "Çok sürmez, bugün yarın defterini düreriz bu soysuzların..."

Soğumaya yüz tutmuş kahvesine uzandı, bir yudum aldı, beğenmemiş olacak ki suratını buruşturdu. Fincanı bıraktı, işlemeli bardağı alarak içindeki suyu son damlasına kadar içti. Elinin tersiyle ağzını ve bıyıklarını sildikten sonra başıyla yaklaşmamızı işaret etti.

"Cemiyetin önemli adamları sağ salim bir evde emniyet altındalar," dedi adeta fısıldayarak. Merakla baktığımızı görünce teferruata girdi. "Talat Bey'den bahsediyorum, Ahmed Rıza'dan, Doktor Nazım'dan. Evet, arkadaşlar bu insanların muhafaza vazifesi bize verildi."

Sesindeki kibir hissedilmeyecek gibi değildi. Hiç ayıplamadım onu, çünkü aynı gurura ben de kapılmıştım. Hayatımda en çok önem verdiğim iki insanın emniyetini sağlayacaktım. Hele Ahmed Rıza'yı Paris'ten bu yana hiç görmemiştim, bakalım beni hatırlayacak mıydı? Birden saçmaladığımı fark ettim, benim şahsi hislerimden çok daha mühim bir vaziyet vardı ortada. Ölüm kalım meselesi... Fertlerin değil, inkılabın varlığı yokluğu söz konusuydu. Ben de tutmuş Ahmed Rıza'nın benim gibi genç bir adamı hatırlamasını umut ediyordum.

Kahvehaneden kalktığımızda güneş epeyce yükselmiş, deniz ışıl ışıl yanmaya başlamıştı. Rüzgâr barut kokuları getiriyordu bir yerlerden. Zaten sokakta alelade dolaşan kimse yoktu, her yerde başıbozuk askerler, isyancı talebeler... Bu serseri taifesi, küçük gruplar halinde geziniyor, kanun da biziz, nizam da edasıyla ona buna sataşıyor, sanki marifetmiş gibi her akıllarına geldiğinde ellerindeki silahların tetiklerine asılmaya devam ediyorlardı. Kahvehaneden yeni çıkmıştık ki, hemen önümüzdeki küçük meydanda belki de hayatında eline ilk kez silah alan bir medrese talebesi, gözlerimizin önünde yanlışlıkla kendi arkadaşını vurdu. Gerisini düşün artık, o günlerde kim bilir kaç masum bu serserilerin kurşunlarıyla yaralandı, ziyan oldu.

Muhafaza altına alacağımız liderlerin hangi semtte olduğunu söylememişti Basri Bey. Emniyeti ihlal etmek istemediğimizden biz de soramıyorduk. Sokaklarda ne atlı bir tramvay ne de bir araba vardı; mecburen yürümeye başladık. Galata Köprüsü'nden Eminönü'ne geçtik. Ne gişelerdeki memurları takan vardı ne bilet alan. Köprünün ortasına geldiğimizde yirmi kişilik bir talebe grubu belirdi karşımızda. Ellerindeki yeşil bayrakları sallayarak üzerimize yöneldiler.

"Şeriat isteriz... Şeriat isteriz... Şeriat isteriz..."

Mülazım Fuad'ın belindeki tabancaya yöneldiğini gördüm, Basri Bey de fark etmişti. Başını sallayarak ikaz etti:

"Sakın ha!"

Derhal toparlandı Fuad. Aslında bizden şüphelendikleri filan yoktu talebelerin, kim olduğumuzu, kimden yana olduğumuzu da merak etmiyorlardı, kendi güçlerini göstermek istiyorlardı sadece. Yanımıza yaklaşırken, biz de başladık bağırmaya:

"Şeriat isteriz... Şeriat isteriz... Şeriat isteriz..."

Yumruklarını imanla sallayarak geçip gittiler yanımızdan. Eminönü'ne geçinceye kadar başka vukuat olmadı. Yeni Cami önünden sağa saptık, kapıları sıkı sıkıya kapalı Mısır Çarşısı'nı geçip Süleymaniye yönüne vurduk. Ara sokaklara girince o cakalı cakalı dolaşan, gözü dönmüşlerden oluşan kalabalıklar azalmaya, pencerelerinden sarkıp birbirinden malumat almaya çalışan İstanbullular görünmeye başladı. Aralarında daha cesur olanları kapılarının önüne kadar çıkmışlardı. Yanlarından geçerken, büyük bir merakla, şehirde neler olup bittiğini soruyorlardı bize.

"Evlerinizden çıkmayın, çarşı pazar kapalı," diye ikaz ediyorduk.

Gözlerinde gitgide büyüyen bir endişeyle bakıyorlardı yüzümüze.

"Padişahımız efendimiz neden bir hal çaresi bulmuyor?" diye soranlar mı ararsın? "Euzübillahimineşşeytanirracim," diyerek Allah'tan medet umanlar mı? "Ordu gelsin, bu rezilliğe son versin," diyenler mi? Kendi dinince, kendi meşrebince dua edenler mi?

Süleymaniye Camii'ne kadar yürüdük. Bu görkemli mabedin bahçesi de medrese talebeleriyle doluydu. Durmadan konuşmalar yapılıyor, üzerine ayetler yazılmış yeşil bayrakları sallıyorlardı. Arada bir getirdikleri tekbir, kalabalığı coşturuyor, isyana duydukları inancı kuvvetlendiriyordu. Davaları o kadar kutsiydi ki, cinayet işlemekte, insan dövmekte, yakmakta, yıkmakta, hakaret etmekte hiçbir beis görmüyorlardı. Bu kendinden geçmiş güruha bulaşmamak için caminin, kalın dış duvarları boyunca yürüyerek, Şehzadebaşı'na açılan güdük sokaklardan birine girdik. Sokak bizi genişçe bir caddeye çıkardı. Yağmalanmış üç dükkân gözümüze çarptı; bir terzi, bir sahaf, bir de fırın. Neden yağmalandıkları belli değildi, belki sahipleri mimlenmiş ittihatçılardı, belki azınlıklara mensuptular. Bir süre etrafa saçılmış kumaşların, kitapların, un kümeciklerinin arasından yürüdük, sonra sağa dönerek, uzunca bir sokağa girdik. Yürüdükçe kalabalıklardan da, gürültüden de uzaklaşıyorduk. Sokağın sonunda, kepenkleri indirilmiş bakkal dükkânının yanında, üzerinde Abdülaziz'in tuğrasını taşıyan bir çeşmenin önünde durduk. Basri Bey, içecekmiş gibi suya eğildi ama asıl amacı etrafı gözlemekti. Nitekim ellerini yıkadı, dudaklarını ıslattı, mendilini çıkarıp kurulanırken, bakışlarını geldiğimiz yöne çevirdi. Hayır, kimse tarafından takip edilmemiştik. Bu defa ben eğildim çeşmeye, ellerimi yıkadım serin suyla. Basri Bey, hâlâ sokağı kolaçan ediyordu. Hayır, üçümüzü saymazsak, ortalıkta sarı tüyleri pırıl pırıl, yeşil gözlü bir kediden başka canlı görünmüyordu. Emniyette olduğumuza kanaat getiren tecrübeli komutanımız, sakin ama hızlı adımlarla, çeşmenin arkasındaki kahverengi boyalı evin kapısını çaldı.

"Kimdir o?" diyen bir kadın sesi geldi içeriden. "Kime baktınız?"

"Ben Dişçi Nusret," dedi kumandanımız. "Ali Cemal Bey evde mi?"

Elbette sarf edilen sözlerin hepsi parolaydı. Bir kilit sesi duyuldu, ardından kapı aralandı. Acele etmeden ama olabildiğince çabuk, üçümüz birden daldık içeri. Kapıyı açan siyah yaşmaklı teyze, sofadan çekilirken, sağ elindeki Lüger tabancayı gizlemeye lüzum görmeyen iri yarı bir adam çıktı karşımıza.

"Merhaba Basri, hoş geldin..."

Gülümsedi bizim Kumandan.

"Vay Cezmi, vay iki gözüm, demek sen de buradasın!"

Evet, Esterciğim, bu öğleden sonra buluşacağım Binbaşı Cezmi'yi işte ilk o evde görmüş, ilk o evde konuşmuştum onunla. O zamanlar yüzbaşıydı. Bizim gibi o da, İttihat ve Terakki Cemiyeti'nin liderlerinin emniyetini sağlamakla vazifelendirilmişti.

"Tabii buradayım, başka kime teslim edecekler bu mühim adamları?"

Anında sarmaş dolaş olmuştu Cezmi Bey ile bizim Basri Kumandan. Sonradan öğrenecektik, harbiyeden sınıf arkadaşı olduklarını.

"Nasıl durum?" diye sordu Basri. "Neler olup bitti, anlatsana biraz."

Başıyla kapısı kapalı odayı gösterdi.

"Yahu hiç sorma. Güç bela kurtardık Ahmed Rıza Bey'i yobaz güruhundan. Adamda yürek mangal gibi, sanki ortalık güllük gülistanlık, sen kalk arabaya bin Bab-ı Âli'ye gel. İsyancıların arasına düşse paramparça ederler anında... Hükümet binasına girince nazırlar görüşmeye korkmuşlar onunla. Bir süre yanına bile gelememişler. Ne yapsın, o da Hariciye Nezareti'nde saklanmış bütün gün. Hava kararınca, Suudi Bey'le birlikte gittik, topladık, yüzünü bir mendille saklayarak buraya getirdik işte..."

Sanki görecekmiş gibi evin içine göz gezdirdi Basri Bey...

"Talat Bey'le Doktor Nazım da buradaymış..."

İri başını hafifçe geriye attı Cezmi.

"Buradalardı, gittiler, bu sabah ayrıldılar... Ahmed Rıza Bey biraz bozuldu ama bence doğrusunu yaptılar... Maazallah! Softalar bu eve bir baskın verse, cemiyetin fikir babası da, teşkilat sorumlusu da heba olurdu. Nasıl toparlanırdık ondan sonra bilmem." Bakışları Fuad'la bana kaydı. "Arkadaşlar da Selanik'ten mi?"

Kolağası Basri'nin cevaplamasına fırsat kalmadan, arkadan bir gıcırtı duyuldu, az önce Cezmi'nin işaret ettiği kapıdan, ince uzun yüzü, heybetli sakalıyla hepimizin hayranlık duyduğu, "Hürriyet'in Babası" Ahmed Rıza göründü. Şaşkın gözlerle bize baktığını fark eden Cezmi derhal toparlanarak vaziyeti izah etmeye kalkıştı.

"Efendim, arkadaşları cemiyet yollamış. Emniyetiniz için..."

Ahmed Rıza'nın yorgun yüzünde minnet dolu bir tebessüm belirdi.

"Hoş geldiniz arkadaşlar, sağ olun var olun..."

O anda bakışları bana takıldı.

"Siz... Yanılıyor muyum? Siz Paris'te görüştüğümüz o delikanlısınız değil mi? Şahsuvar mıydı?"

"Şehsuvar efendim," diye düzelttim heyecanla. "Şehsuvar Sami... Tanıdınız demek..."

Açık renk gözlerine tatlı bir ışıltı yayılmıştı.

"Evet, Şehsuvar Sami... Paris'teki lokale gelmiştiniz. Bonaparte Sokağı'na... Yanınızda bir de genç hanım vardı. Kızıl saçlı, güzel bir hanım... Stella mıydı?"

Senin adını da yanlış söylemesine rağmen bizi hatırlıyor olması çok memnun etmişti beni.

"Ester, adı Ester'di efendim... Babası Mösyö Naum arkadaşınızdı..."

Usulca başını salladı.

"Mösyö Naum, çok değerli bir hocadır. Edebiyat profesörü..." Birden ciddileşti. "Peki ama ne arıyorsunuz burada kuzum? Yanlış hatırlamıyorsam, muharrir olmak istiyordunuz. Bana bıraktığınız hikâyeleri okumuştum. Hiç fena değillerdi. Size de söylemiştim zaten, sakın yazmayı bırakmayın diye. Hatta Mösyö Naum'la da konuşmuştuk bu hususta. O da müspet düşünüyordu yazdıklarınız hakkında. Ne oldu şu sizin yazarlık macerası?"

Yüzüme bir sıcaklık yayılmıştı.

"Şey efendim, siz daha iyi bilirsiniz ama. Memleketin hali ortadayken... Yani vaziyet bu haldeyken, kitaplarla dolu bir odaya çekilip kendimi yazıya vermek pek doğru gelmedi."

Ne takdir eden bir bakış, ne saygı duyan bir ifade belirdi yüzünde.

"Anlıyorum, muhtemelen doğru bir karar vermişsinizdir. Ama bugün yaşananları kaleme alacak bir muharririmiz bulunsa fena mı olurdu?" Öteki dava arkadaşlarımıza baktı. "Öyle değil mi, bugünler geçecek. Bakın dünden bile tarih olmuş gibi bahsediyoruz, halbuki üzerinden yirmi dört saat geçti. Evet, birilerinin bunları yazması lazım. Hem de en yalansız, en hakiki haliyle."

"Ama yaşamadan yazamaz ki!" Koca kafalı Cezmi'ydi lafa giren. "Milletin korkusunu hissetmeyen, telaşını görmeyen, şehrin üzerine kara bir bulut gibi çöken o barut kokusunu duymayan biri, bugün yaşananları nasıl aksettirebilir ki?" Gurura benzer bir ifadeyle bana baktı. "Bugün tecrübe biriktiren bu kardeşimiz, eminim ileride bu yaşadıklarından çok güzel romanlar, hikâyeler çıkartabilir..."

Ahmed Rıza ilgiyle dinlemişti sivil zabitin sözlerini ama iğnelemeden edemedi:

"Tabii hevesi kaçmazsa." Dostça omzuma vurdu. "Günler o kadar zor, siyaset o kadar çirkefleşti ki, bu hayat, her an içimizdeki şairi öldürebilir." Kalender bir tebessümle süzdü hepimizi. "Hadi, hadi gelin, içeri geçelim..." Cezmi'ye döndü. "Hanımefendiye rica etsek, arkadaşlara içecek bir şeyler getirse..."

Cezmi mutfağa giderken, biz de Ahmed Rıza'nın kaldığı odaya geçtik. Bütün mobilyası, kahverengi kadifeden dört koltuk, bej rengi bir örtüyle kaplı genişçe bir sedir ve tahta bir masa olan mütevazı bir odaydı. Sanki kendi evindeymişiz gibi büyük bir nezaketle hepimize tek tek yer gösterdi. Basri Bey'le, Fuad'ın hatırını sordu, kendisini muhafazaya geldiğimiz için yeniden teşekkür etti. Ev sahibesi hanımın getirdiği kahveler içildikten sonra ciddileşti.

"Ee, anlatın bakalım sokakta vaziyet nedir? Ayaklanma ilerliyor mu hâlâ?"

Söze kimin başlayacağı kısa bir tereddüt konusu olunca, ben cevapladım:

"Dünkü gibi Ahmed Bey. Kargaşa sürüyor... Subayları öldürüyorlarmış, kadınları, azınlıkları taciz ediyorlarmış, ittihatçı bildiklerinin dükkânlarını yağmalıyorlarmış."

Dayanamayıp araya girdi Basri Bey:

"Ama eninde sonunda mağlup olacaklar. Evet, belki biraz daha azıtırlar, milletin malına, canına zarar verirler ama neticede hepsi bedbaht olacak..."

Sağ eliyle sakalını sıvazladı Ahmed Rıza.

"Ben de sizin gibi düşünüyorum. Aynısını dün Talat Bey'e de söyledim. Ne olursa olsun meşrutiyet tehlikeyi atlattı. Eğer dün yobazların eline geçseydik, o zaman çok fenaydı. Ama artık günleri sayılı alçakların..." Derin bir nefes aldı. "Fakat halledilmesi gereken büyük meseleler var..." Çaresizlik içinde başını salladı. "Çok büyük meseleler. Üstelik bizim kadroların tecrübesi yok, bilgisi yok, daha teşkilatlarımızı doğru dürüst kuramadık, bunlar kâfi derecede noksanlık değilmiş gibi bir de zorbalığa meylimiz var... Evet, bu başımıza gelenlerin altında bizim de kabahatimiz var." Bakışını bana çevirdi. "Zalimin en büyük başarısı, zulüm ettiklerini kendine benzetmesidir. Korkarım Abdülhamit buna muvaffak oldu. Eğer bu şekilde devam edersek, iktidarı kazansak bile istikbali kaybetmiş olacağız. Meşhur deyiştir: Zulüm ile âbâd olunmaz, olsa olsa berbat olunur. Mesela şu zavallı Hasan Fehmi'nin öldürülmesi... Evet, bardağı taşıran şu son damladan bahsediyorum. Bütün muhalifleri bize karşı birleştiren suikasttan. Söyler misiniz ne faydası oldu bu cinayetin bize? Neden öldürdük Hasan Fehmi'yi? Çok değil dokuz ay önce fikirlerin serbestçe söylenmesi lüzumundan bahsediyorduk, şimdi düşünce hürriyetinden korkar olduk. Ne farkımız kaldı Abdülhamit'ten?"

O konuşurken sözlerinden çok, ela gözlerindeki çaresizlik beni etkilemişti. Sadece benim için değil, bütün hürriyet sevdalıları için çok mühim bir insandı Ahmed Rıza. Öyle ki Paris'ten döner dönmez, cemiyet derhal bağrına basmıştı onu; milletvekili yapmış, meclis reisi seçmişti. Ama şu an, bu eski Jön Türk'ün gözlerine çaresizlik olarak akseden bu sıkıntıyı, cemiyet yöneticilerinin yüzünde bir hayal kırıklığı olarak görmüştüm. Her ne kadar Ahmed Rıza yıllarca, Abdülhamit'in baskılarına karşı, en zor şartlar altında dahi Paris'te Osmanlı hürriyetçiliğinin bayrağını neredeyse tek başına dalgalandırdıysa da, şimdi cesur fikirleri, din konusundaki radikal çıkışları ile bizzat cemiyetin içinde bile tepki çekiyordu. Nasıl ki, Dersaadet'te ve taşrada Makedonyalı ittihatçılara hoş gözle bakılmıyorsa, Makedonyalı ittihatçılar da içinde olmak üzere herkes bu alışılmadık münevverden hiç hazzetmiyorlardı. Ahmed Rıza'nın teorilerini hiçbir derde deva olmayacak cilalı ama boş lakırdılar olarak görenlerin sayısı o kadar fazlaydı ki. 31 Mart Kalkışması'yla başlayıp gitgide sertleşen olaylar, bu büyük münevverin de gitgide yıldızının sönmesine neden olacaktı. Cemiyete gereken kararlı, disiplinli emirleri sorgulamadan yerine getiren inançlı kadrolardı. Ahmed Rıza gibi olan bitene eleştirel bakan, üstelik fikirlerini söylemek konusunda hiç de çekingen davranmayan biri değil. Nitekim kısa bir süre sonra, cemiyetin işlediği cinayetlerin çok büyük hata olduğunu açıkça söyleyecek, ülkede yeni bir istibdat rejimi kurulduğunu iddia edecekti. Böylece İttihat ve Terakki'yle yolları ilelebet ayrılacaktı. Ama o gün, henüz bu ayrılık tümüyle su yüzüne çıkmamıştı. Şu an çok daha vahim bir mesele vardı karşımızda, inkılabı korumak ve meşrutiyeti kalıcı kılmak.

Beş gün boyunca Ahmed Rıza'nın emniyetini sağladık. Bazı günler Şehzadebaşı'nın ağır tütün kokan kahvehanelerine oturup milletten malumat toplayarak, bazı günler dükkânlarını yeni yeni açmaya başlayan esnafın arasına karışarak, bazı geceler sokağın karanlık kuytularında nöbet tutarak, bazı geceler elimizde silah pencerenin ardında bekleyerek... Yorucuydu, gergindi, korkutucuydu ama şikâyet etmeyeceğim. Beş gün boyunca o büyük münevverin beni derinden sarsan fikirlerini dinleme fırsatı buldum. Birçoğunu biliyordum ama bizzat kendinden dinlemek çok daha etkileyiciydi, çok daha öğretici.

Baş başa kaldığımızda Fransızca konuşuyordu benimle. Bazen Fuad da katılıyordu bize. Bir keresinde Shakespeare ile Moliere üzerine sıkı bir tartışmaya tutuşmuşlardı aralarında. Ahmed Rıza, İngiliz yazarı savunuyordu, Fuad ise Fransızı. Hem insan haletiruhiyesinin karmaşasını, hem de hayatın envaitürlü hallerini büyük bir muvaffakiyetle sergilediği için Shakespeare'i dünyanın gelmiş geçmiş en büyük yazarlardan biri olarak gördüğünü söylüyordu. Zabit arkadaşım ise fanatizme varan bir tutkuyla Moliere'i savunuyordu. Ahmed

Rıza'yla başa çıkamayınca, darıldı, bir gün boyunca ikimizle de konuşmadı. Aslında iyi de oldu, böylece cemiyetimizin fikir babasıyla daha fazla zaman geçirme imkânı yakaladım.

Paris'te yaşadıklarını anlattı Ahmed Rıza, hatta çocukluk hatıralarını paylaştı, Mekteb-i Sultani'deki günlerini... İlk gençliğinde o da şiir yazarmış, on beş yaşındayken yazdığı bir şiir bestelenmiş. Bilim kadar olmasa da sanata, edebiyata çok önem veriyordu. Açıkça söylemedi ama zannederim yazar olma fikrinden caymış olmamı pek doğru bulmamıştı. Onun bu hali kafamı karıştırmadı değil ama olaylar o kadar çabuk gelişiyordu ki, hayat derin bir tefekküre asla izin vermiyordu.

Nitekim beş gün sonra Ahmed Rıza'yı Yeşilköy'de daha güvenli bir eve taşıdık. Ayrıldıktan sonra da pek çok kez haber aldım ondan ama bir daha yüz yüze konuşmak için senelerin geçmesi gerekecekti. Yeri ve zamanı gelince o gerilimli konuşmayı da yazacağım, şimdi akışı bozmayayım. Evet, Ahmed Rıza Şehzadebaşı'ndaki o evden taşındıktan altı gün sonra, Selanik'ten gelen Hüseyin Hüsnü Paşa komutasındaki Hareket Ordusu şehrin surlarına dayanmış, on bir gün boyunca payitahtı ve hürriyeti esir alan isyancılarla hesaplaşma vakti gelmişti.

Ama artık durmam lazım, çünkü başımdaki ağırlık düpedüz ağrıya dönüştü. Yoksa gözlerimde mi bir arıza var? Yazarken nüksettiğine göre bu baş ağrıları... Biraz ara vermeliyim, hatta bir ilaç alsam iyi olacak.

"İsyancıların teslim olmak gibi bir niyeti yoktu."

✳

Merhaba Ester, (6. Gün, Öğle)

Uyumuşum, evet öylece kayıp gitmişim oturduğum berjer koltukta. Aldığım ilacın etkisi olsa gerek. Çalan telefon uyandırdı beni. Yoksa geç mi kalmıştım, üçü bulmuş muydu saat? Telaşla açtım telefonu.

"İyi günler efendim," dedi resepsiyondaki Ömer. "Reşit Bey hatırlatmamı istedi, saat üçte lobide buluşacakmışsınız..."

Telaşla sordum:

"Şimdi saat kaç?"

"Henüz on bir efendim..."

Oh, rahat bir nefes almıştım.

"Tamam, teşekkür ederim," diyerek kapattım telefonu. Hepi topu yarım saat kapamıştım gözlerimi ama şimdi daha zinde hissediyordum kendimi. Akşam bölük pörçük uyumuştum ya, demek ki o nedenleymiş bu baş ağrıları filan. Banyoya gittim, yüzümü yıkadım. Buluşmaya giderken giyeceğim giysilerimi çıkardım, yatağın üzerine serdim. Canım, fena halde kahve çekiyordu. Aşağıya inmeyi yine gözüm kesmedi. Açtım telefonu, istedim. Kahve gelinceye kadar balkona çıktım yine.

Hayır, yağmur başlamamıştı, kuvvetli bir rüzgâr çıkmış, sürükleyip götürmüştü sabahki kara bulutları. Geç kalmış

181

bir sabah güneşi tatlı tatlı ışıldıyordu binaların üzerinde. Bu hoş ışığın marifeti mi, Cezmi'yle buluşacak olmanın verdiği heyecan mı, başımdaki ağırlığın geçmiş olması mı, sabahki karamsarlığım yok oluvermişti. Uzaktan uzağa gürültüler geliyordu; aşağıda, hemen ayaklarımın dibindeki Tepebaşı Tiyatrosu'nun girişinde tamirat vardı. Bir hatıra canlandı gözlerimin önünde. 1906 yılı, hani benim Mekteb-i Sultani'den mezun olduğum, hani senin İstanbul'a geldiğin sene... Sirkeci Garı'ndan seni alışımın ikinci günü, daha doğrusu akşamı. Tiyatroya gelmiştik, Paris'ten gelen bir Fransız kumpanyası *Cyrano de Bergerac*'ı sahneliyordu. Vasat bir oyundu aslında ama kimin umurunda, yanımda sen vardın ya. Dünyanın en kabiliyetli aktör ve aktrislerinden, dünyanın en güzel temsilini izlemiş gibiydim. Elbette sen, benim gibi düşünmüyordun.

"Cyrano'yu oynayan aktör berbat," demiştin her zamanki dobralığınla. "Fakat oyun o kadar güçlü ki, adamın kifayetsizliği bile önemsiz kalıyor. Şairin sözcükleri, aktörü bile kurtarıyor."

İstanbul'da yaşadığım en güzel dört gündü. Sadece İstanbul'da değil, hayatım boyunca yaşadığım en güzel dört gün. Sanki karı koca gibiydik, ne karışan ne görüşen. Sabah alıyordum seni Lillia Hala'nın evinden, akşama kadar dolaşıyorduk şehirde. Şirket-i Hayriye vapuruyla Boğaz gezisi mi dersin, Kâğıthane'de kayık sefası mı? O günkü mutluluğumu hiçbir zaman anlatmadım sana, anlatamadım... O kadar çok düşünce, o kadar çok his var ki sana söyleyemediğim.

Çalan kapıyla dağıldı düşüncelerim. Odaya döndüm, kahvemi getirmişlerdi, berjer koltuğuma gömülüp tadını çıkara çıkara içtim. Yine sigara arzusu nüksetti. Aldırmadım, saate baktım, on biri geçiyordu. Yeniden masaya döndüm, kalemi alıp yazmaya başladım.

Dersaadet'te isyan, baharın başlangıç günlerinde patlak vermişti. Her yerde erguvanlar açmıştı. Eski sarayların bahçeleri, Haliç'in sırtları, Boğaz'daki yalıların kapıları, unutulmuş küçük meydanlar, camilerin serin avluları, hazin mezarlıklar, denize inen dik yarlar, surların kuytulukları, velhasıl şehrin her yanı, her tarafı tatlı bir pembelikle kuşatılmıştı.

"İmparatorluk çiçekleri," diyordun tutkulu bir sesle. "Bu Roma İmparatorluğunun rengidir. Zaferi altın kadehlerde içenlerin, zulmün sağladığı zenginlikte hüküm sürenlerin, ihanetin ve cinayetlerin rengi..."

Evet, bu kadim kent, kim bilir kaçıncı isyanını yaşarken, sokakları saran korkuya, akan kardeş kanına, kirli bir bulut gibi üzerine çöken barut kokusuna inat, bir sabah ansızın patlayıvermişti imparatorluk çiçekleri. Sanki çok aceleleri varmış gibi...

"Umuttur," demişti Madam Melina, bizim bahçedeki erguvana bakarak. "Ne zaman bu ağaç böyle gelin gibi süslense güzel bir haber alırım. Geçecek Şehsuvar Bey evladım, inan bana bu kötü günler geçecek. Hem de pek yakında..."

Onun da kulağına kadar gelmişti Hareket Ordusu'nun şehre yaklaştığı. Kahvelerde, meydanlarda, sokaklarda, hanelerde hep bu yeni havadis konuşuluyordu. Umut kadar umutsuzluk, sevinç kadar endişe de vardı ahalinin yüreğinde. Büyük bir çatışma çıkmasından, evlerinin yağmalanmasından, tecavüze uğramaktan, öldürülmekten korkuyordu herkes. Öte yandan günlerdir süren bu isyanın neticelenecek olması milleti umutlandırıyor, herkes huzurun yeniden tesis edilmesini bekliyordu. Ahalide bu hisler hakimken, Mahmud Şevket Paşa da Yeşilköy'de bir konağa yerleşmiş, ordunun komutasını Hüseyin Hüsnü Paşa'dan alarak harekâtı bizzat kendisi idare etmeye başlamıştı.

Hükümetin de, meclisin de hiçbir kuvveti kalmamıştı artık. Meclis-i Mebusan'da vatanın farklı şehirlerinden gelen telgraflar okunuyordu sadece. Artık hüküm sahibi Mahmud Şevket Paşa'ydı. Bu hakikati fark edenler, Yeşilköy'deki konağın kapısını aşındırmaya başlamıştı. Her gün başka bir heyet ziyaret ediyordu Mahmud Şevket Paşa'yı; saray temsilcileri, Meclis-i Mebusan'dan gelenler, gazeteciler, can ve mal emniyetinden şüphe duyan azınlıklar... Zaten harekâtın başlamasına iki gün kala Meclis-i Mebusan da Yeşilköy'deki yat kulübüne taşındı. On gün önce istifa eden bizim Ahmed Rıza, Said Paşa'yla birlikte tekrar meclis başkanı oldu. Ve daha ilk oturumda Abdülhamit'in tahttan indirilmesi görüşülmeye başlandı.

Abdülhamit ise kendi kaderini merak ediyor, kötü bir akıbete uğramamak için, "Zinhar bu kıyamla benim hiçbir ilişiğim yok. Meşrutiyetle ilgili verdiğim bütün sözlere bağlıyım," diye haber yolluyordu ardı ardına. Meclis-i Mebusan'dan gelen teklif Hareket Ordusu'nun şehre girmemesi, kurulacak bir heyetin başkaldıranları ikna etmesiydi. Mahmud Şevket Paşa bu teklife hiç yanaşmadı; şehri ateşe ve kana boyayanlar yaptıklarının bedelini ödemeliydi. Ama padişaha, "Bu olaylarla bir alakanız olmadığı için size hiçbir zarar gelmeyecek," manasında bir haber uçurdu. Çünkü sultanın emrinde hâlâ önemli bir askerî kuvvet bulunduğunu aklından hiç çıkarmıyordu.

Hareket Ordusu, evet bütün dengeleri altüst eden kuvvet işte buydu. Bugünün Reisicumhur'u, o zamanın kolağası Mustafa Kemal'in de teşkilinde mühim bir rol oynadığı Hareket Ordusu'nun yolda olduğu haberleri derhal tesirini göstermiş, artık isyancılar için rüzgâr tersten esmeye başlamıştı. Bu manasız kalkışmanın son bulması an meselesiydi. "İsyan anları turnusol kâğıdı gibidir, bir toplumun hakiki karakterini gösterir," derdi Leon Dayın. Söylediği gibi oluyordu, riyakâr toplumun, riyakâr insanları güç karşısında, adeta birbirleriyle yarışırcasına fikirlerini değiştirmeye başlamışlardı. İlk olarak gazeteler ağız değiştirmişti. On gün evvel isyancıları yere göğe sığdıramayanlar, şimdi Derviş Vahdetî ve gazetesi *Volkan*'ı topa tutuyorlar, yaklaşmakta olan ordudan bir kurtarıcı olarak bahsediyorlardı. Muhalif mebuslar birer ikişer kapağı yurt dışına atma telaşındaydılar. Şehir ahalisi de birden cesurlaşmış, softalara karşı sesini yükseltmeye başlamıştı.

Ve elbette bizim küçük fedai grubumuz da kendince hazırlık yapıyordu, Hareket Ordusu'nun payitahta girmesi ve isyancıları hezimete uğratması için. Ahmed Rıza'nın Şehzadebaşı'ndaki evden taşınmasından sonra Cezmi Kenan da katılmıştı küçük grubumuza. Deli doluydu, aklına geleni pat diye söylüyordu, önce yadırgadım bu kaba saba adamı. Tanıyıp da, içinde bir kötülük olmadığını anlayınca sevmeye başladım. Fakat Basri Bey, beni bir köşeye çekip, "Aman Şehsuvar, bu Cezmi'ye mukayyet ol. İyidir hoştur ama biraz kalın kafalıdır. Ne eğilir ne bükülür. Vazife sırasında bir halt yemesin," diye tembihleyince dikkat etmek lazım geldiğini anladım. Çünkü yeni vazifemiz, kışlaların durumu hakkında malumat toplamaktı.

İlk gün Davutpaşa Kışlası'nı tetkik etmeye, askerin haletiruhiyesini öğrenmeye gittik. Kendi can emniyetimiz için kıyafetlerimizi de değiştirmiştik. Dördümüz de feslerimizi, redingotlarımızı çıkarmış, softalar gibi başımıza sarıklar bağlamıştık. Aynada kendime bakarken, şimdi Ester beni görse, "Bu ne hal Şehsuvar, bir hafiyeliğin eksikti, o da tamam olmuş," diyerek kahkahalarla güler diye düşünmüştüm. Ama eminim bundan çok daha sert olurdu tepkin, çok daha acımasız... Neyse...

O sabah Davutpaşa Kışlası'nın kapısına kadar yaklaşmıştık, kimse bizden şüphelenmemişti. Nöbetçi askerlerle sohbet etmiştik; Hareket Ordusu'nun gelmekte olduğunu duymuşlardı ama moralleri pek bozuk değildi. Ya durumun vahametini anlamamışlardı ya da alaylı kumandanların sözleri etkili oluyordu hâlâ. Kışlalarını müdafaada kararlı görünüyorlardı. Sonra Taksim'e çıkmış, Topçu Kışlası'nın karşısındaki parka oturmuş havadis toplamaya çalışmıştık. Konyalı bir çavuş vardı,

"Eğer Rumeli'den gelecek kâfirleri de yenersek, o zaman hakiki zafere ulaşacağız," diyordu inançla "Mağlup olursak da elimizde Sancak-ı Şerif'i dalgalandırarak cennete gireceğiz. Orada efendimiz Hazreti Muhammed sallallâhu aleyhi ve sellem bizi karşılayacak... "

Hiç korku yoktu gözlerinde. Gelen Harekât Ordusu'nu kâfir, kendilerini peygamber askeri sayıyordu. Kutsal bir harpti bu, bir din harbi...

Öğleden sonra da Taşkışla'ya geçmiştik, oradaki askerlerde de bir bozgun havası görülmüyordu. Kışlanın önündeki erata söylev veren onbaşı da bugün konuştuğumuz bütün askerler gibi umutluydu:

"Hareket Ordusu, korkaklardan teşekkül etmiş düzensiz, disiplinsiz bir gürûhtur," diye bağırıyordu. "Müslümanların katılmadığı, Hıristiyan Bulgarlardan, Rumlardan, Ermenilerden müteşekkil bir kuvvettir. Nasıl ki ecdadımız, Haçlıları bozguna uğrattıysa, biz de Allah'ın izniyle bu kâfirlerin hepsini yerle yeksan edeceğiz inşallah," diyordu. Kimse mağlubiyetten ya da teslim olmaktan bahsetmiyordu.

Bir sonraki gün Beyazıt'a inmiştik, Harbiye Nezareti'ne kadar gittik, en sıkı disiplin oradaydı. Kapıya yaklaştığımızı gören nöbetçi tüfeğini doğrultmuştu.

"Yasak kardeşim, gelmeyin."

"Bizim amcaoğlu Seyfullah'ı soracaktım," diyecek olmuştu Cezmi Bey. "Meraklandık da..."

Askerin kaşları iyice çatılmıştı.

"Niye laf anlamıyorsun kardeşim, yasak diyorum yasak."

Onun bağırtısına başka askerler de yetişmişlerdi, şüpheyi üzerimize çekmenin manası yoktu ama Cezmi,

"Amcaoğlunu merak ediyorum yahu, ne olur sanki biraz tafsilat verseniz," diyecek olmuş, Basri Bey, kolundan çekip sürüklemişti inatçı zabiti.

"Yürü Cezmi, yürü, başımıza iş açmadan gidelim buradan."

Sonra Divan Yolu'ndan yürüyerek Bab-ı Âli'ye inmiştik. Hem hükümet binasında, hem de Ayasofya civarında sıkı tertibat almışlardı. Ayasofya'nın bahçesinde konuştuğumuz, daha bıyıkları yeni terlemiş bir medrese talebesi şöyle demişti:

"Ölürsem şehit olacağım, galip gelirsek şu güzelim vatanda şeriatı dünya gözüyle göreceğim. Allah'tan daha başka ne ister insan?" Karşılaştığımız herkes benzer hisler içindeydi. "Kazanırsak o Yahudi masonların, kâfir Hıristiyanların uşağı olan bu soysuzlardan kurtulacağız, kaybedersek mekânımız cennet olacak."

Ayasofya'dan sonra denize doğru vurmuş, Ordu Dikimevi'nin oradan Ahır Kapı İstasyonu'na ulaşmıştık. Yolda pek asker görmemiştik, isyancıların zayıf karnı burasıydı işte. Ama bunun ötesinde tespitimiz şuydu; askerler de, medrese talebeleri de yani isyana kalkan herkes ölmeye ve öldürmeye hazırdı. Evet, endişeliydiler, kaygılıydılar ama padişah onları affetmişti bir kez, hatta belki Hassa Ordusu'nu da yardıma gönderirdi. O zaman vaziyet tümüyle değişir, Hareket Ordusu katiyetle bozguna uğrardı. Ama bu dilekleri hiçbir zaman gerçekleşmeyecekti. Daha fazla kardeş kanı dökülmesini istemediğinden mi, yoksa Mahmud Şevket Paşa'nın sözlerine kanıp başına bir iş gelmeyeceğine inandığından mı bilinmez, tecrübeli sultan, Yıldız'daki orduyu harbe sürmedi.

Ertesi gün trenle Halkalı'ya gittik. Ordunun karargâhı, Baytar Mektebi Binası'ndaydı. Binbaşı Muhtar Bey karşıladı bizi. Edindiğimiz bütün malumatı, bir İstanbul haritasının üzerinde sözlü olarak Muhtar Bey'e aktardık. Büyük bir alakayla, önündeki sarı sayfalı büyükçe deftere, muntazam notlar alarak dinledi. Basri Bey, ordunun şehre hangi noktalardan girebileceğini, hangi kışlalarda vaziyetin ne olduğunu gösteren bir de kroki çizdi ona.

"Aynı anda bütün kışlalara birden hücum edilmelidir," diye ikaz etti. "Rami Kışlası, Davutpaşa Kışlası, Harbiye Nezareti, Ayasofya Civarı, Topçu Kışlası, Taşkışla ve Selimiye. Bunların hepsini aynı saatlerde ele geçirmek mecburiyeti vardır, aksi takdirde birbirlerine yardıma gelirler."

"Evet," diye tasdik etti koca kafasıyla Cezmi. "Saldırı ani, kuvvetli ve kahredici olmalı. Nefes almalarına dahi fırsat vermemeliyiz. Neye uğradıklarını anlamadan söküp almalıyız kışlaları ellerinden."

Yerden göğe kadar haklıydılar. Zannedildiği kadar kolay bir zafer olmayacaktı bu. Evet, Hareket Ordusu'nun gelmesi isyancıları biraz şaşırtmıştı ama çabuk atlatmışlardı ilk korkuyu. İsyanın lider takımı da boş durmuyor, hocaları, vaizleri Hareket Ordusu'nun içine salarak, bizim taraftaki eratın aklını çelmeye çalışıyordu.

"Sizi kandırıyorlar, bu gelen Müslüman değil, gavur ordusudur. Dinimizi elimizden alacaklar. Ne şeriat kalacak ne halife. Abdülhamit Han'ı öldürecekler," diye askerin maneviyatını bozuyorlardı. Henüz silahlar patlamadan manevi harp başlamıştı.

Hareket Ordusu şehre girinceye kadar tam üç kez ziyaret ettik Halkalı'daki ordu karargâhını. Tam üç kez aktardık topladığımız malumatı Muhtar Bey'e. Her defasında teşekkür etti bize ama oraya her gidişimizde sanki morali biraz daha bozuluyor gibiydi. Harekâtın başından beri en ön saflarda yer alan bu cefakâr zabit durumun ciddiyetini öğrendikçe isyanın hiç de öyle kolayca bastırılamayacağını anlıyordu. Ne yazık ki çatışma çıkması, kardeş kanının akması kaçınılmazdı. Ama zafer istiyorsak bunu göze almak mecburiyetindeydik.

Ve nihayet o an geldi. İsyanın patlak vermesinin on birinci gününde, cumartesi gecesinin ilk saatlerinde başladı ordunun harekâtı. Ve sabah ezanından önce silah sesleriyle uyandı şehir. Bakırköy'ün alınması kolay olmuştu, Baruthane'de nöbetçilerle girilen küçük bir çatışmanın ardından, bizimkiler duruma hakim olmuştu. Buna mukabil, Davutpaşa Kışlası'ndaki çatışmalar daha uzun sürmüştü. O gün kışladaki süvari alayı selamlığa gitmişti, dönerken Hareket Ordusu kuvvetleriyle karşılaşmışlar ve derhal saldırıya kalkmışlardı, ama bizimkiler top ateşiyle cevap verince, fazla tutunamamış, surların arkasına çekilmişlerdi. Böylece Davutpaşa Kışlası elimize geçmişti.

Fakat isyancıların teslim olmak gibi bir niyetleri yoktu, nitekim Edirnekapı'dan giren müfrezeye Fatih Zaptiye Dairesi'nin önünde ateş açılmıştı, anında karşılık verilince, çatışmaya caminin pencerelerine yerleşen medrese talebeleri ve askerler de müdahil olmuştu. Ağır çatışma bir süre devam ettikten sonra dayanamayacaklarını anlayan gafiller, geride ölülerini bırakarak kaçmak mecburiyetinde kalmışlardı.

Bizi en çok şaşırtan Harbiye Nezareti'ndeki durumdu. Oraya ulaşan kuvvetlerimizin başında Erkanı Harp Binbaşısı Fethi Bey'le, Hürriyet Kahramanı Resneli Niyazi Bey vardı. Bilhassa Fethi Bey'in, asi askerlere,

"Sizin bu işte hiçbir suçunuz yok, sizi cezalandırmayacağız, hem bu askerler sizin kardeşleriniz, öz kardeşlerinize silah mı sıkacaksınız?" diye seslenmesiyle, tek kurşun atılmadan nezareti ele geçirmişlerdi. Ancak Resneli gönüllülerden bazıları, olayları kışkırtan bir zabiti yakalayıp herkesin gözü önünde kurşuna dizince, teslim olan askerler tedirgin olmuştu. Allahtan vaziyeti fark eden Resneli Niyazi vaktinde müdahale etmiş, askerlerin silaha sarılmasına fırsat vermemişti. Kendi adamlarını da ikaz ederek, bu tür infazları gözden uzak yerlerde yapmaları konusunda kati emir vermişti. Böylece sükûnet bozulmamış, büyük bir çatışma çıkmasına mani olunmuştu.

Ayasofya bölgesine giren kuvvetlerimiz, verdiğimiz istihbarat neticesinde, o sabah ışıkları söndürülmüş bir trenle Ahır Kapı istasyonuna gelmiş, çoğunluğu gönüllülerden oluşan kuvvetler, hiçbir güçlükle karşılaşmadan kolayca meydana ulaşmışlardı. Asiler adliye binasının üzerinden ateş açmışsa da bizimkilerin karşılık vermesi üzerine daha fazla dayanamayıp teslim olma yolunu seçmişlerdi. Ancak daha sonra Bab-ı Âli'nin önünde sert çatışmalar çıkacak, hem bizim askerlerden hem de asilerden epeyce insan hayatını kaybedecekti.

Basri Bey, Yüzbaşı Cezmi, Mülazım Fuad ve ben, yani bizim istihbaratçı küçük grubumuz ise Binbaşı Muhtar Bey'in koluyla birlikte hareket edecekti. Daha gün ışımadan Şişli'de bir konağın bahçesine saklanıp beklemeye başlamıştık. Ortalık ağarırken, köpek havlamaları eşliğinde duyduk seslerini; önce bir uğultu geldi, ardından at kişnemeleri, komutlar, konuşmalar, nihayet toz dumanın ardından çıktı günlerdir beklediğimiz o efsanevi Hareket Ordusu. Bu gelenler Enver Bey'in askerleriydi, çok geçmeden, Muhtar Bey'in at üzerindeki heybetli bedeni de göründü. Enver Bey'in komuta ettiği kuvvetlerin vazifesi Taşkışla'yı ele geçirmekti, biz ise Taksim Topçu Kışlası'nı işgal edecektik. Herkes neşeliydi, herkes imanlıydı, kendilerine ve arkadaşlarına büyük bir itimat besliyorlardı. Kimsenin zaferden şüphesi yoktu. İlk gelen haberler askerin maneviyatını yükseltmişti, hatta Muhtar Bey şaka yollu takılmıştı:

"Sizin istihbarat doğru çıkmadı Basri Bey, ne diyorsunuz bu işe? İki tüfek, bir top atınca teslim oluyor bu baldırı çıplak sürüsü."

Erken konuşuyordu. Nitekim Mekteb-i Harbiye'nin önünden geçerken koptu patırtı. Mektebin pencerelerinden üzerimize kurşun yağmaya başlamıştı. Askerlerimizin arasında şehit düşenler, yaralananlar oldu ama kimse paniğe kapılmadı. Bizden önce Enver Bey'in kuvvetleri karşılık verdi, şiddetli bir çatışma başladı, dakikalarca süren kanlı bir çatışma... Pabucun pahalı olduğunu anlayan alaylı askerler daha fazla tutunamayıp Ermeni Mezarlığı yönünde kaçtılar. Kaçanların bir kısmı esas çatışmaların yaşanacağı Taşkışla'ya sığınacaklardı.

Bu saldırının da kuvvetlerimizi engelleyememesi iyice artırmıştı kendimize duyduğumuz güveni; silahlarımızdan, askerlerimizden ve kendimizden emin olarak, Taksim'e yürüdük. Şehir ahalisi çoktan uyanmış, herkes yürekleri ağzında bu iç harbin, bu kardeş muharebesinin nasıl neticeleneceğini merak ediyordu. Silah sesleri kesilir kesilmez, ellerinde bayraklarla bizi selamlamak için sokağa indiler. Alkışlar, "Yaşayın, var olun!" sesleri arasında ilerledik. Herkes zafer sarhoşluğu içindeydi, sanki bütün kışlalar düşmüş, son asi de teslim olmuş gibi bir rahatlık yayılmıştı ordunun arasına. İyi değildi, hiç iyi değildi bu durum ama askerin moralini bozmak da istemiyorduk. Fakat bu rahatlığın, bu kendine güvenin bedelini Taksim Bahçesi'nden üzerimize açılan ateş sonucu vereceğimiz şehitlerle ödeyecektik.

Evet, yürüyüş kolu, Topçu Kışlası'na yaklaşırken koptu cayırtı. Biz kışlanın etrafını sarmaya hazırlanırken, Taksim Bahçesi'nin tarhları arasına yerleştirilmiş mitralyözler ateş kusmaya başladı. Boynu bükük ekinler gibi sapır sapır düştü ön sıradaki iki zabit ve yirmiye yakın asker. Muhtar Bey'in emirleri yankılandı alanda.

"Tertibat alın. Duvarların dibine, tümseklerin içine, kapıların arkasına... Kimse açıkta kalmasın. Herkes kendine bir siper bulsun..."

Sadece Muhtar Bey değil, Kolağası Servet ile öteki zabitler askeri toparlıyor, yeni bir hücum için canla başla çalışıyorlardı. Bu tatbikat değil, gerçek bir harpti. Zabit de, asker de şimdi daha iyi anlıyordu bunu. Talimhane yöresi hızla ele geçirilerek, Topçu Kışlası'nın etrafı sarılmıştı. Biz de yerimizde duramıyorduk, bilhassa Cezmi Bey, tabancası elinde askerin önüne fırlamak için hazır bekliyordu ama Muhtar Bey, kati bir şekilde ikaz etti:

"Herkesin vazifesi farklı, rica ediyorum, lüzum olmadıkça kendinizi tehlikeye atmayın."

Söylemesi kolay, mitralyöz ateşi askerlerimizi biçerken nasıl duracaktık? Dördümüz de silahlarımız elimizde, atları vurulmuş bir arabanın arkasında yatıyorduk. Güya Taksim Bahçesi'nden açılan ateşe karşılık vermeye çalışıyorduk ama tabancalarımız yetersizdi. Bir ara Yüzbaşı Cezmi kayboldu, çok sürmedi dört tüfek ve epeyce mühimmatla döndü.

"Bu mesafeden atılan tabanca kurşunu, gıdıklamaktan başka işe yaramaz," diyerek silahları uzattı. "Ama bunlar öyle mi ya, alimallah dünyasını değiştirir adamın..."

Eminim öyleydi fakat benim açımdan bir mesele vardı; hayatımda elime tüfek almış değildim. Neyse ki yardımıma Mülazım Fuad yetişti. Fişeği nereye koyacağımı, gezi, gözü, arpacığı, tetiği aceleyle tarif etti. Çaresizce baktığımı görünce de,

"Bas tetiğe gitsin," dedi gülerek. "Kimseyi vuramasan da gürültü yapmış olursun. Hiç yoktan iyidir."

Ben de öyle yaptım, nereye gittiğini çok da dert etmeden bastım tetiğe. Ama hem Basri Bey hem Mülazım Fuad, bilhassa da Yüzbaşı Cezmi, attıkları yerden ses getiriyorlardı. Gözlerimin önünde üç sarıklıyı yere serdiler. Öteki askerler de toparlanmış, kuvvetli ateş, ayaklananları zora düşürmüştü. Vaziyet lehimize dönmüş gibiydi. Düzenli, disiplinli, harp etmeyi bilen kuvvetlerimizin baskısı neticesinde karşımızdakiler perişan oluyor, Taksim Bahçesi'nin parmaklıkları arasında hareketsiz kalan ölü isyancıların sayısı giderek artıyordu. Öyle ki telef olup gideceklerini anlayan asiler, nereden buldularsa beyaz bir bezi havada sallamaya başladılar.

"Ateşi kesin... Ateşi kesin... Teslim oluyoruz..."

Yine bir hata yapıldı, hiçbir tertibat alınmadan bizimkiler ayağa kalkarak isyancıları teslim almaya yöneldi. İşte tam o anda, bu defa kışlanın içinden bir yaylım ateşi başladı. Ayağa kalkan eratın çoğunluğu, bu nazlı bahar sabahını kızıla boyayarak, yan yana üst üste düştüler. Biz de tekrar asıldık tetiklere. O kargaşadan faydalanan gericilerin bir kısmı kapağı kışlaya atmıştı ama önemli bir kısmının cansız bedenleri içeri giremeden, kapının önüne yığılıp kalmıştı. Akan kan, kaybedilen hayatlar sinirleri geriyor, her iki tarafta da öfke, nefrete dönüşüyordu. Muhtar Bey atış serbest komutunu vermiş, tüfekler, mitralyözler acımasızca konuşmaya başlamıştı. Ama Topçu Kışlası o kadar sağlamdı, içeridekiler o kadar iyi mevzilenmişlerdi ki, hedefleri imha etmek ciddi bir meseleydi. Daha tesirli kuvvetlere ihtiyaç vardı.

"Top, top ateşi," diye bağırdı Cezmi uzandığı yerden. "Neden top ateşi başlamıyor?"

Sanki onun bağırmasını bekliyormuş gibi birden ortalık büyük bir gümbürtüyle sarsılmaya başladı. Ses dayanılacak gibi değildi, yer gök zangır zangır titriyordu. Top mermilerinin bizi hedef almadığını bile bile, sığındığımız çukurlarda, dizlerimizi karınlarımıza çekip, parmaklarımızla kulaklarımızı tıkamıştık. Hayatımda ilk kez bu kadar tedirgin oluyordum. Hakiki harp buydu demek. Ardı ardına Topçu Kışlası'nın duvarlarına çarpan gülleler, binada delikler açıyor, içeride ağır can zayiatına sebep oluyordu. Bir ara ateş kesildi, derin bir sessizlik çöktü meydana, Basri Bey'le göz göze geldik.

"Ya onlar da top ateşine başlarsa?" diye sordum endişeyle.

"Topçu Kışlası değil mi? Epeyce top vardır herhalde içeride."

Kurnazca gülümsedi tecrübeli kumandan.

"Onları çoktan halletti bizimkiler..."

Sahiden de kışladaki toplardan hiçbiri kullanılmadı çatışma boyunca, içlerindeki ittihatçı subaylar bütün topların mekânizmalarını bozmuşlardı.

Meydandaki sessizlik de fazla sürmedi zaten, yeniden başladı bizim topçuların dehşet korosu. Aman vermeden, durup dinlenmeden ateş yağdırdılar kışlaya. Dakikalarca sürdü bu, sonra yine Muhtar Bey'in sesi duyuldu.

"Ateş kes, ateş kes, tamam, tamam..."

Yine sessizlik çökmüştü meydana. Kışlanın duvarlarından yükselen toz, duman ve bahar rüzgârında kesif barut kokusu... Yerlerde parçalanmış asker cesetleri, kardeşlerinin kurşunlarıyla can vermiş gencecik ölüler. Belki de bu manzaradan etkilenen Muhtar Bey, daha fazla kan akmasın, daha fazla insan telef olmasın diye acele etti. Yapmaması lazımdı, bir çatışmaya girdiğinde aslolan kazanmaktır. Eğer daha fazla kayıp vermek istemiyorsan, bunun tek yolu düşmanı ağır bir mağlubiyete uğratmaktır. Ama hepimiz gibi Muhtar Bey'in de kafası karışıktı. Bize kurşun sıksalar da kışladaki eratın ordumuzun bir parçası olduğunu düşünüyordu. Bu düşünce onu hataya sürükledi. Hiç kimseyle konuşmadan, kimseye danışmadan, ani bir kararla ayağa kalktı. Belki de Harbiye Nezareti'nde eratı etkileyerek çatışmaya son veren Fethi Bey gibi kışladakileri ikna edebileceğini zannediyordu. Daha fazla asker ölmesin, daha fazla vatan evladının kanı akmasın diye...

"Ne yapıyor bu?" diye söylendi Cezmi. "Vuracaklar! Saklan be adam, saklan, vuracaklar!"

Muhtar Bey duymadı bile bu sözleri, kışlaya yürüdü. Dördümüzün de bakışları onun üzerindeydi; nefesimizi tutmuş, bu cesur zabiti izliyorduk. Önceleri adımları tereddütlüydü fakat birkaç metre ilerledikten sonra güveni arttı daha emin basar oldu yere. İşin enteresanı kışladakileri de bir şaşkınlık bürümüştü, ne bir ses ne bir ateş, çıt çıkmıyordu içeriden. Muhtar Bey kapıya yaklaştıkça, bizdeki inanç da artmaya başlamıştı.

"Valla muvaffak olacak galiba bizim Binbaşı," diye mırıldandı Basri Bey. O kadar gerilmiştik ki ne ben ne de Fuad cevap verebiliyorduk. Cezmi ise tüfeğinin dipçiğini çenesine dayamış, sinirden alt dudağını çiğneyip duruyordu. Doğrusunu söylemek gerekirse hepimizin umudu gitgide artıyordu. Neredeyse Cezmi de fikrini değiştirecekti ki, o anda duyuldu patlama. Bir tüfek sesi... Bir el, bir el daha, ardından yaylım ateş. Önce sarsıldı Muhtar Bey, sonra sağ yanına yıkıldı. Yine sessizlik oldu, öncekilerden çok daha derin, çok daha ağır bir sessizlik. Ardından Basri Bey'in haykırışı duyuldu:

"Alçaklar, alçaklar, hücum, hücum, alçaklara acımak yok."

Sığındığımız at arabasının ardından çıkmış, kışlaya koşuyorduk. Artık ne ölüm vardı gözümüzde, ne vurulmak. Sadece hedefe ulaşmaya çalışan askerlerdik. Basri Bey'in haykırışı mı, öteki zabitlerin emirleri mi, ateş yeniden başladı. Sadece top değil, tüfek, tabanca, yani silah adına ne varsa, sanki hepsi kışlaya doğrultulmuş, sanki hepsinin tetiğine aynı anda basılmıştı. O kadar yoğun, o kadar hızlı, o kadar kahrediciydi ki ateş, içeridekiler teslim olacak zamanı bulamadılar. Biz kapıdan girerken, aceleyle beyaz bayraklar çekmeye çalıştılar kışlanın paramparça olmuş direklerine ama artık çok geçti. Ölümün kışkırttığı askerleri ancak daha fazla ölüm yatıştırabilirdi, daha fazla kan...

İnsanoğlunun ne kadar vahşi, ne kadar acımasız, ne kadar öfke dolu bir mahluk olduğunu ilk kez o gün öğrendim. Hayır, olanların teferruatına girmeyeceğim. Hayır, saklayacak bir şeyim olduğu için değil, ki saklayacak çok şeyim var. Kendimi o günahkârlardan ayırmıyorum, ben de oradaydım. Sana yalan söylemeyeceğim, ben de intikam için tabancasına, süngüsüne, tüfeğine sarılan o aklını kaybetmiş güruhun içindeydim... Ben de onlarla birlikte saldırdım, öldürdüm, yaraladım.... Onlar ne yaptıysa, aynısını ben de yaptım...

Sadece şu kadarını söyleyeyim; bir ara yorgunluktan mı, birinin itmesiyle mi, yere düştüm. Sırtüstü yıkıldım toprağa, öylece kaldım düştüğüm yerde... Üzerimden postallar geçiyordu, asker üniformaları, kanlı insan bedenleri, sonra sadece gökyüzü kaldı, pürüzsüz, bulutsuz masmavi bir gökyüzü. Gökyüzü değil de sanki bir ayna, bana yüzümü değil, ruhumu gösteren bir ayna. İlk kez o zaman pişman oldum, ilk kez o zaman derin bir utanç duydum, ilk kez o zaman ellerime bulanmış kandan daha çok kızardı yüzüm. İlk kez o zaman utandım kendi varlığımdan, insan olduğumdan. Ama çok sürmedi, gökyüzüyle arama Yüzbaşı Cezmi'nin yüzü girdi.

"Hayrola Şehsuvar," diye sordu endişeyle. "Vuruldun mu yoksa?"

O anda silindi zihnimden geçenler. Vicdanımı titreten sesler, renkler, kokular silindi. Kanları elime bulaşan genç ölülerin yüzleri silindi... İçimde büyüyen pişmanlığı, ruhumu saran utancı, uyanmaya başlayan merhamet hissini görünmeyen ellerimle boğarak derhal fırladım ayağa.

"Yok Cezmi Yüzbaşım, yok, düştüm, sadece düştüm."

"Çünkü söz namustur..."

❊

Merhaba Ester, (6. Gün, Öğleden Sonra)

1909 yılının bahar ayında Taksim Kışlası'na birlikte saldırdığımız, Trablusgarp'ta İtalyanlara karşı emrinde dövüştüğüm bir zamanların Cezmi Yüzbaşı'sını yıllar önce bıraktığım gibi bulmuştum. Tuhaf, sanki seneler hiç örselememişti bu inatçı adamı. Saçları bile doğru dürüst beyazlamamıştı, birkaç gümüş tel, alnında birkaç kırışık hepsi bu. Halbuki o büyük yıkımı, o korkunç mağlubiyeti bizimle birlikte yaşamıştı. Belki daha fazlasını. Sadece Trablusgarp'ta değil, Balkanlar'da da dövüşmüştü, Çanakkale'de de. Harbin bütün rezilliklerini kendi gözleriyle görmüştü, bütün dehşetini iliklerinde hissetmişti. Fakat ne umutsuzluk vardı gözlerinde, ne yılgınlık ne de bir pişmanlık... Sanki büyük bir zafer kazanmışız gibi konuşuyordu. Hayır, ne kendini kandırıyordu ne de bizi, söylediği her sözcüğe katiyetle inanıyordu. Evet, milletin bir süreliğine aklı tutulmuştu ama yakında geçecekti. Kendiliğinden değil elbette, bizim gibi vatanseverlerin dizginleri yeniden ele almasıyla. Onu dinlerken hayrete düşüyordum; bu cesur zabit hakikaten mazide kalmıştı, sanırım hâlâ harbin yeni başladığı günlerdeydi, bizim galip geleceğimiz umuduyla kendimizi kandırdığımız o belirsizlik dolu senelerde...

Dur, dur, özür dilerim, öyle birden balıklama dalıverdim mevzuya. Halbuki Cezmi Kenan çok mühim malumatlar verdi bana... Hele senin hakkında söyledikleri... Hakikat olmasa da bende uyandırdığı heyecan... Seni yeniden görebilme umudu... Bak yine hepsini birbirine karıştırdım... Sana demiştim benden yazar olmaz diye... Önce söyleyeceğimi, en son söylüyorum. Neyse kaldığımız yerden sürdüreyim. Topçu Kışlası'nı nasıl ele geçirdiğimizi anlatıyordum. Ama yazıyı tamamlayamamıştım, çünkü otel müdürüyle buluşmam gerekiyordu. Cezmi Bey'i görmeye gidecektik. Asansörden indiğimde Reşit'i lobide bekler buldum. Beni görür görmez derhal ayağa kalktı. Yeleğinin cebinden saatini çıkardı.

"Tam üç... Siz ittihatçılarda en sevdiğim yan dakik olmanız," dedi gülümseyerek. "Rahmetli babam da öyleydi. Söz verdiği saatte, söz verdiği yerde olurdu."

Elimi uzattım.

"Öyle olmalı azizim çünkü söz namustur."

Saatini cebine koyup elimi dostça sıktı.

"Otomobil kapıda bizi bekliyor, çıkalım isterseniz."

O kadar tecrübesizdi ki, şu anda yaptığı işin ne kadar tehlikeli olabileceği hususunda hiçbir fikri yoktu. Sabıkalı iki ittihatçının buluşmasına resmen yataklık ediyordu. Bu iyi niyetli adamı ikaz etmem lazımdı, fakat Cezmi'yle konuşmadan bunu yapamazdım. Mehmed Esad hakkında malumat toplamak zorundaydım. Akabinde Reşit'e sıkı bir nasihat çekerdim artık. Bu nedenle, önlem olarak "Arabayı servis kapısına getirsinler, oradan binelim," bile demedim. Takip ediyorlarsa etsinlerdi, nasıl olsa Cezmi'yle maziden tanışıyorduk. Eski bir arkadaşı ziyaret etmekten daha tabii ne olabilirdi ki? Elbette kendimi kandırıyordum, en masum buluşmaların bile gizli teşkilat toplantısı diye adlandırıldığı bir devirde, Şehsuvar Sami ile Cezmi Kenan'ın görüşmesi düpedüz suikast hazırlığı olarak kabul edilebilirdi. Ama bütün bu olaylar sırasında Cezmi'yi içeriye almadılarsa, belki de onu sahici bir deli kabul ederek, tehlike arz eden ittihatçılar listesinden çıkarmış olabilirlerdi. En azından böyle olmasını ümit ediyordum. Değilse de, ne yapalım, artık o kadarını göze almam gerekiyordu.

Yine de otelin kapısından çıkarken, kuşku uyandıracak birileri var mı diye etrafa bakmaktan kendimi alamadım. Ne daha önceki mimli hafiyeler ne de başka birileri vardı ortalıkta, asayiş berkemal gözüküyordu. Yola çıktıktan sonra da

Reşit'e sezdirmeden, arada bir arkaya baktıysam da kimseleri göremedim.

Madam Melina'nın bana miras bıraktığı Beşiktaş'taki evin adeta bir eşiydi Cezmi'nin Langa'da ikamet ettiği ahşap bina. Ama ceviz, dut ve erik ağaçlarının muntazam bir şekilde yan yana sıralandığı bahçesi daha büyüktü. Ahşap evin önünde teneke kapaklı bir su kuyusu vardı, arkada büyükçe bir odunluk. Evin kapısında bekliyordu Cezmi Binbaşı. Görür görmez ayağa fırlayıp geniş kollarını yana açtı.

"Vay Şehsuvar kardeşim, şükür görüştürene, ne kadar oldu yahu?"

"Çok oldu, Binbaşım, çok," dedim iri gövdesine sarılırken. "Cemiyetin son kongresinden bu yana görüşmedik bir daha... Ama havadislerinizi alıyordum. İşgal İstanbul'undaki kahramanlıklarınız dilden dile dolaşıyordu..."

Çocuk gibi kızardı yüzü.

"Çoğu tevatür canım kardeşim, mübalağa etmeye bayılıyor millet." Eliyle verandadaki divanı gösterdi. "Gelin, gelin şöyle oturun, öğleden sonra tadına doyum olmaz buranın." Otel müdürünün elindeki paketlere takıldı gözleri. "Gene ne getirdin Reşit? Yahu, zahmet etme demedim mi? Benim her şeyim var şükür."

Gösterdiği divana yerleşirken bana döndü.

"Bu Reşit iyi çocuk, hoş çocuk da, beni öz babası zannediyor... Yahu bu kadar izzetüikram, bu kadar hürmet olmaz..."

Elindeki paketleri içeriye götürmeden önce terbiyeli bir sesle onayladı genç arkadaşımız.

"Öyle deme Cezmi Amca, siz bana babamın emanetisiniz. Ona verilmiş sözüm var. 'Benim başıma bir iş gelirse, bundan sonra baban Cezmi'dir. Bana nasıl hürmet ettiysen, ona da öyle bakacak, öyle saygı göstereceksin, yoksa hakkımı helal etmem.' Valla, aynen böyle dedi. Ölmüş babamın vasiyetini yerine getirmeyeyim mi yani?"

Aman ne halin varsa gör gibilerden, elini salladı emekli binbaşı.

"Bunun babası da böyle inatçıydı. Nuh der, peygamber demezdi. Ama yiğit adamdı. Sen tanıdın mı Tüfekçi Yusuf'u?"

Alınmış gibi başımı hafifçe geriye attım.

"Aşk olsun kumandanım, tanımaz mıyım? Komşumuzdu Kolağası Yusuf Bey. Rahmetli babamın da çok iyi arkadaşıydı..."

"Tamam, tamam şimdi hatırladım, evleriniz aynı sokaktaydı." Tahta bir iskemle çekip karşıma oturdu. "Trablusgarp'ta da konuşmuştuk bu meseleyi. Hani sen yaralanmadan önce..." Endişeli bir ifade çökmüştü yüzüne. "Öleceğini düşünmüştüm o vakit. Fena kanıyordu sol tarafın, kalbinden vurulduğunu zannetmiştim."

Ayak ayak üstüne attım.

"O kadar da değil, yara kötü görünüyordu, hepsi o."

Üzerinde Beyaz Kule kabartması olan gümüş tabakasını çıkardı. Kapağını açıp uzattı.

"Yak bir tane... Kavala'dan geldi, şu kokulu cigaralardan..."

Alsam mı diye bir an tereddüt ettim ama iradem ağır bastı.

"Yok, içmeyeyim ben. Ama tabakan güzelmiş. Selanik'ten mi almıştın?"

Kederle harelendi yeşil gözleri.

"Selanik'ten ama ben almadım. Sizin Basri'nin hediyesi." Tabakayı açtı bir sigara aldı, sonra kapağın arkasında bir yeri gösterdi. "Burada bir de yazı var. Okuyabiliyor musun?"

Alıp, yakından baktım. Evet, şunlar yazıyordu:

"Aziz kardeşim, Cezmi Kenan'a... Yaşasın Hürriyet, Yaşasın Müsâvât, Yaşasın Uhuvvet! 23 Temmuz 1908."

Tabakayı uzatırken mırıldandım:

"Meşrutiyet hatırası."

Yaktığı sigaradan kuvvetli bir nefes çekerken onayladı beni.

"Evet, meşrutiyet ilan edildiği gün vermişti bana..." Dertli dertli söylendi. "Nur içinde yatsın, büyük adamdı Basri, çok büyük adamdı."

"Kahve mi yapayım?" diyen Reşit'in müdahalesiyle kesildi konuşmamız. "Yoksa şurup filan mı istersiniz?"

Sigarasının dumanını savuran Cezmi, gür sesiyle cevapladı:

"Yahu evladım, gelsene buraya, ben yaparım kahveyi..." Duraksadı. "Kahve mi istersin, yoksa hoşaf mı? Yeni yaptım mürdüm eriğinden, bizim bahçenin mahsulü... Serin serin iyi gider..."

"Sağ olun kumandanım, kahve iyidir..."

Söylediklerimi duymuştu Reşit.

"Tamam, geliyor kahveleriniz, bir şekerli, bir sade..."

"Uzattın ama," diye celallenip içeri gidecek oldu Cezmi,

"Dert etmeyin binbaşım," diye oturttum yerine. "Reşit yabancı değil, yapsın kahveleri bir şey olmaz. Biz konuşalım biraz."

Yüzümdeki ifadeden anlamıştı baş başa kalmak istediğimi. "Peki, konuşalım..." Sigarasından bir nefes daha çekti. "Şu Mehmed Esad alçağı seni ziyarete gelmiş..."

Evet, bodoslamadan dalmıştı mevzuya, ne yalan söyleyeyim böylesi daha çok işime geliyordu.

"Niye alçak diyorsunuz adama?"

Sigarasının külünü silkelerken açıkladı:

"Çünkü vatan haini. İngilizler hesabına çalışıyordu rezil herif."

İnanmamış gibi göründüm.

"Aman binbaşım, ne diyorsunuz, bunlar ağır ithamlar. Neye dayanarak suçluyorsunuz adamı?"

Öfkeyle kızardı iri yüzü.

"Neye dayanacağım, gözlerimle gördüm, bizzat şahit oldum. Alenen sattı herif bizi... Karakol Teşkilatı'ndaydık hepimiz. İşgal yıllarından bahsediyorum. Anadolu'ya silah gönderiyoruz. Paraya tapan bir İngiliz Yarbay vardı, Barney diye bir adam... Barney Stevenson. Kızıl saçlı, kızıl bıyıklı, gri gözlü bir adam. Anlaştık biz bu herifle. Maçka Silahhanesi'nden bize cephane sağlayacak. Cephane, Ararat adında bir Fransız gemisiyle taşınacak. Sevkiyatın teslim alınacağı yer Kuruçeşme Kömür Deposu... Bildiğin mesele, mühimmatı kömürün altında saklıyoruz ki fark edilmesin. Bu sevkiyattan sadece üç kişinin haberi vardı. Bak dikkatli dinle, üç kişi diyorum. Ben, Mehmed Esad, bir de bu Yarbay Stevenson. Ararat gemisinin hareket edeceği perşembe günü, sabah ezan okunurken baskın verdi İngilizler Kuruçeşme'ye. Öyle, apansız, bizim çocuklar kendilerini emniyette zannederken. Çatışma çıktı, cephaneyi korumaya çalışan beş arkadaşımız şehit düştü orada, kaptanıyla birlikte bütün gemi mürettebatı tutuklandı. Diyeceksin ki, Barney Stevenson denen herif yapmıştır. Hayır efendim, çünkü olaydan bir gün önce onu da tutuklamış İngilizler. Yani ihbarı yapan bir başkası. Ben olmadığıma göre, tek kişi kalıyor geriye, Mehmed Esad."

Gemideki mürettebatı unutuyordu ya da kömür deposunda çalışanları. O vakitler, Anadolu'ya nasıl cephane gönderdiğimizi anlayan İngiliz Kumandanlığı hem gemi şirketlerine hem de kömür deposu benzeri ticarethanelere ajanlarını sokmuşlardı. Ajan sokamadıkları yerlerde de bol para dökerek kendi köstebeklerini kiralamışlardı. Bu sevkiyatı da pekâlâ öyle öğrenmiş olabilirlerdi. Ama bunları dile getirerek canını sıkmak istemedim bizim inatçı zabitin.

"Peki, bu kuşkunuzu bildirmediniz mi teşkilata?"

Sigarasından keyifle bir nefes daha aldıktan sonra haylaz bir çocuk gibi sırıttı.

"Yok, daha iyisini yaptım, benim Lüger'i çektiğim gibi bastım Mehmed Esad denen o haysiyetsiz herifin Tavuk Uçmaz Sokak'taki evini. Ama öldürmeye muvaffak olamadım iti. Sol bacağında bir kurşunla kurtuldu elimden."

Evet, işte tam Cezmi Kenan'a yakışır bir tavır. Anlamadan, dinlemeden, bas kurşunu, indir adamı.

"İyi de teşkilat ne dedi bu işe?"

Tadı kaçtı birden.

"Ne diyecek? Yeterli delil yokmuş. Üstelik onların iznini almadan, eski bir zabite silah sıkmak kabul edilemezmiş. Yani kusur yine bizde kaldı. Ulan, herif, beş arkadaşımızın ölümüne sebep olmuş, o kadar mühimmat gitmiş, o kadar adam tutuklanmış hâlâ ben suçlanıyorum..."

Tahmin ettiğim gibi çıkmıştı, Mehmed Esad hakkında söyledikleri temelsiz iddialardı. İşgal sırasında çok duymuştuk böyle şayiaları. Bunların en meşhuru, şu Sessiz John lakaplı, İngilizler için casusluk yapan Osmanlı zabiti söylentisiydi. Ben tutuklandığımda bile onu suçlamıştık. Ne zaman bizimkiler bir baskına uğrasa, ne zaman bir toplantımız tespit edilse, ne zaman silah taşıyan gemilerimiz ele geçirilse, hakiki kimliğini hiçbir zaman öğrenemediğimiz bu Sessiz John geliyordu akla. Adam giderek bir efsaneye dönüşmeye başlamıştı. Öyle ki, bir süre sonra, aslında böyle bir adamın mevcut olmadığını, İngiliz istihbaratının, direnişçilerin maneviyatını kırmak için böyle bir hayalî şahsiyet uydurduğu kanaati hasıl oldu bizde. Cezmi'nin anlattığı olay da böyle ipe sapa gelmez hikâyelerden biriydi işte. Zaten Mehmed Esad hakkında ciddi şüpheleri olsaydı, asla bu işin peşini bırakmazdı bizim Karakol Teşkilatı. Çünkü, İngilizler için ajanlık yapmak öyle kolay geçiştirilecek bir suç değildi.

"En büyük hata, bizim paşaların vatanı terk etmesiydi," diye devam etti Cezmi Binbaşı. Artık dertleşir gibi konuşuyordu. "İnsan, milletini bırakıp gider mi? Gitmemeleri lazımdı. Son kongrede seninle birlikteydik işte. Talat istifa etmeyecekti. Ne hükümeti bırakacaktık ne de cemiyeti. Gittiler de ne oldu? Bak görüyorsun işte, hal-i pürmelalimizi. Memleket üçüncü sınıf kadroların eline kaldı... Bir vakitler vazife vermeye değer bulmadığımız o adamlar, şimdi ittihatçı peşine düşmüş, hüküm okuyorlar yüzümüze. Böyle giderse hepimizi öldürecekler tek tek."

Öyle yüksek sesle konuşuyordu ki, bir an meşrutiyeti ilan ettiğimiz o günleri hatırladım. Hatiplerimizin köşe başlarında, hürriyet, kardeşlik, eşitlik ve adalet nutukları attığı zamanları. Ne yalan söyleyeyim biraz da korktum. Ya sokaktan geçen birileri duyar da ihbar ederse... Teskin etmek için,

"Sıkmayın canınızı Binbaşım," dedim gülerek. "Zamanla işler yoluna girer. Hak yerini bulur."

Sigarasının izmaritini kül tablasına bastırırken, öfkeyle baktı yüzüme.

"Bok bulur. Sen olduğun yerde otur, hak yerini bulsun. Yok öyle şey, dövüşeceğiz Şehsuvar, başka yolu yok kardeşim. Silahlarımızı gömdüğümüz yerlerden çıkarıp dövüşeceğiz. İcap ederse öleceğiz, evet, öleceğiz... Zaten öyle ya da böyle, yine alacak bu herifler canımızı. Bak, güya Karabekir Paşa'yı bıraktılar ama nefesleri ensesinde. Bir açığını bekliyorlar, pununa getirip ilmiği geçirecekler boynuna... Sırıtma öyle karşımda. Evet, seni de asacaklar, beni de asacaklar. Belki idam sehpasını bile çok görürler bize. Öyle ya Kara Kemal'i öldürüp tavuk kümesine koymadılar mı? Yapılacak iş belli esasında... Sert olacaksın, acımasız olacaksın, tıpkı eski günlerdeki gibi... En tepedekini indireceksin..." Kısılmış yeşil gözlerini nefret bürümüştü. "Evet, İzmir'de beceremedi salaklar. Ama biz İstanbul'da halledebiliriz... Şaşırmış gibi bakma suratıma öyle. Mustafa Kemal'den bahsediyorum, evet Reisicumhur'dan... Onu ortadan kaldırmadan bize bu memlekette rahat yüzü yok. Zaten bu sebepten gelmiyor İstanbul'a... Bizden korktuğundan..."

Eskiden de hiç normal değildi ama zannederim artık iyice tozutmuştu.

"Kimse ölmesin be Cezmi Amca!" diyerek geldi Reşit. Elindeki tepside dumanı üstünde, köpüğü yerinde, üç fincan kallavi kahve. "Yeter artık, çok kayıp verdik Harb-i Umumi'de."

Hiç geri adım atmadı gazi binbaşı:

"Ee bu işler böyle evladım, harp biter ama dövüş bitmez."

Lakırdıyı değiştirmek istedim.

"Şu köpüğe bak, sen bayaca anlıyormuşsun bu işlerden Reşit."

Gurura benzer bir ifade belirdi yüzünde.

"Aşçılığım çok iyidir Şehsuvar ağabey. Biliyorsun, rahmetli annem hastaydı hep. Evde kız çocuk da yok. Yemek benim üzerime kalırdı. Mecburiyetten öğrendik işte. Bir ara aşçı yamaklığı da yaptım Selanik'te, mektep tatilken. Şu Mikhailidis Lokantası'nda. Hani senin çalıştığın avukatlık yazıhanesinin bulunduğu sokakta..."

Kahvesinden ilk yudumu höpürdeterek çeken Cezmi, yeniden üzerinde Beyaz Kule'nin olduğu gümüş tabakasını açtı. Bir sigara daha yaktı. Duman kokusu etrafı kaplarken dikkatle yüzüme baktı.

"Sahi yahu, ben de ne söyleyecektim Şehsuvar'a diye düşünüyordum deminden beri. Şu Yahudi vardı ya. Reşit'in söylediği avukat yazıhanesinin sahibi... Hani bizim cemiyetin üyesiydi..."

Birden dikkat kesildim.

"Leon, Mösyö Leon'dan mı bahsediyorsunuz?"

Elindeki kahve fincanını usulca sallayarak onayladı.

"Evet, ta kendisi... Mason filan demişlerdi fakat adam komünistti. Neyse işte, Mösyö Leon, hani onun bir yeğeni vardı ya. Kızıl saçlı, kafadan çatlak bir kız... Hep seninle görürdüm sokaklarda..."

Nefesimi tutup sordum:

"Ester? Ester'den mi bahsediyorsunuz?"

"Evet, evet... Adı Ester'di değil mi?

Meraktan ölmek üzereydim.

"Ne olmuş o kıza?"

Dudak büktü.

"Bir şey olduğu yok canım, İstanbul'a gelmiş galiba..."

Bundan daha güzel bir haber olamazdı.

"İstanbul'a mı gelmiş? Emin misiniz?"

Bu kadar etkilenmiş olmam onu şaşırtmıştı.

"Yok, ben gözlerimle görmedim ama bizim Cafer anlattı. Çolak Cafer. Hani İşgal sırasında İngilizlerin yaptığı işkence sonucu, kolu kangren olup kesilen Cafer. Zabit değil ama tanırsın onu... O da bizim gibi Selanikli. Geçen gün anlattı. 'Mösyö Leon'un yeğenini gördüm Beyazıt'ta, kitapçılara girip çıkıyordu,' diye."

Kitapçılara girip çıkıyordu deyince bütün şüpheler kalktı zihnimden. Belki Mösyö Leon'u biriyle karıştırmış olabilirlerdi, yeğeni dedikleri kız da farklı biri olabilirdi ama kitapçılara girip çıkan Selanikli bir Yahudi kız senden başkası olamazdı. Artık saklamaya gerek duymadan, ardı ardına sormaya başladım.

"Neredeymiş peki bu kız? Adresini biliyor mu Cafer? Bir daha görecek miymiş?"

Kahve fincanını bırakıp sağ elini usulca kaldırdı havaya.

"Dur, dur yahu. Nerden bileyim o kadarını. Evet, Mösyö Leon'la da konuşmuş. Galata'da mı nerde bir yere gittim dedi ya unuttum işte. Her neyse, Cafer biliyor adreslerini. 'Ne de olsa Selanikliler,' demişti. 'Yahudi ya da Müslüman ne fark eder, ne de olsa hemşerimiz, yardımcı olmak lazım.' Ben de kızla münasebetini bildiğim için, Şehsuvar'a çıtlatayım bu meseleyi diyordum ama unutmuşum. Sen Reşit'e şükret yine."

Az önce söylediklerini deli saçması saydığım Cezmi Kenan'ı, şimdi ağzından çıkan tek kelimeyi kaçırmamak için büyük bir alakayla dinliyordum.

"Peki, nerede bulurum bu Cafer'i?"

Manidar bir ifade geçti gözlerinden.

"Demek bu kadar mühim bu kız senin için?" diye mırıldandı. "İyi ki açmışım konuyu. Bilsem daha önce anlatırdım."

"Lütfen Cezmi Binbaşım, nerededir bu Çolak Cafer?"

Sigarasının külünü silkeledikten sonra kati bir ifadeyle başını salladı.

"Aramayla ne sen bulabilirsin ne de ben. O da herkes gibi tedirgin şu sıralar. Ama hiç merak etme, yarın, öbür gün damlar. Sen iki gün sonra bir uğra. Kızın adresini veririm sana."

Aslında bir daha buraya gelmeyi hiç düşünmüyordum, çünkü bu akılla Cezmi Binbaşı hem kendinin hem de benim başımı belaya sokmaktan başka bir işe yaramazdı. Ama mesele sen olunca akan sular durmuştu.

"Tamam binbaşım," dedim sevinçle. "Tamam, iki gün sonra sendeyim."

"Kusura bakma evlat ama seninki münevver hassasiyeti."

✳

İyi Geceler Ester, (6. Gün, Gece)

Bu öğleden sonra Cezmi Binbaşı'dan öğrendiklerim hakikat çıkarsa, artık sana yazmama gerek kalmayacaktı. Belki bu otelden de ayrılacaktım. Evet, bu haber gerçekse, İstanbul'a gelmeyi tercih ettiysen, beni arıyorsun demekti. Demek orada mutlu olamamıştın ki, benim yaşadığım şehre taşınmaya karar vermiştin. Hem de ailenle birlikte... Fakat senin ailen yoktu ki. Sadece Leon Dayı kalmıştı, bir de baban; Mösyö Naum. Lakin, baban Paris'i, ders verdiği üniversiteyi bırakıp İstanbul'a gelmezdi. Belki de Leon Dayı'yla ikiniz geldiniz sadece... O Selanik'i bıraktı, sen de Paris'i... Neyse anlarız nasıl olsa yakında. Ama hiç bu kadar mesut hissetmemiştim kendimi son zamanlarda.

Evet, belki artık sana yazmamalıyım ama nedense vazgeçemiyorum bu tutkudan. Sanki bu odaya yazmak için gelir gibiyim. Gündelik hayatın öteki rutinlerinin hiçbir önemi yok. Hayır, kalemi bırakmayacağım, hatta birlikte yaşamaya başlasak bile, yazmayı sürdürmek istiyorum. Birlikte yaşamak mı? Bak zavallı zihnim hayallere kapılmaya başladı işte...

Evet, yemeği tek başıma yemiştim bu akşam. Reşit de evine gitmek mecburiyetindeydi zaten. Artık bu geceyi ailesiyle birlikte geçirmek istiyordu zavallım. Ben de mantar çorbası, bir salata, bir keşkülle nefsimi köreltip çıktım odama.

Yine maziye dönmek istiyorum. Bu güzel şehri, kardeş kanıyla lanetleyen o utanç verici ayaklanma günlerine. Hiç beklemediğim halde, ölümün beni derinden etkilediği o çatışma sonrasına... Evet, Şemsi Paşa suikastı... Selanik'te vurduğumuz üç Arnavut fedaiden sonra böyle bir vicdani tereddüt, böyle bir merhamet buhranı yaşayacağımı hiç ama hiç zannetmiyordum. Farkına vardığımda artık çok geç dediğim anlardan biri değildi, hayır, sadece kafam karışmıştı ama kısa bir süreliğine. Tecrübesizdim, yeterince güçlü değildim, bu kadar sert bir çatışmanın ortasına ilk kez düşüyordum. Evet, teke tek bir kavga değildi bu, toplu bir boğazlaşmaydı... Üstelik karşılaşacağım ilk toplu boğazlaşma da bu olmayacaktı. Çok daha beterleri bekliyordu beni istikbalde. Zafiyet göstermek ölümcül olurdu. Hakikat buydu, vatanın bana en çok ihtiyaç duyduğu an tereddüt edemezdim.

İradem böyle buyuruyordu, Basri Bey, Mülazım Fuad, harp arkadaşlarım, herkes böyle diyordu. Asileri yenmiştik, hem de çok kısa bir sürede. Hepimizin korkulu rüyası olan ihtimal de gerçekleşmemiş; Yıldız Sarayı'ndaki 2. Fırka direnmemiş, Abdülhamit ordusunu üzerimize sürmemişti; tek el silah atılmadan düşmüştü saray. Ertesi gün Selimiye Kışlası da teslim olmuş, isyancıların son kalesi de beyaz bayrak çekmişti. Zafer katiyetle bizimdi. Meşrutiyet artık yıkılmamak üzere ülkede yeniden tesis edilmişti. Elbette bunun bir bedeli olacaktı, elbette insanlar ölecek, elbette kan akacaktı. Fransız İhtilali'nde de böyle olmamış mıydı? Bizde de olacaktı. Ah, bir de başımı yastığa her koyduğumda şu korkunç rüyayı görmeseydim.

Uzun yıllar başıma tebelleş olacak, uykularımı bölecek kâbusu ilk o zaman görmüştüm işte. Uykusuz geçen o iki kanlı günün ardından, artık yorgunluktan bitap düşüp yatağıma uzandığımda... Daha önce de yazmıştım sana bu karabasanı. Selanik'te beni cemiyete aldıkları şu yemin töreni. Gözlerim bağlı, bilmediğim koridorlarda sürüklenişim... Her yanımda fısıltılar, ölülerin mi, yaşayanların mı bilinmez... İçimi ürperten, tüylerimi diken diken eden fısıltılar. Sonra beni cemiyete alan o kurul. Sanki bir tiyatro sahnesi. Seyircilerin oturduğu koltukların halka halka etrafımı sarması... Herkesin beni itham etmesi, herkesin benden nefret etmesi. Söylemeseler de bunu hissedişim. Belki dile getirmedikleri için daha çok hissedişim. Derken senin ortaya çıkışın. Ne bir gülümseme ne ağzından dökülen tek bir sözcük, öylece bomboş bakışın yüzüme. Sonra gözlerinin usulca masanın üzerindeki bir nesneye kayması. Benim de masanın üzerine bakışım. Bayrakla, *Kur'an*'ın yanında duran metal bir karaltı. Bir Karadağ tabancası... Solgun yüzündeki ifadeyi hiç değiştirmeden silaha uzanışın. Tabancayı alıp bana doğrulturken fısıltıların artması... Dile getirmeseler de hepsinin aynı beklenti içinde olması. Tetiğe basmanı, canımı almanı istemeleri... Benim de bu çözümü adil buluşum. Bu sebepten olsa gerek hiç korkmayışım, sadece o derin üzüntü, o kalp yangısı... Benden bu kadar çok mu nefret ediyor diye kahroluşum. Bir an önce bas şu tetiğe, bitir şu ızdırabı diye düşünmem. Senin yapamayışın, iri siyah gözlerindeki tereddüt, dudaklarında beliren o buruk gülümseme... Sonra o beklenmedik davranışın, o korkunç an... Silahı çevirip şakağına dayaman... Benim dehşet içinde elimi uzatıp "Yapma!" diye haykırışım. Yüzünde kayıtsız bir ifade ile senin tetiği çekmen... İşte o anda uyanışım.

Evet, ilk o zaman görmüştüm bu kâbusu, o günden sonra da bırakmadı yakamı. Evet, bütün teferruatıyla aynı rüyayı, aynı dehşet veren kâbusu yaşadım senelerce. Sadece sahneyi saran o gül kurusu koltukların sayısı arttı zamanla, bu trajik olayı izleyenler günden güne çoğaldı, sıra sıra yükseldi localar tavana doğru. Yüzlerini hiçbir zaman tam olarak seçemediğim insanlar bıkıp usanmadan itham etmeyi sürdürdüler beni. Bir gün gelecek kurtulacak mıyım bu karabasandan, bilmiyorum, belki de mezara kadar takip edecek beni böyle. Senden önce bir tek Fuad'a anlattım bu kâbusu. Ne Basri'ye, ne de Cezmi'ye bahsettim, çünkü anlamazlardı. Basri Bey'le Topçu Kışlası'na girdiğimiz vakit yaşadığım tereddüdü konuştum sadece.

"Geçer," demişti bakışlarını kaçırarak. "Geçer, alışırsın zamanla. Hepimizin başına geldi bunlar. Ama biz mücahidiz Şehsuvar, dövüştüklerimiz de öyle. Ecnebi ya da kendi askerimiz olması fark etmez. Düşman, düşmandır. Şöyle düşün, sen onları öldürmeseydin, onlar seni öldüreceklerdi. Ve bir kâfir öldürdük diye sevineceklerdi. 'Cennetteki yerimizi garantiledik böylece.' Evet, öyle diyeceklerdi. Kusura bakma evlat ama seninki münevver hassasiyeti, lüzumsuz merhamet. Ama dediğim gibi, merak etme, geçer..."

Geçmedi, çoğu zaman unuttum ama geçmedi. Allahtan unutmamı sağlayacak olaylar hiç eksik olmuyordu hayatımdan. Evet, cemiyetin baş muhaliflerinin hepsi tasfiye edilmişti. Prens Sabahattin tutuklanmasa bile ülkeden gitmek zorunda kalmıştı, Derviş Vahdetî ise günler sonra yakalanmış ve isyana karışan yetmiş kişiyle birlikte idam edilmişti. Ve Temmuz İnkılabı'nın ertelediği bir vazife yeniden çıkmıştı karşımıza; Sultan Abdülhamit'in tahttan indirilmesi. Aslında o konu Dersaadet ele geçirilmeden önce gündeme gelmiş ama Mahmud Şevket Paşa askerin tepkisinden çekindiği için meclisin bu teklifini ertelemişti. Çünkü ordunun içinde hâlâ sultana bağlı askerler vardı. Fakat artık bu mesele halledilmeliydi. Talat Bey'in söylediği gibi: "İktidarın iki sahibi olmaz, ya onlar ya biz!"

Bizim kim olduğumuz belliydi, "onlar" kısmı ise biraz muallaktı. Abdülhamit de içlerinde olmak üzere bize karşı çıkan herkes "onlar"dı. Ama onları iktidardan uzaklaştırmaya sultandan başlayabilirdik. Başladık da, Meclis-i Mebusan, karşı ihtilalin bastırılmasından sadece iki gün sonra padişahın saltanattan ve hilafetten alınması kararını "Hal! Hal!" bağırışlarıyla kabul etti.

Bu mühim havadisi o öğleden sonra Basri Bey'den duydum. İki hafta süren o gerilimli, çatışmalı, korkunç günlerin ardından Müsâvat Neşriyat'ta masama oturmuş, epeydir kapağını kaldırmadığım Anatole France'dan tercüme ettiğim *Kırmızı Zambak* romanının sayfalarına göz atıyordum. Senin hoşuna gidecek sözlerle ifade edecek olursam, kanlı siyasetin kirlettiği ruhumu edebiyatın sularında temizlemeye çalışıyordum. Bizim kumandan içeri girdi. Neşeden çok gerginlik vardı yüzünde.

"Abdülhamit tahttan indirildi," diye mırıldandı. Evet, heyecanla bağırmak yerine adeta fısıldadı. "Bu sabah erkenden toplanan meclis padişahı hal'etti. Tahta, kardeşi Sultan Reşad çıkartıldı."

Meşrutiyet için gözünü kırpmadan canını verecek olan bu zabit, ulaşmak istediği amaç, hakikat olunca sanki bir boşluğa düşmüş gibiydi. Babasıyla hep kavgalı olan ama onu kaybettiğinde ne yapacağını bilmeyen yaramaz bir çocuğun şaşkınlığı içindeydi. Hayır, ben aynı hisler içinde değildim, olması gereken buydu. Çok daha önce, belki de geçen temmuz ayında alınmalıydı bu karar. Ama Basri Bey'in haleti-ruhiyesini düşünürken, Leon Dayı'nın sözleri çınladı kulaklarımda:

"Fransa değil burası Şehsuvar. Millet, inkılap filan istemiyor esasında. Devletin geri kaldığını gören bizim gibi aydınların isteği bu. Devr-i istibdatmış, sürgünmüş, zulümmüş kimsenin umurunda değil. Fransa'da millet dökülmüştü sokağa. Bastille'i basanlar bildiğin işçiler, esnaflar, köylülerdi... Bizde ise meşrutiyeti 'Çok yaşa padişahım,' diye kutluyor millet. Zor, çok zor iş Şehsuvar... Belki bir hayal, umarım muvaffak oluruz ama hakikat olması çok güç bir hayal. Fakat çok kıymetli bir hayal, o yüzden asla vazgeçmemeliyiz bu idealden..."

Ne kadar da haklıydı, tüm ilericiliğimize, tüm inkılapçılığımıza rağmen mesele padişahla, devletle hesaplaşmaya geldiğinde elimiz kolumuz bağlanıyor, adeta hareketsiz kalıyorduk. Binlerce senedir iliklerimize işleyen kul kültürü, kadim boyun eğme geleneğimiz, uysal çocuklara döndürüyordu hepimizi. O sebepten çok iyi anlıyordum Basri Bey'i. Kaç yaşına gelirsek gelelim, hatta ölüm döşeğinde bile olsak kurtulamayacaktık padişahın tesirinden. İyi olan taraf şuydu ki, bu kötü tesire inat inandıklarımızı yapabilecek cesaretimizi koruyorduk hâlâ. Nitekim kafası karışık olmasına rağmen kendisine verilen vazifeyi yerine getirme mevzusunda en küçük bir zaaf bile göstermeyecekti Basri Bey.

"Sürgüne gidiyor Abdülhamit..." dedi dalgınlığından sıyrılmaya çalışarak. "Evet, sürgüne... Ne kadar tuhaf, yıllarca o bizim arkadaşlarımızı sürgüne yolladı, şimdi biz onu sürgüne yolluyoruz... Hem de nereye biliyor musun? Selanik'e... Evet, bizim Selanik'imize... Çırağan Sarayı'nda kalmak istemiş, olmaz demişler... Hemen toparlanmalısınız demişler... Şu anda Yıldız Sarayı'nda bir telaş var ki sorma. Eşyalarını topluyor hanedan... Seyahat bu gece... Bizim de toparlanmamız lazım Şehsuvar... Fazla vakit yok... Eve git, bavulunu hazırla..."

Ne demek istiyordu, anlamamıştım.

"Biz de gidiyoruz Şehsuvar. Evet, yeni vazifemiz Abdülhamit'e yol boyunca eşlik etmek. Hadi, hadi aziz kardeşim oyalanma, derhal eve git, eşyalarını topla, Sirkeci'ye gel... Hususi bir tren hazırlanıyor..." Hâlâ inanamıyormuş gibi başını salladı. "Şu işe bak, Abdülhamit sürgüne gidiyor! Hem de biz götürüyoruz onu Selanik'e!"

Padişahın tahttan indirilmesinden daha çarpıcı olan havadis işte buydu benim için. Önce çocuksu bir sevince kapıldım; Selanik'e gidecek, sevdiklerimi görecektim ama hemen ardından derin bir hüzün çöktü içime. Çünkü, sen yoktun artık Selanik'te. Eylül ayından beri Paris'teydin. Leon Dayı'dan öğrenmiştim, Dersaadet'e gelmişti, Meclis-i Mebusan'ın açıldığı 17 Aralık günü. Çok sevinmişti beni gördüğüne, biraz da gösterdiği alakadan cesaret alarak sormuştum:

"Ester nasıl?"

"İyi, çok iyi," demişti bakışlarını kaçırarak. "Biliyorsun Paris'te... Babasının yanında, üniversiteye gidiyor. Arada bir yazıyor bana. Mesutmuş, öyle diyor..."

Hiç rahat değildi bunları anlatırken, bir tür suçluluk hissi vardı sanki.

"Beni soruyor mu?" diyemedim tabii, çünkü sormadığından emindim. Benim tanıdığım Ester, çıldıracak kadar merak etse bile asla sormazdı. Hem sorsan ne olacaktı? Ne sen Paris'ten dönerdin artık, ne de ben Dersaadet'ten. Birimiz Batı'yı seçmiştik, diğerimiz Doğu'yu, belki Selanik yine buluşturabilirdi bizi ama ne sen bir adım atardın ne de ben... Böylesi berbat bir hissiyatla topladım tahta bavulumu. Giysilerimi alelacele tıkıştırdım içerisine. Aylardır görmediğim anneme kavuşacak olmak bile neşelendiremiyordu beni. Allahtan yine vazife vardı, yine mesuliyet. Hem de çok önemli bir mesuliyet; sabık padişahımızın seyahat boyunca emniyetinin sağlanması. Osmanlı'nın 34. Padişahı, Kanuni Sultan Süleyman'dan ve IV. Mehmed'den sonra en çok tahtta kalan hükümdar ve babamın ölümüne sebep olan II. Abdülhamit'in canının ve namusunun muhafaza edilmesi... Böyle düşününce idrak ettim, yapacağımız işin önemini. Ve seni zihnimden kovup bu mühim vazifeye verdim kendimi.

İşin aslı, o geceye kadar hiç görmemiştim, hakkında en küçük iyi bir his taşımadığım bu sabık sultanı. İlk kez Sirkeci'de karşılaşacaktık. Hava kararmadan çok önce gelmiştik istasyona. Demiryolları müdürünün şahsı için yaptırdığı, biri lüks, ötekileri alelade olmak üzere üç vagonlu bir tren hazırlatılmıştı. Sirkeci'ye geldiğimde Basri Bey ve Mülazım Fuad bavullarını çoktan bizim yolculuk yapacağımız 3. vagona yerleştirmişlerdi. Asıl kumandan, ayaklanmayı bastırırken Harbiye Nezareti'ndeki asilerle konuşarak onları teslim olmaya ikna eden, Makedonyalı Kurmay Binbaşı Ali Fethi Bey'di. Bilhassa Mahmud Şevket Paşa'nın emriyle sabık sultanı Selanik'e götürmeye memur edilmiş, yanına aralarında bizim de bulunduğumuz otuz kişilik seçmece bir müfreze verilmişti. Emniyet için lüzumlu olan bütün teftişi yaptıktan, şüpheli bir durum olmadığına kanaat getirdikten sonra beklemeye başladık.

Bekleyişimiz uzun sürdü; ezandan sonra, hava iyice kararmışken dört arabayla geldi saray efradı. Onları bizzat, Hüseyin Hüsnü Paşa karşıladı istasyonda. Sanki büyük bir bozgundan çıkmış gibi, omuzları düşük, başları önde, bakışları süzgün o kafileyi görünce tuhaf hislere kapıldım. Kadınlar, çocuklar, hizmetliler ve en önde kül rengi ceketinin içinde kamburu çıkmış bir adam. Hazin bir görüntüydü. Adriyatik'ten Basra Körfezi'ne, Kafkaslar'dan Sahra'ya kadar uzanan bir devleti yıllarca idare eden, Osmanlı milletlerini pençesinde titreten o kudretli Abdülhamit, şimdi kamburlaşmış sırtı, süzülmüş ince uzun yüzü, güvensizce attığı adımlarla ne kadar da çaresiz görünüyordu. Yıllar önce bir Fransız gazetesinde, Osmanlı İmparatorluğu için "Hasta Adam" tabiri kullanılmıştı. İşte Abdülhamit şu anda tam da o adamı andırıyordu. Eşyalar taşınırken bir ara etrafına bakındı, sanki bir şeyler arıyordu, bir şeye ihtiyacı varmış gibiydi. En yakınında ben bulunuyordum, göz göze geldik. Mesafeli gülümsedi, kaçamazdım, ben de gülümsedim. Sağ eliyle hafifçe karnını tutuyordu.

"Evladım," dedi rica dolu bir sesle. "Su yetiştirir misiniz, Allah rızası için bir Taşdelen suyu. Şu mendebur mide ağrılarım tuttu yine..."

Hiç buyurgan değildi sesi, aksine şefkat doluydu ama bir o kadar da kendinden emin. Duraksamadan koşturdum. Az sonra elimde iki şişe Taşdelen suyuyla yanında bitivermiştim. Minnetle gülümsedi.

"Sağ olasın evladım, su gibi aziz olasın..."

Trene bininceye kadar bir daha yakınlaşmadık. Gece yarısı ayrıldık istasyondan. Ne uğurlamaya gelen vardı ne de arkalarından mendil sallayan. Abdülhamit ve oğulları lüks vagona, kadınlar ise ötekine yerleşmişlerdi. Mümkün oldu-ğunca uzakta duruyorduk. Ama arada bir padişahın vagonunun olduğu koridoru kontrol ediyorduk. Çünkü padişahın kendine zarar verme ihtimali de korkutuyordu bizi. Ama şükür, endişe edecek bir vukuat olmadı. Sabaha yakın nöbet sırası bana gelmişti, lüks vagonun bulunduğu koridora yaklaştım. Etrafı kolaçan ettim, asayiş berkemal görünüyordu. Tam dönecektim ki,

"Evladım," diyen bir ses duydum. "Evladım bakar mısınız?" Döndüm, Abdülhamit'in yorgun yüzüyle karşılaştım. Vagonun kapısını aralamış sigara içiyordu.

"Siz, bana su getiren gençsiniz değil mi?"

Mesafeli bir saygıyla yaklaştım.

"Evet, efendim buyurun, bir isteğiniz mi vardı?"

Sigarasını tuttuğu eliyle ceketimin cebini işaret etti.

"Ne okuyorsunuz?"

Heyecandan, neden bahsettiğini anlamamıştım, gözlerim cebime kaydı. Yolda okurum diye aldığım kitap duruyordu.

"*Paris Sırları* efendim, müellifi de Eugene Sue adında biri."

Sigarasını dudağının arasına yerleştirip elini uzattı, romanı istiyordu. Cebimden çıkarmaya çalıştım fakat aksilik bu ya kumaşa takıldı. Sabık padişahın eli havada kalmıştı. Neyse ki çok sürmedi, güç bela çıkardığım kitabı uzattım. Adeta saygıyla aldı romanı eline...

"Çok iyi bilirim," dedi kitabın kapağını incelerken. "On yedi eserini tercüme ettirmiştim. Victor Hugo'yla aynı devirde yaşamışlar." Bakışlarını bana çevirdi. "Siz nasıl buldunuz peki, beğendiniz mi? Ne dersiniz, Hugo kadar güçlü bir muharrir mi?"

Başımı salladım.

"Edebiyat tenkitçisi değilim ama Hugo kadar büyük bir muharrir olmadığını rahatlıkla söyleyebilirim. Bir nevi cinayet hikâyesi, bir nevi hafiye romanı diyebiliriz."

Usulca kaldırdı başını.

"Hafiye romanlarını küçümsemeyiniz evladım. Hayatımda en büyük edebiyat lezzetini hafiye romanlarından aldım. Edebiyata meraklı olduğunuza göre, Arthur Conan Doyle'u bilirsiniz. Şu meşhur *Sherlock Holmes* şahsiyetini kaleme alan adam. Müthiş hikâyeler. Ama işin acı tarafı ne biliyor musunuz, yazarı da ne kadar önemli hikâyeler yazdığının farkında değil. Evet, şahsi olarak da tanışmıştık. Saraya gelmişti; Mecidiye Nişanı'yla taltif etmiştim kendilerini. Zevcesine de Şefkat Nişanı vermiştim." Heyecanlanmıştı, ayağa kalktı, vagonun kapısını itekleyerek yanıma geldi. Sert bir tütün kokusu doldurdu dar koridoru. "Hiç hafiye romanı okudunuz mu?"

Elbette okumuştum, hatta seninle tartışmamıza neden olan bir kitap vardı, *Sarı Oda'nın Esrarı* ama şaşkınlıktan hatırlayamıyordum. Bu da normaldi, çünkü gecenin bir yarısı, Selanik'e giden bir trende yıllarca yıkılması için mücadele ettiğim Abdülhamit'le edebiyat üzerine konuşuyorduk.

"Okudum, okudum tabii efendim... Mesela *Sherlock Holmes*'u bilirim."

Sigarasından derin bir nefes çekti, dumanını salarken,

"Hadi delikanlı," dedi manidar bir ifadeyle. "Anladığım kadarıyla pek hoşlanmıyorsunuz bu nevi romanlardan..."

Biraz canım sıkılır gibi olmuştu.

"Evet, cinayet romanlarından çok hoşlandığım söylenemez. Daha büyük muharrirlerin romanlarını seviyorum..."

Anlayışla baktı yüzüme.

"Gençlik, ömrümüzün en güzel mevsimi. Muammalarla dolu koca bir hayat sizi bekliyor. Beklentinin kendisi bile güzel. Ama sonra, bir müddet sonra, hadi ihtiyarlayınca diyelim, hayatın sırrına vakıf olunca, günler sıkıcı saatlerden ibaret olmaya başlıyor." İtiraz edeceğimi zannetmiş olmalı ki devam etti: "Evet, benim gibi, her lahza, her saat, her gün yeni bir vukuatla sarsılan büyük bir ülkenin hükümdarı olsan bile eninde sonunda hayat sıkıcılaşıyor. Bu sıkıntının en iyi ilacı hafiye romanları. İnsanın aklını çalıştırıyor, hislerini keskinleştiriyor, zekâyı diri tutuyor. Sizi eşi menendi olmayan bir seyahate çıkarıyor." Buruk güldü. "Üstelik böyle sürgüne gidilen bir seyahat de değil." Hatasını kabul eder gibi usulca başını yana eğdi. "Tamam, bir miktar vesveseli kılıyor insanı ama şu yaşadığımız çağda vesveseli olmak için o kadar çok sebep var ki. Değil mi evladım?"

Fikirlerini kendine sakla, diyordu içimden bir ses ama yapamadım.

"Ben biraz farklı düşünüyorum efendim. Edebiyat, bu anlattığınız hususlardan çok, insana kendi ruhunu gösterdiği için kıymetli bir sanattır. Mesela Victor Hugo dediniz. Jean Valjean'ın yaptığı fedakârlıklardan çok, onun bizim ruhumuzdaki tesirleri önemlidir. Eğer o roman benim iyi biri olmamı teşvik ediyorsa, içimdeki kötülükle yüzleşmeme sebep oluyorsa amacına ulaşmış demektir. Hafiye romanları, buyurduğunuz gibi daha çok zekâyla alakalı. Zekice hazırlanmış matematik problemleri gibi. Zihnimize hitap ediyor ama unutmayalım ki bir de ruhumuz var..."

Sözlerimin biraz ukalalığa kaçtığını düşünerek sustum. Fakat hiç de korktuğum gibi bir tepki vermedi.

"Yoksa siz de yazıyor musunuz?" diye sordu. "Ancak bir yazar adayı bu kadar hakim olabilir konuya, bu kadar teferruatlı konuşabilir edebiyat hakkında..."

Evet demedim, ki zaten yazmayı bırakmıştım ama edebiyata ilgim sürseydi de bunu asla Abdülhamit'le paylaşmazdım.

"Yok efendim, yazmıyorum, benimki sadece bir merak." İnandı sözlerime.

"Güzel bir merak, hiç bırakmayınız evladım. Bilakis yazmayı da tecrübe edin. Sizde öyle bir kabiliyet sezer gibi oldum. " Eliyle pencereyi gösterdi. "Rica etsem, indirir misiniz şu camı, izmariti dışarı atalım."

Camı indirdim, sigarasının kalanını gecenin içine savurdu. Açılan camdan içeriye taze bahar havası dolmuştu. Pencereyi kapatacak oldum.

"Dur, dur evladım, biraz kalsın."

Derin derin içine çekti nemli havayı. O an aklıma Talat Bey'le yaptığımız konuşma geldi. Yaklaşık dokuz ay önce Selanik'ten payitahta giderken, yine bir trenin koridorunda ayaküzeri yaptığımız o sohbet. O sohbette Abdülhamit'in ne kadar tehlikeli olduğundan bahsetmişti Talat Bey... Durumun ne kadar nazik olduğundan... Kaderin şu cilvesine bak ki, şimdi aynı tehlikeli Abdülhamit'le yine bir tren koridorunda edebiyat konuşuyorduk. O da tıpkı Talat Bey gibi gözlerimizin önünde uçsuz bucaksız uzanan kırlara bakıyordu.

Ben de bakışlarımı dışarıya çevirdim. Gökteki ay gitgide sönüyor, yeni günü müjdeleyen bir parlaklık usulca ufku sarıyordu. Kırlardaki tarlalar, korular, dağların etekleri yavaşça ortaya çıkmaya başlamıştı.

"Ne güzel, değil mi?" diye mırıldandı. "Ne güzel bir his... Şu bahar sabahında ağır ağır uyanan uçsuz bucaksız vatan toprağını seyretmek... Güzel, çok güzel bir ülke burası..." Döndü, gözlerini büyük bir samimiyetle yüzüme dikti. "Ayaklanmayla hiçbir alakam yoktu. Meşrutiyete karşı filan da değilim. Mühim olan vaktiydi. Milletin buna hazır olmasıydı. Otuz bir yıl önce kimse buna hazır değildi, şimdi oldu işte. İnan bana evladım, benim de sizler gibi vatanın refahından, milletin mutluluğundan başka bir isteğim yoktu. Allah'ın bana bahşettiği otuz üç yıllık saltanat süresince de başka hiçbir gayem de olmadı zaten... Ama bakın, bana neyi reva gördüler. Ecdadımdan tahttan indirilmiş olanlar dahi payitahtta kaldılar, öldürülenler dahi payitaht toprağına gömüldüler. Nerden çıktı bu sürgün? Nerden çıktı bu Selanik?"

Edebiyat konuşmanın verdiği geçici teselli kaybolmuş, uğradığı büyük hayal kırıklığı, yaşadığı yıkımın tüm tesirleri ortaya çıkmıştı.

"Bilmiyorum efendim," dedim soğuk ve kati bir ifadeyle. "Kararı meclis almış diyorlar..."

Şöyle bir baktı yüzüme, alınmıştı, sanki ona ihanet etmişim gibi kırgın bir sesle,

"Ama siz de haklı buluyorsunuzdur bu kararı, değil mi?" diye sitem etti. "Cezalandırılmam gerektiğini düşünüyorsunuz."

Suskun kalarak onayladım. Zannederim, bu tavrım sinirlendirmeye başlamıştı onu.

"Siz zabit misiniz evladım?" diye sordu bu kez sesi sert çıkıyordu... "Bu kadar genç olduğunuza göre mülazım filan olmalısınız?"

Cevap vermemek olmazdı:

"Asker değilim efendim, ne mülazım ne de başka bir rütbem var."

Pek şaşırmadı, usulca başını salladı.

"Cemiyettensiniz o zaman. Belki de şu fedailer teşkilatından..." Emin olmuş gibi bir kez daha salladı başını. "Öyle olmalı. Pek muteber bir fedai olmalısınız. Yoksa böyle mühim bir vazife vermezlerdi." Bir an bakışlarını kaçırdı, vagonuna gidecek, ben de kurtulacağım sandım, yapmadı, bana döndü. "Kim aldı sizi cemiyete? Sahiden merak ediyorum bu kadar genç yaşta, üstelik edebiyata bu kadar meraklıyken nasıl bulaştınız bu belalı işlere? Kim önayak oldu size?"

Cevap verme dedi yine içimden o ses ama tutamadım kendimi:

"Siz önayak oldunuz efendim."

Şaşkınlıkla çarpıldı yüzü.

"Nasıl? Ben mi?"

"Evet efendim, siz," dedim sözlerimin üzerine basa basa. "Babam, Selanik Maarif Müdürü Emrullah Bey'i Fizan'a yollayarak... Onun genç yaşta o çöl şehrinde ölümüne sebep olarak, siz teşvik ettiniz beni. Evet efendim, kusura bakmayın ama beni cemiyete siz kaydettiniz."

Ne diyeceğini bilemeden öylece kalakalmıştı.

"İyi geceler efendim," diyerek ayrıldım yanından. Öteki vagona geçerken dönüp son kez baktım, sanki kamburu biraz daha artmış, yüzü biraz daha solgunlaşmıştı... Hayır, gözlerinin önünden hızla akıp giden vatan toprağını da seyretmiyordu artık, ne yapacağını bilemeden öylece duruyordu koridorda tek başına.

"Sensizliğin, sürekli seni hatırlatmasından bahsediyorum."

⚜

Merhaba Ester, (7. Gün, Sabah)

Yağmur sesiyle uyandım. Ama ne yağmur! Sanki gök yarılmış gibi... Uzun süren yazın ardından güz intikamını alıyordu sanki. Balkonun kapısını açık unutmuşum geceden, çarpıp duruyor. Telaşla fırladım yataktan, kapıyı kapattım. Pencereden dışarı baktım ama damlalar o kadar sık, o kadar hızlı düşüyordu ki birkaç metre ötesini görmek mümkün değildi. Ayaklarımın ıslandığını fark ettim. Baktım, az önce açık olan balkon kapısından yağmur dolmuş içeriye. Banyoya seğirttim derhal, havluları getirip yerdeki ıslaklığı sildim. Yoksa yazık olur, kabarırdı yerdeki ahşap döşeme. Bir an, sanki bir çift gözün beni izlediği hissine kapıldım, başımı kaldırınca duvardaki aynada kendi suratımla karşılaştım. Dağınık saçlarım, uzamış sakallarım, bir ucu aşağıya, öteki ucu yukarı kalkık bıyığımla oldukça komik görünüyordum, üzerimde upuzun bir gecelik. Bildiğin palyaço. Evet, evet Paris'te izlediğimiz sirkteki o sarsak palyaçoya benziyordum. Bilirsin, tertipli bir adamımdır, görünüşüme önem veririm her zaman, tek başıma da olsam, bu dağınıklığa katlanamam. Ama o kadar mesuttum ki, ne sabah uykumu bölen bu sağanak ne şu pejmürde halim, hiçbiri bozamadı moralimi. Bir kahkaha koyuverdim üstüne üstlük. Çünkü sen bu şehirde olabilir-

215

din. Belki de benden sadece birkaç yüz metre ötede bir yerde uyuyordun şimdi. İşte bu ihtimal, sonsuz bir bahtiyarlık veriyordu bana. Hiç üşenmedim, tıraş oldum, güzel bir banyo yaptım, giyindim, bir heves indim kahvaltıya.

Başgarson İhsan'ın gözünden de kaçmamıştı neşem.

"Günaydın Şehsuvar Bey, ne güzel sizi böyle mesut görmek. Hem de bu berbat havada."

"Günaydın, günaydın İhsan Bey," dedim gülümseyerek. "Mühim olan havanın değil, ruhumuzun vaziyetidir. Bakma böyle yağıp estiğine, güz yağmuru bu, öğleye kalmaz geçer gider... Boşver şimdi yağmuru fırtınayı, bana şöyle güzel bir omlet yaptırır mısın? Üç yumurtalı olsun."

"Derhal efendim," döndü bir adım attı, önemli bir mevzuyu hatırlamış gibi durdu. "Sabah gazetelerini getireyim mi önce?"

Ben tereddüt ettim bir an.

"Hayır," dedim sonra. "İç karartan havadislerle moralimi bozmak istemiyorum bu sabah."

Seni yeniden görebilmek umudu, beni bekleyen tehlikeyi, başıma gelecek kötülükleri unutturmamıştı, hayır, ama artık fazla bir kıymetiharbiyesi kalmamıştı. Ne Mehmed Esad'ın gizli saklı işleri ne Cezmi'nin o delice öfkesi, hiçbiri umurumda değildi. Dün ikindiden beri tek bir gayem vardı; senin İstanbul'a gelip gelmediğini öğrenmek. Şu Çolak Cafer'i tanıyan başka birini bulamaz mıydım acaba? Eski tanıdıkların kapısını çalsam... Kara Kemal'in adamlarını ziyaret etsem. Hayır, bu kadar da değil. Cafer bile sabit bir yerde kalmıyorsa, tehlike henüz geçmiş değildi. Tam seni bulduğum anda, tutuklanmayı göze alamazdım doğrusu. Ya da kafama bir kurşun sıkılmasını. Ortalığı karıştırmanın manası yoktu, sabırlı olmalıydım. Zaten ne kadar bekleyecektim ki, iki gün sonra uğra demişti Cezmi Binbaşı... Evet, hepi topu iki gün. Kırk sekiz saat bile kalmamıştı şunun şurasında... Bu arada otelden ayrılmasam çok iyi olacaktı. Gerçi takip eden filan kalmamıştı ama yine de durduk yere iyi saatte olsunları kışkırtmanın âlemi yoktu. Odamda yazılarıma devam ederdim. Böylece vaktin nasıl geçtiğini bile anlayamazdım.

"Şehsuvar Bey... Şehsuvar Bey..."

Başımı çevirince resepsiyondaki Ömer'i gördüm, hemen sağ yanımda ayakta dikiliyordu.

"Oo, günaydın Ömer..."

"Günaydın efendim." Elinde tuttuğu küçük zarfı bana uzattı. "Bunu size bıraktılar... Üç gün önce gelen beyefendi. Hani ismini duyunca çok şaşırmıştınız? Sonra Kubbeli Salon'da oturup sohbet etmiştiniz ya..."

Mehmed Esad'dan bahsediyordu. Zarfı alırken sordum:

"Kendisi mi getirdi?"

"Hayır, esmer, epeyce esmer bir adam getirdi. Zannederim Arap'tı. Tek söz etmedi. Ama zarfın üzerinde isminiz yazıyordu."

Mehmed Esad'ın yolladığını nasıl anladın diyecektim ki, şaibeli arkadaşımın adını da okudum zarfın üst köşesinde. Teşekkür edip Ömer'i yolladıktan sonra zarfı açtım. Son derece kısa bir not yazılıydı içindeki kâğıtta:

"Avrupa Pasajı, 19 numaralı dükkânda olacağım. Bir halıcı dükkânı... Öğle vakti uğrarsan, hem yemek yer hem de sohbet ederiz. Mühim bir havadisim var sana. En samimi hürmetlerimle... Kardeşin Mehmed Esad..."

Hayır, gitmeyecektim, ne işim olurdu benim bu adamla? Anlatmıştım işte, siyasetle bir alakam kalmamıştı benim, ne o tarafta ne de bu tarafta. Gitmezsem belki ısrar da etmezdi, bırakırdı yakamı. Ya bırakmazsa, ya yeniden gelirse, nasıl açıklayacaktım randevusuna gitmemeyi? Sana itimadım yok, diyemezdim. En iyisi notunu çok geç aldım demekti. Elbette bilecekti yalan söylediğimi ama böylece kendisiyle görüşmek istemediğimi de anlayacaktı. Evet, gitmeyecektim. Hayır, hiçbir olayın, hiç kimsenin neşemi kaçırmasına izin vermeyecektim bugün. Nitekim karnımı bir güzel doyurduktan sonra, aşağıda hiç oyalanmadan odama çıktım yeniden. Hevesle oturdum yazı masasına. Allah bozmasın nasıl güzel bir his vardı içimde, nasıl aydınlık bir umut. Oysa bundan 17 yıl önce, 1909 yılının o bahar ayında Abdülhamit'i Selanik'e götürdüğümüzde bambaşka bir haletiruhiye içindeydim. Büyük bir boşluk, kopkoyu bir sıkıntı, derin bir manasızlık... İşte buydu Selanik'te beni esir alan hissiyat. Trenden iner inmez değil, Abdülhamit ve maiyetindekileri Alatini Köşkü'ne yerleştirdikten sonra da değil, doğduğum şehre geldikten tam iki gün sonra... Vazifemizi o sabah köşke gelen yeni müfrezeye devrettikten sonra...

Fakat, önce başımdan geçen o küçük olayı anlatmalıyım. Evet, padişah üç küsur yıl ikamet edeceği yeni evine yerleşirken, payitahttan Selanik'e kadar ona eşlik eden bizim küçük grubumuz da köşkten ayrılıyordu. Geniş bahçeyi geçip kapıdan çıkmak üzereyken bir asker seslendi arkamızdan:

"Durun, durun, bekleyin!"

Durduk, evet sadece ben değil, Basri Bey ve Mülazım Fuad da demir kapının önünde öylece kaldık. Koşarak gelen asker doğrudan bana yöneldi.

"Sultan sizi çağırıyor."

Şaşkınlık içinde mırıldandım:

"Beni mi?"

Hazır ol vaziyetinde duran asker tekrarladı:

"Evet, sultan sizi çağırıyor, yanına gitmeliymişsiniz."

Küçük bir kahkaha koyuverdi Basri Bey.

"Merak etme evlat, artık o sultanlık devri bitti. Seni sürgüne gönderecek hali yok. Git bakalım, ne istiyormuş?"

Merak içinde, kırmızı tuğlalı köşke yürümeye başladım. Güzelce düzenlenmiş bahçeyi geçerek mermer merdivenlere yönelmiştim ki, sabık padişahımızı gördüm. En üst basamakta duruyordu, hiç şüphe yok ki beni bekliyordu. İster istemez hareketime, yürüyüşüme bir çeki düzen vererek tırmandım merdiveni. Bir alt basamağa gelince dudaklarında o mesafeli gülümsemeyi fark ettim yine.

"Neyse ki son anda yakaladım sizi." Mahcup bir sesle konuşuyordu: "Yanlış anlamayın. Babanız için hakikaten çok üzüldüm. Tabii sizin için de... Büyük acılar çekmiş olmalısınız... İster inanın, ister inanmayın, kimsenin ölmesine taraftar değildim. Fakat artık bunu telafi etmem mümkün değil." Uzun ceketinin arkasında sakladığı sağ elini bana uzattı. Baktım, bir kitap tutuyordu. "Ama bu kitabı kabul ederseniz çok mutlu olacağım. Babanızın diyeti olarak değil, bir edebiyat okurunun, bir diğer edebiyat okuruna hediyesi olarak." Tereddüt ettiğimi görünce ısrar etti. "Lütfen alınız, isterseniz geçen geceki sohbetimizin hatırına sayın. Bir lahza da olsa beni sıkıntılarımdan kurtaran o edebiyat dolu sohbetin hatırına..."

Sanki 30 küsur yıl vatanı istibdadı altında inleten bir zorba değil, bir edebiyat meraklısı vardı karşımda. Belki de vicdanını rahatlatmak istiyordu yahut ailesinin başına gelebilecek bir bela karşısında kendisini müdafaa edecek insanların sayısını artırmaya çalışıyordu. Bilemiyorum ama öyle hazin bir görünüşü vardı ki, ne kadar öfke duyarsam duyayım bu yaşlı adamı kırmak içimden gelmedi.

"Teşekkür ederim efendim," diyerek aldım kitabı. Kapağına şöyle bir göz attım. *Bir Sherlock Holmes Macerası, Bruce Partington Planları* yazıyordu. "Bunu okumamıştım," diye mırıldandım.

Solgun yüzü ışıdı.

"Kıymetli bir kitaptır, iç sayfada müellifinin imzası da var."

Kapağını açtım, üçüncü sayfada Arthur Conan Doyle'un imzası yer alıyordu. "Devlet-i Aliyye'nin Büyük Sultanı Abdülhamit'e en derin saygılarımla" yazıyordu. Ne yalan söyleyeyim çok hislendim. Artık karşımdaki adamın kim olduğunun hiçbir kıymeti kalmamıştı. O da benim gibi iflah olmaz bir edebiyat müptelasıydı, bir kitapseverdi, mühim olan buydu. Minnetle gülümsedim.

"Çok teşekkür ederim efendim, iyi günler." Gidecektim ama bir noksanlık hissettim. Döndüm ve şunları söyledim. "Umarım güzel vakit geçirirsiniz bu köşkte."

Cevap vermedi, sadece baktı, yenilmiş bir adamın mahzun gözleriyle baktı. Onu orada bırakarak, merdivenlerden indim.

Olanı biteni öğrenen Basri Bey'le Mülazım Fuad kitabı alıp merakla sayfalarını karıştırdılar. Arthur Conan Doyle'un imzasını görünce çok şaşırdılar. "Ee, sultan yeniden tahta çıkarsa artık yerin sağlam," diye latife ettiler. Sonra yol ayrımına geldik, onlar kendi mahallelerine yöneldiler, ben de baba evine...

Mutlu olmalıydım, Selanik'e gelmiştim daha mühimi, inkılap için çok lüzumlu bir vazifeyi yerine getirmiştim, ama nedense bir huzursuzluk vardı içimde. Sebebini tam olarak anlayamıyordum, belli belirsiz bir sıkıntı ağır ağır pençesine alıyordu beni. Beyaz Kule'yi geçip sahile ininice, hatıralar hiç solmamış gibi, sanki dün yaşanmış gibi hafızamda birer birer canlanmaya başlayınca anladım. Sen, artık bu şehirde değildin. Zaten bildiğim bu hakikati idrak edince, dünya başıma yıkılmış gibi geldi. Evet, koca Selanik'te bir başımaydım. İlk kez o zaman nefret ettim bu şehirden. Yokluğundan bahsediyorum Ester... Birlikte dolaştığımız o sokaklardan geçerken yanımda bulunmayışından. Bedenimde bir kalp gibi sessizce atan hasretinden. Hayalinden, sesinden, kokundan bahsediyorum. Sensizliğin, sürekli seni hatırlatmasından bahsediyorum. Korkunçtu.

Artık emindim, iki Şehsuvar vardı, biri ruhunu tamamıyla sana adamış o genç yazar, ikincisi ise tarihin rüzgârına kapılmış, bu uğurda ölmeyi, öldürmeyi göze almış o inkılapçı. Şu ana kadar bu ikisi hiç anlaşamamıştı, bundan sonra anlaşacaklarını da zannetmiyordum. Evet, bir tür delilik bu, bir tür kendine acı çektirme hali.

O bahar akşamı şehrin bütün ağaçları gizli bir neşeyle çiçeğe durmuşken, ben Şehsuvar Sami dünyanın bütün kederini sırtlanmış bir halde ayaklarımı sürükleyerek girmiştim baba evinin kapısından içeriye. Aylardır uzak kaldığım annemi görecek olmanın verdiği sevinç bile dağıtamıyordu yüreğime çöreklenen melankoliyi. Annem de bu yüzden endişelenmişti.

"Değişmişsin evladım," demişti gözlerini yüzüme dikerek. "Sanki birden yaşlanmışsın..."

Endişelerini gidermek istemiştim.

"Daha bir yıl bile olmadı anneciğim Selanik'ten ayrılalı, bu kadar kısa sürede yaşlanır mı insan?"

Üzüntüyle sallamıştı başını.

"Evet, yaşlanmışsın, yüzünün çizgileri sertleşmiş, bakışın değişmiş. O yumuşaklık kaybolmuş. Daha sevecen bakardın sen." Elleri saçlarımda dolaşırken çaresizce cevap aramıştı sorularına: "Çok mu çalıştırıyorlar seni evladım?" Ben kem küm edince... "Yok," demişti iyice endişelenerek. "Yok, çalışmak değil bu, başka bir ağırlık çökmüş üstüne. Kötü bir şey yok değil mi Şehsuvar? Bir derdin, bir sıkıntın yok, değil mi evladım?"

Ruhumu ele geçirip bedenime kadar sirayet eden yokluğundan kurtulmak, yeniden mesut günlerime dönmek için bir gayret, silkelenmek istedim. Tekrar o eski, iyimser, hercai Şehsuvar Sami olmak...

"Yok anneciğim, ne derdim olacak. Hiçbir sıkıntım yok. Yol yorgunluğu, tren sarstı da biraz..." En sevgi dolu gülümsememi takınarak sarılmıştım, her zaman beni benden daha çok düşünen o mukaddes kadına. "Ah, çok özlemişim seni..."

İşte o sarılış ikna etmişti annemi, biricik oğlunun kokusunu içine çekmek, bütün kaygılarından kurtarmıştı onu. Bilmiyorum, belki kurtaramamıştı da öyle görünmek istemişti.

"Allah, bu ayrılığın gözünü kör etsin," demişti bana sarılarak. "Daha sık gelmelisin Şehsuvar. Ne kadar yol ki şunun şurası? Akşam bindin mi sabah buradasın. Daha sık görmelisin ihtiyar anneni. Bak bir ayağım çukurda artık..."

Doğru söylüyormuş ama ben aldırmamıştım. Oğlunu özleyen bir annenin yaptığı naz zannetmiştim.

"Vazifemiz çok ağır anneciğim, o kadar sık gelemem ama söz, çıkan ilk fırsatta yine geleceğim yanına," diyerek bu bahsi kapatmıştım. Hep öyle yapmaz mıyız zaten? Anne baba söz konusuysa, onları hiç önemsemeyiz. Çünkü fedakârlıklarını ve sevgilerini hep yanımızda bulacağımızı biliriz. Ancak kaybettiğimizde anlarız kıymetlerini. Ne yazık ki, bende de öyle olacaktı. İki yıl sonra annemi toprağa verirken farkına varacaktım, o çilekeş kadının benim için ne kadar önemli olduğunu. Ama o kadar da kalpsiz sanma, iznim iki gün olmasına rağmen, ne yapıp edip Basri Bey'i kandırdım, bir gün daha kaldım annemin yanında. Üstelik bu şehrin sokaklarında dolaşmak acı veriyorken. Hayır, sizin eve gitmedim. Gitmedim değil, gidemedim. Ayaklarım kaç kez kendiliğinden Yahudi mahallesine kaysa da yapamadım. Oysa Paloma Nine'yi de en az annem kadar özlemiştim. Ama o kapıdan içeri girdiğimde kendimi tutamamaktan korktum... Sen olmadan o bahçede dolaşmaktan... Bu hislerle yüzleşmeyi göze alamadım. Leon Dayı'ya bile uğramayı düşünmüyordum, fakat o beni buldu. Selanik'ten ayrılacağım günün sabahı çaldı kapımı. Evimizin misafir odasında ağırladım onu. Kahvelerimizi içerken düpedüz azarladı beni.

"İnsan Selanik'e gelir de uğramaz mı? Hiç ahde vefa yok mu Şehsuvar?"

Haklıydı, yerden göğe kadar haklıydı ama "Ester'in hatıralarından uzak durmak için uğramadım yanınıza," diyemezdim elbette. Beni, Goethe'nin Genç Werther'i gibi çaresiz zannetmesini istemiyordum.

"Kusura bakmayın Mösyö Leon," dedim utanarak. "Vakit bulamadım. Duymuş olmalısınız, buraya önemli bir vazifeyle geldim, çok meşguldüm. Fırsatını bulur bulmaz uğrayacaktım yanınıza."

İnanmayan gözlerle süzdü.

"Yapma Şehsuvar, uğramayacaktın. Yalan söylemeyi beceremiyorsun. Evet, uğramayacaktın. Cemiyet, beni sarı kaplı defterinden sildi. Elbette, sana da söylediler bunu. Sakın o Sosyalist Yahudi'ye uğrama dediler."

Hayretler içinde kalmıştım.

"Ne diyorsunuz Mösyö Leon? Kimse bana böyle bir ikazda bulunmadı. Bulunsa bile, onları dinlemezdim. Üzerimde büyük emeğiniz var... Size nasıl saygısızlık yaparım? Hem nedir bu defterden silme meselesi? Kim karışmaya cüret edebilir ki size?"

Şaşkınlık sırası ona gelmişti:

"Sahiden bilmiyor musun?"

"Bilmiyorum," dedim omuz silkerek. "Nerden bileyim, aylardır Dersaadet'teyim."

Gözlerindeki sitem yerini şüpheci bir ifadeye bırakmıştı.

"Neden gelmedin yanıma o zaman?" Cevap vermemi beklemeden elini yukarı kaldırdı. "Meşguldüm filan deme yine. İki gündür boş boş dolanıyormuşsun sahilde... Annemi de ziyaret etmedin. Seni ne kadar sevdiğini bilirsin..."

Elbette inkâr ettim:

"Yok öyle bir şey, boş boş dolaşmak kim ben kim? Abdülhamit'i getirdik Selanik'e. Sabık sultanın emniyetini sağlamak bize düştü. Nasıl aylak aylak gezebilirim sokaklarda? Dolaşıyorsam bir sebebi vardır mutlaka."

Fikrinde ısrar etmeyince bu kez ben sordum:

"Sahi Paloma Nine nasıl?"

Sıkıntısı iyice koyulaştı.

"Çöktü, Ester gidince birdenbire yaşlandı. Korkuyorum bir şey olacak diye... Aslında ben de iyi değilim, önce sen, ardından Ester... Ben de yalnız kaldım bu şehirde." Damdan düşer gibi sordu: "Ester'le yazışıyor musunuz? Yoksa dargın mısınız hâlâ?"

Galiba neden ziyaretlerine gitmediğimi anlamıştı sonunda. Anlasındı, beni alakadar etmezdi, yalanımı sürdürdüm.

"O mesele eskide kaldı Mösyö Leon. Sizin de söylediğiniz gibi olmayacak bir işti. Ben, Dersaadet'e gitmeden kapanmıştı. Aslında bu konuda size teşekkür borçluyum. O zamanlar yaptığınız ikaz için..."

Pişman olmuş gözlerle süzdü beni.

"Belki de kötülük yapmışımdır." Derinden bir iç geçirdi. "O ikazın doğru olduğundan artık emin değilim... Garip şeyler oluyor Şehsuvar... Bu inkılap hayal kırıklığına uğrattı beni. Evet, çok erken bir hayal kırıklığı..."

Öfkelenmeye başlamıştım, daha dokuz ay önce inkılap, aşktan önemlidir diyen adam, şimdi karşıma geçmiş hata yaptığından söz ediyordu.

"Anlayamadım, inkılap, sizi niye hayal kırıklığına uğrattı ki?"

Hemen başlayamadı konuşmaya. Bir süre bakışları, yerdeki el dokuması kilimin mavilerinde yeşillerinde dolaştı.

"Aslında başından beri kaygılarım vardı. Bir kısmından sana da bahsetmiştim. İnkılap için objektif şartlar lazım. İktisadi buhran lazım. İdare edenlerin eskisi gibi idare edememesi, baskıya, zulme başvurması, idare edilenlerin de eskisi gibi idare edilmek istememesi lazım. Nümayişler, protestolar, grevler... Yani milletçe bir hoşnutsuzluğun baş göstermesi lazım. Fransa'da ve Prusya'da böyle oldu. Ayrıca subjektif şartlar da lazım. Yani inkılabı isteyen sınıflar, zümreler, bu kitleleri idare edebilecek siyasi bir fırka, onun tecrübeli liderleri lazım. Bizde inkılabı isteyen sınıflar var ama sadece birkaç şehirde. Dersaadet, İzmir, Selanik... Bu şehirler dışında sanayimiz, burjuvamız, küçük burjuvamız, işçi sınıfımız neredeyse yok. Olanlar da teşkilatlı değil, daha fenası inkılabı yönetecek siyasi bir fırkamız yok. İttihat Terakki Cemiyeti kurulalı yirmi yıl oldu. Ama bak, bütün inisiyatifi askerlerin eline geçmiş durumda. Bu, iyi değil. Üstelik asker olsun, sivil olsun, kadrolarımız çok tecrübesiz. Her şeyi yaşayarak öğreniyoruz, bu da pahalıya mal oluyor bize.

31 Mart Ayaklanması'nı hazırlayan şartları düşün. Yaptığımız hataları gözünün önüne getir. Düşmanlarımızı aynı saflarda buluşturduk. Karşı çıktığımız baskıyı, zulmü biz uygular hale geldik. Söyler misin, Hasan Fehmi gerici bir yazar mıydı? Abdülhamit'in hafiyesi miydi? Niye vurduk biz o insanı? Saint-Just'un söylediği gibi 'Hürriyetin istibdadını mı yaratıyoruz?' Eğer öyleyse Tanrı yardımcımız olsun. Çünkü Saint-Just'ün de, Robespierre'in de başına gelenleri biliyorsun. Korkuyorum Şehsuvar, Fransız İhtilali'ndeki terör devrine benzer bir fecaatin ortaya çıkmasından korkuyorum. İnkılabın kendi çocuklarını yemesinden... Halbuki halledilmesi gereken devasa meseleler var. Osmanlı birliği çatırdıyor. Buradaki Yunanlar, Bulgarlar, Romenler yani bütün azınlıklar bağımsızlıktan, kendi devletlerini kurmaktan bahsediyor. Bizim Yahudilerin arasında da bu fikir yaygın. 'Neden Selanik bir Yahudi devleti olmasın?' diyorlar. Yüzlerce yıldır halledilmemiş artık kangrene dönüşmüş hadiseler bunlar. Bunları halletmek yerine baskıya, şiddete başvuruyoruz. Bu,

çaresizlik anlamına gelir. Evet, henüz çok erken, henüz dokuz ay oldu meşrutiyeti kuralı, henüz cemiyet tam manasıyla iktidar olamadı diyebilirsin. Doğru ama şu yaşananlar dahi telaşa kapılmama neden oluyor..."

Elbette onun kadar umutsuz değildim ama söylediklerini başta Ahmed Rıza olmak üzere cemiyetteki birçok münevverden de duymuştum.

"Ne demek istediğinizi çok iyi anladım," dedim sakin bir tavırla. "Bu hususta yalnız değilsiniz. Arkadaşlar arasında da bu meseleler tartışılıyor. Ama neden cemiyetle aranız bozuldu onu anlamadım."

Kederli bir ifade belirdi gözlerinde.

"Tartışılıyor mu? Emin misin bundan? Çünkü benim eleştirilerim hiç de iyi karşılanmıyor burada. Dersaadet'te durum farklı mı? Zıt görüşlere tahammül var mı?"

Tabii var diyecektim ki, bizim Kolağası Basri Bey'in, Ahmed Rıza hakkında söylediklerini hatırladım. Şehzadebaşı'ndaki o evde o büyük münevverle uzun süren sohbetlerimizin ardından telaşa kapılarak beni bir köşeye çekip ikaz etmişti: "Aman dikkat et Şehsuvar. Bu adamların ayakları yere basmaz. Yıllarca Paris'te yaşadıkları için memleketin hakikatlerinden bihaberler. Bildikleri tek şey yazmak, çizmek ama iş nazariyeyi hayata tatbik meselesine gelince apışıp kalıyorlar. Söyledikleriyle bizim gibi vatan fedailerinin kafalarını karıştırıyorlar. Halbuki bize gereken, hedefimize doğru inançla ve fedakârca yürümek. Boş lakırdılara, anlamsız nazariyelere lüzum yok. Bu nevi işler havanda su dövmekten başka bir işe yaramaz. Üstelik zihnimizi bulandırır, maneviyatımızı bozar..."

O zaman tam olarak ne demek istediğini anlamamıştım Basri Bey'in. Küçük grubumuzdan mesul olan kişi kendisi olmasına rağmen Ahmed Rıza'nın benimle alakadar olmasını kıskandığı için böyle düşündüğünü zannetmiştim. Ama şimdi Leon Dayı'nın söyledikleri başka bir koridor açıyordu zihnimde. Çünkü onun tenkitleriyle, Ahmed Rıza'nın sözleri arasında büyük bir benzerlik vardı. İkisi de aynı açıdan bakıyorlardı meselelere. Oysa Basri Bey hiç de onlar gibi düşünmüyordu. Muhtemelen Cemiyetin Merkez-i Umumisi de Basri Bey'le aynı fikirdeydi. Ne olacaktı peki şimdi? Münevverlerle askerler arasında cemiyet içi bir çatışma mı yaşanacaktı?

Fakat Talat Bey geldi aklıma. O asker değildi, namuslu bir münevver olmasına rağmen askerlerle birlikte çalışmaktan hiç de rahatsız görünmüyordu. Enver Bey'le, Cemal Bey'le omuz omuza kavgaya devam ediyordu. Üstelik Merkez-i Umumi'nin en etkili adamlarından biriydi. Yok canım, Leon Dayı gereksiz evhama kapılıyordu, Ahmed Rıza da hakikatleri tam olarak göremiyor olabilirdi. Evet, kâğıt üzerinde her şey kolaydı ama koca bir imparatorlukta yeni rejimi oturtmak dünyanın en zor işiydi. Elbette şiddet de olacaktı, baskı da... Tabii geçici bir süre. Hürriyet devri yıkılmaz bir şekilde inşa edilince, bunlara gerek de kalmayacaktı. Aynen söyledim bunları Leon Dayı'ya. Hiç çekinmeden, hiç saklamadan aklımdakileri tek tek sıraladım.

Dudaklarında buruk bir tebessümle dinledi beni. Hayır, tartışmayı tercih etmedi,

"Anlaşılan Talat çok etkilemiş seni," dedi yenilmiş bir ifadeyle. "Umarım bu yaptıklarından bir gün pişmanlık duymazsın. Çünkü ben daha şimdiden pişmanlık duyuyorum. Keşke, seni aza olarak teklif etmeseydim cemiyete. Keşke, Ester'le gitmene karşı çıkmasaydım..." Duraksadı, derin bir keder, derin bir pişmanlık vardı yüzünde. "Artık gitmek istemezsin değil mi Paris'e?"

Başardığım için kendime kızdım, rolümü o kadar iyi oynamıştım ki, Leon Dayı seni unuttuğuma inanmış, o imkânsız sevdanın sona erdiğini zannetmişti. Öte yandan belli belirsiz bir umut kıvılcımı da çakmadı değil içimde; demek hâlâ vaktim vardı. Demek hâlâ hakikati söyleyebilir, senin yanına gidebilir, hâlâ bütün kaderimi değiştirebilirdim ama yapmadım, yapamadım, yapamazdım. Rolümü daha bir heyecanla sürdürdüm:

"Paris'e filan gidemem Mösyö Leon. Bu akşam Dersaadet'e dönüyorum. Yapılacak çok mühim işler var. Hem hatırlarsanız, bana şöyle demiştiniz: 'Ülke ateşler içinde kalmışken, kendi gönül yaranı söndürmenin peşinde koşamazsın.' Haklıydınız, vatan bu haldeyken ne münevver züppeliklerini dikkate almak lazım ne de kırık gönülleri onarmak gibi bir zafiyete kapılmak. Bir tek hayat var artık benim için. Milletin ittihadı, vatanın terakkisi... Başka tür bir hayat ihtimalini düşünmeyi, kendime hakaret sayıyorum..."

Ama dur, dur... Galiba kapının önünde yine biri var? Temizlikçi mi? Yok, sanki kulağını dayamış içeriyi dinliyor. Nefes alışlarını hissediyorum. Kim bu yahu? Evet, şimdi de alçakça çalıyor kapıyı. Hiç de çekingen olmayan bir tavırla. Ardı ardına vuruyor ahşap kapıya. Kusura bakma Ester, yine ara vermek zorundayım.

"Kimin katil, kimin cani olduğuna karar verecek kişi ben değilim."

✳

Merhaba Ester, (7. Gün, Öğleden Sonra)

Galiba bu Mehmed Esad'dan kurtuluş yoktu. Öğle yemeği için verdiği adrese gitmedim ya, kendisi kalkıp gelmiş. Evet, kapımı çalan eski dava arkadaşımdan başkası değildi. Bu ne cüret diyeceksin ama adamın kendince sebebi vardı, çok da mühim bir havadisi. İçeri girmek istedi.

"Oda çok dağınık," diye engelledim. "Restoranda bekle, hemen geliyorum."

Restorana indiğimde, arkadaş masaya kurulmuş yemeğini ısmarlıyordu. Sanki ben davet etmişim gibi o kadar rahat, o kadar kendinden emin. Pişkinliğin bu kadarı da fazlaydı doğrusu. Bir de azarlamaya kalkmaz mı?

"Niye gelmedin Şehsuvar? Seni beklerken öldüm açlıktan..." Karşısındaki iskemleye yerleşirken düpedüz tersledim.

"Sana geleceğim dediğimi hatırlamıyorum Mehmed." Ne alındı, ne bozuntuya verdi.

"Kızdın mı yoksa?" diye sırıttı. "Bu kadar hukukumuz var zannediyordum."

Ellerimi masanın üzerine koydum.

"Hukuk meselesi değil, vakit meselesi. Bana bir not yollamışsın ama ben o saatte müsait değildim."

Omuzlarını usulca yukarı kaldırdı.

"Tamam kuzum, olabilir, ne çıkışıyorsun?"

Hayır, öfke yoktu sesinde, bir arkadaşın abartılı sitemi vardı sadece.

"Çıkıştığım filan yok, sadece durumu izah etmeye çalışıyorum."

Dostlukla baktı.

"Anlaşılmıştır, tamam, hatalı olan benim. Vurma artık yüzüme. Sahi sen ne yiyeceksin?" Önündeki menüyü bana doğru uzattı. "Şahane yemekler varmış sizin burada."

"Karnım tok," dedim soğuk bir tavırla. "Başka bir arkadaşımla buluştum öğle yemeğinde..."

Gözlerini kısarak baktı.

"Bir hanım mı yoksa? Sahi yahu şu senin Yahudi kız ne oldu? Ester'di değil mi? Hani Selanik'teki... Birkaç kez birlikte görmüştüm sizi. Ne yalan söyleyeyim, acayip kıskanırdım. Güzel kızdı... Güzel olmanın ötesinde bir havası vardı... Sahi ne oldu o kız?"

Yoksa Mehmed de mi haberdardı senin İstanbul'a geldiğinden? Belki de boş atıp dolu tutmak istiyordu. Aldırmadım.

"Bilmiyorum ki, senelerdir görmüyorum. Ne Ester'i ne de dayısı Leon'u."

Mühim bir mevzuyu hatırlamış gibi çatıldı kaşları.

"Mösyö Leon... Ha, onunla karşılaştım, biliyor musun? İki ay kadar önce... Tokatlıyan Otel'de... Lobide birileriyle oturmuştu..." Manidar bir bakış attı. "Ama yeğeni yoktu yanında. Yahut ben görmedim... Belki odasında filandı..."

Mehmed Esad'a duyduğum tepki anında kaybolmuştu. Çünkü sözleri, senin bu şehre gelmiş olma ihtimalini güçlendiriyordu.

"Bir daha gördün mü?" diye sordum. "Mösyö Leon'u diyorum. Biliyorsun, katiplik yapmıştım onun avukatlık bürosunda..."

Başını salladı.

"Hayır, sadece o akşam gördüm. Muhabbet edecek kadar tanışıklığımız olmadığı için, bir konuşma da geçmedi aramızda." Birden ciddileşti. "İstanbul'a mı yerleşmişler?"

Birden içime bir kurt düştü. Yoksa Cezmi'yle görüştüğümü biliyor muydu? Dün izlemişler miydi bizi? Takip etseler bile nereden duyacaklardı konuştuklarımızı? Ya biri rapor ettiyse? Biri? Yani kim? Cezmi değil herhalde... Reşit mi? Yok canım, yine evhama kapıldım. Belki de bizzat Çolak Cafer söylemiştir Mehmed'e. İyi de Mehmed hükümet adına çalışıyorsa, Cezmi'nin adamı Cafer yanaşır mı ona?

"Daldın Şehsuvar," diye ikaz etti eski dava arkadaşım. "Mösyö Leon diyorum, İstanbul'a mı yerleşti sence? Selanik düştüğünden beri Yahudiler birer ikişer ayrılıyormuş şehirden."

"Bilmiyorum," dedim toparlanarak. "İlk senden duyuyorum Mösyö Leon'un İstanbul'da olduğunu."

İnanmamış gibiydi.

"Yani Ester'i görmedin mi hiç?"

Böyle doğrudan sorması hoşuma gitmemişti.

"Görmedim," diye kestirip attım. "Görmem için bir sebep de yok zaten."

Ekmek ve su getiren garsonun araya girmesiyle kesildi konuşmamız. Mehmed hakikaten acıkmış olmalı ki, gelen ekmeklerden bir parça koparıp ağzına attı. Garson uzaklaşırken, ağzındaki lokmayı yutmasına izin vermeden sordum.

"Peki, neymiş şu notta yazdığın mühim havadis?"

Hiç acele etmeden şişeye uzandı, hem kendi bardağına hem benimkine su doldurdu. Bir yudum içtikten sonra,

"Bizimkilerle konuştum," dedi ciddileşerek. "Senin hakkında. Bizimle çalışmanı istiyorlar. Evet, Şehsuvar seni vazifeye çağırıyorlar."

Bu kez ben ağırdan aldım, önümdeki bardaktan bir yudum su da ben içtim.

"Gurur duydum, ayrıca çok da rahatladım. Çünkü ben bu hükümetin düşmanı değilim. Bunu anlamış olmalarına çok sevindim. Fakat sana söylediğim gibi ben artık emekli hayatı yaşamak istiyorum. Huzura ihtiyacım var Mehmed. Mümkünse ihtiyarlayıp kendi yatağımda ölmek istiyorum."

İlk kez endişeli, hatta itham eden bir ifade belirdi yüzünde.

"Vazifeden kaçıyorsun yani..."

Onunla tartışacak halim yoktu.

"Bu yorgun bedenle, bu bozuk haleti ruhiye ile vatana fayda yerine zarar veririm diye korkuyorum." Samimiyetle, hatta yardım istercesine baktım. "Ben iyi değilim Mehmed, hakikaten iyi değilim. Eski Şehsuvar yok artık. Benden iş çıkmaz."

İskemleye yaslanarak kollarını kavuşturdu.

"Peki nasıl geçineceksin? İş yok, güç yok parayı nereden bulacaksın?" Bakışları otelin restoranında gezindi. "Gerçi bu otelde kalabildiğine göre biraz paran vardır ama bitmeyecek mi?"

Hiç sinirlenmeden, hiç kalbimi bozmadan, bir dostla dertleşir gibi izah ettim:

"Evinde kaldığım Madam Melina, annem gibiydi. Nesi var, nesi yoksa bana bıraktı. Beşiktaş'ta bir ev, Karaköy'de küçük bir dükkân, biraz da nakit. Onlarla geçiniyorum şimdi. Evet, devamlı bu otelde kalamam, yeniden Beşiktaş'taki eve dönerim herhalde. Öyle fazla lüksüm yok, ne olacak işte, çeviri filan, kıt kanaat geçinir giderim."

Düşünceli gözlerle bakıyordu.

"Anladım, anladım Şehsuvar ama seni kendi haline bırakacaklarını zannetmiyorum. Kimse inanmaz elini ayağını bu işlerden çekeceğine. Hükümet olmazsa, ötekiler bırakmaz peşini. Tabii, üstlerime anlatacağım söylediklerini ama ikna olmayacaklar. Adım gibi eminim bundan. Sen şu kararını bir daha düşün..."

İtiraz edecektim, beni susturdu.

"Şimdi demiyorum, şu an değil, biraz düşün bu mevzuyu. Sakin kafayla bir daha gözden geçir. Kimse bilmeyecek zaten hükümet için çalıştığını, sadece benimle irtibat kuracaksın. Yani kimse suçlamayacak seni, ittihatçıların katilleriyle çalışıyor diye."

Yem atıyor olabilirdi.

"Öyle düşünmüyorum," diye anında müdahale ettim. "Kimin katil, kimin cani olduğuna karar verecek olan ben değilim. Sadece böyle zor bir vazife için hazır olmadığımı söylemek istiyorum."

Aramızdaki gerginliği bozmak için suni bir kahkaha attı.

"Seyahate yollarız seni, dinlenirsin, kendine gelirsin." Birden ciddileşti. "Vatan tehdit altında Şehsuvar. Hükümetin bizim gibi tecrübeli insanlara ihtiyacı var. Gel, sen şu meseleyi bir daha düşün. Sana bir gün mühlet. Yarın yine konuşuruz. Ama bu defa benim dükkâna bekliyorum. Akşam buluşalım ki, oradan da bir yerlere gider kafa çekeriz."

Evet, işte bunları konuşmuştuk Mehmed'le. Ancak bu pek de itimat edemediğim eski arkadaşım, "Gel, sen şu meseleyi bir daha düşün," derken, seneler evvel, fedailer grubuna katılmak için Basri Bey'le Selanik'te buluştuğumuz güne gittim. O da öyle demişti, "Şimdi evine git, iyice bir düşün taşın." Ama o vakitler, durum tam tersiydi, ben fedailer grubuna girmek için can atıyordum, Basri Bey kararımdan emin olmamı istiyordu. Şimdi ise aynı fedai grubunda yer aldığım, üstelik çok da iyi tecrübelerimin olmadığı Mehmed, istemediğim bir iş için beni zorluyordu. Belki de doğru olan, daha o masadan kalkmadan, "Hayır, ben asla bu işte yokum!" demekti. Ama her an tutuklanabileceğim tehdidi altında yaşarken bunu yapamazdım, hele seni bulma umudum doğmuşken, hiç göze alamazdım.

"Tamam, yarın sana uğrarım," diyerek meseleyi erteledim. "Hiç değilse rakı içeriz beraber."

Odama çıktığımda, sabahki yağmurun kesildiğini fark ettim. Balkona çıkıp, nemli havayı içime çektim. Kirli bulutların ardından çıkan şen şakrak bir güneş yarım saat içinde kibrit gibi kurutmuştu balkonun zeminini. Ama serin bir rüzgâr, bunun kalıcı olmadığını, önümüzün sonbahar olduğunu hatırlatıyordu kendi lisanınca. Sahi ben hiç huzur bulamayacak mıydım? Tam mesut oldum derken hep bir olay oluyor, bir mevzu çıkıyor, yarıda kalıyordu mutluluğum. Baksana, seni bulacak olmanın sevincini bile yaşatmıyorlardı bana. Yok, bugün erteledim ama yarın katiyetle hayır demeliydim Mehmed'e. Hayır, ben artık hiçbir vazife almak istemiyorum, gizli ya da aleni hiçbir mesuliyet altına girmek istemiyorum. Evet, bu kadar. Aksi takdirde, yakamı kurtaramazdım bunlardan. Ama önce seni bulmalıydım. Bu kararla bir nebze olsun yerine gelmişti neşem. Odaya dönüp yeniden kalemi elime aldım.

Selanik'te Leon Dayı'yla konuşmamızı anlatıyordum. Sana duyduğum hasreti saklayarak, onunla nasıl hamasi bir konuşma yaptığımı yazıyordum. Evet, bugünkü iyimserliğin aksine o gün büyük bir öfke vardı içimde. Dersaadet'e döndüğümde de sürdü o nedensiz öfke...

Nedensiz mi? Elbette değil, seni kaybetmiş olmaktan dolayı yaşadığım hayal kırıklığı Leon Dayı'nın söyledikleriyle birleşmiş, derin bir umutsuzluk yaratmıştı. Hangi ipe tutunsam elimde kalıyordu, hangi sokağa girsem kör bir duvar çıkıyordu karşıma. Sanki melun bir el tek tek kapatıyordu bütün kapıları yüzüme. Çok değil daha dokuz ay önce hem sen yanımdaydın hem de ben vatanın istikbaline dair büyük umutlarla doluydum. Ama artık sen Paris'teydin, uğruna aşkımızı feda ettiğim inkılap, sıkıntılar içinde kıvranıyordu, Leon Dayı gibi, Ahmed Rıza gibi bu davaya gönül vermiş insanlar kırgınlıklarını açıkça dile getiriyorlardı. Yanlış bir tercih mi yapmıştım? Bütün hayatımı ateşe mi atmıştım? İçimde büyüyen öfke, işte bu zihinsel karmaşanın, bu duygusal zelzelenin neticesiydi.

Bir izah yolu bulamadığım için sinirleniyordum, meselenin içinden çıkamadığım için... Evet çaresizliğimden. Kendime, sana, cemiyete ama bilhassa düşmanlarıma. Evet, ister harici olsun, ister dahili, vatana hıyanet edenler, artık benim de şahsi düşmanımdı. Vatanı bu hale düşürdükleri yetmezmiş gibi benim hayatımı da bedbaht etmişlerdi. O sebepten böyle öfke doluydum, o sebepten böyle kararlı ve acımasız olmak gerektiğine inanıyordum. Basri Bey'in ikaz ettiği gibi benimki münevver hassasiyeti, lüzumsuz merhametti. Üstelik bu hal, maneviyatımı bozuyor, iademi zayıflatıyordu. "Evet, evet, Saint-Just haklıydı; 'Hürriyetin istibdadını' tesis etmek mecburiyetindeydik, aksi takdirde onlar 'Esaretin istibdadını' tekrar başımıza bela edeceklerdi. Son cümleyi cemiyetin Nuruosmaniye'deki lokalinde, Kara Kemal Bey'in de katıldığı geniş bir toplantıda söylemiştim. İnkılabımızı hedef alabilecek yeni kalkışmalara mani olunması ve karşı ihtilali örgütleyecek şahıs ve cemiyetlerin tespit edilerek, tesirsiz hale getirilmelerini konuşuyorduk. Acımasız ve kararlı olma hususunda hepimiz hemfikirdik. 31 Mart Ayaklanması'na sebep olan hatalarımızı unutmuş, tarifsiz bir vesvese içinde siyasi rakiplerimizi nasıl ortadan kaldırırız meselesine gelmiştik. Çünkü hâlâ tam manasıyla iktidar olamamıştık. Çünkü hâlâ kuyumuzu kazmaya çalışan şer çeteleri ortalıkta serbestçe dolaşıyor, gaflet anımızı, hata yapmamızı bekliyorlardı.

31 Mart Ayaklanması'nın ardından sadaret makamı tekrar Hüseyin Hilmi Paşa'ya verilmiş, Talat Bey'le birlikte cemiyet üyelerinden bazıları hükümette nazır olmuşlardı. Daha da mühimi yeni Sultan Mehmed Reşad, cemiyetle uyum içinde çalışmayı kabul etmişti. Yani artık saraydan yana bir kaygımız kalmamıştı. Ama ayaklanmanın bastırılmasının ardından Mahmud Şevket Paşa'nın Dersaadet'te ilan ettiği örfi idare hâlâ sürüyordu. Yani padişahın gücü zayıflamış olmasına rağmen, ülkede hâlâ ikili yönetim vardı. 31 Mart'ı bastıran Mahmud Şevket Paşa, yetkilerinin dışına çıkmakta hiçbir sakınca da görmüyordu. Hiç kimseye müdanası yoktu, cemiyetle arasına hep mesafe koyuyor, orduya siyaset bulaşmasını istemiyordu. Yaşadığımız ayaklanmada hem meşrutiyeti

hem de cemiyeti kurtaran ordu olmasına rağmen, aslında biz de askerlerin siyasete karışmasını doğru bulmuyorduk. Selanik'te toplanan cemiyet kongresinde, bu şartı alkışlarla kabul etmiştik ama içten içe biliyorduk ki, ordu olmadan siyasetin emniyeti sağlanamazdı. Ve daha mühimi İttihat ve Terakki'nin omurgası askerlerden müteşekkildi.

O sebepten cemiyetin en çok itimat ettiği adamlar ordunun içine gönderilmişti, bozguncuları, meşrutiyet ve vatan düşmanlarını tespit etmek için. Ama sadece ordu değil, Kara Kemal Bey'in bir örümcek ağı gibi bütün şehre yayılan ilişkileri de kullanılarak, Dersaadet'in tüm camileri, külliyeleri, dershaneleri, kıraathaneleri, birahaneleri, meyhaneleri yani ahalinin toplandığı her yer gözetim altına alınmıştı. Millet ne konuşuyor, neden şikâyet ediyor, onları kim kışkırtıyor, kim cemiyet ve hükümet aleyhine propaganda yapıyor, hepsi öğrenilecek, hainler tek tek tespit edilecekti.

Öte yandan, isyandan bu yana yoğun bir mesai yürüten divan-ı harp verdiği kararlarda eski cesaretini kaybetmiş, kendilerini hürriyetçi telakki eden muhalif gençlere karşı hoşgörülü bir davranış içine girmişti. Bu gevşek tutum, cemiyet düşmanlarına cesaret veriyor, 31 Mart Ayaklanması öncesine benzer bir ortam yaratarak muhalefeti güçlendiriyordu. Bilhassa basında cemiyete yönelik taarruzları artmıştı. Bu melun neşriyatın içinde Dersaadet mebusu Kozmidi Pandelaki Efendi'nin sahip olduğu *Sada-i Millet* gazetesi ve onun genç yazarı Ahmed Samim öne çıkıyordu. Esasında *Sada-i Millet* gazetesini kimin desteklediği de bir muammaydı. Gazetenin arkasında Rum Patrikhanesi'nin bulunduğu söyleniyordu. Ahmed Samim bu şaibenin ne kadar farkındaydı bilinmez ama hiçbir zaman kalemini bize karşı kullanmaktan geri durmuyordu. Bizzat Talat Bey'in ikazlarına rağmen, belki de gençliğin verdiği o ateşli ruhla tenkitlerini sürdürüyor, bir santim olsun geri adım atmıyordu.

"Başka çaremiz yok," demişti Basri Bey. "Adamın kaleminden kan damlıyor. Birin üzerine bin koyarak, cemiyete duyulan düşmanlığı körüklüyor, nefreti artırıyor, etrafımızı saran hainleri cesaretlendiriyor. Bu işi tez vakitte halletmemiz gerek."

Halletmek dediği bu kabiliyetli gazeteciyi tümüyle susturmaktı, yani öldürmek. Tez vakit, beş gün sonra geldi. İnsanda öldürme hissi değil, yaşama hissi uyandıran ılık bir yaz akşamıydı. Bir dost evine yemeğe gidilecek, o güzel gecelerden biri... Yemeğe gidecek olan biz değildik, kendimize kurban seçtiğimiz Ahmed Samim'di. Şeyhülislam Cemalledin Efendi'nin oğlu Muhtar Bey'in davetine icabet edecekti. Günler önce almıştık bu istihbaratı. Bu sabah evinden çıktığından beri peşindeydik. Karar verilseydi gün ışığında da söndürürdük bu genç adamın hayat ateşini fakat karanlık çöksün, kimse katili görmesin isteniyordu. Herkes bu cinayeti bizim işlediğimizi bilmeli ama kimse emin olmamalıydı ki, cemiyet bu suçu işlemediğini rahatlıkla söyleyebilsin. Aksi takdirde muhalefetin eline çok sağlam bir koz vermiş olurduk.

"Ya bu akşam ya da hiçbir zaman," denmişti Basri Bey'e. "Sesini kesin artık şu kendini bilmez gazetecinin."

Bu emri kimin verdiğini bilmiyorduk, Merkez-i Umumi mi, yoksa her olan biten karşısında silahına sarılan bizim heyecanlı zabitlerimizden biri mi? Kim olursa olsun, bunun önemi kalmamıştı artık, Ahmed Samim'in hükmü imzalanmış, kalemi kırılmıştı. Mümkünü yok, bu akşam öldürülecekti.

O sabah takibe başlamadan önce Cağaloğlu Yokuşu'ndaki binada Basri Bey tekrar tekrar tembihlemişti Fuad'la beni.

"Mesele çıkmazsa biz müdahale etmeyeceğiz. Ancak tetiği çekecek arkadaş bir engelle karşılaşır ya da bir sebeple muvaffak olamazsa, o zaman biz ifa edeceğiz vazifeyi. Üçümüz birden değil, Şehsuvar çekecek tetiği. Evet Şehsuvar kardeşim, eğer öteki fedai herhangi bir sebeple işini yapamazsa, sen vuracaksın haddini çoktan aşmış olan bu gazeteciyi. Ama benden işaret bekle, çünkü öteki grupla irtibatımızı ben sağlayacağım. Hepimizin emniyeti için, sizin onları, onların da sizi tanımaması icap ediyor. Fakat bilhassa senin hedefe yakın olman lazım Şehsuvar. Çok da dikkatli olmalısın. Çünkü bu Ahmed Samim daha önce defalarca tehdit mektupları almış, bir hile sezerse kaçıp kurtulabilir. Aman gözünüzü seveyim bir açık vermeyelim, adamı ürkütmeyelim. Anlaşıldı mı?"

Elbette anlaşılmıştı, avlarını kıstırmış tecrübeli kurtlar gibiydik. Silahın patlayacağı, kanın akacağı anın gelmesini bekliyorduk sabırla. Ahmed Samim'i gazetesine kadar takip ettikten sonra, *Sada-i Millet* gazetesinin Ebussuud Caddesi'ndeki binasının etrafında mevzilenmiştik. Herkes başka bir kuytuya, herkes başka bir köşeye.

Ben, *Sada-i Millet* gazetesinin çıkış kapısına bakan Arap Selami'nin kahvesinde oturuyordum. Sanki çok içermişim gibi, kendime bir de nargile söylemiştim. Bir yandan kapıyı gözetlerken, bir yandan da tetiği çekecek arkadaşı arıyordum. Öyle ya Ahmed Samim'i vuracaksa katil buralarda bir yerlerde olmalıydı. Ama etrafımda şüphe uyandıracak kimseyi göremiyordum. Aferin diye geçiriyordum içimden, demek bu işlerde tecrübeli, mahir bir arkadaş... Silahşorun iş bilir olmasını diliyordum, çünkü gazeteciyi vurmak mecburiyetinde kalmayı hiç istemiyordum. Evet, muhaliflere derin bir öfke duymama rağmen içten içe bu gazeteciyi vurmanın yanlış olduğuna inanıyordum. İnanmaktan öte korkuya benzer bir his vardı içimde. Neden öldürecektik ki bu gazeteciyi? Bize nasıl bir zarar verebilirdi? Fazla tutkulu, kendini göstermeye meraklı, tecrübesiz aptalın tekiydi işte. Kozmidi denen o zibidinin oyununa gelmiş, kendi yazdıklarıyla sarhoş olmuş bir genç. Üstelik benim gibi edebiyat meraklısı. Elbette, cemiyet karar aldıysa, yanlış ya da doğru diye sorgulamak bizim işimiz değildi. Ama Abdülhamit'in eli kana bulanmış paşalarını, hafiyelerini avlamak başka, sadece kalemiyle, fikirleriyle mücadele eden birini öldürmek başkaydı. Üstelik daha Hasan Fehmi suikastı unutulmamışken...

Bu endişelerimi kimseye söylemedim elbette; zabitlerin içinde bir sivil olarak zaten pek muteber biri değildim, bu suikastı da tenkit edersem, kim bilir hakkımda neler düşünürlerdi? O yüzden, tetikçinin muvaffak olmasını istiyordum, yoksa pişman olacağım, belki de ömür boyu vicdan azabı çekeceğim bir cinayetin faili olacaktım. Ama saatler geçiyor Ahmed Samim bir türlü çıkmıyordu gazeteden.

Birden aptalca bir umuda kapıldım, belki de başka bir kapıdan savuşup gitmişti. Kim bilir belki de birileri suikastı haber vermişti ona. Belki de, biz burada beklerken, Marsilya'ya giden akşam gemisine kapağı atmıştı çoktan... Keşke öyle olsaydı ama olmamıştı; katılacağı davetin vaktinin gelmesini bekliyordu zavallı. Nitekim ortalık iyice kararınca da çıktı kapıdan. Yanında biri daha vardı, muhtemelen kendisi gibi bir muharrir. Karşı kaldırımdan geçerken yüzüne dikkatle bakma fırsatı buldum, benden ancak birkaç yaş büyük olmalıydı. Nedense onu kendimden daha küçük biri olarak düşünüyordum. Yapacağımız suikasta inanmadığımdan mı, yoksa hiçbir şeyden haberi olmayan kurbanımıza duyduğum merhametten mi, bilmiyorum, fakat kendisini bekleyen tehlikeden habersiz, adım adım ölümüne giden bu genç gazeteciyi, Mekteb-i Sultani'deki alt sınıflarda okuyan arkadaşlarımdan biri gibi görüyordum.

Diyeceksin ki, "Madem öyle, neden onu ikaz etmedin? Neden kaç demedin?" Diyemezdim Ester, yapamazdım bir tanem. Bu, cemiyete ihanet olurdu. Ben bu davanın bir neferiydim, verilen vazifeyi yerine getirmekle yükümlüydüm. Kabul ediyorum tuhaf bir zihin karmaşası, ruhsal bir garabet. Ahmed Samim'e karşı büyük bir acıma duysam bile asıl dileğim tetiği çekmek zorunda kalmamaktı. Evet, zalimce bir durum, daha doğrusu alçakça... O ölsün ama benim ellerim kirlenmesin. Esasında, iş başa düşerse onu vurabileceğimden de emin değildim, belki de o tetiği hiç çekemeyecektim.

Dün gece hissetmiştim bunu, uyumak için yatağıma uzandığımda. Kocaman bir dolunay vardı gökyüzünde; solgun ışığı yüzüme vuruyor, içimi ürpertiyordu. Kıraç bir tarlayı andıran aya takıldı gözlerim, birden her şey çok manasız geldi bana. Ne vatan, ne cemiyet, ne kendim, hatta ne de sen. O ayın altında ne yapacağını bilmeden oradan oraya sürünen bir kertenkele gibi hissettim kendimi. Korkunçtu, lambayı yaktım, belki çare olur diye, ne zamandır elime almadığım Anatole France'ın kitabını okumaya başladım. Tercüme için değil, damarlarıma kadar yayılan o gümüş rengi soğukluktan kurtulmak için. Faydası olmadı. Gözlerim satırların arasında dolaşırken aklım bambaşka yerlerde seyahat ediyordu. Kitabı kapatıp yatağa uzandım yeniden. Ne oluyordu bana, inancımı mı yitiriyordum, kendime duyduğum güveni mi? Belki her ikisi birden. Leon Dayı haklıydı galiba. Hâlâ çok geç değildi, yarın tası tarağı toplayıp önce Selanik'e oradan da Paris'e gidebilirdim. Senin yanına... Kim bilir ne kadar sevinirdin geldiğime... Sahi sevinir miydin? Artık bundan hiç emin değildim. Belki de artık tümüyle unutmuştun beni, çıkartıp atmıştın kalbinden. Seni suçlayacak halim de yoktu, bunu yapan bendim. Birden kendimi yapayalnız hissettim. Koca dünyada, şu karanlık gecenin içinde tek başıma. Gözlerim nemlendi, boğazım düğüm düğüm ağzıma geldi... Evet utanmadan bir çocuk gibi içimi çekerek ağladım. Zayıflık zannetme, insanca bir şeydi, üstelik iyi geldi, açıldım, fakat

236

ruhumdaki tereddüt bitmedi. O gözü kara cemiyet fedaisi rolünü iyi oynamama rağmen, davaya duyduğum sadakatin gitgide azaldığını hissediyordum. İşte bu nedenle, Ahmed Samim'i öldürecek olan o tabancanın tetiğini ben çekmek istemiyordum. Fakat gazetecinin peşine düşecek, elbette emredileni yapacaktım.

Nitekim Ebüssuud Caddesi'ne çıkan iki muharriri, on beş yirmi metre öteden takip etmeye başladım. İşin ilginci, hiç de tedirgin görünmüyordu Ahmed Samim. Ne sağını solunu kolluyor ne de arkada birileri var mı diye geriye bakıyordu. Zavallı, ya arkadaşıyla sohbetin akışına kaptırmıştı kendini ya da bu akşam gideceği davetin havasına girmişti şimdiden.

Caddenin sonuna gelince kalabalık artmaya başladı. Ahmed Samim ve arkadaşı işinden çıkan insanlarla birlikte Sirkeci'ye döndüler. İşte o vakit gördüm tetikçiyi. Köşedeki tütüncünün yanından çıktı. Siyahlar giymişti, başındaki fes hafifçe yana kaykılmıştı, sağ eli ceketinin cebindeydi; muhtemelen cinayeti işleyeceği tabancayı tutuyordu. Oldukça sakindi, telaşsız adımlarla yürüyordu, daha önce cemiyet lokalinde görmemiş olsam ben bile şüphelenmezdim ondan. Serez ya da Drama'dan olmalıydı, galiba Çerkez'ti, adını hatırlamıyorum. Cemiyetin gözü kara adamlarından olduğunu duymuştum. Fakat işlerinden evlerine gidenlerle dolu bu cadde suikast için hiç de iyi bir tercih değildi. O kadar ahalinin içinde nasıl vuracaktı gazeteciyi? Daha düşüncemi tamamlamama fırsat vermeden, Ahmed Samim ve arkadaşı karşı kaldırıma geçtiler. Çerkez silahşor ise hiç acele etmedi, bir süre daha önümde yürüdükten sonra o da yolun öteki tarafına yöneldi. Bu arada gazeteciler, Büyük Postane'ye açılan sokağa girmişlerdi. Tetikçinin adımlarını hızlandırdığını fark ettim, ben de ona ayak uydurdum. Sokağa girerken dönüp geriye baktım; evet, Kolağası Basri'yle, Mülazım Fuad da beş on metre arkadan bizi takip ediyorlardı. Derin bir nefes alıp daldım sokağa.

Kalabalık azalmış gibiydi, zaten fedai de iyice hızlanmış Ahmed Samim'in birkaç metre yakınına kadar sokulmuştu. Bakışlarım, siyah elbiseli adamın sağ cebine soktuğu eline takılmıştı. Silahını ha çekti, ha çekecek... Boğazımın kuruduğunu hissettim, ne yani, burada mı vuracaktı? Ama hayır, hiç acelesi yoktu, daha müsait bir yer bulana kadar kurbanıyla arasındaki mesafeyi muhafaza etmek istiyordu. Hedeftekiler, postaneye gelmeden aşağıya dönen sokağa girdiler, bizimki de peşlerinden. Tuhaf bir düşünce takıldı aklıma. Şimdi müdahale etsem, Ahmed Samim'i kaçması için ikazda bulunup silahımla tetikçiyi durdursam... Yapamazdım elbette ama eğer yapmaya kalksam, hiç tereddüt etmeden vururlardı beni, hem de bizzat kendi arkadaşlarım...

"İhanet edenlerin cezası büyük olur," demişti o çok sevdiğim kumandanımız. "Onları asla affetmemeliyiz, aksi takdirde hainlerin sayısı artmaya başlar."

Yok, zaten öyle bir niyetim de yoktu ama bir mucize olsa, Ahmed Samim kurtulsa sevinirdim. Fakat öyle bir ihtimal bulunmamaktaydı, o sebepten rolümü oynamayı sürdürdüm. Bu dar ve kısa sokağı da patırtısız gürültüsüz ama yüreğim ağzımda geçtik. Gazeteciler bir kez daha sola, Bahçekapı yönüne döndüler, siyahlı fedai de peşlerinden. Onları gözden kaçırmamak için biraz daha hızlanmak mecburiyetinde kaldım. Caddeye çıkınca, Çerkez silahşorun adeta Ahmed Samim'in ensesinde olduğunu gördüm. Sanki daha gergin gibiydi, zannederim olayın sonuna gelmiştik. Ona engel olabilirmişim gibi adımlarımı hızlandırdım, işte o anda patladı silah. Ardı ardına üç kez. İşini bitiren katil, elinde Smith Wesson marka bir tabancayla ayakta dikiliyordu. Ahmed Samim'i enseden vurmuş olmalıydı, zavallı gazeteci yüzükoyun düşmüştü yere. Arkadaşı ise can havliyle, önünde buldukları fırıncı dükkânının içine atmıştı kendini.

Siyah kıyafetli tetikçi bir an yerde yatan kurbanına baktıktan sonra hızlı ama sakin adımlarla uzaklaşmaya başladı. Ben öylece durdum. Tamamıyla acayip bir durumdu, bakışlarımı kafası parçalanmış olarak yerde yatan genç ölüden alamıyordum. Yandan ne kadar da benziyordu bana. Sanki bir ikizim varmış da benim haberim yokmuş gibi. Yoksa beni vurmuşlardı da farkında mı değildim? Öldükten sonra, ruhumuz uzaklaşmadan önce son kez dönüp bedenine bakarmış ya, yoksa onu mu yaşıyordum? Sağımdan solumdan insanlar geçiyor, cinayet mahalli kalabalıklaşıyor, her kafadan bir ses çıkıyordu ama hiçbiri beni etkilemiyordu. Caddenin kenarında bir heykel gibi kalakalmıştım. Basri Bey imdadıma yetişmeseydi, belki de hep öyle kalacaktım.

"Hadi Şehsuvar," dedi koluma girerek. "Hadi evladım, burada işimiz bitti, hadi gidelim artık." Yürürken de azarlamayı ihmal etmedi. "Ne yapıyorsun sen yahu, niye durdun öyle? Seni tanımasam kan tuttu diyeceğim..."

Tümüyle haklıydı, kan tutmuştu beni ama şimdi değil, çok önceden, daha o zavallı gazeteci öldürülmeden. Belki Şemsi Paşa vurulduğunda, belki Arnavut tetikçileri haklarken, belki Topçu Kışlası'nda önüme çıkan her isyancıyı kurşunlarken... Evet, kan tutmuştu beni ama o zaman farkına varamamıştım. İnkılap o kadar cezbediciydi ki, olaylar o kadar süratle gelişiyordu ki, beni etkileyenin ne olduğunu anlayamamıştım. Fakat daha fazlasını kaldıramıyordum artık, tahammül sınırlarını çoktan aşmıştı bünyem, aklım artık kabul edemiyordu olup bitenleri... Aklım ikna olsa da ruhum razı gelmiyordu bu cinayetlere... Evet, kan tutmuştu beni, daha Manastır'da o ilk silah patladığında, Şemsi Paşa vurulduğunda. Ama şimdi fark ediyordum işte...

"Çünkü sen mucizelerle doluydun."

❋

Merhaba Ester, (7. Gün, Akşam)

Akşam yemeğine erken indim. Daha güneş batmamıştı dı-
şarıda. Öğleden beri ağzıma lokma koymadığım için fena ka-
zınıyordu midem. Niyetim, Cadde-i Kebir'e kadar uzanmak,
biraz da hava almaktı. Fakat Tepebaşı Bahçesi'ne yaklaşırken
bir kız gördüm; incecik, senin boyunda, senin gibi kızıl saçlı.
"Allah'ım," diye geçirdim içimden. "Allah'ım ne olur Ester
olsun." Adımlarımı hızlandırmaya bile korkarak yaklaştım.
Genç kız, sanki acelesi varmış gibi bahçenin kapısından hızla
süzüldü içeriye. Durur muyum, ben de peşinden. İçeri girin-
ce o masa denizinde bir an kaybettim onu. Ama bulmam çok
sürmedi, orkestranın bulunduğu kameriyenin hemen önün-
deki masalardan birine tek başına oturmuştu. Sırtı bana dö-
nüktü, yüzünü göremiyordum. Ürkerek, çekinerek genç kıza
doğru yürüdüm. Yaklaştıkça umudum artıyordu, hafifçe ba-
şını eğişi, eliyle saçlarını kıvırması hepsi seni andırıyordu.
Ama birkaç metre kala, daha kızın yüzünü görmeden, idrak
ettim acı hakikati. En son on dört sene önce görmüştüm seni.
O zamanlar bile genç bir kadın olmuştun, aradan geçen onca
zamandan sonra hiç değişmeden kalmış olman mümkün
müydü? Yine de yılmadım; çünkü sen mucizelerle doluydun.
Genç kızın yüzünü görene kadar vazgeçmedim ümit etmek-
ten. Oysa tam düşündüğüm gibiydi, hiç tanımadığım biriydi

240

masadaki. Gençti, çok genç, belki on sekizinde yoktu. İlgiyle kendisine baktığımı görünce, tazecik dudaklarıyla davetkar gülümsedi. Anladım, Tepebaşı Bahçesi'ni mesken tutan şu yosmalardan biriydi. Ben de ona gülümsedim ama yanına gitmedim. Sahneden uzakta, Haliç'in muhteşem manzarasına bakan bir masa buldum kendime.

Menüdeki, "Selanik Usulü Kekikli Piliç" yazan yemeği ısmarladım, yanına da bir Bomonti birası istedim. Annemin yaptığı o enfes yemeği bulamayacağımı biliyordum ama hiç değilse biraz lezzeti benzer diye düşünmüştüm, ne gezer. Tatsız, tuzsuz bir yemek geldi önüme. Fakat o kadar acıkmıştım ki, biber, baharat, ne buldumsa döküp yaladım yuttum tabaktakileri. Bir şişe yetmedi, bir bira daha söyledim. Tıpkı senin saçların gibi ışıltılı bir kızıllığa boyanan akşamüstü denizine bakarak düşler kurmaya başladım. Eğer İstanbul'a geldiysen, eğer seni bulursam, yeni bir hayat düşünmeliydim kendimize. Beşiktaş'taki evi sever miydin acaba? Ev aradığınızı söylemiş Çolak Cafer. Leon Dayı da yanında olmalı. Selanik'teki evi, yazıhaneyi sattınız mı acaba? Belki de Leon Dayı burada bir yazıhane açar. Gerçi bu yaştan sonra onun yanında çalışacak halim yok ama... Birden ipin ucunu kaçırdığımı fark edip gülmeye başladım. Neler saçmalıyordum böyle, daha İstanbul'a geldiğinizden bile emin değildim. Hem gelmiş olsan bile, bakalım beni nasıl karşılayacaktın? Öyle ya, eğer Mehmed Esad'a inanacak olursak, iki aydır burada yaşıyorsunuz demekti. Leon Dayı isteseydi, bu süre zarfında beni rahatlıkla bulabilirdi. Mehmed bulmadı mı? Birden bütün neşem kayboldu. Yoksa artık beni tümüyle unutmuş muydun? Selanik'ten buraya gelişiniz, tümüyle kendinize yeni bir hayat kurmak için miydi? Ve o kuracağınız yeni hayatta bana yer yok muydu? "Niye olsun ki?" dediğini duyar gibi oldum. "Yaşanan onca acıdan, çekilen onca kahırdan, boşa geçen senelerden sonra neden seninle birlikte olmak isteyeyim?" Doğrusu bu soruya verilecek bir cevabım yok benim. Sadece umutla şöyle diyebilirim: "Belki hâlâ unutamadığın için, belki de hâlâ sevdiğin için..."

Böyle düşünmeme rağmen, işin doğrusu tadım kaçmıştı. Cadde-i Kebir'e uzanmak gözümde büyüdü, bir bira daha mı söylesem diye geçirirken aklımdan, ihtiyacımın alkol değil yazmak olduğunu anladım. Hesabı ödedim, hemen burnumun dibindeki Pera Palas'ın yolunu tuttum.

Kalemi elime aldığımda tereddüt ettim, söze nasıl başlayacağımı bilemiyordum. İnsan kendi mutluluğunu nasıl olur da kendi elleriyle yıkar diye düşünüyordum sürekli. Sevdiğin, istediğin bir hayatı bırakıp, neden kendini tehlikelerle dolu bir serüvenin içine atarsın? İnsan kendine bunu niye yapar. Gençlikten, tecrübesizlikten, kendimizi tanımadığımızdan. Peki, yaşlanınca tanır mıyız kendimizi? Ne istediğimizi bilir miyiz artık? Zihnimiz bu muammayı çözebilir mi? İnsan kendini, kendine izah edebilir mi? Evet, belki... Belki ama sadece bir anlığına, belki bir süreliğine, ardından yeni bir olayın sarsıntısıyla ruhsal düzenimiz altüst olur, resim tümüyle değişir ve biz kim olduğumuzu unuturuz yine.

Ahmed Samim cinayetinde bana olan tam da buydu işte. Ne yaptığımdan emin değildim, tuttuğum yol yanlış mıydı, artık bunu tahlil etmekten bile acizdim. Evet, geçirdiğim bu ruhsal karmaşaya, bu zihin bulanıklığına rağmen hâlâ bir pişmanlık duyduğumu söylemem çok zordu. Bunu itiraf etmekten korktuğumu zannetme. Eğer öyle olsaydı, bir çaresini bulur ayrılırdım cemiyetten. Bunu göze alabilirdim. Yemin etmiş olmam hiçbir şekilde bağlamazdı beni. Sen de çok iyi bilirsin ki, inanmadığımız değerler üstüne yapılan yeminin hükmü yoktur. Sakın yanlış anlama, hürriyet, eşitlik, kardeşlik ve adalet hâlâ kutsal değerlerdi benim için ama cemiyetin seçtiği mücadele şekliyle, bunları sağlayabilir miydik, işte ondan emin değildim artık. O sebepten kafam karışıyordu, o sebepten insan eliyle ölümler artık bana katlanılmaz geliyordu.

Ahmed Samim'in öldürüldüğü akşamdan sonra yazar Şehsuvar Sami'yi daha sık düşünmeye başladım. Daha doğrusu, o genç gazetecinin ölümüyle birlikte yazar Şehsuvar Sami benliğimi ele geçirmeye başladı. İrade ile vicdan arasındaki meydan muharebesini, şimdilik vicdan kazanmış görünüyordu. Artık işlediğimiz cinayetlere, akıttığımız kana 'Ama inkılap için şarttı' izahında bulunamıyordum, bulunsam bile kendimi ikna edemiyordum. Evet, bir yerlerde bir hata vardı, mantıkla bunu anlayabilir, belki de düzeltebilirdik ama içimde bir şeyler kırılmıştı, onu tamir etmek artık çok zordu. Yani mesele sadece siyasi bir hatanın farkına varmak değil, hayal kırıklığına uğramaktı. Tıpkı Ahmed Rıza'nın, tıpkı Leon Dayı'nın gözlerinde gördüğüme benzer bir hayal kırıklığı... Yaşadıklarım, senin şu sözlerinin haklılığını ispatlıyordu.

"Hayat çok acımasız Şehsuvar, bunun için sanatı icat etmiş insan. Ve biz şanslıyız, çünkü yazabiliyoruz. Hayat üzerimize geldiğinde, günler katlanılmaz olduğunda, sığınabileceğimiz edebiyat adında şahane bir liman var. Üstelik yazacaklarımız sadece kendimiz için değil, başkaları için de sığınak olabilir, onlara yeniden yaşama sevinci verebilir. Anlamıyor musun, başka türlü çekilmez bu hayat."

Evet, yazar Şehsuvar içimde büyüdükçe, senin sözlerini daha sık hatırlıyordum, hatırlamak ne kelime, sık sık seninle konuşurken buluyordum kendimi. Birkaç kez Madam Melina'ya yakalandım evde. Kendisine seslendiğimi zanneden kadıncağız, "Efendim, Şehsuvar Bey evladım, bir şey mi dediniz?" diyerek kapımı tıklatmıştı. Elbette bu halim, Basri Bey'in gözünden de kaçmamıştı... O sert mizaçlı zabitten sıkı bir zılgıt, belki de bir ikaz beklerken, nazikçe bir akşam yemeği daveti geldi.

Bugün sen zannettiğim o kızıl saçlı kızı gördüğüm Tepebaşı Bahçesi var ya, işte onun kapısında buluşmuştuk on altı sene önce Basri Bey'le. Bahçedeki gürültülü caz orkestrasını görünce içeri girmekten vazgeçerek, Cité de Péra'ya yürüdük. Cadde-i Kebir boyunca havadan sudan konuştuk. Hatta bir ara, hiç âdeti olmadığı halde lafı edebiyata getirdi. Namık Kemal dışında kimsenin şiirlerini okumadığını söyledi. Bunun bir noksanlık olduğunu itiraf ederek, okumanın ne kadar mühim olduğunu anlattı. Konuşmak istediği hususun bu olmadığını hissediyordum, ne zaman esas meseleye gelecek diye tedirginlik içinde bekliyordum. Ne derse yarım ağızla onaylıyor, herhangi bir tartışmaya girmemeye dikkat ediyordum. Cité de Péra'da Yorgo'nun Meyhanesi'ndeki masamıza oturuncaya kadar muhabbet bu minval üzerine sürdü. Evet, Yorgo'nun Meyhanesi'ne ilk kez Basri Bey'le gitmiştim, sonra müdavimi olacaktım. O zamanlar genç bir adam olan garson Hristo'yu da ilk kez o akşam tanımıştım. O zaman da bugünkü gibi şen şakrak dikilmişti tepemize.

"Hoş gelmişsiniz Basri Paşam, ne içeceksiniz bu gece?"

"Hoş bulduk Hristo, ben eski usül sakız rakısı içeyim," diyerek bana baktı Basri Bey. "Sana istersen düziko söyleyeyim. Pek moda oldu, herkes ondan içiyor."

O sıralar içkiyle aram pek iyi değildi ama belli etmek istemedim.

"Yok, ben de sakızlı içeyim, düz rakıyı pek sevmiyorum."
Hristo'ya döndü bizim kumandan.

"O zaman bize bir Deniz Kızı aç... Var değil mi o rakıdan?"
Sevimli garsonumuzun gözleri ışıdı.

"Ayıp ettin Paşam, Deniz Kızı olmazsa kapatırım bu dükkânı... Hemen geliyor rakınız..."

Masamız mezelerle donatılana, rakımız karafakiden kadehlerimize dökülene, ilk yudumlar boğazımızı tatlı tatlı yakana, hatta ikinci kadehlere geçilinceye kadar gelemedik asıl mevzuya. Artık yanılmış olabileceğimi düşünerek, bunun öylesine bir akşam yemeği olduğuna kanaat getiriyordum ki,

"Kadınlar," dedi usulca. "Kadınlar bazen hayatımızın en önemli varlıkları olurlar." Bakışlarını rakı kadehinden kaldırmış yüzüme dikmişti. Konuştukça sesi yükseliyordu. "Aşk da öyle. Bazen hayatı sadece sevdadan ibaret zannederiz. Büyük hatadır, çünkü kadınların cazibesi de, aşkın tesiri de geçicidir. Ama hep kalacağını düşünürüz. Çünkü tarif edilmeyecek bir haz verir bize. O derin sızıyla lezzetlenmiş bir haz. Ama geçer, ne kadar güçlü, ne kadar yakıcı olursa olsun bütün aşklar biter. Bu meselede kesin olan bir kanun varsa, işte bu geçicilik durumudur. Kaderlerini aşkın üzerine kuranlar eninde sonunda bedbaht olurlar. Mutlu ya da mutsuz olması hiç fark etmez bütün aşklarda netice aynıdır." Derinden bir iç geçirdi. "Lafı niye buraya getirdiğimi anlamışsındır. Son zamanlarda halini beğenmiyorum senin. Sanki aramızda değil gibisin."

"Yok, efendim..." diye karşı çıkacak oldum, elini usulca kaldırarak susturdu beni.

"İtiraz etme Şehsuvar! Paris'e giden Yahudi kızdan haberim var. Onu ne kadar sevdiğini de biliyorum. Bizim de başımızdan geçti bu tür aşk sergüzeştleri. Eğer senin gibi davransaydım, on beş yıl önce Bükreş'te gönlümü kaptırdığım o Romen kızla evlenmiş olurdum. Peki saadeti bulur muydum? Hiç zannetmiyorum. Bizim gibi adamlar, ne kadar seversek sevelim, ömrümüzü bir kadının dizinin dibinde geçiremeyiz. Bizler rüzgârlı insanlarız Şehsuvar. Ruhumuz fırtınalarla dolu, onun için bu kadar çok mana yüklüyoruz kadınlara zaten. Aşkı, hayatımızı destana çevirecek mucizevi bir vaka olarak telakki ediyoruz. Bir süreliğine doğru ama sonrası hüsran. Bizim gibi büyük idealleri olan insanların saadete ulaşması için aşk kâfi değil. Hiçbir zaman da olmayacak. Ama vatana duyulan o kutsal sevgi, o karşılıksız fedakârlık, işte bizi tatmin edecek büyük dava, hiç bitmeyecek derin tutku budur."

Ne yalan söyleyeyim şaşırtmıştı beni. Kolağası Basri'den bu kadar iyi bir konuşma beklemezdim. Sözlerinin yarattığı tesirin kendisi de farkındaydı.

"Yanlış, evlat," diye sürdürdü sözlerini. "Geçici bir sevda için vatanın sana verdiği sorumluluktan vazgeçme. Bunlar tarihi günler, çok daha mühim vazifeler bekliyor bizi, çok daha büyük fırsatlar. Her erkek bir kadını sevebilir, her erkek aşkı için acı çekebilir, küçümsemiyorum, bunlar da mühim, ama kaç erkek tarihe adını kahraman olarak yazdırabilir? Kaç erkek vatanım için öldürdüm, vatanım için ölmeyi göze aldım diyebilir?"

"Ölmek mühim değil," dedim. Aniden dökülmüştü sözcükler ağzımdan. "Ama öldürmek, hem de masumları hem de fikir insanlarını..."

Galiba bunu hiç düşünmemişti; meselenin sadece senin gidişin olduğunu zannediyordu. Derinden bir iç geçirerek, rakı kadehini aldı, kaldırdı.

"Vicdana içelim o zaman..."

Ne yapmak istiyordu anlamamıştım ama ben de kaldırdım kadehimi.

"Vicdana."

Kadehi yarılayıncaya kadar içti, sonra masaya bıraktı.

"Vicdan nedir Şehsuvar? Vatan hızla uçuruma giderken bu felakete engel olmak mı, yoksa emniyetli bir köşeye çekilip olanı biteni oradan izlemek mi? Böylece ne aklını, ne gönlünü, ne de ellerini kirletirsin. Evet, hiç şüphe yok ki memleket bir batağa sürükleniyor, hem de kanlı bir batağa. Bu sürüklenişi durduracak bir tek teşkilat var, o da İttihat ve Terakki. İşimizin kolay olduğunu söylemiyorum, hayır çok zor, adeta imkânsız. Ve bu harp, tabanca, tüfek, topla değil, onlardan daha yıkıcı bir kuvvetle sürüyor. Fikir. Evet, fikirler; hürriyet, eşitlik, kardeşlik ve adalet getirdiği kadar fitne ve yıkıcılık da getirir. 31 Mart Ayaklanması'nı hatırla. Maazallah onlar kazansaydı olacakları bir düşün. Bize yapacakları vahşetten bahsetmiyorum, vatanın ne hale geleceğini gözünün önünde canlandır.

Hayır Şehsuvar kardeşim, vicdan elini kana bulamamak değil, can almanın günah olduğunu bile bile o tetiğe basmaktan çekinmemektir. Çünkü senin öldürdüğün bir hain, binlerce insanın hayatta kalması anlamına gelir. Evet, mecbur kalmışsan katil olmayı da göze almaktır vicdan... Mecbursan gazeteciyi, mecbursan kendine münevver diyenleri de öldüreceksin. Evet, belki suçlayacaklar seni. Eli kanlı tetikçi diyecekler. İnsafsız katil! Ama davada bir tek kanun geçerlidir; vatanın birliği ve bütünlüğü, ötesi fasarya." Bana doğru eğildi. "Sana karşı açık davranacağım. Eğer bunu yapamam, bünyem bu kadarına tahammül edemez diyorsan, şu andan itibaren ayrılabilirsin cemiyetten. Korkmana filan da lüzum yok. Elini kolunu sallayarak gidebilirsin istediğin yere. İhtiyacın varsa para da verebilirim sana. Ama yok, bir yere gitmeyeceğim, bunlara razıyım diyorsan, kendine bir çeki düzen vermen lazım. Çünkü bu kadar mühim meselelerin ortasında tereddütler geçiren bir fedaiye ayıracak vaktimiz yok."

Yerin yedi kat dibine geçtim o anda. O kadar basit, bir o kadar da vurucu bir şekilde ifade etmişti ki vaziyetimi, itiraz edecek kuvveti kendimde bulamadım. Haklıydı, cemiyete katılmam için kimse zorlamamıştı, kendim istemiştim burada olmayı. Üstelik seni kaybetme pahasına. Çocuk oyuncağı değil, inkılap yapılıyordu burada, tarih yazılıyordu, üstelik insanların kanıyla. Ne bunları bilmeyecek kadar cahil ne de tecrübesizdim. Daha çocukluktan itibaren bulaşmıştım siyasete, daha doğrusu siyaset bana bulaşmıştı, babamı sürgüne yollamış, o değerli varlığı elimden almıştı. Vatan, insanın kaderiydi, ne kadar çabalarsa çabalasın kaçamıyordu ondan. Paris'e gelsem de kurtulamayacaktım. Bu defa da aklım, yüreğim bu topraklarda kalacaktı. Hem kendim mutsuz olacak hem de seni mutsuz edecektim. Evet, haklıydı kumandanım, artık bu tereddütten kurtulmalıydım, tefekkür aşaması bitmiş, artık hareket vakti gelmişti. Ben yolumu seçmiştim ve bu yol rengârenk çiçeklerle kaplı, hoş kokulu bahçelerin içinden değil, kan ve barut kokan bir volkanın yamaçlarından geçiyordu.

"Ben kararımı çoktan verdim Basri Bey," dedim heyecanla. "Sizinle Selanik'te buluşmamızdan çok önce verdim... Benim davamıza inancım tamdır."

"Zannetmiyorum," diyerek lafı ağzımda koydu. "Hakikatleri konuşalım Şehsuvar, senin kuşkuların var. Ya davamızdan emin değilsin ya kendinden. Bak aziz kardeşim, ne kendini kandır ne bizi... Seninle ilk buluştuğumuzda, evine git, yarın sabaha kadar düşün demiştim. Yine aynı şeyi söyleyeceğim, bu akşam da evine git düşün... Ama bu kez iyi düşün, çünkü tekrarı olmayacak. Ne demek istediğimi anlıyor musun? Bunun tekrarı yok..."

"Çok iyi anlıyorum ama düşünmeme lüzum yok, ben kararımı verdim."

İnanmamış gibi bakıyordu.

"Evet Basri Bey, bir an tereddüde düştüm, bir an yolumu yitirdim. Şimdi ebediyen buldum. Artık hiçbir mesele çıkarmayacağım. Ne isterseniz yapacağım. Yemin ediyorum, artık sıkıntı çıkarmayacağım size."

Derinden bir iç geçirerek rakısına uzandı.

"Tamam," dedi kadehini kaldırarak. "Tamam, sana inanıyorum. İnanmak kefil olmak demektir. Yani sana kefil oluyorum. Kime karşı? Cemiyete karşı. Yani bütün mesuliyetini üzerime alıyorum. Çünkü seni tanıyorum, sana itimat ediyorum. Yüzümü kara çıkarma. Hadi şimdi sağlığına."

Ben de kaldırdım kadehimi.

"Sağlığınıza efendim."

Kadehini indirirken bakışlarını bir an yüzümden almamıştı.

"Yarın saat 11.00'de Galata'daki Fransız Postanesi'nin önünde ol," dedi birdenbire. "Yarın mühim bir işimiz var. Silahın da yanında olsun."

Bu sözlerin ardından bir daha konuya dönmedi, benim dönmeme de müsaade etmedi, masadan kalkıncaya kadar da havadan sudan konuştuk ama Cité de Péra'nın önünde ayrılırken sağ elinin işaret parmağını boşlukta sallayarak bir kez daha ikaz etmekten kendini alamadı.

"Bu işin şakası yok aziz kardeşim, bundan sonra tereddüt istemiyorum."

Hayır, tehdit etmiyordu, sesinde hiçbir düşmanlık yoktu, sadece bu meselenin ne kadar mühim olduğunu idrak etmemi istiyordu. Basri Bey'le yaptığımız bu konuşmanın üzerine çok düşündüm. Tecrübeli bir komitacı, bir asker olarak beni etkileyecek, fikrimi değiştirmemi sağlayacak bir oyun mu sergilemişti, yoksa hakiki hislerini mi anlatmıştı? Hiçbir zaman tam emin olamasam da galiba ikincisini yapmıştı. Şerefli bir askerdi Basri Bey ve samimi bir insan. Gözlerimin önünde can verinceye kadar da bu hususiyetini muhafaza etmişti.

O akşamki konuşma, sert bir lodos rüzgârı gibi sürükleyip götürmüştü bütün tereddütlerimi. Öyle zannediyordum ki, yazar Şehsuvar Sami artık tümüyle benliğimden sökülüp atılmış, ruhumun hükümranlığı yeniden inkılapçı Şehsuvar'a geçmişti. Bu kadar çabuk mu diyeceksin, evet o kadar çabuk. Unutma, gencecik bir adamdım o sıralar, fırtınalı bir arazide yakılmış taze bir ateş gibi rüzgâr nereden eserse öteki tarafa savruluyordum. Ve o konuşmanın hiç beklenmedik bir faydası olmuştu, artık cemiyet beni düşmanımız sayılan fikir adamlarının öldürülmesi gibi vazifelere yollamaktan vazgeçmişti. Bu kararda kim etkili oldu, hiçbir zaman öğrenemeyeceğim. Belki cemiyetteki idareciler artık yeterli muvaffakiyeti sağlayamayacağıma kanaat getirmişlerdi, belki Talat Bey müdahil olmuştu, belki de bizzat Basri Bey istemişti. O geceki konuşmadan sonra böyle bir vazife verilse, elbette vazifemi yerine getirirdim ama meselenin böyle hallolmasından da hiç şikâyetçi değildim. Böylece sadece ben değil, Basri Bey'le Mülazım Fuad da muhalif gazeteci öldürmek gibi pek de gurur duyulmayacak bir işten kurtulmuşlardı. Artık kanun dışı olarak teşkilatlanan ve faaliyet yürüten muhalefetin üzerine yolluyorlardı bizleri. Ki Ahmed Samim'in öldürülmesinden sonra bu tür teşkilatlanmalar ve faaliyetler epeyce artmıştı. Nitekim Basri Bey'in "Yarın 11.00'de Galata'daki Fransız Postanesi'nde ol," dediği mesele de öyle bir işti.

"Eğer kendimizi bağışlama kabiliyetimiz olmasaydı, varlığımızı sürdüremezdik"

※

Günaydın Ester, (8. Gün, Sabah)

Bu sabah yeniden başladı yağmur; gürültüsüzce, sakin, kendi halinde, sanki bir kadının sessizce ağlayışı gibi. Hava durumuna bakıp günün nasıl geçeceği konusunda karar verenlerden değilim. Böyle safsatalara inanmam. Tamam, Shakespeare'in oyunlarında bir manası vardır, fırtınanın, yağmurun, rüzgârın ve bulutun. Ama hakikatte, basit tabiat olaylarıdır bunlar. Böyle düşünmeme rağmen, kötümser bir his gelip çöreklendi yüreğime. Bugün Cezmi'yi görmeye gidecektim, senden haber almaya. İki gündür dünyamı renklendiren o umudu hakikat kılmaya. Ama şimdi değil, öğleden sonra, hatta belki akşamüstü. Çünkü Çolak Cafer'le görüşmemişse bir anlamı olmaz bizim binbaşıyı ziyaret etmenin. Hatta belki yarın gitmeliyim, böylece daha garanti olur. Yok, bunu yapamam, o kadar bekleyemem. Bugün haber almalıyım senden. Mümkünse adresini öğrenmeli, gecenin bir vakti de olsa çalmalıyım kapını. Biliyorum, belki münasebetsizlik olacak fakat tahammül edecek halim kalmadı.

Kahvaltıya indim, sanki iştahım varmış gibi. Yarım dilim ekmek, biraz peynir, kahve, tıkandım kaldım. Hayır, bugün de gazete okumayacağım. Siyasete katlanacak halde değilim. Reşit'i bulsam iyi olacak. Belki o da gelmek ister benimle.

Cezmi'nin evine tek başına gitmek, iyi bir fikir olmayabilir. Fakat otel müdürü görünmüyor ortalıkta. Odama çıkmadan, resepsiyona uğradım. Beni karşısında gören Ömer'in yüzü aydınlandı.

"Günaydın Ömer... Reşit Bey gelmedi mi?"

"Günaydın efendim, hayır henüz gelmedi. Aslında gecikti biraz. Bu saatlerde otelde olurdu hep. Bir işi çıkmıştır herhalde..."

Neden gecikmişti acaba? Başına bir iş gelmesin? Az kalsın yine evhama kapılacaktım, o uğursuz vesveseye... Kendine gel Şehsuvar diye geçirdim içimden.

"Tamam Ömer, ben odamda olacağım, gelince haber verirsen sevinirim."

Asansöre yürüyecektim ki, dün aklıma takılan bir mevzuyu hatırladım.

"Ha Ömer, dün şu benim arkadaşıma..."

Kimden bahsettiğim hakkında hiçbir fikri yoktu.

"Hani daha önce de gelmişti."

"Şu şık kıyafetli adam..."

"Evet. Oda numaramı sen mi söyledin ona?"

Şaşkınlıkla başını salladı.

"Yok, yok efendim, ne münasebet. Öyle bir terbiyesizlik yapar mıyım?"

Peki, nereden biliyordu Mehmed Esad hangi odada kaldığımı?

"Arkadaşınız benim söylediğimi mi iddia ediyor?"

Çocuğu daha fazla zorlamak istemedim.

"Hayır, hayır bir hata olmuş demek ki. Mühim değil zaten. Hadi, iyi günler. Reşit Bey gelince aramayı unutma beni."

Dün aklıma öylesine takılan bu mevzu, birden mühim bir meseleye dönüşmüştü. Sahi, kimden öğrendi odamı Mehmed? Kimden olacak, oteldeki adamlarından. Casus kaynıyormuş bu büyük oteller. Asansörün önünde bekleyen genç Belçikalıya takıldı gözüm. Uzun boylu, atletik yapılı, otuzlarında bir adam. Belki bu bile casustur. Kendi kendime güldüm, tabii seni izlemek için Belçika'dan casus getirdiler. Otel çalışanlarından şüphelenmem gerekir. Belki de bizzat şu Ömer denen temiz yüzlü çocuktan. Öyle ya, kim giriyor, kim çıkıyor en fazla o vakıf bu malumatlara. Belçikalıyla bindik asansöre, aynı katta indik, odama yürüdüm, adam da arkamdan geliyor. Neredeyse durup, beni mi takip ediyorsun diyecektim ki, adamın durduğunu fark ettim. Kapımın önüne gelince döndüm, baktım. Sol taraftaki odalardan birine girdiğini gördüm. Şu evham meselesi şaka olmaktan çıkıyor, usulca ruhumu ele geçiriyordu galiba. Sakin olmalıyım, daha sakin olmalıyım diye mırıldanarak girdim odama. Hemen oturmadım yazının başına. Balkon kapısından dışarıyı seyrettim bir süre. Dışarıdaki aydınlık kül rengine dönüşmüştü, galiba yağmur da biraz artırmıştı hızını. Akşama kadar sürerdi artık böyle. Sıkıldım kasvetli gökyüzüne bakmaktan, masanın başına döndüm yeniden...

Yorgo'nun meyhanesinde Basri Bey'le yaptığımız sohbeti okuduğunda eminim hayretler içinde kalmışsındır. Tutarsızlığıma, ruhumun oradan oraya savrulmasına bakıp kızmışsındır. Haksızsın diyemeyeceğim, sadece beni kolayca yargılamamanı, kendini yerime koyup öyle karar vermeni rica edeceğim. O zaman beni anlayacaksın, sadece beni değil, kendini de, insanlığı da... Evet, insanlığı da, çünkü biz o büyük kitleden bağımsız değiliz. İyi ya da kötü, korkak veya cesur, iradeli yahut kaypak, velhasıl ötekilerde ne varsa, bizde de aynısı var. Kendimizi çok mühim zannediyoruz ama değiliz, hiç değiliz. Hepimiz etten kemikten müteşekkil, dayanıksız varlıklarız. Ve eğer kendimizi bağışlama kabiliyetimiz olmasaydı, varlığımızı sürdüremezdik. İrade, tutarlılık, kararlılık, hepsi güzel lakırdılar ama atalarımız bu değerlere sadık kalsaydı, inan bana insan denen mahluk çoktan silinip gitmişti yeryüzünden...

Bunları kendimi savunmak için söylemiyorum, sadece insanın fıtratında olan zayıflığı hatırlatmak istiyorum. Bana kızmanı, öfkelenmeni, beni acımasızca tenkit etmeni anlarım, buna hak da verebilirim ama lütfen beni küçümseme. Hatalı bir tercih yapmış olabilirim, kırk yıla yaklaşan bu ömrü boşa harcamış da olabilirim, sadece kendime değil, vatana, millete, hatta insanlığa da zarar vermiş olabilirim. Evet, hepsini kabul edebilirim, fakat sen de şunu anla, dünya kan içinde çalkalanırken, ülke uçurumun eşiğine sürüklenirken, benim hep doğru olanı yapmam nasıl beklenebilir? Elbette doğru olanı yapmak istedim, üstelik büyük bedeller ödeyerek yapmak istedim. Olmadı, beceremedim, vardığım netice bu işte. Fakat bunların sorumlusu tek başıma ben değilim.

Sen de çok iyi bilirsin ki, kendime karşı son derece acımasız davranırım. Bir mesele ortaya çıktığında önce kendimi suçlarım. Halbuki insanlar çoğunlukla, kendilerine kızamaz, ne kadar aptallık yaparlarsa yapsınlar bunu kabul etmek istemezler, kendilerine karşı asla dürüst davranamazlar, davransalar bile, hatalarını çok kolay affederler, çok kolay unuturlar. Ben öyle değilim, huzursuz olurum, hayatımı sürdüremem, bütün hataların müsebbibi olarak kendimi görürüm...

Ama tuhaf şey, Yorgo'nun Meyhanesi'ndeki o konuşmadan sonra kendimi hiç suçlamadım. Aslında, Basri Bey'in yüzüme karşı söylediği o sert sözlerin ardından sabaha kadar uyuyamamam, sürekli değişen haletiruhiyemi sorgulamam icap ederdi. Hayır, o gece mutlu bir bebek gibi sabaha kadar mışıl mışıl uyudum. Ne uykumu bölecek karanlık bir düşünce ne bir kâbus. Rahat, mutlu, huzurlu bir uykunun kollarında dinlendirdim zihnimi ve gönlümü. Bir gün öncesine kadar tereddütler, karmaşalar içinde yaşayan ben, ertesi sabah verilen vazifeyi yerine getirmek için Galata'daki Fransız Postanesi'nin önündeydim. Şaşırtıcı, evet, ama söz konusu insan ruhuysa her türlü karmaşaya hazır olmak gerekir.

Postanenin kapısını gören kahvenin önündeki sandalyelere oturmakta olan Basri Bey'le, Fuad'ın yanına çöktüm. Dün akşamki konuşmayı hatırlatacak, ne bir bakış ne bir söz, her zamanki doğallığıyla karşıladı kumandanım beni. Fuad'ın mevzudan bihaber olduğu belliydi zaten. Üç kahve söyledikten sonra, sesini alçaltarak meseleyi izah etmeye başladı:

"Gizli bir teşkilat kurmuşlar. Adı da manidar, Cemiyet-i Hafiye. Akıllarınca Abdülhamit devrine atıfta bulunmak istiyorlar. Maksatları İttihat ve Terakki'nin liderlerini öldürerek, vatana kahredici bir darbe indirmek. Merkezleri Paris'te. Fitnenin başı, eski Stockholm Sefiri Şerif Paşa. Aslında kendisi eski bir ittihatçı ama beklediği ikbali bulamayınca yüz geri etti, bize cephe aldı. 31 Mart Ayaklanması'nın, cemiyeti yok edeceğine inandığından, isyanın arifesinde derhal Paris'e sıvışmıştı. Korktuğu netice gerçekleşmeyince İttihat ve Terakki'nin dışında kaldı. Bunu içine sindiremediği için de Fransa'nın başkentinden yolladığı para ve neşriyatla bu Cemiyet-i Hafiye teşkilatını besliyor. Hiç şüphe yok ki ecnebi ülkelerin gizli servisleriyle bağlantısı var. Oldukça sinsi olan bu teşkilat, kanuna uygun olarak tesis edilmiş bulunan Islahat-ı Esasiye Cemiyeti'nin sağladığı muhafaza perdesinin ardında faaliyet yürütüyor. Epeyce kadroları ve üyeleri var, silaha sarılmaları an meselesi..." Başıyla postanenin kapısını gösterdi. "Birazdan peşine düşeceğimiz Hafız Sami adındaki adam Şerif Paşa'nın Paris'ten yolladığı talimatları almaya gelecek. Her salı ve perşembe düzenli olarak bu işi yapıyor. Aldığı şifreli talimatları, kanun dışı neşriyatı gizli cemiyetin idareci ve üyelerine ulaştırıyor. Vazifemiz, Hafız Sami'nin irtibat kurduğu bu vatan hainlerinin kim olduğunu öğrenmek, dükkânlarını, evlerini tespit etmek. Ne şart altında olursa olsun, kendimizi belli etmemeliyiz. Emir gelene kadar, tutuklama, herhangi bir müdahale, müsademe yok. Anlaşıldı mı?"

Eliyle ensesini kaşıyan Fuad, memnuniyetsiz bir tavırla sordu:

"Anlaşıldı da sonra ne olacak? Bu adamları kim derdest edecek? Sadece rapor veren devlet memurları mı olacağız biz?"

Genç mülazım benden farklı olarak neden daha fazla mesuliyet almadığımızdan yakınıyordu. Neden ön saflarda çarpışmıyorduk ki?

"Sabır Fuad kardeşim, sabır." dedi Basri Bey. "Ferdî hislerimiz ne olursa olsun, bizler büyük bir cemiyetin üyeleriyiz. Kuvvetimiz de buradan geliyor. Dev bir orkestrayı oluşturan müzisyenler gibiyiz, tek başımıza ahenk sağlamamız imkânsız ama hep birlikte yeri göğü inleten enfes sedalar çıkartmamız mümkün. Şimdilik, bize verilen vazifeyi layıkıyla yerine getirmemiz kâfi. Adamları tutuklama, sorgulama başka bir merhale. Başka arkadaşların meselesi..." Bakışları postanenin kapısına kaydı. "Neyse... Adamımız bu işte... Bakın, Paris postasını almaya geldi bile..."

Hafız Sami adındaki kuryeyi sadece arkadan görebilmiştik, hızla dalmıştı postanenin içerisine.

"Her zamanki gibi üçe ayrılıp takip edeceğiz. Hafız Sami birimizden şüphelenirse diğer ikimiz düşeceğiz peşine. Ama hiçbirimizi fark etmezse çok daha iyi olur tabii..."

Gelen kahvelerimizi içtikten sonra Fuad'la ikimiz kalktık; Basri Bey güneşin altındaki iskemlesinde oturarak sigarasını tüttürmeye devam etti. Ben Karaköy yönüne, Fuad ise tepeye yöneldi. Artık kısmetimize, bakalım adamımız kimin kucağına düşecekti? Şans bu ya, bana düştü, önünde eğleştiğim Alman kitapçının karşı kaldırımından sakin adımlarla geçti.

Bir süre daha güya vitrindeki kitaplarla ilgilenmeyi sürdürdükten sonra düştüm Hafız'ın peşine. Elbette Fuad'la Basri Bey de geçmişlerdi harekete. Fakat Hafız'ın rahatlığına diyecek yoktu, elindeki pakette sanki hükümeti yıkacak bildiriler değil de, yeni neşredilecek bir gazete ilanı varmış gibi salına salına yürüyordu. Ne takip eden biri mi var endişesi, ne yakalanırsam hayatımı karartırlar korkusu; Haney Teyze'nin eşeği gibi tembel adımlarla iskeleye kadar yürüdü. Hatta denizi görünce keyiflenip bir de türkü tutturdu inceden.

Vapurun gelmesine vakit vardı daha. Elindeki tehlikeli paketi ayaklarının dibine indirip cigarasını da yaktı... Yoksa yanlış jurnal mi gelmişti diye düşünmekten kendimi alamadım, kanunsuz işlere bulaşmış birinin bu kadar rahat, bu kadar vurdumduymaz olması mümkün müydü? Aynı intibaya arkadaşlarım da kapılmış olmalı ki, Fuad'la göz göze geldiğimizde bu nasıl iştir gibilerden ellerini açıp, kaşlarını kaldırdı çaktırmadan. Şehir hatları vapuruna binince de durum değişmedi, bizim ehlikeyif şüpheli, iri bedenini güvertedeki iskemlelerden birine yaydı, öğle güneşinin altında tatlı tatlı kestirmeye başladı.

Üçümüz de hayretler içindeydik ama takibi sonuna kadar sürdürdük elbette. Kadıköy'de vapurdan ininçe de hiç istifini bozmadı Hafız, aynı lagarlık, aynı uyuşuk adımlarla Kuşdili'ne yürümeye başladı. Adamın rehaveti neredeyse bize de bulaşacaktı, Fuad'la kaş göz işareti yaptığımızı fark eden Basri Bey'in ikazıyla toparladık kendimizi. Hafız, Kuşdili yokuşunun solunda bahçe içinde iki katlı ahşap bir eve girdi. Yarım saat kadar kaldıktan sonra dışarı çıktığında elindeki paket yoktu. Fuad'ı miskin şüphelinin peşine yollayıp Basri Bey'le ben Kuşdili'ndeki evin önüne sotalandık.

On iki saatlik bekleyişimizin sonunda turnayı gözünden vurduğumuzu anlayacaktık. Bazılarını bizzat teşhis ettiğimiz yeminli İttihat Terakki düşmanları eve girip çıkmaya başlamıştı. Ertesi sabah vaziyeti merkeze rapor ettik, olay bir anda büyüdü. Cemiyetimizin Merkez-i Umumisi'nden bir heyet, Örfi İdare Kumandanı Mahmud Şevket Paşa'ya çıkarak vaziyetin vahametini anlattılar. Hükümet koridorlarında bu dalgalanma sürerken Hafız Sami'nin peşini de bırakmamıştık. Aptal adam bütün bir gizli teşkilatı aşikâr ettiğinin farkında olmadan, Dersaadet kazan kendi kepçe, şehri adeta sokak sokak dolaşarak büyük bir şevkle vazifesini yerine getiriyordu. Öte yandan Kuşdili'ndeki evde gözetimimiz de sürüyordu. İki vardiya halinde çalışıyor, giren çıkan kim varsa tek tek rapor ediyorduk. Son derece disiplinli, son derece teferruatlı, kılı kırk yararak yapılan bir vazifeydi bu. Ama kafamı kurcalayan bazı hususlar vardı. Bu, "Cemiyet-i Hafiye" hükümeti devirecek, 31 Mart Ayaklanması'ndan daha güçlü bir kalkışma yaratacak bir teşkilat değildi. İddiaları bu olsa da takip ettiğimiz cemiyet son derece gayriciddi, beceriksiz ve acemi insanlardan oluşan bir topluluktu. Nitekim kısa sürede şehirdeki on şubelerinin yerini öğrendiğimiz gibi, reislerinin de Kemal Bey adında biri olduğunu tespit etmiştik. O gecelerden birinde Kuşdili'ndeki evin karşısındaki küçük bostanda, domates, patlıcan tarhlarının arasına uzanmış içeri girip çıkanları gözetlerken, daha fazla dayanamayıp sormuştum:

"Bu adamları bu kadar ciddiye almak doğru mu?"

Manidar bir ifade belirmişti Basri Bey'in yüzünde.

"Bak evlat, biz artık başıbozuk, mesuliyetten uzak genç inkılapçılar değiliz. Korumamız gereken bir devletimiz, meşrutiyetçi bir hükümetimiz var. Biz, o hükümetin bekçileriyiz. Ama sadece kılıçla, tabancayla, tüfekle değil, artık zekâmızı da kullanarak meşrutiyeti müdafaa etmemiz gerekiyor. Evet, istihbaratçılıktan bahsediyorum. Abdülhamit otuz küsur yıl bu ülkeyi, yarattığı o polis şebekesiyle yönetti. Elbette biz onunki gibi bir istibdat idaresi kurmayacağız ama en az onunki kadar güçlü bir istihbarat teşkilatına ihtiyacımız var. Aksi halde, dünyanın bu şartlarında hem devlet hem de millet olarak ayakta kalmamız mümkün değil. Ama istihbarat hiçbir vakit sadece gözleme, takibat ve tevkifat değildir. Çoğu vakit tevfikat yapmayız. Mühim olan tevkifatın siyasete faydalı olacağı anı beklemektir." Bakışları akşamdan beri ışıkları sönmeyen eve takıldı. "Haklısın, bu heriflerden karşı ihtilal beklemek hata olur ama bu heriflerin teşkilatı, cemiyetimizin hükümette etkili olması için bize büyük bir fırsat verebilir." Boş boş baktığımı fark edince şu minval üzerine sürdürdü sözlerini: "Şöyle izah edeyim, 31 Mart Ayaklanması'nın neticesinde en çok kim kazandı? Elbette biz, eskiye nazaran çok daha güçlüyüz, hem hükümette hem milletin içinde. Eğer bu Cemiyet-i Hafiye'yi de lüzumunca derdest edersek, daha da mühimi bunu efkâr-ı umumiyeye lüzumunca anlatabilirsek, çok daha fazla güçleneceğiz. O nedenle, karşımızdaki adamları küçümsemekten vazgeç, hele hele yazacağın raporlarda sakın ola ki bu meyanda ifadeler kullanma, yoksa siyaseten büyük bir hata yapmış olursun..."

Bambaşka bir Basri Bey duruyordu karşımda. Verilen emirleri harfiyen uygulayan o vakur asker gitmiş, uyanık bir istihbarat memuru gelmişti yerine. Karışık düşünceler uyandı zihnimde. Basri Bey'e duyduğum itimat biraz sarsıldı ama hayranlığım alabildiğine arttı. Hiç de zannettiğim gibi tek boyutlu biri değildi bu zabit, onu küçümsemekle ne kadar büyük bir hata yaptığımı anlıyordum şimdi. Öte yandan, vazifemizin ne kadar mühim olduğunu ilk kez fark ediyordum. Şaka değil bütün bir siyaseti, ülkenin kaderini, dolayısıyla hayatı avuçlarımızın arasında tutuyorduk. Devlet adamları bizim hazırladığımız raporlara göre siyasetin sınırlarını çiziyorlardı. Acayip kudretli hissetmiştim kendimi. Öte yandan belli belirsiz bir tereddüt de yaşamıyor değildim. Hakikati, kendi menfaatimiz için tahrif etmek ne derece doğruydu? Ama hemen başka bir soru uyanıveriyordu zihnimde: İyi de hakikat nedir? Tarihi değiştirmemize izin vermeyen, insanları mutluluğa götürmeyen hakikatin bize ne faydası var? Evet, hakikat bizim kuracağımız hürriyet, eşitlik, kardeşlik ve adalet temelinde yükselecek yeni vatandı. Yaptığımız her şey, attığımız her adım onun içindi. Böyle düşününce rahatladım. Hakikatin hangi tarafı siyaseten bizi destekliyorsa oraya vurgu yapmak, hakikatin hangi tarafı bizi zayıflatıyorsa orayı görmezden gelmek mecburiyetindeydik; muvaffak olmak için bunu yapmak zorundaydık.

Aynen öyle yaptık; milleti yeni bir ayaklanma tehlikesiyle korkutarak Cemiyet-i Hafiye denen örgütü şeytani bir kuvvetmiş gibi gösterdik. Sağ olsunlar hükümeti destekleyen gazeteler de bize çok yardımcı oldular. Efkâr-ı umumiyeyi istediğimiz gibi bilgilendirdik. Bu tesiri yarattığımız için tutuklamalar büyük gürültü kopardı. Günlerce hainleri izleyen kolluk kuvvetleri, yeni bir 31 Mart Vakası'nın patlak vermesine engel olmuşlardı. Birkaç gün içinde, Cemiyet-i Hafiye'nin neredeyse bütün azaları tutuklanmış, bütün evleri basılmış, yuvaları dağıtılmıştı. Sadece bir rastlantı sonucu reisleri Kemal Bey sıvışabilmişti, onun da karısı Şahande Hanım, cemiyet üyesi olarak ele geçirilmişti. Cemiyetle hiçbir alakası olmadığını söylemesine rağmen deliller kadının da bu işin içinde olduğunu gösteriyordu. Böylece, bütün muhaliflere gözdağı vermekle kalmadık, İttihat ve Terakki'ye düşmanlık güden Rıza Nur gibi milletvekillerini de tutuklama fırsatı bulduk. Gerçi sonradan bizzat Talat Bey'in müdahalesiyle Rıza Nur serbest kalacaktı ama muhalefete gereken cevap hakkıyla verilmiş olacaktı.

Bir zamanlar Abdülhamit'in hürriyet mücahitlerini, vatan evlatlarını doldurduğu Bekirağa Bölüğü'nün yeni misafirleri, meşrutiyeti yıkmaya kalkışan bu beceriksiz karşı ihtilalciler olmuştu. Ve itiraf etmem gerekir ki, karşılaştıkları muamele korkunçtu. Abdülhamit döneminin gardiyanları kadar vahşice davrandı bizimkiler mahkûmlara. Elbette Bekirağa Bölüğü'nde yapılanları onaylamıyordum, insanlara kötü muamele etmek bir zavallılık işaretiydi ama devletin en derinlerine nüfuz etmiş bazı iğrenç alışkanlıklara engel olamıyorduk işte. Ne mutlu ki o zamanlar bu işkenceli sorgulara hiç katılmadım, fakat gün gelecek bu pis işe de bulaşmak zorunda kalacaktık. Çünkü vatanı korumak öyle romantik lafları ağzımıza sakız yapmakla olmuyordu. Devleti ilelebet ayakta tutmak için lüzum ederse, kötü olmayı da göze almak gerekiyordu.

"Milletimin insanca yaşaması için çabalarken belki de kendi insanlığımı kaybetmiştim."

❊

Merhaba Ester, (8. Gün, Öğleden Sonra)

Öğle vakti durdu yağmur ama her an yeniden başlayacakmış gibi kurşun rengi bulutlarla kaplıydı gökyüzü. Yazmaya ara verip yemeğe indim. Merdivenlerin başındaki mermer sütunun altında bekliyordu Reşit. Heyecanlı bir hali vardı; ne tedirgindi ne de kaygılı. Hoş bir telaş içindeydi. Beni fark edince aceleyle yanıma geldi.

"Şehsuvar ağabey senin İngilizcen fena değildir? İngiltere'den bir yazar gelmiş. Genç bir hanım. Polis romanları mı ne yazıyormuş. Öğle yemeğinde ona eşlik edeceğim. Hani belki sen de katılırsın dedim..."

Aklıma Abdülhamit geldi, hâlâ sultan olsaydı eminim çok hoşlanırdı bu İngiliz hanımla tanışmaktan ama ben hiç de öyle bir haletiruhiye içinde değildim.

"Beni affet Reşit, yapmam gereken işler var."

Sıkıntıyla yüzünü buruşturdu.

"Tüh yahu. Benim İngilizcem kâfi olur mu ki?"

Elimle omzuna vurdum.

"Olur, olur, sen halledersin. Hem belki de kadın Fransızca biliyordur... Sahi öğleden sonra ne yapıyorsun. Cezmi'ye birlikte gidelim mi?"

Bir an düşündü.

"Gelemem, otelin sahibiyle toplantımız var. Geç saatlere kadar sürer. Malum İstanbul'daki oteller arasında rekabet kızıştı. Büyük Londra Oteli neyse de Tokatlıyan'la acayip çekişiyoruz. Her konuda bir kalite yarışı var. Beni mazur gör, başka zaman birlikte gideriz..."

Konuşmasını bitirmişti ki, genç bir hanım belirdi yanımızda.

"Hello, Mister Reşit..."

İnce, uzun yüzlü, solgun benizliydi, maviye çalan yeşil gözleri zekice bakıyordu. Bizim otel müdürü anında toparlandı.

"Hello Mrs. Christie."

Söylediğinin aksine gayet akıcı bir şekilde konuşmaya başlamıştı Reşit. Niye kendine güvenmemişti ki? Hep kendimizi eksik bulacağız, hep ezik hissedeceğiz ya... Açıkçası biraz da canım sıkılmıştı, kadını o kadar önemsemişti ki, benim hemen yanında ayakta dikildiğimi unutmuş gibiydi. Ama yanılmışım, İngiliz yazarla yemek salonuna yürümeden önce bana döndü.

"Emin misin Şehsuvar ağabey, bize katılmayacak mısın?" diye ısrar etti. "Romanlardan filan konuşurdunuz."

"Yok, yok Reşit, hiç edebiyat konuşacak halim yok, size afiyet olsun."

Genç kadın da bana dönmüştü. Başımı usulca eğerek selamladım, o da buruk bir gülümsemeyle karşılık verdi. Buruk diyorum, sahiden kederli bir hali vardı genç kadının. Bakışlarım ellerine kaydı, evet, nikah yüzüğü vardı. Evlilik kötü mü gidiyordu, yoksa kocasını mı özlemişti, kim bilir ne? Başımda o kadar çok bela vardı ki, hiç tanımadığım bir yazarın dertlerine kafa yoracak halim yoktu. Restoranda da masalarından mümkün olduğunca uzak bir yere oturdum. Ama ne zaman bakışlarım onlara kaysa, Reşit'in hiç de sıkıntı içinde olmadığını, aksine büyük bir şevkle kadın yazara bir şeyler anlattığını görüyordum. Kadın çok alakadar değildi aslında, sanki ayıp olmasın diye dinler gibiydi. Dediğim gibi bir sıkıntısı vardı; ne kadar saklamak istese de bir türlü başaramadığı derin bir keder. Aynaya baktığımda kendi gözlerimde görmeye alışkın olduğum keder.

Neyse, karnımı doyurduktan sonra yine çıktım odama. Otelden ayrılmadan birkaç satır daha yazmak için oturdum masanın başına...

1910 yazı...

Evet, senden ayrıldıktan sonra o keder beni hiç terk etmedi. Kendi yarasına âşık bir mazoşist gibi gittiğim her yere taşıdım hasretini. O milletler kapışmasında, o siyaset hengamesinde vatan allak bullak olurken, aynamın kenarında, arada bir gözüme ilişen bir kartpostal değildin sen. İçten içe sızlayan bir kalp ağrısıydın ki, sadece o debdebeli günleri değil, bütün bir ömrü benimle birlikte yaşayacaktın. Hiç mübalağa etmiyorum, ikinci bir zihin gibiydin kafatasımın içinde, ikinci yürek gibiydin göğüs kafesimde. Hatıralardan bahsetmiyorum; şimdiki gibi o gün de, ne yaptığın, kiminle olduğun büyük meraktı benim için, büyük kaygı, büyük kıskançlık. Paris'te ne yapıyordun? Bensiz okuduğun kitaplar, izlediğin piyesler, gezdiğin sokaklar her biri ayrı bir ızdırap vesilesiydi.

"Ya sen ne yaptın? Başka kadınlar, başka kızlar olmadı mı hiç?" dediğini duyar gibiyim. Sana yalan söylemeyeceğim. Evet, başka kadınlar oldu. Bilhassa Dersaadet'te ilk seneler içinde oldukça karışık bir hayat yaşadığımı itiraf etmeliyim. Muhalifleri, casusları tespit etmek, takip etmek dışında kalan zamanlarımızın büyük kısmını Cadde-i Kebir'de geçiriyorduk. Mekteb-i Sultani'den arkadaşım Arşak Boğosyan'la karşılaşmamızın ardından başlamıştı bu yarı sefahat hayatı.

Mektepte sıra arkadaşımdı Arşak Boğosyan. Zayıf bir çocuktu, ben korurdum öteki oğlanlardan. Tembeldi de; ödevlerinin çoğunu ben yapardım, ama kafa dengiydi, çok da temiz kalpliydi. Sivas'ta uçsuz bucaksız toprakları varmış. Okul başlayacağı zaman, hayatta tadamayacağım lokumlar, şekerlemeler, çikolatalar getirirdi. Şehir Hatları vapurunda karşılaşmıştık Arşak'la, hemen sarmaş dolaş olduk. Ağabeyi Bedros'la birlikte kuyumcu dükkânı açmışlar Kapalı Çarşı'da. Cadde-i Kebir'de üç katlı bir bina satın almış, iki katını kendilerine ayırmışlardı. Bedros'u da tanırdım, kardeşinin aksine iri yarı, herkül gibi bir delikanlı. Her ikisi de babalarının gözbebeği. Çok sevindi Arşak beni gördüğüne, mezun olduktan sonra hiç karşılaşmamıştık. Daha o gece çıktık Galata'ya, arkası da geldi tabii. Çok geçmeden, pahalı randevuevlerinin ve Cadde-i Kebir meyhanelerinin müdavimi olmuştuk. Hayır, hiç de romantik bir tarafı yoktu bu gecelerin, tümüyle hayvani hazların peşindeydim, genç bedenimin açlığını yatıştırmaya çalışıyordum. Evet, aldığım maaşın yarısından fazlasını etlerini satmak zorunda kalan o zavallı kadınlara ödüyordum. Çoğu zaman hesap ödetmiyordu Arşak. Kabul etmeyince de hep aynı şeyleri söylüyordu: "Mektebi senin sayende bitirdik oğlum, yoksa daha ilk sene verirlerdi tasdiknameyi elime. Sus ve otur oturduğun yerde, çünkü ne yaparsam yapayım borcumu ödeyemem sana."

Ama sonra ustalaştım, Pera Palas'ta yahut Tokatlıyan Otel'de kendilerine macera arayan Frenk zenginlerinin cesur hanımlarıyla münasebetlerimi ilerlettim... Taksim Bahçesi'nde vals çalan bir Macar Orkestrası mı gelmiş, hadi oraya, Maksim'de caz mı çalınıyormuş, tamam bu gece de oraya... İşin en iyi tarafı artık bizim Arşak'ın parasına ihtiyacım kalmamış olmasıydı. Üstelik benimle birlikte olan kadınlar seve isteye yapıyorlardı bu işi. Hatta elçilerden birisinin karısı fena halde yakmıştı abayı bana. Az kalsın büyük bir skandal kopacaktı. Allahtan bir vazife çıktı da, Mısır'da bir ay kadar kalıp kurtuldum bu tutkulu madamdan. Ama hiçbiri, en küçük bir iz bırakmadı kalbimde; ne Cadde-i Kebir'in ellerine, dillerine mahir fahişeleri, ne romantik bir aşk için garantili hayatlarından vazgeçmeye hazır varlıklı kadınlar... Sadece kirli bir utanç kaldı ruhumda ve bedenimde kirli mahcubiyet... Elbette Basri Bey de fark etmişti bu sefahat âlemlerini. Hiç itiraz etmedi ama,

"Vakti gelmiş Şehsuvar," dedi manidar bir gülümsemeyle. "Seni baş göz etmeliyiz artık."

Sadece o mu? Madam Melina da rahat bırakmıyordu. "Ee kuzum, yok mu bir kısmet, evlendirelim seni," diyerek başımın etini yiyordu. Belki annemi erken kaybetmeseydim, Selanik'ten münasip bir Müslüman kızı bulurdu bana. Tüm analar gibi onun da en büyük hayali mürüvvetimi görmek, torunlarını kucağına almaktı. Olmadı, hem hayırsız oğlu, hem vakitsiz ecel müsaade etmedi buna. Evet, o sonbahar hiç beklenmedik şekilde kaybettim annemi. Hastalığını hiç söylememişti bana.

"Boşuna üzmeyelim çocuğu," demiş teyzeme. "Mühim vazifeleri var payitahtta."

Haberim olsa bir faydam olur muydu bilmiyorum ama gözlerini kapamadan önce, annemi son bir kez görememek kötü etkiledi beni. Kendimi mühim vazifelere adamış, ulvi gayelerin peşinde koşarken hayatımdaki en önemli insanı umursamamıştım. Milletimin insanca yaşaması için çabalarken belki de kendi insanlığımı kaybetmiştim... Derin bir sızı vardı içimde, aynı zamanda hiçbir zaman silinmeyecek bir utanç... Hayır, o yaşlı kadını değil, kendimi hayal kırıklığına uğratmıştım. Babama üzülmüştüm elbette ama öldüğünde çocukluktan gençliğe yeni geçiyordum, onun bir vatanperver olmasından duyduğum gurur, kederimi bastırmıştı. Ne de olsa babam sürgünde bir kahraman olarak gözlerini kapamıştı. O bir hürriyet şehidiydi, onun ölümüne üzülmek şanlı hatırasını kirletmek anlamına gelirdi. Ama annemin ölümü, yaşarken varlığını pek de önemsemediğim bu aziz insanın kaybı, şimdi bir tokat gibi çarpıyordu vefasızlığımı suratıma. Sadece acıyla değil, derin bir pişmanlıkla yanıyordu yüreğim...

Annemin cenazesi bahçede bekliyordu; yıkanmış, dualanmıştı. Üzerine nakışlı yaşmağını örttükleri bir tabutun içindeydi... Bahçede, evin her yerinde insanlar vardı. Muhtemelen hepsini tanıyordum ama hiçbirini hatırlamıyordum, hatırlayamıyordum. Sanki başka bir dünyadan gelen mahluklar gibi öylece bakıyordum yüzlerine. Herkes metin olmamı söylüyordu, başsağlığı diliyordu. Kim bu insanlar diyordum kendi kendime, ne zaman girmişlerdi hayatımıza? Sadece annemi düşünmek istiyordum, sadece onu hissetmek, sadece onu hatırlamak... Yıllardır umursamadığım, hep yanımda olan, engin gönüllü, o çilekeş kadını. Neden beni yalnız bırakmıyorlardı ki? Neden annemin aziz hatırasıyla baş başa kalmama izin vermiyorlardı? Elbette kimse duymuyordu bu sessiz çığlığımı. Kadınlar ayrı odada, erkekler ayrı odada ellerini açmış Allah'a yakarıyorlardı... Ağlayanlar vardı ama anneme değil, kendi ölülerine ya da kendi ölümlerine... O acımasız kahır gitgide daha da koyulaşıyordu içimde. Suçluluk duyuyordum, alabildiğine suçluluk... Ama artık ne gelirdi elden?

Sonunda yola çıkıldı, hatırı sayılır bir kalabalıkla götürdük annemin tabutunu mezarlığa. Bu kadar ahali bana duyulan saygıdan değil, bir zamanlar Selanik Maarif Müdürü olan babam Emrullah Bey'in yüzü suyu hürmetine gelmişti cenazeye. Annemin yaşlı ve bitkin bedenini o nemli toprağa verinceye kadar terk etmediler beni. Gösterişten değil, samimi bir alakaydı bu; bana duydukları merhametten değil, anneme duydukları sevgiden, saygıdan. Nihayet, son toprak da atıldı, nihayet bitti her şey... Ama insanlar bırakmak istemiyordu beni, yine iyilikten, yine alakadan. Fakat yalnız kalmam, annemle dertleşmem gerekiyordu. O sebepten kabalaştım biraz. Sert bir üslupla ikaz ettim herkesi.

"Karışmayın lütfen, ben biraz daha kalacağım mezarın başında. Lütfen kendi halime bırakın."

İtiraz edeceklerdi ki hoca anlayışlı adammış,

"Bırakın Şehsuvar Bey'i," diye destekledi beni. "Sorgu meleklerini oğlunun karşılaması evladır. Hadi, hadi biz gidelim artık."

Yine de hemen ayrılmadılar mezarın başından, birer ikişer çözülmeleri dakikalar aldı. Sonunda yalnız kalmıştık annemle. Neden oturup uzun uzun konuşmamıştım ki onunla, neden dertlerimi hiç açmamıştım? Ya annem, o neden anlatmamıştı düşündüklerini bana? Neden sıkıntılarından söz açmamıştı hiç? Hastalığını bile saklamıştı benden. Neden olacak, beni üzmemek için. O kadar dert arasında bir de kendi hastalığıyla beni meşgul etmemek için. Keşke etseydi, keşke onu düşünmemi sağlasaydı biraz. Eksik kaldı, evet annemle aramızda bir şeyler eksik kaldı. Şimdi önümdeki tümseğin altında yatıyordu işte. Annem, anneciğim, bana hayat veren kadın, beni büyüten, adam eden, doğduğumdan beri işi gücü beni düşünmek olan kadın...

Havada nemli bir toprak kokusu vardı. Ilık bir rüzgâr sanki teselli olur diye alnımı okşuyor, gözyaşlarımı kurutuyordu. Annemin yüzünü hatırlamaya çalışıyordum; o kadar çok görüntü vardı ki hafızamda... Hep en son görüşmemizdeki an geliyordu gözlerimin önüne. "Yaşlanmışsın," deyişini hatırlıyordum. "Yüzünün çizgileri sertleşmiş, bakışın değişmiş. Çok mu çalıştırıyorlar seni evladım..." Boğazım düğüm düğüm olmuştu, hıçkırmamak için kendimi güç tutuyordum. Ama annem yanılıyordu, o zaman değil, asıl şimdi yaşlanmıştım, onu kaybedince, onun tükenmiş, incecik bedenini şu toprağın altına gömünce. Evet, o zaman yaşlanmıştım işte. Çünkü anneler ölmeden çocuklar büyümezdi. Kaç dakika kaldım o mezarın başında bilmiyorum, sonra şehre yürüdüm. Sevdiklerimi birer birer kaybettiğim, artık güzel hatıralar değil, acı hatıralar biriktirdiğim, çocukluğumuzun o solmakta olan Selanik'ine doğru...

Hayır, artık nefret etmiyordum bu şehirden, aksine merhametle karışık bir sevgi duyuyordum. Tepelerle denizin arasına sıkışmış binalar yığını. Her zaman kendini tedirgin hisseden milletler, dinler topluluğu. Hep bir kaygı, hep bir göç duygusu içinde yaşayan insanlar... Onların var olmaya çalıştığı bu küçük şehir... İlk kez bu şehrin kederini içimde hissediyordum. "Saçmalama," diyeceksin. "Şehirlerin kederi olmaz, o senin kendi ızdırabın, kendi acın. Anneni kaybettiğin için böyle hissediyorsun." Doğru ama daha önce bu şehirde hissettiğim de kendi neşemdi, kendi mutluluğum.

Ayaklarım adeta kendiliğinden sizin evin yolunu tutmuştu. Seni bulacağımı düşündüğümden değil, Selanik'te gidebileceğim hiçbir yer kalmadığı için. Ama bahçenizde de hüzün vardı. Ağaçlar çıplak kalmıştı, zemin kuru yapraklarla dolu, küçük havuzun içi kararmıştı. Değişmeyen tek şey, Paloma Nine'ydi; ikindi güneşinin altında divandaki her zamanki köşesinde oturmuş, bakır bir tepsinin içinde pirinç ayıklıyordu, tek noksanı dudağındaki Sefarad türküsüydü. Geldiğimi görünce gözlerini kısarak yüzüme baktı.

"Ah!" diye küçük bir çığlık attı. "Ah, Şehsuvar, ah, kuzum... Başın sağ olsun evladım. Çok üzüldüm Mukaddes Hanım'a..." Oturduğu yerden ayağa kalkmış, kollarını açmış beni çağırıyordu. Sarıldım. İnkar edecek değilim, gözlerim doldu, ağlamamak için kendimi zor tuttum.

"Eminim Tanrı cennetine alır onu," dedi o incecik bedeninden ayrılırken. "Eminim, daha huzur dolu, güzel bir hayatı olur. Ee kavuştu işte babana... Belki de sevinmeliyiz kötü günleri görmeden gitti diye..." Yaşlı yüzündeki keder yerini endişeye bırakmıştı. "Ah Şehsuvar kuzum, ne oluyor memlekete böyle... Millet çıldırdı... Payitahttakiler farkında mı bilmem ama kötü günler geliyor. Hiç böyle olmamıştı bu şehir. Herkes birbiri hakkında konuşuyor, herkes birbirinden çekiniyor. Evet, herkes başta bizimkiler, Yunanlar, Bulgarlar, Romenler, Müslümanlar... Çekindikleri için de birbirlerinden nefret ediyorlar... Herkes silahlanıyormuş diyorlar... Korkuyorum Şehsuvar, korkuyorum evladım. Göz göre göre geliyor felaket... Ah, bu aptal insanlar, ah, bu aymaz insanlar. Mahvedecekler hem kendilerini hem dünyayı... Diyorum işte, annen Tanrı'nın sevgili kuluymuş, felaketi görmeden göçüp gitti. Darısı benim başıma." Ellerini gökyüzüne açtı. "Büyük

Tanrım, tek umudum sende... Yakında bu güzel şehri de alacaklar elimizden. Onlar şehrimizi almadan, senin becerikli Azrail'in canımı alsın, tek dileğim bu senden..."

Hafifçe kamburlaşmış bedeni de sesi gibi titremeye başlamıştı.

"Boşuna endişeleniyorsun Nona Paloma," dedim koluna girerek. "Gel, gel oturalım şöyle."

İkimiz de divana çöktük, elleri kucağında öylece yüzüme bakıyordu. Kendi yasımı, kendi üzüntümü unutup onu teskin etmeye çalıştım.

"Evet, lüzumsuz yere kaygılanıyorsun, hiç merak etme, hükümetimiz olan bitenin farkında, her türlü tertibatı da alıyor. Kimse, senin huzurunu bozamayacak. Yakında bütün bu meseleler hallolacak. Tekrar Osmanlı birliğini kuracağız. Balkanlar'da bütün milletler, bütün dinler kardeş olacak yine. Kim, hangi dili konuşursa konuşsun, hangi ibadethaneye giderse gitsin, kimse ona karışmayacak. Herkes birbirine saygı duyacak, herkes birbirine hürmet edecek. Kanun-i Esasi böyle buyuruyor çünkü. Kimse kanunun üstüne çıkamayacak."

Aslında kendim de inanmıyordum söylediklerime ama inanmak istiyordum. Çünkü bu söylediklerim hakikat olmazsa, Paloma Nine'nin kehaneti gerçek olacaktı. Beni büyük bir dikkatle dinledi kadıncağız.

"İnşallah söylediğin gibi olur," diye mırıldandı. "Hiç umudum yok ama dilerim öyle olur."

Etrafı kül rengi halkalarla çevrilmiş kara gözlerini endişeyle bana dikti birden, belki de ilk kez bu kadar dikkatli bakıyordu yüzüme.

"Yaşlanmışsın Şehsuvar," diye mırıldandı üzüntüyle. "Ne güzel bir çocuktun sen, ne oldu sana böyle?" Önce annem, şimdi de Paloma Nine. Ne görüyorlardı bu kadınlar yüzümde? Tuhaf bir duyguya kapıldım, bir tür efkâr ama kendim için mi, yoksa, bana bunu söyleyen kadınlar için mi? Gülümsemeye çalıştım, onu da beceremedim tabii.

"Annemin kaybı ziyadesiyle müteessir etti beni..."

Paloma Nine duymamıştı sözlerimi.

"Ester de senin gibiydi," diye sürdürdü endişesini. "Bu defa kötü gördüm onu. Nasıl üzüldüm, nasıl üzüldüm... Sanki birdenbire çökmüş kız, vakitsiz solan kır çiçekleri gibi... Ah canım, ah Ester'im, benim kır çiçeğimdi o. Nasıl özlüyorum, nasıl, biliyor musun? O da bizi özlüyor tabii. Hasretlikten oluyor bunlar. Şu uzaklığın gözü kör olsun. Hepsi bu hasretten. Seninki de öyle değil mi? Bak, anneciğini bile görememişsin son bir defa... Yoksa ihtiyarlamak kim, siz kim? Daha yaşınız kaç sizin? Aynısını Ester'e de söyledim..." Birden yüzü ışıdı. "Evet, iki ay önce buradaydı ama çok kalmadı. Eskiden severdi Selanik'i. Ama bu sefer sokağa bile çıkmadı doğru dürüst. Hep yanımda oturdu. Sevindim kendi adıma fakat genç bir kızın evde kapanıp kalması iyi bir şey değil. Neşesini kaybetmişti..." Yeniden yüzüme baktı. "Evet, neşesini kaybetmişti, tıpkı senin gibi..." Bir çocuk saflığıyla sordu: "Mektuplaşmıyor musunuz?" Cevabımı beklemeden ikinci soruyu yapıştırdı: "Pek sıkı fıkıydınız burada, ne oldu? Paris mi ayırdı sizi, yoksa Dersaadet mi?" Yine ağzımı açmama fırsat vermedi: "Onu bilir, onu söylerim. Başka şehirler tehlikelidir, hele büyük şehirler çok tehlikelidir. Kalabalıklar, ışıklar, şatafat, ne akıl bırakır insanda ne fikir... Ne sadakat kalır ne vefa..."

Açıkça iğneliyordu beni. Belki de ikimizi birden. Ama senin de mutlu olmadığını söylemesi, itiraf etmeliyim ki hoşuma gitmişti. Demek ki hâlâ beni seviyordun, demek ki bensiz Selanik senin için de tatsızdı. Demek Paris'e gelsem hâlâ bir şansım olabilirdi.

"Beni sordu mu?" Adeta kendiliğinden dökülmüştü bu sözler. Ne söylediğimi tam anlayamayan Paloma Nine şaşkın, yüzüme bakıyordu. "Ester," dedim sesimi yükselterek. "Beni sordu mu?"

Cevap vermek yerine, pirinç taneciklerinin gelişigüzel yayıldığı tepsiyi önüne çekti. Gözlerini kısarak beyaz taneciklere baktı.

"Gözlerim artık hiçbir şeyi seçemiyor. Güya ayıklıyorum ama hiçbir şey görmüyorum. Geçen gün dişini kıracaktı zavallı Leon, kocaman bir taş çıktı pilavından..."

Geçiştirmeye çalışıyordu ama artık vazgeçemezdim.

"Beni sordu mu? Ester diyorum, beni sordu mu Nona Paloma?"

Bir an şöyle baktı yüzüme... Umutsuz, çaresiz, hayal kırıklığıyla dolu bir bakış...

"Sormadı," dedi yeniden bakışlarını pirinçlere kaydırırken. "Sormaz, tanımıyor musun onu? Toprağı bol olsun annesi gibi inatçıdır." Durdu, yeniden bana döndü. "Ama iyi-

266

likten anlar, sevgi karşısında eğilir. Biri ondan özür dilese mahcup olur, hemen affeder." Başını kati bir ifadeyle salladı. "Fakat durduk yere asla geri adım atmaz. Söyledim ya, katır inadı vardır onda..."

Lisanı münasiple sana yazmamı, açıkça özür dilememi söylüyordu. Seni üzgün görünce etkilenmiş, biricik torununu mutlu etmek için bu yaşta çöpçatanlık yapıyordu. Belki konuyu Leon Dayı'yla da konuşmuş olabilirdi. Ama zavallı kadıncağız benim de kafamın karışık, elimin kolumun bağlı olduğunu, istesem bile senden özür dileyemeyeceğimi, Paris'e gidemeyeceğimi bilmiyordu. Umudunu kırmamak için hakikati anlatmadım. Lakırdıyı değiştirdim, Leon Dayı'yı sordum.

"İçiyor, gece gündüz içiyor," dedi bir ağaç dalı gibi kurumuş elini boşlukta sallayarak. "Eskiden bana umut verirdi. 'Boşuna kaygılanıyorsun anacığım, her şey daha güzel olacak,' derdi. Artık konuşmuyor, evet o da yitirdi neşesini. Hele Ester'in Paris'e gidişinden sonra iyice karamsarlaştı. İçkiye verdi kendini. Şarapla uyuşturuyor beynini... Bereket işini seviyor... Avukatlığa devam, Drama'ya gitti bu sabah, gelir birazdan, akşam yemeğe kal, çok sevinir seni gördüğüne..."

Leon Dayı'yla görüşme fikri birden çok ağır geldi. Eminim sayısız tenkitte bulunacaktı cemiyet hakkında. Böyle bir münakaşayı kaldırabilecek vaziyette değildim. Hemen yalana sarıldım.

"Çok teşekkür ederim, çok iyi olurdu ama akşam treniyle Dersaadet'e dönmem lazım. Devlet vazifesi beklemez. Yarın masa başında olmak mecburiyetindeyim..."

Toparlandığımı fark edince elimi tuttu.

"Sakın kalkma, sana bir kahve yapayım, samsada tatlısı da var."

Onu kıramadım, o yaşlı haliyle, titrek adımlarla kalktı, bana hizmet etti. Yaptığı kahve her zamanki gibi tam kıvamındaydı, samsada tatlısı da enfesti. Ayrılırken sımsıkı sarıldı bana.

"Bir daha görüşemezsek, beni sakın unutma," dedi gözleri nemlenerek. "Ben sadece Ester'in değil, senin de Nona Paloma'nım."

Eğilip ellerinden öptüm.

"Tabii öyle, benim hayatta tanıdığım tek ninem sizsiniz... Sadece ninem değil, artık annem de sizsiniz. Her zaman da öyle kalacaksınız."

Daha fazla tutamadı gözyaşlarını...

"Ah Şehsuvar, ah kuzum, ah evladım... Hayat daha güzel olabilirdi. Ah aptal insanlar, ah aymaz insanlar. Mahvedecekler hem kendilerini hem dünyayı..."

Onu divanda her zamanki yerinde bırakıp giderken dönüp bir kez daha baktım. Siyah giysilerinin içindeki incecik bedeni, çiçekleri çoktan solmuş, yaprakları sararmış o bahçeye anlatılmaz güzellikte bir keder bahşediyordu.

"Dövüşmekten başka çare yok..."

※

Merhaba Ester, (8. Gün, Akşam)

Aklıma gelenler bir bir başıma geliyordu. Yanılmamıştım, birileri beni kanlı bir tezgâhın içine çekmeye çalışıyordu. Hem de yakından birileri. Bana gülümseyen, dostça elimi sıkan, belki yardım eder gibi görünen ama kuyumu kazmaya çalışan birileri. Evet, bu ikindi vakti daha iyi anladım bu hakikati. Cezmi'nin evine girince... O cesur askerin kanlar içindeki bedenini görünce. Evet, bu ikindi vakti...

Evet, ikindi üzeri çıkmıştım otelden. Yola koyulmadan önce etrafı kolaçan ettim, arabaya bindikten sonra da defalarca yokladım arkamı. Yok, kimse yoktu peşimde. Yine de tedbiri elden bırakmadım; Langa Bostanları'na varınca Cezmi'nin evinin önünde inmedim. Evet, beş yüz metre kadar gittikten sonra durdurdum arabayı. Parasını ödeyip, arabacıyı yollayarak gerisin geri yürümeye başladım. Takip eden birileri varsa, bu tek yönlü yolda artık gözümden kaçması mümkün değildi. Hayır, güneşsiz sokakta benden başka kimse yoktu.

Bahçe kapısı kapalı değildi ama çok önemsemedim. Belki de Cezmi Bey açık bırakmıştı. Meyve ağaçlarının altından evin önüne kadar yürüdüm. Bahçe sükût içindeydi, sadece birkaç serçenin sönük cıvıltıları. Eve yaklaşınca, iki gün önce oturduğumuz divanın boş olduğunu gördüm. Bu bunaltıcı havada içeride oturmaz diye düşünerek sağa sol bakındım, bizim kadim ittihatçı ortalıkta görünmüyordu.

"Cezmi Binbaşım... Cezmi Bey..." diye seslendim. Kimse cevap vermedi. Verandaya yürüdüm. Bir kez daha seslendim. "Cezmi Binbaşım... Cezmi Bey... İçeride misiniz?" Hayır, çıt çıkmıyordu. Bahçe kapısını açık bıraktığına göre yakınlarda bir yere mi gitmişti acaba? Hemen döneceğim mi demek istiyordu? En iyisi biraz beklemekti. Divana yönelirken, bakışlarım evin kapısına takıldı, yoksa aralık mıydı? Emin olamadım, yaklaşıp kapıyı ittim. Sessizce açıldı.

"Cezmi Binbaşım... Cezmi Bey... İçeride misiniz?"

Yine o ağır sessizlik, yine o ketum sükûnet. Ne yapacağımı bilemeden kapının önünde durdum. Bir terslik vardı. Cezmi gibi eski bir ittihatçı, üstelik de hükümetle kavgaya hazırlandığı bir sırada böyle rehavet içinde olmazdı.

"Çek git," dedi içimden bir ses. "Çek git Şehsuvar, derhal uzaklaş bu evden."

Gitmedim, gidemedim. Başımı uzatıp içeri baktım ama nafile, o alacakaranlıkta eşyaları bile seçemiyordum. Yapmamam gerektiğini bile bile girdim içeri. Gözlerimin karanlığa alışmasını beklemeden kapının sol tarafındaki pencereye yaklaştım, sımsıkı örtülmüş kalın perdeyi çektim. Nazlana nazlana aydınlandı geniş sofa. Öteki iki pencerenin de perdelerini açtım sonuna kadar. Üst kata çıkan merdivenlere yönelmedim, çünkü tam karşımdaki odanın kapısı ardına kadar açıktı. Ahşap zemine yayılı, el işlemesi kilime basarak kapıya yürüdüm. Birkaç metre kala tanıdık bir koku çarptı burnuma. Kurumuş kan kokusu. Heyecanlanmadım ama emin olmak istedim, usulca yaklaştım odaya. Açık kapının önüne gelince, olanca korkunçluğuyla çıktı ortaya manzara. Evet, kapının hemen arkasına düşmüştü Cezmi Binbaşı. Kalbinin üzerindeydi yarası, bir bıçakla öldürmüşlerdi ya da kamayla. Gözlerinde büyük bir öfke vardı, ellerine baktım, tırnak uçlarında kurumuş kırmızı lekeler gördüm. Katiliyle mücadele etmişti, zaten başka türlüsü aklımın ucundan geçmezdi. Düşmana teslim olduğu görülmüş iş değildi Cezmi Binbaşı'nın. Nefretle donup kalmış yeşil gözleri de bu hakikati anlatıyordu zaten. Uzanıp gözlerini kapatırken gördüm başucundaki Lüger'i. Silahını çekmiş ama tetiğe basmaya vakti olmamıştı. Demek ki böyle bir saldırı bekliyordu. Beklemez mi? Hükümete karşı harp ilan etmekten bahseden biri başına neler geleceği tahmin etmez mi? Ama çekememişti tabancasını. Odada başka bir ipucu var mı diye bakınırken sesler duydum. Katil mi? Evin içinden değil, bahçeden geliyordu sesler.

Bulunduğum odanın perdesinin aralığından baktım, iki üniformalı polisle bir sivil, mürdüm eriğinin altından geçerek eve yaklaşıyorlardı. Ne yapacaktım ben şimdi? Eminim üstüme yıkarlardı bu cinayeti. Kimse kurtaramazdı beni bu işten. Telaşım çok sürmedi. Önünde bulunduğum pencerenin koruyucu demirleri olmadığını gördüm, evet, buradan kaçabilirdim. Ama acele etmemeliydim, adamlar verandaya geldiklerinde atmalıydım kendimi dışarı. Perdeyi çektim, pencerenin her iki kanadını da açtım. Verandanın ahşap zemininde ayak seslerini duyunca koyuverdim kendimi dışarı ama şanssızlık bu ya, bir polis daha varmış geride kalan. Ayaklarım toprağa değer değmez göz göze geldik adamla. Polis de hazırlıksız yakalanmıştı. Daha ne oluyor demesine fırsat vermeden, arkaya doğru koşmaya başladım. Aslında o kadar aptalcaydı ki davranışım, zira arka bahçede beni neyin beklediğini bilmiyordum. Fakat başka ne yapabilirdim ki? Polis de kendini toparlamış,

"Dur! Dur! Ateş ederim, kaçma!" diye bağırmaya başlamıştı arkamdan.

Durur muyum hiç, daha da süratlendim. Elbette adam düşmüştü peşime. Çok sürmez ötekiler de arkadaşlarını takip ederlerdi. Bu kadar mı uzun olurmuş hepi topu elli altmış metrelik mesafe. Koş, koş bitmek bilmiyordu. Nihayet, evin arkasına geçince, tahta bir çit gözüme çarptı. Hiç duraksamadan, çitin üzerinden atlayarak komşunun bahçesine girdim. İri yarı bir çoban köpeği çarptı gözüme. Öylece uzanmıştı toprağa. Şu dev kangallardan biri. Kangal da beni görmüştü, bir an başını kaldırdı. Eyvah, dedim şimdi saldıracak ama koca kafasını kaldırıp şöyle bir baktı, ardından isteksizce hırladı, sonra yine devam etti akşam uykusuna. Biraz daha açtım ayaklarımı. Yavaşlamamak için arkama bakmıyordum ama polislerin peşimden geldiğinden emindim. Komşunun kapısından kendimi sokağa atarken, seslerini duydum.

"Vay anasını, köpeğe bak... Dikkat et, dikkat, galiba saldıracak."

Polisin sözleri yarıda kaldı, kangalın tehditkâr havlamalarını duydum. Daha fazla dayanamamış, dişlerini göstermeye başlamıştı sonunda. Belki de işi daha da ileri götürmüş, cesur bir muhafız gibi atlamıştı bu davetsiz misafirlerin üzerine. Artık her ne yaptıysa, Allah razı olsun, o iri yarı köpek olmasaydı, yakalanmam an meselesiydi. Bostanların arasından koşarak, ahşap evlerin yan yana sıralandığı uzun sokağa girdiğimde, ne üniformalı, ne sivil, tek bir polis yoktu peşimde. Fakat beni görmüşlerdi, artık eşkâlim ellerindeydi, fazladan tek bir dakika bile kalamazdım bu semtte. Hızlı adımlarla caddeye yürüdüm. Bir yandan da beni otele götürecek bir araba aranıyordum. Şansım yaver gitti, caddeye çıkar çıkmaz, köşede bir araba bulup hemen bindim.

Otele gelir gelmez, halimi gören Ömer şüphelenir gibi oldu, hiç yüz vermeden asansöre yöneldim. Ter içinde kalan giysilerimi, çamaşırlarımı değiştirdim, kendimi ılık suyun altına bıraktım. Banyo iyi geldi, sakinleştim. Yatağın üzerine oturdum, sırtımı duvara dayadım ve düşünmeye başladım.

Kim öldürmüş olabilirdi Cezmi Binbaşı'yı? Kim olacak, hükümetin gizli hafiyeleri. Yani Mehmed Esad mı? Neden olmasın? Bir taşla iki kuş vurmuş, hem azılı bir ittihatçıdan kurtulmuştu hem de hakkında İngiliz casusu diye dedikodu yapan birinden. Ama Mehmed Esad bilmiyordu ki Cezmi'nin, kendisi hakkında neler söylediğini. Niye bilmesin? Eminim Cezmi de benim gibi takibat altındaydı. Hükümetin gizli hafiyeleri onun da burnunun dibine kadar sokulmuşlardı. Mehmed Esad'a verdikleri raporlarda bu konudan bahsettilerse... Yine de emin olmak zor, çok zor...

Birden kafama dank etti. Seni nasıl bulacaktım ben. Adresini bilen Çolak Cafer'di. Artık ona ulaşmam imkânsızdı. Tekrar Cezmi'nin evine gitsem, cenazeye katılmak için filan, Çolak Cafer gelirdi belki ama bunu göze alamazdım. Cezmi'yi öldürenler, katil diye tutuklarlardı beni. Evet, muhtemelen, hükümetin gizli polisi öldürmüştü Cezmi'yi. Fakat cinayeti üzerime yıkmakta hiçbir beis görmezlerdi... Yanlış anlama, Cezmi Binbaşı için üzülmüyor değilim. Bu cinayet derinden etkilemişti beni. Aynı zamanda da korkutmuştu. Oysa benim bu olayla hiçbir alakam yoktu. Biraz düşününce sakinleşmeye başladım. Evet, benim bu olayla hiçbir alakam yoktu, daha da mühimi, geride hiçbir ipucu bırakmamıştım. Hayır, beni

bulamazlardı. Ama ben, seni nasıl bulacaktım? Leon Dayı...
Evet, Tokatlıyan Otel'de kalmamış mıydı Leon Dayı? Belki
otele bir adres bırakmıştır. Reşit birilerini tanıyordur Tokatlı-
yan'da. Rahatlıkla öğrenirdik bunu. Ama Reşit'e nasıl anlata-
cağım Cezmi amcasının öldürüldüğünü? Adam zaten üfürük-
ten nem kapıyor. Ya katilin ben olduğumu zannederse? Daha
neler? O kadarını da düşünmez herhalde. Hiç mi tanımıyor
beni? Evet, Reşit'e anlatmak mecburiyetindeyim. Şimdi mi?
Hayır, daha otel sahibiyle toplantısı bitmemiştir. Yarın, yarın
sabah... Hem biraz daha toparlamış olurdum kendimi...

Hiçbir meseleyi halletmesem bile kafamda olayları sıraya
koymuş olmak dahi rahatlatmıştı beni. Hal çaresi yoksa, me-
sele de yoktur. Akşam yemeği vakti gelmiş olmasına rağmen,
en küçük bir açlık hissetmiyordum. Restorana insem bile, tek
lokma yiyecek halim yoktu.

Yataktan kalktım, balkondan öylesine baktım şehre. Dışa-
rıda hava kararmış, sıradan bir sonbahar akşamına hazırla-
nıyordu şehir. Işıkları yaktım, masamın başına çöktüm. Yaz-
mak zor olacak diye düşündüm, aksine adeta kendiliğinden
dökülmeye başladı kelimeler. Evet, Selanik'ten dönmüştüm.
Beni doğuran kadını, doğduğum şehrin topraklarına verdik-
ten sonra...

Sirkeci Garı'nda Mülazım Fuad bekliyordu beni. Basri Bey
göndermiştir diye düşündüm önce, konuşunca anladım. Ha-
yır, kendisi akıl edip gelmişti. Ne yalan söyleyeyim, şaşırdım.
Aramızda gizli bir rekabet olduğu hissine kapılırdım hep. Si-
vil olmam sebebiyle, bu sarışın zabitin de bana karşı bir tür
gizli itimatsızlık beslediğini zannederdim. Yanılmışım, de-
mek ki yeterince tanımamışım onu. Sabırsızdı, deli doluydu
ama iyi bir kalbi vardı. Üstelik tanıdığım en münevver asker-
lerden biriydi. Göz ucuyla şöyle bir süzdüm silah arkadaşı-
mı. Hakkındaki düşüncelerimden bihaber, tahta bavulumu
eline almış, yanım sıra yürüyordu. Kendisine baktığımı fark
edince, saman sarısı bıyıklarının gölgelediği ince dudakların-
da samimi bir gülümseme belirdi.

"Ne yapıyorsun bu akşam? İki biletim var Ferah Tiyatro-
su'na? Mınakyan, *Münasebetsiz Bir İzdivaç*'ı sahneliyor. Gide-
lim mi?"

Anladım, teselli etmek istiyordu beni, çok hoşuma gitti
bu davranışı ama o kadar yorgundum ki. Trende de hatıralar

beni rahat bırakmamış, doğru dürüst gözümü kırpmamıştım. Sabaha doğru tam dalar gibi olmuş ama sonra korkunç bir kâbus görerek uyanmıştım. Rüyamda Selanik yanıyordu, evet, doğduğumuz, büyüdüğümüz şehir gözlerimin önünde, insanları, kuşları, ağaçları, evleriyle birlikte cayır cayır yanıyordu. Elimde ahşap bir kovayla denize koşturuyordum. Evet, yangını söndürmek için. Saçmalık. Ama rüya işte. Ne var ki, ben koştukça deniz çekiliyordu. Evet, o eski Deniz Tanrısı Poseidon mavi bir balık ağıymış gibi sürükleyip götürüyordu suları. Koca Selanik Körfezi derin bir uçuruma dönüşmüştü bir anda. Batık gemilerin yosun tutmuş tahtaları, sıra sıra balık ölüleri, şarap şişeleri, zeytinyağı küpleri, hatta insan iskeletleri ama tek damla su yoktu. Kurumuş bir denizle, yanmakta olan bir şehir arasında öylece kalakalmıştım. Bir sıcaklık hissettim o anda, başımı çevirince yanan şehrin ayaklanıp üzerime yürüdüğünü gördüm. Alev almış evler, arabalar, ağaçlar, kuşlar, hatta yarısı yanmış insanlar, hepsi, hep birden üzerime geliyorlardı. Hem de her yandan, hem de hızla... Alevler bedenime değerken, çığlık atarak uyandım. Kompartımandaki herkes bana bakıyordu korkuyla. Bir daha da uyumadım, sabaha kadar dışarıyı seyrettim trenin penceresinden. O yüzden çok istememe rağmen Mülazım Fuad'ın tiyatro davetini reddetmek zorunda kaldım.

"Çok yorgunum Fuad," dedim ezile büzüle. "Başka vakit gideriz. Valla öyle bitkinim ki, daha perde açılır açılmaz uyuyup kalırım."

Anlayışla başını salladı.

"Tamam, başka vakit gideriz... Allah'ın günleri bitmedi ya!"

Ama yarın da gidemeyecektik, çünkü beynelmilel sahada ardı ardına mühim hadiseler olmaya başlamıştı. Sanki yeterince düşmanımız yokmuş gibi Akdeniz kıyılarında bir yenisi zuhur etmişti. Evet, İtalya'dan bahsediyorum. Balkanlardaki karmaşa, Yemen'deki isyan, Dersaadet'teki siyasi buhranı gören bu devlet, bir parça da ben koparayım Osmanlı'dan diyerek bu vaziyeti fırsata çevirmek istemişti. Evet, bütün büyük devletlerin sömürgesi vardı, neden İtalya'nın da olmasındı. İşte bu niyetle İtalyanlar da Trablusgarp'a asker çıkarmıştı. Haberi *Tanin*'de okumuştum, teferruatı ise Basri Bey vermişti:

"Biliyorsunuz siyasi zelzelelerle sarsılıyor vatan. İbrahim Hakkı Paşa istifa etti, yine o kurnaz Sait Paşa sadrazam oldu.

Ama Sait Paşa'yla etrafındakiler korkaktır ve de teslimiyetçidir. Ne İngilizlere, ne Fransızlara ne de Ruslara karşı durabilirler. Dolayısıyla İtalyanlara da harp ilan etmezler, edemezler. Velhasıl vazife yine bize düşüyor. Gizlice Trablusgarp'a gideceğiz. Arkadaşların bir kısmı çoktan yola çıktı. Evet, bir manada kendi kendimizi oraya tayin ediyoruz. Çünkü devletin rızası ve malumatı içinde yapılacak bir hareket değildir bu. Cemiyetin fedaileri, milletin fedakâr evlatları olarak, vatanın en küçük bir parçasını dahi düşmana bırakamayız. Osmanlı toprağına saldırmak neymiş, o makarnacılara göstereceğiz ki, ötekiler de ayaklarını denk alsınlar. Derhal toparlanın, gerekli vesikalar elimize ulaşır ulaşmaz Trablusgarp'a intikal gideceğiz. Söylemeye lüzum yok, açıkça ölmeye, öldürmeye gidiyoruz. Vedalaşmanız gerekenler varsa vedalaşın, hayır duasını almak istediğiniz kimse varsa gidin görün..."

Fuad apar topar Selanik'e gitti, anne babasıyla ve üç ay önce yüzük taktıkları nişanlısıyla helalleşmeye. Ama benim helalleşecek kimsem yoktu. Sadece Madam Melina, evet hoş çakal diyebileceğim tek insan ev sahibem olan o şefkatli kadındı.

Sana yazmayı, harbe gidiyorum, belki bir daha dönemem demeyi, beni affetmeni istemeyi, hatta seni hâlâ çok sevdiğimi söylemeyi de düşündüm. Ama bunu bir tür zayıflık zannetmenden çekindim. Başıma bir iş gelirse nasıl olsa duyardın. Belki de en iyisi oydu; vatan savunması sırasında vurulup ölmek, bu pek de parlak olmayan hayat hikâyesini, böyle şanlı bir şekilde sonlandırmak. Evet, belki de başıma gelebilecek en iyi netice buydu. Çünkü gitgide kendimden uzaklaştığımı hissediyordum, cemiyete taarruz edenlere inatla karşı dursam da elbette bir terslik olduğunun farkındaydım. En büyük korkumsa hepimizin birer zalime dönüşmesiydi. Ve zalim olarak yaşamaktansa, mazlum olarak ölmenin daha şerefli olduğunun farkındaydım. Bu sebepten Basri Bey, "Trablusgarp'a gidiyoruz," dediğinde büyük bir rahatlama hissetmiştim. Belki de zihnimdeki karmaşayı, ruhumdaki sızıyı dindirecek olan fırsat bu acımasız harp olacaktı. Ne bir korku ne de en küçük bir endişe vardı içimde. Sadece sabırsızlık; bir an önce Afrika'ya ulaşmak, karaya çıkmak ve işgalci İtalyanlara karşı dövüşmek isteği...

Ama bu isteğimin gerçekleşmesi için biraz beklemek gerekecekti. Yola ancak on gün sonra çıkabildik. Güneşli bir sonbahar sabahı, Hidiviye Kumpanyası'nın İsmailiye adındaki vapuruyla denize açıldık. Önce Mısır'a gidecektik, ardından Trablusgarp'a. Ben, Faruk Ziya adında, *Tercüman-ı Hakikat* gazetesinde çalışan bir muharrirdim, Fuad da İsmet Naci sahte adını almıştı, istediği bir mesleği seçmişti; tiyatro rejisörü. Güya meşhur İskenderiye Kütüphanesi'ni mevzu alan bir piyes sahneleyecekti de, o sebeple gidiyordu Mısır'a. Basri Bey ise Nizam Sabri adında bir vaiz olmuştu. Arapçayı ana dili gibi konuştuğu ve bir müftü oğlu olduğundan din mevzusuna hepimizden fazla vakıftı. Herhangi bir tehlikeli vaziyette kolayca kalkardı kuşkulu soruların altından. Bu kadar kısa sürede, bu kadar kusursuz vesikalar düzenleyen kişinin Kara Kemal olduğunu ise çok sonra öğrenecektim. Yine Trablusgarp'a harbe gitme kararının Enver Bey'in Beşiktaş'taki evinde alındığından da çok sonra haberim olacaktı. Ki, orada bulunan zabitler, istikbalde vatanın kaderinde önemli bir rol oynayacaklardı. Gerçi bütün bunları o günlerde öğrensem de pek önemsemezdim. Çünkü zihnim garip bir tesadüfe takılmıştı. Annemi toprağa vermemin üzerinden bir ay geçmeden babamın öldüğü topraklara gidiyordum. Biliyorsun, batıl inancım yoktur ama bu tesadüfün bir manası var mı diye düşünmekten de kendimi alamıyordum. Babamın yaşadığı ve son nefesini verdiği toprakları görecek olmak, belki de orada vatan için dövüşürken şehit düşme ihtimali tuhaf hisler uyandırıyordu içimde.

Oysa Basri Bey hayli düşünceliydi, hayli durgun. Hanımından, çocuğundan ayrı kalmanın üzüntüsü zannettim. Meğer sadece o değilmiş, Trablusgarp'taki vaziyetin ne kadar korkunç olduğunu bilmesinden kaynaklanıyormuş o derin sükûnet. Oysa Fuad'la ben seyahat boyunca Stendhal'ın *Kırmızı ve Siyah*'ını tartışıp durmuştuk. Romanın kahramanı Julien Sorel'in o gelgitli ruh hali, şahsi hırslarını aşk zannetmesi, genç iki erkek olarak bizi derinden etkilemişti. Fuad manevi açıdan bakıyordu meseleye, Julien Sorel'i zayıf şahsiyetli biri olarak görüyordu, ben ise onun sistemin kurbanı olduğunu savunuyordum. Neticede aynı kanaatte buluştuk: Müthiş bir piyes karakteri olurdu bu Julien Sorel'den. Belki de bu alakasız tartışma, aslında bir cehenneme doğru yol aldığımız hakikatini şuur altına itme gayretiydi. Belki de bu sebepten, İskenderiye'deki limana ulaşıncaya kadar sürdü bu derin edebî tartışmamız.

Evet, kazasız belasız İskenderiye'ye ulaşmıştık ama Mısır artık İngilizlerin hakimiyetindeydi. Gümrükte, polis kontrolünde mesele çıkar mı diye endişe ederken, hiç aklımıza gelmeyen bir belayla karşılaştık: Karantina. Dersaadet'te kolera salgını olduğu için karantinaya aldılar bizim vapuru. Tam dört gün kaldık karantinada, sonunda bıraktı bizi İngilizler. İskenderiye'deki bağlantılarımızla temas kurup birkaç gün cemiyetin güvenli evlerinde dinlendikten sonra Trablusgarp sınırına varmak için bir trende güç bela yer bulduk kendimize. Cehennemî bir sıcağın altında saatlerce süren korkunç bir seyahatin ardından vardık Trablusgarp sınırına. Ama çilemiz bitmemişti, bilakis şimdi başlıyordu, çünkü önümüzde daha yüzlerce kilometrelik bir mesafe vardı. Ve bu zorlu mesafeyi ancak develerin sırtında geçmek mümkündü. Ki bizler şanslıydık, katıldığımız kervanda bizlere birer Hecin devesi verdiler. Hecin devesi deyip geçme, çöldeki en süratli yaratıklardı bu çilekeş hayvanlar. O kadar kilometre yol gittikten sonra bile bana mısın demez, sadece o iri gözlerini yüzüne diker anlaşılmaz bir keder, nedensiz bir ürkeklikle bakarlardı insana.

Bazen süt gibi bembeyaz, bazen bal rengi, bazen saman sarısı bir hal alan kumların üzerinde günlerce deve sürdük. Yaklaşık olarak her elli kilometrede bir karşımıza çıkan kuyulardan kan kadar ılık sular içerek serinlemeye çalışıyorduk, ne kadar sararsak saralım, ne kadar kapatırsak kapatalım, o incecik kumlar ağzımıza, burnumuza doluyor, nefes almak mühim bir mesele haline geliyordu. Önce Derne'ye ulaştık. Mustafa Kemal karşıladı bizi. Hemşerimizdi, Basri Bey'le çok önceden tanışıyorlardı. Çok memnun olmuştu bizi gördüğüne. O iptidai koşullarda dinlenmemiz için elinden geleni yaptı ama umutsuzdu.

"Bu harbi kazanmak çok zor. Askerlerimiz kahramanca çarpışıyor. İtalyanları durdurduk. Sahil şeridinde hapsolmuş durumdalar. Top menzillerinin dışına çıkamıyorlar. Ama söküp atamıyoruz onları denizden. Hükümetin bu avantajı da fırsat bilerek iyi bir barış anlaşması yapması gerekir. Ne yazık ki Dersaadet'tekiler bunun pek farkında değil..."

"Ya Enver Bey, o ne yapıyor?" diye sordu kumandanımız. "Cemiyete hep güzel haberler yolluyormuş."

Yüzü gölgelenir gibi oldu Mustafa Kemal'in.

"Kusura bakma Basri ama Enver hayal görüyor bence. Olmasını istediklerini hakikat sanıyor. Ona kalırsa, İtalyanları ezdik geçtik. Bütün Arap aşiretler bizim yanımızda... Trablus'ta, Tobruk'ta, Bingazi'de, Derne'de hatta Fizan'ı da kapsayan kendisine bağlı bir İslam devleti kuracağından söz ediyor. Ama vaziyet hiç de öyle değil. Kendi gözlerinizle göreceksiniz zaten. Sayıları yüz bine yaklaşan İtalyan kuvvetlerinin karşısında mücahit sayımız çok az. Silah ve teçhizat açısından bizden çok üstünler. Tamam, başta Sunusiler olmak üzere halk İtalyanlardan nefret ediyor. Zaten tek avantajımız da bu. Yani durum hakikaten berbat. Fakat dövüşmekten başka da çare yok." Sigarasından bir nefes çektikten sonra ekledi: "Bilmiyorum, belki de burada herkes kendi şerefi için dövüşüyor, herkes kendi vicdanı için..."

O akşam hiç hak vermemiştim Mustafa Kemal'e. Çok karamsardı, bu kadar ümitsiz olmak için bir sebep göremiyordum. Basri Bey de benim gibi düşünüyordu.

"Moralinizi bozmayın arkadaşlar," demişti kendi çadırlarımıza giderken. "Mustafa Kemal'in cemiyetle arası açılmış. Enver'le husumeti de bilinen mevzu. Ama çok iyi askerdir. Sonuna kadar itimat edebilirsiniz ona. Hakiki bir vatansever- dir, kanının son damlasına kadar dövüşmekten çekinmez. Ne yaparsın, kabiliyetli askerler arasında bile oluyor böyle anlaşmazlıklar..."

Ertesi gün, sabah ezanıyla birlikte daha içerlerdeki Enver Bey'in karargâhına ulaştık. Burası denizden birkaç yüz metre yüksekte, kayalık bir araziydi. Açık havada İtalyan işgal gemilerini bile görebiliyorduk. Enver Bey'in çadırı tepelik bir yere kurulmuştu, görkemliydi, ötekilerden farkı hemen hissediliyordu. Geldiğimizi öğrenir öğrenmez derhal yanına çağırdı bizi. Çadıra giderken Arap giysileri içinde saçı sakalı birbirine karışmış bir adamla karşılaştık. Anında sarmaş dolaş oldular Basri Bey'le, kısa bir hoşbeşten sonra "görüşmek üzere," diye ayrıldılar. Biz yeniden çadıra yönelirken kulaklarımıza fısıldadı Basri Bey:

"Yiğit adamdır Eşref, çok da kabiliyetli bir fedai. Kendisi Çerkez, evet, adı Eşref... Kuşçubaşı Eşref..."

278

Hem Trablusgarp'taki direniş günlerinde hem de daha sonra sıkça duyacaktık adını. İki yıl sonra kurulacak Teşkilat-ı Mahsusa'nın önemli adamlarından biri olacaktı.

Çadıra girince ayakta karşıladı Enver Bey bizi. Mustafa Kemal ve Kuşçubaşı Eşref gibi onun da sakalları uzamıştı, bu yüzden gülerken dişleri daha beyaz görünüyordu. Ama yorgundu, hayır, sakaldan değil sahiden de yorgundu ve hepimiz gibi o da vakitsiz yaşlanmıştı. Üç yıl önce meşrutiyet ilan edildiğinde Selanik'te bir balkondan millete seslenen o genç zabit gitmiş, orta yaşlı bir adam gelmişti yerine. Ama hâlâ dinçti, hâlâ kararlı, hâlâ tutkulu. Samimiyetle uzatmıştı elini.

"Hoş geldin Basri, o kadar çok ihtiyacım vardı ki size..." Tek tek ellerimizi sıkarken konuşmasını sürdürdü. "Harp etmeyi bilmeyen bir halktan bir ordu yaratıyoruz." Eliyle yer minderlerini gösterdi. "Geçin şöyle oturun." Sağ ayaklarımızı altımıza alarak oturduk. "Durum bizim lehimize. Manevi üstünlük bizde. İtalyanlar korku içindeler. Garnizonlarından burunlarını çıkartamıyorlar. Yerel halk akın akın bize katılıyor. Ama bu insanların teşkilatlandırılması, harp etmeyi öğrenmesi gerek. Bu iş için de sizin gibi tecrübeli zabitler lazım... Yani tam zamanında geldin Basri... Hoş geldin kardeşim..."

Evet, Mustafa Kemal'in sözlerinin yanında Enver Bey'in konuşması iyimserdi, umut doluydu. Elbette onun sözleri daha çok etkiledi beni, moralimi yükseltti, ancak bir yıl geçmeden Mustafa Kemal'in haklı olduğu ortaya çıkacaktı. O zamanlar kimin umurunda; dövüşmeye, vatanı uğruna ölmeye gelmiş bir genç için akıldan çok, duygu öndeydi, parlak sözler, bin kat daha şevk vericiydi basit gerçeklerden. Ancak Enver Bey'in sözlerinde de beni tereddüte uğratan bir yan vardı. Onun ihtiyaç duyduğu eğitmenler Basri ile Fuad'dı. Oysa ben asker değildim, harp sanatını hiç ama hiç bilmiyordum. Nasıl öğretecektim aşiretlere? Ama kısa sürede boşa üzüldüğümü anlayacaktım. Çünkü Enver Bey'in askerî eğitimden kastı, vereceğimiz harbin kendisiydi. Sekiz gün sonra bir İtalyan bölüğüyle girdiğimiz çatışmada bizzat gözlerimle görecektim bunu.

Hakikaten, İtalyanlar uzun sahil şeridinde sıkışıp kalmışlardı. Arkalarında deniz ve gemileri vardı, önlerinde ise kıraç arazi ve biz. Harbi kazanmaları için kıraç arazide ilerleyip bizi yenmeleri gerekiyordu. Biz ise düşmanı sahil şeridinden çıkartmayacak, tabiri caizse onları Akdeniz'in nefes almayı bile zorlaştıran o sıcak havasında boğacaktık.

Elbette istihbarat çok önemliydi. İtalyanlar ekseriyetle gece hücum ediyorlardı. Görünmeden ne kadar içeriye sızabilirlerse o kadar iyiydi. Bu sefer de öyle olmuştu, çatışmaya girdiğimiz bölüğün askerleri ilerlemek için karanlığı seçmişlerdi; amaçları arkadan saldırmaktı. Ama daha onlar harekete geçmeden, jurnali ulaşmıştı bize. Basri Bey komutasında, yirmiye yakın Osmanlı fedaisi ve Sunusi Aşireti'nin gözü kara mücahitlerinden yüz kişilik bir kuvvetle tertibat almıştık. Gece yarısına doğru göründü İtalyanlar; büyük bir dikkat, azami bir disiplin içinde ağır ağır ilerliyorlardı. Biz, irili ufaklı tepeciklerle kaplı, kayalıklı yolun iki yanına mevzilenmiştik. İtalyan kumandan işi şansa bırakmak istemediğinden, bölüğün geçeceği yolu kontrol etmeleri için üç kişilik bir öncü kuvvet yolladı. Çıt çıkarmak şöyle dursun, nefes dahi almıyorduk. Üç İtalyan aramızda uzanan toprak yoldan yüz metre kadar ilerledi. Arada bir durup geceyi dinliyor, bir hile, bir tuzak var mı anlamaya çalışıyorlardı. Ama arazide çıt çıkmıyordu. Öyle ki kayalıklara ilk geldiğimizde huzursuzlanıp susan çekirgeler yeniden başlamışlardı şarkılarına. Öncü İtalyan askerleri de artık yolun emniyetli olduğuna karar vermiş olmalılar ki, dönerek arkadaşlarına, yürümeye başladılar. İşte tam o anda Arap yoldaşlarımızdan birinin hapşıracağı tuttu. Mübarek adam, bir kez değil, ardı ardına tam üç kez. Üç İtalyan asker korku ve şaşkınlıkla bağırarak süratle arkadaşlarına doğru koşmaya başladı. Birden Basri Bey'in o tanıdığım gür sesi yankılandı gecenin karanlığında...

"Hücum arkadaşlar, hücum... Allah için, vatan için hücum..."

Ardından Sunisi Aşireti'nin genç mücahitlerinin gür sesi duyuldu.

"Allahu ekber, Allahu ekber, Allahu ekber..."

Aynı anda patlamaya başladı silahlar, üç İtalyan askeri o anda yıkıldı yere. Olanı biteni anlamaya çalışan uzaktaki düşman bölüğü kısa bir şaşkınlığın ardından mevzi alarak beklemeye başladı. Çok önemli bir avantajdan mahrum kalmıştık. Eğer kurduğumuz tuzağa düşselerdi, saklandığımız kayalıkların ardından onları bozguna uğratmamız çok kolaydı. Ama şimdi açık arazide İtalyanlarla karşı karşıya kalmıştık. Bu pozisyonda galip gelmemiz imkânsızdı, düşmanı püskürtsek dahi aramızdan pek azı doğacak güneşi görürdü. Bu çıplak hakikati anlamak için asker olmaya gerek yoktu. Fakat Basri Bey hücum emrini vermişti bir kez, artık durmak olmazdı. Tüfeklerimiz, tabancalarımız, kılıçlarımız ellerimizde saldırıya kalkmıştık. İşte tam o anda benim mucize zannettiğim, oysa Basri Bey'in bir taktik ustası olduğunu ispatlayan o hadise gerçekleşti. İtalyanların sağ tarafındaki karanlıkta ateş böcekleri gibi parıltılar belirdi ve ardı ardına silah sesleri duyuldu. Karşıdan ölüme koşar gibi üzerlerine gelen gözü kara Osmanlı askerlerine mi, yoksa yandan saldıran o sinsi müfrezeye mi karşılık vereceğini bilemeyen İtalyan askerleri paniğe kapılmakta gecikmedi. İlk kim, hangi asker çözüldü bunu kestirmek imkânsız ama aramızda elli metre kala bütün İtalyanlar ağır silahlarını bırakıp geldikleri yöne doğru can havliyle koşmaya başladılar. Elbette bırakmadık peşlerini. Gün ışırken, 57 İtalyan askeri ölmüş, 20 kadarını esir almıştık, sadece 10 ya da 15 asker canını kurtarmıştı. Bizde ise 6 şehit vardı, 11 de yaralı...

Karargâha döndüğümüzde kimsenin çadırına gitmesine izin vermemişti Basri Bey. Harp eden herkesi toplamış, yapılan hata üzerine sert bir konuşma yapmıştı. Sunusi Aşireti'nin şeyhi Muhammed Bin Tarık, hapşıran kişiyi bulup cezalandırmayı teklif etti. Basri Bey kabul etmedi.

"İhanet değil, korkaklık hiç değil, acemilik, biraz da şanssızlık. Kimseyi cezalandırmaya lüzum yok ama daha fazla disipline ihtiyaç var," demekle yetinmişti. "Daha fazla eğitime."

Zannederim böyle bir aksilik çıkabileceğini tahmin etmişti, yoksa İtalyanların sağ yanına o müfrezeyi niye yerleştirsin? Şimdi daha iyi anlıyordum Enver Bey'in, bizi görünce neden o kadar sevindiğini. Basri Bey'i çok iyi tanıyordu, böyle bir askerin emrinde olması ona manevi kuvvet vermişti. Benim gözümde ise bir efsane kahramanına dönüşmüştü kumandanımız. Onun mükemmel biri olduğunu düşünüyordum, çok daha iyi yerlerde olmalıydı aslında, belki de buradaki ordunun başına geçmeliydi. Enver Bey'i de severdim ama Basri Bey başkaydı. Eğer buradaki birliklerin kumandanı olsa, eminim İtalyanları en kısa sürede sürüp atardı denize. Kimseye söylemesem de yürekten inanıyordum buna. Önümüzdeki altı ay boyunca ardı ardına kazandığımız zaferler, Sunusi Aşireti'nin, inançlı, cesur ama tecrübesiz gençlerinden, şuurlu bir mücahit bölüğü yaratması, gitgide bir yarı Tanrı seviyesine yükseltiyordu onu gözümde. Hayır, Basri Bey'in katıldığı bir harpte mağlubiyet olmazdı, hayır o yenilmezdi, hayır o asla öldürülemezdi...

Yine telefon çalıyor. Kim acaba? Mehmed Esad? Evet, Mehmed Esad olmalı? Tümüyle unuttum. Bu akşam buluşacaktık ya? Ben gitmeyince, kendisi geldi otele. Kusura bakma Ester, şu telefona bakmak zorundayım. Yoksa kapıya dayanır yine bu adam.

"Bana bir ölüm bağışlamalısın Şehsuvar..."

✳

Merhaba Ester, (8. Gün, Akşam)

Mehmed Esad değil, otel müdürü Reşit'ti arayan. Toplantısı yeni bitmiş, "Karnınız açsa birlikte yemek yiyelim," diyordu. Asıl niyeti Cezmi'yle neler konuştuğumu öğrenmek. Artık reddedemezdim, hazırlanıp indim restorana. Asansörden inerken şu polis romanları yazan İngiliz kadınla rastlaştık. Gülümsedi beni görünce ama gözlerindeki o keder hiç eksilmemişti. Elbette hiçbir konuşma geçmedi aramızda. Başgarson İhsan'la konuşurken buldum Reşit'i. Yemekleri sipariş ediyor diye düşündüm, hayır, temizlik hususunda sıkı bir ikazda bulunuyordu. Müşterilerden biri şikâyet etmişti. Beni görünce, aceleyle toparlandı.

"Rica ediyorum İhsan. Bak laf otel sahibine kadar gitmiş. Lütfen şu temizlik hususuna çok dikkat edelim."

Yüzü kıpkırmızı olmuştu İhsan'ın.

"Emredersiniz Reşit Bey," dedi terbiyeli bir tavırla. "Gözden kaçmış, bir daha olmayacak. Emin olabilirsiniz."

Daha fazla uzatmak istemedi Reşit:

"Tamam, tamam, hadi sen işinin başına. Ha bu arada, bak Şehsuvar Bey de geldi, hadi bize yiyecek bir şeyler hazırlayın olur mu?"

İhsan başı önde uzaklaşırken,

"Çok nankör bir iş bu otelcilik," diye yakınmaya başladı Reşit. "Elimden gelen dikkati gösteriyorum, kılı kırk yarıyorum işler mükemmel olsun diye ama bir kişinin vurdumduymazlığı berbat ediyor her şeyi." Daha da söylenecekti ki, yüzümdeki endişeli ifadeyi fark etti. "Kötü bir şey mi oldu Şehsuvar ağabey?"

Korkunç haberi vermeden önce sakince karşısına oturdum. "Cezmi Binbaşı..." dedim metin bir sesle. "Cezmi Binbaşı'yı öldürmüşler..."

Gözleri yüzümde dondu kaldı. O kadar etkilenmişti ki, nasıl olmuş diye soramıyordu. Anlattım, bu ikindi olan biten ne varsa hepsini bütün tafsilatıyla anlattım. Bıçakla öldürüldüğünü söylerken ağlamaya başladı. Evet, koca adam küçük bir çocuk gibi içini çeke çeke ağlamaya başladı. Hiç karışmadım. Üzülmesi, paniğe kapılmasından iyiydi. Sonra sakinleşti, düşünmeye başladı.

"Peki, kim? Sizce kim yapmıştır bu alçaklığı?"

Ellerimi yana açtım.

"Bilmiyorum, ben sadece iki gün önce gördüm Cezmi'yi. Ama sen hep gidiyordun yanına. Kendisini tehdit eden birilerinden bahsetti mi? Birileriyle kavga ettiğinden filan..."

Hatırlamaya çalıştı ama nemli gözlerindeki boş mana değişmedi.

"Hayır, kavgalı olduğu kimse yoktu. Biliyorsunuz, siyasi sebeplerle herkese kızıyordu, herkese öfkeleniyordu ama bırak kavga etmeyi, tartıştığı birinden bile söz etmedi. Belki vardır birileri de, bana anlatmak istememiştir. Orasını bilemem tabii... Kim öldürmek ister ki Cezmi Amca'yı? Dünyanın en şeker insanıydı..."

Sahiden çok saftı bu Reşit. Dünyanın en şeker adamıydı dediği rahmetli Cezmi, damarına basıldığında hiç tereddüt etmeden tetiği çekecek kadar gözü kara bir adamdı. Üstelik son karşılaştığımızda bu tetik çekme işine epeyce de niyetlenmiş görünüyordu. Elbette bunları söylemedim Reşit'e. Bir süre hiç konuşmadan, öylece karşılıklı oturduk. Sonunda akıl edip sorabildi:

"Tabii, Matmazel Ester'in adresini de öğrenemediniz..."

Aradığım fırsat ayağıma gelmişti.

"Yok, öğrenemedim tabii, ama dayısı Leon, Tokatlıyan'da kalmış iki ay önce... Belki adres bırakmıştır resepsiyona..."

Hemen anladı ne demek istediğimi.

"Öyleyse hallederiz. Otel müdürü Ali Çetin ahbabımdır. Yarın arar, öğrenirim." Yine o derin endişe çöktü yüzüne. "Peki, polisler otele gelip, Cezmi'yle münasebetimi sorarlarsa, ne demeliyim onlara?"

"Hakikati söyleyeceksin Reşit. Cezmi'nin babanın arkadaşı olduğunu. O sebepten onu görmeye gittiğini anlatacaksın. Ama sakın benden bahsetme. Hele hele cesedi bulduğumdan asla söz etme. Yoksa başım fena halde belaya girer. Üstelik seni de mesul tutarlar bu işten."

Korkmadı ama gözlerinde kuşku dolu bir mana belirdi.

"Sahi Şehsuvar ağabey, polisten neden kaçtınız? Bana söylediğiniz gibi onlara hakikati anlatsaydınız, daha iyi olmaz mıydı?"

"Olmazdı. İzmir Suikastı'nın izleri hâlâ hafızalardan silinmedi. Böylesi bir cinayette, akla ilk gelen şüpheliler benim gibi eski ittihatçılar olur. Yakamı asla sıyıramam. Zaten maksatları da o. Bizim gibi adamları ya çukurlara ya zindanlara doldurmak. Cezmi'ye yaptıkları gibi..."

Hayır, aklındaki sorular cevaplanmamıştı ama ikna olmuş göründü.

"Siz daha iyi bilirsiniz tabii. Ama rica ediyorum, çok dikkatli olun Şehsuvar ağabey. Bilhassa da şu Mehmed Esad'a karşı." Birden kafasına dank etti. "Yoksa, yoksa o adam mı öldürttü Cezmi Amca'yı?"

Meseleyi büyütmek istemiyordum.

"Zannetmem, eğer rahmetli Cezmi, kaygılarında haklıysa bile Mehmed Esad böylesi cinayetlere bulaşmaz. Onun gibiler çok daha büyük hedefler peşinde koşar. Emekli olmuş eski ittihatçıları öldürmek gibi işlerle uğraşmazlar..."

Daha fazla sormadı, gelen yemek de zehir olmuştu zaten, yalandan birer ikişer lokma alıp kalktık masadan.

Reşit'e yaptığım açıklamalara rağmen, aklım yine Mehmed Esad'a takılmıştı. Evet, Cezmi'nin ölümünde baş şüpheli oydu. O değilse bile arkadaşlarıydı. Devletin gizli polisi olduğunu açıklayan, hatta beni birlikte çalışmaya çağıran Mehmed Esad'dı. Belki de bütün çabama, bütün dikkatime rağmen Cezmi'nin evine giderken bizi izlemişlerdi. Hem iki gün önce, hem de bugün... Ama Cezmi'yi Mehmed öldürttüyse, bunu daha önce yapması icap etmez miydi? Zaten görüşmüştük

Cezmi'yle, zaten anlatmıştı bildiklerini... Yok, resim bir türlü tamamlanmıyordu... Aklımda bu sorularla çıktım odama.

Anlamsızca dolandım, odanın zeminini boydan boya kaplayan Acem halısının üstünde. Bej renkli büyük Çin vazosunun önünde durdum. Uzun boyunlu leyleklerin, nilüferlerle kaplı bir gölde gezinmesini seyrettim bir süre. Sonra bakışlarım duvardaki ahşap saate kaydı. 22.13'ü gösteriyordu. Yatmak için erkendi, zaten uykunun kırıntısı yoktu gözlerimde. Birileriyle konuşsam, içimi döksem... Ama öyle biri yoktu ki. Reşit bile şüpheleniyordu benden. Evet, ikna olmuş göründü ama otelden ayrıldıktan sonra doğru karakola gidip beni ihbar etmeyeceğinden bile emin değildim. Evet, bir kez daha idrak ediyordum ki, şu dünyada senden başka dertleşebileceğim kimse yoktu. O sebepten yine sana döndüm, yine yazıya...

Belki neden bu harp hatıralarını yazıyorsun diye kızıyorsundur bana. "Zaten yeterince kan görmedik mi, yeterince acı çekmedik mi, yeterince mutsuz olmadık mı?" Sanki büyük marifetmiş gibi insan öldürmenin inceliklerini sıralamanın ne manası var? Eğer böyle düşünüyorsan, yanılıyorsun. Harp eninde sonunda bir cinayettir tamam, bir tür toplu öldürme ayinidir kabul ama sadece bu değil. Çok daha büyük bir anlamı var harbin. Vatanı müdafaa etmekten filan bahsetmiyorum, insan olmaktan bahsediyorum. İnsanın bütün hislerinin, bütün zekâsının, bütün korkularının, bütün vahşetinin, bütün cesaretinin bir anda ortaya çıkmasından... Harbin, insan mevcudiyetinin bir parçası olmasından bahsediyorum. Bizlerin nasıl bir mahluk olduğundan... Ne yazık ki, insan, tek tek ya da topluca öldürmekten zevk alan yegane hayvan türü. Evet, işte bunun için sana harbi anlatıyorum, çünkü bu kanlı olayların beni nasıl etkilediğini, nasıl değiştirdiğini anlamanı istiyorum.

Mademki dürüst olmaya karar verdim, bir başka itirafta daha bulunmak zorundayım. Evet, doğru, Basri Bey'in söylediği gibi, "Harp kabiliyeti" olan bir adamdım ben. Doğuştan yatkındım buna. Belki büyük dedelerimden biri sıkı bir mücahitti yahut başka bir sebep vardı. Bilmiyorum ama içimde vardı harp etmek. Trablusgarp'ta iyice emin olmuştum bundan. Daha doğrusu emin olduğumu zannetmiştim. Çünkü kolayca uyum sağlamıştım, gündüzleri cehennem gibi sıcak, geceleri ise buz gibi soğuk olan iklime. Sadece ben değil, Mülazım Fuad da ikinci hafta geçirdiği ve tam üç gün süren o titreme krizini saymazsak pek sıkıntı yaşamamıştı Afrika'da. Basri Bey ise kendini daha ilk geldiği gün ispatlamış, herkesin itimadını kazanan bir kumandan olup çıkmıştı. Zaten bu sebepten Bedevi mücahitlerin hepsi bizim bölüğe katılmak istiyordu. Fakat çoğu ölüme gözünü kırpmadan gidecek kadar cesur olan bu insanları harp disiplinine sokmak, deveye hendek atlatmaktan daha zordu. Ama bunun müsebbibi bizdik. Buradaki Arap dostlarımız bizim tebaamızdı, yüzlerce yıl hakimiyetimiz altında yaşamışlardı, hâlâ da yaşıyorlardı. Ortalıkta bir hata, bir iptidailik, bir gerilik varsa, elbette bunun sebebi başta bizdik. Evet, o çok övündüğümüz altı yüz yıllık, bir zamanlar çağ açıp, çağ kapayan ama bugün dünya liderliğinden, açgözlü devletler tarafından parçalanma zavallılığına düşen Osmanlı...

Neyse biz hikâyemize dönelim yine. Evet, Arap aşiretlerin desteği olmasa İtalyanlara direnmek mümkün olamazdı. Ama Arapların hepsi için aynı sadakatten, aynı bağlılıktan söz etmek de mümkün değildi. Bir kısmı kendi devletlerini kurma hayalindeydiler ki, bu milli şuura sahip aşiretlerin çoğunluğu Mısır'da bulunuyordu. Trablusgarp bölgesinde olanlar ise yüzyıllardır bayrağı altında yaşadıkları Devlet-i Aliyye'nin artık çökmekte olduğunu idrak ettiklerinden değil, daha basit sebeplerle, mesela bir kese altın için gözlerini kırpmadan Osmanlı zabitlerini İtalyanlara satacak kadar alçalabiliyorlardı. Çoğunluk değil ama böyleleri vardı ve onlar yüzünden mühim kayıplar verdiğimiz olmuştu. İşin kötüsü hamiyetli, vatanseverlerden oluşan imanlı aşiretlerle, bu menfaat peşindeki tıynetsizleri sık sık birbirine karıştırıyorduk. Dolayısıyla, her zaman doğru karar vermek mümkün olmuyordu.

Hayatımızı altüst edecek haber o pazartesi günü gelmişti. Çok itimat ettiğimiz, zor çatışmalarda sınanmış Beşir El Hamid adında bir Arap mücahitti haberi getiren. Çölün içlerinde bir aşiret bize katılmak istiyormuş. Mahmud Faiz adındaki bir aşiret reisi, "Bin beş yüz silahlı adamım, sekiz yüz devem ve üç yüz atımla kâfir İtalyanlara karşı Müslüman kardeşlerimizin yanında dövüşmeye hazırım," diyormuş. Ama bu iş için yetkili bir Osmanlı zabitinin çadırını şereflendirmesini istiyor, birlikte sofraya oturduktan sonra anlaşma yapılmasını şart koşuyormuş. Hiç de yadırganacak bir istek değildi bu. Bedeviler onurlu insanlardı, küçümsenmekten nefret eder, kendilerine değer verilmesinden hoşlanırlardı. Bilhassa Enver Bey memnun olmuştu bu habere.

"Bakın, demedim mi size çölde ne kadar Arap aşireti varsa, hepsi bize katılmak istiyor. Buraya geldiğimde dokuz yüz çöl mücahidi vardı. Şimdi ise elimin altında binlerce talimli askerimiz var. Göreceksiniz, sayımız daha da artacak..." O kadar mutlu olmuştu ki bu davetten, tedbiri filan unutup "En iyisi bizzat ben gidip konuşayım bu adamlarla..." demekten bile çekinmemişti. Bütün ihtimalleri kılı kırk yararak hesaplayan bir kumandandan çok, kendini ispata çalışan sabırsız bir zabit gibiydi. Ama sağduyu abidesi Basri Bey hemen karşı çıktı.

"Katiyen olmaz Enver Bey. Siz burada lazımsınız. Hem çöl hiç emniyetli değil. Biz, gider Şeyh Mahmud'la konuşur, anlaşmaya varırız."

O öğleden sonra 25 kişilik bir birlik hazırladık. Mülazım Fuad, sıhhiyeci Mevlüt, Kasım Çavuş ve ben olmak üzere bizden beş kişi, haberi getiren Beşir el Hamid ve on dokuz güvenilir adamıyla birlikte gün doğmadan düştük yola. Mahmud Faiz'in aşiretinin konakladığı yer, yüz kilometre kadar içeride Gazâl Vadisi'nin hemen girişindeydi. Vadinin derinliklerinde sayısız vaha bulunuyordu. Hepimizin altında Hecin develeri vardı, yani olağan şartlarda bu gece sona ermeden Gazâl Vadisi'ne ulaşmış olurduk. Öğle vakti güneş tepemizden vurmaya başlayınca ister istemez hızımızı kesmek zorunda kaldık.

İlk mola yerimiz elli kilometre sonra varacağımız Ayn-el Kabûl adıyla anılan vahaydı. İtalyanların çöle yayıldıklarına dair bir ihbar üzerine iki ay kadar önce buraya gelmiş ama küçük bir bedevi kabilesinden başka kimseyi bulamamıştık. Fakat şunu söylemeliyim ki, çöldeki en lezzetli su bu kuyudan çıkıyordu. Büyülü bir görüntüsü vardı. Kumluk zemin birden yükseliyor, yekpare kayadan oluşan, üç çatallı, kehribar rengi küçük bir dağ beliriveriyordu karşınıza. Dağın hemen dibinde yer alıyordu vaha. Suyun etrafı palmiye ağaçları ve sazlıklarla çevriliydi, adını bilmediğim leylak renkli, iri başlı çiçekler sanki burada olmamanız gerekiyor der gibi tuhaf tuhaf bakıyorlardı yüzümüze. Bizim gibi deniz kenarında doğmuş, denizle birlikte büyümüş olanlar için bu küçük su birikintisinin ne anlamı olabilir, diye düşünme sakın. Uçsuz bucaksız çöllerden sonra, bu minik gölcük, okyanus kadar büyük geliyordu insana.

İşte Ayn-el Kabûl adındaki bu çöl cennetine birkaç saatlik yolumuz kalmışken bir aksilik meydana geldi, bizim Üsküdarlı Bekir Çavuş devesinden düşüverdi. Önce uyuyakaldığını zannettik ama sıcak kumların üzerinde bedeninin kasılıp gevşediğini, sıtmaya tutulmuş gibi titrediğini görünce anladık; sara krizi geçiriyordu. Sıhhiyeci Mevlüt iri bir soğanı ikiye kesip Bekir Çavuş'un ağzına bastırdı. Kısa sürede sakinleşti hasta arkadaşımız, gözlerini açtı, neler oluyor burada dercesine şaşkınlıkla yüzümüze bakmaya başladı. Evet, hiçbir şey hatırlamıyordu. Onu doğrultmaya çalıştık, işte o zaman koptu kıyamet, düşerken sağ ayağını kırmıştı. Bekir Çavuş'a bir ağrı kesici veren Sıhhiyeci Mevlüt,

"Derhal müdahale etmek lazım," dedi. Bakışları şişmeye başlayan bacağa takılmıştı. "Yoksa vaziyeti kötüye gidebilir."

Basri Bey'in yüzü asılmıştı.

"Vahaya çok bir şey kalmadı, oraya kadar bekleyemez mi?"

Eliyle alnındaki terleri silen Mevlüt,

"Bekler, beklemesine de, şimdi müdahale etsek daha iyi..."

"Siz gidin Basri Bey" diyerek araya girdim. "Biz burada kalalım, vahada buluşuruz."

Emin olamıyordu bizim tecrübeli kumandan, Mülazım Fuad da müdahil oldu konuşmaya:

"Ben de kalayım isterseniz, arkanızdan yetişiriz."

Basri Bey, hâlâ acılar içinde kıvranan Bekir Çavuş'a baktı, ardından gözlerini Ayn-el Kabûl yönüne çevirdi. Sıcakta buğulanan çölü süzdü bir süre. Usulca başını sallayarak Fuad'a döndü sonra.

"Senin kalmana lüzum yok. Şehsuvar halletsin bu meseleyi." Bakışlarını bana dikti. "Sunusilerden beş kişi de yanında kalsın. Biz yola devam edelim, hiç değilse arkadaşlar biraz dinlenme fırsatı bulur. Siz de çok vakit kaybetmeyin. Sana diyorum Mevlüt, bak elin ağırdır, biraz çabuk ol."

Utangaç bir gülümseme belirdi hastabakıcının kurumuş dudaklarında.

"Başüstüne Kumandanım."

Basri Bey kafileyi toplayıp yeniden yola düzüldü. Biz de derhal bir çadır kurup zavallı Bekir Çavuş'u içine taşıdık.

Sıhhiyeci Mevlüt, önce kırığın yerini tespit etti, sonra bir kılıç kınıyla bacağı sararak sabitledi. Mesleğinin erbabıydı ama sahiden eli ağırdı, belki de vazifesini layığıyla yerine getirdiği için iş bu kadar uzun sürüyordu. Fakat bu kez her zamankinden daha süratli hareket ettiğini söyleyebilirim. Yine de bir saatten fazla sürmüştü bu kansız müdahale. Bekir Çavuş için bir sedye hazırlayarak yeniden yola koyulduğumuzda en az iki saatlik bir mesafe oluşmuştu ana kafileyle aramızda. Üstelik Bekir'in sedyesi hızımızı kesiyordu. Yine de neşemiz yerine gelmişti, zira Bekir artık inlemeyi bırakmış, derin bir uykuya dalmıştı. Çöl sıcağının altında Ayn-el Kabûl'un sularında serinlemeyi hayal ederek ilerliyorduk.

Devenin sırtında ilerlerken insan vücudu ister istemez ağırlaşıyor, bir sakinlik, bir yavaşlık sarıyor ruhunuzu. O tekdüzeliğin içinde ne kadar çaresiz, ne kadar zavallı olduğunuzun şuuruna vararak, tabiatın şartlarına uygun davranmaya başlıyorsunuz. Bu bir tür yarı uyku hali, bir tür kabulleniştir, aksi takdirde hiç değişmeyen o manzaraya, bitmek bilmeyen o kum denizine, o puslu gökyüzüne tahammül etmeniz mümkün değildir. Küçük kafilemiz develerin ritmine uyarak ağır ağır mesafeyi katederken ılık rüzgârın getirdiği seslerle toparlandık. Sanki uzaklarda bir yerlerde birileri ardı ardına şampanya şişelerini patlatıyordu. Önce Sunusiler anladı neler olup bittiğini.

"Silah, silah atılıyor," dedi Fahad Kerim... Devesinin üzerinde doğrulmuş havayı dinliyordu. "Evet, silah atılıyor. Ayn-el Kabûl'da çatışma var." Toprak rengi gözlerini yüzüme dikti. "Pusu, bizimkilere pusu kurmuşlar..."

Devemin yularını sımsıkı tutarak Mevlüt'e döndüm.

"Bekir Çavuş sana emanet, biz gidiyoruz. Hadi arkadaşlar, hücum...."

Develerimizi kamçılayarak süratle vahaya sürdük. Üç çatallı küçük dağa yaklaştıkça silah seslerini daha açık seçik duymaya başladık. Ama bin metre kadar kala birden her şey sustu. Sadece develerimizin kumda çıkardığı o yumuşak ayak sesleri duyuluyordu, bir de başımıza sardığımız kefiyeleri uçuran rüzgârın uğultusu. Derin bir endişe kapladı yüreğimi; yoksa arkadaşlarımızın hepsini öldürmüşler miydi? Hayır canım, Basri Bey bunun olmasına izin vermezdi. Kim bilir kaç kez karşılaşmıştı bu tür pusularla, kaç kez kurtulmuştu onlardan. Üstelik yanında Mülazım Fuad vardı, Basri Bey hata yapacak olsa, hemen ikaz ederdi bizim genç zabit. Hem Arap mücahitler de boş insanlar değildi. Hele Beşir el Hamid bugüne kadar gördüğüm en cesur, en uyanık mücahitti. Esmeyen yelden hile sezer, toprakla, rüzgârla konuşur, nerde olursa olsun düşmanın kokusunu alırdı. Yok, başlarına kötü bir iş gelmiş olamazdı. İyi ama neden sesleri kesilmişti? Neden geldiğimizi gören arkadaşlarımız silahlarını sallayarak, zafer naralarıyla selamlamıyorlardı bizleri?

Bu kaygılarla ulaştık güneşin altında kehribar sarısına dönüşen küçük dağa. Vahanın serinliğini hissettiğim anda artık çok iyi tanıdığım o kesif barut kokusu çarptı burnuma. O kadar telaşlanmış, geç kaldığımız için o kadar çok kendime kızmıştım ki, Fahad Kerim ve öteki Arap mücahitler develerinden yere süzülerek mevzilenirken, ben tedbiri filan elden bırakıp, peygamber askeri gibi dalmıştım vahanın ortasına. Eğer pusu kuranlardan herhangi biri orada olsaydı çoktan yemiştim kurşunu. Ama ne silah patlaması ne bir ikaz. Sessizlik, sadece sinir bozucu bir sessizlik. O anda gördüm kanı... Koyu kırmızı bir sıvı, gölcüğün üzerini yarı yarıya kaplamıştı. Adını bilmediğim leylak renkli, iri başlı çiçeklerin arasında yan yana düşmüş üç Sunusi mücahidi gördüm. Hiç kıpırdamadan öylece yatıyorlardı. Üçü de çırılçıplaktı. Çöl eşkıyaları neleri varsa hepsini almış olmalıydı. Devemi çökertip indim yere. Evet, gölcüğün etrafı çırılçıplak soyulmuş, Arap mücahitlerin cesetleriyle doluydu. Demek ki su içerken vurmuşlardı hepsini... Ama Basri Bey'le Fuad yoktu ortalıkta. Ne yalan söyleyeyim sevindim, belki de kurtulmuşlardır diye... Arkadaşlarının öldüğünü gören Araplar başlamışlardı feryat etmeye. Ben ise gölcüğün etrafından uzaklaşıp Basri Bey'le Fuad'ı arıyordum ama ne bir iz ne bir delil; burada olduklarına dair hiçbir belirti göremiyordum. Fidye almak için yanlarında mı götürmüşler acaba diye düşünürken patladı silah. Hemen kendimi yere atıp mevzilendim ama ikinci bir patlama gelmedi. Araplardan biri eliyle kayanın eteklerini gösterdi.

"Orada, işte orada."

Bakışlarımı gösterdiği yere çevirince, Fuad'ın kanlar içindeki başını gördüm, kayalığın arkasına mevzilenmişti, bize seslenemeyecek kadar bitkin olmalıydı, dikkatimizi çekmek için basmıştı silahın tetiğine. Hemen koşturduk kayalığa.

Evet, işte oradaydı, yüzü gözü kan içindeydi. Basri Bey'i o sırada fark ettim, Fuad'ın hemen arkasındaydı, sol omzunun üstüne düşmüş, hiç kıpırdamadan öylece yatıyordu. Öldüğünü zannettim, dünya başıma yıkıldı. Oysa bu tür manzaralara alışıktım, artık hiçbir ölüm beni etkileyemezdi. Ama yanılıyormuşum, çok sevdiğin birini kaybedersen, ne kadar tecrübeli olursan ol, yine de sakin olamıyormuşsun. Basri Bey'i kanlar içinde görünce anladım bunu. Çünkü o benim için, bir nevi yarı Tanrı, yenilmez bir kahraman, sonuna kadar itimat edeceğim tek insandı. O anda harbi kaybettiğimizi hissettim. O anda ne kendime, ne askerlerimize, ne vatana, ne cemiyete inancım kaldı. Madem ki Basri Bey ölmüştü, artık her şey bitmişti.

"Yardım, yardım et," diyen Fuad'ın sesiyle kendime geldim. "Ne duruyorsun, yardım etsene."

Toparlanıp genç mülazıma yaklaştım.

"Fuad... Fuad, kardeşim iyi misin?"

Kana bulanmış yüzünde iki kor parçası gibi duran mavi gözlerini ikaz edercesine yüzüme dikmişti.

"Ben iyiyim," diye mırıldandı. "Ben iyiyim, sadece bacağımdan vuruldum. Basri Bey fena yaralandı. Ona yardım et."

Fuad'ın fedakârlığı yerin dibine geçirdi beni. Yüzü gözü kan içinde olmasına rağmen ne bir panik, ne bir korku, hâlâ kumandanını düşünüyordu.

"Sen de iyi değilsin... Başın, başın kanıyor..."

"Yok, yok vurulmadım," dedi nefesini düzenleyerek. "Kurşunların parçaladığı bir taş parçası geldi başıma. Yara o kadar derin değil..."

Bakışlarım delik deşik olmuş kayaya takıldı; çatışmanın şiddetini şimdi daha iyi anlıyordum.

"Ben iyiyim," diye tekrarlayan Fuad'ın sesiyle toparlandı düşüncelerim. "Sersemledim sadece biraz... Bacağımdaki yaranın da çok mühim olduğunu zannetmiyorum. Sen Basri Bey'e bak."

Arap mücahitlerden birine Fuad'la ilgilenmesini işaret ettikten sonra Basri Bey'e yöneldim. Az önceki pozisyonunda hiçbir değişiklik yoktu, sol omzunun üstünde öylece yatıyordu. İncitmekten çekinerek, sırtüstü çevirmeye çalıştım. Cılız bir inilti koyuverdi. Sevindim; demek yaşıyordu.

"Basri Bey... Basri Bey... Kumandanım iyi misiniz?"

Kirpiklerini araladı, gözlerinden aşina bir parıltı geçti, beni tanımıştı. Bir şeyler söyledi anlamadım. Kulağımı ağzına yaklaştırdım.

"Beni kaldır," diye fısıldadı güçlükle. "Beni kaldır, yoksa kanımda boğulacağım..."

Mücahitlerden birinin yardımıyla derhal kaldırdım, sırtını kayaya dayadım. Rengi sapsarıydı... Haki gömleğinin karın bölgesinde koyu kırmızı bir leke vardı. Kurumuş dudaklarını yaladı.

"Su, içim yanıyor... Allah rızası için birazcık su..."

Mendilimi ıslatıp dudaklarına sürdüm.

"Biraz daha... Biraz daha..."

Yeniden dudaklarını ıslattım.

"Dayanın Basri Bey, dayanın şimdi yetişir Sıhhiyeci Mevlüt..."

Sönmekte olan gözlerinde acı bir ifade belirdi.

"Beyhude çaba Şehsuvar," diye mırıldandı. "Mevlütlük bir iş yok burada..."

O kadar emindi ki söylediklerinden, o kadar kabullenmişti ki ölmeyi, gözyaşlarımı tutamadım.

"Öyle demeyin, kurtulacaksınız. Hiçbir şey olmayacak size..."

Sağ elini uzatıp kolumu tuttu.

"Ağlama," diye çıkıştı. "Niye ağlıyorsun?" Sanki biraz canlanır gibi olmuştu. "Yaklaş, yaklaş biraz..."

Gözyaşlarımı elimle kuruladıktan sonra söylediğini yaptım.

"Beşir el Hamid..." dedi güçlükle. "Beşir hain değil... Şanssızlık, sadece şanssızlık. Çöl eşkıyalarına rastladık. Beşir'in kabahati yok. Onu suçlamayın..."

"Biliyorum, onu da vurmuşlar. Ölmüş zavallı..."

"Vurulduğunu görmüştüm, demek ölmüş." Başını doğrultmaya çalışarak vahaya doğru baktı. "Develer, develeri de almışlar değil mi?"

Sahi tek bir deve kalmamıştı etrafta.

"Korkarım öyle, hepsini çalmışlar... Ama endişelenmeyin, bir yolunu bulacağız. Sizi karargâha yetiştireceğiz..."

Gülmeye çalıştı beceremedi, bir öksürük dalgası bütün vücudunu sarstı. Kriz geçince derin derin nefes aldı.

"Ölmekten değil, ölmemekten korkuyorum," diye söylendi. "Akşama çok var mı?"

Konuştukça açık renk gömleğinin önündeki kan lekesi yayılıyordu.

"Var, üç dört saatten önce kararmaz hava..."

Umutsuzca başını salladı...

"Hava kararınca gene gelecekler... Haramiler diyorum... Belki de daha önce... Eminim uzaktan bir yerlerden burayı gözlüyorlardır. Öteki kuyular kuvvetli aşiretler tarafından tutulmuş... Su alabilecekleri tek yer burası... Derhal buradan ayrılmanız lazım..."

Ne demek istediğini tam anlayamadım.

"Ayrılmanız ne demek Basri Bey, hep birlikte gideceğiz buradan..."

Yine o kederli ama durumunu kabullenen ifade belirdi yüzünde.

"Yapma Şehsuvar, hiç zorlama. Bu sıcakta yola çıkarsam yarım saate kalmaz ölürüm. Üstelik sizi de yavaşlatmış olurum..."

İtiraz edecek oldum,

"Beni iyi dinle," diye susturdu. "Belki de hayatının en zor vazifesi olacak ama benim için iki şey yapmanı istiyorum." Sağ dizinin dibindeki tabancasını gösterdi. "Şunu al." Silahı alıp kendisine uzattım. "Sende kalacak," dedi usulca başını sallayarak. "Onu sen kullanacaksın."

O zaman anladım ne demek istediğini.

"Hayır kumandanım, bunu yapamam."

"Yapacaksın," dedi yumuşak ama kararlı bir sesle. "Bunu bana borçlusun. Selanik'teki o sonbahar gecesinde seni cemiyete alanlardan biri bendim. Sana hep inandım, yalpaladığın, tereddüt ettiğin anlarda bile inandım. Dahası seni öz kardeşim gibi sevdim... Evet, senden bunu istemeye hakkım var Şehsuvar." Bakışlarını elimdeki silaha çevirdi. "Bunu yapmak mecburiyetindesin, bana bir ölüm bağışlamalısın... Beni o vahşilerin eline sağ olarak bırakamazsın..."

"Sizi burada bırakmayacağız..."

"Boşa yorma kendini. Yolun sonu belli. Benim hikâyem bu vadide bitiyor. Hiç kimse yardım edemez bana." Göz ucuyla yana baktı. "Ama Fuad'ı kurtarabilirsin."

Başımı çevirince Fuad'la göz göze geldik. Tek söz etmedi ama Basri Bey'le aynı fikirde olduğunu anladım. Hatta, eğer ben, kumandanımızı vuramazsam bu işi yapmaya hazır olduğunu da anladım. Yeniden Basri Bey'e döndüm.

"Kusura bakma ama vazifen bununla da bitmiyor," dedi o acı gülümsemesini bir kez daha takınarak. "Karıma ölüm haberimi senin vermeni istiyorum." Yüzümdeki ifadeyi görünce bileğime sarıldı yine. "Yapabilirsin, yapmalısın... Seni, senden daha iyi tanıyorum Şehsuvar. Sen güçlü bir adamsın. Bunu da bir imtihan gibi düşün. Seni atış talimine götürdüğüm o öğleden sonra gibi, Arnavut fedaileri vurduğumuz o akşamüstü gibi..." Yeniden öksürmeye başladı, ağzından kan geldiğini gördüm. "Hadi Şehsuvar," diye tükürdü ağzındaki kanı. "Hadi artık, bir ölüm için yalvartma beni. Hadi, canım yanıyor. Bitir şu işi..."

Sağ elim adeta kendiliğinden doğrulttu silahı.

"Aferin evladım," diye yüreklendirdi beni. "Aferin Şehsuvar, işte böyle."

Ama işaret parmağım bir türlü uzanmıyordu tetiğe.

"Hadi artık bekletme beni! Hadi Şehsuvar, hadi kardeşim, hadi dokun şu tetiğe. Hadi, hadi... Hadi ne duruyorsun be!"

O anda değdi parmağım tetiğe, silah sesi vahada yankılandı. Basri Bey'in bedeni olduğu yerde sarsıldı. Ne bir mırıltı ne bir fısıltı, tek söz çıkmadı ağzından, sadece minnettar bir bakış, takdir eden bir bakış... Sonra öylece durdu... Sonra, çölün ortasında yüzyıllardır sessizce bekleyen o kehribar rengi kaya gibi öylece kıpırtısız kaldı.

"Osmanlı'ya artık hasta adam demiyorlar, canlı cenaze diyorlar."

❉

İyi Geceler Ester, (8. Gün, Gece Yarısı)

Fırtına, uçsuz bucaksız çöldeki bütün kumları toplayıp üstümüze boca eden bir fırtına. Böylesi görülmüş değil, gözlerimizin önünde kum tepecikleri eriyip bitiyor, aynı anda başka tepecikler oluşuyor. Rüzgâr o kadar güçlü ki, savrulup gitmemek için el ele tutuşarak yere uzanıyoruz yüzükoyun. Evet, Basri Bey, Fuad ve ben. Hiç yadırgamıyorum Basri Bey'in sağ salim yanımızda oluşunu, üstelik öldüğünü unutmuş da değilim. Ama hiç tuhaf bir durum olarak görmüyorum rahmetli kumandanımızın yanımızda oluşunu. Fuad da hiç şaşkın değil, sağ eliyle koluma sımsıkı sarılmış olarak yüzükoyun uzanıyor yanımızda. Hiç kıpırdamadan yatıyoruz, rüzgârın sesi kulaklarımızda uğulduyor, kafamıza çarpan kum tanecikleri, küçük kıvılcımlar gibi yakıyor saç tellerimizin dibini. "Güzel hatıraları düşünün," diye bağırıyorum. "Güzel hatıralar gelsin gözlerinizin önüne."

Teklifim, Fuad'ın ilgisini hiç çekmiyor ama,

"Bir vaha hatırlıyorum," diye mırıldanıyor Basri Bey. "Cennetten dünyaya düşmüş bir bahçe..."

Evet, sadece mırıldanıyor ama sanki o cehennemi fırtına yokmuş, sanki rüzgâr öfkeyle boca etmiyormuş gibi o kum denizini kafamızdan aşağı, rahatça duyuyorum ölü kumandanımın sözlerini.

"Günlerdir yol almışız gibi yorgunum," diye sürdürüyor kendini hikâyesine kaptırarak. "Sanki günlerdir gözümü kırpmamış gibi uykum var. Deve her adım attığında ben de sallanıyorum onunla, tıpkı bir saatin sarkacı gibi. Sıcak, çok sıcak, o kadar ki, elimi uzatsam dokunacakmışım gibi geliyor güneşe. İşte o anda beliriyor karşımızda vaha..."

Basri Bey'i dinlerken, söyledikleri tek tek canlanıyor gözlerimin önünde... Hayır, canlanma değil, düpedüz Basri Bey'in kendisi oluyorum. Evet, artık Şehsuvar Sami yok, sevgili kumandanımın gördükleri, onun duydukları, onun hissettikleri var. Onun bindiği devenin üzerinde sallanıyorum bir sarkaç gibi, onu terleten sıcakla bunalıyordum.

Küçücük bir vadinin arasına saklanmış bir cennet bahçesi. Yemyeşil ağaçlarla çevrili kocaman bir su birikintisi. Yüzlerce metre öteden serinliği vuruyor yüzümüze. Suyun kokusunu alan develer süratleniyor, adeta birbirleriyle yarışırcasına koşuyorlar vahaya. Olduğum gibi suya bırakıyorum kendimi. Kumandan, asker, gönüllü, yaşlı, genç fark etmiyor hepimizi çocuklaştırıyor bu beklenmedik güzellik. Gölün dibi öyle güzel ki, sanki bir mercan denizi; ebemkuşağı gibi renk renk parıldıyor dipteki çakıl taşları. Kendimi tutamayıp dalıyorum; gümüş balıkları eşlik ediyor bana, mavi yengeçler, yosun yeşili kaplumbağalar. Su o kadar çekici ki. Hiç çıkmasam diyorum, hep burada kalsam, şu rengârenk taşların arasında yüzen küçücük balıklarla beraber. Ama biri yakalıyor beni. Bütün gücümle çekiyorum ayaklarımı ama nafile, adam o kadar güçlü ki kendimi kurtaramıyorum bir türlü. Dönüp suyun yüzüne bakıyorum kim bu diye, yüzünü seçemiyorum, ama siyahlar içinde olduğunu görüyorum. Hızla çekiyor beni dışarıya. Zıpkın yemiş bir yunus gibi çaresizim. Nihayet çıkıyorum sudan. Adam fırlatıp atıyor beni kıyıya. Etrafta asker ölüleri, arkadaşlarım, davadaşlarım, yoldaşlarım. Hepsi hunharca öldürülmüş. Kan küçücük dereler oluşturmuş mavi göle akıyor her yandan. Derhal toparlanıp ayağa kalkıyorum, ama adam tabancasını doğrultmuş bile bana. Başında toprak rengi bir kefiye, yüzünde kapkara bir peçe... Gözleri nefretle ışıldıyor, sanki hiç dile getirilmemiş bir kinle. O yüzden böyle yakıcı, böyle tehditkâr. Ama çekinmiyorum, hiç çekinmiyorum, korkunun zerresi yok yüreğimde.

"Kimsin sen?" diye bağırıyorum. "Ne istiyorsun?"

"Seni," diye sesleniyor peçenin ardından. "Canını istiyorum. Hemen şimdi."

Ve konuşmama fırsat vermeden basıyor tetiğe. Ardı ardına üç kez. Öylece yıkılıyorum olduğum yere ama hiç acı hissetmiyorum. Sanki vurulan ben değilim de bir başkası. Hatta kalkmak istiyorum, siyahlı adamla kavga etmek, onu ellerimle öldürmek. Yapamıyorum, sırtım sıcak kumlara yapışmış gibi, kımıldayamıyorum bile. Adam sakince yaklaşıyor yanıma. Diz çöküp üzerime eğiliyor, ateş ettiği silahı hâlâ elinde.

"Seni hiç sevmedim Basri Bey," diye mırıldanıyor. "Senden hep nefret ettim. Hiç söyleyemedim, bu yüzden daha çok nefret ettim. Benim hayatımı çaldın... Beni mahvettin..."

Öfkeyle bağırıyorum.

"Kimsin sen? Ne istiyorsun benden..."

Tek söz etmeden, açıyor yüzündeki siyah peçeyi.

"Ah!" diye bir çığlık atıyorum. "Ah!"

Siyah peçenin arkasında kendimi görüyorum. Evet, kendimi, Basri Bey'e üst üste üç kurşun sıkan Şehsuvar Sami'yi...

Ardı ardına vurulan kapının sesiyle açtım gözlerimi. Nefes nefese doğruldum yatağımda. Evet, birisi kapıyı çalıyordu. Bu da kim böyle? Neyse vazgeçti galiba... Hayır, yanılmışım yeniden başladı kapıya vurmaya. Gördüğüm kâbusun dehşetinden kurtulamadan, kapıya yöneldim alelacele... Kim bu? Polisler mi? Mehmed Esad mı? Hâlâ uyku sersemi olan zihnim bir türlü gelemiyordu kendine. Kapıya yaklaşınca birinin seslendiğini duydum.

"Şehsuvar Bey, Şehsuvar Bey, iyi misiniz?"

Endişeli bir ses. Yoksa kapıdaki adam gördüğüm kâbustan haberdar mı diye düşünmekten kendimi alamadım. O telaşla açtım kapıyı. Karşımda otelin gece müdürü Halim Bey duruyor.

"İyi misiniz?" diye tekrarladı. "Şehsuvar Bey, iyi misiniz?"

Neler oluyordu?

"İyiyim, iyiyim... Niye?"

Gözleri omzumun üzerinden odayı tararken,

"Çığlık atmışsınız, hem de birkaç kez... Yan odadaki misafirimiz söyledi. Agatha Hanım, şu İngiliz yazar. Endişelenmiş sizin için. Başınıza bir iş geldi zannetmiş..."

"Yok, yok, ben iyiyim. Kötü bir rüya gördüm sadece... Bir kâbus... Yazar hanımdan da adıma özür dileyin, ne olur."

Bir türlü rahatlamıyordu Halim. Artık çekip gitse ya, hayır hâlâ dikiliyordu karşımda. Sanki başka bir açıklama yapmamı bekliyor gibiydi.

"Hepsi bu Halim Bey. Hadi size iyi geceler..."

Neyse, sonunda çekip gitti de ben de yalnız kalabildim. Dağınık yatağıma bakarak, kendime sordum. "Sahi neydi bu kâbusun anlamı?" Ne yani, olanlar için Basri Bey'i mi suçluyordu şuuraltım? Bu, haksızlık olurdu. Basri Bey beni hiç zorlamamıştı, ben karar vermiştim ne istediğime. Elbette bir fedai olarak cemiyete katılmamı istemişti. Fakat her defasında bana sormuştu. Hayır, eğer yaşadıklarımdan dolayı birini suçlayacaksam, bu rahmetli Basri Bey değil, Şehsuvar Sami'ydi. Evet, bazen kendime Şehsuvar Sami diye hitap etmeyi seviyorum. Bilhassa da kendimi tenkit edeceğim zamanlarda, daha kolay oluyor. Sanki karşımda başka biri varmış gibi.

Kâbusun etkisiyle kan ter içinde kalmıştım, giysilerimi değiştirdim, yeniden yatağa uzandım, sağa döndüm, sola döndüm. Yok, sanırım rüyamdaki Basri Bey'le birlikte uykuyu da öldürmüştüm. Kalktım, yeniden yazı masasının başına geçtim. Mademki eski kumandanım uyandırdı beni uykudan, onunla devam edelim o zaman.

Bir kez daha Selanik'teydim. Bir kez daha sevdiğim bir insanın ölümü için gelmiştim doğduğum şehre. Basri Bey'den söz ediyorum. Onun ölüm haberini vermekten.

Öylece bakıyordu Refiye Hanım. Tıpkı Basri Bey'i son gördüğüm an gibi, gözleri donup kalmıştı yüzümde. Ne kadar zor olsa da, az önce söylediğim o üç cümleyi tekrarladım.

"Basri Bey şehit oldu... Ne yazık ki kurtaramadık onu... Başımız sağ olsun Refiye Hanım..."

Küçücük bir çığlık döküldü dudaklarından.

"Ah!"

Yıldırım düşmüş gibi incecik bedeni sarsıldı ama kendini tutmayı bildi. O zaman anladım, yıllardır bu acı haberi beklediğini. Şaşkınlığını, o derin ıstırabını içinde saklamaya çalışarak sordu:

"Ne... Ne zaman oldu?"

Olanca dürüstlüğümle cevapladım.

"Ağustos ayının 13'ünde..."

Yıkılmış bir halde söylendi:

"Üç ay evvel! Neden bu kadar geç haber verdiniz?"

"Basri Bey istemedi," dedim yumuşak bir sesle. "Sizinle bizzat benim konuşmamı istedi. Bu acı haberin, ailesine mektup ya da telgrafla bildirilmesine katiyetle karşı çıkmıştı."

"Evet," dedi yanaklarından süzülen gözyaşlarını eliyle kurularken. "Evet, nefret ederdi bundan. 'Ailenin eline, yakınınız şehit oldu yazan bir kâğıt vermek vefasızlıktır,' derdi... Bizzat kendisi giderdi şehit olmuş arkadaşlarının haberini vermeye..."

Kadıncağızın bu metin hali beni cesur kılıyordu.

"Evet Refiye Hanım, o saygısızlığın hem kendisine hem de size yapılmasını istemedi... Bu yüzden sıkı sıkıya tembihledi beni. Bizzat sen gideceksin diye. Kusura bakmayın geç kaldım. Aslında daha da geç kalabilirdim ama vurulduğum için beni erken yolladılar... Hastaneden çıkar çıkmaz da Selanik'in yolunu tuttum. Aklımda Basri Bey'e verdiğim söz vardı çünkü... Bir an önce o sözü yerine getirmek istiyordum..."

Biraz sakinleşir gibi olmuştu.

"Yanında mıydınız?"

Kederle ağırlaşan ela gözlerine daha fazla bakamadım.

"Yanındaydım," dedim bakışlarımı kaçırarak. "Yanımda vuruldu."

Sanki o anı gözlerinin önünde canlandırmak istiyormuş gibi merakla bakıyordu. Her saniye, her dakika ruhunu ele geçiren o büyük acıya aldırmadan sordu:

"Nasıl! Nasıl oldu bu felaket?"

Bir an hakikati söylesem mi diye geçirdim. Basri Bey'i, kendi ricasıyla, ne ricası düpedüz emriyle vurmak zorunda kaldığımı anlatsam mı? Hayır, kadıncağızı ikinci kez yıkmak olurdu bu.

"Ne?" diyerek zaman kazanmaya çalıştım. "Anlayamadım, ne dediniz?"

"Nasıl vuruldu diyorum?" Çenesi titriyordu, sesi boğuklaşmıştı. "Basri diyorum. Nasıl öldü?"

Evet, artık kendini tutamadı, vereceğim cevabı bile beklemeden ağlamaya başladı. İncecik mavi damarları dışarı vurmuş elleriyle yüzünü kapatarak bir süre gözyaşı döktü. Hiç sesimi çıkarmadan, bekledim. Bir ara bakışlarım, duvardaki fotoğrafa takıldı. Kolağası üniformasının içinden bana bakıyordu Basri Bey. Gözlerinde takdir dolu bir ifade sezer gibi oldum. Sanki cennetten bir teşekkür mesajı yolluyordu. Saçmalama diyeceksin, haklısın ama o zor anımda hayalî de olsa böyle bir desteğe ihtiyacım vardı. Allahtan güçlü bir insandı Refiye Hanım.

"Kusura bakmayın," diyerek toparlandı. "Kusura bakmayın... Karşınızda böyle..."

"Rica ederim, içinizden nasıl geliyorsa öyle davranın lütfen. Ben de sizin bir kardeşiniz sayılırım... Çok severdim rahmetliyi..."

Yeniden gözyaşlarına boğuldu...

"Rahmetliyi... Rahmetli oldu, değil mi? Allah'ım, Allah'ım inanması ne kadar zor..."

Yok, bu defa dağılmadı, tuttu kendini, bir kez daha kuruladı gözlerini...

"Nasıl oldu?" diye sordu. "Acı çekti mi? Lütfen, lütfen hakikati anlatın bana."

Kati bir ifadeyle başımı salladım.

"Hayır, hiç acı çekmedi. Her şey bir anda olup bitti. Son sözleri şöyle oldu: 'Şerefimle yaşadım, şerefimle ölüyorum. Karıma ve oğluma söyle, yas tutmasınlar. Bilakis alınları açık, dimdik dolaşsınlar. Üzülecek bir hadise değil bu... Bir askerin ulaşabileceği en üst rütbe... Ben şehitlik rütbesine nail oldum. Bundan daha güzel ne olabilir... Refiye'ye söyle üzülmesin, vatan için dökülen kan asla ziyan değildir...'"

Evet, yalan söylüyordum ama benim yüreğim de en az o yaslı kadınınki kadar ıstırapla doluydu. Zaten daha fazla sürdüremedim. "Sonra," diye tekrarladım. "Sonra..." arkasını getiremeden ben de başladım ağlamaya. Çok değil daha bir ay önce büyük bir harbin içinden gelen ben, her gün arkadaşlarının ölümüne şahit olan Şehsuvar Sami, başladım bir çocuk gibi ağlamaya. Refiye Hanım kendi acısını unutup, beni teselli etmeye koyuldu.

"Ağlamayın, ağlamayın Şehsuvar Bey. Hiç değilse, Basri'nin son isteğini yerine getirelim hep beraber... Haklısınız, şehitlik mertebesi ölümlerin en yücesi, en mübarek olanı... Ne kadar ıstırap verse de vakarla karşılamalıyız..." Gözyaşlarımı kurularken şefkatle karışık bir kabulleniş gördüm dul kadının yüzünde. "Söyledi mi bilmem ama sizi çok severdi Basri. Kendi oğlu gibi, öz kardeşi gibi... Belki bu kadar genç olmanızdan... Belki bir parça oğlumuz Nail'i hatırlatmanızdan." Duraksadı, gözleri yeniden doldu. "Nail, ah zavallı oğlum. Nasıl izah edeceğim şimdi ben, bu çocuğa babasının öldüğünü..."

"Ben, ben anlatırım," diye çektim burnumu. "Hem ağabeyi sayılırım..."

Uzanıp elimi tutu Refiye Hanım, tıpkı çöldeki o meşum günde kocasının elimi tuttuğu gibi.

"Basri yanılmamış, siz iyi bir insansınız Şehsuvar Bey. Ama oğluma bu felaketi haber vermek benim vazifem. Siz üzerinize düşeni layığıyla yerine getirdiniz zaten. Size müteşekkiriz, sağ olunuz, var olunuz. Şunu da biliniz ki, artık Selanik'te bir anneniz, bir ablanız nasıl telakki ederseniz, bir aile büyüğünüz var. Ne zaman başınız sıkışırsa, ne zaman sıcak bir aile yuvasının hasreti düşerse içinize, kapımız daima açıktır size..."

O vakur kadından duyduğum son sözler bunlardı. Refiye Hanım'ı, yıllardır kendisini hazırlamaya çalıştığı o felaket haberinin hiçbir zaman dinmeyecek ıstırabıyla baş başa bırakıp attım kendimi dışarıya.

Sokak iyi geldi, biraz önce Olimpos Dağı'ndan gelen güçlü bir rüzgârın serpintisiyle hafifçe ıslanmıştı her yer. Yağmur sonrasının o tertemiz havasını içime çekerek nemli Arnavut kaldırımlarında amaçsızca dolaşmaya başladım. Oysa bavulumu istasyonda bırakmıştım, dönüp almalıydım ya da ilk trene atlayıp İstanbul'a geri dönmeliydim. Ama ne gezer, ayaklarım sahile sürüklüyordu beni. Ne Beyaz Kule'ye, ne bahçelere. Kendi gençliğime doğru yürüyordum... Bu şehrin her sokağına, her köşe başına sinen hatıralarımıza. Babamın ölüm haberini aldığım gün... Mekteb-i Sultani'ye girdiğim sene.... Nasıl bir gurur vardı içimde. Sonra seni ilk gördüğüm ana... Mösyö Leon'un ofisinde, kapıyı çaldığımda karşıma çıkışın. Dudağındaki o boşvermiş gülümseme, bir bayrak gibi dalga dalga omuzlarına düşen kızıl saçların ve dünyaya meydan okurcasına bakan o iri siyah gözlerin... Sonra asık suratlı dava dosyalarının sergilendiği o karanlık odada sevişmelerimiz... Sadece genç bedenlerimiz değil, bizi birbirimize kenetleyen yazarlar, şairler, duygular, fikirler, idealler... Sonra tam beş yıl önce yine böyle bir sonbaharda, senden habersiz İttihat ve Terakki Cemiyeti'ne üye oluşum... Belki de şu sokakta, şu arkadaki binada, o küf kokulu küçük salon... Nasıl umut doluydum o zamanlar, nasıl imanlı, nasıl kendinden emin. Sadece vatanı kurtarmakla kalmayacak, bütün dünyayı değiştirecektim, üstelik seninle beraber... Oysa şimdi paramparça oluyordu inandığım ne varsa. Zafer saydıklarımızın aslında çoktan kaybedilmiş harpler olduğu bir bir çıkıyordu ortaya. Onca kahramanlıktan, onca fedakârlıktan, onca ölümden sonra hepsinin manasız olduğunu anlıyordum. Ne yaparsak yapalım, sanki mağlubiyete mahkûm gibiydik, hep hayal kırıklığına yazgılı... Ne yaparsak yapalım beyhudeydi, bir türlü çıkamayacaktık bu derin, bu kanlı çukurdan. Yıkımlar, ihanetler, isyanlar... Zulüm, yolsuzluk ve yoksulluk... Ne varsa devr-i Abdülhamit için söylediğimiz, hepsi tekrar yaşanıyordu bizimle birlikte. Uğursuz bir döngü gibi olaylar hep kendini tekrar ediyordu bu coğrafyada... Ve insanlar, buğday taneleri gibi ezilip gidiyordu tarih denilen o değirmenin taşları arasında. İşte böyle bir haletiruhiye ile yürürken kadim şehrimizin sokaklarında, birden o mucize gerçekleşti. Evet, yağmurlu havalarda rengi yeşile dönüşen çocukluğumuzun denizine birkaç adım kala, birden sen çıkıverdin karşıma...

Evet, o toprak rengi uzun elbisen, iri gözlerin, kızıl saçlarınla sen. Önce inanmadım; kapıldığım fazla hassasiyetin bir neticesi olarak hayal gördüğümü sandım. Gözlerimi açtım, kapadım, neredeyse ayılmak için çimdik atacaktım kendime. Ama lüzum kalmadı, çünkü sen de beni görmüştün. Bir an o eski gülümsemen belirdi dudaklarında, seni ilk gördüğüm günkü gibi cesur, uçarı, isyankar. Fakat çok sürmedi, hemen değiştin, daha önce hiç karşılaşmadığım buz gibi soğuk bir ifade takındın. Sadece ruhunu değil, bedenini de o soğuk ifadenin ardına gizledin. Belki daha o anda çekip gitmeliydim... Yahut neden böyle yapıyorsun, diye sitem etmeliydim sana. Hiç değilse en az seninki kadar yabancı bir ifade takınmalıydım, yapamadım.

"Merhaba Ester," diye yaklaştım gülümseyerek. "Merhaba, ne güzel seni yeniden görmek."

Lütfettin, bir kez daha gülümsedin ama o samimi tavrından eser yoktu artık.

"Merhaba Şehsuvar... Nasılsın görüşmeyeli?"

Hal hatır sorman lüzumsuz yere güven verdi bana.

"İyiyim, iyiyim... Sence nasıl görünüyorum?"

Bir hayal kırıklığı belirdi zeytin karası gözlerinde.

"Değişmişsin," dedin. "Nasıl söyleyeyim... Kusura bakma ama yaşlanmışsın. Yüzündeki mana değişmiş..."

Hayretten donakalmıştım, tıpkı annem gibi, tıpkı Paloma Nine gibi konuşuyordun. Önemsememeye çalıştım.

"Biliyorsun şartlar çok ağır. İnsan bir gecede değişiyor işte..."

Anlayışlı, adeta merhametle baktın.

"Evet, harpte olduğunu duymuştum... Trablusgarp'ta mıydın?"

Sevindim, nerede olduğumu bildiğine göre demek ki benimle alakadar oluyordun hâlâ. Ama yaralandığımı söyleyerek seni üzmek, belki de kendimi acındırmak istemedim.

"Oradaydım," diye geçiştirdim. "Bu sabah geldim Selanik'e. Bir tür vazife diyelim... Üzücü bir vazife..."

Sanki neden burada olduğumu anlamış gibi samimi bir keder belirdi yüzünde.

"Kötü müydü Trablusgarp?"

Buruk gülümsedim.

"Kötüydü, çok kötüydü... Biliyorsun, harp işte..."

Alaycı bir parıltı geçti gözlerinden.

"Kazanıyormuşsunuz ama... Enver Bey'iniz harikalar yaratmış... İtalyanları sokmamışsınız içerilere. Müslüman birliğini kuracakmışsınız. Devlet-i Aliyye'yi böyle kurtaracakmışsınız... İmparatorluk İslamiyet'le tekrar yükselecekmiş. Öyle yazıyordu ittihatçı gazetelerde..."

Açıkça iğneliyordun, aldırmadım.

"O kadarını bilmem ama İtalyanları durdurduk... Harpte bizimle başa çıkamayınca Balkan Devletleri'ni kışkırttılar. Biz de Trablusgarp'ı bırakmak zorunda kaldık. Fakat yerli halk direnmeye devam ediyor. İşleri hiç kolay olmayacak İtalyanların o topraklarda..."

Sözlerim seni sinirlendirmeye başlamıştı.

"Ya bizim işimiz?" diye sordun başını sallayarak. "Bizim işimiz kolay olacak mı Makedonya'da? Selanik'te gezme fırsatın oldu mu bilmiyorum? İnsanlarla konuşabildin mi? Bugüne kadar hiç görmediğim bir hava var. Eskiden de bu düşmanlığı hissederdim ama şimdi açıkça dile getirmekten çekinmiyorlar. Yunanlar, Bulgarlar, Sırplar, Karadağlılar... Hepsi aynı dili kullanıyorlar. Nihayet bizim zamanımız geliyor diyorlar... Sadece Müslümanlara değil, bizim Yahudilere de tehditler savuruyorlar... 'Yıllarca Türklerle iş birliği yaptınız. Bize yapılan zulümden siz de sorumlusunuz,' diyorlar... 'Yüzlerce yıllık zulüm yakında sona erecek,' diyorlar... 'İsa'nın dirilme vakti geldi,' diyorlar..."

Sadece bana duyduğun kızgınlık yoktu sözlerinde, hakikaten kaygılanıyordun, korkuyordun. Ama abarttığını düşündüm, tamam Sırbistan, Bulgaristan, Yunanistan ve Karadağ harp açmıştı bize ama orduları zayıftı, silahları ve mühimmatları yetersizdi.

"Boşa endişeleniyorsun," diye yatıştırmaya çalıştım. "Hiçbir neticeye ulaşamazlar. Hele burada muvaffak olmaları ihtimal dışı... Düşünsene Ester, Selanik'ten bahsediyoruz..."

Hiç inandırıcı gelmemişti sözlerim sana.

"Paris'ten vaziyet hiç öyle görünmüyor ama. Osmanlı Devleti'ne artık hasta adam demiyorlar, canlı cenaze diyorlar. Herkes bu cenazenin mirasına talip. Evet, hiç dostu yok bu ülkenin... Dost görünenler bile en büyük parçayı kapmanın derdinde. Osmanlı'nın bittiği konusunda herkes hemfikir... Galiba, bir tek sen farkında değilsin bunun... Ha, özür dilerim bir de şu cemiyetiniz. Bir hürriyet hareketi olarak başlayıp Abdülhamit'ten daha beter bir despotluk yaratan cemiyetiniz..."

Aslında seninle karşılaşmadan önce aklımdan geçenleri söylüyordun bana, fakat o kadar hiddetlenmiş, o kadar acımasızca konuşuyordun ki, lüzumsuz bir müdafaaya sürükledin beni.

"Hiç de öyle değil," dedim sesimi yükselterek. "Altı yüz yıldır dünyaya hükmetmiş bir imparatorluk öyle kolay kolay yıkılmaz. Sömürge peşinde olan o Batılı devletler hayal görüyor. Hiçbir şekilde kazanamayacaklar... Yakında göstereceğiz onlara kimin canlı cenaze olduğunu..."

Bir yandan bunları söylüyor, bir yandan da ne kadar aptalca konuşuyorum diye kendi kendime kızıyordum. Rüya gibi bir andı. Dört küsur seneden sonra ilk kez karşılaşıyorduk ama seni karşıma almış, siyaset tartışıyordum işte. Tamam sen başlatmıştın, tamam sözlerin kışkırtıcıydı, yine de uymayabilirdim. Dahası hakiki düşüncelerimi ve hislerimi seninle paylaşabilirdim. Yani şu anda yazdıklarımı, daha o gün anlatabilirdim. Zira hiç değişmediler. Fakat yapamadım. Seni o kadar çok sevmeme, benim için vazgeçilmez olmana rağmen, gurur mu, aptallık mı, inat mı, o manasız tartışmayı devam ettirdim.

"Evet, sıkıntılarımız var, evet hürriyeti tam tesis edemedik, evet siyasi istikrarı sağlayamadık. Çünkü tam manasıyla ne hükümet olduk ne de iktidar. Hep birileriyle paylaştık idareyi. Eski paşalar elimizi kolumuzu bağlayıp durdu. Muhalefetin ise düşmanların ekmeğine yağ sürmekten başka yaptığı bir iş yok... Bu şartlar altında ancak bu kadar..."

"Dur Şehsuvar, dur," diye kestin sözümü." "Sus biraz, sus Tanrı aşkına..."

Hayır, öfke yoktu artık gözlerinde, sadece bir acıma duygusu... Evet, çok iyi hatırlıyorum, utanç verici bir acıma duygusuyla bakıyordun bana.

"Hakikatle bütün bağlantın kopmuş senin. Farkında değil misin, ülkede de iktidarı kaybettiniz... Farkında değil misin olan bitenin?"

Doğruyu söylüyordun, biz Trablusgarp'ta harp ederken, cemiyetimize karşı olan yeni bir hükümet kurulmuştu. Yani payitahtta, İttihat Terakki Fırkası yeniden muhalefete düşmüş, bize rakip olan Hürriyet ve İtilaf Fırkası yükselmişti. Üstelik bu neticede başta Talat Bey olmak üzere bizim liderlerin mesuliyeti çok büyüktü. İktidarı, Harbiye Nazırı Mahmud Şevket Paşa'yla paylaşmayalım derken ellerinden tümüyle kaçırmışlardı. Ne var ki yeni hükümet de en az bizimkiler kadar beceriksiz ve basiretsizdi. Ülkedeki vaziyet iyileşeceğine eskisinden daha beter hale gelmişti. Yoksulluk almış başını yürümüş, imparatorluğun parçalanması iyice hızlanmıştı. Balkan cephesinden gelen haberler korkunçtu. Her yerde mağlup oluyorduk, her yerden yıkım ve ölüm haberleri geliyordu. Bütün bunları biliyordum, vatan hızla uçuruma sürükleniyordu ama umut etmekten başka çarem yoktu. Ne kadar hayal kırıklığına uğrasam da zafere olan inancımı tümüyle kaybetmemiştim hâlâ.

"Farkındayım," diye diklendim. "Hiçbir ülke kolayca kurtulmaz. Fransız İhtilali'nin neticelenmesi yıllarca sürmüştü. Ki bizim ülkemizin meseleleri çok daha zor, çok daha çetin... Bu şartlar altında..."

"Yeter, yeter Şehsuvar!" Sokak ortasında düpedüz bağırıyordun bana. "Nasıl bu kadar aymaz olabilirsin? Leon Dayı bile farkına vardı olanların. Ne yaptı bu adamlar sana? Ne oldu sana böyle? Kim aklını çeliyor senin? Anlamıyorum, sahiden anlamıyorum..."

O bakışların, bu gurur kırıcı sözlerin zıvanadan çıkarmıştı beni.

"Kimse benim aklımı çelemez," diye kestirip attım. "İsteseler de yapamazlar. Kendi kararlarımı kendim alırım ben, kendim uygularım. İnancım için dövüşüyorum, vatanım için, milletim için... O batılı alçaklar yalan söylüyorlar. Propaganda yapıyorlar... Evet, sonunda biz muvaffak olacağız, biz kazanacağız. Bütün kalbimle inanıyorum buna. Tamam mı? Anlamayacak ne var bunda?"

Gözlerinin nemlendiğini gördüm, işte o vakit fark ettim beni hâlâ sevdiğini. İşte o vakit, önünde diz çökmeliydim, beni affet demeliydim ama yapamadım. Sen ise başını salladın...

"Seni anlamıyorum," dedin aynı merhamet dolu ifadeyle. "Sahiden anlamıyorum ama artık önemi yok." Elini uzattın. "Zaten daha fazla konuşmanın da manası yok. Hoşça kal Şehsuvar, seni gördüğüme sevindim. Hoşça kal..."

Bütün ruhumla, bütün bedenimle yıkılmıştım ama kendinden ve haklılığından emin biriymiş gibi dikiliyordum karşında. Yüzündeki ifadeden daha soğuk olan elini sıktım. Hiçbir tepki vermeden, elini usulca çekip yürümeye başladın...

"Git, canını kurtar zabit."

✖

Merhaba Ester, (9. Gün, Sabah)

Gün ışıyıncaya kadar yazdım; kalemi tutan parmaklarım acımaya, gözlerim yanmaya başlayıncaya kadar. Hayır, tekrar yatağa dönmedim, inanılmaz derecede dinç hissediyordum kendimi, zihnim pırıl pırıl. En iyi düşünme biçimi yazmaktır, derler. Doğruydu, sadece mazideki olayları değil, bugünü tahlil etmek için de yazmak en iyi metottu. İhtimallerin yarattığı kaostan kurtulan aklım, olan biteni şimdi daha iyi görmeye başlamıştı. Balkona çıktım, şahane bir sonbahar sabahı vardı dışarıda. Dünkü yağmur, bir parça serinlik bırakıp terk etmişti İstanbul'u. Sokağa çıkmak için dayanılmaz bir arzu uyandı içimde. Henüz uyanmakta olan evlerin, kapalı dükkânların önünden geçmek, bomboş sokaklarda yürümek... Daha fazla düşünecek ne vardı ki, giyinip çıktım otelden.

Kimsecikler yoktu ortalıkta, Asmalı Mescit Sokağı'nın köşesinde, mesailerinin sonuna gelmiş, esneyip duran iki gece bekçisine rastladım. Dar sokakta ilerlerken, dükkânlarını herkesten önce açmak isteyen birkaç gayretli esnafla selamlaştım. Viyanalı karı kocanın işlettiği lokantanın önüne sere serpe uzanıp kemik bekleyen, güzel gözlü, sokak köpeğine laf attım. Hiç tınmadı, belli belirsiz kuyruğunu kıpırdattı sadece. Dün karşılaştığım kangalı hatırladım, o da hiç iplememişti beni; demek köpekler nezdinde böyle bir tesirim vardı; pek ciddiye alınmayacak bir adam.

Cadde-i Kebir'e çıkınca sola döndüm, nefis kokular geliyordu bir yerlerden. Birkaç adım sonra anladım; Lebon Pastanesi'nden geliyordu. Bu kadar erken mi açıyorlardı? Hayır, pastane müşteriye kapalıydı ama fırında çalışma çoktan başlamış olmalıydı. Mekteb-i Sultani günlerimden biliyorum, şimdi dünyanın en lezzetli pastaları pişiyordu içeride. Aynalı Pasajı geçince birdenbire genişleyen caddede her an, her dakika insan sayısı artıyordu. Senin o çok sevdiğin ama cesaret edip giremediğimiz Madam Cecile'in meşhur terzihanesi henüz açılmamıştı. Cansız mankenlerin donuk bakışları altında geçtim vitrinin önünden. Bir zamanların Bonmarşe'si, şimdinin Karlmann Pasajı'nın kapısı açılmış, fakat müşteri almıyorlardı içeriye. Hatırlarsan, İstanbul'a geldiğinde burayı da ziyaret etmiştik birlikte. Elbette tek bir eşarp bile alamamıştık, çünkü bu pahalı kıyafetlere yetiştirecek paramız yoktu. Ama şimdi, seni yeniden bulsam, hâlâ zengin biri olmasam da istediğin kıyafeti almak isterim. Bak yine kaptırdım kendimi hayallere... Sanki seni bulmuşum, sanki benden gelebilecek hediyeleri kabul edermişsin gibi... Neler geçiriyordum aklımdan... Fakat İstanbul'a gelmişsen, elbette umut vardı, hem de hiç yabana atılmayacak bir umut...

Cadde-i Kebir'de yürümeyi sürdürdüm. St. Antuan Kilisesi'nin dış kapıları da kilitliydi henüz ama az ileredeki Mösyö Leduc'un çiçekçi dükkânı açılmıştı çoktan. Kırmızı, pembe, sarı güz çiçeklerinin kokusu bütün caddeyi tutmuştu. Galatasaray Sultanisi'nin önüne gelince, iyice genişleyen Cadde-i Kebir dümdüz uzanıyordu Taksim meydanına doğru. Oraya kadar yürümeyi gözüm yemedi. Karnım da acıkmıştı, sola döndüm, Pera House da denilen İngiliz Büyükelçiliğine açılan sokağa girdim. Bakışlarım ister istemez, sağ taraftaki Avrupa Pasajı'na kaydı. Mehmed Esad'ın halı dükkânının olduğu geçit. Dün akşam üzeri gelmeyi unuttuğum mekân. Burası da hâlâ kapalıydı ama eli kulağındaydı, birazdan kilitler açılırdı. Sahi ne yapacaktım ben bu şaibeli adamla? Bu sualin cevabını bulmam için, Mehmed Esad'ın benimle ne yapacağını bilmem gerekiyordu. Bazı cevaplar vardı aklımda ama hâlâ emin değildim. Bu muammayı Avrupa Pasajı'nın kilitli kapısında bırakıp, köşedeki lokantaya yürüdüm.

Lokantanın adı "Nefaset"ti. Sahibi İnebolulu tombul bir adam; Kemalettin Amca... Talebe dostuydu, paramız olsun, olmasın hiçbirimizi geri çevirmez, aç girer, tok çıkardık bu lokantadan. Kemalettin Amca vefat etmiş, oğlu da hayırsız çıkınca dükkân aşçıbaşı Rasih'e kalmıştı. Yemeklerin lezzeti biraz bozulsa da, sabahları yaptıkları mercimek çorbası harikaydı hâlâ. Karnımı Nefaset Lokantası'nda doyurdum. Ama bu kadar gezmek yeterdi, talebelik yıllarından tanıdığım Rasih'in kendi eliyle yaptığı kahveyi içip otele döndüm. Ömer bile gelmemişti henüz, oyalanmadan odama çıktım. Biraz uyusam iyi olacaktı, hatta niyetlendim de ama nafile, sabahın tazeliği kanıma karışmıştı bir kere. Bir süre daha uyku haramdı gözlerime. Hiç de şikâyetçi değildim bu durumdan. Yazmak istiyordum, durup dinlenmeden yazmak, aklımdakileri, kalbimdekileri sana anlatmak. Tabii izin verirlerse, fırsat tanırlarsa. Cezmi'nin öldürülmesinin ardından bakalım neler çıkacaktı? İşte bu sebepten daha süratli olmalı, daha çok yazmalıydım. Yine çöktüm masanın başına. Selanik'te birbirimizi kırarak ayrıldığımız o mutsuz güne geri döndüm.

Senden ayrılınca ne yapacağımı bilemeden öylece kalakalmıştım Selanik'in ortasında. Ne gidecek bir evim vardı, ne kapısını çalabilecek bir dostum. Leon Dayı'ya gidemezdim, Paloma Nine'yi ziyaret edemezdim, çünkü arkandan geldiğimi, ısrar ettiğimi zannederdin. Bu kadar alçalmayı izzetinefsime yediremiyordum. Keşke gururuma yenilmeseymişim, evinize kadar gelseymişim, keşke ölüm döşeğindeki o yaşlı kadını son kez görseymişim. Evet, bu yüzden çok kızmıştım sana, Paloma Nine'ye inme indiğini, artık son nefesini vermek üzere olduğunu saklamıştın benden. Buna hakkın yoktu. Paloma Nine senin olduğu kadar benim de yakınım sayılırdı. Samimi bir muhabbet, hakiki bir saygı duyuyordum o kadına karşı. Ki, bu saygı hiç de sebepsiz değilmiş; bizim cemiyeti yönetenlerin birçoğundan çok daha iyi kavramıştı vaziyeti, çok daha isabetli tahlilleri vardı istikbal hakkında.

Trene binip Dersaadet'e dönmeliydim. Türlü entrikanın, türlü ayak oyunlarının döndüğü, yaşlı, yorgun payitahtımıza. Ama gidemiyordum, görünmez halatlarla Selanik'e bağlanmış gibiydim, koparamıyordum kendimi. Yapmam gereken bir vazife olmalıydı, neydi bilmiyorum ama bir eksiklik gitgide büyüyordu. Beyaz Kule'nin oraya indim. Çok değil dört yıl önce Basri Bey'le buluştuğumuz bahçeye girdim, aynı masaya oturdum. Bir şekerli kahve söyleyip, etrafı izlemeye başladım. Farklı dillerin konuşulduğu, farklı dinlere inanıldığı, her gönülde farklı bir idealin yattığı bu şehre bir kez daha merhametle baktım. Hatıralar dışında hiçbir bağ kalmamıştı Selanik'le aramda ama yine de hiçbir zaman eksilmeyecek bir sevgi besliyordum ona karşı. Çünkü beni, ben yapan bu şehirdi. Gözümü burada açmıştım, hayatı burada tanımıştım, hatasıyla sevabıyla burada ömür sürmüştüm, inkâr vefasızlık olurdu, ömrümün en güzel günleriydi... O gün kendimi bu kadar yalnız, bu kadar çaresiz, bu kadar bitkin hissetmemin hiçbir ilgisi yoktu bu şehirle. Kendi tercihlerim diyeceğim ama eksik kalır, tarihin bize biçtiği rol diyeceğim yanlış olur, şanssızlık yine olmayacak, belki hepsi birden... Evet, hepsi birden bu hale getirmişti beni. Sadece beni mi, bütün bir insanlığı... Üstelik en kötü günlerimiz bunlar değildi. Ne yazık ki çok daha korkunç bir istikbal bekliyordu bütün dünyayı... Henüz farkında değildim o zamanlar. Evet, dört yıl önce o masada Basri Bey'le buluştuğumuz kadar iyimser olmasam da umudumu koruyordum hâlâ. Aslına bakarsan bir tek o kalmıştı elimde, umudumu da kaybedersem yaşamak için hiçbir nedenim olmayacaktı.

Denize bakan o güneşsiz bahçede oturmak, sonbahar havasını tenimde hissederek, tefekküre dalmak iyi gelmişti. Kederden sıyrılamasam da çaresizlikten, o melun karamsarlıktan kurtulmuştum. Kahvemin son yudumunu içtikten sonra ilk trenle payitahta dönmeye karar verdim ama daha önce yapmam gereken bir ziyaret vardı. Evet, bu şehirde hâlâ bana ait olan kutsal bir toprak parçası vardı; annemin mezarı.

İyi ki gitmiştim, mezarın durumu içler acısıydı. Taşı yıkılmış, toprağın üzerini ayrık otları bürümüştü. Asker ceketimi, fesimi çıkartıp mezarı ıslah etmeye çalıştım. Fakat bir süre sonra sırtımdaki yara yeri sızlamaya başladı. Doktor Şakir'in sözlerini hatırladım: "Seni taburcu ediyorum ama yaran tam iyileşmedi. Sakın zorlama, maazallah dikişlerin filan atar, başına iş alırsın sonra..." Yine de elimden geldiğince toparlamaya çalıştım annemin son istirahatgahını, sonra bir taşın üzerine oturdum. Trablusgarp'ta yaşadıklarımı anlattım anacığıma. Babamın mezarına gidemediğim için af diledim, istemediğimden değil, harpten fırsat bulamadığım için.

"Ama merak etme," dedim. "Babam artık yalnız değil o topraklarda, bir arkadaş bıraktım ona. Benim cesur kumandanım Basri Bey'i. Eminim ruhları buluşmuştur çoktan, çünkü Basri Bey'in de tıpkı babam gibi bu vatandan, bu milletten başka bir kaygısı yoktu. Tıpkı babam gibi o da karısını, çocuğunu düşünmeden kendini feda etmişti. Galiba sıra bende. Ben de onların yolundan gideceğim. Üstelik benimki daha az acı verecek, zira ne bir kadın var arkamdan ağlayacak, ne bir çocuk yokluğumu hissedecek. Fakat sana söz ve de yemin, yaşadığım sürece seni ziyaret edeceğim. Bu mezarı hiçbir zaman bakımsız, hiçbir zaman perişan bırakmayacağım..."

Bedeni çoktan toprağa karışmış annemle böyle tek taraflı sohbet ederken, birinin yanıma yaklaştığını hissettim. Başımı çevirince Hürriyet Meydanı'nın delisi Tiresias'ı gördüm.

"Sigara var mı, sigara?" dedi yanıma oturarak. "Tanrı'nın bu aciz kuluna bir sigara ver bakalım."

Severdim Tiresias'ı, ama o da yaşlanmıştı, saçları, sakalları bembeyaz olmuştu. Görmekte güçlük çekiyor olmalı ki, gözlerini kısarak bakıyordu. Cebimdeki paketi olduğu gibi uzattım.

"Al, hepsi sende kalsın..."

Bir tane çekti, paketi geri uzattı.

"Sadece bir tane... Sadece bir tane almaya hakkım var, gerisi günah."

Israrın manası yoktu, paketi cebime koyup sigarasını yaktım. Gözlerini yarı kapayarak, derin bir nefes çekti. Kül rengi dumanları keyifle rüzgâra savururken bir şeyler mırıldandı ama duyamadım.

"Ne diyorsun Tiresias, yüksek sesle söyle," diye uyardım.

Yaşından beklenmeyen bir çeviklikle toparlandı, dudağını kulağıma dayadı.

"Git buradan, hemen git..."

Alaycı bir ifadeyle yüzüne bakarak sordum:

"Niye, niye gidecekmişim buradan?"

Hızla sağa sola şöyle bir göz attıktan sonra,

"Aziz Dimitrios uyandı..." diye fısıldadı. "Aziz Dimitrios şehri kurtarmaya geliyor. Kilisesini, Müslümanların elinden alacak... Sadece Müslümanlar değil, Yahudiler, Bulgarlar, Ulahlar hepsini yerle yeksan edecek. Selanik sadece bize kalacak... Henüz vakit varken git... Git, canını kurtar zabit. Ölü, diri kimin, neyin varsa hepsini yanına al git... Bak söylüyorum sana, elinde İsa'nın sancağıyla Aziz Dimitrios geliyor ..."

Gülüp geçtim zavallı Tiresias'ın sözlerine ama ben Dersaadet'e döndükten bir ay sonra Selanik düştü. Evet, Fatih Sultan Mehmed Han'ın babası Sultan Murad Han tarafından fethedilen, neredeyse beş yüz yıl Osmanlı hakimiyetinde kalan bu güzelim şehir, üstelik tek kurşun atılmadan teslim edildi.

Elbette Selanik'in düşmesinin Tiresias'ın sözleriyle ilgisi yoktu. Sebebi belliydi: İttihat Terakki düşmanı, basiretsiz hükümetlerin ürkek siyaseti ve şehri müdafaaya bile gerek görmeden Yunan ordusuna teslim eden Hasan Tahsin Paşa... Kaybettiğimiz sadece Selanik olsa, "Ne gam, çok geçmeden yeniden alırız," der geçerdik ama Balkanlar'da da ağır bir hezimete uğramıştık. Yeni Harbiye Nazırı Nazım Paşa harbi idare edebilecek bilgi ve tecrübeye sahip değildi. Balkanlar'da çatışmalar başlarken, yaklaşık yüz bin askerimizi terhis etmekte hiçbir beis görmemişti. Ordunun morali bozuktu, Halaskâr Zabitler ile İttihatçı Zabitler arasında derin bir ayrılık baş göstermişti. Evet, artık asker içinde de bize karşı muhalefet yükselmeye başlamıştı. Kendilerini Halaskâr Zabitler diye adlandıran bu grup, tıpkı bizim daha önce yaptığımız gibi ordu içinde teşkilatlanıyordu. Hedeflerinde ise sadece ittihatçılar vardı. İnkâr etmiyorum, bu bölünmüşlük hadisesinde cemiyetin de çok büyük hataları olmuştu. 'Orduyu siyasete bulaştırmamalıyız' diye aldığımız kongre kararına rağmen, her fırsatta müdahil olmuştuk hükümet işlerine.

Fakat artık bunların hiçbir kıymetiharbiyesi kalmamıştı. Büyük çöküş başlamıştı. İtiraf edeyim, yıkımın bu kadar korkunç olacağını hiç düşünmemiştim. Bir kez daha haklı çıktığın için sana kızıyordum. Sonra düştüğüm aptallığı anlıyor, kendime kızıyordum. Günlerce bu hastalıklı ruh haliyle yaşadım. Şaşkın olan sadece ben değildim, bütün cemiyet ne yapacağını bilmez bir haldeydi. Balkan devletleri İstanbul'un kapılarına dayanmışlardı, Bulgarlar güç bela durdurulmuştu Çatalca'da. Ama Selanik'in düşüşü hepsinden daha büyük bir yıkım yaratmıştı üzerimizde. Benim için olduğu kadar cemiyetin büyük çoğunluğu için de korkunç bir olaydı bu. Hakiki bir felaket. Hiçbirimiz bir daha doğduğumuz şehri göremeyecek, sokaklarında yürüyemeyecek, ölülerimizin mezarlarını ziyaret edemeyecektik. Evet, en acısı da buydu, daha bir ay kadar önce anneme verdiğim sözü yerine getiremeyecek, bir daha asla mezarına dokunamayacaktım. Kaybettiğimiz sadece Selanik değildi, çocukluğumuzu, gençliğimizi, ölülerimizi, hatıralarımızı, velhasıl hayatımızın bir bölümünü de şehirle birlikte kaybetmiştik. Kendisi Edirneli olmasına rağmen Selanik'in düşmesinden en çok etkilenen kişilerden biri de Talat Bey'di. Cemiyetin Nuruosmaniye'deki Şubesi'nde karşılaştığımızda adeta özür dilercesine sormuştu:

"Ne oldu Şehsuvar, valideni, Mukaddes Hanım'ı getirebildin mi İstanbul'a?"

Annemin bir sene önce vefat ettiğini söyleyince iyice mahcup oldu.

"Üzülme," diye teselli etmeye çalıştı. "Mukaddes Hanım'ın mezarı öksüz kalmayacak. Çok sürmez Selanik yine bizim olacak..."

Yalan söylediğini kendisi de biliyordu, nasıl ki babamın mezarı Fizan'da kaybolup gitmişse, anneminki de Selanik'te kaybolacaktı. Ama Talat Bey'e kızmadım, başka ne söyleyebilirdi ki, cemiyetin siyasi lideriydi, kaybettik, artık bitti diyecek hali yoktu ya. O da hepimiz gibi vaktinden önce yaşlanmıştı; geniş alnında derin çizgiler belirmiş, siyah saçları hızla ağarmıştı. Üstelik, sohbet ilerledikçe beni şaşırtan itiraflarda bulunmaya başladı.

Aslında Fuad'la ben, Kara Kemal'le konuşmaya gelmiştik. Evet, Mülazım Fuad benden bir ay sonra dönmüştü payitahta. Trablusgarp'taki askerlerimiz, orada zaman kaybetmek yerine Balkanlarda dövüşmek için Dersaadet'e geliyorlardı birer ikişer. Ama hepimiz gibi Fuad'ın da kafası karışıktı, üstelik Basri Bey'in ölümünden sonra o da benim gibi boşlukta kalmıştı. İşte bu meseleleri konuşmak için Kara Kemal'le görüşmeye gelmiştik Nuruosmaniye'deki şubeye. Ama güzel bir rastlantı olmuş, nargilesini fokurdatan "Küçük Efendi" lakaplı Kara Kemal'in yanında, sigarasını tüttüren "Büyük Efendi" lakaplı Talat Bey de çıkmıştı karşımıza.

İçtiğimiz sigaraların dumanından neredeyse göz gözü görmeyecek hale gelen idare odasında konuşuyorduk. Talat Bey sevinmişti beni gördüğüne, Selanik'ten Dersaadet'e gelirken trende yaptığımız o enteresan sohbetten beri konuşamamıştık. Elbette defalarca karşılaşmış ama şöyle dört başı mamur bir sohbete vaktimiz olmamıştı hiç. Mülazım Fuad'a da çok samimi davrandı, halini hatırını sordu. Trablusgarp'taki kahramanlıklarından dolayı tebrik etti. Basri Bey'in şehit olduğunu çok önceden öğrenmişti. "Müstesna bir dava adamı, namuslu bir asker, cesur bir vatanseverdi," dedi gözleri dolarak. Kara Kemal de yakından tanırmış Basri Bey'i.

"Yaptığın iş hiç de kolay değil Şehsuvar kardeş," diyerek bana döndü Kemal Bey. "Seninki de en az Basri'ninki kadar kahramanca." Yaralanmış olmamdan bahsetmiyordu, kendi kumandanımı vuracak cesareti göstermiş olmamı takdir ediyordu. "Yerinde ben olsam yapabilir miydim, bilmiyorum..."

Böyle bir tartışmanın açılmasına karşıydı Talat Bey.

"Elbette yapardın! Hepimiz yapardık. Bir arkadaşının acısına son veriyorsun... Canlı olarak düşmanın eline geçmesine mani oluyorsun..."

Bu meselenin konuşulmasını istemiyordum. İnsanın gösterdiği cesaret bir işe yaramalıydı, arkadaşının ölümüne değil.

"Ne olacak bu vaziyet Talat Bey?" diyerek hemen mevzuyu değiştirdim. "Ne olacak vatanın hali? Biz Trablusgarp'ı kurtaralım derken Balkanlar gitti elimizden. Bulgarlar burnumuzun dibine kadar yaklaştı, Kamil Paşa hükümeti ise ittihatçı avında..."

İzmarit haline gelen sigarasının ateşiyle yenisini yaktı, derin bir nefes çekti,

"Sabırlı olmalıyız Şehsuvar," dedi duman gür bıyıklarının arasından yükselirken. "Bazen beklemeyi bilmek en büyük erdemdir. Bazen hayatı oluruna bırakmak lazım. Bu bizim cemiyetin hiç beceremediği bir iş. Evet, şimdi durup düşünme zamanı, hesap zamanı ama önce kendimizle hesaplaşmalıyız. Büyük bir hata yaptık." Usulca başını salladı. "İtiraf etmek kolay değil, lakin hakikat bu. Mahmud Şevket Paşa'dan bahsediyorum... Onu harbiye nazırlığından istifa ettirmek ölümcül bir hataydı. Mahmud Şevket Paşa bir denge unsuruydu. Kendisi farkında olmasa bile bize siyaset yapma zemini hazırlıyordu. Ama bu hakikati biz de fark edemedik. Damat Ferit'in Hürriyet ve İtilaf Partisi'ni fazla ciddiye aldık..."

Kara Kemal'in çatılmış kaşları, seğiren sağ gözü bu fikre katılmadığını gösteriyordu. Nargilenin marpucunu çiğnemeyi bırakıp sohbete dahil oldu.

"Öyle diyorsunuz da Talat Bey, sadece İtilafçılar değil ki karşımızdakiler... Miralay Sadık'la Halaskâr Zabitan'ı ne yapacağız? Orduda da durum vahim..."

315

"Bizi hataya sürükleyen de bu korku oldu işte," diye söylendi cemiyetin umumi reisi. "Arnavut subayların dağa çıkması, onları Halaskâr Zabitan'ın desteklemesi bizi paniğe uğrattı. 1908'de Abdülhamit'in başına gelenlerin bizim başımıza geleceğini zannettik. Halbuki şartlar çok farklı. En mühimi, meclisi biz açtırdık. Meşrutiyeti biz ilan ettirdik. Oysa muhalifler tarihin çarkını geriye çevirmeye çalışıyorlar... Baksanıza bazı aptallar Selanik'ten dönen Abdülhamit'i tahta çıkarmayı bile düşünmüşler. Fakat bunlar mühim değil, bizi mağlubiyete götüren durum, kendimize duyduğumuz fazla güven. Evet, bir nevi güç sarhoşu olmuştuk. Hakikatleri görmekten, tahlil etmekten acizdik. O sebepledir ki, Mahmud Şevket Paşa'nın oynadığı mühim rolün mahiyetini kavrayamadık. Bizi yarı yolda bırakan Said Paşa'nın kadim düşmanımız olduğunu unuttuk. Kendimizden o kadar emindik ki, biz çekilirsek, işler yürümez sandık. Ama siyaset boşluk tanımıyor, biz çekilince muhaliflerimiz çıktı sahneye. Mührü alıp oturdular koltuğa. Hem vatanı mahva sürüklediler hem de bize hücum etmeye başladılar..."

"Peki, hâlâ niye göz yumuyoruz bu adamlara?" Mülazım Fuad'dı söze giren. Heyecanlı bir ses tonuyla konuşuyordu. Çöl rüzgârı, benim gibi onun da tenini esmerleştirmiş, harp, yüz çizgilerini iyice derinleştirmişti. "Madem ki onlar kanuna karşı gelerek meclisi feshettiler. Biz de bütün kuvvetimizi ortaya koyup onları tanımayalım. Bir gecede dürüverelim defterlerini olsun bitsin... Nasıl olsa orduda ekseriyet bizim elimizde. Hem Enver Bey, hem öteki zabitlerimiz hâlâ birer efsane olarak görülüyor askerin arasında... Daha ne bekliyoruz, bir an önce harekete geçip kurtaralım vatanı..."

Kara Kemal'in de gözleri ışımıştı.

"Ben de aynen senin gibi düşünüyorum aziz kardeşim," diye destekledi genç mülazımı. "Aslında eylüldeki kongrede de çok tartışıldı bu konu... Zabitler niye ortalığı bu heriflere bırakıyoruz, hemen alalım ellerinden hükümeti dediler." Manidar bir ifadeyle Talat'a baktı. "Ama nedense kabul edilmedi bu teklif."

"Yapma Kemal!" diye sesini yükseltti Büyük Efendi. "Asıl, ülkeyi mahva götürecek davranış böylesi bir askerî hareket olurdu. Seçimleri, sopa marifetiyle kazandığımız şayiası hâlâ hafızalardayken böylesi bir tavır içine girmemiz, cemiyeti iyice zor durumda bırakırdı. Siyasette şiddet kullanmak bir dereceye kadar kabul edilebilir. Ama bir siyasi fırka bütün yol ve yöntemleri bırakıp işi silahla halletmeye kalkarsa mağlubiyete mahkûmdur. Hele bizim gibi meselelerin üst üste yığıldığı, işlerin Arapsaçına dönüştüğü memleketlerde, inanın bana bu mağlubiyet çok daha kısa sürede gerçekleşecektir."

İnadından vazgeçmedi Kara Kemal.

"Fakat kongredeki ilk oylamada ekseriyet aksi yönde el kaldırmıştı..."

"Çünkü fedailer grubu, darbe yapalım istiyordu." Bana ve Fuad'a baktı. "Sizi tenzih ederim ama o grubun içindeki bazı arkadaşlar..." Doğru kelimeyi bulmak için düşündü. "Fazla ateşliydi diyelim, fazla coşkulu... Önce vurup sonra düşünüyorlardı. Bize lazım olansa kırk kere düşünüp bir kez yapmak... Cesaret, yiğitlik ve fedakârlık elbette önemli ama vatan sadece bunlarla idare edilemez. Önce doğru bir siyasi programın olması lazım, doğru bir strateji lazım, doğru taktikler lazım..."

Sözlerini yadırgadığımızı zannetmiş olacak ki,

"Öyle değil mi arkadaşlar?" diye sordu.

"Bu konuda size katılıyorum Talat Bey," dedi Fuad öfkesini saklamaya gerek duymadan. "Trablusgarp'ta bu fedailerden biri hiçbir sebep yokken, bir mülazımı çekip vurdu. Hem de bir paşanın çadırında. Mülazımın tek kabahati ittihatçıları eleştirmekti. Zavallıcık bu hatasını canıyla ödedi. Ama o fedai hiçbir ceza almadı..."

Yakup Cemil'den bahsediyordu. Tobruk Mıntıkası kumandanı Ethem Paşa'nın çadırında, Mülazım Şükrü'yü vurmuştu. Hiç şüphe yok ki, Talat Bey bu cinayetten haberdardı ama,

"Evet, bunu demek istiyorum işte," diyerek teferruata girmekten kaçındı. "Böyle nahoş olaylar cemiyete faydadan çok zarar veriyor... Bu yüzden, bizim için en sağlam ve en emin yol, kanunların çizdiği yoldur. Biraz zahmetli, biraz uzun olabilir ama neticede kalıcı zaferi getirecek tek yol budur."

Yakup Cemil ve avanesi Enver Bey'in koruması altındaydı; kimse onlara bulaşamıyordu. Öte yandan Talat Bey her ne kadar böyle tedhiş olaylarına karşıyım dese de eninde sonunda bu fedailerle birlikte hareket etmek zorunda kalacağını biliyordu. Yani bir anlamda, onun da bu serdengeçtilere ihtiyacı vardı. Ta ki bu gözü kara adamlar silahlarını kendilerine doğrultuncaya kadar... Ama henüz iş, o raddeye varmamıştı.

"Şu anki meselemiz Balkanlar'daki harptir," diye sürdürdü sözlerini Talat Bey. "Ayrılığı gayrılığı bir yana koyarak vatan müdafaasına katılmalıyız. Ne pahasına olursa olsun, Bulgarların durdurulması lazım. Bu en önemli milli meseledir, elimizden gelen her türlü desteği vermeliyiz hükümete... Eğer biz siyaset oyununu doğru oynarsak, tarih bir kez daha tutacaktır elimizden. Sabırla o vaktin gelmesini beklemek lazım."

Evet, o sigara dumanına boğulmuş odada, bunları söylemişti. Ve inan bana, Talat Bey, çok samimiydi sözlerinde ama çaresizlik mi, yoksa siyasetin cilvesi mi, bu konuşmanın üzerinden daha üç ay geçmeden, karşı çıktığı ne varsa hepsini uygulamak zorunda kalacaktı. Ve İttihat ve Terakki Cemiyeti bir darbeyle hükümeti ele geçirecekti...

"Ölülerimizden medet umacak halde değiliz."

✳

Merhaba Ester, (9. Gün, Öğle)

Vazgeçmemişti Mehmed Esad, hiç de vazgeçmeyecekti. Şaşırmadım elbette, eski ya da yeni fark etmez, hiçbir ittihatçı kolay kolay vazgeçmez. Öğle yemeği için indiğimde Ömer, koşturarak haber vermişti. Ben odamdayken gelmiş yine Mehmed Esad. Kimseye sormaya dahi lüzum görmeden asansöre yönelmiş, ancak durumu fark eden Ömer durdurmuş onu.

"Şehsuvar Bey odasında yok," demiş. "Akşama kadar gelmeyecek."

Aslında ona böyle bir talimat vermemiştim ama beğendim çocuğun ferasetini.

"Hoşlanmayacağınızı düşündüm efendim. Benim de pek hazzettiğim söylenemez o adamdan. Nasıl söyleyeyim, biraz züppe, ukala biri... Yukarı çıkamayacağını anlayınca yine bir not bıraktı size. 'Yazdım ama sana da söyleyeyim,' diye beni de tembihledi. 'Bu akşam mutlaka bekliyorum Şehsuvarı,' Evet, efendim aynen böyle söyledi. Üstüme vazife değil ama bu adamdan uzak dursanız iyi olacak..."

Sahiden de üstüne vazife değildi ama kırmak istemedim çocuğu. Uzattığı zarfı aldıktan sonra teşekkür edip yolladım. Şunlar yazıyordu zarftan çıkan kâğıtta:

"Neredesin Şehsuvar? Latife değil, acilen buluşmamız lazım. Seni de yakından alakadar eden, ciddi meseleler var. Dün gelmediğin randevuyu bugüne kaydırdım. Akşam bekliyorum. Hürmetler... Mehmed Esad."

Israr aşamasından, üstü örtülü tehdide geçmişti. Beni de yakından alakadar eden mesele ne olabilirdi ki? Cezmi'nin öldürülmesi mi? Yok canım nereden bilecek Cezmi'nin evine gittiğimi? Ya biliyorsa? Zannetmem, başka bir mevzu olmalı. İyi de ne? Yaptığım hiçbir yanlış yok ki benim. Gerçi ben yapmasam da icat ederler. Tıpkı bir zamanlar Teşkilat-ı Mahsusa'da bizim yaptığımız gibi. Mühim olan, tehlike arz eden şahsı ya da cemiyeti ortadan kaldırmak değil mi? Aslında bundan da çok emin değildim. Ortadan kaldırmak niyetindeyseler, niye Mehmed Esad gibi bir adamı bana yollasınlar ki? Cezmi Binbaşı gibi öldürürler, olur biter. Bu işi bu kadar uzatmanın ne âlemi var? Öte yandan bir sürü ittihatçıyı darağacında sallandırırken yahut zindanlarda çürümeye yollarken, neden benimle iş birliği yapmak istiyorlar? Benim gibi Talat Bey'in yakını olmuş, Teşkilat-ı Mahsusa'da mühim vazifeler icra eylemiş birine nasıl güvenebilirler ki? Yok, katiyetle pis bir işin peşinde bu Mehmed Esad. Hayır, gitmeyeceğim ben bu herifin randevusuna. İstiyorlarsa gelip tevkif etsinler beni. Hiç değilse mahkemeye çıkarım. Adil bir yargılama olmasa da hiç değilse, yaptığım savunma geleceğe kalır. Evet, icabet etmeyeceğim bu şüpheli arkadaşın davetine. Bu kararla oturdum yemeğin başına. Ama huzurum kaçmıştı, belki rahatlatır diye bir kadeh şarap söyledim. Kâfi gelmedi bir tane daha. Evet, bu sonuncudan sonra kendimi daha iyi hissetmiştim. Kahve bile söylemeden kalktım masadan, asansöre yürürken, Ömer'in sesini duydum.

"Şehsuvar Bey, Şehsuvar Bey..."

Döndüm, yanında fötr şapkalı iki adamla üzerime doğru geliyordu. Ne yani, randevusuna gitmeyince iki sivil polis mi yollamıştı Mehmed Esad? Ama sonra fark ettim ki, randevu saatine daha çok vardı. Öyleyse kimdi bu adamlar? Fazla merak etmeme gerek kalmadı.

"Beyefendiler emniyetten geliyorlar..." diye açıkladı Ömer. "Sizinle konuşmak istiyorlarmış..."

Sesindeki ürküntü sezilmeyecek gibi değildi. Artık her ihtimale hazırlıklı olduğumdan, inadına rahat bir gülümseme yerleştirdim suratıma.

"Öyle mi?" dedim adamlara dönerek. "Mevzu neydi acaba?"

Soruma soruyla cevap verdi, bizim ittihatçılar gibi bıyıklarının ucunu yukarı kıvırmış olan.

"Sakin bir köşeye geçebilir miyiz?"

Umursamaz bir tavırla omuz silktim.

"Restoran olur mu? Öğle servisi bitti, kimse rahatsız etmez."

Başlarını öne doğru sallayarak kabul ettiler teklifimi.

Az önce kalktığım masaya geri dönmüş oldum böylece.

"Yemek yer misiniz diyeceğim ama yanlış anlamanızdan korkarım..."

"Teşekkür ederiz," dedi bıyıksız olanı. "Karnımız tok zaten."

Hiçbir düşmanlık yoktu tavırlarında, konuşmaya başlamadan önce iyi bir intiba bırakmak istedim.

"Kahve, birer kahve söyleyeyim size..."

İtiraz etmelerine fırsat tanımadan, başgarsonu çağırdım. İhsan gelirken yeniden sordum:

"Nasıl içersiniz?"

"Sade," dedi ikisi de. Kahvelerimizi söyledikten sonra

"Evet," diyerek polislere döndüm. "Buyurun sizi dinliyorum."

Hiç duraksamadan girdi mevzuya bıyıklı olanı.

"Cezmi Kenan'ı tanıyor musunuz?"

Evet, mesele anlaşılmıştı. Ama bu soruyu nasıl cevaplayacaktım? Yok desem, evine gittiğimi biliyorlarsa, yandığımın resmiydi, evet desem, belki de boş atıp dolu tutmaya çalışan polislere hiç yoktan koz vermiş olacaktım. Ama Cezmi için bana geldiklerine göre, arkadaş olduğumuza dair malumatları olmalıydı. O anda aklıma başka bir ihtimal geldi. Ya dün beni kovalayan polisler bunlarsa? Allahtan yüzümü görmemişlerdi, üstelik üzerimdeki kıyafetler de bunlar değildi.

"Tanırım," dedim sakin bir tavırla. "Benim gibi Selaniklidir. Trablusgarp'ta birlikte harp etmiştik."

Yüzü ışıdı bıyıksız olanın.

"Trablusgarp'ta mıydınız? Benim babam da orada harp etmiş..."

Yok, bu çocuklar siyasi polis değillerdi, sanırım cinayet kısmından geliyorlardı.

"Öyle mi?" dedim sahici bir ilgiyle. "Kimin emrinde harp etmiş? Enver Paşa'nın mı?"

Suratı asılır gibi oldu polisin.

"Hayır, Mustafa Kemal'in..."

Baltayı taşa vurmuştum, derhal düzelttim.

"Başlarda biz de Mustafa Kemal'le birlikteydik, fakat sonra ayrılmak zorunda kaldık. Eğer ayrılmasaydık, mutlaka karşılaşırdık babanızla. Sahi nasıl babanız? Sıhhat ve afiyettedir inşallah."

Boynunu büktü genç polis.

"Babam şehit düştü... Ama Trablusgarp'ta değil, Balkan Harbi'nde..."

"Allah rahmet eylesin," dedim üzüntüyle. "Mekânı cennet olsun..."

"Amin, cümle şehitlerimizin mekânı cennet olsun..."

Sanki önemsiz bir mevzuyu hatırlamış gibi sordum.

"Niye araştırıyorsunuz Cezmi Binbaşı'yı?"

"Bırakın da soruları biz soralım," dedi bıyıklı olanı. "En son ne zaman gördünüz Cezmi Kenan'ı?"

İşte zurnanın zırt dediği yere gelmiştik. Eğer o eve gittiğimi biliyorlarsa, reddetmek, doğrudan zanlı durumuna düşürürdü beni. Ama bilmiyorlarsa? O halde niye geldiler yanıma. Hem de cinayetin üzerinden yirmi dört saat bile geçmeden.

"Üç gün önce gördüm... Evine davet etmişti beni. Langa'da bahçeli güzel bir evi var. Oraya gitmiştim, sohbet ettik..."

Konuşurken gözlerimi yüzlerinden ayırmıyor, sözlerime nasıl tepki vereceklerini merak ediyordum. İkisinin de yüzü sabitti, ne bir kuşku ne de bir heyecan. Hayır, katil olduğumu düşünmüyorlardı. Demek ki ellerinde beni zanlı ilan edecek bir delil ya da şahit yoktu. Güya merakıma yenilmiş gibi yeniden sordum:

"Sahi niye sordunuz? Ne olmuş Cezmi Binbaşı'ya?"

"Ölmüş..." dedi şehit oğlu olan. "Biri evinde bıçaklamış onu."

"Ne!" diye haykırdım. "Ne diyorsunuz?"

"Evet, birileri evine girmiş, kalbinden bıçaklamış..."

"Nasıl yani? Hırsızlar mı?"

"Belki... Araştırıyoruz işte... Günlük tutuyormuş Cezmi. Sizin adınız geçiyor. Söylediğiniz gibi üç gün önce evini ziyaret ettiğinizi yazmış. Reşit Bey'le birlikte." Bakışları resepsiyona kaydı. "Buranın müdürüymüş Reşit... Sorduk ama henüz gelmemiş otele..."

"Öyle," dedim üzüntümün arkasına saklanarak. "Reşit Bey'in babası Yusuf'la harbiyeden arkadaşlardı. Reşit Bey, yardım ediyordu Cezmi'ye..." Hayretler içinde kalmış gibi başımı salladım. "Nasıl iş yahu, daha birkaç gün önce sapasağlam olan adam öldü ha..."

Ne yaparsınız gibilerden bakıyordu bıyıksız olan.

"Bir düşmanı var mıydı? Hani aralarında husumet olan birileri filan?"

Güya bu bıyıklı daha uyanıktı, vazifesine daha sadık ama işin aslına bakarsan ikisi de acemiydi.

'Bilmem," dedim iyice şaşırmış gibi. "Yıllardır görmüyordum Cezmi Binbaşı'yı. Kimlerle, ne tür münasebeti var hiçbir malumatım yok. Görüştüğümüzde de kimseden şikâyet etmedi. Öyle tehdit altında filan da görünmüyordu... Ya da söylemedi. Çok cesur adamdı Cezmi... Güçlüydü de, şaşırdım valla... Katil nasıl öldürebilmiş, hem de bıçakla..."

Sözlerime takılmıştı bıyıklı polis.

"Belki de yalnız değildi katil. Belki de birkaç kişiydiler..."

Hayranlıkla baktım onay bekleyen polise...

"Evet, mutlaka öyle olmalı. Yoksa, tek kişiyle pabuç bırakmazdı Cezmi Binbaşı..."

Bakışları kollarıma kaydı uyanık polisin.

"Ceketinizi çıkartıp, kollarınızı sıvar mısınız?"

Aferin, demek Cezmi'nin tırnakları arasındaki kan izlerini görmüşlerdi.

"Elbette," diyerek soyundum, kollarımı gösterdim. İçlerine, dışlarına dikkatle baktılar. "Ne, ne arıyorsunuz?" diye sorarak aptala yatmayı sürdürdüm.

Hiçbir açıklamada bulunmadılar elbette.

"Otelden ayrılırsanız adresinizi bırakın," dediler sadece. "İcap ederse, yazılı ifadenizi vermek için karakola kadar gelmeniz gerekebilir."

Sivil polisler giderken bu kez sahici bir şaşkınlıkla baktım arkalarından.

Nasıl yani hepsi bu muydu? Mühim bir cinayet soruşturmasında böyle mi davranılırdı?

Aklımda bu sorularla çıktım odama. Kapıyı açıp içeri girerken, dank etti. Hayır, Mehmed Esad kendi meşrebince mesaj veriyordu bana. "Bak, ne haltlar karıştırdığını biliyorum, ama seni yakalamak istemiyorum, o sebepten aptal iki polis yolladım. Eğer bu akşam da gelmezsen, başka türlü davranacağım." İşte, bunu söylemek istiyordu. Bana iki acemi polisi yollamalarının başka manası olamazdı. Evet, dediğim gibi eski de olsa iyi bir ittihatçı kolay kolay vazgeçmezdi. Şu halde fikir değiştirmekte yarar vardı, Mehmed Esad'la buluşmaya gitmemek pek akıllıca olmayacaktı. Ama önce Reşit'i tembihlemem lazımdı. Dün Cezmi'ye gittiğimi asla söylememeliydi onlara. Telefonla Ömer'i aradım. Sakin ama kararlı bir ses tonuyla.

"Reşit Bey gelince mutlaka konuşmak istiyorum. Çok önemli, gelir gelmez bana haber ver," dedim.

"Hiç merak etmeyin Şehsuvar Bey," dedi yutkunarak. "Gelir gelmez aratacağım sizi."

Telefonu kapattım, artık birilerinin benim üzerimden bir tezgâh çevirdiğinden emindim. Fakat korku yerine tuhaf bir heyecan vardı içimde. Kurulan oyunu bozmak, çevrilen tezgâhı açığa çıkarmak, bu siyasi muammayı çözmek... Evet, ne öldürülmek, ne tutuklanmak; hiçbir endişe duymuyordum, tek kaygım seni bir daha görememekti ve sana yazamamak. O sebepten henüz vakit varken, henüz kollarım bağlanmamışken sana anlatmaya devam etmeliydim. Öyle de yaptım...

1912 kışı bir karabasan gibi çökmüştü payitahtın üzerine. Sadece askerî mağlubiyetimizden söz etmiyorum, hakiki bir felaketten söz ediyorum. Balkanlar'daki yıkımın neticesi bize kadar ulaşmış, harpte acımasızca öldürülen insanların uğradığı vahşet bir yana, köyünden, evinden sürülen onbinlerce muhacir Dersaadet'e akmıştı. Kendi hemşerilerini doyurmakta güçlük çeken şehir, devasa bir açlık ve kolera yuvasına dönüşmüştü. Cami avluları, köşebaşları, meydanlar, dilenen, yardım isteyen, soğuktan, açlıktan, hastalıktan inleyen kadınlar, erkekler, çocuklarla doluydu. "Büyük devletlerin çöküşü korkunç neticeler doğurur," demişti rahmetli babam. Ne kadar haklı olduğunu şimdi daha iyi anlıyordum. Ama içimde tuhaf bir huzur vardı. Kalpsiz biri olmadığımı bilirsin, kadın, çoluk çocuk bütün o muhacirleri çaresizlik içinde kıvranırken görmenin beni nasıl derinden sarstığını da tahmin edebilirsin... Evet, bu acıyı ruhumun derinliklerinde hissediyordum ama yine de bir rahatlık vardı içimde. Cemiyetimizin iktidarda olmamasının, hatta polis takibatına uğramamızın, baskı altında bulunmamızın rahatlığı... Geçen dört yıl içinde o kadar çok tenkit edilmiş, o kadar çok kınanmış, o kadar çok hakarete uğramıştık ki, artık kimsenin bizi suçlayamayacak olmasını bir tür saadet olarak algılıyordum.

Kabul ediyorum, bir tür mesuliyetten kaçış da diyebiliriz buna. Ama güzeldi.

Evet, Balkan Harbi'ndeki mağlubiyetin sorumlusu olan Kamil Paşa Hükümeti, aynı zaman da azılı bir ittihatçı düşmanıydı. Harbi sebep göstererek, neredeyse bütün cemiyet üyelerini vatan haini ilan edecekti. Oysa ülkeyi felakete sürükleyen bu hükümetin ve şeytana pabucunu ters giydirecek kadar feraset sahibi olan Kamil Paşa'nın hatalarında bizim zerre kadar dahlimiz yoktu. Bu hakikate rağmen, zabitlerimiz harpte, düşmana karşı kanlarının son damlasına kadar vuruşmaktan geri durmuyorlardı. Bu, hem milli, hem de ahlaki bir davranıştı. Aynı gönül rahatlığı, aynı haletiruhiye Talat Bey'i de sarmış olmalıydı ki, yazdan bu yana iktidarı, İtilaf Fırkası'na altın bir tepside sunmuştu. Sadrazamlığı önce Ahmed Muhtar Paşa'ya, ardından da Kamil Paşa'ya bırakmayı göze alabilmişti. Bu pasif halin benim için tümüyle ahlaki bir önemi vardı. Zalim olmayı kendime yakıştıramamak.

İtiraf ediyorum, bu biraz da senin sayende edindiğim bir anlayıştı. Belki de sanatın bana kazandırdığı bir meziyet. Kazanmaktan çok haklı olmak, güçlünün değil, kaybedenin yanında, mazlumla birlikte olmak. Şimdi tam da öyleydik işte. Ve bu durum tuhaf bir huzur veriyordu bana. Uzun zamandır yitirdiğim bir histi bu. Uzun zamandır inandıklarımdan kuşku duyuyordum. Çünkü meşrutiyet bocalıyordu, inkılabımız yarıda kalmış gibiydi. Daha da önemlisi parçası olduğum bu cemiyet kirlenmiş, bir zamanlar tenkit ettiğimiz muktedirlere dönüşmüş gibiydi. Ama şimdi yeniden muhalefetteydik işte. Kendimi yeniden bir inkılapçı, mazlumların savunucusu, milletin mücahidi gibi görebiliyordum. Olması gereken buydu. Mademki kendimize fedai diyorduk, ne mülkte ne tahtta gözümüz olmalıydı. Biz adanmış ruhlar, adanmış bedenler olarak lekesiz yaşamalı, lekesiz ölmeliydik. Fakat ne yazık ki bu mutluluğum fazla sürmeyecekti. Talat Bey'in sonradan izah edeceği gibi, vatanın gözlerimizin önünde eriyip yok olmasına daha fazla tahammül edemeyecek, iktidara tekrar el koyacaktık. Bizleri birer zalime, acımasız birer darbeciye dönüştürme pahasına da olsa bu kararı almaktan ve ifa etmekten kaçınmayacaktık.

Ocak ayıydı. Bu mevsim için ılık sayılabilecek bir gece... Beşezade Emin Bey'in Vefa Meydanı'ndaki evinin etrafında tertibat almıştık. Bir toplantı yapılıyordu içeride. Toplantının mahiyetini ne ben, ne Mülazım Fuad ne de öteki dört arkadaşımız biliyordu. Biz, sadece evin emniyetini sağlamakla vazifeliydik. Ama karanlığın içinden çıkıp aceleyle içeri dalan mühim simaları gördükçe işin ciddiyetini kavrıyorduk. Talat Bey, Ziya Gökalp, Miralay İsmail Hakkı, Fethi Bey, Mithat Şükrü, Doktor Nazım ve artık emrinde çalıştığımız Kara Kemal... Evet, Küçük Efendi'nin payitahtta kurduğu farklı mesleklerden, yüzlerce insandan oluşan o muazzam teşkilatın bir parçası olmuştuk artık. Bundan şikâyet de etmiyorduk, aksine yeni istibdatçılara karşı dövüşebildiğimiz için kendimizi mutlu sayıyorduk. Çünkü Kamil Paşa hükümetinin takibat ve tutuklamalarına karşı cemiyetin idarecilerini korumakla yükümlüydük. Polisin, cemiyetimize yönelik baskınlarında birçok idareciyi kurtarmış, kimilerinin yurtdışına kaçmasına önayak olmuştuk. Hatta hükümetin hafiyeleriyle birkaç kez silahlı çatışmaya da girmiştik. Allahtan bu çatışmalarda ne bizim fedailerden, ne de hafiyelerden kimse ölmüştü. Ama böyle giderse kan akması kaçınılmazdı, çünkü hükümet, İttihat ve Terakki Cemiyeti'ni ortadan kaldırmadan rahat etmeyecekti. Bu gece yapılacak olan toplantının bütün bu meseleleri çözüme bağlayacağına inanıyorduk.

Toplantıya cemiyet yöneticilerinden Enver Bey'in katılmaması dikkatimizi çekmişti. Acaba cemiyet bölünüyor mu, sorusu geldi aklıma. Öyle ya, milletin arasında hakiki bir kahraman olarak anılan Enver Bey gibi mühim bir zatı, azami gizlilik içinde yapılan böylesi önemli bir toplantıya çağırmamanın başka ne anlamı olabilirdi? Bu fikrimi Fuad'a söylemedim ama tuhaftır aynı düşünceyi o da dile getirdi.

"Enver Bey'le cemiyet arasında bir husumet mi var? Niye toplantıya gelmedi?"

"Zannetmem Fuad," dedim kendi şüphemi de gizleyerek. "Ne cemiyet Enver Bey'den vazgeçer ne de Enver Bey cemiyetten. Eminim mühim bir sebebi vardır."

Bu sözleri Fuad'ı yatıştırmak için söylemiştim ama hakikat çıkacaktı. Toplantının emniyetini tehlikeye atmamak için gelmemişti Enver Bey. Çünkü herkesten çok göz önünde olan oydu. Hürriyet kahramanı olması sebebiyle askerler büyük saygı duyuyorlardı ona. Bu da hükümeti çok korkutuyordu.

O sebepten Enver'i asla boş bırakmıyor, her hareketini denetliyor, her adımını izliyorlardı.

Vefa Meydanı'ndaki evde, geç saatlere kadar sürmüştü toplantı. Biz de saatlerce karanlık sokakları arşınlamış, ağzımızın içinde acı bir tat kalıncaya kadar sigara içmiş, kuytu köşelere sinerek, eve yaklaşan kimse var mı yok mu, kontrol etmiştik. Bu arada, Euripides adlı Yunan tragedya yazarının *Medea* adlı piyesini anlatmıştı Fuad gece boyunca. Bir hafta evvel seyretmiş olmasına rağmen, hâlâ kurtulamamıştı tesirinden. Kadının kıskançlıktan doğan kuvveti, onu çok etkilemiş olmalıydı. Kocasından intikam almak için kendi çocuklarını öldürmüş olmasını bir türlü anlayamıyordu. Nedense seni düşündüm Ester. Sakın yanlış anlama senin kimseyi öldüreceğini sanmam, kaldı ki çocuklar... Ama kadınların o mahrem kuvveti deyince, nedense hep sen geldin aklıma...

Neyse, biz böyle tartışırken, evin kapısı açıldı ve birer ikişer çıkmaya başladı içeridekiler. Küçük Efendi sona kalmıştı, onun görünmesiyle biz de hareketlendik. Hiç mutlu değildi, anlaşılan istediği gibi neticelenmemişti toplantı. Evine kadar eşlik ettik ama toplantı hakkında tek kelime etmedi. Biz de soramadık zaten, merakımızı içimize gömüp beklemeye başladık. Çok da beklemedik, bir hafta sonra yine aynı evde, yine aynı saatlerde bir toplantı daha düzenlendi. Bu kez Enver Bey de vardı eve girenlerin arasında, buna mukabil Fethi Bey gelmemişti. Ne gam, Fethi Bey cesur bir asker, iyi bir ittihatçı olmasına rağmen Enver Bey kadar şöhretli biri değildi cemiyette. Yani her ne karar alınacaksa o olmadan da alınırdı. O yüzden pek mühimsemedim onun gelmeyişini.

Silahlarımızı elimizin ulaşacağı yerlerde tutup, yine voltaladık karanlık sokaklarda; üstelik bu kez havanın mülayimliği de gitmiş, denizden esen buz gibi bir rüzgâr iflahımızı kesmişti sabaha kadar. Neyse ki donmamıza ramak kala kapı açılmış, bizim komitacılar birer ikişer dökülmüştü sokağa. Evet, bu kez ortalık aydınlanıncaya kadar sürmüştü toplantı. Ama onca yorgunluğa, uykusuzluğa rağmen, evden çıkan Kara Kemal'in yüzü ışıldıyordu. Anlaşılan bu kez istediği gibi neticelenmişti konuşmalar.

"Bu iş tamam arkadaşlar," demişti üşüyen avuçlarına hohlayarak. "Defterlerini düreceğiz alçakların." Uykunun zerresi olmayan kara gözlerini yüzümüze dikmiş. "Büyük olaya hazırlanın, yakında geçiyoruz harekete..."

Büyük olay, Bab-ı Âli baskınıydı. 1908 İnkılabı öncesi meşrutiyeti kurmak için dağa çıkan cemiyet, eski günlerine geri dönüyordu. Kamil Paşa hükümetinin Balkan devletleriyle barış yapabilmek için Edirne'yi gözden çıkaracağını öğrenen Talat Bey, "bekleyip görelim" fikrinden vazgeçmiş, bu toprak kaybının millet üzerinde yaratacağı infialden de faydalanarak hükümete silah zoruyla el koymayı planlamıştı. Fakat Beşezade Emin Bey'in evinde yapılan ilk toplantıda karar alınamamıştı; çünkü, Fethi Bey darbeye karşı çıkarak şöyle demişti:

"Artık komitacılık devri bitti. Bırakalım Kamil Paşa hükümeti onursuz bir barış anlaşması imzalasın. Böylece milletin tepkisi daha da artar, biz de seçimlere hazırlanır, hükümeti kanuni yollardan değiştiririz."

Kara Kemal'in o toplantıdan canı sıkkın olarak ayrılmasının sebebi de buydu. Ama bir hafta sonra Enver Bey'in katıldığı, buna mukabil Fethi Bey'in gelmediği görüşmede Talat Bey'in istediği olmuş, bir darbeyle hükümete el koyma kararı alınmıştı. Hatta Enver Bey geçen toplantıda baskın kararı alınmadığı için cemiyet üyelerini açıkça azarlamaktan geri durmamıştı. Sadece cemiyet için değil, ülke için de ölüm kalım meselesiydi bu. Ya vatanı yabancılara satmaya hazır Kamil Paşa hükümetinden kurtulunulacak ya da hep birlikte yok olunacaktı. Enver Bey meseleyi böyle koyunca hiç kimse itiraz edememişti.

Kararlaştırılan baskın tarihi de manidardı: 23 Ocak Perşembe günü... Meşrutiyetin Temmuz'un 23'ünde ilan edildiğini hatırlarsak, acaba bugün bilhassa mı seçilmişti diye düşünmekten kendimizi alamıyorduk. Bu konuda açık bir malumat edinemesek de perşembe gününün Talat Bey tarafından teklif edildiğini, Kara Kemal anlatmıştı. Perşembe uğurlu günüymüş Büyük Efendi'nin. Ama baskın tarihinin o güne denk gelmesinin çok daha mantıklı bir sebebi vardı aslında. 1913 yılının 23 Ocak Perşembe günü, sadaret makamında, ecnebi devletlerin verdikleri notaya cevap hazırlanacaktı. Yani istifası istenecek Kamil Paşa ve öteki nazırların önemli bir bölümü Bab-ı Âli'de olacaktı. Vefa'daki evde düzenlenen ikinci toplantı oldukça verimli geçmiş olmalıydı, çünkü baskının saati bile belirlenmişti. 23 Ocak Perşembe günü saat 15.00'te bitecekti bu iş.

Darbe gününden çok önce, Fuad'la birlikte çetin bir çalışmaya giriştik. Kara Kemal'in bize verdiği isimlerle tek tek konuştuk, ki bu adamların hepsi, daha Resneli Niyazi dağa çıkmadan önce cemiyet üyesi olmuştu. Hiç kimse nereden çıktı şimdi bu iş demedi, hiç kimse gelmeyeceğiz de demedi, hatta hepsi, "Olması icap eden buydu, elbette orada oluruz," mealinde sözler sarf ettiler ama ne o eski heyecan vardı yüzlerinde ne de o eski coşku. Evet, hakikat buydu, Hepimizin inancında bir kırılma olmuştu. Bütün ülkede görülen o sinsi çözülme, milleti saran o hastalıklı çürüme, cemiyet üyelerine de sirayet etmişti. Sanki davaya duyduğumuz inancı ağır ağır kaybediyorduk, belki de çoktan kaybetmiştik. Ama kimse açıkça dile getiremiyordu işte.

Mülazım Fuad da farkındaydı bu kötü gidişin, fakat ne o tek kelime etti bu mesele hakkında ne de ben. Etsek ne olacaktı, neyi değiştirebilirdik ki? Kaderimizi, olayların akışına bırakmaktan başka şansımız yoktu. Her zaman yaptığımız gibi üzerimize düşen vazifeyi layıkıyla yerine getirmek için kolları sıvadık. Baskın gününden önce, Sirkeci'den Bab-ı Âli'ye uzanan yokuşu defalarca arşınladık. Bizimle birlikte hareket edecek fedaileri hangi kahvehanelere, hangi gazinolara, hangi otellerin salonlarına yerleştireceğimizi tek tek tespit ettik, adamlara nerede bekleyeceklerini bildirdik. Ve hepsini, sıkı sıkıya tembihledik:

"Aman ha, kimsenin dikkatini çekmeyin, daha baskın başlamadan elimize yüzümüze bulaştırmayalım."

Bizim fedaileri böyle ikaz etmemize rağmen, o kadar heyecanlanmış olmalıyım ki, o sabah daha sokağa çıkmadan Madam Melina,

"Hayırdır Şehsuvar Bey evladım," diye sormadan edememişti. "Bu sabah pek bir telaşlısınız?"

"Hayırdır, hayırdır, daha uygun şartları olan bir iş başvurusunda bulunacağım," demiştim.

İnanmıştı kadıncağız, yine de daha fazla sorup soruşturmasın diye iki lokma bir şey yiyip, aceleyle kalkmıştım kahvaltı sofrasından. Hava soğuktu, belli belirsiz bir yağmur çiseliyordu. Pis, kararsız bir yağmur. Son toplantı için Üsküplü Necip'in Mısır Çarşısı'ndaki aktarının deposunda buluştuğumuzda vakit öğleye geliyordu. Aktara girerken Yakup Cemil ve en az onun kadar iri yarı bir kolağasıyla karşılaştık. Kara Kemal'le görüşmüş dışarı çıkıyorlardı. Bizi fark edince, küçümseyen bir gülümseme belirdi dudaklarında. Beni pek kale almazdı Yakup Cemil ama Fuad'dan hoşlanmadığı belliydi. Yine de sağ elimizi göğsümüze götürüp selamladık onları, sadece başlarını hafifçe sallayarak karşılık verdiler.

Derinlerdeki alacakaranlık depoda bulduk Kara Kemal'i; ahşap bir iskemleye oturmuş, titrek alevlerle yanan gaz lambasının ışığında, kocaman bir şarap fıçısının üzerine yaydığı kâğıtlara birtakım notlar alıyordu. Bizi görünce gölgeli yüzü aydınlandı. Endişesiz görünüyordu; işler planladığı gibi yürüyormuş. Enver Bey'le adamları Menzil Müfettişliğinde bekliyorlarmış. Talat Bey ve Sapancalı Hakkı da arka sokaklarda gözden ırak bir kahvehaneye oturmuşlar, baskın anında Bab-ı Âli'nin dışarıyla temasını kesecek adamlarımız postanede hazırmış. Hükümet binasında muhafız kıtası olarak bulunan Uşak Taburu da hiçbir direnişte bulunmayacağını taahhüt etmiş.

Yaptığımız teftişte gerek Sirkeci'deki kahvehanelerde ve gazinolarda, gerekse Meserret Oteli'nin salonunda yeteri kadar fedainin bulunmadığını söyleyecek olduk. Hiç umursamadı.

"Telaşa mahal yok arkadaşlar," dedi her zamanki soğukkanlılığıyla. "Daha vakit var, nasıl olsa gelirler. Lakin, işin peşini bırakmayın. Bu harekette en güvendiğim fedailer sizsiniz." Bakışları bir an kapıya gitti. "İkiniz de aklı başında insanlarsınız, bazıları gibi kolayca heyecanınıza yenilmeyeceğinizi biliyorum. Sizin, Talat Bey'in yanında olmanızı istiyorum. Enver Bey'i kendi adamları korur. Biz Talat Bey'in emniyetini almalıyız. Bu baskında hepimiz vurulabilir, hepimiz şehit olabiliriz ama cemiyetin önderleri zarar görmemeli. Çünkü istikbalimiz onlara bağlı. Çok zor bir işe kalkışıyoruz, fakat gönlünüzü serin tutun, daha önce Abdülhamit'i tahttan nasıl indirdiysek, bugün de Kamil Paşa'yı indireceğiz. En küçük bir tereddüdüm yok. Siz de buna inanın lütfen..."

İnanmayıp ne yapacaktık ki? Ama Küçük Efendi'nin "Daha vakit var, nasıl olsa gelirler," dediği adamlar gelmediler. Korktuklarından mı, böylesi bir baskını hatalı bulduklarından mı, cemiyete itimatları sarsıldığından mı bilinmez, saatler biri gösterdiğinde pek az tanıdık göze çarpıyordu civardaki kahvehanelerde, gazinolarda, sokak aralarında, köşe başlarında. Gerçi gelen arkadaşların hepsi, çatışmalarda, harplerde kendini ispatlamış, civanmert fedailerdi ama sayımız hakikaten çok azdı. Bu kadar insanla Bab-ı Âli'yi basmak, koca Osmanlı hükümetini devirmek mümkün değildi. Böylesi bir kalkışmada bulunmak göz göre göre ölüme gitmek olurdu. Herhalde vazgeçeriz diye düşünmeye başlamıştım ki, Kara Kemal'den o kati emir geldi:

"Ölmek var dönmek yok, harekete geçiyoruz."

Herkes saat 14.30'da Ordu Menzil Müfettişliği Umumiliği Dairesi'nin önünde olacaktı. Artık ok yaydan çıkmıştı, neticesi ne olursa olsun Bab-ı Âli basılacak, mevcut hükümet yıkılacaktı. Bu haber bize ulaştığında, Meserret Otel'in kıraathanesinde oturuyorduk. Toplanma noktasına ulaşmak için yarım saatimiz vardı ama daha önce Sirkeci'ye inip oradaki arkadaşları haberdar etmek gerekiyordu. Derhal ayaklandık. Kararlaştırdığımız üzere fedailerin bulunduğu mekânlara girip feslerimizi elimizle geriye doğru itiyorduk. Bu hareket, vakit tamamdır, hadi gidiyoruz anlamına geliyordu. Yeniden Bab-ı Âli Yokuşu'nu tırmanırken arkamızdan gelen fedai sayısı ancak altmış kişiyi bulmuştu. Vaziyet hiç de iç açıcı değildi. Mülazım Fuad'ın endişeyle bıyıklarını çekiştirdiğini gördüm.

"Helalleşsek iyi olacak Şehsuvar," dedi olacakları kabullenmiş bir gülümsemeyle. "Bu iş bittiğinde sağ kalır mıyız bilmem."

Hem yiğitliğe leke sürmek istemedim hem de arkadaşıma moral vermek istedim.

"Elbette kalırız, hiç endişelenme Fuad kardeş. Biz ne badireler atlattık. Bu baskın çocuk oyuncağı."

İnanmayan gözlerle süzdü beni.

"İnşallah, inşallah ama gene de hakkını helal et. Kimseye borçlu gitmek istemem bu dünyadan."

Durdum, yüzüne dostça baktım.

"Helal olsun ama sen de helal et birader. Belki de sen değil, ben göremem günün sonunu."

Sımsıkı sarıldık birbirimize. İşte o anda anladım, ne Talat Bey, ne Kara Kemal ne de başka biri, hayatta bana en yakın olan kişi bu namuslu mülazım, bu yiğit vatan evladıydı. Onu tanıyalı, şunun şurasında sadece birkaç yıl olsa da, bu süre içinde dünyanın macerası geçmişti başımızdan. En zor zamanları birlikte yaşamıştık, en çetin şartlara birlikte göğüs germiştik. Hepsinden önemlisi bu zaman zarfında ikimiz de vatana bağlılığımızdan zerre ayrılmamıştık. Tek kuruş çalmamış, tek lokma haram yememiştik. İşte bu dürüstlük yakınlaştırıyordu bizi birbirimize. Evet, bir kardeş kadar yakındık. Ve elbette bu yakınlığın temelinde rahmetli Basri Bey'in aziz hatırası vardı. Biz onun emanetiydik birbirimize. Sanki aklımdan geçenleri okumuş gibi,

"Keşke Basri kumandan da olsaydı yanımızda," dedi Fuad, yeniden Cağaloğlu yokuşunu tırmanırken. "Kendimi çok daha rahat hissederdim."

O kadar samimi konuşuyordu ki, ben de yüreğimi açtım.

"Valla ben de öyle kardeşim. Basri Bey sağ olsaydı, eminim çok daha güvenle basardım yere."

Zabit arkadaşım dönüp peşimizden gelen küçük kalabalığa baktı. Derinden bir iç geçirerek son sözünü söyledi:

"Yapacak bir şey yok. Ölülerimizden medet umacak halde değiliz. Yüreğimize ve silahlarımıza güveneceğiz artık. Muvaffak oluruz inşallah..."

"İstifa Paşa hazretleri, istifa!"

❈

Merhaba Ester, (9. Gün, Akşamüzeri)

Avrupa Pasajı'ndaki dükkâna girdiğimde güneş henüz batmamıştı. Ancak bir Frenk şehrinde görebileceğimiz güzellikteki bu geçidin cam tavanından yansıyan gün ışığı artık yakıcılığını kaybetse de gaz lambalarını yakmayı icap ettirecek kadar karanlık çökmemişti daha. Pasajdaki halı satan tek dükkânı bulmak hiç de zor olmadı. İçeride esmer ama epeyce esmer, çopur yüzlü bir adam oturuyordu. Bu geçen gün otele mesaj getiren adam olmalıydı. Selam verip içeri girdim. Akları kanlı, kara gözlerini manasızca bana dikti.

"Mehmed Bey'i arıyordum," dedim dostça bir ifadeyle.

"Mehmed Esad'ı. Yok mu?"

Öylece boş boş yüzüme bakarak, işaret parmağını havaya kaldırdı. Anlamadığım için tekrarladım.

"Mehmed Esad diyorum... Mehmed Esad yok mu?"

Hayır, adamın suratında yine hiçbir değişiklik olmadı. Yine ince uzun işaret parmağını kaldırmaya devam etti. Yanlış bir yere geldim diye düşünüyordum ki, üst kattan arkadaşımın sesi duyuldu:

"Şehsuvar... Şehsuvar sen misin? Yukarı gelsene."

O zaman fark ettim, el dokuması perdenin arkasındaki merdiveni. Ahşap basamakları çıkarken, allı morlu halıların, kilimlerin ağır kokusu doldu burnuma. Üst kata çıkınca, Mehmed Esad'ı ayakta beni bekler buldum.

333

"Nihayet be kardeşim. Nihayet gelebildin küçük dükkânımıza... Valla neredeyse gül suyu dökecektik yollarına."

Hiç oralı olmadım ama uzattığı eli sıkarken sordum: "Aşağıdaki nobran adam kim yahu? Türkçe bilmiyor mu? Tenezzül edip cevap vermedi soruma."

Bakışları bir an merdivene gitti, geldi.

"Ruşeym'den mi bahsediyorsun? Kusura bakma, zavallı konuşamıyor. Mısır'da Osmanlı yanlısı bir aşiretin mensubuymuş. İngilizler dilini kesmiş. Süveyş'ten birlikte döndük. Ulağım olarak vazife görüyordu harpte. O kadar sadık, o kadar iyi bir insandır ki, bırakamadım, Ruşeym'i de alıp getirdim yanımda..." Üzerinde gümüş sigara tabakası, içi kararmış bir kül tablası ve şu büyük kibrit kutularından birinin bulunduğu, küçük masanın önündeki iskemleyi gösterdi. "Ayakta kaldın. Gel, gel, otur şöyle..."

Söylediği iskemleye oturdum, o da karşıma yerleşti.

"Ne içersin, kömür ateşinde kahve yapıyor bizim ocakçı... Söyleyeyim mi okkalı birer kahve?"

Aksiliğim üzerimde filan değildi ama öyle görünmek istedim. Mehmed Esad eteğindeki taşları döksün istiyordum.

"Kahve filan içmeyeceğim," diye kestirip attım. "Sana söyledim, ben artık bu işleri bıraktım diye. Neden bu kadar ısrar ediyorsun Mehmed?"

Çıkışım karşısında afallamıştı, daha sertleştim. Adeta azarlarcasına sordum:

"Neden zorluyorsun beni? Amacın ne?"

Utanır gibi olmuştu, tıraşlı yanakları belli belirsiz kızarmıştı bile.

"Yok, zorlama değil de... Hani, düşüneceğini söylemiştin ya..."

"Sen öyle zannetmişsin..." diyerek lafı ağzında koydum. "Ben kararımı çoktan verdim Mehmed. Hem de Malta'dan sürgünden döndüğümde... Ne siyaset ne de gizli saklı işler... Bunlar bana göre değil. Eğer hakiki dostumsan, eğer bana bir iyilik yapacaksan, Tercüme Bürosu'nda bir iş bul... Evet, Fransızcam iyidir bilirsin. Milli maarife faydamız olsun..."

Küçük bir kahkaha attı.

"Hiç gülme Mehmed," dedim kolay kolay sakinleşmeyeceğimi anlaması için. "Kararım kati, ne devlet adına ne de başkaları namına pis işlere girmem ben... Çok ciddiyim. Geçenlerde de söyledim, artık huzur içinde yaşamak, huzur içinde ölmek istiyorum. Artık zorlama beni n'olur... Lütfen, senden çok rica ediyorum, artık bu bahsi kapatalım. Yoksa dostluğumuz zarar görecek..."

Artık gülmüyordu, o meşhur pişkinliğinin yerinde derin bir hayal kırıklığı vardı.

"Sen zarar göreceksin!" Sakin bir tavırla ama sözcüklerin üzerine basa basa konuşuyordu. "Evet, masum biri gibi davranmayı bırak artık Şehsuvar. Senin ne yaptığını biliyorlar."

Evet, taktiğim işe yaramıştı, Mehmed konuşmaya başlamıştı işte. Biraz daha kurcalamakta fayda vardı.

"Benim ne yaptığım zaten belli. Hiçbir zaman saklamadım ki. 1907 senesinde girdim İttihat ve Terakki'ye... Cemiyet dağılana kadar da üyesiydim. Mağlup olduk ve o mesele kapandı. Artık hiçbir partinin üyesi değilim. Ne İttihat Terakki'nin, ne Terakkiperver Cumhuriyet Fırkası'nın ne de Cumhuriyet Halk Fırkası'nın."

"Çeneni yorma boşuna," dedi gözlerini üzerime dikerek. "Bunları daha önce de anlattın ama bize ulaşan raporlar öyle demiyor... İttihatçılarla irtibatın sürüyormuş hâlâ..."

Cezmi'den mi bahsediyordu? Binbaşının ölümünü üzerime yıkmakla mı tehdit edecekti beni? Suskun kaldığımı görünce açıkladı.

"Ziya Hurşit'le buluştuğunuzu biliyorlar... Sarı Edip Efe ile eski Ankara valisi Abdülkadir Bey de varmış yanınızda..."

Neler saçmalıyordu böyle?

"O adamların hepsi öldü. Mustafa Kemal'e suikast suçundan üçü de asıldı. Nasıl buluşmuş olabilirim ki onlarla?"

Çaresizliğime üzülmüş gibi bakıyordu.

"Öncesinden söz ediyorum Şehsuvar... İzmir Suikastı'nın bir ay öncesinden... Geçen mayıs ayında buluşmuşsunuz... İnkar faydasız, Ahmet Şükrü Bey'in Şişli'deki evinde konuşmuşsunuz. Bizzat Ziya Hurşit'in ifadesinde geçiyor adın..."

Tümüyle aklımdan çıkmıştı bu olay. Evet, geçen mayıs ayının ilk haftasıydı, Ahmet Şükrü Bey bir davet vermişti evinde. Ama siyasi bir toplantı değildi bu.

"Ne olmuş?" dedim sinirlenerek. "Ahmet Şükrü Bey, babamın arkadaşıydı. Selanik'te öğretmenlik yaptığı günlerden tanırım. Yemeğe davet etmişti. Kimlerin geleceğinden haberim yoktu. Ziya Hurşit'le Sarı Edip Efe'nin orada olacağını bilsem gitmezdim. Ayrıca İzmir Suikastı'nda adı geçmeyen dört beş kişi daha vardı orada. Eski ahbapların bir araya geldiği böyle bir yemekten Gazi'ye suikast çıkar mı? Zaten Ziya Hurşit ile de atışmıştık masada. Evet, bugünkü cumhuriyet idaresi hakkında. Artık herkesin malumu olduğu üzere, atıp tutuyorlardı Gazi Paşa ve hükümet hakkında. Karşı çıkacak oldum, hakaret derecesinde sözler sarf ettiler... Onun üzerine ayrıldım zaten evden..."

Lakayt bir tavırla dinliyordu; tek cümlesine inanmamıştı söylediklerimin.

"Ziya Hurşit'in ifadesi öyle demiyor. Daha da beteri, teşkilatta kimi arkadaşlar, İzmir Suikastı'nın gerçek planlayıcısının sen olduğuna inanıyor. Güya Kara Kemal yollamış seni o toplantıya. Kendisi polis tarafından takip edildiği için, onun adına sen konuşmuşsun. Akıldanelik yapmışsın tetikçilere..."

Hayretler içinde kalmıştım.

"Delirmiş mi bunlar? Nefret ettiğim adamlarla, hezimete uğraması kaçınılmaz bir maceraya niye kalkışayım? Böyle bir saçmalık olabilir mi? Nasıl inanırlar böyle bir iftiraya?"

Birden fark ettim, rollerimiz değişmeye başlamıştı, beni avucunun içine almaya çalışıyordu. Daha sakin olmalıydım, daha mantıklı. Hakikaten de eski arkadaşım halinden gayet memnun görünüyordu. Usulca masanın üzerindeki tabakaya uzandı. Bir sigara çıkardı, hiç acele etmeden yaktı, derin bir nefes aldı.

"Orasını bilmem Şehsuvar," dedi dumanı savururken. "Vaziyet bu. Elbette sana inanıyorum. Böyle acemice düzenlenmiş bir suikasta katılmayacağından adım gibi eminim."

"O zaman niye müdafaa etmedin beni?" diye kestim sözünü. "Şehsuvar'ı tanırım, böyle abuk sabuk işlere bulaşmaz, demedin."

"Nerden biliyorsun müdafaa etmediğimi? Ben olmasaydım eğer..." İleri gittiğini anlayarak sustu. "Ben seni savundum Şehsuvar. Hem de benden şüphelenmeleri pahasına. Unutma, neticede ben de eski ittihatçıyım. Yani o kadar da muteber bir adam değilim onların gözünde. Ama olsun, umurumda değil, çünkü sen, hayatımı kurtardın. Fakat bizimle iş birliğine yanaşmazsan, bundan sonra olacaklar hakkında hiçbir garanti veremem. Evet, daha açık konuşayım, seni koruyamam."

Şantaj mı yapıyorsun diyecektim, sigarayı tuttuğu elini havaya kaldırdı.

"Seni zorladığımı zannetme, istiyorsan bizimle çalışmazsın, belki de kimse karışmaz. Fakat birileri seninle uğraşmaya kalkarsa, o durumda yardım edemem."

Acı acı güldüm.

"Şimdi bu zorlama olmuyor mu yani?"

Nedense soğukkanlılığını kaybetti.

"Olmuyor tabii." Lüzumsuz yere yüksek çıkmıştı sesi. "Farkında değil misin iyilik yapmaya çalışıyorum. Ama sen, beni atlatmaya çalışıyorsun. Elimden geleni yapıyorum, fakat sen umursamıyorsun. Anlamıyorum Şehsuvar, ne olmuş sana? Yoksa hiç itimadın yok mu bana? Yoksa sahiden de ittihatçılarla irtibatın sürüyor mu?" Kahverengi gözleri çakmak çakmak olmuştu. Tekrar sigarasına sığındı. Derin iki nefes çekti arka arkaya. "Kusura bakma. O kadar ketumsun ki ben bile böyle düşünmeye başladım sonunda."

Etkilenmiş göründüm, hatta bir parça utanmış gibi yaptım.

"Senin iyi niyetli olduğunu biliyorum Mehmed. Benim için çırpındığının da farkındayım. Ama ketum filan değilim. Dikkat edersen, ne sorduysan anlattım şu ana kadar. Başka merak ettiğin mevzu varsa, onları da izah edebilirim. Tabii bildiğim kadarıyla. Bilmediğim bir mevzuyu nasıl anlatayım sana? Cemiyetle hiçbir alakam yok diyorum işte."

Sinirli bir halde kül tablasında ezdi sigarasını.

"Peki kardeşim, nasıl istiyorsan öyle olsun. Ben kendimi yırtıyorum burada, demek ki kimseye faydası yokmuş. Senin de böyle bir talebin olmadığına göre... Niye tehlikeye atıyorum ki kendimi?" Pişman olmuş gibi alt dudağını sarkıttı. "Sen bilirsin Şehsuvar. Tamam, benden buraya kadar. Artık arayıp sormayacağım. Allah yardımcın olsun..."

Davranışları abartılıydı; sanki eski bir arkadaşım değil de, ailemden biri gibi, çok yakınımmış gibi konuşuyordu. Oysa böyle bir hukukumuz yoktu. Sanki ona ihanet etmiş, onu büyük bir hayal kırıklığına uğratmıştım. Belki amirlerine, "Siz hiç merak etmeyin, Şehsuvar ben ne dersem yapar," demiş, benden de olumlu bir cevap alamayınca zor durumda kalmıştı. Olabilirdi, fakat bana ne? Aslında durum bu kadar barizdi. Öyleyse, bu mevzuya kafayı takmayabilir, Mehmed'in meselesi, beni alakadar etmez deyip geçebilirdim ancak durum biraz daha karışıktı. İzmir Suikastı öncesi yapılan o toplantı hakikaten başımı yakabilirdi. O zamanlar Reisicumhur'a yapılan suikastı öğrendiğimde çok kaygılanmıştım. Hele teferruatlar ortaya çıkıp, Ahmet Şükrü Bey, Ziya Hurşit ve Sarı Edip Efe'nin adlarını duyunca adamakıllı paniklemiştim. Bardağı taşıran son damla ise Kara Kemal'in ölümü olmuştu. Daha önce yazdığım gibi bu olaydan sonra Pera Palas'ta kalmaya karar vermiştim zaten. Beni evimde tek başıma öldürmesinler diye. Tıpkı Cezmi Binbaşı'ya yaptıkları gibi... Sahi, Cezmi Binbaşı meselesini niye açmamıştı Mehmed Esad? Eğer beni ikna edecekse, bu taze cinayet daha etkili olabilirdi. Merakla yüzüne baktım; kaşlarını çatmış, dargın bir tavırla oturuyordu öylece.

"Hadi ama Mehmed," dedim dostça dizine dokunarak. "Küsmek de neyin nesi? Arkadaş değil miyiz biz? Ne badireler atlattık birlikte, bunu da hallederiz."

Güya, taviz vermeye yanaşmadı.

"Bilmiyorum halleder miyiz? Bundan sonrası sana kalmış Şehsuvar. Ben diyeceğimi dedim, artık karar senin. Nasıl istersen öyle yap."

Bakma böyle konuşmasına, aslında ne yapacağımdan hâlâ emin değildi. Köşeye sıkışmış olmama rağmen, onu rahatlıkla reddedebileceğimi biliyordu. Maldan mülkten çoktan vazgeçmiştim, artık canımın bile bir kıymeti harbiyesi yoktu. Mehmed Esad da bunu çok iyi biliyordu. Fakat ölmekten daha acı verecek meseleler vardı.

"Pekâlâ," diyerek doğruldum. "Haklıymışsın Mehmed, böyle kuru kuruya konuşmak tatsız oluyor." Kalktığımı görünce telaşlandı. İpleri koparıyor muydum yoksa? "Yarın akşam tekrar buluşalım," deyince rahatladı. "Fakat bu sefer farklı bir mekânda buluşalım. Bir iki kadeh bir şey de içeriz... Mesela Taksim Bahçesi. Yeni bir orkestra gelmiş diyorlar... Hem müzik dinler hem karara bağlarız bu mevzuyu..." Anlayışlı bir ifade takındım. "Kusura bakma, biliyorum sıkıntı vermeye başladı bu mesele ama inşallah yarın neticelendiririz." Sanki teklifini kabul etmişim gibi sevinerek ayağa kalktı.

"Neticelendirelim. Sonuçta sen kazançlı çıkacaksın bu işten. Tamam, benimle çalışacak olman yükümü hafifletir. Ama bak şerefim üzerine yemin ediyorum, daha çok senin işine yarayacak bu iş birliği."

Az önceki küskünlüğünden eser kalmamıştı. Bırak istihbaratçılığı, iyi bir poker oyuncusu bile olmazdı Mehmed Esad'dan. Ama itiraf etmeliyim ki hâlâ neyin peşinde olduğunu anlayamamıştım. Zannederim teklifini kabul etmediğim sürece de anlayamayacaktım. Yarın akşam Taksim Bahçesi'nde buluşmak üzere vedalaştık Mehmed Esad'la.

Evet Esterciğim, işte böyle, bir kez mimlenmişsen, bir kez adın kayıtlara geçmişse, asla ayrılmazlardı peşinden. Ya oyuna geri dönecektin ya da hayatına son verecektin. Hayır, hayır, üçüncü bir ihtimal daha olmalıydı. Yeni bir hayata başlama ihtimali... Elbette seninle birlikte... Fakat bu ihtimal sen İstanbul'daysan mümkün olabilirdi ancak. Yoksa, hiçbiri için uğraşmaya değmezdi. Ama karar vermek için önce Leon Dayı'yı bulmalıydım. Senin hakkındaki en doğru malumatı sadece o verebilirdi bana. Umutsuz değildim, onu bulacağıma inanıyordum. Korkmuyordum, ne insanlardan ne hükümetten, aksine üst üste gelen olayların yarattığı bu muammayı çözmeye çalışmak, tatlı bir heyecan veriyordu bana. Öte yandan her an bir müdahale gelebilir endişesi hiç terk etmiyordu beni. O sebepten otele döner dönmez yine geçtim kâğıdın karşısına... Yeniden döndüm o fırtınalı günlere ve yeniden yazmaya başladım sana.

Evet, belki de vatanın kaderini belirleyecek, belki de senelerce tesiri kaybolmayacak tarihî bir olayı anlatıyordum. 23 Ocak 1913 gününü. Bab-ı Âli baskınını... Ahmakıslatan diye tabir edilen yağmurun altında Fuad'la birlikte yokuşu tırmanmış, İran Büyükelçiliği'nin köşesinden sağa dönmüştük. Önümüzde küçük bir kalabalık belirmişti. Kırmızı, siyah feslerin arasından beyaz bir atın sırtında birdenbire çıkıverdi ortaya Enver Bey. Evet, İttihat ve Terakki Cemiyeti'nin Merkez-i Umumisi olarak kullandığımız Pembe Köşk'ün önünde... Sanki arkasında binlerce kişilik bir ordu varmış gibi zaferinden emin bir kumandan edası içinde usulca sürüyordu atını. Ne sokakta dikkate değer bir kalabalık vardı ne de orada bulunanların büyük çoğunluğu bu kalkışmanın hayırla neticeleneceğine inanıyordu. Yağmurda ıslanan yüzlere bakmak yeterliydi bunu anlamak için. Bu küçük kalabalığın içinde endişe duymayan tek kişinin Enver Bey olduğunu iddia edersem, hiç de mübalağa etmiş olmam. Vatanın kurtuluşunun, cemiyetin muvaffakiyetinin ve elbette kendi ikbaline uzanan zaferin, bu darbeyle kazanılacağına yürekten inanıyordu. Bugüne kadar elde ettiği galibiyetlerin verdiği güven mi, aklın hapishanesinden kurtulmuş olan cesaretin verdiği çılgınlık mı, nasıl adlandırırsak adlandıralım, tarihi kendisinin yazacağından adı gibi emindi.

Kır atın sağında yer alan Filibeli Hilmi'yle, solunda yer alan İzmitli Mümtaz'ın da haklarını yemeyelim; cemiyetin bu iki namlı fedaisinin de gözlerinde ne bir korku ne de bir pişmanlık okunuyordu. Onlar da bizim gibi bu baskının muvaffakiyetle neticeleneceğinden emin olmasalar da "Öleceksek bari şerefimizle can verelim," düşüncesiyle ellerini silahlarına yakın tutarak, adımlarını kır atın ayaklarına uydurmuş, büyük bir cesaretle kaderlerine doğru yürüyorlardı. Sokağın köşesine yaklaşırken, Yakup Cemil ile Mustafa Necip de hızlı adımlarla gelip Enver Bey'in atının yanındaki yerlerini aldılar. Cemiyetimizin en gözü kara adamlarından mürekkep kadro tamamlanmıştı işte.

Fuad'la ikimiz ise, bu baskını planlayan asıl kişinin, yani Talat Bey'in muhafazasını sağlamakla meşguldük. Yanımızda Mithat Şükrü de vardı. Buluşma noktasında bizi görünce, sadece gülümsemekle yetinmişti Talat Bey. O da endişeli ve gergindi. İstenilen sayıda insanın gelmemiş olması hepimiz gibi onu da hüsrana uğratmıştı. Hislerini belli etmemeye çalışsa da esmer yüzündeki hayal kırıklığı saklanacak gibi değildi. Fakat herkes gibi o da bozguna kapılmıyor, ne pahasına olursa olsun bu harekâtın zaferle neticelenmesini istiyordu.

Bu tuhaf kalabalık, Bab-ı Âli yokuşuna dönen köşeye gelinceye kadar bir kişi bile artmamasına rağmen sükûnetini ve kararlılığını koruyarak ilerledi. Ama Nafıa Nezareti'nin önüne gelip Bab-ı Âli'yi koruyan askerleri görünce toplulukta bir dalgalanma oldu. Karşımızda tam teçhizatlı bir tabur vardı, eğer ateş etmeye başlarlarsa hiç şakası yok, hepimiz ölmüşlerimize kavuşurduk. Bu gizli tedirginlik sürerken Bab-ı Âli yokuşu gür bir sesle yankılandı.

"Kıymetli vatandaşlar, bu toprağın aziz insanları... Yıllardır istismar edilen bu vatanın yiğit evlatları... Artık hıyanete dur demenin, vatanı satanlara hak ettikleri cevabı vermenin zamanı gelmiştir."

Cemiyetin propagandacısı Ömer Naci, Nafıa Nezareti'nin basamaklarına çıkmış, millete sesleniyordu:

"Kardeşlerim, al yeşil bayrağın hakiki sahipleri. Şu dakikalarda Bab-ı Âli binasında büyük bir suç işleniyor. Şu dakikalarda Kamil Paşa Hükümeti, güzel Edirne'mizi Bulgarlara bırakmak üzere." Eliyle hükümet binasını gösterdi. "Evet, işte şu aşağıdaki binada, şu dakikalarda alçakça bir vesika hazırlanıyor. Bu bir ihanet notasıdır. Bu bir teslimiyet anlaşmasıdır. Bu notayla, her köşesi şehit kanıyla sulanmış vatan toprağımızın güzide bir parçası daha hükümet eliyle düşmana teslim ediliyor... Eğer buna göz yumarsak, ecdat yadigârı payitahtımızın elimizden alınması da an meselesidir. Eğer buna sessiz kalırsak, cihanda Devlet-i Aliyye diye bir devlet kalmayacaktır..."

Ömer Naci'nin kükreyen sesi önce küçük topluluğumuzun tedirginliğini biraz daha artırdı, arkadaşlarımızın bazıları kalabalığın kenarlarına doğru meylettiler. Ama büyük bir inançla konuşmasını sürdüren hatibimizin kendinden emin sesi endişeleri kısa sürede tuzla buz etti. Dağılma emareleri gösteren topluluğumuz anında toparlandı, sımsıkı birbirine kenetlendi. Elbette tümüyle rahatladığımız söylenemezdi; kulaklarımız konuşmacının gür sesinde olsa da gözlerimiz, ellerinde tüfekleriyle başbakanlık binasını koruyan Uşak Taburu'nun askerlerindeydi. Hatta Yakup Cemil'le Mustafa Necip kalabalığın önüne çıkmış, ellerini silahlarına uzatmışlardı bile. Allahtan Uşak Taburu'nun başındaki cemiyet üyesi zabitler vazifelerini eksiksiz yapmışlardı da Bab-ı Âli'nin emniyetini alan askerler, topluluğumuzu sadece izlemekle yetiniyorlardı.

Bu durum bizi iyice şevklendirirken, daha mühim bir gelişme oldu; yoldan geçen insanlar bize katılmaya başladı. Evet, tuhaf şey, yokuştan inen çıkan herkes, yağmura aldırmadan başımızda toplanıyor, Enver Bey'i görünce iyice heyecanlanıyor, Ömer Naci'nin sözleriyle galeyana geliyordu.

"Doğru söylüyor," diye atıldı bir hamal. "Düşmana yenildikleri yetmezmiş gibi, şimdi de Edirne'yi Bulgarlara bırakacaklar."

Tıbbiyeli bir öğrenci destek çıktı hamala:

"Başka ne beklenir ki Kamil Paşa denen o bunaktan. Ülkeyi parsel parsel İngilizlere satacak hamiyetsiz!"

Bir matbaacı iyice cüretlenerek, kır atın yularına sarılmaya kalktı.

"Bizi kurtar Enver Bey. Bizi kurtar Hürriyet Kahramanı..."
Filibeli Hilmi güç bela uzaklaştırdı adamı. Matbaacı ısrarla bağırıyordu:

"Vatan sizden hizmet bekliyor. Bugün değilse ne vakit?"

Olup bitenler sanki onu hiç alakadar etmiyormuş gibi Enver Bey, kendinden emin tavrını koruyor, vakarlı duruşunu bir an olsun bozmuyordu. Asıl değişim Talat Bey'deydi, gözlerindeki hüsran rüzgârları yerini umuda bırakmış, esmer teni adeta aydınlanmıştı. Minnet dolu gözlerle Ömer Naci'nin konuşmasını dinliyordu. Sözlerini daha fazla uzatıp coşkuyu söndürmekten korkan propagandacımız,

"Yürüyelim arkadaşlar," diye haykırdı sonunda. "Vatana sahip çıkmak, hainleri cezalandırmak için yürüyelim."

Kalabalık tek bir insan gibi karşılık verdi.

"Yürüyelim arkadaşlar, yere düşen bayrağı kaldırmak, vatanı kurtarmak için yürüyelim."

Fuad'la göz göze geldik. Usulca dokundum koluna.

"Galiba oluyor bu iş," diye mırıldandım sevinçle. "Galiba bu defa da muvaffak olacağız."

Fuad temkinliliğini koruyordu.

"Valla Şehsuvar kardeş, ben gevşemeyelim derim. Bu gördüğümüz kuru kalabalık. Bir silah patlarsa çil yavrusu gibi dağılır bunlar. İşin zor kısmı Bab-ı Âli'de... Bizi orada neler bekliyor henüz belli değil."

Talat Bey de duymuştu küçük sohbetimizi. Fuad'ı onaylamak istercesine başını salladı.

"Aman çocuklar sıkı duralım. Fevri hareket etmeyelim. Lütfen heyecana kapılıp kendinizi kaybetmeyin. Şu anda bize lazım olan akıl; tutkudan, coşkudan kurtulmuş akıl. Daha mühimi birbirimizden ayrılmayalım. Hadi geride kalmayalım."

Sayısı anbean artan kalabalıkla birlikte Bab-ı Âli'ye yürümeye başladık. Hatta Enver Bey'den geri kalmamak için ahaliyi yararak öne geçmeye çalıştık. Hükümet binasına yaklaştıkça gerilim tekrar artmaya başlamıştı. Uşak Taburu tembihlenmişti ama öfkeli bir kalabalığın üzerlerine geldiğini gören askerler, bilhassa genç olanlar ürkerek silahlarını doğrultmuşlardı. Haliyle bizimkilerin de elleri tabancalarına uzanmaya başladı. İki taraftan herhangi biri tetiğe basacak olsa katliam yaşanması işten değildi. İmdadımıza yine Ömer Naci'nin o gür sesi yetişti.

"Evlatlar!" diye seslendi askerlere. "Ne yapıyorsunuz evlatlar? O silahlar milletin silahları. O silahları düşmana karşı kullanacaksınız. Düşman burada değil, düşman Çatalca'da. Silahlarınızı millete değil, Çatalca'daki Bulgarlara çevirmelisiniz." Elleriyle göğsünü gösterdi. "Ama farklı düşünüyorsanız. Siz de şu binanın içindekiler gibi aymazlık içindeyseniz, hadi ateş edin. Hadi vurun beni."

Askerler birer ikişer indirdiler tüfeklerini ve kalabalık tek bir ağızdan bağırmaya başladı yine:

"Yaşasın millet! Yaşasın ordu! Yaşasın asker!"

Bu badire atlatılırken Enver Bey'in kır atı Bab-ı Âli'nin bahçesine girmişti bile. Enver Bey çevik bir hareketle binek taşına indi; Yakup Cemil, İzmitli Mümtaz, Filibeli Hilmi, Mustafa Necip, Sapancalı Hakkı gibi avaneleri anında etrafını çevirdiler. Biz de pürdikkat kesilmiş Talat Bey'le yanındaki Mithat Şükrü'ye göz kulak oluyorduk. Talat Bey eliyle binanın önünde yığılan kalabalığı gösterdi.

"Nasıl zapt edeceğiz bu insanları? Bu kalabalık içeri girerse tam bir kaos olur. Ne baskın kalır ne de hükümet!"

"Kapılar, kapıları kapatınız," dedi Doktor Ağabeydin Bey. "Vazifesi olmayan kimse girmesin içeri."

Bizim heyet içeri girdikten sonra kapandı kapı. Ne var ki, sofadan geçerek sadaret makamına giderken iki nöbetçi dikildi önümüze. Neler olup bittiğini anlamamışlardı, karşılarında üniformalı zabitleri görünce duraksadılar. Bunu fırsat bilen Sapancalı Hakkı, komut verdi:

"Dikkat, selam dur, yol aç!"

Askerler anında kenara çekilerek, hazır ol vaziyetine geçtiler. Heyetimiz salona yürürken geride kalan Sapancalı, askerleri bir kez daha ikaz etmeyi de unutmadı.

"Aferin asker. Artık bu kapının emniyeti size ait. Sakın ola, içeri kimseyi sokmayın."

Kimin ne yaptığını hâlâ anlayamayan askerler,

"Emredersiniz kumandanım," diyerek hazır ol vaziyetinde kaldılar.

Buraya kadar Allah yardımcımız olmuş, işimiz rast gitmişti ama salona girince nereden çıktığını kestiremediğimiz bir komiser tabancasını çekip üzerimize ateş etmeye başladı. Baskında ilk patlayan tabanca bu bahtsız adamındı. Bahtsız diyorum çünkü silahını ateşlemesiyle birlikte, "Yandım anam," diyerek yere yıkılması bir oldu. Aynı anda fedailer kurşunlarını komiserin üzerine boşaltmışlardı. Patlayan silahlar, bağırış çağırış, artık iş çığırından çıkmış, içeridekiler bizi fark etmişti. Şimdi çok daha uyanık olmak zorundaydık. Nitekim Bab-ı Âli'ye baskın verildiğini anlayan Yaver Nafiz Bey de tabancasını kaptığı gibi dikilmişti karşımıza. Fakat çok berbat bir atıcıydı, sıktığı kurşunların hiçbiri isabet sağlayamamıştı, oysa Mustafa Necip tek kurşunla vurdu onu. Fakat Nafiz Bey ölmedi, yaralı haliyle odasına kaçmaya muvaffak oldu, Mustafa Necip de peşinden. İçeriden ardı ardına iki el silah sesi daha geldi. İlki Necip'in Karadağ tabancasından çıkmıştı, ikinci ise Nafiz Bey'in silahının sesiydi. Odaya girdiğimizde ikisini de kanlar içinde yatarken bulduk. Nafiz Bey yere yuvarlanırken tabancasını ateşlemiş, Mustafa Necip'i kötü yaralamıştı. Onun için yapılacak hiçbir şey yoktu; işi Allah'a kalmıştı. Can çekişen Mustafa Necip'i kendi haline bırakarak mühim vazifemizi neticelendirmek için, sadaret makamına yürüyüşümüzü sürdürdük. Artık acele etmek mecburiyetindeydik. Sadrazam Kamil Paşa şaşkınlığını atlatamadan, istifa dilekçesini koparıp almalıydık elinden.

Daha birkaç adım atmıştık ki, bu kez de bir başka yaver Kıbrıslı Tevfik Bey çıktı karşımıza. Artık ne konuşmak vardı ne merhamet, en ufak bir tereddüt göstermeden basıldı tetiklere. Olduğu yere yığıldı zavallı adam. Talat Bey tedirgin olmuştu ama olaylar o kadar hızlı cereyan ediyordu ki, bir bocalama, bir şaşkınlık hepimizin mahvına sebep olabilirdi. Enver'in fedailerine ses çıkaramadı, sadece benim kulağıma eğilip,

"Aman dikkat," diye mırıldandı. "Aman dikkat Şehsuvar."

Oysa dikkat edecek sınırı çoktan geçmiştik, şaka değil, aleni olarak bir hükümet darbesi yapıyorduk. Kan dökülmemesini beklemek saflık olurdu, aslında bu baskını bu kadar az zayiatla atlatırsak yine şanslı sayılırdık. Şimdi durup tartışılacak vakit değildi. Bir an önce Kamil Paşa'nın makamına ulaşmalıydık. Hızla sadarete ilerledik. Daha doğrusu ilerlemeye çalıştık, çünkü o iri cüssesiyle Harbiye Nazırı, Çerkez Nazım Paşa çıkıverdi birden karşımıza. Enver Bey'le Talat Bey'i görür görmez anladı olanı biteni. Ne bir şaşkınlık ne bir korku... Öfkeyle süzdü Enver Bey'i.

"Ne yapıyorsunuz siz?" diye kükredi. "Böyle mi konuşmuştuk? Nedir bu rezalet!"

Enver Bey yılların kazandırdığı bir alışkanlıkla gayriihtiyari olarak, Harbiye Nazırı'nın karşısında esas duruşa geçmişti.

"Efendim, bıçak kemiğe dayandı. Millet sadrazamın istifasını istiyor. Kamil Paşa derhal sadaret makamından ayrılmalıdır..."

Hayır, hiç de alttan almıyordu, son derece sakin bir üslupla anlatıyordu.

"Millet mi?" diye sözünü kesti Çerkez Paşa. "Millet kim, siz kimsiniz? Yeter artık düşün ahalinin yakasından. Yaptığınız rezillikler yeter. Bu alçakça hareketinizin hesabını verecek..."

Şakağına dayanan tabancayla yarıda kesildi Nazım Paşa'nın sözleri. Bu kadar aşağılanmaya daha fazla tahammül edemeyen Yakup Cemil, Harbiye Nazırı'nın şakağına bastırmıştı Revolver'inin namlusunu. Aslında hiçbirimiz Yakup Cemil'in tetiği çekeceğine ihtimal vermiyorduk. Paşayı susturmak, belki de rehin almak için tabancasını doğrulttuğunu düşünüyorduk. Paşa da öyle zannetti, kaşlarını çatarak,

"Ne yapıyorsun bre deyyus," dedi ve bunlar onun son sözleri oldu. Yakup Cemil bastı tetiğe... Olduğu gibi sol tarafına yıkıldı Paşa. Önce pembe bir köpük, ardından koyu kırmızı bir kan boşandı ağzından. Harbiye Nazırı'nın iri gövdesi rüzgâra tutulmuş yaprak gibi titremeye başladı yerdeki ipekli halının üzerinde.

"Ne yaptın?" diye bağırdı Enver Bey. "Ne yaptın be Yakup?"

Hiç aldırmadı namlı fedai, az önce Nazım Paşa'nın bizi süzdüğü gibi, tiksintiyle küçümseme arası ifadeyle baktı yerde can çekişen kurbanına,

"İyi yaptım. Laf anlamayacaktı bu herif."

Sonra ne oluyor demeye kalmadan, silahını doğrultup bir el daha ateş etti can çekişmekte olan Paşaya. Talat Bey artık dayanamadı bu kadarına.

"Yeter!" diye bağırdı. "Yeter, ateş etmeyin." Öfkesini saklamaya lüzum görmeden dava arkadaşına döndü. "Böyle konuşmamıştık Enver. Her önümüze çıkanı vurmakla olmaz bu işler... Eğer bir kişi daha ölürse çeker giderim valla. Nedir bu yahu?"

Yakup Cemil ve arkadaşları ters ters bakmaya başlamışlardı, elimi tabancama yakın tutarak Talat Bey'e yaklaştım. Fuad da tedirgin gözlerle Enver Bey'in fedailerine bakıyordu. Gerginliği Enver Bey bozdu.

"Tamam, tamam, hepimiz sakin olalım. Yakup sok artık şu silahı kılıfına." Büyük Efendi'ye döndü. "Ne yapalım Talat, olan oldu artık. Ölenleri geri getiremeyiz. Fakat biraz daha vakit kaybedersek baskın muvaffak olamayacak. Hadi gidip alalım artık şu ihtiyar keçiden istifa mektubunu."

Haklıydı, beş kişi vurulmuştu ama hâlâ baskın amacına ulaşamamıştı. Talat Bey çaresizce ellerini yana açarak, ardı ardına iki kez "Ya sabır" çektikten sonra düştü kader arkadaşının peşine...

Kamil Paşa bomboş salondaki ahşap masada tek başına oturuyordu. Silah seslerini duyan herkes korkudan ödü koparak, yaşlı sadrazamı bir başına bırakıp sıvışmıştı. Benzi bal mumu gibi sapsarıydı Kamil Paşa'nın, gerginlik içinde alt dudağını çiğniyor, uzun sakalları belli belirsiz titriyordu. Kudretli bir sadrazamdan çok, hayırsız evlatlarının zulmettiği çaresiz bir ihtiyara benziyordu. Kaçmanın kendisini kurtaramayacağını çok iyi bildiğinden artık ne olacaksa olsun diyerek kaderine razı olmuş gibiydi. Ama tuhaf şey, ferini yitirmiş gözlerinde şaşkınlık yoktu. Dört kez sadrazamlık yaptığı uzun devlet adamlığı müddetince öyle olaylarla karşılaşmıştı ki, sanki hiçbir vaka artık onu şaşırtamazdı. Küçük grubumuz yaklaşırken, gülümsemeye çalıştı, beceremedi ama sessizliği bozan yine de o oldu:

"Buyurun evlatlarım ne istiyorsunuz?"

Sesi cılızdı ama titrek değildi. Ne kadar tedirgin olursa olsun, korkunun ruhunu ele geçirmesine izin vermemişti.

"İstifa," dedi Talat Bey mevzuyu dolandırmadan. "İstifa buyurmanızı ricaya geldik Paşa Hazretleri..."

Yaşlı sadrazamın gözleri tek tek hepimizi inceledi sonra eliyle dışarısını gösterdi.

"Önce çatışmaları durdurmanızı rica edeceğim... Kardeşin, kardeşi vurması kabul edilemez."

Aslında, can güvenliğimin temin edilmesini talep ediyorum, diyordu. Bu isteği makul karşılayan Talat Bey mahcup bir tavırla başını salladı.

"Merak buyurmayınız, biz de kan dökmek istemiyoruz. Ne yazık ki kontrolümüz dışında vuku buldu. Ama müsterih olun, bundan sonra tek bir silah patlamayacak, tek bir Osmanlı evladının kanı dökülmeyecek."

Kamil Paşa'nın bedbaht yüzü belli belirsiz aydınlandı, sadaret makamının resmî damgası bulunan kâğıtlardan birini önüne çekerek, tane tane yazmaya başladı. İstifa dilekçesini bitirince, kâğıdı Enver'e uzattı.

Enver ve Talat kafa kafaya verip okudular.

"Böyle olmaz Paşa Hazretleri," diye kâğıdı sadrazama geri uzattı Enver Bey. "Sadece askerlerin teklifi değil aynı zamanda ahalinin isteğini diyerek yazmanız lüzum eder. Çünkü sadece ordu değil, millet de sizi istemiyor."

Tecrübeli paşa işi ağırdan almaya kalkıyordu.

"İstifa Paşa Hazretleri, istifa," diye sertçe uyardı Talat Bey. "Uzatmayınız lütfen."

Pabucun pahalı olduğunu anlayan sadrazam, tek kelime etmeden kâğıdı aldı. Yeniden yazmaya başladı. Bitirince, bu kez Talat Bey aldı dilekçeyi. Şöyle bir göz attı.

"Şimdi oldu," dedikten sonra hepimizin duymasını istiyormuş gibi yüksek sesle okumaya koyuldu.

"Huzur-ı Âlî-i Hazret-i Padişahî

Ahali ve cihet-i askeriyeden vuku bulan teklif üzerine huzur-ı şahanelerine istifanâme-i acizanemin arzına mecbur olduğum muhat-i ilm-i âlî buyuruldukta ol babda ve katibe-i ahvalde emr-ü ferman hazret-i veliyyü'l-emr efendimizindir."

"Devlet kademesindeki herkes, eski ittihatçı değil mi?"

※

Merhaba Ester, (9. Gün, Akşam)

Kapıya vurulduğunu neredeyse duymayacaktım. Akşam yemeğinden sonra yukarı çıkmış, iskemlemi balkona atmış, güz serinliğinde hem şehri seyrediyor hem de Mehmed Esad'ın söylediklerini düşünüyordum. Israrla beni yanında istiyordu, ama ne tür bir vazife yapacağımızı henüz açıklamamıştı. Aslında yadırganacak bir durum yoktu, teklifini kabul etmemiştim ki, ne yapacağımızı söylesin. Aklımı kurcalayan asıl mevzu, Cezmi Binbaşı'nın öldürülmesiydi. Mehmed niye bu cinayetten hiç bahsetmemişti? Halbuki İzmir Suikastı öncesi Ahmet Şükrü Bey'in evindeki yemekli toplantıdan çok daha ciddi bir meseleydi bu emekli zabitin öldürülmesi. İsteseler, kolaylıkla bu suçu üstüme yıkarlardı. Kim bilir, belki de ikinci bir koz olarak elinde bulundurmak istiyordu bu meşum cinayeti Mehmed Esad. İşte tam bunlar aklımdan geçerken işittim kapının çalındığını. Akşamın bu vakti kimdi acaba? Çok da tedirgin değildim aslında. Mehmed Esad'la bugünkü konuşmamızın ardından polisler gelecek değildi ya. Nitekim kapıyı açınca karşımda Reşit'i buldum. Dört gün önce yaşadığımız sahnenin aynısı gibiydi. Bu öğlen polislerin geldiğini öğrenmiş, eli ayağı birbirine dolaşmış olmalıydı. Onu nasıl teskin edeceğimi düşünüyordum ki,

"Karakoldan geliyorum," diyerek berjer koltuğa gömüldü. "Tam bir saat konuştuk polislerle..."

Otel müdürünün genç yüzünde ne korku vardı ne de panik, aksine son derece rahat bir tavırla konuşuyordu. Zorlu bir imtihanı başarıyla vermiş bir talebenin heyecanı vardı gözlerinde. Yatağın ucuna ilişerek anlattıklarını dinlemeye başladım.

"Otele döndüğümde sizi aradım ama çıkmışsınız. Ömer anlattı vaziyeti. Ben de kalkıp karakola gittim. Sizinle konuşan polislere yönlendirdiler beni. Ne biliyorsam, hepsini söyledim. Cezmi Amca'yı nereden tanıdığımı, neden evine gittiğimi bütün açıklığıyla anlattım. Sadece, sizin ikinci gidişinizi sakladım. Ki bence onu da anlatabilirdik. Çünkü polisler, katil ya da katillerin hırsızlık maksadıyla eve girdiğine inanıyorlar. Dolayısıyla sizden ya da benden şüphelenmeleri için bir sebep yok."

Zavallı Reşit, olan bitenin farkında değildi. Gizli bir el hem onu hem de beni koruyordu. Büyük ihtimalle Mehmed Esad olan bu şahıs, Cezmi Kenan dosyasının o iki acemi polise verilmesini de sağlamıştı. Elbette bu hakikati Reşit'le paylaşmadım.

"Yok, aziz kardeşim, sakın ha," diye ikaz ettim. "Sakın, benim cinayet mahalline gittiğimi söyleme. İşgüzar bir polis çıkar, ikimizin de başını belaya sokar. Bu meselede ne kadar ketum davranırsak o kadar iyi. Eğer polisler, Cezmi Binbaşı'yı hırsızlar öldürdü diyorsa öyledir. Buna itiraz edecek halimiz yok."

Şüpheli bir ifade belirdi gözlerinde.

"Siz inanmıyor musunuz? Cezmi Amca'yı başkaları mı öldürdü yoksa?"

Ağzımdan çıkan lakırdıya dikkat etmem gerektiğini anladım.

"Hayır, hayır," diye toparlamaya çalıştım. "Bence de, hırsızlardır Cezmi Binbaşı'ya kıyanlar. Polislerden daha mı iyi bileceğiz?"

Hayır, kafasına yatmamıştı.

"İttihatçı olduğu için öldürülmüş olabilir mi? Konuşmalarını duydunuz, hiç çekinmeden atıp tutuyordu hükümet hakkında..."

Sonunda tedirgin olacağı bir neticeye ulaşmasını istemediğimden, düşünce akışını kestim.

"Hiç zannetmem. Cezmi Binbaşı'yı niye ciddiye alsınlar? Nur içinde yatsın ama biliyorsun aklı da pek yerinde sayılmazdı rahmetlinin..."

Endişeyle iri iri açılan gözleri anlamak istercesine bakıyordu.

"Orası öyle ama şu İzmir Suikastı'ndan sonra polis, ittihatçı avına çıktı diyorlar. Cezmi Amca'yı da..."

Zeki bir adamdı Reşit ama bu muammayı çözmenin ona hiçbir yararı yoktu.

"Olur mu öyle şey? Hükümet, her ittihatçıyım diyenin peşine düşse, kimse kurtaramaz yakasını bu işten. Bizzat Reisicumhur'umuz, Başbakan'ımız, Bakanlarımız, Mebuslarımız... Neredeyse devlet kademesindeki herkes, eski ittihatçı değil mi? Yok, bu adi bir hırsızlık meselesi... Evi biliyorsun işte. Hiçbir tedbir yok. Elini kolunu sallayarak gir içeri. İktisadi durum da ortada. O kadar çok fakir var ki memlekette, onlardan biri bıçağını çekip dalmıştır eve..."

"Öyle diyorsunuz da, Cezmi Amca kolay kolay alt edilecek bir adam değildi. Tamam yaşı vardı ama hâlâ dinçti. Gücü, kuvveti yerindeydi. Üstelik kavgaya, dövüşe yabancı biri de değildi."

Çaresizlik içinde ellerimi yana açtım.

"Eve girenlerin tek kişi olduğunu bilmiyoruz ki. Belki birkaç kişiydiler. Belki adamlar çok tecrübeliydi. Belki Cezmi Binbaşı'yı uyurken yakaladılar. Yerde yatarken bulmuştum onu..."

Daha fazla ısrar etmedi.

"Olabilir tabii," dedi kederle iç geçirerek. "Haklısınız Şehsuvar ağabey, polisler icap edeni yapacaktır zaten." Oturduğu koltuktan kalktı. "Ben de gideyim artık." Kapıya yöneldi, birkaç adım atmıştı ki, Çin vazosunun önünde durdu. "Az kalsın unutuyordum, Ali Yunus'la konuştum... Tokatlıyan'ın müdürü... Yarın öğleden sonra sizi bekliyor. Ne icap ediyorsa yapmaya hazır. 'Buyursun bir kahvemizi içsin, o arada bakarız müşteri listesine. Eğer aradığı kişi bizde kalmışsa mutlaka buluruz. Adres filan bıraktıysa da Şehsuvar Bey'e veririz,' dedi. Samimi çocuktur Ali, öyle laf olsun diye konuşmaz. Ne söylediyse yapar."

İşte bu haber yüreğime su serpmiş, başımda dönen bütün melanetleri, bütün entrikaları unutturmuştu bana.

"Çok teşekkür ederim Reşit," dedim odanın ortasında dikilen genç arkadaşıma gülümseyerek. "Gerçekten çok teşekkür ederim. Senin bu iyiliklerini nasıl ödeyeceğim bilmiyorum." Her zamanki mütevazı tavrını takınmıştı.

"Rica ederim Şehsuvar ağabey. Ne olacak, alt tarafı bir telefon ettim... Umarım bulursunuz, şu adresi... Hadi iyi geceler..."

Bu dilekle çıkmıştı odamdan ama verdiği haber, bu geceyi şimdiden iyi kılmıştı bile. Evet, öyle ya da böyle seni bulacaktım. Belki de yeni bir hayat başlayacaktı önümüzde. Kader, on sekiz yıl önce kaçırdığımız fırsatı belki yeniden sunacaktı bize. Aptalca gelebilir ama olsun, evet, kendimi bir idadi öğrencisi kadar heyecanlı hissediyordum. Yarın öğleden sonra ilk işim Tokatlıyan Otel'e gitmek olacaktı. Daha fazla uzatmadan Leon Dayı'ya ulaşmalıydım. Belki onu bulduğum yerde sen de çıkardın karşıma kim bilir? Ama şimdi yazıma dönmeliyim. Kaldığım yerden başlamalıyım yaşadıklarımı anlatmaya.

Bu toprakların ilk hükümet darbesini yapıp, Kamil Paşa'yı cebren devirdiğimiz o yağmurlu gün, cemiyetimizin tek başına iktidar olacağı beş yıllık sürenin başlangıcı olacaktı. Ama kurulacak hükümette dahiliye nazırı vazifesini üstlenecek olan Talat Bey'e göre hâlâ iktidarı tam olarak ele geçirmiş sayılmazdık. Bu tespitte pek de haksız değildi. Çünkü Bab-ı Âli baskınından birkaç saat sonra Mahmud Şevket Paşa yeni sadrazam olarak atanmıştı. Öyle ki, biz Bab-ı Âli'de kalırken, Enver Bey, daha fazla kimseyi öldürmesin diye Yakup Cemil'i de yanına alarak sarayın yolunu tutmuş, aynı anda Mahmud Şevket Paşa da kendisine verilecek olan bu mühim vazifeyi üstlenmek için Üsküdar'daki evinden ayrılmıştı. Tahta çıktığı ilk günden beri cemiyetimizle uyumlu çalışmaya büyük ihtimam gösteren Sultan Reşad Hazretleri yeni duruma hiç şaşırmamıştı. Kendisine uzatılan, sadrazamın istifa mektubunu itiraz etmeden, tek soru dahi sormadan kabul etmişti.

"Şevketli Padişahım. Kamil Paşa Hükümeti vatanın meselelerini halletmede acizlik göstermiştir. İktidara geldiklerinden bu yana milleti perişan etmiştir. Bunun neticesinde isyan eden milletin isteğine karşı duramayarak istifa etmiştir. Buyurun, istifalarını yüce makamınıza sunuyorum," diyen Enver Paşa'yı büyük bir memnuniyetle dinledikten sonra, tek cümlelik bir cevap vermişti:

"Allah sizden razı olsun evladım, beni bu adamlardan kurtardınız."

Mahmud Şevket Paşa'nın sadrazam, Talat Bey'in ise geçici olarak dahiliye nazırı olma teklifini de pek bir münasip bularak, atama kâğıdına basıvermişti mührü.

Elbette hükümette yapılan bu değişiklikler darbe anında kararlaştırılmış değildi. Muhtemelen bu karar, çok daha önce, Beşezade Emin Bey'in Vefa Meydanı'ndaki evinde sabahlara kadar süren o son toplantıda alınmıştı. Ardından, Mahmud Şevket Paşa'ya teklif götürülmüş olmalıydı. Kudretli paşamız da, o dillere destan kibrine rağmen, koltuğun cazibesine kapılarak olanları unutmuş, kendisine gümüş bir tepside sunulan sadrazamlık makamını güle oynaya kabul etmişti. Şimdi yeni bir devir başlıyordu. Evet, devir yeniydi ama eski meseleler olduğu gibi duruyordu. Belki de bu sebepten, elinde sadrazamlığa atandığını gösterir belge ile Bab-ı Âli'nin basamaklarını tırmanan Mahmud Şevket Paşa'nın o dimdik bedeni hafifçe eğilmiş, yükleneceği sorumluluğun ağırlığı tıpkı sabık Sultan Abdülhamit gibi sırtında küçük bir kambur oluşturmuştu.

"Bu meselede bir tuhaflık yok mu?" diye soran Fuad'ın sözleriyle bakışlarımı Bab-ı Âli'deki odanın penceresinden içeriye çevirdim. "Daha yedi ay önce Harbiye Nezaretinden istifa ettirdiğimiz bu adamı, şimdi niye sadrazam yapıyoruz?"

Ne diyeceğimi bilemedim.

"Siyaset işte," diye geveledim. "Öyle zamanlar oluyor ki, dün kara dediğine bugün ak diyebiliyorsun."

Hiç katılmıyordu fikirlerime.

"İyi de Mahmud Şevket Paşa nasıl çalışacak cemiyetle? Bilmiyor mu kendisini nezaretten kovduranın Talat Bey olduğunu?"

Yerinde bir soruydu, benim de aklımda benzeri kuşkular vardı ama tartışmak istemiyordum.

"Anlaşmışlar demek ki... Bulunduğumuz şartlar göz önüne alınınca herkesin, fedakârlık yapması icap eder. Düşman Çatalca'ya kadar gelmişken, böyle sorular sormanın manası yok. Şimdi elimizi taşın altına koyma vakti."

Kumral kaşları çatıldı arkadaşımın.

"Ne diyorsun Şehsuvar?" Lüzumundan yüksek çıkmıştı sesi. Ama farkında değildi bağırarak konuştuğunun. "Elimi taşın altına koymuyor muyum yani? Korkuyor muyum? Kaytarıyor muyum? Kaçıyor muyum? Aklımızdakini dile getirince kötü mü oluyoruz? Konuşmayalım mı yani? Gördüğümüz noksanlıkları, yaptığımız hataları söylemeyelim mi?"

Aslında aynı hisleri paylaşıyordum ama nedense aptalca bir koruma düşüncesiyle idarecileri savunmaya kalkıştım.

"Yahu yok, yanlış anladın be Fuad. Susalım demiyorum, fakat her şeyin bir vakti, bir sırası var. Önce Ahmet Muhtar Paşa hükümeti, ardından Kamil Paşa altı aydır canımıza okudular. Kendi haline bıraksak, ya sürgüne yollayacaklardı bizi, ya mezara ya da zindana. Şükür kurtulduk. Bak, ilk defa güçlü bir hükümet kuruyoruz. Biraz daha dişimizi sıkmamız lazım diyorum, biraz daha sabır..."

Umutsuz gözlerle bakıyordu.

"Ben sabır gösteririm fakat bu sefer de muvaffak olamazsak, bu millet bize ne kadar tahammül eder, işte onu bilemem."

Yalandan bir kahkaha atarak, Bab-ı Âli'nin önünde nümayiş yapan kalabalığı gösterdim.

"Dert ettiğin şeye bak. Millet bizimle birlikte... Görmüyor musun, her dakika çoğalıyor dışarıdaki ahali. Kazandık Fuad, kazandık kardeşim."

Yalancıktan olsa bile gülümsemedi.

"Bilmiyorum Şehsuvar... Kazandık mı emin değilim. Ama umarım öyle olmuştur, umarım kazanmışızdır..."

Omuzlarından tutarak dostça sarstım.

"Tabii kazandık. Beyhude kaygılanıyorsun. Hatırlarsan bu sabah da karamsardın. Hatta akşama sağ çıkmayacağımızı zannediyordun. Bak, sapasağlamız ikimiz de."

Mahcup bir ifade belirdi yakışıklı yüzünde.

"İnşallah bu defa da haklı çıkarsın," dedi boyun eğerek. "İnşallah bir kez daha ben yanılırım."

Ama hatalı olmadığını biliyordu, daha fenası ben de biliyordum. Bu şartlarda hükümet olmak, akıl kârı değildi. Dört yanımız düşmanla çevriliydi. Elimizdeki topraklar büyük devletlerin iştahını kabartıyordu. Birbirinden vahşi hayvanların arasında kalan, dişleri dökülmüş, tırnakları körelmiş yaşlı bir kurda benziyorduk. Bırak, İngiltere, Rusya, Almanya gibi büyük ülkeleri, bir zamanlar tebaamız olan Bulgarlarla bile başa çıkamıyorduk. Edirne'yi düşmana teslim ediyorlar diye Kamil Paşa'yı sadrazamlıktan indirmiştik ama Osmanlı'nın ikinci payitahtı olan olan bu şehri biz de koruyamıyorduk. Cephede vaziyet çok ciddiydi. Nitekim Mahmud Şevket Paşa hükümetinin kurulmasının akabinde Enver Bey'in planladığı Edirne'yi kurtarma harekâtı tam bir hezimetle neticelenmişti. Enver Bey, koordinasyon noksanlığını işaret ederek Bolayır kolordusundan Fethi Bey ile Mustafa Kemal Bey'i itham ediyordu. Fethi Bey ve Mustafa Kemal Bey ise, yine kendi başına buyruk hareket ederek, öteki birlikleri beklemediği için hezimetteki mesuliyetin Enver Bey'e ait olduğunu iddia ediyorlardı.

Kurmaylarımız karşılıklı olarak birbirlerini suçlarken cephedeki vaziyet bir fecaate dönüşüyordu. Ne yazık ki, hepimizi derin bir utanç ve ızdıraba sürükleyen o mağlubiyet çok geçmeden hakikat olacaktı. Evet, 26 Mart'ta Edirne'yi resmen düşmana vermek zorunda kalacaktık. Evet, Selimiye Camii'nin, zarif minarelerinde dalgalanan Osmanlı bayrağı yere indirilecek, serhat şehrimizde artık ezan sesi duyulmayacaktı. Mesele sadece Osmanlıya payitahtlık da yapmış, kadim bir şehrinin kaybedilmesi değildi. Daha da vahimi vardı; Londra'da imzalanan barış anlaşmasıyla Trakya sınırımız Enez-Midye hattına kadar gerilemişti. Artık düşmanla İstanbul arasında sadece Çatalca savunma hattı kalmıştı.

Kamil Paşa hükümetini düşürmek için söylediğimiz her ne varsa, hepsini, belki daha da fazlasını biz yapmıştık. Elbette bunun ağır siyasi neticeleri de olacaktı. Çünkü eski sadrazamın destekçisi olan Hürriyet ve İtilafçılar boş durmuyor, milleti her fırsatta Mahmud Şevket Paşa hükümetine karşı kışkırtıyorlardı. Ve Bab-ı Âli baskının ardından sinen muhalif basın, korkuyu üzerinden atıp tekrar tenkitlerine başlıyordu, hem de eskisinden çok daha gür, çok daha hiddetli bir sesle.

Yine zor olanı başarmış, bütün muhalefeti, kendimize karşı birleştirmiştik. Öyle ki, çok geçmeden, Paris'teki Şerif Paşa'dan liberal Prens Sabahattin'e, sabık sadrazam Kamil Paşa'dan, Damat Salih Paşa'ya kadar ne kadar ittihatçı düşmanı varsa, hepsinin adının karıştığı kanlı bir komployla yüz yüze gelecektik. Bu pis işin başında, Çerkez Kâzım yer alıyordu. Tanırdım kendisini hem meymenetsiz hem de cibilliyetsiz bir herif. Eskiden ittihatçı olan bu zibidi, şimdi Hürrriyet ve İtilaf Fırkası'na katılmıştı. Ama hiç de küçümsenecek bir adam değildi; Halaskâran Zabitlerin arasında öne çıkmış, delilik mertebesinde cesur ve kıyıcı biriydi. Kendisi gibi Çerkez olan Nazım Paşa'nın vurulmasından sonra cemiyete derin bir nefret, dinmek bilmez bir öfke duymaya başlamıştı.

"Onlar nasıl acımasızca basıyorlarsa tetiğe, biz neden basmayalım," diyordu etrafını saran süfli topluluğa. "Biz de onların kafalarına birer kurşun sıkıp yollarız çukura. Mademki onlar bir darbeyle hükümetimizi ele geçirdiler, biz de onları bir darbeyle yollarız geldikleri yere."

Evet, aralarına soktuğumuz hafiyelerden gelen malumat bunlardı. Dahası planlanan kanlı darbenin nasıl yapılacağı, içinde kimlerin yer alacağını da öğrenmiş bulunuyorduk. Davayla İstanbul Muhafızı Cemal Bey ilgileniyordu. Gelecekte cemiyetimizin üç önemli paşasından biri haline gelecek olan Miralay Cemal Bey'i, bizzat Mahmud Şevket Paşa atamıştı bu vazifeye. Yeni sadrazamın, biz ittihatçıların içinde en güvendiği adamdı Cemal Bey. Evet, Mahmud Şevket Paşa hâlâ kuşkusunu koruyor, hâlâ itimat edemiyordu cemiyete. Oysa bu tür endişelere mahal yoktu artık, çünkü hepimizin düşmanı ortaktı.

Karşımızdaki şer çetesinin para kaynağı Paris'teki Şerif Paşa'ydı. Ama Dersaadet'te hatta sarayda da kuvvetli yandaşları vardı. Mesela Damat Salih Paşa hiç çekinmeden arka çıkıyordu bu katil sürüsüne. Prens Sabahattin'le de görüştüklerini tespit etmiştik. Ama Sabahattin akıllı davranmış, böylesi kanlı komplolara karşı olduğu için uzak durmuştu bu hergele takımından. İşin arkasında muhtemelen İngilizler vardı. Raporlarda İngiliz elçiliği tercümanı Fitz Maurice ile Binbaşı Tyirel'in adları geçiyordu. Ama işin acı tarafı, kapitülasyonlar elimizi kolumuzu bağladığı için bu iki İngiliz vatandaşını büyükelçiliğe soramıyorduk bile.

Bu şer çetesi bir dizi suikast gerçekleştirmenin peşindeydi. Başta Sadrazam Mahmud Şevket Paşa olmak üzere, Talat Bey, Cemal Bey, Azmi Bey, Emanuel Karasu gibi liderleri öldürerek bir kaos ortamı yaratacaklar, ardından da, tıpkı bizim yaptığımız gibi kendi sadrazam adaylarını Bab-ı Âli'ye çıkaracaklardı. İki sadrazam adayı vardı; ilki 23 Ocak'ta hükümetten indirdiğimiz Kamil Paşa, ikincisi ise Prens Sabahattin'di. Bir tesadüf müdür, yoksa tasarlanarak yapılmış bir seyahat midir bilinmez ama tam da o günlerde Kamil Paşa, Mısır'dan payitahta gelmişti. Haberi öğrenen İstanbul muhafızı Cemal Bey, yaverini, Kamil Paşa'nın konağına yollayarak, payitahtta bazı karanlık şahısların birtakım suikastlar düzenleyeceğini, kendileri için hayırlı olanın Mısır'a geri dönmek olduğunu bildirmişti. Fakat kurnaz paşa, Mısır'a dönmek gibi bir mecburiyeti bulunmadığını, aksine payitahtta kalacağını belirterek üzerindeki kuşkuları hakikat kılmıştı. Demek ki suikastlar yakında başlayacak, demek ki, gizli şebeke, hükümet darbesi için harekete geçecekti. Vaziyeti anlamak, olayların akışını kontrol etmek için takibat ve gözetleme faaliyetlerimizi artırmıştık.

Fuad'la ben, Kamil Paşa'nın konağının önünde tertibat almıştık. Ne kimseyi içeri sokuyor, ne de dışarı çıkartıyorduk. Resmî vazifesi, İngiliz elçiliğinde tercümanlık olarak görünen ama aslında Britanya hükümeti için casusluk yaptığı hepimizce malum olan Fitz Maurice o sabah konağa gelinceye kadar sürdürdük bu sıkı kontrolü. Elbette bir rastlantı değildi Maurice'in o sabah konağa gelişi. Kamil Paşa, İngiltere sefaretini arayarak, durumu arz etmiş, açıkça yardım istemişti. Arabasıyla konağın kapısına kadar gelen Fitz Maurice bizi karşısında görünce güya çok şaşırmış gibi yaptı.

"Günaydın Beyler, ne yapıyorsunuz burada?"

"Vazifemizi yapıyoruz," dedi Fuad sakin bir tavırla. "Konağı koruyoruz."

Kibar bir gülümseme takındı tercüman.

"İyi o zaman, izin verirseniz içeri girmek istiyorum. İngiltere Sefiri, Sir Gerard Lowther'in adına Kamil Paşa'yla konuşmaya geldim."

İngiliz'in dudaklarındaki o kibar gülümsemenin aynısını takındı bizim Fuad,

"Ne yazık ki bu mümkün değil Mister Maurice. Sizi burada görmek çok güzel. Fakat korkarım ki siz, Kamil Paşa'yı göremeyeceksiniz. Kendisi Osmanlı kanunları gereğince bir nevi gözaltındadır. Amirlerimizden aldığımız emir uyarınca, ne yazık ki içeriye hiç kimseyi sokamıyoruz. O kişiler sizin gibi sadık dostlarımız olsa bile."

Sadık dostlarımızın üzerine basa basa konuşmuştu Fuad. Maurice'in pembe yüzü bir anlığına karardı ama sadece bir an, hemen toparlandı, yine o kibar gülümsemesini takındı.

"Anlıyorum, anlıyorum, bu kadar yolu boşa geldik demek ki..." Duraksadı. "Kamil Paşa'nın sağlığı yerinde mi bari?" diye sordu."

"Gayet iyi," dedi Fuad. "Paşa Hazretleri, maşallah, sağlık ve afiyetteler..."

Daha fazla uzatmamıştı tercüman.

"Bunu duyduğuma sevindim... İyi o zaman, madem içeri almayacaksınız, ben döneyim bari... Hadi size iyi günler..."

Evet, centilmenliğine hiç halel getirmeden, nezaketini hiç bozmadan ayrıldı yanımızdan. Ama sefarete döner dönmez, ortalığı ayağa kaldırıp sefiri Mahmud Şevket Paşa'ya yollamaktan geri durmadı. Vaziyetin ciddiyetini bilmeyen Paşa, derhal Cemal Bey'i huzura çağırıp,

"Bu kadar dertle uğraşırken, bir de İngiltere meselesi mi çıkarmak istiyorsun başımıza?" diye fena halde azarladı. Babası gibi sevdiği bu adamdan haksız yere zılgıt yiyen İstanbul Muhafızı derdini ancak ertesi gün izah edebildi:

"Büyük bir komplo var Paşam. Kanlı bir ihtilal. Eğer mani olmazsak bir facia çıkacak. Başta siz olmak üzere bütün idarecileri öldürecekler. Ardından da Bab-ı Âli'ye el koyacak, Kamil Paşa'yı yeniden sadaret makamına getirecekler."

Meselenin iç yüzünü anlayan Mahmud Şevket, sonunda, İngiliz sefirinin baskılarına aldırmayarak Kamil Paşa'nın gözetim altında tutulmasına razı oldu. Fuad ile ben de ekibimizi yeniden eski sadrazamın görkemli konağının karşısındaki kiraz bahçesine kurduk. Hükümetin dirayetli olması işe yaramıştı. İngilizlerden yardım gelmeyeceğini anlayan Kamil Paşa, Sir Gerard Lowther'in özel arabasıyla limana kadar inip, geldiği vapurla yeniden Mısır'a döndü. Sefirin arabasını birlikte takip ettiğimiz Fuad, vapurun merdivenlerini tırmanan Kamil Paşayı göstererek şöyle demişti:

"İngilizlerden fayda görmediği için değil, Çerkez Kâzım şebekesinin beceriksiz olduğunu anladığı için gidiyor."

Öyleydi, Kamil Paşa onca yıllık devlet hayatında kimlere ne kadar itimat edileceğini, kimlerin ipiyle kuyuya inilmeyeceğini çok iyi öğrenmişti. Dersaadet'te kaldığı şu birkaç gün içerisinde de Çerkez Kazım'ın ne olduğunu anlamış, kendisi için en hayırlı davranışın Mısır'a sıvışmak olduğuna kani olmuştu. Fakat yaşı seksene dayanmış olmasına rağmen bir türlü iktidar hırsını gemleyemiyordu, tıpkı kadim rakibi Said Paşa gibi toprağa girmeden de vazgeçmeyecekti. Üstelik Said Paşa dokuz kez sadrazam olmuştu, bu bahtsız ihtiyar ise hepi topu dört kez.

Kamil Paşa'nın böyle hüsran içinde Mısır'a dönüşü, ardından Prens Sabahattin'in can korkusuyla Fransız sefaretine ait bir gemiye iltica etmesi bizi rahatlatmıştı. Üstelik bu menfur çetenin hepsini tespit etmiş bulunuyorduk. İlk buluştukları yer olan, Beyoğlu, Glavani Sokağı'ndaki bina sıkı gözetim altındaydı. Bu binayı kıdemli hain Şerif Paşa'nın adamı Pertev Tevfik tutmuştu. Alt katta *Müdafa-i Milli* gazetesi vardı, üst katta kendisi oturuyordu ancak binanın kiralanma amacı, cemiyete karşı düşmanca faaliyetleri organize etmek ve muhalif teşekküller oluşturmaktı. Ama o etap çoktan geçilmiş, fikri tartışmalar son bulmuş, Yüzbaşı Çerkez Kâzım reisliğinde bir nifak cemiyeti kurulmuştu. Kan dökmek için fırsat kolluyorlardı. Fakat geç kalmışlardı. Kim kiminle nerede ve nasıl görüşüyor, artık hepsi malumumuzdu. Vaziyete hakim oluşumuz, endişelerimizi azaltıyor, başta Cemal Bey olmak üzere hepimize lüzumsuz bir güven veriyordu. Tutuklamalara başlamamamızın bir başka sebebi daha vardı; bu vatan hainlerini suçüstü yakalayıp, onları en ağır cezalara çarptırmak istiyorduk.

Ne var ki, Yüzbaşı Kâzım da en az bizim kadar tecrübeliydi. O da son beş yılın siyasi fırtınalarında ayakta kalmış, devletin kirli entrikalarıyla yüzleşmişti. Bizim gibi feleğin çemberinden geçmiş, nice çetin badireler atlatmıştı. Nitekim kısa sürede fark etti kuşatıldıklarını. Ve büyük bir ustalıkla bizim hafiyeleri atlatarak Romanya'da aldı soluğu. Cemal Bey'i de, bizi de o affedilmez rahatlığa sevk eden son olay işte bu kaçış oldu. Artık tümüyle dağıldılar, artık bu teşkilat toparlanamaz yanılgısına kapıldık.

Kendilerine Bab-ı Âli baskınını örnek almışlardı, fakat ne bizim kadar teşkilatlanmışlardı ne böylesi bir davaya baş koymuş adamlarda olması gereken disipline sahiptiler. Hepsinin tek ortak noktası İttihat ve Terakki'ye duydukları büyük düşmanlıktı. Oysa, siyasi mücadelede, nefretle hareket edenler yenilmeye mahkûmdu. İşte bu sebepten dolayı, ipten kazıktan kaçanların kurduğu bu çeteyi yeteri kadar önemsemiyorduk. Bel bağladıkları büyük adamlar caydığına, elebaşıları da firar ettiğine göre artık tümüyle dağıldılar zannediyorduk. Fakat ummadığın taş, baş yarar demişler. Evet, düşmanlarımızı küçümsemenin bedelini çok ağır ödeyecektik.

"O alçağı tutuklamalıydık!"

※

Günaydın Ester, (10. Gün, Sabah)

Sabahleyin gazeteleri okuyunca donakalmıştım. Zannetti-
ğimden daha büyük bir tezgâh dönüyordu. Ne olduğunu tam
olarak anlayamamıştım ama birileri fena kumpas kuruyor-
du bana. Cezmi Kenan cinayetinden bahsediyorum. Nihayet
yazmıştı gazeteler ama ne yazış. *İkdam* gazetesinin üçüncü
sayfasında şöyle deniyordu:

"Langa'da Esrarengiz Cinayet! Emekli Binbaşı Cezmi Ke-
nan evinde ölü bulundu... Bıçaklı bir saldırı neticesinde can
veren Cezmi Kenan'ın yalnız yaşadığı tespit edildi. Evde ara-
ma yapan emniyet kuvvetleri, bahçedeki susuz kuyuda önem-
li miktarda mühimmat buldu. Çok sayıda tüfek, tabanca ve el
bombasından mürekkep bu cephanenin ne amaçla depolan-
dığı bilinmiyor. Maktulün, eski bir İttihat ve Terakki üyesi
olduğuna dikkat çeken emniyet yetkilileri, cinayetin siyasi
yönü olabileceğinden şüpheleniyor. Kurban Cezmi Kenan'ın
evinde, İttihat ve Terakki'nin eski reislerinden Kara Kemal'le
birlikte çekilmiş fotoğraflara da rastladıklarını söyleyen yet-
kililer, bu olayın İzmir Suikastı'yla bağlantısı üzerinde du-
ruyorlar. Bilindiği üzere, İzmir Suikastı zanlılarından Kara
Kemal, yakalanacağını anlayınca, geçtiğimiz temmuz ayında
saklandığı evde intihar etmişti..."

Cumhuriyet ile *Vakit* gazetelerinde de Cezmi Binbaşı'nın ölüm haberi bu minval üzerine neşredilmişti. Belli ki havadis aynı kişi tarafından kaleme alınarak sunulmuştu basına. Şaşılacak bir yan yoktu bunda. Teşkilat-ı Mahsusa zamanında biz de yapardık aynısını. Hayret verici olan, bu kadar önem atfedilen bir cinayet soruşturmasında benim gibi mimli bir adamın dikkate değer bulunmamasıydı. Gazetedeki havadislere göre hareket edilecek olursa, çoktan tutuklanmam, ağır bir sorgudan geçirilmem icap ederdi. Oysa dün gelen iki polis, zanlı bile saymamışlardı beni. Ne yapmaya çalışıyordu bu adamlar? Ne olacak, Mehmed Esad'a zaman kazandırmaya çalışıyorlardı. Hiç kuşku yok ki, Cezmi Binbaşı'yı kendileri öldürmüştü. Şu cephane haberinden sonra artık emindim bundan. Kendileri için gerçek bir tehlike olarak görmüşlerdi emekli zabiti...

Ama böyle bir adamın evi gece gündüz izlenirdi. Dolayısıyla, benim oraya gittiğimi bilmemeleri imkânsızdı. Buna rağmen serbestçe dolaşmama nasıl izin veriyorlardı? Muhtemelen, yine Mehmed Esad sayesinde. Cinayeti kendileri işledikleri için, zaten bulmaları gereken bir fail de yoktu ortalıkta. Beni kendi teşkilatlarına kazanmayı umduklarına göre, tutuklanmamın da bir manası olmazdı. O sebepten hâlâ dışarıdaydım.

Evet, bu son derece mantıklıydı ama Mehmed Esad neden Cezmi'den hiç bahsetmemişti? Dün akşam da kafamı kurcalayan bu mevzu, şimdi daha da önem kazanmıştı. Öyle ya, eğer benim Cezmi'nin cesediyle karşılaştığımı, hatta yakalanmamak için kaçtığımı biliyorsa, Mehmed neden susuyordu? Beni sınamak için... Evet, bu sorunun akla yakın tek cevabı buydu. Kâfi derecede itimat etmiyorlardı bana. Kendisinin de söylediği gibi onun teşkilatında ittihatçılığı sürdürdüğümü zanneden kişiler vardı. Cezmi Binbaşı'nın öldürülmesi olayını beni sınamak için kullanıyorlardı. Bana nereye kadar itimat edebileceklerini anlamak için. O halde, buluştuğumuzda Mehmed'e anlatmalıydım olan biteni. Ya tahminlerim hatalıysa, ya hakikaten de haberi yoksa Mehmed'in bu cinayetten? Devletin içindeki farklı bir birim infaz ettiyse bizim Binbaşı'yı? Hatta, olay hakikaten de adi bir hırsızlıksa, cinayet için eve gelen polis rastlantı sonucu cephaneliği bulduysa... O zaman boş yere kendimi ifşa etmiş olmayacak mıydım? Asıl o zaman bir itimat buhranı ortaya çıkmayacak mıydı?

Sahiden de karışık bir meseleydi. "Açık olmak lazım," derdi Basri Bey. "Bazen ketum davranmak, masum insanları dahi ipe götürebilir." Şu anki halim tam da buydu. Ne suç işlemiştim ne hatalı bir davranışta bulunmuştum. Sadece eski arkadaşımı görmek için evine gitmiştim. Ama şimdi, meşum bir cinayet vakasının zanlısı haline gelmem işten bile değildi. Hayır, bu beladan kurtulmalıydım, olanı biteni Mehmed Esad'la paylaşmalı, bu cinayetle hiçbir alakam olmadığını söylemeliydim. Hem belki hakikati de anlamış olurdum böylece. Mehmed'in bu olaydan haberi yoksa bile araştırabilir, cinayetin gerçek sebebini öğrenebilirdi. Evet yapılması gereken buydu; artık bu muammayla zihnimi meşgul etmemeli, yazıma dönmeli, Tokatlıyan Otel'e gitmeden önce, Mahmud Şevket Paşa Suikastı'nı anlatmalıydım sana.

Dün akşam, düşmanlarımızı küçümsemenin bedelini çok ağır ödeyeceğiz diye bitirmiştim yazdıklarımı. Kelimenin tam manasıyla öyle olacaktı ama hiçbirimiz farkında değildik. Saldırı haberi geldiğinde Pembe Konak'taki küçük salonda oturuyorduk, İttihat ve Terakki'nin Merkez-i Umumisi'nde... Bab-ı Âli baskınından sonra kurulması elzem olan bir teşkilat hakkında konuşuyordu Talat Bey. Hayır, cemiyetin yerini alacak bir teşekkül değil, vatan toprağının olduğu her yerde, hatta ecnebi ülkelerde de faaliyet gösterecek bir teşkilat üzerine sohbet ediyorduk. Vatanın hem kılıcı hem kalkanı olacak bir teşkilattan. Son beş yıldır bizim gibi hem asker hem sivil fedailerin Trablusgarp'ta ve Balkanlarda harp ederek meydana getirdiğimiz ama bir türlü adı zikredilmeyen teşkilattan.

"Şu kısacık tarihi bile şanla, kahramanlıklarla dolu bu teşekkülü artık kanuni hale getirmek lazım," diyordu Talat Bey. "Zira artık çok daha mühim vazifeleri sırtlamak, çok daha büyük tehlikeleri göğüslemek zorundasınız."

İşte tam bu konuşmayı yaparken geldi suikast haberi.

"Mahmud Şevket Paşa... Mahmud Şevket Paşa'yı vurdular."

Destursuzca açtığı kapının aralığından çarpılmış bir suratla bakan Cevdet Hulusi heyecanla tekrarladı:

"Mahmud Şevket Paşa'yı vurdular... Beyazıt'ta, herkesin gözü önünde vurdular paşayı."

Duyduğum anda, şaşkınlıktan çok bir pişmanlık, derin bir suçluluk duygusu yükselmişti içimde. Bunun olacağını nasıl tahmin edememiştik? Fuad'la göz göze geldik. Aynı hisler içindeydi, üzüntüyle başını sallıyordu. Evet, küçümsediğimiz o şer şebekesinin reisi Çerkez Kâzım hepimizi atlatmıştı. İlk toparlanan Kara Kemal oldu.

"Öldü mü?" diye sordu ayağa kalkarak. "Şevket Paşa öldü mü?"

"Bilmiyorum," diye yutkundu Cevdet Hulusi. "Araba delik deşik olmuştu. Paşa koltuğa düşmüş, öylece kıpırtısız yatıyordu. Her yerde kan vardı, çok kan, arabanın içi kıpkırmızıydı. Yaver İbrahim Bey... Evet, o da vurulmuştu, paşayla birlikte üst üste yığılmışlardı..."

"Peki, başka kimse yok muymuş yanında?" diye isyan etti Talat Bey. "Koca sadrazam bir tek yaverle mi çıkıyormuş sokağa."

Sanki olanların müsebbibi kendisiymiş gibi boynunu büktü Cevdet Hulusi.

"Başyaver Eşref de oradaymış. Koruması, şoförü filan da varmış galiba... Ben aklımı toparlayamıyorum ki... Tek değilmiş, artık kaç kişilerse işte. Zaten tesadüf sonucu gördüm vukuatı. Kapalı Çarşı'daydım, silah seslerini duyunca çıktım caddeye. O kadar çok mermi yakıldı ki... Neyse işte, arabanın yanına gittiğimde katiller çoktan kaçmıştı. Zavallı Eşref Bey elinde tabancası çaresizce dolanıyordu ortalıkta. Yapacak bir şey kalmadığını anlayınca, Harbiye Nezaretine çektirdi arabayı. Asıl havadis Harbiye Nezaretinde..."

Olayın aslını öğrenmekten çok paşanın yanında olmak için son bir umutla Beyazıt'a koşturduk. Ama Harbiye Nezaretinin tarihî binasına ulaştığımızda kötü haberi alacaktık. Son beş yılın belki de en kudretli adamı olan Mahmud Şevket Paşa ölmüştü. Derin bir üzüntüyle, açıklamıştı Cemal Bey:

"Maalesef Paşa'yı kaybettik."

Çok değil daha dört ay önce Bab-ı Âli'nin merdivenlerini tırmanan o gururlu asker artık yoktu. Harbiye Nezaretindeki dairesinde bir yatağa uzatmışlardı onu. Yüzü kireç gibi beyazlaşmış, sakalları adeta dikleşmişti. İnce uzun bedenindeki, yara yerleri hâlâ kanıyordu. Vücuduna saplanan beş kurşundan bahsediyordu Doktor Lambeki. Bunlardan en beteri sağ kulağın üzerinden girip sol kulağından çıkan kurşunun sebep olduğu yaraydı. Suikast sırasında otomobilde bulunan Yüzbaşı Eşref,

"İlk yara buydu," diye söylendi nemli gözlerini Paşa'dan ayırmadan. "Adamlar çok ustaydı, çok sakinlerdi. Şansları da yaver gitti. O cenaze töreni olmasaydı, otomobil yavaşlamayacaktı."

Kafası karışan Kara Kemal sormadan edemedi.

"Nasıl yani, paşayı vurmak için sahte bir cenaze töreni mi düzenlemişler?"

"Yok Kemal Bey," diye düzeltti Eşref. "Cenaze töreni gerçekti. Katillerin şansı işte, tabutla birlikte yürüyen kalabalık önümüze çıkınca durmak zorunda kaldık. Nerden bilelim adamların orada pusu kurduğunu. Meğerse paşanın yolunu gözlerlermiş. Demek ki daha önceden tatbikat yapmışlar. Mahmud Şevket Paşa'nın nezaretten her gün saat on birde ayrıldığını Bab-ı Âli'ye gittiğini öğrenmişler, otomobilinin kullandığı güzergahı ezber etmişler... Belki bir iki gün önce de suikasta teşebbüs etmiş ama muvaffak olamamışlardı... Bizim de boş yanımıza geldi, fark edemedik pusuyu işte."

Kopuk, kopuk anlattığı için tam olarak anlayamıyorduk. Talat Bey birkaç adım öne çıkarak, Eşref Bey'in koluna girdi.

"Gelin, buradan çıkalım."

Biz de onları takip ettik. Yandaki çalışma odasına geçince Talat Bey, masanın önündeki boş iskemlelerden birini gösterdi.

"Oturun Eşref Bey..." Bakışlarını bize çevirdi. "Buyurun arkadaşlar sizler de şöyle geçin." Herkes boş bulduğu yerlere otururken, kendisi de masanın arkasına, bir zamanlar Mahmud Şevket Paşa'ya ait olan iskemleye yerleşti. Sadece Cemal Bey ayakta kalmıştı. Sanki payitaht böyle bir tehlike altındayken, iskemleye rahatça yayılmayı kendine yediremiyor gibiydi. Neden oturmuyorsun dercesine bir bakış attı Büyük Efendi, sağ elini usulca kaldırarak "Ben böyle iyiyim," dedi İstanbul Muhafızı. Üstelemedi Talat Bey, bakışlarını yüzbaşıya dikti yeniden.

"Eşref Bey, biliyorum, korkunç bir olay yaşadınız. Biliyorum Mahmud Şevket Paşa'yı da çok severdiniz. Ama siz bir askersiniz, lütfen metin olunuz. Lütfen hislerinizi bir yana koyup, o otomobilde neler olduğunu bize anlatınız."

Sakin ama kendinden emin bir sesle konuşuyordu.

"Emredersiniz efendim," diyerek toparlandı yüzbaşı ama hemen söze başlayamadı. "Şöyle oldu efendim. İşte... İşte biz... Biz otomobildeydik işte. Her zamanki kadro, Paşa'yla birlikte altı kişi... Beyazıt Meydanı'ndan yeni çıkmıştık... İşte o vakit bir cenaze alayı beliriverdi önümüzde. Durduk haliyle, etrafta da ne anormal bir vaziyet vardı ne de şüpheli bir şahıs. Cenaze alayı geçerken ardı ardına iki el silah atıldı kulağımızın dibinde. Daha ne oluyor demeye kalmadan, Paşa kucağıma yıkılıverdi. Başımı otomobilin arkasına çevirince elinde silahla at hırsızı suratlı bir herif gördüm. Silahımı çekip otomobilden dışarı fırladım. Keşke fırlamasaymışım, keşke Paşa'nın yanında kalsaymışım..." Yüzbaşının gözleri dolmuştu, neredeyse hüngür hüngür ağlayacaktı.

"Lütfen, lütfen yüzbaşım," diye sert bir sesle ikaz etti Talat Bey. "Yas tutmak için çok vaktimiz olacak, şimdi aklıselim olmak lazım. Evet, neden 'keşke Paşa'nın yanında kalsaymışım' dediniz?"

"Çünkü efendim, ben katilin peşinden koştururken, meğer bu cinayet şebekesinin öteki canileri fırsat kollarlarmış. Evet, ilk atışı yapan katil olay yerinde yalnız değilmiş. Benim uzaklaştığımı görür görmez, başka bir cani yaklaşmış otomobile. Silahını çektiği gibi, hâlâ olayın şaşkınlığını üzerinden atamayan Yaver İbrahim Bey'i vurmuş, sonra da kalan kurşunları Paşa'nın üzerine boşaltmış. Vahşet bununla da kalmamış bu kanlı çetenin öteki üyeleri de silahlarını çekip arabayı taramışlar. Yirminin üzerinde kurşun isabet etmiş otomobile... Ben ilk kurşun atan katili yakalayamayıp geri döndüğümde, ne yazık ki hepsi kaçmıştı. Hemen otomobilin içine daldım. Baktım, Mahmud Şevket Paşa hâlâ soluk alıyor, sevindim, belki kurtarırız umuduyla otomobili derhal buraya getirttim fakat gördüğünüz gibi..."

Artık kendini tutamayan yüzbaşı gözyaşlarına boğulmuştu.

"Çerkez Kazım," diye mırıldandı Cemal Bey. "O alçağı tutuklamalıydık. Belki de hiç tutuklamadan kafasına bir kurşun sıkmalıydık."

Suikast haberini aldığım ilk andan beri kafamda dolanan soruyu dile getirdim.

"İyi de Cemal Bey, o namert herif Romanya'da değil miydi?

Çaresizlik içinde ellerini yana açtı.

"Biz de öyle biliyorduk, demek ki dönmüş... Ama canına kıydığı o mübarek adamın hatırası önünde Allah'a yemin ederim ki, döndüğüne döneceğine bin pişman edeceğim onu."

"Devlet, öfke duymaz Cemal Bey," dedi Büyük Efendi oturduğu yerden kalkarak. "Ama icap eden her neyse yapılacak tabii. Fakat hepsinden önemlisi, derhal yeni bir sadrazam bulmamız lüzum eder. Böylesi nazik bir dönemde, Bab-ı Âli başsız kalmamalı."

Sanki sözleri bitmiş gibi kapıya yöneldi, fakat birkaç adım attıktan sonra durdu, döndü, Cemal Bey'e baktı.

"İstanbul Muhafızı olarak siz, benden daha iyi bilirsiniz ama Paşa'nın vurulması eğer bir komplonun başlama işaretiyse, başka cinayetler de olacaktır. Katilleri bulmak kadar, liderleri korumak da önemli. Cemiyette ve hükümette mühim şahısların korumalarını artırmak yerinde bir davranış olur."

Hiç yadırgamadı Cemal Bey bu yüksek perdeden konuşmayı.

"Hiç merak etmeyin, gerekli emniyetin alınması için derhal harekete geçeceğiz. Katiller, muratlarına hiçbir zaman erişemeyecekler."

Çerkez Kazım'ın çetesiyle mücadele eden herkes gibi Cemal Bey de olaydan kendini sorumlu tutuyordu. Mahmud Şevket Paşa'nın katillerini bulup cezalandırmak sadece bir devlet vazifesi değil, aynı zamanda vicdanımızı rahatlatmanın da tek yoluydu.

O dakikadan itibaren payitahtta bir katil avı başlatıldı. Askerde, poliste, tüm kolluk kuvvetlerinde izinler kaldırıldı. Dersaadet, sokak sokak, bina bina, ev ev aranmaya başlandı. Sadece Çerkez Kazım'la bağlantılı şahıslar değil, şüphelendiğimiz her kim varsa gözaltına alındı, sert bir sorgulamaya tabii tutularak karşımızdaki şebekenin bütün hücrelerine ulaşılmaya çalışıldı. İlk güzel haber öğleden sonra geldi. Katillerden Topal Tevfik namıyla maruf tetikçi, -ki bu şahıs Paşa'nın yaralı bedenine ikinci kez ateş eden ve Yaver İbrahim Bey'i vuran caninin ta kendisiydi- Beyazıt civarında bir handa ele geçirilmişti.

Herhangi bir siyasi şuura sahip olmayan bu serseri, bizzat benim de katıldığım sorgunun başlangıcında, daha Fuad'ın ilk tokatını yer yemez, başladı bülbül gibi şakımaya. Verdiği malumatın hepsi gerçekti. Çete mensuplarını tek tek yakalamaya başladık. Her birinin bıyığına bir yiğit asılacak kadar heybetli olan bu serdengeçtiler, sopayı görünce aşağılık bir sokak köpeği gibi yalvarmaya koyuldular karşımızda.

Biz, bu kanlı komploya katılanları tek tek derdest ederken, cemiyet de Mahmud Şevket Paşa'ya, şanına yaraşır bir cenaze töreni hazırladı. Mahşeri bir kalabalık vardı ertesi günkü yürüyüşte. Milletin bir askere bu kadar çok üzüldüğünü ilk kez o törende görmüştüm. Belki de Mahmud Şevket Paşa'nın, meşrutiyetçi olmasına rağmen her zaman ittihatçılarla arasına mesafe koymasından ileri geliyordu bu sevgi.

Bütün milleti birleştiren o mahşeri kalabalığı görüp, ahalinin hislerine şahit olduktan sonra katilleri bulma azmimiz daha da kuvvetlendi. Gece gündüz uyumadan, her bir delili, her bir ipucunu sonuna kadar takip ediyorduk. Nitekim bu cansiperane çalışma, çok geçmeden neticelerini vermeye başladı.

Yakaladığımız zanlılardan Hakkı adındaki biri, bu ihanet şebekesinin ikamet ettiği, Pire Mehmed Sokağı'ndaki eve kadar götürdü bizi. Beyoğlu'ndaki bu evi derhal gözetim altına aldık, fakat kiralayan şahıs İngiliz tebaasından olduğu için baskın yapamıyorduk. Meseleyle ilgili İngilizlerle resmî irtibat kurulmasına, vaziyetin ciddiyeti anlatılmasına rağmen sefaret işi yokuşa sürüyor, bir türlü gereken müsaadeyi vermiyordu. Kendi öz vatanımızda, kendi sadrazamımıza kurşun sıkan katillerle mücadele etmek için bile yabancıların rızasına muhtaç olmanın ezikliğini daha o zaman hissetmiştim içimde. Aynı asabiyet içinde olan Cemal Bey, bu rezilliğe daha fazla katlanamayıp, "Yeter artık, ne olacaksa olsun," diyerek baskın emrini verdi.

Pire Mehmed Sokağı'nda tertibatımızı alarak, malum evin kapısını kırıp içeriye daldık. Asker, polis ve sivillerden oluşan son derece tecrübeli bir ekiptik. Ama kapıdan adımımızı atar atmaz evin her köşesinden üzerimize kurşun yağmaya başladı. Fuad'la ben girişteki büyük dolabın arkasına atarak kurtardık kendimizi, fakat bizden bir adım önde bulunan Yüzbaşı Hilmi Bey ne yazık ki karnından vuruldu. Elbette biz de silahla karşılık verdik fakat onlar daha iyi mevzilenmişlerdi. Saatlerce süren çatışmanın neticesinde polis müdürlerinden Samuel Bey ile Levi Bey de yaralandı.

Çerkez Kâzım ve aveneleri kararlıydı, gerekirse ölecek ama teslim olmayacaklardı. Mevzilendiğimiz mobilyaların, duvarların arkasına sinmiş, elimiz tetikte öylece kalmıştık. Ne bir adım ilerleyebiliyor ne de başımızı çıkartabiliyorduk. Arada bir tetiğe basıyor ama Allah biliyor ya, nereye ateş ettiğimizi görmüyorduk.

Etrafları sarılmıştı, kurtulmaları mümkün değildi ama hepsi cesur, hepsi de iyi silahşor olan bu adamları ele geçirmek hiç de kolay değildi. Olan biteni yakından takip eden Cemal Bey'in aklına başka bir fikir gelmişti. Çerkez Kazım'ın eski silah arkadaşları olan Kuşçubaşı Eşref, Mümtaz, Yakup Cemil ve Hacı Sami'yi eve getirmek. Bu eski kulağı kesikler gelince, biz de yerimizi Yakup Cemil ile Hacı Sami'ye bıraktık. Ama Yakup Cemil'in içeridekilere kendini tanıtıp,

"Tabancalarınızı bırakın bu işi tatlılıkla halledelim," diye bağırınca, Çerkez Kâzım ve adamları yine asılmışlardı tetiklere.

Zıvanadan çıkan Yakup Cemil de,

"Ulan gavatlar, niye ateş ediyorsunuz?" diyerek silahla karşılık vermişti çeteye. Ama nafile, onlarca fişek boşa yakılmış, mahalleyi saran keskin barut kokusundan başka bir netice elde edilememişti. Çerkez Kâzım ve avanelerinin, Yakup Cemil'le dalaşmalarını fırsat bilen Kuşçubaşı Eşref ile Mümtaz çatıya tırmanmışlardı. Biz de onlara yardıma gelmiştik. İtfaiyenin marifetiyle açılan bir delikten seslenen Mümtaz, evdekilere kendini tanıtınca,

"Mümtaz sen misin?" diye karşılık verdi Çerkez Kazım. "Ne işin var burada? Ne istiyorsun?"

Umutlanan Mümtaz tatlı bir sesle sürdürdü konuşmayı:

"Kötü bir niyetim yok. Kan dökülmesin istiyoruz. Yanımda Eşref de var. Kuşçubaşı Eşref. Buradan kurtulmanız mümkün değil. Gelin teslim olun..."

Kısa bir sükûnetin ardından yeniden sesi duyuldu Kazım'ın:

"Silahlarımızı bırakınca bize eziyet ederler. Binbir türlü hakaretle, bizi el âleme kepaze ederler."

"Öyle bir şey olmayacak Kazım," diyerek Kuşçubaşı Eşref de katıldı bu gergin sohbete. "Kimse size hakaret etmeyecek. Sana namusum ve şerefim üzerine söz veriyorum, silahlarınızı bırakırsanız, kimse kılınıza dokunmayacak. Adil olarak yargılanacaksınız."

Bu kez sessizlik uzun sürdü.

"Tamam," diyen Kazım'ın gür haykırışı duyuldu sonra. "Tamam, sizin sözünüze itimat edip teslim oluyoruz."

Nitekim biraz sonra da silahlarını bırakıp teker teker çıktılar Pire Mehmed Sokağı'ndaki o meşum evin kapısından.

Böylece çetenin bütün tetikçilerini ele geçirmiştik. Elbette Kuşçubaşı Eşref'in sözüne halel getirmedik, Mahmud Şevket Paşa'nın katillerini aşağılamadan, tahkir etmeden teslim ettik adliyeye. Ama olayda kimin parmağı varsa hepsinden de hesap sormaktan çekinmedik. Ancak bu komploya adı karışan iki kişi vardı ki, onlarla uğraşmak hakikaten cesaret istiyordu. Biri, Abdülmecit'in öz torunu Damat Mahmud Celalettin Paşa'nın oğlu Prens Sabahattin'di. Gerçi bu vakada, Çerkez Kazım'dan uzak durmuştu ama fırsatını bulsa hepimizi bir kaşık suda boğardı. İkinci şahıs ise Sultan Abdülmecid'in torunu Münire Sultan ile evli olan Damat Salih Paşa'ydı ki, bu şer çetesine para yardımı yaptığı hepimizce malumdu. Fakat arkalarına sarayı almış bu iki şahıstan hesap sormak, öyle kolay iş değildi. Lakin, İttihat ve Terakki de artık rüştünü ispat etmek istiyor, herkese şu mesajı vermek istiyordu: "Bu ülkede iktidar artık cemiyettir, bize karşı isyan eden, komplo hazırlayan, tuzak kuran, cinayet işleyen kim olursa olsun en ağır cezaya çarptırılacaktır."

İşte bu sebepten kararlı davranıldı. Divan-ı Harp, aralarında Damat Salih Paşa ve Çerkez Kazım'ında bulunduğu 12 sanığı ölüme mahkûm ederken, aralarında Prens Sabahattin'in de bulunduğu firari 11 şahsı da gıyaben idam cezasına çarptırdı. Fransız hükümetinin, sarayın, hatta bizzat Sultan Reşad'ın muhalefetine rağmen ibreti âlem için bu 12 kişi, Mahmud Şevket Paşa'nın öldürüldüğü Beyazıt Meydanı'na kurulan darağaçlarında idam edildi.

"Biliyorum, biz hayatla nişanlıysak, ölümle nikâhlıyız."

※

Merhaba Ester, (10. Gün, İkindi)

Cadde-i Kebir'in üzerindeydi Tokatlıyan Otel'i. Pera Palas'tan birkaç yıl sonra açılmıştı ama en az onun kadar meşhurdu. Mekteb-i Sultani'de tahsil gördüğüm seneler, ne kadar sık geçerdik önünden. Şık beyefendiler, güzel hanımlar, bambaşka bir dünyanın mevcudiyetini duyurmak istercesine zarifçe çıkarlardı kapısından. İstisnasız bütün talebeler bir gün bu otelde kalmayı hayal ederdik. Öteki arkadaşlarımı bilmem ama benim bu hayalim hakikat oldu. Teşkilat-ı Mahsusa'da çalışırken daha sık uğramaya başlamıştım oraya. Eğlenmek için değil tabii, casus avlamak için. Tokatlıyan, Pera Palas ya da Büyük Londra Oteli... Vatan toprağında oluşturulacak ihanet şebekelerinin yabancı şefleri buralarda olurdu çünkü. Ama ne zamandır gelmiyordum bu güzel otele. Geniş salona girip, yerdeki devasa Afgan halısının üzerinden yürüyerek resepsiyona yöneldim. Doğrudan Ali Yunus Bey'i sordum. Sağ olsun Reşit bütün teferruatı halletmişti. Birkaç dakika sonra, otel müdürünün odasında kadife bir koltuğa gömülmüş, müşteri kayıtlarının gelmesini bekliyordum.

"Selanik'ten çok misafir geldi otelimize," diye anlatıyordu Ali Yunus. "Bilhassa Yahudiler... Varlıklı olanlar tabii. Birkaç gün kalanlar da oldu, aylarca ayrılmayanlar da. Bir kısmı

369

İzmir'e gitti, bir kısmı İstanbul'a yerleşti. O bakımdan Leon Bey de bizde kalmış olabilir. Tabii adres bırakıp bırakmadığını bilemiyorum."

Kahvelerden önce geldi kayıt defteri. Büyükçe defteri masanın üzerine yayan Ali Yunus gözlüklerinin üzerinden bana baktı.

"Mösyö Leon'un soyadı neydi?"

"Azuz," dedim ben de ayağa kalkıp, defterin üzerine eğilirken. "Leon Azuz... İki ay kadar önce görmüşler burada..." Biraz tereddüt ettikten sonra, "Yeğeninin ismine de bakabiliriz. Birlikte gelmiş olmaları kuvvetle muhtemel. Ester adında bir hanım, Ester Romano... Belki siz de hatırlarsınız. Kızıl saçlı, iri kara gözlü, çok hoş bir hanım..."

Ali Yunus'un, anlaşıldı senin derdin başka, der gibi manidar bir ifadeyle baktığını görünce açıklamalarımda fazla ileri gittiğimi fark ettim.

"Yani Selanik'te birlikte yaşıyorlardı, İstanbul'a da birlikte gelmiş olabilirler."

Bakışlarını kaçırarak, gülümsedi otel müdürü.

"Hiç merak etmeyin Şehsuvar Bey, Ester Hanım'ı da buluruz..."

Fakat böyle söylemesine rağmen, ne Leon Dayı'nın ne de senin ismini bulamıyorduk. Dünyanın her yerinden insanlar gelmişti otele. Gazeteciler, iş adamları, bilim adamları, askerler, sanatçılar... Farklı kıtalardan, farklı uluslardan insanlar fakat ne senin adın yazılıydı o kahrolası defterde ne de Leon Dayı'nın... Atladık mı diye birkaç kez üstünden geçtik. Hayır, isminiz yoktu. Mehmed Esad yalan mı söylemişti bana? İyi de bunu niye yapsın? Beni kandırmanın ne yararı vardı ona? Sanki aklımdan geçeni anlamış gibi,

"Belki de Mösyö Leon sadece akşam yemeği için gelmiştir," dedi Ali Yunus. "Yahut bir balo ya da toplantı vardır, ona katılmıştır. Yani otelde görülmüş olması bizde kaldığı anlamına gelmeyebilir."

Doğru söylüyordu, kim bilir ne maksatla gelmişti Leon Dayı buraya? Doğru söylüyordu ama şimdi nasıl bulacaktım seni? Leon Dayı'ya nereden ulaşacaktım? Otel müdürüne teşekkür edip çıktım Tokatlıyan'dan. İkindi güneşi olduğu gibi tutmuştu Cadde-i Kebir'i. Sıcaktı, İstanbul'un şu insanı boğan nemli sıcak günlerinden biriydi. O kadar umut doluydum ki, bu boğucu sıcağa aldırış etmemiştim bile. Ama şimdi, bütün hayallerim yıkılmış olarak Pera Palas'a dönerken, olanca boğuculuğuyla çökmüştü sıcak üzerime. Sahi ne olacaktı şimdi? O hayalini kurduğum rüya sona mı ermişti? Çolak Cafer... Asıl adamım bu Selanikli eski ittihatçıydı. Üstelik o, Leon Dayı'yı değil, seni gördüğünü söylemişti Cezmi'ye... Evet, benim bulmam gereken kişi oydu. Ama Cezmi ölmüştü, nasıl bulacaktım Cafer'i? Avrupa Pasajı'nın önünden geçerken dank etti kafama. Mehmed Esad... Evet, ondan rica edecektim. Ama önce teklifini kabul ettiğimi söylemem gerekecekti. Başka çarem de yoktu zaten. Dışarıda kalmam için onlarla birlikte çalışmak mecburiyetindeydim. Belli ki başka türlü hayat hakkı tanımayacaklardı bana. Evet, Çolak Cafer, ne yapıp edip onu bulmalıydım, yoksa nasıl ulaşırdım sana?

Odama çıktığımda ter içinde kalmıştım. Kendimi banyoya attım, dakikalarca kaldım suyun altında. Çıkınca soğuk bir limonata ısmarladım. Balkonun gölgesine oturup tadını çıkara çıkara içtim serinletici sıvıyı. Daha Mehmed Esad'la buluşmamıza saatler vardı. İçeri girdim, yazı masamın başına oturdum... Bundan 13 yıl öncesine, siyasi karışıklıklar içerisindeki İstanbul'a geri döndüm.

Mahmud Şevket Paşa suikastı çok mühim tecrübeler kazandırmıştı bize. Evet, bazen bir felaket, müspet bir olaydan daha fazla yarar sağlıyordu. Son dört yıldır yaşadıklarımız bunun en iyi misaliydi. Ne zaman bir silahlı isyan, bir suikast, bir komplo olsa cemiyet bu durumdan hep güçlenerek çıkıyordu. 31 Mart Vakası'nda böyle olmuştu, Mahmud Şevket Paşa Suikastı'nda da böyle olacaktı. Cemal Bey'in sindirme harekâtı meyvelerini kısa sürede verecek, sadece bu kanlı komploya katılanlar değil, cemiyete muhalif kim varsa herkes korkuyla bir yerlere kaçacak, kapağı dışarıya atamayanlar ise ortalıkta fazla görünmemeye, seslerini çıkarmamaya gayret edeceklerdi. Üstelik Mahmud Şevket Paşa'nın katli muhalefeti bastırmaktan çok daha büyük bir fırsat sunacaktı bize; 1908 yılından beri özlediğimiz tek başına iktidar hayalimiz nihayet gerçekleşecekti. Evet, meşrutiyetin ilanından bu yana geçen beş yılın sonunda artık hakiki manada bir İttihat ve Terakki hükümeti gelmişti işbaşına. Sait Halim Paşa sadrazam olmuş ama çok daha mühimi, Talat Bey artık resmen dahiliye nazırı görevini üstlenmişti.

Hepimizde, herkeste bir iyimserlik, adeta bir bayram havası vardı. Sadece Fuad düşünceliydi aramızda. Hayır, asla kaytarmıyor, en tehlikeli işlerde bile geri durmuyor, üzerine aldığı vazifeyi büyük bir sebatla yerine getirmeye çalışıyordu ama bir türlü kurtulamıyordu dalgınlığından. Keyifsizdi, çoğunlukla kederli. Sanki bir tür melankoliye düşmüş gibiydi. Cesaretini bilmesem, son günlerde yaşadıklarımızdan sonra ölüm korkusuna kapıldı diyecektim ama tanıdığım en yiğit zabitlerden biriydi. Bir gönül işi olmalıydı. O kadar uğraşmasına rağmen bir türlü Dersaadet'e getirtemediği nişanlısı Mahinur ve ailesi için endişeleniyor diye düşündüm.

Uzaktan akrabasıymış Mahinur çocukluk aşkı, hayatta evlenmek isteyeceği tek insanmış. Normalde bu meseleleri asla konuşmazdı Fuad. Hususi hayatını tıpkı cemiyetin bir sırrı gibi saklardı. Fakat Basri Bey'in ölümünün ardından Trablusgarp'ta ikimizi de saran o hüzünlü ruh hali içinde, o insanı birbirine yakınlaştıran o harp psikolojisinde dayanamamış, anlatmıştı sevda hikâyesini. Akşam yemeğinden sonraydı, bir tepenin üzerine uzanmış, sigaralarımızı tüttürerek yıldızlara bakıyorduk. Çadırlardan birinden yanık bir Selanik türküsü yükseliyordu.

"Bir fırtına tuttu bizi, deryaya kardı.

O bizim kavuşmalarımız a yârim, mahşere kaldı..."

Derinden bir iç geçirerek şöyle dedi Fuad:

"Ah be Şehsuvar, ah! Bak söylüyorum işte. Eğer, Allah izin verir de sağ salim dönersem vatana, hemen yapacağım düğünü. And olsun ki yapacağım. Aslında şimdiye kadar yapmadığım kabahat. Evet, döner dönmez, Dersaadet'e getireceğim Mahinur'u. Zaten hep merak ederdi payitahtı. Garibim, çakır gözlerini merakla yüzüme diker,

'Sahi Fuad,' derdi. 'Selanik'ten daha mı güzel şu İstanbul? Denizi daha mı mavi? Sokakları daha mı ışıklı? Tiyatroları daha mı büyük? Bir gün İstanbul'da piyes seyredebilecek miyim?'

'Evet,' derdim, 'Selanik'ten daha güzel, denizi daha mavi, sokakları daha ışıklı. Tiyatroları daha büyük. Evet, elbette bir gün Ferah Tiyatrosu'nda Moliere'in *Tartüf*'ünü seyredeceğiz birlikte.'

Hemen kıskanç bir ifade belirirdi yüzünde.

'Ya kızları?' derdi. 'Kızları da güzel mi? Pek bir fettan diyorlar, pek bir cazibeliymişler..."

'Evet,' derdim. 'Pek bir fettanlar, pek bir cazibeli, pek de şık giyinirler ama hiçbiri senin kadar güzel değil. Hiçbiri senin eline su dökemez Mahicim...'

Utanırdı, çilli yanakları kıpkırmızı olurdu.

'Yalancı,' derdi. 'Yalancı. Yüzüme böyle konuşuyorsun ama Pera'ya adım atınca hemen unutuyorsundur beni.'

Ne bilsin zavallım, bir kere bile harama uçkur çözmediğimi. Dersaadet deyince *Sodom ve Gomore* gibi bir günah şehri geliyor aklına... Fakat getireceğim onu payitahta kendi gözleriyle görsün her şeyi... Biliyorum, güç şartlarda vazife yapıyoruz, biliyorum, biliyorum, biz hayatla nişanlıysak, ölümle nikahlıyız. Ama kim tehlike altında değil ki? Evleneceğim Mahinur'la..."

Nişanlısını yanına alamamıştı, geç kalmıştı, hem de çok geç. O, Mahinur'u Dersaadet'e almadan, Selanik'i almışlardı elimizden. Ve hepimiz gibi Fuad da gözleri öfke dolu ama hiçbir şey yapamadan öylece kalakalmıştı. İlk haftalarda Selanik'i yeniden alarak sevdiklerimize kavuşmak hayalleri kurarken, Balkan Harbi'nde uğradığımız mağlubiyetler, Bulgarların neredeyse payitahtın kapısına dayanmaları umutlarımızı söndürmüş, doğduğumuz şehirde kalan sevdiklerimize kavuşmak için devletler arasında karşılıklı bir mübadeleyi bekler olmuştuk. Tek çare Balkanlar'da süren çatışmanın bir an önce nihayetlenmesi, kalıcı bir barış anlaşmasının yapılmasıydı. Evet, sadece Fuad değil, ben de aynı beklenti içindeydim. Çünkü Selanik'ten ayrıldığımdan beri senden haber alamamıştım. Belki de Paris'ten dönmüştün, belki de hâlâ doğduğumuz şehirdeydin... Nasıl da kötü ayrılmıştık o son görüştüğümüzde... Belki yeniden karşılaşsak, bu kötü hatırayı telafi eder... Belki tekrar... Biliyorum artık boşuna bu temenniler. Biliyorum umut yok bizim için...

Neyse, Fuad'ın kederinden bahsediyordum. Faydası olur diye, bir akşam arkadaşımı Cadde-i Kebir'e davet ettim. Cité de Péra'daki hep gittiğim Yorgo'nun şu meşhur meyhanesine. Kadir kıymet bilir garsonumuz Hristo yine dört dönüyordu etrafımızda. Mezeler, yemekler, izzetüikram... İlk kadehleri parlattıktan sonra,

"Bir haber var mı Selanik'ten?" diye girizgâh yaptım. "Gelen giden, elden ulaşan bir mektup, bir selam..."

Aklında olmayan bir meseleden bahsedermişim gibi şaşkınlıkla açıldı gözleri...

"Ne? Ne dedin?" Ama çabuk toparlandı. "Ha... Selanik.Yok be Şehsuvar. İki ay önce haber almıştım en son. Mahinurların teyze oğlu Müfit'le karşılaşmıştım Üsküdar'da. O da altı ay önce gelmiş. O zaman iyilermiş, fırsat kolluyorlarmış kaçmak için. Fakat harp sürerken yola çıkmaya da cesaret edemiyorlarmış. Naki Dayı yaşlandı artık, iki kız evlatla nasıl düşsün yola? Yunan, Bulgar her yanda ordular, hadi onlar bulaşmadılar, ya dağlardaki eşkıyalar, asker kaçakları..."

Biliyordum bütün bunları, Müfit'le karşılaştığını daha önce anlatmıştı bana. Ama dalgındı, unutmuştu. Demek sevda değildi, o halde başka bir derdi olmalıydı Fuad'ın. Ben sormadan o geldi sadede:

"Hepsi aynı meselede düğümleniyor aslında. Balkan Harbi'nde... Bu muharebeyi kazanmadan, ne biz sevdiklerimize kavuşabiliriz ne de vatan tehlikeden kurtulur... Ama olmuyor. Farkında mısın Şehsuvar olmuyor..." Rakısına uzandı, kadehini kaldırdı. "Artık bütün kudret elimizde. Artık istediğimiz kararı alabilir, istediğimiz hükmü verebiliriz. Ama olmuyor. Hükümeti, Edirne'yi kurtaracağız diye devirdik ama o aziz şehir hâlâ düşman elinde... İttihatçı olduğumu bilen dostların yanına gidemiyorum. Tenkit etmeseler de bakışlarındaki o kınayan ifadeye dayanamıyorum. Eğer böyle giderse, bir süre sonra insan içine çıkamaz hale geleceğiz." Adeta yardım isteyen gözlerle bakıyordu. "Ne diyorsun Şehsuvar? Nasıl hallolacak bu meseleler?"

Cevap vermek yerine kadehimi kaldırıp onunkine dokundurdum.

"Önce içelim... Hadi şerefine."

"Şerefine," diyerek kaldırdı kadehini. "Şerefine kardeşim."

"Hoş değil tabii..." dedim kadehimi masaya koyarken. "Benim ev sahibesi Madam Melina da soruyor. 'Selanik'i Yunanlar aldı ya, Bulgarlar da Dersaadet'i alacaklarmış. Adını da Çarigrad yapacaklarmış. Öyle diyorlar çarşıda pazarda. Doğru mu Şehsuvar Bey evladım? Gidecek mi bu canım şehir de elimizden?' Yani millette bir umutsuzluk olduğu muhakkak, ama vaziyet o kadar da kötü değil. Bir kere çok tehlikeli bir komployu bertaraf ettik. Umutlu olmak için bu bile yeter. Bir yerlerden başlıyoruz işte. Ama takdir edersin ki, çökmekte olan bir imparatorluğu ayağa kaldırmak hiç de kolay değil."

Alıngan bir ifadeyle koyulaştı mavi gözleri.

"Yapma Şehsuvar, hiç değilse sen yapma."

Ne demek istediğini anlamamıştım, duraksamadan izah etti.

"Beş yıl Şehsuvar, meşrutiyeti kurduğumuzdan bu güne beş yıl geçti. Beş yıl az mı kardeşim? Hiç mi ilerleme olmaz? Hiç mi bir zafer elde edemeyiz? Trablusgarp deme bana. Evet, gittik, harp ettik ama neticede Basri Bey'in kanıyla sulanan o toprağı da İtalyanlara bırakıp geldik. Selanik'e sahip çıkamadık. Daha ne kadar kötü olabilir? Doğduğumuz şehri içindeki akrabalarımızla, sevdiklerimizle birlikte Yunan'a teslim ettik." Acıyla kısıldı sesi. "İmparatorluğun ayağa kalkacağı filan yok. Bırak bu hayalleri. Keşke elimizdeki toprağı koruyabilsek, buna da razıyım. Korkarım o da olmayacak. Korkarım boş bir umudun ardı sıra heba olacak hayatlarımız."

Fuad'ın son günlerdeki bu müzmin karamsarlığı canımı sıkmaya başlamıştı.

"Olmayacak," diye söylendim üstüne basa basa. "Hayatlarımızı kaybedebiliriz ama bu asla boşa gitmeyecek. Bu büyük vatan, bu büyük millet, bir gün mutlaka ayağa kalkacak. Eskiden de böyle kötü devirler yaşandı. Yıldırım Beyazıt'ın Ankara mağlubiyetini hatırla. Paramparça olmuştu Osmanlı ama sonra eskisinden daha kuvvetli olarak yeniden doğdu.

Koca tarih içinde, beş yıl nedir ki? Osmanlı beş yılda mı imparatorluk oldu? Osman Bey'le Fatih Sultan Mehmed arasında yüz küsur sene var. Esasında bu bile kısa bir süre sayılır. Asıl sen yapma Fuad. Biz sadece Bulgarlarla dövüşmüyoruz, düveli muazzamaya karşı harbediyoruz. Mahmud Şevket Paşa'yı öldürmek, o bir avuç serserinin işi miydi zannediyorsun? Birlikte okumadık mı o raporu? O Çerkez Kâzım denen alçağı Romanya'dan payitahta gelmesi için yardımcı olan kişi İngiliz sefaretinden Fitz Maurice değil mi? Bu suikastın arkasında, Mahmud Şevket Paşa'yı Almanya'nın adamı sayan, İngiliz gizli servisinin olduğunu bilmiyor muyuz? Bu komplo, Bab-ı Âli baskınının rövanşı değil mi? Bak, daha Rusya'dan bahsetmedim bile..."

Sanki söylediklerimi duymamış gibi başını salladı.

"Bunların hepsini biliyorum Şehsuvar. Ecnebi devletlerin ne tür fitne ve fesat içinde olduğunun da farkındayım. Evet, artık altı yüz sene öncesinde değiliz, fakat altı yüz yıllık bir cihan imparatorluğunun tecrübesine sahibiz. Buna rağmen, bu kadar kayıp vermemiz, bu kadar vahim hatalar yapmamız kabul edilemez. Bundan daha utanç verici bir netice olabilir mi? Söz gelimi Mahmud Şevket Paşa'yı vuranlar... Bir avuç serseri diyoruz... Çerkez Kâzım denen o alçak diyoruz. Kimdi bu adamlar? Evet, Şehsuvar kimdi bu kendi sadrazamlarına kurşun sıkan şahıslar? Onlar da bir vakitler senin benim gibi vatanseverdi. Çerkez Kazım'ın bir zamanlar cemiyet üyesi olduğunu biliyorsun. Fakat bugün bir hain diye bahsediyoruz ondan, bir alçak. Bu hainleri, bu alçakları yakalamak, Bekirağa Bölüğünde dövmek, işkence etmek, hatta darağaçlarında ibreti âlem için sallandırmak hangi meselemizi hallediyor? Ben söyleyeyim, hiçbir meselemizi çözmüyor, aksine iyice arapsaçına çeviriyor. Şimdi soruyorum, yarın sen ya da ben cemiyetin siyasetine karşı çıkarsak, hatalı işler yapıyorsunuz dersek, Çerkez Kâzım gibi bir hain, bir alçak olarak damgalanmamamızın garantisi var mı?"

Sesi titremeye başlamıştı.

"Olur mu öyle şey Fuad?" diye karşı çıktım. "Bizim haricimizde bir cemiyet yok ki. Cemiyet biziz, devlet de, hükümet de, vatan da biziz."

Çaresizce başını salladı.

"Emin değilim. Evet, şu ana kadar cemiyet içinde silahlar çekilmedi. Şu ana kadar kimse kimseyi vurmadı. Çünkü hiç iktidar olmamıştık. Fakat artık iktidarız. Artık o düveli muazzamanın yanında kendi dava arkadaşlarımızla da dövüşmek zorunda kalabiliriz. Eğer böyle bir çatışma çıkarsa hiç şüphen olmasın, hain ilan edilecek ilk kişiler biz oluruz." Sustu, söylediklerinden emin değildi. "Bilmiyorum, belki de sen kurtarırsın. Ne de olsa yukarıdakilere daha yakınsın... Öyle değil mi? Talat Bey babanın arkadaşı, Kara Kemal sonsuz itimat duyuyor sana karşı..."

Ağır konuşuyordu, bu kadarını hak etmemiştim. Ben ona yardımcı olmaya çalışıyordum, o ise beni acımasızca itham ediyordu. Bir an ne diyeceğimi bilemedim. Zaten Fuad da cevabımı beklemeden sanki teselli olurmuş gibi rakısını bir dikişte bitirdi. Bu defa, ne bir şerefe çıktı ağzından ne de kadehini kadehime dokundurmaya tenezzül etti. Önemli bir kararın arifesinde miydi? Bir yol ayrımına mı gelmişti? İyi de bunda benim ne kabahatim vardı? Ben de onun gibi verilen emirleri yerine getiren fedailerden biriydim sadece. Ama biraz düşününce, aslında Fuad'ın haklı olabileceğini anladım. Benim de aklımda kuşkular olmasına rağmen bunları hiçbir zaman dile getirmemiştim. Sadece bir kez, Basri Bey'le konuşmuştum, hem de bu meyhanede. Onun teskin edici sözlerine inanarak, kaderime razı olmuş, cemiyetin aldığı kararları harfiyen yerine getirmeyi sürdürmüştüm. Fakat bu durum beni itham etmesini gerektirmezdi. Yine de kırgınlığımı, öfkemi belli etmemeye muvaffak oldum.

"Yanılıyorsun Fuad," dedim dostça gülümseyerek. "Hem de fena halde yanılıyorsun. Cemiyetle alakalı söylediklerinden bahsetmiyorum, o kadar karamsar olmasam da çoğunda hak veriyorum sana. Ama bir konuda hakikaten yanılıyorsun. Sadece bu cemiyette değil, şu dünyada senden daha yakın kimse yok bana. Evet, bir itiraf bu. Eğer şu kanayan vatanda hakiki bir dava arkadaşım varsa o da sensin. Evet, Talat Bey'i severim, saygı duyarım, keza Kara Kemal Bey'i de öyle, ama onlarla hiç cepheye gitmedim, onlarla birlikte düşmanla harp etmedim, vurulduğumda yanımda onlar yoktu. Sadece sen vardın, evet sen vardın kardeşim. Sen vurulduğunda da ben vardım. Yok Fuad, haksızlık ediyorsun, kanla, ateşle sınanmış bir dostluk bizimkisi. Evet, hatalı davranırsan ikaz ederim, hatta bu sebepten seninle yumruk yumruğa dövüşürüm de ama sana asla ihanet etmem, seni asla satmam, asla yalnız bırakmam. Bunu böyle bil. Ve bunu o Selanikli kalın kafana sok, anladın mı?"

Sakince kadehime uzandım.

"Hadi şimdi içelim," diyerek onun kadehine dokundurdum. "Şerefe, bütün vatan toprağını kaybetsek bile zedelenmeyecek dostluğumuz şerefine."

Ama eli kadehine uzanamadı Fuad'ın, hislerini kolay kolay açığa vuramayan arkadaşım, bedeni sarsılarak sessizce ağlamaya başlamıştı karşımda. İşte o zaman çok daha iyi anlamıştım Fuad'ın hakiki bir dost olduğunu. Ve çok daha fazla sevmeye başlamıştım arkadaşımı.

Fakat, ertesi sabah uyandığımda bir boşluk hissetim içimde, bir manasızlık. Hayır, akşamdan kalma hali değil. Ruhsal bir noksanlık. Kalktım, yıkandım, tıraş oldum. Madam Melina'nın hazırladığı mütevazı sofrada kahvaltı yaptım. Memleketin ahvali üzerine sohbet ettim ev sahibemle ama aklımı ele geçiren o anlamsızlık, o ne yapacağını bilememe hali devam etti. Evden çıktım, sahile indim, canım tramvaya binmek istemedi, deniz boyunca yürüdüm. Hem yürüdüm, hem düşündüm. Dün gece Fuad'la konuştuklarımızı düşündüm. Onun yüreğini olanca dürüstlüğüyle bana açışını, benim vaziyeti kurtarmaya çalışmam. Arkadaşımı ikna etmek için aklımın etrafına ördüğüm o saydam duvarları. Sadece düşünmek değildi bu, aynı zamanda hissetmekti. Öyle ki zihnime koyduğum engeller birer birer yıkılmaya başlamıştı. Sabah güneşinin altında, denizden esen serin rüzgâr, kadim hatıraları uyandırıyordu birer birer hafızamda. Evet, senin sözlerini, 1908 inkılabı patlak verdikten hemen sonra sizin bahçenizde bana söylediklerini.

"Ben siyasetten, demokrasiden ya da inkılaptan bahsetmiyorum Şehsuvar, hayatın manasından söz ediyorum. Niye yaşıyoruz? Bir amacımız var mı? Varolma meselesi yani, ruhumuzdaki o kadim sızı..."

Ruhumuzdaki kadim sızı... Neydi o? İnan bana unutmaya başlamıştım. Gündelik siyasetin acımasızlığı, ardı ardına yaşanan entrikalar, cinayetler, ölümler. Dersaadet'e ilk geldiğim vakitler, güya çevirmek için büyük bir hevesle aldığım Anatole France'ın *Le Lys Rouge* romanı. Sahi nereye bırakmıştım o kitabı? Ama sadece senin sözlerin değildi zihnimde uyanan Leon Dayı'nın itirazlarıydı, Ahmed Rıza'nın tenkitleri, hatta Abdülhamit'in kaygıları. Hepsi Fuad'ın dün gece söylediklerini destekliyordu.

"İmparatorluğun ayağa kalkacağı filan yok. Bırak bu hayalleri. Keşke elimizdeki toprağı koruyabilsek, buna da razıyım. Korkarım o da olmayacak. Korkarım boş bir umudun ardı sıra heba olacak hayatlarımız."

Hayır, kendi canı için kaygı duymuyordu arkadaşım, hayatımızı uğruna feda ettiğimiz ideali sorguluyordu. Hem de çok geç kalmış olarak. Oysa, sen bunu beş yıl önce yapmıştın. Daha inkılabın ilk günlerinde, daha hepimiz umutluyken, kazanacağımız zaferlerin hayaliyle kendimizi kaybetmişken. Halbuki bugün bozgun rüzgârları esiyordu her yerden. Meşrutiyetten bugüne kaybettiğimiz topraklar, kaybettiğimiz insanlar, kaybettiğimiz masumiyet, kaybettiğimiz mazlumiyet. Daha birkaç gün önce bastırdığımız şu kanlı komplo da bizi kurtarmıyordu aslında. Aynı fasit dairenin içinde debelenip durmamızı sağlıyordu sadece. Tam beş yıldır, bu kaptan köşkünü ele geçirmeye çalışmıştık, sonunda başarmıştık ancak gemiyi idare etmeye başladığımızda motor dairesinden güvertesine, omurgasından kamaralarına, hatta onu hareket ettirmeye çalışan mürettebatına kadar her yanının, her uzvunun çürümüş olduğunu fark etmiştik. Vaziyet umutsuzdu, bitmiştik, hakikaten bitmiştik. Bu felaketten bir çıkış yolu da görünmüyordu. Artık bu gemiyi ne terk edebilirdik, ne de geminin batmasına göz yumabilirdik. İşte o anda anladım ki, dün akşam Fuad'ı ikna eden ben değildim, aslında beni ikna eden Fuad'dı...

"Ormanda kurt ölünce,
çakallar birbirini parçalarmış."

※

İyi Akşamlar Ester, (10. Gün, Akşam)

Karanlık çökmüş olmasına rağmen ortalık hâlâ sıcaktan kavruluyordu. Ne bir rüzgâr ne bir esinti. Mübarek güz değil, sanki yaz. Belki Taksim Bahçesi esintili olur diyordum ama ağaçlarda tek bir yaprak bile kıpırdamıyordu. Yine de denize bakan teras barda bir masaya oturdum. Hiç değilse gözümüzün önünde bir açıklık olsun. Mehmed Esad ortalıkta yoktu ama eminim birazdan damlardı. Zaten masalar da yeni yeni doluyordu. Kerli ferli beyefendilerle, saygıdeğer hanımlar teşrif etmemişlerdi henüz. Ama mirasyedi genç beyler, onların cebindeki paranın kokusunu alan makyajı fazla kaçmış yosmalar erkenden almışlardı masalardaki yerlerini. Karşılıklı göz süzmeler, zarif mendillerle ağzını kapatıp kıkırdaşmalar, gizli gerdan kırmalarla ateşlenen bu muhabbet, masaların birleştirilmesiyle bir yangına dönerdi gecenin sonunda. Macaristan'dan geldiği söylenen orkestra da, Çigan müziğine başlamıştı zaten. İri yarı garsona, bu sene çıkan Üzüm Kızı Rakısı'ndan söyledim, beyaz peynir, söğüş, barbunya istedim. İstediklerim gelmeden Mehmed düştü masaya.

"Kusura bakma yahu," dedi soluklanmadan. "Geveze bir herif vardı, çıkamadım dükkândan..."

"Dert etme, ben de yeni geldim." Başımla mutfak tarafını işaret ettim. "Rakı söyledim, başka bir şey mi isterdin yoksa?"

"Rakı iyi," diyerek fesini çıkarıp masanın üzerine koydu. "Soğuk bira da iyi giderdi bu havada ama şişirir bizi." Mendiliyle ensesini sildi. "Nasıl boktan hava değil mi? Dükkândan buraya kadar yürüdüm kan ter içinde kaldım."

Denize baktım umutsuz gözlerle,

"Belki bir esinti çıkar geceye doğru," diye mırıldandım. "Hep böyle gitmez ya..."

Mendilini katlayıp cebine koyarken gülümsedi.

"Neyse yine de halimize şükredelim. Trablusgarp'ı hatırlasana. Oradaki sıcak, oradaki nem bununla kıyaslanır mı?"

Beklediğim fırsat ayağıma gelmişti.

"Cezmi'yi tanır mıydın?" diye açtım mevzuyu. "Cezmi Kenan, o da Trablusgarp'ta harp etmişti."

Gözlerini kısarak hatırlamaya çalıştı.

"Kocabaş Cezmi mi? Tanımaz mıyım? Bizim kumandanımızdı. Biraz keçileri kaçırmıştı ama Allah'ı var, yiğit adamdı. Bu kadar cesur bir adam görmedim ömrühayatımda. Her zaman en öndeydi, sanki hiç ölmeyecekmiş gibi atlardı siperlerin üzerine. 'Yapmayın, etmeyin kumandanım,' derdik. Güler geçerdi. 'Ben efsunluyum evladım, bana kurşun işlemez,' derdi. Sahiden de hiç vurulmadı biliyor musun? Süngü harbinde hafif bir yara aldı kalçasından, hepsi o. Sahi nerde Cezmi Binbaşı? Gördün mü bu sıralar?"

Beni mi sınıyordu? Yoksa bihaber miydi eski kumandanının öldürüldüğünden? Dürüst davrandım.

"Cezmi Binbaşı öldü," dedim sakin bir tavırla. "Haberinin olmaması enteresan. Zira muhtemelen sizinkiler öldürdü onu."

Yüz ifadesi anında değişti.

"Ne kadar da kati konuşuyorsun, yoksa orada mıydın?"

İşte o vakit anladım, Cezmi'nin öldürüldüğünden haberdar olduğunu, evet beni sınıyordu.

"Cinayet sırasında orada değildim ama iki kez gördüm onu," diyerek Cezmi'nin evine ilk gidişimden, onu ölü buluşuma kadar hiçbir malumatı gizlemeden anlattım. Sözümü kesmeden, büyük bir alakayla dinledi.

"Keşke önceden söyleseydin," dedi üzüntüyle. "Engel olurduk Cezmi'nin öldürülmesine. Evet, haklısın, bizimkilerin işine benziyor. Teşkilatta böyle bir grup var. Bizden müstakil çalışıyorlar. Ben de gazeteden okudum cinayeti. Önceden haberim olsaydı, onları durdurabilirdim. Yazık, çok yazık olmuş Cezmi Binbaşı'ya... İşte sana anlatmak istediğim de buydu. Cezmi gibi, senin gibi kıymetli arkadaşlarımızın böyle telef olup gitmesine engel olmak istiyoruz. Sizleri, ortak maksadımız için yeniden teşkilata çağırıyoruz. Artık ne İttihat ve Terakki var, ne Teşkilat-ı Mahsusa, ne de Karakol Cemiyeti ama korumamız gereken bir cumhuriyetimiz var. Senin de söylediğin gibi 1908 inkılabıyla başlayan o büyük yürüyüş neticesinde elde ettiğimiz bir meclisimiz var. Tamam muhalefet partimiz yok ama zamanı gelince olacak. Tamam, demokrasimiz kâfi değil ama zamanı gelince o da olacak. Şimdi hepimizin vazifesi bu cumhuriyeti muhafaza etmek olmalı..." Fesini yeniden başına yerleştirdi. Kahverengi gözlerini ısrarla yüzüme dikti. "Ee ne diyorsun Şehsuvar, kararını verdin mi?"

Usulca geriye çekildim, suratı gölgelendi, reddedeceğimi zannetmişti.

"Sizinle çalışırım ama bir şartım var. Tek bir şart. Ne fazladan maaş istiyorum, ne bir unvan. Umurumda değil bunlar. Mösyö Leon'u bulmam lazım. Evet, Ester'den bahsediyorum. Benim için hâlâ çok mühim."

Söylediklerime inanmamış gibiydi.

"Şu Yahudi kız! Şu gençlik aşkı! Sen ciddisin değil mi?"

Onun yerinde olsam ben de aynı tepkiyi gösterirdim. Bütün hayatını bir davaya adamış, başına gelmeyen kalmamış bir ittihatçı, genç bir talebe gibi eski aşkının peşinde koşuyordu.

"Çok ciddiyim Mehmed," diye anlatmayı denedim. "Şu anda Ester'i bulmaktan daha mühim bir mesele yok benim için. Öyle ya da böyle, onu bulmam lazım. Aksi takdirde zihnimi toplayabileceğimi de zannetmiyorum. Kendimi başka bir meseleye vermem mümkün değil. Evet, vaziyet bu. Senden beni anlamanı beklemiyorum, fakat sözlerimin hakikat olduğunu bil yeter."

Anlamakta güçlük çekiyordu; yoksa onu kandırıyor muydum, yalandan bir aşk meselesi uydurup başımdan atmaya mı çalışıyordum.

"Yani bunca seneden sonra... Bu kadar yaşananlardan sonra..." Kuşkulu bir ifade belirdi yüzünde. "Latife yapmıyorsun değil mi Şehsuvar?"

Canım sıkılmaya başlamıştı.

"Ne latifesi Mehmed?" diye adeta çıkıştım. "Bu işin latifesi mi olur?"

"Yok, yok olmaz da... Ne bileyim yahu..."

Birden gülmeye başladı, evet kahkahalarla gülüyordu karşımda. Kalkıp gitmek geldi içimden. İnsani hislerini yitirmiş bu nobran herifle niye konuşuyordum ki? Yüzümün asılmasından ruh halimi anlayıp kendini frenlemeye çalıştı.

"Kusura bakma... Valla kusura bakma. Hiç böyle bir şey beklemediğim için şaşırdım... Yoksa hepimizin başından geçti bu püsküllü bela. Biz de giydik vaktinde o ateşten gömleği, biz de çektik o gönül sancısını." Gıptayla karışık bir hayretle bakıyordu. "Fakat, bunca seneye rağmen... Bravo valla, bravo Şehsuvar..." Artık gülmüyordu, anlayışlı bir dost havasında konuşuyordu. "Hakiki aşk dedikleri bu olsa gerek. Hiç merak etme kardeşim, senin için elimden geleni yaparım. Ama önce şu Tokatlıyan Otel'e gitseydin..."

Çaresizlik içinde başımı salladım.

"Gittim, Mösyö Leon orada kalmamış. Sen gördüğünde yemek için filan gelmiş olmalı, belki de biriyle buluşacaktı... Mösyö Leon'u bulamayabiliriz ama başka birisi var. Cafer, bizim Selanikli Çolak Cafer. O, Ester'i görmüş Beyazıt'taki Sahaflar Çarşısı'nda... Eğer Cafer'i bulursak, Ester'i de buluruz."

Gözlerini düşünce bürüdü.

"Tamam, tamam, bir soruşturalım bakalım şu Cafer'i. Yok, er ya da geç buluruz, orası kati de. Ama bir an önce bulmak lazım..."

"Evet," dedim umutla. "Evet, bir an önce..."

Sonra rakılar geldi, içmeye başladık. Hayır, hiç vazifeden konuşmadık. Ne o açtı mevzuyu ne de ben merak edip sordum. Selanik'i konuştuk, çocukluğumuzu, gençliğimizi. Kadehler ardı ardına devrilince Mehmed iyice heveslenip, "Hiç merak etme Şehsuvar, şu Cafer denen adamdan bir netice çıkmazsa, atlar Selanik'e gideriz," diyerek bir parmak bal sürdü ağzıma. "Gideriz valla gideriz, gerekirse resmî olarak gideriz, gerekirse şahsi olarak. Ne yapar eder buluruz Ester'i."

Eski arkadaşım böyle konuştukça, utanmaya başlamıştım. Belki de yanılmıştım Mehmed Esad hakkında. Belki de iyiliğimden başka bir isteği yoktu bu hızla yaşlanmakta olan adamın. Sadece ayrılırken söylediği sözler biraz karıştırdı kafamı. Hesabı ödeyip, Taksim Bahçesi'nin kapısına gelmiştik. Denizden tatlı bir yel esmeye başlamıştı. İkimiz de nedensizce gülümsüyorduk.

"Yemek için teşekkür ederim Mehmed," dedim elini sıkarak. "Ama bir dahaki sefere ben ödeyeceğim."

Omuz silkti.

"Sen ödemişsin, ben ödemişim ne fark eder? Nasıl olsa ikimizin de işvereni aynı artık. Ha, bu arada, yarın öğleden sonra uğra da sana biraz avans vereyim. Hem de iş konuşuruz biraz." Hoşça kal, diyecek zannettim, elimi bırakmadan öylece durdu. "Sahiden aşk, değil mi Şehsuvar?" Düşüncelerini toparlamak için gözlerini açtı kapadı. "Şu Ester meselesi diyorum. Yani, işin içinde bir çapanoğlu yok değil mi?"

Ne yani, inanmamış mıydı bana? Öyleyse akşamdan beri konuştuklarımız konusunda samimi değildi.

"Başka ne olabilir Mehmed?" dedim elimi çekerek. "Casusluk mu oynuyoruz burada?"

Hiç alınmadı, tuhaf bir kederle baktı.

"Casusluk oynayacağız zaten, orası Allah'ın emri ama Ester meselesi öyle olmasın. O mesele başka değil mi?" Pişman olmaktan korkarmış gibiydi. "O kızı hâlâ seviyorsun değil mi?"

Kendisine yalan söylememden çok, böyle bir aşkın gerçek olmama ihtimaline üzülüyor gibiydi. Sadece rakının etkisi değildi bu, kim bilir belki onun da mazide kalmış böyle bir sevda hikâyesi vardı.

"Evet Mehmed, sana söylediklerimin hepsi gerçek. Ester'i bilmiyorum tabii. Aradan onca yıl geçti. Ama benim hislerim hâlâ aynı."

Gülümsedi, eliyle omzuma vurdu.

"İyi," dedi burnunu çekerek. "İyi, sevindim böyle olduğuna. Şu imanı kandilli dünyada güzel bi' şeyler de olmalı... Neyse, hadi iyi geceler... İyi geceler kardeşim... Unutma yarın öğleden sonra bekliyorum ha."

Otele girdiğimde vakit gece yarısını bulmuştu. Hafiften başım dönüyordu, bir kahve söylesem... Yok, balkona çıkmak, temiz havada oturmak en iyisiydi. Işıltılı bir karanlık karşıladı beni balkonda. Evet, o kadar çok yıldız vardı ki gökyüzünde, o kadar parlak, o kadar yakınlardı ki. Bu muazzam boşluğa bakarak iskemleye oturdum, gözlerimi yıldızlara diktim. Bir an kendimi onlardan birinin yerine koydum. O uçsuz bucaksız derinlikte tek başına, ama huzurla dolu olmak. Keşke kanatlarım olsa, keşke o kadar kuvvetim olsa, keşke fizik kanunları mani olmasa da uçsaydım, karışsaydım şu ışıklı karanlığa... Böyle düşünürken sızmışım. Evet, utanç verici ama ayyaşlar gibi iskemlenin üzerinde uyuyakalmışım. Martıların sesine uyandım. Kavga ediyorlardı otelin çatısında... Nasıl bağırış, nasıl çağırış, mart kedileri masum kalır bunların cazgırlığının yanında. Yeniden baktım gökyüzüne, sanki büyüsünü yitirmiş gibiydi, nedense bu defa o kadar güzel görünmedi gözüme. İçeri girdim, dişlerimi fırçalayıp yatmayı düşünüyordum, ama masanın önünden geçerken, boş sayfalar çarptı gözüme. Kısa bir tereddüt anından sonra oturdum yazı koltuğuma... Evet, açık havadaki o kısacık uyku, zihnimi açmıştı sanki. Yeniden maziye, 1913 yılının yaz aylarına dönmüştüm. Tıpkı bugünkü gibi boğucu bir sıcak vardı İstanbul'da...

"Zafer lazım," demişti Kara Kemal. "Küçük de olsa bize bir zafer lazım."

Bab-ı Âli'de, dahiliye nazırının odasında oturuyorduk. Bizzat Talat Bey çağırmıştı bizi. Mithat Şükrü, Kara Kemal, Kuşçubaşı Eşref ve Fuad. Elbette Fuad... Onu da bizzat ben çağırmıştım. Kader birliği yaptığımızı, kazansak da kaybetsek de her şart altında beraber olacağımızı anlaması için.

Evet, Bab-ı Âli'de toplanmıştık. Bir zamanlar hürriyet, kardeşlik ve eşitlik isteklerimizi duyurmak için büyük bir mücadele verdiğimiz hükümet binasında artık biz oturuyorduk. Sesimizi kısmak için fikren ve gerekirse bedenen bizi ortadan kaldırmak isteyen dahiliye nazırının yerinde ise şimdi Talat Bey vardı. Büyük Efendi, tıpkı bugün yaptığı gibi fırsat buldukça cemiyette kendisine yakın bulduğu insanları çağırıp sohbet toplantıları düzenliyordu. Devleti idare ederken, cemiyette olup bitenleri kaçırmamak, günlük siyaset hakkında neler düşündüğümüzü öğrenmek için...

"Ahali ancak böyle olaylarla ikna olur," diye sürdürüyordu konuşmasını Küçük Efendi. "Böyle olaylarla hükümete itimat eder. Uzun vadeli milli bir iktisat uygulaması için böyle bir morale ihtiyacımız var. Çünkü yakın vadede milleti refaha çıkarma ihtimali yok. Bize göre, yerli bir iktisat yaratmamız lazım. Evet, bu mümkün ama hemen olmaz. Geçici de olsa, milleti heyecanlandıracak, ahaliye umut verecek bir zafer lazım. Yoksa, bu şartlar altında hükümet etmemiz çok zor."

Hepimiz ter içindeydik. Tıpkı memleketin hali gibi ağır, katlanılmazdı hava. Fesler çıkarılmış, kolalı yakalar açılmıştı. Ha bire buzlu şerbet taşıyordu içeriye hizmetliler. Nedendir bilinmez, içimizde terlemeyen tek kişi Talat Bey'di. Kara Kemal'e dönerek sevinçli bir haber verir gibi kurnazca gülümsedi.

"Edirne'nin kurtuluşuna ne dersin?"

Ne sıcağın verdiği miskinlik ne giysilerimizi ıslatan nemin rahatsızlığı, bir anda canlandı herkes. Kara Kemal, neredeyse oturduğu koltuktan ayağa fırlayacaktı.

"Ne diyeceğim, Allah derim de nasıl olacak bu iş?"

Kara gözlerinde gizli bir mutlulukla hepimizi tek tek süzdü Talat Bey.

"Aldığımız istihbarata göre Bulgarlar, Sırplarla ve Yunanlarla harbe tutuşuyorlar. Bizim cephedeki askerlerini peyderpey çekmeye başlamışlar."

Herkesin bakışları Trablusgarp'ta İtalyanlara karşı birlikte dövüştüğümüz Kuşçubaşı Eşref'e çevrildi. Hepimiz biliyorduk ki, Balkan cephesinden bir malumat geldiyse bunun kaynağı bu gözü pek istihbaratçıydı.

"Malumat doğru," diye sakince onayladı. "Bulgarlar zafer sarhoşluğu yaşıyorlar. Koca Devlet-i Aliyye'yi mağlup ettik, Balkanlardaki küçük devletlere mi boyun eğeceğiz, diyorlar. İşgal ettikleri toprakları, ötekilerle paylaşmak istemiyorlar. Büyük Makedonya hayallerini gerçekleştirme peşindeler. Gizli niyetleri Selanik'e kadar inmek. Kuvvetlerinin önemli bir bölümünü Sırplarla Yunanlarla harp etmek için çektiler. Böyle giderse bir kısmını daha çekmek zorunda kalacaklar. Ama işleri zor. Çünkü karşılarında sadece Sırplar, Yunanlar yok, Karadağ ve Romanya da var. Küçük devletler diye ciddiye almıyorlar ama hata yapıyorlar. Harpte her asker önemlidir, her tüfek kıymetli..."

"Ee, ormanda kurt ölünce çakallar birbirini parçalarmış," diye yeniden girdi söze Talat Bey. "Onlara her zaman Osmanlı birliğinin en doğru yol olduğunu anlatmaya çalıştık, dinlemediler. Ulaştıkları netice bu işte."

Sevinç içinde mırıldandı Kara Kemal.

"Aman arkadaşlar bırakın yesinler birbirlerini, sakın karışmayın, ne halleri varsa görsünler..."

"Hayır Küçük Efendi," diye karşı çıktı Kuşçubaşı. "Bu çok hatalı bir davranış olur. Katiyen kendi hallerine bırakamayız, bırakmamalıyız. Bu, bizim için çok büyük bir fırsat. Farkında değil misiniz? Edirne'yi Kırklareli'ni kurtarmanın, Trakya'da kaybettiğimiz toprakları geri almanın yolu açıldı."

Duydukları karşısında büyük bir sevince kapılan Fuad daha fazla dayanamadı:

"Evet, evet, doğru söylüyor Eşref Bey... Daha ne bekliyoruz, derhal harekete geçelim."

Kendinden emin bir gülümsemeyle konuşulanları dinleyen Talat Bey,

"Keşke o kadar kolay olsaydı genç arkadaşım," dedi anlayışlı bir sesle. "Öncelikle Batılı devletlere bir açıklama yapmak mecburiyetindeyiz. İyi bir gerekçe bulmamız lazım."

"Gerekçe hazır Talat Bey," diye anında cevapladı Kuşçubaşı. "Bulgarlar ne Çorlu Mütarekesi'ni takıyorlar ne Londra Anlaşması'nı... Güya Midye-Enez hattına çekileceklerdi. Ne oldu? Yerlerinden bile kıpırdamadılar. Onlara karşı her hareket artık meşrudur. Üstelik Batılıların da kafası karıştı. Düşünsenize bugüne kadar bize karşı destekledikleri beş devlet birbiriyle boğuşuyor."

Önünde duran ahududu şerbetinden bir yudum içti,

"Aslında Enver Bey de senin gibi düşünüyor," dedi bardağı koyarken. "Fethi Bey de aynı fikirde... Hatta Sadrazam Sait Halim Paşa da harekete geçmekten yana. Ama hükümette ikilik var. Böyle bir muharebeye kalkışır da başaramazsak felaket olur diyenler bir yanda, düşmanlarımızın birbiriyle harp etmesi Allah'ın bir lütfu, derhal Edirne'ye yürümeliyiz diyenler bir yanda. Ama Harbiye Nazırı Ahmet İzzet Paşa hem nalına hem mıhına vuruyor, işler kötüye giderse sorumluluğun üzerine yıkılmasından korkuyor."

Devlet makamında nargile tüttüremediği için Talat Bey'in tabakasından bir sigara alan Kara Kemal,

"Ne zaman korkmadı ki zaten?" diye söylendi çakmağa uzanırken. "Onlar varsın korksunlar. Ordu elbette Edirne'ye yürümelidir. Ben de Eşref Bey'le aynı kanaatteyim. Bulgarlar bize altın tepside bir zafer sunuyor, bunu kaçırmak aptallık olur."

Sessizce dinlemişti söylenenleri Talat Bey. Sigarasını yaktıktan sonra dumanını keyifle savuran Küçük Efendi'ye bakarak manidar bir şekilde gülümsedi.

"İyi de Kemal, deminden beri iktisattan bahsediyorsun. Bırak tam teçhizatlı bir orduyu harbe sürmeyi, bir tatbikatın maliyeti şu kadar altınken, böyle bir harekâtın parasını nereden bulacağız?"

Suratı asıldı Kara Kemal'in.

"Harbin maliyeti de mühim tabii Talat Bey. Fakat böylesi bir fırsat bir daha geçmez elimize. Gerekirse borçlanalım, gerekirse misliyle faiz ödeyelim, gerekirse ipotek verelim ancak orduyu mutlaka Edirne'ye sürelim."

Ne evet dedi Talat Bey ne de hayır, ama davranışlarından kararını verdiği anlaşılıyordu. Şüphesiz ki içimizde Edirne'nin kurtuluşunu en çok isteyen oydu. Sadece bu serhat şehrinde doğmuş olduğu için değil, aynı zamanda bu galibiyetin İttihat ve Terakki hükümetinin meşruiyetini tartışılmaz kılacağı için. Yani bizi bu toplantıya çağırırken, kararını çoktan vermişti. Sadece, cemiyetteki kadroların ne düşündüğünü anlamaya çalışıyordu. Bizi başına toplamadan önce mühim görüşmeler de yapmıştı. Edirne kurtarıldıktan sonra öğrenecektik ki, o öğleden sonra "Parayı nereden buluruz?" diye bize sorarken, gereken bir buçuk milyon altını almak için Tütün Rejisi'yle çoktan anlaşmıştı bile.

İşte, o yazın en sıcak günlerinden birinde, 21 Temmuz'da kurtardık Edirne'yi, hem de öyle büyük çatışmalar filan yaşanmadan. Cepheden gelen istihbarat doğru çıkmış, Bulgar kuvvetlerinin büyük çoğunluğu çekilmişti. Kalanlar ise bizimkilerle harp etmeyi göze alamamış ya ricat etmiş ya da teslim olmuşlardı. Selimiye'nin minarelerinde yeniden Osmanlı sancağı sallanmaya başlamıştı.

Edirne'nin geri alınması, Kara Kemal'in beklediği neticeyi vermişti. Milletin morali yükselmiş, cemiyete itimatları artmıştı. Elbette bizim aramızda da bir bayram havası esiyordu. Mahmud Şevket Paşa'nın öldürülmesinin üzerinden iki ay geçmeden hükümet kendini toparlamış, Osmanlı'nın ikinci payitahtını yeniden topraklarına katmıştı. Ama Edirne yürüyüşünden en çok yarar sağlayan kişi, hiç şüphesiz Enver Bey olmuştu. Cephede olup bitenlerden ilk o haberdar olduğu için Bulgar kuvvetlerinin dayanamayacaklarını çoktan öğrenmişti. Yürüyüş başlarken ağır bir apandisit sancısı geçirmesine aldırmayarak atına atladığı gibi ordunun başına geçmiş, Edirne'ye giren ilk kumandan olmuştu. Böylece "Hürriyet Kahramanı" unvanının yanına "Edirne Fatihi"ni de yazdırmıştı.

Hiç şüphe yok, cesur bir askerdi Enver Bey, hepimiz gibi o da Edirne'nin bir an önce kurtulmasını istiyordu, bu uğurda gerekirse canını vereceğinden de emindik. Ama aynı zaman da şahsi ikbaliyle ilgili hazırlıkların da içindeydi. Kendine bağlı bir bölüğü yanına alarak, zaten zafer yürüyüşünü sürdüren ordunun başına geçmesinin asıl sebebi de buydu. Esasında buna benzer bir vaka 31 Mart Ayaklanması'nda da yaşanmıştı. Hareket Ordusu'nun kumandanı Hüseyin Hüsnü Paşa'ydı, kurmay subayı ise Mustafa Kemal. Günler öncesinden gelen ordu İstanbul'a girmeye hazırdı ama İttihat ve Terakki'nin Merkez-i Umumisi buna engel oldu. Hüseyin Hüsnü Paşa komutasındaki Hareket Ordusu Halkalı'da bekletildi. Mahmud Şevket Paşa ve Enver Bey Dersaadet'e gelinceye kadar herhangi bir hücuma izin verilmedi.

Şimdi de öyle olmuştu işte, zaferi sahiplenme kavgasından yine Enver Bey galip çıkmıştı. Nitekim, Edirne harekâtının ardından "Hürriyet Kahramanı"nın mani olunamaz yükselişi başlayacaktı. Gerek ordudaki itibarı, gerekse etrafındaki Yakup Cemil gibi gözü kara fedailerin desteğiyle kısa sürede Devlet-i Aliyye'nin siyasetini tayin eden adam olacaktı. Ne Talat Bey'in uzlaştırıcı siyaseti ne Cemal Bey'in sertliği onun hırsını engelleyemeyecek, hepimizin kaderini belirlemede önemli bir rol oynayacaktı. Ve ne yazık ki bu rol, hiç de milletin menfaatine uygun değildi. Ama o vakitler durumun bu raddeye varacağını hiçbirimiz aklımızın ucundan dahi geçirmiyorduk. Kırklareli, Edirne yani Trakya'nın Meriç'e kadar temizlenmesi, vatanın üstüne çöken karamsarlığı kaldırmış, bizim Fuad bile o müzmin umutsuzluğundan kurtulmuştu. Artık göğsümüzü gere gere, "Ey ahali size verdiğimiz sözü tuttuk. Edirne'yi kurtardık," diyebilirdik. Kara Kemal haklıydı, bu zafer bütün siyasal havayı değiştirmişti.

Evet, belki de yanılmıştık, belki de hakikaten acele etmiştik. Yeni bir devlet oluşturuyorduk, asrın şartlarına uyum sağlayabilecek ama Osmanlı'nın yüzlerce yıllık geleneğinden de kopmayacak bir devlet. Eskiyen kurumların tekrar oluşturulması, hiçbir işe yaramayan kanunların değişmesi lazımdı, yepyeni bir bürokrasi gerekiyordu. Bu arada bizim vaziyetimiz de artık bir açıklığa kavuşmalıydı. Artık kanunla mı olur, yoksa kararnameyle mi, biz de bir devlet teşekkülünün memurları olmalıydık. Bugüne kadar gayriresmi "Fedailer" olarak anılmıştık. Trablusgarp Harbi'nde "Gönüllü Taburları" diye geçiyordu adımız. Balkan Harbi'nde de aynı başlıkla adlandırılmıştı arkadaşlarımız. Alçak gönüllü olmaya lüzum yok, devletin bekası, milletin ayakta kalması için imkânsız sayılabilecek birçok vazifeyi ifa etmiştik. Ama hâlâ kanuni olarak devletin memuru sayılmıyorduk. Yarın, devran değişse, muhalif bir hükümet gelse hepimizi silahlı çete teşekkül ettirmekten içeri atardı. Üstelik önce harbiye nezareti olmak üzere bize bu maaşları ödeyen devlet dairelerinin de başı belaya girerdi.

Fuad'ın da ısrarlarıyla bu karışık vaziyeti birkaç kez Talat Bey'e çıtlatmaya çalıştıysam da, enteresan bir şekilde hep olayı geçiştirdi yahut kapatma cihetine gitti. Ama Edirne'nin kurtuluşundan sonra pek mutlu göründüğü bir anda bu meseleyi tekrardan açınca,

"Yarın sabah Bab-ı Âli'ye gel," dedi bıkkın bir tavırla. "Şu mevzuyu bir masaya yatıralım."

Ertesi sabah mesai saatinde girdim Talat Bey'in dairesine, ama o kadar meşguldü ki, ancak öğle namazından önce içeri alabildiler beni. O her zamanki babacanlığından eser yoktu yüzünde. Öylesine bir hal hatır sorma faslından sonra,

"Bu meselede, neden bu kadar ısrar ediyorsun Şehsuvar?" dedi sert bir sesle. "Kim zorluyor seni buna?"

Ne yalan söyleyeyim, çok bozuldum.

"Hiç kimse Talat Bey. Sadece vaziyetimizin açıklığa kavuşmasını istiyoruz."

Kalın kaşları kuşkuyla çatıldı.

"İstiyoruz diyorsun, yani kim, kimler istiyor? Enver Bey de var mı bu işin içinde?"

"Yoo," dedim şaşkınlıkla. "Niye olsun ki? Malumunuz üzere biz pek yakın değiliz kendisiyle. Ne Enver Bey'le ne de arkadaşlarıyla..."

Sanki emin değilmiş gibi, sanki ona yalan söyleyebilirmişim gibi uzun uzun süzdü beni, sonra elini omzuma koydu.

"Kusura bakma Şehsuvar..." Yüz hatları gibi sesi de yumuşamıştı. "Bu meseleyi birkaç kez Enver gündeme getirdi de o sebepten sormak zorunda kaldım sana... Bir de şu var ki..." Cümlenin devamını getiremedi. Sıkıntıyla başını salladı. "Bak Şehsuvar, seninle açık konuşacağım kardeşim. Haklısın, esasında sizin vaziyetinizin çoktan kanuna uygun hale geti-

rilmesi icap ederdi. Ama bazı çekincelerim var." Kendisini an-
lamamı ister gibi gözlerimin içine baktı. "Mühim çekinceler.
Biliyorsun sizin fedailer içinde Enver Bey çok büyük bir tesi-
re sahip. Bunun ne kıymeti harbiyesi var diyeceksin, çok var.
Aramızda kalsın, Enver Bey sürekli harbiye nazırını tenkit
edip duruyor. Ahmet İzzet Paşa'nın hataları var elbette. Eski
kuşaktan bir asker; çabuk karar alıp, çabuk uygulayabilecek
bir yapıya sahip değil. Ama vazifesini yapmaktan da geri dur-
muyor adamcağız. Yukarıda Allah var, Edirne'nin kurtuluşu
sırasında ne istediysek hepsini yaptı. Fakat Enver'in amacı
farklı... Ahmet İzzet Paşa'nın nazırlıktan el çektirilmesini,
yerine kendisinin atanmasını istiyor. Sadrazamın huzuruna
çıkıp açıkça, 'Vatanın istikbali için beni harbiye nazırı yap-
manız icap eder,' demiş. Zavallı Sait Halim Paşa alı al, moru
mor bana geldi. 'Aman Talat Bey, bu olacak iş değil, lütfen bu
adamla konuşunuz, bu meseleyi halletmezseniz ne hüküme-
timizin ciddiyeti kalır ne de Devlet-i Aliyye'nin,' dedi.

Ben de Enver'le buluştum, şu anki rütbesinin ve devlet ida-
reciliği tecrübesinin bu vazife için kâfi olmadığını anlattım.
İkna olmuş göründü ama akabinde Yakup Cemil'i üzerime
gönderdi. Evet, onunla konuşmamızın hemen ardından o ser-
dengeçtinin kapımı çalması elbette bir rastlantı değildi. Evet,
hiç çekinmeden karşıma geçti. 'Neden Enver Bey'i harbiye
nazırı yapmıyorsunuz? Bu vazifeyi ondan daha iyi yapacak
kimse var mı bu memlekette?' diye adeta beni tehdit etti. O
külhanbeyinin ağzının payını verdim elbette. Ama biliyorum,
bunlar durmayacaklar. Fedaileri Enver'i, Enver de onları po-
hpohluyor. Sanki tek hamiyet sahibi onlar, sanki tek vatanper-
ver kendileri. İşte bu nedenle, istediğin düzenlemeleri şimdi
yapamam. Yaparsam, bu ne zaman, nasıl davranacakları belli
olmayan adamları daha da şımartmış, daha da kuvvetlendir-
miş olurum. Hem cemiyetin birliğini muhafaza etmek, hem
de devlet yönetiminde bir keyfiliğe sebebiyet vermemek için
kusura bakma ama bu isteğinizi ertelemek zorundayım."

Talat Bey'in benimle açık yüreklilikle konuşmasına sevin-
miştim, ama öte yandan cemiyetin içinde böyle bir farklılaş-
manın yaşanması beni tedirgin etmişti. Fuad'ın sözlerini ha-
tırladım.

"Artık iktidarız. Artık o düveli muazzamanın yanında ken-
di dava arkadaşlarımızla da dövüşmek zorunda kalabiliriz.

Eğer böyle bir çatışma çıkarsa hiç şüphen olmasın, hain ilan edilecek ilk kişiler biz oluruz."

Talat Bey'in bizi hain ilan edeceğini hiç sanmıyordum ama böyle giderse cemiyetin içinde bir çatışma çıkması kaçınılmazdı. Çok değil sekiz ay önce bu binanın içinde, eski harbiye nazırını gözünü dahi kırpmada öldüren Yakup Cemil, tabancasını Talat Bey'e doğrultmakta hiçbir tereddüt göstermeyecekti. Dolayısıyla, şu anki meselemiz bizim kanuni durumumuz değil, cemiyetin beyni olan bu adamın hayatta kalmasıydı.

"Anladım Talat Bey," dedim. "Çok iyi anladım. Mühim değil, isteğimiz biraz daha bekleyebilir. Fakat sizin için ne yapabiliriz, asıl bunu konuşmamız lazım."

Minnettar bir bakış süzüldü iri gözlerinden.

"Teşekkür ederim Şehsuvar. Teşekkür ederim kardeşim. Beni anlayacağını biliyordum. Gösterdiğin hassasiyet için de çok sağ ol. Ama fazladan tedbir almak da yanlış neticeler doğurabilir. Bu işi de sükûnetle, kendi aramızda, dostça konuşarak halletmemiz lazım. Kol kırılsa bile yen içinde kalmalıdır. Ne var ki, manevi çürümeye, siyasi yozlaşmaya da izin veremeyiz. Ne para ne kadın, bence ahlakın baş düşmanı iktidardır. Ahlaktan yoksun bir iktidar makamı, ya hırsız yapar insanı ya soysuz. Ne yazık ki insanoğlu iktidar denilen o büyük kudretle başa çıkmayı henüz başaramadı, bundan sonra başaracağı da kuşkuludur. Enver Bey'i kastetmiyorum, hepimiz için geçerli bu. Tek başına hiç kimse altından kalkamaz bu ağır yükün. Ancak hep birlikte üstesinden gelebiliriz. Nasıl ki baskı altındayken birbirimize kenetlenerek bu zorlu dönemleri atlattıysak, iktidardayken de birbirimizi ikaz ederek, birbirimizi dostça tenkit ederek bu tür yozlaşmaları bertaraf etmeyi öğreneceğiz. Yoksa maazallah, düşmanların yapamadığını kendimiz yaparız kendimize."

"Burası Ankara değil,
casuslar cirit atıyor her yerde."

※

Günaydın Ester, (11. Gün, Sabah)

Tuhaf şey, çok güzel uyandım bu sabah. Sanki o kadar ra-
kıyı ben içmemişim, sanki yatağa sabaha karşı girmemişim
gibi. Dün gece balkonda oturmanın faydaları diye düşünü-
yordum ki, duvardaki guguklu saate bakınca anladım, vakit
neredeyse öğleyi bulmuştu. Bu saate kadar uyursan kendini
iyi hissederdin tabii... Kahvaltı çoktan sona ermiş olmalıydı
aşağıda. Telefon edip peynirli omlet, kızarmış ekmek, kahve
istedim. Banyoya girdim, yıkandım, tıraş olurken geldi sipa-
rişlerim. Bizzat İhsan getirmişti, tepsinin üzerinde günün ga-
zeteleri ve bir armağan? Bir taş plak...

"Reşit Bey'in armağanı," diye izah etti gülümseyerek. "Al-
man bir müşteri unutmuş odasında... Biz de size verelim de-
dik, bu plağın kıymetini en iyi siz bilirsiniz."

Teşekkür ederek, merakla uzandım plağa. Puccini'nin *La
Boheme Operası*... Paris'te geçen bir aşk hikâyesi. Tıpkı bizim
hayal ettiğimiz gibi bir çatı katında yaşananlar... Evet, keder-
li, alabildiğine kederli ama yaşanmış, bizimki gibi yarıda kal-
mamış bir aşk hikâyesi.

İhsan elindekileri masanın üzerine yerleştirip odadan
ayrılırken, ben de plağı gramofona koydum. Birkaç cızırtılı
dönüşün ardından başladı müzik. Elbette seni hatırladım, el-

bette yitirdiğimiz büyük umutları, bir daha hiç tekrarlanmayacak gençlik günlerimizi... Şarkı sona erdiğinde iştah filan kalmamıştı bende. Derin bir karamsarlığın içine yuvarlanmıştım yeniden.

Seni bulmaya çalışıyordum, seni bulmak için artık kim olduklarını bilmediğim şüpheli adamlarla iş birliği yapıyordum ama içimden bir ses artık hiçbir zaman görüşemeyeceğimizi söylüyordu. Eğer İstanbul'a gelmiş olsaydın, beni aramaz mıydın? Öyle değil mi? Yoksa senin gibi biri niye gelsin ki bu şehre? Bir maksadın olmalıydı? Leon Dayı'yı ziyaret... Tamam, belki bunun için gelmiştin. Ama hiç mi merak etmezdin beni? Ne oldu bu adama diye hiç mi sorup soruşturmazdın? Leon Dayı İstanbul'daysa mutlaka bulurdu beni. Mazimiz ortaktı, tanıdıklarımız, ahbaplarımız ortak. Neden, neden aramıyordunuz beni? Bakışlarım, gramofondaki plağa takıldı, çıkarıp kırmak geçti içimden. Sonra bunun ne kadar aptalca bir davranış olacağını anladım. Sonra bu karamsarlığın da aynı derecede anlamsız olduğunu fark ettim. Derhal kurtulmalıydım bu ruh halinden. Bakışlarım yenmemiş yemeğimin yanında duran gazetelere takıldı. Belki zihnimi dağıtır diye umutla açtım sayfalarını...

Cumhuriyet, *İkdam*, *Akşam*, *Hakimiyet-i Milliye*... Hepsini tek tek okudum. Hayır, hiçbirinde önemli bir malumat yoktu. Cezmi meselesini de unutmuş görünüyorlardı. Hepsinde ortak havadis, "Reisicumhur Hazretlerinin İstanbul Seyahati"ydi. 16 Mayıs 1919'dan bugüne, İstanbul'a gelmeyen Gazi Mustafa Kemal'in nihayet önümüzdeki sene şehrimize teşrif edeceği bilgisi kocaman puntolarla yazılmıştı. Reisicumhur'un Dolmabahçe'de mi, yoksa Beylerbeyi Sarayı'nda mı kalacağı hususu henüz netlik kazanmamıştı. Yine muallak olan bir konu da seyahatin tarihiydi; kimileri bahar başlangıcı, kimileri ise yaz sonu diye duyurmuşlardı. Kara Kemal'le bir sohbetimizi hatırladım. "Gazi Paşa neden İstanbul'a gelmiyor?" diye sormuştum. "Şehre küstüğünden mi?" O sakin tavrıyla cevaplamıştı. "Bilmiyorum Şehsuvar, belki de suikasttan filan çekiniyordur. Burası Ankara değil, casuslar cirit atıyor her yerde. Emniyeti sağlamak zordur. Belki de Milli Emniyet, razı olmuyordur bu seyahate. Şu Mustafa Sagir adındaki İngiliz casusunu hatırlasana. Adam Mustafa Kemal'in burnunun dibine kadar sokulmuştu. Eğer uyanık davranmasalardı hiç gözünü kırpmadan öldürürdü Gazi Paşa'yı..." Rahmetli Cezmi Binbaşı da aynı fikirdeydi. Suikasttan korktuğu için gelmiyor, demişti Reisicumhur için. Hatta bu suikastı bizzat kendisi yapmak istiyordu. Fakat ömrü vefa etmemişti işte. Belki de bu tehlikeli fikirleri yüzünden öldürülmüştü...

Ama gazetelere bakılırsa, Mustafa Kemal için böyle bir tehlike kalmamıştı artık. Aslında sevindim bu havadise, memleket artık şu ilan edilmemiş harp vaziyetinden kurtulmalı, normale dönmeliydi. Kürt isyanıydı, muhalefet partisinin kapatılmasıydı, İzmir Suikastı'ydı derken iyice tedirgin olan millet artık huzur istiyordu. Belki Mehmed Esad'ın bana yaptığı teklifi de bu manada ele almak lazımdı. Cumhuriyet hükümeti, artık herkesle barışmak istiyor olabilirdi. Tek parti yerine çok partili bir cumhuriyet. Hükümetin hatalarını, noksanlarını tenkit eden bir basın... Bizim İttihat ve Terakki Hükümeti gibi baskıcı değil, hürriyetçi bir rejim... Ne kadar güzel olurdu. İyi de Cezmi'yi niye öldürmüşlerdi o zaman? Aslında bundan emin değildim. Belki de başka bir sebep çıkacaktı bu cinayetin altından. Neyse, neyse anlayacaktık nasıl olsa...

Gazeteleri elimden bırakıp saate baktım, on ikiyi geçiyordu. Bir iki lokma atıştırıp, yazmaya başlamalıydım. Öğleden sonra Mehmed Esad'la buluşacaktım. Evet, seni aramaktan elbette vazgeçmeyecektim. İçimdeki o kötü his ne derse desin, kimse beni, seni bulmaktan alıkoyamayacaktı...

1908 senesi nasıl umutlu bir başlangıca sürüklediyse bizi, 1914 senesi korkunç bir felaketin ilk adımı olacaktı hepimiz için. Kimse lüzumsuz bir iyimserlik içinde değildi, lakin bu kadar büyük bir yıkımı da beklemiyordu. Evet, Harb-i Umumi'den bahsediyorum; neredeyse dünyanın her köşesinde insanın insan eliyle katledilmesinden. Daha fazla toprak, daha fazla sömürge, daha fazla petrol için, insan kanının akıtılmasından bahsediyorum. Büyük devletlerin, büyük zenginlerin bitmek tükenmek bilmez kâr ve para hırsından. Evet, daha önce emsalini görmediğimiz o korkunç felakete adım adım yaklaşıyorduk. Hepimiz farkındaydık bunun. Mani olmak için çaba da harcıyorduk. Bazılarımız samimiyetle uğraşıyordu ülkenin harbe girmemesi için. Ancak bazılarımız harbe girmek taraftarıydı. Ve barış yanlıları çok geç kalmıştı. Harbe girmemize karar verecek adamların mühim makamlara gelmesine müsaade etmişti. Dirayetsizlik, korkaklık, maslahatçılık, aklıselimi yok etmiş, cemiyetteki kabadayıları kuvvetlendirmişti.

Evet, herkesi suçluyordum bunun için, elbette başta Talat Bey'i. O Talat Bey ki, samimiyetinden ve inancından hiçbir zaman kuşku duymadığım bir liderdi. Ama samimiyet ve inanç, bir devleti yönetmek için kâfi mi sence? Artık yıkılmaya yüz tutmuş bir devleti yeniden ayağa kaldırmak için daha fazlası gerekmez miydi? Doğru bir siyasi yol ve bu güzergahta yürümek için kader birliği etmiş, birbirine ölümüne bağlı insanlardan oluşan bir teşkilat olmadan bu mümkün müydü? Evet, bir zamanlar böyle bir cemiyetimiz vardı. Artık var mı emin değildim. Zira birbirimize duyduğumuz itimat hissini çoktan kaybetmiştik. İttihat Terakki Cemiyeti'ni ayakta tutan o sarsılmaz kardeşlik duygusu, kendini feda etme erdemi, şahsi çıkarlar için kurban edilmişti. Evet, Talat Bey'in büyük bir iyimserlikle, "Birbirimizi ikaz ederek, birbirimizi dostça tenkit ederek bu tür yozlaşmaları bertaraf etmeyi öğreneceğiz," dileği sadece boş bir temenniden ibaret olarak kalmıştı. Ne Enver Bey, harbiye nazırı olma isteğinden vazgeçecekti, ne fedaileri sanki ikinci bir hükümetmiş gibi nazırların işlerine müdahale etmeye son verecekti.

"Nihayet, tek başımıza iktidara geldik," dediğimiz Bab-ı Âli Baskını'ndan yaklaşık bir yıl sonra devlette iki başlılık değil, aslında üç başlılık hasıl olmuştu. Güya bir hükümet vardı ama Sadrazam Sait Halim Paşa'dan çok, üç kişinin sözü geçiyordu. Talat, Enver ve cemiyetimizin yeni yıldızı Cemal. Evet, bir meclisimiz vardı, evet bir hükümetimiz vardı, kaç yüz yıllık saray makamımız vardı ama son sözü hep bu üç kişiden biri söylüyordu. İşin kötüsü, aynı siyasi fırkanın üyesi olan, aynı ortak ideali paylaşan bu üç şahsiyet, memleketin mühim meselelerinde bile açıkça çatışmaktan çekinmez hale gelmişlerdi. Evet, kollarımız çatır çatır kırılıyordu ama yen içinde değil, bütün milletin gözleri önünde.

Harbiye Nezareti koltuğuna oturmak isteyen sadece Enver Bey değildi, Mahmud Şevket Paşa Suikastı'nın ardından siyasi hayatımızın kalıcı figürlerinden birine dönüşen Cemal Bey de bu mühim mevkiyi arzuluyordu. Akıl alır gibi değildi, ama bir zamanlar devletin despotluğu karşısında şerefle dövüşenler, bugün yüksek memuriyetlere tırmanmak için birbirlerine düşman oluyorlardı. Böyle giderse cemiyet içinde silahların patlaması an meselesiydi.

Bizim Fuad şaşırtıcı bir önseziyle olacakları önceden görmüştü. Fakat başta Talat Bey olmak üzere birçok mühim şahsiyet, cemiyetteki cepheleşmenin bu raddeye varacağını düşünmemişti. Benimse vaziyetin ciddiyetini anlamam için, o utanç verici hadiseyi yaşamam gerekecekti.

Enver Bey'in ameliyatından bahsediyorum. Ne zamandır başının belası olan şu apandisitten kurtulmak için Almanya'ya gidecekti "Hürriyet Kahramanı"mız. Çünkü bu operasyonu yapacak ehil doktorların, kendisinin de iki yıl Berlin Ateşesi olarak yaşadığı Almanya'da olduğuna inanıyordu. Fakat nedense bir anda bu fikrinden vazgeçmişti. Ben, bu ameliyattan bir rastlantı sonucu haberdar olacaktım.

1913 senesinin Aralık ayı fena soğuk yapmıştı. Sular buzlanmış, kar günlerce kalkmamıştı sokaklardan. Bahçedeki kuşların donarak ağaçlardan düştüğüne şahit olmuştuk. Bir sabah uyandığımda Madam Melina'yı göremedim ortalıkta. Olacak iş değildi, bu seveçen kadın sabah kahvaltımı hazırlamadan asla ayrılmazdı evden. Komşuya mı geçti filan derken, bir inleme sesi duydum. Ses, Madam'ın odasından geliyordu. Kapıyı vurdum, ne buyurun ne içeri girin, sadece o cılız inleme sesi. Kapıyı itince Madam'ın yatakta mecalsiz yattığını gördüm. Dokununca, ateşler içinde yandığını fark ettim. Alnına soğuk suyla ıslattığım bir bez koydum, dolaptaki ilaçlara baktım. Bir çare bulamadım. Derhal sokağa fırladım, bir araba bulup, Madamı güç bela bindirdim.

Alman Hastanesi'nde Selanik'ten tanıdığım Salim Ensar diye bir doktor vardı. Arabacıya bizi acilen Alman Hastanesi'ne ulaştırmasını söyledim. Buz tutmuş yollardan geçip Sıraselviler'e ulaşıncaya kadar kadın kucağımda ölecek diye içim içimi yedi. Neyse ki sağ salim ulaştık hastaneye. Kapıda dikilmekte olan şişman hastabakıcıyı gayrete getirip bir sedyeyle Madam'ı içeri taşıdım. Derhal ilgilenmeye başladılar ama bana dahiliye mütehassısı Salim Ensar lazımdı.

"Alt kata indi," dedi şişman hastabakıcı. "Mühim birinin ameliyatı mı ne varmış. Epey oldu, beklerseniz gelir."

Madam Melina'nın iniltisi hırıltıya dönüşmüştü, bekleyecek vakit değildi. Aceleyle alt kata indim. Kapıların karşılıklı olarak sıralandığı uzun bir koridor çıktı önüme. Acaba Salim

Ensar hangi odadaydı? İlk kapıyı açmak istedim kapalıydı. İkincisini tecrübe ettim, kapı açıktı ama içeride kimse yoktu. Elim üçüncü kapının tokmağına giderken, bir silah namlusu dayandı enseme.

"Kıpırdama, ellerini havaya kaldır."

Şaşkınlıkla başımı çevirmeye kalktım, namlunun ucuyla sertçe vurdu kafama.

"Kıpırdama dedim sana."

"Ah!" Fena canım yanmıştı ama kendimi tuttum. "Bak arkadaşım," diye ikaz ettim. "Amacın ne bilmiyorum ama büyük hata yapıyorsun."

"Asıl hata yapan sensin."

Bir kez daha vurdu başıma, hem de aynı yere.

"Ah! Ne vuruyorsun," diyerek döndüm, karşımda Yakup Cemil'i buldum. Evet, bizim cemiyetin namlı fedaisi Yakup Cemil, gözlerini kısmış, nefretle bana bakıyordu. Yanında da Atıf... Bundan beş yıl önce Manastır'da Şemsi Paşa'yı vuran, sadece cemiyetin değil, bir zamanlar benim de şahsi kahramanım olan Atıf.

"Ne yapıyorsunuz siz?" diye çıkıştım. "Tanımadınız mı beni?"

"Ellerini kaldırsan iyi olur Şehsuvar," diye uyardı Atıf. "Üzerini aramamız lazım."

Beni tanımış olmalarına rağmen düşmanca tavırlarını değiştirmediklerine göre, daha koridora indiğimde kim olduğumu görmüşlerdi. İyi de ne saçmalıyordu bunlar? Maksatları neydi?

"Ne oluyor burada?" diye sordum şaşkınlıkla. "Niye arayacakmışsınız üzerimi?"

Boşta kalan eliyle duvara iteledi Yakup beni.

"Silah arıyoruz, silah. Enver Bey'i vurmak için getirdiğin silahı."

"Ne?" diyebildim sadece. "Ne diyorsun sen be?"

"Ne dediğimi çok iyi biliyorsun." Atıf'a döndü. "Arasana şunu. Daha ne duruyorsun!"

Atıf üzerimi aramaya başlarken,

"Yahu deli misiniz, divane misiniz," diye söylenmeye başladım. "Enver Bey'i niye vurayım?" Boş koridora bakındım. "Hem Enver Bey'in burada ne işi var?"

"Bilmezlikten gelme." Resmen azarlıyordu Yakup. "Asıl senin burada ne işin var? Neden koşturuyordun telaş içinde öyle? Kimi arıyordun tek tek kapıları açarak?"

Tuhaf bir şeyler dönüyordu ya, hayırlısı diyerek izah etmeye çalıştım.

"Ev sahibem üşütmüş. Madam Melina... Muhtemelen zatürre olmuştur kadıncağız. Hali yok, öylece yatıyordu evde. Onu getirdim hastaneye, bu katta da doktoru arıyordum. Doktor Salim'i. Salim Ensar'ı... Asıl siz ne arıyorsunuz burada? Sanki kanlı bıçaklıymışız gibi niye saldırdınız öyle üzerime?"

"Numara yapma bana," diye tısladı dişlerinin arasından Yakup Cemil. "Maksadınızı çok iyi biliyoruz."

Artık tepem atmaya başlamıştı.

"Ne maksadı yahu!" Hâlâ burnumun ucuna tuttuğu tabancanın namlusunu elimle ittim. "İnanmıyorsan çık yukarı bak... Zavallı kadın mecalsiz yatıyor sedyenin üzerinde."

"Şimdi göstereceğim sana kadını," diyerek tabancasının kabzasıyla yüzüme vuracaktı ki, Atıf engelledi.

"Dur, dur yahu. Belki de doğru söylüyor. Baksana, silah filan yok üzerinde."

Kaldırdığı kabzayı suratıma indirmemişti Yakup ama ikna da olmamıştı.

"Yukarıda bırakmıştır," dedi kuşkuyla. "Arkadaşlarının yanındadır silahlar. Bu da vaziyeti anlamak için inmiştir aşağıya... Kaç kişiyiz öğrenmek için... Kapıdaki arkadaşlarına haber verecek sonra. O Fuad denen zibidi de hastanede bir yerlerdedir eminim."

Dayanamayıp bağırmaya başladım:

"Yeter artık! Yeter yahu, çıldırdınız mı siz? Fuad niye gelsin hastaneye? Enver Bey'i niye vuralım biz?"

Atıf'ın kafası karışır gibi olmuş, Yakup Cemil'in de bakışlarındaki öfke kırılmaya başlamıştı.

"Hem Enver Bey'in bu hastanede ne işi var?" Onlardan cevap gelmeyince, aklıma gelen ihtimalle duraksadım. "Yoksa, yoksa yaralandı mı? Bir suikast mı var?"

Numara mı yapıyordum, samimi miydim, emin olamayan iki serdengeçti birbirine bakıyorlardı.

"Sen burada kal," dedi sonunda Atıf, deli bozuk arkadaşına. "Ben yukarıya bir göz atayım, bakalım, doğru mu söylüyor Şehsuvar?"

Tereddüt ediyordu Yakup.

"Merak etme," diye teskin etti arkadaşı. "Dikkatli olurum." Kurnazca gülümsedi. "Ama sen de dikkatli ol, biliyorsun anasının gözüdür bu mektepli."

Atıf, çevik adımlarla uzaklaşırken, Yakup da silahın ucuyla, az önce kapısını açtığım odayı gösterdi.

"Hadi Şehsuvar Efendi, sen de şuraya... Orada bekleyeceğiz..."

Silah ondaydı, gösterdiği odaya yürüdüm ama ikaz etmeden de duramadım.

"Sonra çok utanacaksınız ama... Bu yaptığınız çok ayıp."

Laf hazırdı kışla kabadayısında.

"Asıl sizin yaptığınız ayıp, Enver Bey'i Almanya'ya yollayıp Cemal'i harbiye nazırı yapacaktınız, öyle mi?"

"Nasıl böyle düşünebilirsin?" diye duracak oldum, "Yürrü!" diye iteledi sırtımdan. "Bir de anlamazlıktan geliyorsun değil mi? Enver Bey ameliyat için Berlin'e gidecek, senin Büyük Efendin ile Cemal Bey de istedikleri gibi at oynatacaklardı burada. Ama Enver Bey kaçın kurası? Elbette gelmedi bu tertibe. O yüzden burada ameliyat olmayı seçti. Tabii bunu öğrenir öğrenmez, meseleyi kökten halletmek istediniz. Enver Bey'i ortadan kaldırıp, ameliyat masasından kalkamadı diyecektiniz. Öyle değil mi? Bunun için gelmedin mi sen de buraya?"

"Sahiden inanıyor musun bu söylediklerine?" diye duracak oldum, tekrar itekledi beni.

"Durma, durma dedim sana... Hadi, gir şu odaya."

"Tamam, tamam, itip durma..."

Odaya girdim, küçük masaya yürüdüm.

"Dur," diye seslendi. "Dur, şimdi, bana dön."

Döndüm, aramızda bir metrelik mesafe vardı, namlunun ucunu yüzüme çevirmişti. Başımın arkası fena halde zonkluyordu, enseme doğru ılık ılık bir şeylerin aktığını hissediyordum, muhtemelen kanıyordu, aldırmadım.

"İnanıyor musun bu söylediklerine?" diyerek tekrar sordum. "Birazcık akıllı ol Yakup. Bunlar deli saçması. Biz hepimiz aynı taraftayız. Enver Bey'i niye öldürmek isteyelim? O hepimizin kahramanı."

"Onu size sormak lazım," dedi kırgın bir ifadeyle. Evet, sahiden de alıngan bir çocuk gibi bakıyordu artık yüzüme. "Neden kabul etmediniz Enver Bey'in harbiye nazırı olmasını? O kifayetsiz İzzet Paşa çok mu iyi bir asker yani? Adam canlı cenaze, yerinden kalkmaya üşeniyor ama hâlâ Harbiye Nazırı. Enver Bey dururken, neden bu herif orduyu idare ediyor?"

Suyuna gidip sakinleştirmek istedim.

"Haklısın Yakup, bu konuda seninle aynı fikirdeyim, lakin bu meselede karar vermek, seni de, beni de aşar. Bunlar bizim vazifemiz değil. Bir sıkıntı varsa, cemiyette de, hükümette de işin sorumluları konuşur halleder. Ama birbirimizden şüphelenmek, birbirimize silah çekmek de ne oluyor? Biz bu vatan için el ele vermedik mi? Hepimiz aynı davanın mücahitleri değil miyiz? Hep birlikte oturmadık mı kardeşlik sofrasına?"

Müstehzi bir ifade belirdi gergin yüzünde.

"Kardeşlik sofrası... Evet, biz de bunu diyoruz işte. Neden bu kardeşlik sofrasında Talat Bey rahatlıkla dahiliye nazırı olurken, Enver Bey geride tutuluyor? Neden Cemal Bey Nafia Nezaretine atanırken, Enver Bey'e Harbiye Nezaretini çok görülüyor? Neden? Ben söyleyeyim. Çünkü Enver Bey asker. Çünkü o, Dersaadet'te oturup ayak oyunları yapmak yerine bizzat cephede dövüşmeyi tercih ediyor. Meşrutiyet için ilk dağa çıkan kimdi? Düşmanla göğüs göğüse harp eden kimdi?"

Sanki, bütün fedakârlıkları kendileri yapmış gibi böyle üst perdeden atıp tutması canımı sıktı.

"Tereciye tere satma istersen," diye kestim sözünü. "O dediğin yerlerde ben de vardım. Manastır'da, Selanik'te, 31 Mart'ta Dersaadet'te, Trablusgarp'ta..."

Çatık kaşları açıldı, bakışlarını kaçırdı.

"Senden söz etmiyorum. Trablusgarp'ta nasıl dövüştüğünüzü gördüm. Rahmetli Basri kumandanı ben de severdim. Biz düşmanla boğuşurken, payitahtta oturup ayak oyunlarıyla, cemiyetin namuslu evlatlarını saf dışı etmeye çalışanlardan bahsediyorum."

"O zaman niye o silahı üzerime tutuyorsun hâlâ?"

Yeniden çatıldı kaşları, gözlerini kıstı, gevşeyen kolunu kaldırdı, silahı yine suratımın ortasına doğrultmuştu.

"Yok öyle laf kalabalığı... Beni oyuna getiremezsin."

Aldırmaz görünerek başımı salladım.

"Ne oyunu Yakup, karşında düşman mı var?"

Dinlemiyordu bile.

"Latife yapmıyorum Şehsuvar, valla basarım tetiğe."

Basardı, şu ana kadar yapmamış olması şaşırtıcıydı. Ama davranışı o kadar haksız, o kadar aptalcaydı ki sinirlendim.

"Basarsan bas be!" dedim paltomun yakasını açarak. "Yapmadığın iş mi sanki! Bu defa da bir dava arkadaşını vurmuş olursun ne fark eder!"

Göz göze geldik, bir yandan sancıyan başım, bir yandan bu hastane odasında böyle manasızca kıstırılmış olmak... Her şey o kadar saçmaydı ki, artık ne olacaksa olsun diyordum.

"Tamam, tamam," diyen Atıf'ın sesiyle bozuldu o gergin sessizlik. "Doğru söylüyormuş Şehsuvar... Hakikaten ev sahibesini getirmiş hastaneye..."

Yakup Cemil şöyle bir dönüp baktı arkadaşına ama ona bile itimat etmiyordu.

"O kadın olduğundan emin misin? Yalan söylüyor olmasınlar?"

Bu kadar şüphe Atıf'ı da isyan ettirdi.

"Kadını gözümle gördüm Yakup... Ateşler içinde yanıyor zavallıcık. İndir artık şu silahı." Mahcup bir tavırla bana döndü. "Kusura bakma Şehsuvar kardeş. Seni öyle telaşla, tek tek kapıları açarken görünce..." Birden bakışları yakama kaydı. "Paltonun yakasında kan var... Başın kanıyor yahu..."

Utanmadan bir de benim için kaygı duyuyordu.

"Mühim değil Atıf," dedim kapıya yönelirken. "Bu yaradan bir şey olmaz. Kadın ölmeden gidip şu doktoru bulayım."

Bir adım atmıştım ki arkamdan seslendi Atıf:

"Yahu Şehsuvar, biz büyük bir hata yaptık. Kusura bakma ama daha fazla büyütmeyelim. Talat Bey duymasın bu olayı. Hani cemiyet içinde huzursuzluk çıkmasın diye..."

Döndüm, tükürür gibi baktım suratına.

"Söylemene lüzum yok, cemiyetin birliğini tehlikeye atacak değilim."

Çekip gidecektim ki, Yakup Cemil'in pis pis bana baktığını gördüm. İyice yaklaştım.

"Bak zabit efendi, bir daha o silahı bana doğrultursan, sakın tetiği çekmeden indirme. Eğer indirirsen, seni temin ederim çok pişman olacaksın."

Arsız arsız sırıttı, iri fedai.

"Sen de bir daha yüzüne doğrulttuğum silahı sakın elinle itme. Eğer itersen, temin ederim, sen daha çok pişman olacaksın."

Bu vukuatı Talat Bey'e anlatmadım, hatta ağzından kaçırır diye Fuad'a da bahsetmedim. Ama Yakup Cemil orada burada, Talat'ın adamının kafasını kırdım diye dedikodu yapınca kulağına gitmiş. Karşılaştığımızda konuyu açtı.

"Yakup Cemil sana saldırdı mı?"

"Ciddiye alacak bir mesele değil," dediysem de ikna olmadı, meseleyi bütün teferruatıyla öğrenmek istedi. Mecburen anlattım ama Enver'le birbirlerine düşmelerini istemediğim için,

"Yakup Cemil'in işgüzarlığı," dedim önemsemeyerek. "Durumdan vazife çıkarmış kendine."

Düşünceli düşünceli başını salladı Büyük Efendi.

"Keşke o kadar basit olsaydı Şehsuvar. Ama merak etme halledeceğiz bu meseleyi. Cemiyetimizin ahlakına ve devletimizin adabına yakışır bir şekilde neticelenecek bu iş."

Neticelendi de ama cemiyetimizin ahlakına ve devletimizin adabına yakışır bir şekilde değil, "Hürriyet Kahramanı"-mızın isteğine ve keyfiyetine göre. Evet, Enver Bey o yılın başında önce harbiye nazırlığına layık görüldü. Fakat Cemal Bey de küstürülmedi, nafia nazırlığından, bahriye nazırlığına geçirildi. Böylece Devlet-i Aliyye, fiili olarak İttihat Terakki'nin üç liderinin ortak yönetimine geçmiş oluyordu. Ama ne ordu kurallarına ne de temayüllere aldırmadan kısa sürede paşa unvanına kavuşan Enver Bey, elbette bununla da yetinmeyecekti...

“Ne işimiz var bu kanlı kapışmada?

Merhaba Ester, (11. Gün, İkindi)

Otelden ayrıldığımda vakit ikindiyi bulmuştu. Resepsiyonda şu İngiliz yazarı gördüm, kalabalık bir grupla birlikte çıkış yapıyordu. Gece treniyle ayrılacaklardı İstanbul’dan, Orient Ekspres’iyle. Beni fark edince gülümsedi, belki de konuşacak, geçen gece çığlıklarımı duyduğu için, iyi misiniz diye soracaktı ama ona haber anlatamazdım şimdi. Nazik bir selamlamayla yetinerek kapıya yöneldim.

Çekingen bir güneş karşıladı beni dışarıda. Rahatsız etmekten imtina edercesine, tatlı tatlı ısıtıyordu ortalığı. Dünkü o boğucu hava kaybolmuştu. Serin bir rüzgâr gönlünce geziniyordu sokaklarda. Aşina olduğumuz o sonbahar yürürlüğe girmişti yine. Mutat olduğu üzere, gözlerim hafiye aradı köşe başlarında. Hayır, yine kimse yoktu. Eh, artık onlar için çalışacağıma göre, beni rahat bırakmaları makuldü.

İnsanı hoş bir rehavete sürükleyen bu mülayim havaya aldırmadan adımlarımı hızlandırdım. Gerçi saat konuşmamıştık ama Mehmed Esad öğleden sonra demişti. Bu hesaba göre biraz geç kalmış olabilirdim. Aceleyle Karlmann Pasajı’nın, Tepebaşı Bahçesi’ne bakan kapısının önünden geçerken, biriyle çarpıştım. Ufak tefek biriydi, zavallı bana toslayınca yere savruldu. Kusurlu olan bendim, manasız yere o kadar telaş etmiştim ki kapıdan çıkan adamı görmemiştim.

"Kusura bakmayın," diye yaklaştım. Elimi uzatarak kaldırmak istedim. "İstemeden oldu."

Ufak tefek adam şöyle bir baktı yüzüme.

"Şehsuvar... Şehsuvar sen misin?"

Sesi, yüzü, bakışları hatırladım. Mekteb-i Sultani'den sıra arkadaşımdı.

"Arşak... Vay aziz kardeşim! Arşak sen ha!"

Elimi tutarak ayağa kalktı. Sarmaş dolaş olduk. Şöyle bir baktı bana.

"Yaşlanmışsın," dedi samimi bir üzüntüyle. "Ama ben daha çok yaşlandım."

Doğru söylüyordu, erken çökmüştü, en az altmışında gösteriyordu. Elbette gördüğümü söylemedim.

"Yok canım, o kadar da değil. Mektebe ilk geldiğin günden azıcık farklısın. O da saçların beyazladığı için. Sahi ne yapıyorsun, işlerin nasıl?"

Biraz mahcup ama daha çok kederle baktı yüzüme.

"Ben burada yaşamıyorum Şehsuvar. Paris'e taşındım..."

"Niye?" diye sordum şaşkınlıkla. "Niye ayrıldın İstanbul'dan?"

Bakışlarını kaçırdı.

"Öyle oldu işte."

Anlatmak istemiyordu, ben de üstelemedim.

"Hemen dönmüyorsun değil mi? Buralardaysan görüşmek isterim. Bir iki kadeh bir şeyler içer, sohbet ederiz. Paris'te bulamazsın bizim meyhaneleri..."

Acı acı güldü.

"Yok," dedi başını sallayarak. "Yok valla orada bizimki gibi meyhaneler... Tamam, yarın akşam buluşalım. Maksim'e gidelim, olur mu? Adını çok duydum, merak ediyorum nasıl bir mekândır diye..."

Memnun olmuştum, bu eski dostla yeniden konuşma fırsatı bulacağım için.

"Tamam, yarın Maksim'in kapısında buluşalım."

"Anlaştık," dedi güçlü bir şekilde elimi sıkarak. "Yarın akşam sekizde."

Yeniden Avrupa Pasajı'na yürürken, artık bizim devrimizin geçtiğini düşündüm. Çok çabuk, çok erken, üstelik zaman hiç de adil davranmamıştı bize. Ayrılıklar, ölümler, sürgünler... Kimi görsem yaşlanmıştı, kiminle karşılaşsam çökmüştü. Evet durum buydu, en doğrusu bu hakikati kabul etmekti. Yoksa her sabah aynada kendimle yüzleşmek bir hayli güç olacaktı.

Birbirinden renkli vitrinlerin arasından geçip halı dükkânına ulaştığımda, alt katta otururken buldum Mehmed Esad'ı. Ruşeym adındaki o siyahi, dilsiz adam yoktu ortalıkta. Küçük bir tabureye oturmuş, suratını buruşturarak, yeşil bir şişeden maden suyu içiyordu arkadaşım.

"Yarasın," diyerek girdim içeri. "Ne o, mideyi mi bozdun yoksa?"

Beni görünce toparlandı.

"Hiç sorma yahu. Patlıcan kızartmasını fazla kaçırmışım. Geceden beri kıvranıp duruyorum."

Öteki tabureye yöneliyordum ki, elini kaldırdı.

"Yok, burada oturmayalım, çok göz önündeyiz. Sen yukarı çık, ben de kepenkleri içeriden kapatıp geliyorum."

Haklıydı, her gelen geçenin bizi gördüğü bir yerde, devletin gizli saklı işlerini konuşmak hiç doğru olmazdı. Yukarı çıkınca masanın üzerinde bazı kâğıtlar gördüm. Kara kalemle çizilmiş insan yüzleri... Arap halkının acı dolu yüzleri... Ne yani bizim Mehmed Esad'da ressamlık da mı vardı?

"Ruşeym çiziyor onları," diyen Mehmed'in sesiyle geri döndüm. Arkadaşım merdivenin başında dikiliyordu. "İnsan denen mahluk ne büyük bir muamma Şehsuvar. İnanabiliyor musun, konuşamayan bu adam, hem de hiçbir tahsili olmadığı halde bu şahane resimleri yapabiliyor."

Felsefe yapan bir gizli hafiye. Yok, hoşuma gitti, gülümsedim. Ama Mehmed yanlış anladı.

"Saçmaladım değil mi?"

"Hayır, hayır aksine çok doğru söyledin. Her insanın içinde bir yaratıcılık vardır. Bir gün patlayıverir... Keşke Ruşeym bu işin eğitimin alabilseydi...."

"Keşke," diyerek masanın arkasındaki koltuğa oturdu. "E, niye dikiliyorsun, geçsene şöyle."

Ben de karşısına yerleştim.

"Arkadaşlarla konuştum... Çolak Cafer meselesini diyorum... Bugünden itibaren başlayacaklar soruşturmaya. Cezmi'nin ölümünden korkmuş, bir yerlerde saklanıyor olabilir. Eninde sonunda buluruz onu, fakat biraz zaman gerekebilir. Yani, işin üstündeyim, bil istedim..."

"Peki Cezmi meselesi neymiş? Kim öldürmüş onu?"

Nedense bakışlarını kaçırdı.

"Kesin bir malumatımız yok. Arkadaşlar tahkik ediyor. Adi bir mesele de olabilir. Dur, yok deme hemen. Resneli Niyazi'yi bilirsin."

Eski günleri hatırlamıştım.

"Bilmem mi?" dedim gülümseyerek. "Şifreli bir mesaj götürmüştüm ona. Tatar Osman Paşa'yı dağa kaldırması için. Bir gün sonra da meşrutiyet ilan edilmişti zaten."

"E işte onu diyorum. Dağ gibi adamdı Niyazi. Kurşun sıksan işlemez diye korkardı düşmanları. N'oldu? İngiliz mangasının önünde mi kurşuna dizildi? İstiklal Mahkemesi'nde yağlı urgan mı geçirildi boynuna? Hayır, ciğeri beş para etmez bir herifin kurşununa kurban gitti. Hâlâ da cinayetin sebebi anlaşılmış değil. Diyeceğim o ki, Cezmi Binbaşı'nın öldürülmesi de böyle bir vaka olabilir. Ama evelallah öğreneceğiz onu da..." Masanın çekmecesini açtı, sarı bir zarf çıkardı, bana uzattı. "Bu senin ilk avansın..."

Sarı zarfa şöyle bir göz attım.

"Cumhuriyet hükümetinin durumu, Bab-ı Âli'den daha iyi anlaşılan," dedim eğlenceli bir sesle. "Bizde maaşlar hep geç ödenirdi."

Gururla mırıldandı.

"Vatanı için fedakârlıktan kaçınmayanlara, vatan da fedakârlıktan kaçınmamalı." Zarfı almadığımı görünce ikaz etmek zorunda kaldı. "Bu senin hakkın Şehsuvar, lütfen şunu al."

Birlikte çalışmayı kabul ettikten sonra parayı reddetmek anlamsızdı, zarfı alıp ceketimin iç cebine soktum. Ama elimi cebimden çıkartırken, kendi kendime gülümsemeden edemedim.

"Niye gülümsedin?" diye sordu.

"Hiiç, yıllar sonra hükümetten maaş almak tuhafıma gitti..."

"Hak ediyorsun Şehsuvar," Takdirle bakıyordu. "Sen, dürüst bir adamsın. O yüzden bu kadar ısrar ettik zaten. Namuslu insanlar o kadar azaldı ki..."

Alaycı tavrıma devam ettim:

"Peki, vazifesi ne olacak bu dürüst adamın? Ne yapacak bu güzel vatan için?"

Hiç alınmadı sözlerime.

"Eski ittihatçılar lazım bize... Onlarla irtibat kurmamız gerekiyor..."

"Ne için?" diye sordum ciddileşerek. "Ne yapacağız eski ittihatçıları?"

Kafasını salladı.

"Düşündüğün gibi değil, kimseyi tutuklamayacağız ya da öldürmeyeceğiz. Tıpkı senin gibi vazife vereceğiz onlara. Vatanları için ellerini taşın altına koymalarını isteyeceğiz. Bize karşı dövüşeceklerine, düşmanlarımıza karşı dövüşsünler."

Tam olarak ne kastettiğini anlayamamıştım.

"Yani silah mı kullanacaklar? Birilerini mi öldürecekler?"

Ellerini masanın üzerinde birleştirdi.

"Eğer karşımızdakiler silah kullanırsa, bizden birilerini öldürmeye kalkarsa... Ama senin vazifen bu değil. Senden kimseye kurşun sıkmanı istemiyoruz. Sadece eski ittihatçıları bulmalısın bize. Ama gözü kara olanları, bu işlerde pişmiş olanları, tecrübeli olanları... Yazan, çizen, boş boş konuşan adamlar lazım değil bize. Mesela şu senin bir arkadaşın vardı... Bizim gibi Selanikli... Fuad... O zamanlar benim gibi mülazımdı. Nerede bu Fuad? Onun gibiler lazım bize. Mesela Cezmi işimize yaramazdı. Tamam kıyıcı adamdı, fakat mantıklı biri değildi. Eninde sonunda açık verirdi. Cesaret kadar, tecrübe kadar, zekâ da lazım bu işte... Çünkü gizli işler bunlar."

Sustu, rahat düşünmem için zaman tanıdı ama benden soru gelmeyince yeniden başladı.

"Evet, senden istediğimiz böyle insanlar bulman. Önümüzdeki yıl faaliyete geçecek bir gruptan bahsediyorum. Ama bu yılın sonuna kadar ekibi kurmamız lazım. Bilirsin, onları hazırlamak, teşkilatlandırmak vakit ister."

İlk o zaman fark ettim bu grubun belirli bir vazifeyi ifa etmek için kurulmaya çalışıldığını. Önümüzdeki yıl yapılması planlanan mühim bir vukuatın hazırlıklarıydı bunlar.

"Devletin resmî memurları mı olacak bu arkadaşlar?" diye eşeledim biraz.

"Elbette, neticede öyle olacak tabii ama kimse bilmeyecek bunu. Ne biz beyan edeceğiz ne de onlar anlatacak kimseye. Başka türlü muvaffak olmamız mümkün değil. Fakat dert etme, işin o kısmını biz anlatırız onlara. Sen, adamları bizimle tanıştır yeter. İstemezsen, araya girmene de lüzum yok, adamın adını, nerede bulacağımızı söylersin, gerisini biz hallederiz."

"Hallederiz," diye mırıldandım manidar bir sesle. "Nasıl halledeceksiniz?"

Ne demek istediğimi anlamıştı.

"İstersen Kur'an'ın üzerine yemin edeyim. Onları yakalamak niyetinde filan değiliz. Yok etmek gibi bir maksadımız da yok. O kadar çoklar ki hangi birini yok edeceksin. Senin de söylediğin gibi bu ülkede herkes, hepimiz ittihatçıydık. Yani seni oyuna filan getirdiğimiz yok. Bu vatan evlatlarını, yeniden vatan için vazifeye çağırıyoruz. Teşkilat-ı Mahsus'a üyesi olanlar, Karakol Cemiyeti'nde çalışanlar, eski İttihat ve Terakki fedaileri. Biliyoruz ki, bu insanların hepsi mutsuz, hepsi bir parça kırgın, çoğu da vazife bekliyor. Evet, bu hissi sen de bilirsin, bu kadroların çoğu, cumhuriyet hükümeti neden bizi görmüyor, Gazi Paşa neden bizi yok sayıyor diye öfkeleniyor. Yanlış mı? Öyle düşünmüyorlar mı?"

Haklıydı, Mehmed Esad'ın sözlerinde onaylanmayacak bir taraf yoktu, tabii doğru söylüyorsa? Başka, karanlık bir amacı yoksa. Ama bunu düşünmek için artık çok geçti. Eğer yalan söylüyorsa, beni kandırmaya çalışıyorsa, bunu vazife içerisinde anlayacaktım artık. O sebepten hiç itiraz etmedim.

"Haklısın Mehmed," diye onayladım. "Aynen böyle düşünüyorlar. Muhtemelen büyük bir memnuniyetle karşılayacaklar, hükümetin teklifini. Tamam, ben araştırmaya başlayayım o zaman. Peki biz, hep burada mı görüşeceğiz? Ayrıca ben, Pera Palas'ta kalmaya devam mı edeceğim? Yoksa evime mi dönmeliyim?"

Sözlerim ziyadesiyle memnun etmişti arkadaşımı.

"Bence Pera Palas'tan ayrılmamalısın. En azından bir süre daha orada kalmaya devam et. Parayı dert etme, masrafları karşılarız. Biz de hem otelde hem de burada buluşuruz, hatta arada bir kafa çekeriz. Böylesi daha az dikkat çeker. İki eski arkadaşın muhabbetinden kim şüphe eder ki?"

Bizden kim şüphe edecek diye geçirdim içimden. Devlet için çalıştığımıza göre kim düşecekti peşimize? Ama üstünde çok durmadım, arkadaşımın bir bildiği vardı herhalde. Üstelik bir süre daha Pera Palas'ta kalmak benim de işime gelirdi. Hiç değilse sana ulaşıncaya kadar. Mehmed Esad'dan ayrılınca otele döndüm. Oysa şahane bir akşam başlıyordu sokakta. Ve işler adeta kendiliğinden yoluna giriyordu. Sıkışıp kaldığım o labirentte kör duvarlar birer birer yıkılıyordu. Hem de benim çabama gerek kalmadan. Sanki görünmez bir el bana yardım ediyordu... Fakat bir terslik vardı. Ne olduğunu bilmiyordum ama bir şey beni rahatsız ediyordu. Mantıkla kavranılan bir husus değil bu, bir his, tecrübeyle kazanılmış bir his. Olan bitenler fazla iyiydi, fazla doğru, fazla mantıklı. Hayır, hiçbir zaman işler bu kadar mükemmel gitmezdi. Evet, bir terslik vardı, neydi bilmiyordum ama hissediyordum, eminim bir terslik vardı. Neyse anlayacaktık nasıl olsa...

Otele dönünce, yeniden yazı masasının başına geçtim. Ve o meşum 1914 yılına geri döndüm. Kış sona ermiş, ilkbaharın ucu görünmüştü. Hastaneden çıkmasının üzerinden iki ayı aşkın bir zaman geçmesine rağmen Madam Melina hâlâ biraz süzgündü, hâlâ öksürük nöbetlerine yakalanıyordu. Ama artık kötü dönemi atlatmış, eski sıhhatine kavuşmuştu. Elbette benim evdeki itibarım da epeyce yükselmişti. Adeta bir paşa torunu muamelesi görüyordum. O kıtlık günlerinde bulabildiği malzemeyle mucizeler yaratarak şahane yemekler pişiriyordu bana. Sanki hastalıktan yeni kurtulan o değil de benmişim gibi odamı hep sıcak tutuyor, elbiselerimi neredeyse günü gününe yıkıyor, ütülüyor, her an emrime amade hale getiriyordu. Rahmetli annemden bile bu kadar hizmet, bu kadar hürmet görmemiştim dersem abartmamış olurum. Yine o ballı börekli kahvaltı masasında oturduğumuz günlerden birinde, yüzünde muzip bir gülümsemeyle *Tanin* gazetesini uzattı.

"Sizin Enver Paşa muradına ermiş... Nihayet saraya damat olmuş."

Gazetenin ön sayfasında yer alıyordu haber. "Enver Paşa, Damad-ı Şehriyar oldu." Başlığın altında, Hürriyet Kahramanı, Edirne Fatihi, Harbiye Nazırı Enver Paşa'nın, Naciye Sultan'la evlendiği yazıyor, Damat Ferit Paşa'nın konağında yapılan düğün yemeğine güzide bir davetli topluluğunun katıldığı belirtiliyordu.

"Gelin pek gençmiş diyorlar. Ama Enver Paşa da yakışıklı adam. Bir cazibesi var yani..."

Nişanlandıklarında Emine Naciye Sultan daha çocuk sayılırdı. On bir yaşında filan olmalı. Aslında siyasi bir evlilikti bu. Cemiyetin isteğiyle gerçekleşmiş bir izdivaç. Arkadaşlarımızdan bazılarının saraydan kız almasıyla, Osmanlı aristokrasisiyle aramızdaki soğukluk giderilmek isteniyordu.

Bizimkilerden Hafız Hakkı da bu maksatla saraydan evlenmişti. Fakat enteresan bir gelişme olmuş, birbirlerini hiç görmemelerine, sadece mektuplarla haberleşmelerine rağmen Enver Bey delice âşık olmuştu Naciye Sultan'a. Başkalarının mahrem hayatı hakkında konuşmayı hiç sevmeyen Talat Bey bile durumun tuhaflığı karşısında yorum yapmaktan kendini alamamıştı:

"Bu bizim Enver, matrak adam, hiç görmediği, sadece annesinin tarifiyle tanıdığı Naciye Hanım'a büyük bir tutkuyla bağlandı. Tıpkı siyasette olduğu gibi aşkta da hakikatlerin değil, hayallerin peşinden gitmeyi sürdürüyor."

Trablusgarp'tayken de Enver Bey'in yaveri olan Zabit Akif, kumandanının her fırsatta kâğıda kaleme sarıldığından bahsederek,

"Sadece iki işi yaparken aynı tutkulu ifade belirirdi Enver Bey'in yüzünde: Bir, harp ederken; iki, mektup yazarken," demişti.

Enver Bey'in, harbiye nazırı olmak istemesini, kıdemini beklemeden paşalığa göz dikmesini de bu evliliğe bağlayanlar vardı. Mesela bizim Fuad bu kanaatteydi:

"Vatanseverlik, inkılapçılık, cemiyetçilik bir yana aslında hepimizi birleştiren başka bir ortak özelliğimiz var. Prens Sabahattin gibi birkaç kişiyi saymazsak, hepimiz alt tabakadan ya da orta sınıflardan gelen insanlarız. Belki de saraya karşı duyduğumuz büyük tepkinin asıl nedeni bu. Padişahın tek başına hükümran olmasına tahammül edemeyişimizin, meşrutiyet isteğimizin altında belki de bu hakikat var. Ama aynı zamanda tuhaf bir paradoks içindeyiz. Bir yandan saraya öfke duyuyoruz, bir yandan da onların yerinde olamadığımız için hayıflanıyoruz. Bu melun his, cemiyetin en üst kademesinden, en alt kademesine kadar hepimizin ruhunu ele geçirmiş durumda. Bana kalırsa, Enver Bey de bu hissin pençesinde kıvranıyor. O yüzden harbiye nazırlığında ısrar ediyor. Üç yıldır saraya damat olmayı beklemesinin sebebi de bu, düğüne giderken ne kadar şan, ne kadar rütbe varsa hepsini almak istiyor. Böylece saray kızıyla arasındaki zümre farkını ortadan kaldırmayı umuyor."

Fuad'ın bu tespitlerine tam olarak katılamıyordum, çünkü Enver Bey'i o kadar yakından tanımıyordum. Ama gözü yükseklerde olan, hırslı, hem de çok hırslı biri olduğunu biliyordum.

411

"Ee Şehsuvar Bey evladım," diyen Madam Melina'nın sözleriyle dağıldı düşüncelerim. "Söyle bakalım, senin mürüvvetini ne zaman göreceğiz?"

Elimdeki gazeteyi katlayıp masanın kenarına koydum. "Enver Paşa'nın yaşına gelince. O şimdi otuz üç yaşında filan olmalı. Daha ben otuzuma gelmedim." Küçük bir kahkaha attım. "Hem nerde öyle münasip bir kız? Devir kötü Madam Melina, namuslu insan bulmak zor."

Saf kadın, ciddiye aldı sözlerimi.

"Haklısın evladım, memleketin hali fena. İnsanlar insanlıktan çıktılar. Kim, kimdir, nereden bileceksin." Durdu. "Peki, şu senin Selanik'te yok muydu hiç tanıdığın bildiğin biri, temiz süt emmiş bir aile kızı?"

Bir an seni anlatmak geçti içimden. İlk karşılaşmamızı, kendi kendine büyüyen bir sarmaşık gibi gönüllerimizde boy veren sevdamızı, yarıda kalan ümitlerimizi, bir türlü neticelenmeyen hazin hikâyemizi. Sonra vazgeçtim, bu samimi kadını üzmek istemedim.

"Yoktu, Madam Melina," dedim artık soğumaya yüz tutmuş kahveme uzanırken. "Selanik'te de yoktu, burada da yok."

O anda bambaşka bir hakikati fark ettim. Tarih, kimilerine karşı sevgiyle yaklaşırken, kimilerine karşı acımasız davranıyordu. Kimilerini birbirinden koparırken, kimilerini birleştiriyordu. 1908'de başlayan olaylardan bahsediyorum. Meşrutiyet, seninle benim mutluluğumu engellerken, Enver Bey'le Naciye Sultan'ı mürüvvete götürmüştü. Hayır, kimseye kızmıyordum, onlara haset ettiğim filan da yoktu. Bizim kaderimiz böyle yazılmış da demiyordum, bunu ben tercih etmiştim, neticelerine de katlanmam gerekirdi. Fakat o sıralar başka bir hakikati daha fark etmiştim. Vatan düştükçe, bazı insanlar yükseliyor, millet bahtına küserken, bazıları şans atına binmiş koşturuyordu. Evet, aralarında Enver Paşa'nın da bulunduğu günün kazananlarından bahsediyorum. Ortalıkta hiçbir büyük zafer yokken, memleketin hali içler acısıyken, sahi bu neyin zaferiydi, neyin muvaffakiyeti? Edirne'yi geri almıştık ama çok daha büyük bir toprak parçasını kaybetmiştik. Millet yokluk içinde kıvranıyordu. İstikbalde neler olacağı meçhuldü, güzel günlere olan inanç kaybedilmişti, hiç kimsede umut kalmamıştı, yılgınlık sert bir rüzgâr gibi memleketi kasıp kavuruyordu ve hepsinden daha mühimi Harb-i Umumi kapıdaydı.

Şimdi akıllı olma zamanıydı, dış siyasette maceraya değil, ustalıkla planlanmış bir sulh stratejisine ihtiyaç vardı. Cemiyetteki genel kanı da zaten bu yöndeydi, Talat Bey olsun, Cemal Bey olsun, Cavit Bey olsun kimse bu kanlı çarpışmada taraf olmak istemiyordu. Ama ülke siyasetine yön veren hakikat, sağduyudan çok, kuvvetle alakalıydı. Kuvvete sahip olan, söze ve karara da sahip olur. Ve son dönemde cemiyetin, hükümetin ve memleketin en kuvvetli adamı ne Talat'tı, ne de Cemal. 1908 yılından bu yana yıldızı anbean parlayan, "Hürriyet Kahramanı," "Edirne Fatihi" ve şimdi de sarayın damadı olan Enver Paşa'ydı. Eğer Talat Bey, dirayetli davranıp onu harbiye nazırı yaptırmasaydı, netice farklı olabilirdi. Ama artık, bu hayallerinin peşinden gitmekten çekinmeyen hırslı askeri kimse durduramazdı. Durdurmak şöyle dursun, kimse onun karşısında yer alamazdı. Öyle de oldu, o sıcak yazla birlikte harbin başlamasından sadece altı gün sonra Almanlarla gizli bir askerî ittifak imzaladık. Evet, Gavrilo Princip adındaki Sırp milliyetçisinin Avusturya-Macaristan İmparatorluğu veliahtı Franz Ferdinand'a Saraybosna'da sıktığı kurşunun hemen ardından biz Almanlarla iş birliğine girmiştik.

Aslında görüşmeler çok daha önce başlamıştı. Herkes gibi Almanlar da artık harbin eli kulağında olduğunu biliyordu. Ne olursa olsun Osmanlıları kendi yanlarında istiyorlardı. Bizim tarafta ise durum epeyce karışıktı. Nedense Osmanlı heyeti bu görüşmeleri sadece İngilizlerden, Fransızlardan, Ruslardan değil, başta Cemal Paşa olmak üzere hem hükümetten hem de cemiyetten saklamıştı. Elbette bütün karanlık mevzularda olduğu gibi, bu işte de bizim yardımımıza ihtiyaç duyulmuştu.

Talat Bey'i kimseye sezdirmeden bulunduğu mekândan alarak ittifak görüşmelerinin yapıldığı köşke götürmek yine Fuad'la bana düştü. Başlarda mesele hakkında malumatımız olmadığı gibi, hiçbir fikre de sahip değildik. Sadece, Talat Bey'in, resmî korumalarını değil de bizim gibi iki fedaiyi yanına almasından hareketle, görüşmelerin mahrem konularla ilgili olduğunu düşünüyorduk. Elbette toplantıya katılanların arasında Enver Paşa'yı görünce son derece mühim bir vazife yaptığımızı da anlamıştık. Ama Almanya Sefiri Baron Konrad Von Wangenheim'i görünceye kadar bunun bir ittifak görüşmesi olduğunu fark etmemiştik. Evet, toplantıya en son katılan kişi Almanya'nın Türkiye sefiriydi. O kendinden emin adımlarıyla, küçük bahçeyi geçerek girmişti köşke.

"Hadi gözün aydın," demişti Fuad alaycı bir tavırla. "Almanya'nın yanında harbe giriyoruz."

Köşkü gören sokağın köşesinde, bir manolya ağacının gölgesine park ettiğimiz arabanın şoför mahallinde oturuyordum, Fuad da yan koltuğa çökmüştü.

"Zannetmem," dedim Talat Bey'in daha önce söylediklerine dayanarak. "Bizimkiler tarafsız kalacak bu harpte, başka bir mesele vardır Alman sefirle görüştükleri."

Köşke diktiği bakışlarını bana çevirdi arkadaşım.

"Çok safsın Şehsuvar. İçerde bir piyes sahneleniyor. Shakespeare'in yazdıklarından daha çarpıcı bir oyun. Bütün cihanı kana boyayacak bir trajedi."

İşi alaya vurdum.

"Her mevzuyu da tiyatroyla izah edersin..."

"Bahse var mısın?" dedi kendinden emin bir sesle. "Ama öyle Yorgo'nun Meyhanesi'nde filan değil, Tokatlıyan'da akşam yemeğine..."

Kafam karışmıştı ama geri adım atamadım.

"Pilavdan dönenin kaşığı kırılsın. Ama nasıl öğreneceğiz, içeride ne konuştuklarını?"

Pişkin pişkin sırıttı.

"Sen soracaksın? Talat Bey'in adamı değil misin?"

Kesin bir ifadeyle başımı salladım.

"Katiyen olmaz. Sen aklını mı kaçırdın Fuad? Adamlar mahrem toplantı yapacaklar, ben de içeride ne konuştunuz diye mi soracağım? Mümkün mü bu?"

"Tamam, o zaman birlikte konuştururuz Büyük Efendi'yi."

Güvensiz gözlerle süzdüm arkadaşımı.

"Nasıl olacakmış o iş?"

"Onu bana bırak," dedi içeri serinlik girsin diye arabanın camını iyice açarak. "Ama laf sana gelince sus pus olma, sen de katıl konuşmaya."

Talat Bey, yaklaşık üç saat süren toplantının ardından çıkmıştı köşkten, bezgin bir tavırla kendini arabanın içine attı.

"Hadi gidelim arkadaşlar," dedi mutsuz bir sesle. "Beni geçen gün aldığınız, Zeyrek'teki yokuşun başına bırakın."

Arabayı çalıştırdım, tatlı tatlı homurdandı motor, yavaşça hareket ettik. Biz köşkün önünden ayrılırken Enver Paşa ve Baron Von Wangenheim birlikte çıktılar. Talat Bey'in bıkkınlığının aksine ikisi de son derece neşeliydi. Baron Von Wangenheim'in ağzında kara bir Alman purosu vardı, Enver Paşa her zamanki sigarasından birini tüttürüyordu. Neredeyse şakalaşarak ağır ağır geziniyorlardı bahçede. Talat Bey de fark etmişti onları. Arabamız sokaktan ayrılıncaya kadar da ilgiyle izledi, az önce yanından çıktığı iki adamı. Bir soru sorulacaksa, bundan münasip zaman olmazdı, fakat bizim Fuad, süt dökmüş kedi gibi öylece oturuyordu. Anlaşılan iş yine başa düşmüştü.

"Talat Bey," dedim kibar bir sesle. "Sakıncası yoksa, bir şey sormak istiyorum."

Bir yandan da dikiz aynasından yüzünü görmeye çalışıyordum.

"Hı... Tabii, tabii sor Şehsuvar..."

O da dikiz aynasından yüzümü bulmuş, merakla beni izlemeye başlamıştı.

Oturduğum koltukta sıkıntıyla kımıldadım.

"Cevap vermek zorunda değilsiniz ama... Yani mahsuru varsa diyorum..."

Cümleyi tamamlayamadığımı görünce, muhtemelen ne soracağımı da anlayan kurt siyasetçi,

"Veririm, veririm kardeşim," dedi sıkıntıyla. "Niye cevap vermeyeyim?"

"Yok, yani hani mahrem bir mesele varsa..."

"Hadi sor Şehsuvar," dedi sertçe. "Hadi kardeşim, geveleme lafı ağzında."

Eh, günah benden gitmişti.

"Almanya'yla müttefik mi oluyoruz? Hani biz Harb-i Umumi'de tarafsız kalacaktık? Cemiyet fikir mi değiştirdi?"

Dikiz aynasından öfke dolu bir bakış fırlattı bana. İşte o zaman bin pişman oldum sorduğuma soracağıma. Fuad'a değil de kendime kızdım, niye kapılmıştım ki ben yanımda oturan bu deli bozuğun kışkırtmasına?

"Bir sigara ver," diye seslendi Talat Bey arkadan. "Benimki bitti içeride. Şu seninkilerden bir tane ver."

Fuad benden önce davrandı, tabakasını açıp arkaya uzattı.

"Buyurun, buyurunuz."

Tabakadan bir sigara çekti Büyük Efendi, acele etmeden yaktı. Arabanın içini mis gibi tütün kokusu doldurdu.

"Harb-i Umumi çıktı mı ki biz taraf olalım?" diye söylendi arkadan. "Senin istihbarat kaynakların böyle mi malumat verdi?"

Açıkça alay ediyordu, birazdan bir güzel haşlayacak diye düşünüyordum ki,

"Yapmayın Talat Bey," diyen Fuad yetişti imdadıma. "Avusturya-Macaristan İmparatorluğunun Sırbistan'a saldırması an meselesi. Veliahtları Ferdinand'ın ölümünü sineye mi çekecekler?"

Sinirli sinirli güldü Talat Bey.

"Valla aferin size, meğer ne kadar yakından takip ediyormuşsunuz cihan siyasetini."

Ciddi bir tavırla cevapladı Fuad.

"Beynelmilel alanda olanları anlamazsak, vatanımızda olanları hiç anlayamayız."

"Doğru," diyerek sigarasından derin bir soluk daha çekti cemiyetimizin şefi. "Bugün karşımıza çıkan sıkıntıların büyük bölümünün kaynağı harici ülkeler. Tamam, harp kapıda, bu konuda hemfikiriz. Peki, siz ne düşünüyorsunuz, ne yapmalıyız bu vaziyette? Teklifiniz ne?"

Hiç düşünmeden cevapladım.

"Tarafsız kalmak, zaten cemiyetin kararı da bu değil mi? Ne işimiz var bizim bu kanlı kapışmada?"

Derinden bir iç geçirdi.

"Haklısın, hiçbir işimiz yok... Haklısın, cemiyetin kararı da tarafsız kalmak. Aslına bakarsanız, hâlâ tarafsız kalabiliriz. Evet, evet, henüz hiçbir vesikanın altına imza atılmadı. Ama tarafsız kalmak için, harbe girmemek için lazım olandan çok daha fazla kuvvete ihtiyacımız var. O nedenle bir barış anlaşması bile imzalanabilir. Çünkü bu kurtlar sofrasında, bu gözünü kan bürümüş devletlerin ortasında, 'Ben size karışmıyorum, siz de bana karışmayın,' diyerek kendimizi muhafaza edemeyiz. Çünkü çıkacak harbin sebeplerinden biri de bizatihi biziz.

O Gavrilo Princip adındaki Sırp'ın, Saraybosna'da Franz Ferdinand'ı öldürmesi bir bahane. Harb-i Umumi'nin sebebi bu suikast değil, büyük devletlerin doymak bilmeyen açgözlülükleri... Denedik arkadaşlar, inanın denedik. Cavit Bey İngilizlere teklif götürdü, Cemal Bey mevzuyu Fransızlara açtı, ben geçen mayıs ayında Ruslarla bizzat konuştum. Hiçbiri bizimle ittifak kurmaya yanaşmıyor. Hepsinin gözü topraklarımızda. Yaşlı bir adamın başına üşüşmüş akbabalar gibi son nefesimizi vermemizi bekliyorlar."

Sustu, bakışlarını çaresizce, yanımızdan akmakta olan sokağa çevirdi.

"Hepsini istiyorlar, bu evleri, bu ağaçları, bu denizi, bu şehri. Onlara para getirecek ne varsa hepsini, her şeyimizi... Kendimizi tarafsız ilan ettiğimizde Rusların Dersaadet'i işgal etmeyeceğinin hiçbir garantisi yok. Şehrimizi koruruz, kanımızın son damlasına kadar dövüşürüz gibi hamasi laflarla vatan müdafaası yapılmıyor."

Yeniden dikiz aynasından bana baktı.

"Şimdi siz söyleyin arkadaşlar, bu durumda ne yapalım? Ne diyorsun Şehsuvar teklifin ne?"

O öğleden sonra, teşkilatın arabasında ne Fuad'ın ne de benim ağzımdan tek kelime çıkmamıştı. Esasında söyleyecek çok söz vardı. Mesela Bab-ı Âli'yi basıp Kamil Paşa hükümetini devirmeseydik, İngilizleri karşımıza almazdık diyebilirdik. Çünkü İngiltere, Bab-ı Âli baskınının arkasında Almanya'nın olduğunu düşünüyordu. Mesela Almanlarla bu kadar içli dışlı görünmeseydik, belki Fransızlar da bize karşı olmazdı diyebilirdik. Rusya'yla dostluk için, ortada fol yok yumurta yokken birdenbire ittifak önerisi götürmek yerine, ilişkileri ağır ağır iyileştirmek daha iyi olabilirdi de diyebilirdik. Diyemedik, çünkü ben bir kez daha Talat Bey'in samimiyetine inanmıştım. O büyük çaresizliğine ikna olmuştum. Ama ona inanmasaydım, açıkça tenkit etseydim de sözlerim hiçbir işe yaramazdı. Sözlerim işe yarasaydı, Talat Bey, bana hak verseydi de hiçbir netice alamazdık. Çünkü ülkede kuvveti elinde bulunduran kişi de artık Talat Bey değil, Enver Paşa'ydı. Ve biz ne dersek diyelim o bildiğini okuyacaktı. Artık ne cemiyeti, ne hükümeti, kimseyi dinlemeyecekti. Orduda kendi alfabesi olan "Enveriye Yazısı"nı icat edecekti. Bütün bunlardan ötürü, Almanlar ülkemize yolladıkları vagonların üzerine Osmanlı İmparatorluğu yerine Enverland yazacaklardı. Haksız da sayılmazlardı, yeni devrin hükümdarı anlı şanlı Enver Paşa'ydı. Evet, artık çok geçti. O istediği için hükümet Almanya'yla ittifak yapacak ve Almanya istediği için de ülkemiz Harb-i Umumi'ye katılacaktı.

"Harbe girdiğimiz filan yok."

✳

İyi Akşamlar Ester, (11. Gün, Akşam)

Yanılmamışım Ester. Kaygılarımda haklıymışım. Biliyordum zaten, hiçbir zaman bu kadar rast gitmezdi işler. Biliyordum, mutlaka bir çapanoğlu çıkardı bunun altından. Ama itiraf etmeliyim ki, bu kadarını, ben de beklemiyordum. Büyük bir sürpriz, sarsıcı bir heyecan ve yeniden doğan umut... Evet, birileri bu gece, kâbusumu hakikat kıldı. Şu sıklıkla gördüğüm karabasandan söz ediyorum. Şu tiyatroda geçen ürkütücü rüyadan... Bak yine dağıttım... Evet, sakinleşmeliyim, bu akşamdan itibaren başıma gelenleri sırasıyla yazmalıyım sana.

Akşam yemeğini otelde yemiştim. Biraz da geç inmiştim aşağıya, sanırım insanlara tahammül edemiyorum artık. Ancak üç masası dolu olan restoranın kuytu bir köşesine çekilip karnımı doyurmuştum. Yanımdaki aralık pencereden hoş bir serinlik sızıyordu içeriye. Yemeğimi bitirdikten sonra yürümek istedim; temiz havayı içime çekip, bacaklarımı açmak, bu şahane sonbahar gecesinin tadını çıkarmak. Çok uzaklaşmak niyetinde değildim aslında. Amerikan Konsolosluğu'nun önünden geçip, 6. Belediye Dairesi'nin oradan yukarı vurarak Tünel meydanına çıkmak, kafelerden birinde kahve keyfi yapmak... Evet, böyle kısa bir yürüyüş düşünmüştüm ama olmadı...

Dışarı çıktığımda hiçbir tuhaflık yoktu aslında. Ama Kroker Otel'in önüne gelince birilerinin beni izlediği vehmine kapıldım. Güya Kroker Otel'in vitraylı camlarına bakıyormuş gibi yaparak geriye döndüm, hayır kimse yoktu. Sadece Pera Palas'ın önünde ışıkları yanan bir otomobil duruyordu. Olabilirdi, her gün onlarca otomobil durup kalkardı kapıdan. Yani şüphe uyandıracak bir vaziyet yoktu caddede. Belki de Kroker Otel'le alakalı kötü hatıralarım olduğu için bu hisse kapılmıştım.

Neyse, işte, Kroker Otel'in küf ve kan kokan bodrumunda geçirdiğim o korkunç yedi günün ruhumda bıraktığı tesirin etkisiyle takip edildiğimi zannetmiştim. İşgal İstanbul'unun tekinsiz sokaklarında yürüdüğüm zamanları hatırlamış olmalıydı şuuraltım. Kendimi böyle teskin ederek adımlarımı sürdürdüm ama elli metre kadar gittikten sonra yaklaşan bir motor gürültüsü işittim. Elbette umursamadım, bu caddeden günün her saatinde otomobiller geçerdi. Birkaç adım daha atmıştım ki, acı bir fren sesiyle irkildim. Daha ne oluyor dememe kalmadan, bir arabanın yanımda durduğunu fark ettim, aynı anda kapıları açıldı, yüzleri maskeli iki kişi üzerime atladı. Birinin suratına yumruğu yerleştirdim ama yeterince çevik davranamadım, öteki herif, kafama sert bir cisimle vurdu. Başım döndü, kusacak gibi oldum, sonra ortalık karardı.

Uyandığımda bir iskemlede otururken buldum kendimi. Gözlerim siyah bir kumaşla bağlanmıştı ama ellerim serbestti. Kumaşı çıkarmak istedim.

"Unutmuşsun," diyen bir ses duyuldu aynı anda. "Unutmuşsun Şehsuvar. Biz çöz demeden o bağı çıkaramazsın."

Bu sesi daha önce de işitmiştim, hem de defalarca ama kim olduğunu çıkaramadım.

"Sadece yemin şartlarını unutsan yine affedilebilirdi ama sen cemiyete dair her şeyi unutmuşsun..."

Neler oluyordu? Neden bahsediyordu bu adam?

"Çıkarabilirsin gözbağını."

Siyah kumaşı çözdüm. Işıktan gözlerim kamaştı. Kafalarına siyah kukuletalar geçirmiş, siyah pelerinler içinde üç adam oturuyordu karşımdaki üç koltukta. Bir sahnedeydik, bir tiyatro sahnesinde, tıpkı rüyamdaki gibi, sadece seyirciler yoktu, evet gülkurusu koltuklar bomboştu. Eminim sen de çıkıp gelmeyecektin bir yerlerden. Ama dekor neredeyse aynıydı. Üstelik tanıyordum da bu mekânı... Evet, evet, hiç şüphem yok, defalarca oyun seyrettiğim, Şehzadebaşı'ndaki Ferah Tiyatrosu'ndaydık.

"Yemin etmiştin," dedi aşina olduğum sesin sahibi. Pelerinin altından çıkardığı eliyle, masanın üzerini göstererek sürdürdü sözlerini. *"Kur'an,* silah ve bayrak üzerine yemin etmiştin! Vatan için, hürriyet için, kardeşlik, eşitlik ve adalet için kanının son damlasına kadar mücadele edeceğine söz vermiştin."

Fransızların dejavu dedikleri durumu yaşıyordum. Yoksa yine rüya mı görüyordum?

"Evet, Selanik Maarif Müdürü, Baş Muallim Emrullah'ın oğlu, cemiyetimizin 1117 numaralı üyesi Şehsuvar Sami, neden yeminine sadık kalmadın?"

Hayır, rüya değildi, adamlar son derece ciddiydi. Başımın ağrısını o anda hissettim, derinden derine zonkluyordu ensemde bir yer. Elimi başımın arkasına götürecek oldum, sertçe ikaz etti:

"Soruma cevap ver! Söyle, neden bozdun yeminini? Neden cemiyete, davana, silah arkadaşlarına ihanet ettin."

"Ben kimseye ihanet etmedim," dedim elimi, başımın zonklayan yerine götürürken. "Ortalıkta bir dava kalmamıştı ki ihanet edeyim."

Başım yarılmamıştı ama ceviz büyüklüğünde bir şiş vardı. Birden vaziyeti anladım. Bir imtihandı bu. Mehmed Esad hâlâ emin değildi benden. Bir tiyatro düzenlemişlerdi. İşte o an benliğimi ele geçiren korkudan sıyrıldım. Bu vaziyeti gayriciddi görmeye başladım, hatta düpedüz komik gelmeye başladı. Ama pelerininin içindeki adam kendini rolüne kaptırmış, adeta bir yargıç edasıyla oyunu sürdürüyordu.

"Yani inancını kaybettin."

Acıyla gülümseyerek başımı salladım.

"Hayır, ben inancımı yitirmedim, cemiyetimiz mağlup oldu. Evet, hem ülke sathında hem beynelmilel alanda korkunç bir hezimete uğradık." Bakışlarım masanın üzerindeki tabanca, *Kur'an* ve bayrağa kaydı. "Verdiğim söze, ettiğim yemine sonuna kadar sadık kaldım. Senelerce bu idealler için dövüştüm, kan akıttım, kanımı akıttılar. Ama mağlup olduk, İttihat ve Terakki Cemiyeti bitti. İnkar edecek değilim, bu neticede benim de payım var. Fakat bana gelinceye kadar, sayısız insan var suçlanacak."

Bir an tereddüt etti pelerinli sorgucu ama çok sürmedi.

"Peki, cemiyet toparlanacak olsa," diyerek güya beni tongaya düşürecek yemi attı. "Yeniden başlayacak olsak..."

Bu adamlar ya hakikaten aptaldı ya da beni hiç tanımamışlardı. Sinirimden gülmeye başladım.

"Niye gülüyorsun?" diye ikaz etti adam. "Ne var bunda gülecek?"

"Kusura bakmayın ama bu çok saçma değil mi? Kafasına vurup bayıltarak getirdiğiniz bir adama, gizli örgüt üyeliği teklif ediyorsunuz..." Kısa bir suskunluk oldu. "Ben İttihat ve Terakki'ye gönüllü olarak katıldım. Ama siz, beni zorla getirdiniz buraya. İstemediği halde, cemiyete soktuğunuz birine nasıl itimat edeceksiniz?" Sanki yüzlerini görüyormuş gibi tek tek baktım siyah pelerinli üç adama. "Anlamıyor musunuz, bu mesele bitti beyler. Artık İttihat ve Terakki diye bir cemiyet yok. Eğer vatan için mücadele etmek istiyorsanız, cumhuriyete destek verin. Zaten bizim gayemiz de böyle bir idare kurmak değil miydi?"

"Ama onlar arkadaşlarımızı katletti," diye bağırdı ortadaki adam. "Kara Kemal'i öldürdüler... Bir zamanlar senin birlikte çalıştığın adamı. En yakın silah arkadaşını öldürdüler..." Birden başındaki kukuletayı çıkardı. Hayretten ağzım açık kalmıştı. Karşımda bizim Fuad duruyordu. Evet, belki de hayattaki tek dostum, kardeşten öte sevdiğim, arkadaşım Fuad. Deminden beri tanımaya çalıştığım bu ses onundu. Yine de emin olamadım. Hafifçe açılmış saçlarına, kırçıllaşmış bıyıklarına bakarak mırıldandım:

"Fuad! Fuad kardeşim, sen misin?"

Hayır, ne gülümsedi ne de benim gibi hızla yaşlanmaya başlayan yüzünde bir yumuşama meydana geldi.

"Benim Şehsuvar, evet benim. Bu kadar kayıtsız, bu kadar vurdumduymaz olmana dayanamayıp geldim. Farkında değil misin Şehsuvar, bir şeyler yapmamız lazım. Farkında değil misin, bizi öldürüyorlar. Tek, tek, hem de buldukları her yerde..."

O konuşurken, nasıl yani, Mehmed Esad'la birlikte mi çalışıyor eski arkadaşım diye geçiriyordum aklımdan. Beni sınamak için eski arkadaşımı mı yollamışlardı? Boşuna değilmiş, Mehmed Esad'ın, bugün Fuad'ı sorması.

"Susacak mıyız? Daha ne kadar sessiz kalacağız bu zulme?"

421

Evet, kışkırtmak istiyordu beni, samimi fikirlerimi, haki-ki maksadımı öğrenmek istiyordu. Umurumda değildi, ama seni bulma ihtimalimi kaybetmemek için gereken sözleri söyledim.

"Fevkalade günlerden geçiyoruz Fuad," dedim sakin bir sesle. "Tarih yeniden yazılıyor. Büyük hatalar yapılabilir bu dönemlerde. Beklemeliyiz, Ankara'dakiler de anlayacaklar-dır bu işin böyle gitmeyeceğini. Biraz zaman..." Samimi bir gülümseme takındım. "Sahi yahu, sen nasılsın? Nerelerdey-din bunca sene?"

Hayal kırıklığına uğramış gibiydi.

"Beni boşver şimdi. Sen bu işte yokum mu diyorsun yani."

İsyan edercesine, ellerimi yana açtım.

"Hangi iş Fuad, anlamıyor musun, bitti. Cemiyet filan yok artık. Olanları da Gazi Paşa bitirdi. Evet, artık kimse müsaade etmez size. Daha seneler önce, Kara Kemal'i uyarmış Mustafa Kemal. İktidarı kimseyle paylaşmam demiş lisanı münasiple. Daha İstiklal Harbi sürerken, daha cumhuriyet kurulmadan önce, daha bu kadar kuvvetli değillerken... İzmir Suikastı'nın neticelerinden haberin yok mu senin? Takip etmiyor musun olanı biteni? Koca Kâzım Karabekir'i asacaklardı az daha. Yok Fuadcım, lüzumsuz maceraya girmenin manası yok. Görmü-yor musun İttihat Terakki filan kalmadı artık..."

Asabi asabi soludu burnundan.

"Niye onlarla görüşüyorsun o zaman? Neden eski arkadaş-larla buluşuyorsun?"

Cezmi'den mi bahsediyordu acaba? Başka kimden olacak? Ne kadar hatalı davranmıştım emekli binbaşıyla buluşarak, bak hâlâ sürüyordu tesiri.

"Biliyorsun, rahmetli Cezmi eski arkadaşımızdı. Hatta seninle birlikte tanışmıştık. 31 Mart Ayaklanması'nda... Şeh-zadebaşı'ndaki evde... Hatırlıyorsun değil mi? Ne zamandır görmüyordum o sebepten gittim evine..."

Sanki beni işitmiyormuş gibiydi.

"Cezmi'den bahsetmiyorum," diye çıkıştı. "Cezmi zavallı-nın biriydi, kafayı üşütmüştü. Mehmed Esad'la buluşmanız-dan bahsediyorum. Madem cemiyet bitti, niye görüşüyorsun o eski ittihatçıyla?"

Hoppala, işte bu enteresandı. Kartları açık oynamaya mı başlamıştı Fuad? Yoksa Mehmed Esad hakkında ne düşündüğümü mü öğrenmek istiyorlardı? Belki de ne kadar ketum olduğumu anlamaya çalışıyorlardı.

"Evet, eski ittihatçı ama aynı zamanda eski arkadaşım. Eski ittihatçı olması beni alakadar etmiyor, eski ahbabım olduğu için buluşuyorum. Biliyorsun, sen Basri Bey'in grubuna katılmadan önce Mehmed Esad bizimleydi. Şimdi de rakı içip eski günlerden bahsediyoruz. İstersen bir gün sen de gel. Hep birlikte sohbet ederiz. Fakat, sana şu kadarını söyleyeyim, Mehmed'in o taraklarda bezi yok. Hatta hükümetin siyasetini beğendiğini bile söyleyebilirim."

Kuşkuyla bakıyordu.

"Yani senden bir talebi olmadı?"

Yalanımı kararlılıkla sürdürdüm.

"Olmadı, ne isteyebilir ki benden? İş ortaklığı filan mı?"

Hayır, inanmıyordu anlattıklarıma, Mehmed Esad'la aramızda geçenlerden haberdardı. Hepsi el birliği yapmış, beni sınıyorlardı. Takdire şayandı, devletin gizli emniyet teşkilatı da böyle çalışmalıydı. Ama benim renk verecek halim yoktu. Gülerek, kukuletalı iki adamını işaret ettim.

"Bu arkadaşlar hep böyle mi oturacaklar?"

Ciddiyetini hiç bozmadı Fuad.

"Cemiyete katılmayacağına göre, arkadaşlarımızın yüzünü niye gösterelim ki sana?"

Tartışmaya niyetim yoktu, hemen çark ettim.

"Kesinlikle haklısın ama seni gördüğüme sevindim. Tabii bütün bu tiyatroya gerek yoktu. Madem biliyordun Pera Palas'ta kaldığımı, bir gün uğrayabilirdin bana. Hatta uğramalısın, yemek yeriz birlikte, eski günleri yâd ederiz."

Şeytani bir parıltı geçti mavi gözlerinden.

"Seni buradan sağ salim göndereceğimize mi inanıyorsun?"

"Getirirken pek misafirperver değildiniz ama gönderirken daha kibar davranacağınızdan eminim." Bakışlarım yine masanın üzerindeki Revolver'e kaydı. "Sana hiçbir zararı olmayan eski dostunu vuracağını zannetmem. Ne o kadar akılsızsın ne de merhametsiz."

Son cümleyi söylerken iğneleyici bir tonda konuşmuştum.

"Kusura bakma," dedi bakışlarını kaçırarak. "Karşı koymasaydın, sana vurmayacaktık... Adamın burnunu kırmışsın, kanı durdurana kadar akla karayı seçtik."

Elim bir kez daha enseme kaydı, yumru hâlâ büyüyordu.

"Eh sizinkiler de fena değildi. Neyse, canınız sağ olsun, biz sert adamlarız, olacak o kadar." Muhabbetle baktım eski dostuma. "Ama seni tekrar görmek isterim. Sahiden sevindim tekrar karşılaştığımıza..." Bakışlarım bulunduğumuz mekânın içinde gezindi. "Ferah Tiyatrosu'nu nasıl ayarladınız? Eski bir ittihatçı mı işletiyor yoksa burayı?"

Gururla güldü.

"Sen küçümsüyorsun ama her yerde adamlarımız var hâlâ." Kalkmak istedim, eliyle oturmamı işaret etti, sonra yanındaki meçhul şahıslara döndü.

"Bizi yalnız bırakır mısınız?"

Otoritesi o kadar kuvvetliydi ki, adamlar sözünü ikiletmediler bile; seyirci tarafından pek alkışlanmamış iki mutsuz oyuncu gibi ayaklarını sürükleyerek ayrıldılar sahneden.

"Mahinur'u buldun mu?" diye atıldım adamlar perdenin arkasında kaybolurken. "En son onları Selanik'ten getirmenin derdindeydin. 1923'teki mübadelede geldiler mi?"

Yüzü allak bullak olmuştu.

"Yok be Şehsuvar, Mahinur'u bulamadım. Ne onu ne de ailesini. 1915 senesinde Selanik'ten yola çıkmışlar. Evet babası, Naki Dayı, annesi Mevlide Teyze, kız kardeşi, Mahperi'yle birlikte... Çıkış, o çıkış, bir daha ne gören olmuş ne duyan..." Derinden bir iç geçirdi. "Makedonya'da bir köye yerleşmişlerdir diye umut etmekten başka bir şey gelmiyor elimden... Umarım orada biriyle evlenmiş, çoluk çocuğa karışmıştır..."

Sustum, ne diyeceğimi bilemedim...

"Peki nasıl yaşıyorsun Şehsuvar?" diye o bozdu sessizliği. "Bir işin var mı? Nasıl sürdürüyorsun hayatını?"

İşte şimdi hakiki Fuad vardı karşımda; benim için kaygı duyan, beni merak eden o eski arkadaş.

"Miras kaldı, akrabam bile olmayan Rum bir kadından... Ha tanıyorsun zaten onu. Bizim Madam Melina, ev sahibem. Huzur içinde uyusun, neyi var neyi yoksa hepsini bana bıraktı. Mütevazı bir hayat sürmeme yetiyor. Çeviri filan da yapıyorum..."

"Ya evlilik, çoluk çocuk?"

Mutsuz bir ifadeyle başımı salladım.

"Olmadı be Fuad. Evlenemedim." Halime üzülmüş gibiydi, izah etmek gereği duydum. "Ben iyiyim ama evlenmek gibi bir niyetim yoktu zaten..."

"Ester yüzünden mi?"

Hiç beklemiyordum bu soruyu. Hayır diyecektim ama o kadar çok yalan söylemiştim ki, artık sıkılmıştım.

"Evet, Ester yüzünden..." dedim cesaretle. "Kapatamadım o sayfayı Fuad. Belki aşk değil... Tamamlanmamışlık hissi... Bir nevi yarıda kalmışlık... Sanki iki hayatım var... Biri bu yaşamış olduğum, diğeri Ester'le yaşayabileceğim. İkincisi Ester'le ayrıldığım günde kalmış gibi..."

Birden yüzüm kızardı, bu kadar mahrem bir meseleyi niye paylaşıyordum ki Fuad'la. Evet, Ester mevzusunu biliyordu, çok konuşmuştuk birlikte ama aradan o kadar sene geçmişti. Karşımdaki bu adam, artık o eski arkadaşım bile olmayabilirdi. Dahası belki de kötülüğümü isteyen bir düşmandı.

"Duydun mu bilmem ama Mösyö Leon İstanbul'da."

Damdan düşer gibi söylemişti bunu, hatta biraz kederli çıkmıştı sesi. Ama aldırmadım, önemli olan sana ulaşmamı sağlayacak bir ipucuydu. Gözlerimin parladığını görünce teferruata girdi.

"Evet, bir arkadaşımız karşılaşmış Mösyö Leon'la. Güvenilir bir arkadaş. Hatta oturup sohbet etmişler eski günlerden. Burada yaşıyormuş..."

Hiç düşünmeden araya girdim...

"Adres, adresini bulabilir miyiz?"

Bulabilirdi, bundan emindim ama nedense tereddüt ediyordu. Yoksa Mehmed Esad gibi şantaj mı yapacak diye düşünürken,

"Bulabiliriz," diyerek mahcup etti beni. "Yarın otele birini yollarım, o söyler sana adresi..."

Ne endişe kalmıştı içimde ne de başımın zonklayan ağrısını hissediyordum artık.

"Teşekkür ederim, çok teşekkür ederim Fuad."

Dostça el sıkıştık, ama ayrılmadan önce yeniden o teşkilat adamına dönüştü.

"Şu meseleyi bir daha düşün... Cemiyeti yeniden ayağa kaldırmayı diyorum... Esaslı bir planım var, bir anlatayım istersen. Belki değiştirirsin fikrini..."

Bana bunu yapma Fuad dercesine, kati bir tavırla başımı salladım. Aldırmadı,

"Yine görüşeceğiz," dedi kendinden emin bir tavırla. "Sen, bu meseleyi bir düşün, yine görüşeceğiz."

Evet, Esterciğim, işte böyle. Büyük bir endişe ve korkuyla başlayan bu geceki serüvenim taptaze bir umutla sona ermişti. Talih bir parmak bal sürmüştü ağzıma, bakalım gerisi gelecek miydi?

Otele gelince bir parça buz istedim restorandan, ensemdeki şişin üstüne bastırdım. Kendimi daha iyi hissedince yeniden oturdum masanın başına. Hâlâ neler olduğunu anlayabilmiş değildim. Mantıklı açıklamalar buluyor ama sonra yine kendim çürütüyordum bulduğum ihtimalleri. Bilmiyorum, sahiden bilmiyorum, hakikat hangisi? Fuad'ı düşünüyordum, en son 1914 yılının kışında görüşmüştük. On iki sene evvel... Süleyman Askeri Bey'le Irak Cephesi'ne gitmeden önce. Teşkilat-ı Mahsusa'nın ilk idarecilerindendi Süleyman Bey. Biz de onun emrine girmiştik. Başlarda Fuad'la yıldızları pek barışmasa da tanıyınca birbirlerini sevmişlerdi. Ve Harb-i Umumi çıkınca, İstanbul'da dönen entrikalara daha fazla tahammül edememiş cephede vazife istemişlerdi. "Bu devirde şerefli kalmanın bir tek yolu var; o da ölmek," demişti Fuad vedalaşırken. "İşte o ihtimali hakikat yapmaya gidiyorum."

Bugüne kadar bölük pörçük haberler almıştım. Kimileri Enver Paşa'yla birlikte Orta Asya'daki Türkleri ayaklandırmaya gittiğini, kimileri ise Anadolu'ya geçerek Milli Müdafaa Hareketi'ne katıldığını söylüyordu. Hangisi doğru, hangisi tevatür bilmek imkânsızdı. Fakat bugün birdenbire çıkıvermişti karşıma, üstelik sıkı bir ittihatçı olarak. Oysa 1914 senesinin kışında hiç de sıcak duygular beslemiyordu cemiyet hakkında. Mağlubiyet, fikrini müspet manada değiştirmiş olabilir miydi? Aslında aksi beklenirdi, bu büyük yıkım hepimiz gibi onda da cemiyete karşı daha büyük bir itimatsızlık oluşturmalıydı. Velhasıl, henüz çözemediğim bir muammanın içinde sürükleniyorduk işte. Fakat şundan emindim, çok sürmeyecek, yakında çıkacaktı herkesin foyası ortaya. O yüzden hikâyemi bir an önce bitirmeliydim. Sana söyleyeceklerimin hepsini yazmalıydım; zira bu muamma çözüldüğünde, benim hayrıma bir netice çıkacağından hiç emin değilim.

Yine maziye dönelim, o meşum 1914 senesinin yaz aylarına. Almanlarla görüşmeler bütün süratiyle sürüyordu. Bu mahrem toplantılarda Talat Paşa, Enver Paşa ve Baron Konrad Von Wangenheim mutlaka hazır bulunuyordu. Bazen, hem bizim taraftan hem de Almanlardan bazı güvenilir zabitler de girip çıkıyorlardı binaya. En son görüşme Sadrazam Sait Halim Paşa'nın Yeniköy'deki Aslanlı Yalı'sında oldu. Avusturya-Macaristan İmparatorluğunun Sırbistan'ı işgal etmesinden altı gün sonraydı. Harb-i Umumi resmen başlamıştı. Dünya diken üzerindeydi, Avrupa'yı saran yangının bize ulaşması an meselesiydi. İlk biz gelmiştik, ardımızdan sırayla, Enver Paşa ve Almanya Sefiri Baron Konrad Von Wangenheim'in arabaları da görkemli yalının bahçesine girdi. O gün, vatanın kaderini belirleyecek üç adam birlikte girdiler yalıya.

"Görüyorsun değil mi Şehsuvar?" dedi öfkeli bir sesle Fuad. "İmza bugün atılıyor. Sait Halim Paşa'yı da ikna etmişler sonunda. Başka türlüsü olmazdı zaten. Talat Bey'in utana sıkıla söylemeye çalıştığı melanet hakikat oluyor."

İşi alaya vurdum.

"Anladık yahu, anladık, kabul sen kazandın. Tamam, çekeceğiz sana bir ziyafet Tokatlıyan'da..."

Gülümsemedi bile; yaklaşmakta olan felaketi gören bir kahinin kötümserliğiyle başını salladı.

"İstemiyorum, kutlayacak bir olay yok. Bu bahiste kimse kazanmadı, aslına bakarsan hepimiz kaybettik. Bir hafta önce harp başladı, bugün de biz Almanlarla anlaşıyoruz. Çok fena olacak bunun neticesi Şehsuvar."

Ne diyeceğimi bilemediğim için sustum.

Ama toplantıdan çıkan Talat Bey başka bir konuda müjdeli bir haber verdi bize.

"İki hafta sonra bugün saat on birde şu adrese gidin." Elindeki küçük kâğıdı uzattı. "Süleyman Askeri Bey sizi bekliyor olacak. Evet, Fuad Bey kardeşim siz de gideceksiniz." Neşeyle gülümsedi. "Evet, artık teşkilatınız aleni hale geliyor."

Çoktandır beklediğimiz bu haberin bizi neşelendirmediğini görünce şaşkınlıkla sordu.

"Ne oldu? Memnun olmadınız mı?"

"Harbe mi giriyoruz?" Fuad'dı soran; çekingenliği, saygıyı bir yana bırakmış, mavi gözlerini meydan okurcasına Büyük Efendi'ye dikmişti. "İttifak Devletleri'ne mi katıldık?"

Bozulmuştu Talat Bey.

"Hayır," dedi kati bir ifadeyle. "Bunu da nereden çıkardınız? Harbe girdiğimiz filan yok. Harpten zarar görmemek için tedbir alıyoruz, hepsi bu."

Elbette inanmadı Fuad, bense kararsızdım. Büyük Efendi'nin harbe girmek istemediğine inanıyordum, gelin görün ki Enver Paşa'ya laf dinletemiyordu adamcağız. Yine de Talat Bey'in öyle kolayca teslim olacağını zannetmiyordum. Belki de zaman kazanmak için uğraşıyordu. Almanya'yı oyalayarak, tarafsız kalmaya devam etmeyi planlıyorlardı. Yine de emin olmak zordu. Neyse ki Fuad fazla üstelememiş harp konusu da kapanmıştı. Ama Talat Bey'i evine bıraktıktan sonra karnımızı doyurmak için girdiğimiz çorbacıda,

"Şu toplantıya gidecek misin?" diye sordu birdenbire bana. "Süleyman Askeri'yle buluşmaya diyorum."

Çorbamı kaşıklamayı bırakıp ona baktım. Önemli bir kararın öncesindeymiş gibi düşünceliydi.

"Elbette gideceğim, yıllardır yaptığımız şerefli vazife, nihayet aleni bir hal alıyor, niye gitmeyeyim kardeşim?" Durdum. "Yoksa sen gelmeyecek misin?"

Elindeki kaşığı çorba kasesinin içine bıraktı.

"Bilmiyorum Şehsuvar," dedi dert yanar gibi. "Valla bilmiyorum. Kafam o kadar karışık ki. Aslında kendime yedirebilsem kaçıp gideceğim. Ama şehit düşen arkadaşlarımızın aziz hatıraları engel oluyor buna. Üstelik artık gidebileceğim bir şehir bile yok. Ne bir şehir, ne bir vatan... Bilmiyorum Şehsuvar, valla bilmiyorum kardeşim ama yıllardır sakladıkları teşkilatı tam da harp çıkmasının arifesinde ortalığa çıkarmaları manidar değil mi? Hem de Enver Paşa tarafından."

"Enver Paşa tarafından olduğunu nereden biliyorsun?"

Yapma, dercesine baktı.

"Süleyman Askeri kimin adamı? Kimin yakını? Adım gibi eminim bu kararın ardında bizim Hürriyet Kahramanı var."

Hürriyet Kahramanı derken sesine alaycı bir ton vermişti, onu ikaz etmek lüzumu hissettim.

"Lütfen başkalarının yanında Enver Paşa hakkında böyle kinayeli laflar etme. Karışık günlerden geçiyoruz, kim kimin adamıdır belli değil. Durduk yere başımıza iş almayalım."

Mavi gözleri kederlendi.

"Ne kadar acı. Aynı cemiyetin üyesiyiz, hepimiz aynı dava için dövüşüyoruz ama sanki hâlâ hürriyetten yoksunmuşuz gibi fikirlerimizi söylemekten çekiniyoruz. Kardeşlikten, eşitlikten, adaletten söz etmiyorum bile."

Her zamanki gibi haklıydı ama idare etmek yine bana düşecekti.

"Öyle diyorsun da boyacı küpü değil ki bu. Hürriyeti ilan etmek başka, milletin sahiplenmesini sağlamak başka. Karar almakla, kanun çıkarmakla olmuyor. İnsanların ruhlarına tesir etmek lazım, gelenek haline gelmesi lazım. Hürriyet, kardeşlik, eşitlik ve adalet. Elbette bu amaçlarımızdan vazgeçmedik ama önce vatanı ayağa kaldırmalıyız ki, bu ideallerimize ulaşalım. Biraz sabır, biraz metanet, biraz itimat..."

O kadar çok duymuştu ki bu lakırdıları, artık ilgisini çekmiyordu. Ben de daha fazla kafasını şişirmedim zaten, ama Süleyman Askeri'yle olan randevu için ısrar etmeden de duramadım.

"Fakat o toplantıya mutlaka gelmelisin. Daha mahiyetini bilmeden burun kıvırmanın bir âlemi yok. Üstelik şu Süleyman Askeri hiç de kötü bir adam değil. Şemsi Paşa'nın vurulduğu günlerde tanımıştım Manastır'da. Mülazım Atıf'ın kaçırılmasında önemli bir rol oynamıştı. Biliyorsun, Trablusgarp'ta da iyi bir sınav vermişti. Balkan Harbi'nde cephe gerisine sızmış, gerilla harbini teşkilatlandırmıştı. Hatta üç ay kadar ömür süren Trakya Türk Cumhuriyeti'nde genelkurmay başkanı olmuştu. Evet, Enver Paşa'nın adamı ama bir Yakup Cemil değil. Kim bilir belki de zannettiğimizden daha iyi biridir, doğru dürüst tanımıyoruz adamı. Ne dersek diyelim Basri Bey gibi kahramanlarla dolu bu cemiyet..."

"Peki, Şehsuvar," diye teslim oldu. "Tamam, ben de geleceğim o toplantıya. Ama umudum olduğundan filan değil, başka çarem olmadığından."

Yılgın bir tavırla ayrılmıştı yanımdan o akşam ama toplantıya katılmasını teşvik ettiğim için sonradan teşekkür edecekti bana. Öte yandan Fuad'ın tahminleri bir bir çıkmaya başlayacaktı, hem de ertesi günden itibaren. Evet, Aslanlı Yalı'ya gitmemizin üzerinden daha bir gün geçmeden, Almanya komşusu Fransa'ya harp ilan edecek, iki gün sonra da Belçika'ya saldıracaktı. Lamı cimi kalmamıştı, artık kanlı boğazlaşma başlamış, devletler ordularını ülkelerin üzerine sürmüşlerdi. Ama öte yandan Talat Bey'in söyledikleri de doğru çıkmıştı; Devlet-i Aliyye henüz çatışmalara katılmamış, kimseye harp ilan etmemişti. Bu da beni umutlandırıyor, belki de bizimkiler ustaca bir siyasetle tarafsız kalmayı başaracaklar diye sevindiriyordu. Fakat ne yazık ki öyle olmayacaktı.

İki hafta sonra Teşkilat-ı Mahsusa'nın binasında Süleyman Askeri ile buluştuğumuzda harbe her zamankinden daha çok yaklaşmıştık. Binanın iki kanatlı tahta kapısından girerken, ben de Fuad kadar gergindim. Arkadaşımın endişelerini gidermek için her ne kadar vaziyet normalmiş gibi davransam da, Yakup Cemil'le yaşadığım tatsızlığı unutamıyordum. Süleyman Askeri Bey'in de en az Yakup Cemil kadar Enver Paşa'ya bağlı olduğu hakikatini göz önüne aldığımda, bu binada nasıl karşılanacağımız konusunda ciddi kuşkularım vardı. Ama hiç de korktuğum gibi olmadı. Hem Fuad'ı, hem de beni dostlukla karşıladı Süleyman Bey.

"Sizi gördüğüme sevindim arkadaşlar," diyerek ikimizin de ellerini sıktı. "En son Bingazi'de görüşmüştük..."

Benim karnımdan yaralandığım süngü muhaberesinden bahsediyordu.

"Allah biliyor ya Şehsuvar kardeşim, o gün orada öldüğünüzü zannetmiştim. O kadar çok kan kaybetmişsiniz ki kurtulmanız bir mucize diye düşünüyordum. Sıhhatinize kavuştuğunuzu öğrendiğimde inanın çok sevinmiştim."

Hayır, laf olsun diye öyle söylemiyordu, son derece samimiydi sözlerinde.

"Teşekkür ederim kumandanım," dedim minnetle gülümseyerek. "Sayenizde yendik Azrail'i. Eğer İtalyanları püskürtmeseydiniz, öylece kalırdım muharebe meydanında. O kadar ölünün, yaralının arasında düşman niye uğraşsın ki benim gibi biriyle..."

Mütevazı bir gülümseme geçti yüzünden.

"Rica ederim, biz icap edeni yaptık. Sizin gibi kıymetli bir arkadaşımızı orada bıraksak, ömür boyu kendimizi affetmezdik."

Yarbay üniforması vardı üzerinde, otuzlarında olmalıydı ama daha yaşlı gösteriyordu. Fesinin kenarından görülen saçları şakaklarından beyazlamaya başlamıştı bile ama burma bıyıkları kömür gibi siyahtı. Asıl meseleye geçmeden bize kahve söyledi. Fuad'la da hasbihâl etti. Kahvelerimizi bitirdikten sonra fincanı masanın ortasına doğru usulca iterek,

"Evet, arkadaşlar," dedi otoriter bir ses tonuyla. "Allah'a şükürler olsun ki yine birlikteyiz, yine omuz omuza çalışacağız. Ne yazık ki size kolay bir vazife vaat edemiyorum. Sevindirici olan şu ki, meşrutiyetin kurulmasından beri mücadele eden bizler artık, aleni bir teşkilat olarak varlığımızı sürdüreceğiz. Şerefle, şanla, kahramanlıkla dolu olan kısa tarihimizi artık kimseden saklamaya lüzum görmeyeceğiz. Bildiğiniz üzere Trablusgarp'tan bu yana geçen iki yıl içinde vatanımızın üzerine kümelenen kara bulutlar dağılmadı. Bilakis daha da arttı, daha da koyulaştı." Anlamak ister gibi yüzümüze baktı. "Son günlerde vuku bulan olaylar hakkında malumatınız var mı? İngilizlerle yaşadığımız husumet hakkında bir şeyler duydunuz mu?"

Sorusuna soruyla karşılık verdim:

"Sultan Osman ve Reşadiye gemilerinden mi bahsediyorsunuz?"

Usulca başını salladı.

"Evet, İngilizler, korsanlık yaptılar. Anlaşması birkaç yıl önce yapılmış, parası kuruşu kuruşuna ödenmiş iki gemimizi açıkça gasp ettiler. Sultan Osman ve Reşadiye gemilerini bize vermediler."

Fuad meseleyi deşmek istiyordu.

"Winston Churchill, 'Harp nedeniyle yaptık,' diyor. Sadece Osmanlı gemilerine değil, İngiliz tersanelerinde yapılan bütün yabancı gemilere el koymuşlar."

"Yalan söylüyor," dedi yeni kumandanımız. "Hepsi palavra, ordumuzu zayıflatmak istiyorlar."

Ama benim gibi Fuad da pirelenmişti.

"Neden Süleyman Bey? Biz tarafsız bir ülke değil miyiz? Neden bizi silahsız bırakmak istiyorlar?"

"Sizce?" dedi kumandanımız sesine gizem katarak. "Sizce neden yapmış olabilirler bu hukuksuzluğu?"

Fuad'ı yalnız bırakmamak için ben cevapladım soruyu.

"Almanlarla yakınlaştığımız için mi?"

Neyi, nereye kadar bildiğimizden emin olmak maksadıyla şöyle bir süzdü beni.

"Yok canım, biz Abdülhamit'ten beri Almanya ile yakınız. Kayzer Wilhelm'in 1898'deki ziyareti hâlâ milletin hafızasındadır. Rahmetli Mahmud Şevket Paşa da, Enver Paşa da Alman ekolündendir. Sır değil ki bu. Hayır, Almanlarla yakınlaşmamızla bir alakası yok bunun. İngilizlerin niyeti üzüm yemek değil, bağcı dövmek. Ne yaparsak yapalım, bize saldıracaklar. Şimdiden bunun tedbirlerini alıyorlar. Harb edecekleri bir ülkeye kendi elleriyle neden harp gemisi göndersinler ki?"

"Gizli bir anlaşmadan bahsediliyor," diye ağız yoklamayı sürdürdü Fuad. "Güya bizim hükümet, Almanlarla bir anlaşma yapmış. İngiliz istihbaratı da anlaşmayı öğrenmiş, bu sebepten..."

Süleyman Askeri'nin gözlerinden bir öfke yalımı geçti.

"Bakın İngilizler karşı istihbarata başlamış bile. Bu yalanlarla beynelmilel toplumu yanlarına çekmeye çalışıyorlar. Yarın bize saldırdıklarında, 'Ama onlar Almanya'yla iş birliği yapıyorlardı,' diyecekler. Ben topraklarımızda farklı kışkırtmalar da bekliyorum. Ermenileri, Arapları, hatta Kürtleri... Evet, Kürtleri de kışkırtmaktan geri durmayacaklar... Suikastlar, bombalamalar, isyanlar... Hiç şüpheniz olmasın, bunların hepsini yapmaya çalışacaklar. Teşkilatımızın vazifesi de burada başlıyor zaten. Uyanık olmak, bu tür kışkırtmalara izin vermemek..."

Talat Bey'le Almanya meselesini konuştuğumuz için, yeni kumandanımızdan bir adım öndeydik. Fakat Süleyman Bey'e bunu söyleyemezdik. Emin olmadığımız şuydu, Teşkilat-ı Mahsusa'nın yeni idarecisi bu konudan bihaber miydi, yoksa hakikati bize açıklamaktan mı çekiniyordu? Yine benden önce davrandı Fuad,

"Peki şu Alman zırhlıları mevzusu nedir?" diye bodoslamadan daldı. "Bizim gibi tarafsız bir ülkenin topraklarında bu harp gemilerinin işi ne?"

O kendinden emin tavrını hiç bozmadan izah etmeye başladı Süleyman Bey.

"Misilleme diye düşünelim Fuad kardeşim, misilleme... Osmanlı büyük bir devlettir. Parasını ödediğimiz iki gemiye göz göre göre el koyan İngilizlere karşı sessiz mi kalalım? Bir düşünün, adamlar hem gemilerimize el koyuyorlar, hem de paramızı geri ödemiyorlar. Ama şükürler olsun ki, Allah bize intikam alma fırsatı verdi. Goeben ve Breslau adındaki bu iki Alman zırhlısı, İngiliz harp gemileri tarafından sıkıştırılınca Çanakkale'ye sığındılar. Gemileri İngilizlere teslim etmek, Almanya'yla harp anlamına gelecekti. Bizimkiler de, en mantıklı davranışı gösterdiler, İngilizlerin el koydukları iki gemiye misilleme olarak, 'Bu iki zırhlıyı içinde mürettebatıyla birlikte satın aldık,' dediler." Muzip bir gülümseme aydınlattı ciddi çehresini. "Bu durumda gemilerin adı da Yavuz ve Midilli olarak değiştirildi tabii."

Açıklama kâfiydi aslında, bana kalsa daha fazla üstelemez, işime bakardım ama Fuad itiraz etti tabii:

"Kusura bakmayın kumandanım. Almanya'yla harp etmemek için gemileri İngilizlere vermiyoruz lakin bu durumda İngiltere'yle karşı karşıya kalmış olmuyor muyuz? Çünkü Bab-ı Âli koridorlarında dolaşan söylentilere göre, Alman gemilerini kurtarma izni veren Enver Paşa, İngiliz zırhlıları Çanakkale Boğazı'na yönelirse ateş emrini de vermiş. Maazallah böyle bir durumda harbe girmiş olmaz mıydık?"

Yeni kumandanımızın canı sıkılmaya başlamıştı.

"Harbe girdiğimiz filan yok. O kadar kolay mı bu işler? Ama bu hiçbir zaman harbe katılmayacağız anlamına da gelmiyor. Muhtemelen bu harbin sonunda ülkelerin sınırları yeniden çizilecek. Milletlerin tarihinde öyle zamanlar olur ki, bitaraf olmak bertaraf olmak anlamına gelebilir. Biz artık toprak kaybeden taraf olmak istemiyoruz. O sebepten safımızı belirlemek gibi bir mecburiyetimiz var, fakat bunu düşman istediğinde değil, bizim için en uygun zamanda yapmalıyız. Yani sabırlı olmak lazım, fakat bir yandan da hazırlıklarımızı sürdürmeliyiz. Çünkü bir harpte en kötü durum hazırlıksız yakalanmaktır."

"Veyahut oldu bittiye getirilmektir," dedi manidar bir ifadeyle Fuad. "Başka devletlerin oyuncağı olmaktır. Kendi askerimizi yabancı bir ülkenin çıkarına cepheye sürmektir."

En küçük bir çekingenlik belirtisi yoktu sesinde. Haklılığından o kadar emindi ki, bundan sonra kumandanımız olacak adamın karşısında hiç geri adım atmadan savunuyordu düşüncelerini... O böyle özgürce konuşurken, eyvah baltayı taşa vurduk diye geçiriyordum içimden. İkimizi de sepetlerlerdi buradan artık. Hiç de korktuğum gibi olmadı. Aksine, Süleyman Askeri sanki bizim ateşli ittihatçının sözlerinden etkilenmiş gibiydi.

"Çok haklısın Fuad kardeşim," dedi duygusal bir sesle. "Bu milletin kendinden başka dostu yoktur. Ne yapacaksak kendi başımıza yapacağız. Haklısın, büyük devletler kendi çıkarlarının peşinde koşuyorlar. İngiltere ya da Almanya hiç fark etmez. Biz de kendi istiklalimizin ve istikbalimizin peşinde koşmalıyız. Ama bu prensibimiz, başka devletlerle ittifak yapmayacağız anlamına gelmemeli. Çünkü artık Devlet-i Aliyye'nin cihana meydan okuduğu o şaşaalı günlerde değiliz. Bugün hatalı olan ittifak kurmak değil, haysiyetsizce ittifak kurmaktır. Yapmamamız icap eden budur. Tam da bu sebepten, hem Almanların, hem İngilizlerin yani bize düşman ya da dost olan bütün ülkelerin ne yaptığını bilmemiz gerek. Devletimize, milletimize zarar verecek olan bütün siyasi ve askerî teşebbüsleri önceden görmek ve bu haince çabaları, daha vuku bulmadan engellemek mecburiyetindeyiz. Harbin kapımızı çaldığı bugünlerde istihbarat hakikaten çok mühim bir hale gelmiştir."

Cümleleri ardı ardına sıralarken sesine bir ahenk geliyor, kendi sözlerinin etkisinde kalıyordu. Hayır, gözümüzü boyamak, bizi ikna etmek için böyle konuşmuyordu. Sahiden heyecanlanıyor, sahiden kendini kaybediyordu konuşurken.

Elbette, bize anlatmadığı mevzular vardı, elbette, Almanya'nın yanında harbe girmek üzere olduğumuzu o da çok iyi biliyordu. Ama başka çıkar yolumuzun olmadığını düşünüyordu. Belki de Almanlarla birlikte harbi kazanırsak, Osmanlı'yı yeniden ayağa kaldırabileceğimize inanıyordu. Yani, Fuad'la benden çok da farkı yoktu. Sadece biraz daha ketumdu. Şu cümlelerle tamamlamıştı Teşkilat-ı Mahsusa'nın binasındaki ilk toplantımızı.

"Sizler, sadece vatanperver, canını milleti için vermekten çekinmeyen fedakâr kadrolar olduğunuz için seçilmediniz. Siyasi olgunluğunuz, tahlil kabiliyetiniz ve biriktirdiğiniz tecrübeler de büyük önem taşıyor. Devletin ve milletin, size hiçbir zaman bu kadar ihtiyacı olmamıştı. Sizden ricam, son sekiz yıldır yaptığınızdan daha fazlasını yapmanız. Elimizin altından kayıp giden vatan toprağını muhafaza etmenin, milletin birliğini yeniden sağlamanın başka yolu yok. Evet, zor günlerden geçiyoruz ama güzel bir istikbale olan inancım tam. Çünkü ateşle, çelikle, kanla sınanmış sizin gibi yiğit insanlarla birlikte çalışacağım... Şerefimle temin ederim ki, bu çatı altında sizinle birlikte olmaktan, sizinle birlikte dövüşmekten, gerekirse sizinle birlikte ölmekten büyük kıvanç duyacağım. Bir kez daha aramıza hoşgeldiniz aziz kardeşlerim."

Açıkçası bu konuşma beni ikna etmişti ama Fuad'ın kuşkuları sürüyordu. Üfürükten nem kapan muhalif arkadaşımın yanımızdan biraz uzaklaşmasını fırsat bilen Süleyman Askeri adeta fısıldayarak şunları söyledi:

"Yakup Cemil'le aranızda yaşanan nahoş olayı biliyorum. Konuyu Enver Paşa'yla da konuştum. Zaten olaydan haberdarmış. 'Bizim Yakup'un işgüzarlığı,' dedi. Bu hadise çok canını sıkmış. 'Şehsuvar kardeşimize söyle, kendisi bize şehit Basri Bey'in yadigârıdır. Aramızda ayrı gayrı olamaz. Ona her mevzuda gözü kapalı itimat ederiz. Çünkü onun da bize itimat ettiğini biliriz,' dedi. Yani o meseleyi hiç dert etme. Sen, cemiyetimizin gözbebeği olan fedailerden birisin. Hiç mübalağa etmiyorum. Ayrıca şunu da söyleyeyim, bugüne kadar zekâna, cesaretine ve tecrübene uygun bir vazife de verilmemiş sana. Oysa çok daha mühim işleri yapabilecek kabiliyette bir kardeşimizsin. Fakat hiç merak etme bu hatayı da telafi edeceğiz"

Ne yalan söyleyeyim, gurur duymuştum bu laflardan ama içim rahat değildi. Zira, Fuad da en az benim kadar kıymetli bir fedaiydi, en az benim kadar cesurdu, zekiydi, siyasi tahlil becerisi belki benden çok daha iyiydi, o da itimat edilecek bir arkadaştı... Ama nedense övgüler hep bana yapılmıştı. Yine de kalbimi bozmak, aklıma fitne sokmak istemedim. Yakup Cemil'in yaptığı saldırıdan duydukları üzüntüyü belirtmek için Enver Paşa'nın bunları söylemiş olabileceği ihtimaline inandım.

"Keşke fedai olacağına yazar olsaydı..."

※

Günaydın Ester, (12. Gün, Sabah)

Sahra çadırında ardı ardına çalıyordu telefon. Ne bir emireri ne nöbetçi bir zabit, kimse kaldırmıyordu ahizeyi. Neresiydi burası Trablusgarp'ın çorak tepeleri mi, Çanakkale'nin mineli sahilleri mi, yemyeşil Balkan ormanları mı, uçsuz bucaksız Yemen çölleri mi? Telefon hiç susmayacakmış gibi, acı bir haber verecekmiş gibi inatla çalmayı sürdürüyordu. Çaresiz, ben kaldırdım ahizeyi. Bir kumandanın öfke dolu emirlerini beklerken, resepsiyondaki Ömer'in çekingen sesi duyuldu.

"Günaydın Şehsuvar Bey, umarım rahatsız etmiyorumdur. Bir misafiriniz var."

Oteldeki yatağımda olduğumu o zaman fark ettim. Uyku semesi halimle, yataktan uzanıp telefonu açmıştım.

"Aramazdım ama ısrar etti," diye izahat vermeyi sürdürüyordu Ömer. "Kendisini bekliyormuşsunuz."

Allah Allah, kimseyi beklemiyordum ki. Ne oluyordu yine? Güçlükle açtığım gözlerim duvardaki saate kaydı; sekiz on üçtü. Sabahın bu saatinde kimdi acaba bu münasebetsiz?

"Memleketlinizmiş, gazi galiba, bir kolu yok."

"Cafer," diye mırıldandım heyecanla. "Çolak Cafer..."

"Evet, efendim adı Cafer'miş... Kubbeli Salon'a geçmesini söyledim, çekindi, 'Yok, ben burada beklerim,' dedi. Şu an ayakta dikilerek sizi bekliyor."

Fuad farkı işte, akşam söylemiş, sabah yapmıştı. Ne söz verdiyse, mutlaka yerine getirirdi. Birkaç dakikada giyinip aşağıya indim. İncecik bir adamdı Cafer, hani yel üfürse uçacak kadar zayıf olanlardan. Haki ceketinin boşlukta sallanan sağ kolu, iyice çelimsiz gösteriyordu dal gibi kuru bedenini. Beni görünce sırıttı. Sigaradan kararmış, ayrık dişleri ortaya çıktı. Uzun burnunun iki yanında, iki derin çukurdan bakan çakır gözlerinde aşina bir ifade belirdi. Selanikli olduğuna göre bir yerlerde görüşmüş olmalıydık. Ama adamı hatırlamıyordum.

"Merhaba Şehsuvar Bey," diyerek sol elini uzattı. "Kusura bakmayın böyle erkenden geldim ama Fuad Bey'in talimatı vardı..."

Uzattığı eli dostça sıktım.

"Yok, yok iyi yapmışsın, gel restorana gidelim, kahvaltı yaparız birlikte."

Ürkerek baktı gösterdiğim yöne. Belli ki daha önce bu tür bir otele hiç girmemişti.

"Sağ olun Şehsuvar Bey, ben o vazifeyi gördüm..."

"Hadi, hadi gel," diye zorladım. "Bir kahve içersin..."

Çakır gözlerindeki tereddüt büyüdü.

"Yok, ben gelmeyeyim şimdi..."

"Tamam," dedim rahatlaması için. "Tamam, şöyle oturalım o zaman..."

Otelin girişindeki mermer sütunlardan sağdakinin altında yer alan koltuklara karşılıklı yerleştik.

"Ama bir acı kahvemi içmeden olmaz."

İtiraz etmesini beklemeden garsona iki kahve söyledim.

Mahcup bir gülümsemeyle önüne bakıyordu.

"Evet, Cafer, nasılsın bakalım?" diye bir girizgâh yaptım. "Sağlık, sıhhat yerinde mi?"

"Şükür Şehsuvar Bey, iyiyiz Allah'a şükür..." Başını kaldırdı çakır gözlerinden tatlı bir ışıltı geçti. "Siz beni hatırlamıyorsunuz ama ben rahmetli babanızın yanında çalışmıştım. Maarif Müdürlüğünde, müstahdem yardımcısı olarak. Gençtim o zamanlar, on sekiz yaşında filan. Allah rahmet eylesin iyi adamdı babanız. Kadir, kıymet bilen insandı. Aynı Fuad Bey gibi, aynı sizin gibi... Bu vatanın, bu milletin sizin gibi insanlara ihtiyacı var..."

Daha fazla uzatmasına izin vermedim.

"Sağ olasın Cafer. Sahi Mösyö Leon'u nerede gördün?"

Sanki suçüstü yakalanmış gibi irkildi.

"Onun için gelmedin mi? Mösyö Leon hakkında malumat vermeye..."

Kirli dişlerini göstererek gülümsedi.

"Evet, evet," dedi kıpırtılı gözlerini yüzümde sabitleyerek. "Mösyö Leon da sizler gibi iyi bir adamdır... Bakmayın Yahudi olduğuna, benim diyen bir sürü Müslümandan daha doğru adamdır." Sıkıntıyla baktığımı fark edince sadede geldi. "Nerde gördüğümü sormuştunuz değil mi? Beyazıt'ta gördüm... Sahaflar Çarşısı'nda... O beni tanımadı, nereden hatırlayacak. Ben sahip çıktım. Memnun oldu, yazıhanesine davet etti..."

Bu şahane haberdi işte, demek Leon Dayı İstanbul'a yerleşmişti, neşeyle sordum:

"Yazıhanesi mi var?"

"Evet, hem de çok yakın." Sol koluyla bir yerleri gösterdi. "Şurada hemen Galata'da... Şişhane'den kuleye giden sokak var ya. İşte onun üstünde, sağdan 32 numara. Üç katlı kâgir bir binanın girişinde... Ama sabahları gitmeyin sakın, saat birden sonra açıyor..."

Aklıma yazdım söylediği adresi ama asıl seni sormak istiyordum. Cafer'in de çenesi açılmış anlattıkça anlatıyordu.

"İki defa gittim. Avukatlık yazıhanesine diyorum... Bizimkiler mübadeleyle geldiler ya buraya, üç sene evvel. O işle ilgili bazı evraklar lazımmış, Mösyö Leon yardım etti sağ olsun... Dedim ya, iyi adam..."

Cafer'in lafı gevelemesinden bıkkınlık gelmişti.

"Yeğeni de burada mı?" diye kestim sözünü. "Ester adında bir yeğeni vardı... Bir hanım, onu da gördün mü yazıhanede?"

Önce hiçbir tesir yaratmadı sözlerim ama sonra canlandı gözleri.

"Ha, şu fotoğrafı olan kız... Evet, masasında duruyor. Gümüş bir çerçevenin içinde... Ama kızın kendisini görmedim. Belki gelmiştir de ben karşılaşmadım."

Oysa Cezmi, Cafer'in seninle konuştuğunu söylemişti. Ne yani yalan mı söylüyordu bu kara kuru adam? Yok canım, niye yalan söylesin? Cezmi yanlış hatırlamıştır. Ama biraz daha eşelemek istedim.

"Peki, yanında mıymış fotoğraftaki kız?"

438

Alt dudağı sarktı.

"Bilmiyorum ki Şehsuvar Bey... Sormak yakışık almazdı..."

O sırada genç bir garson kahvelerimizi getirdi. Önümüzdeki mermer masanın üzerine yerleştirdi. Terbiyesizlik olacağını düşündüğü için önce benim içmemi bekliyordu.

"Ee hadi afiyet olsun," diyerek fincana uzandım. Bakışlarım eline kaydı, işaret parmağının arası sigaradan sapsarıydı... "Rahat ol Cafer, istersen sigara da içebilirsin..."

Tiryakilik, kibarlıktan ağır bastı.

"Müsaade ederseniz yakayım bir tane..." Sol elini cebine soktu, gümüş bir tabaka çıkardı. Ama kapağını aralamakta güçlük çekiyordu, neredeyse yardım edecektim, lüzum kalmadı, sonunda açtı. Tabakayı bana uzattı. "Buyurun, yakmaz mısınız?"

"Sağ ol," derken bakışlarım tabakaya kaydı. Ben, bunu daha önce nerede görmüştüm? Cafer bir sigara alıp, dudaklarına yerleştirdikten sonra kapağını kapayınca hatırladım. Bu, Cezmi'nin tabakasıydı. Üzerindeki Beyaz Kule kabartması vardı. Niye Cezmi'nin olsun, aynı tabakadan iki tane olamaz mıydı? Anlamak kolaydı.

"Tabakan çok güzelmiş... Bizim Selanik işi değil mi? Bakabilir miyim?"

Hiç şüphelenmedi.

"Tabii buyurun," diye uzattı. "Evet, kardeşim getirmişti Selanik'ten... Sadece bunlar kaldı bize memleketten yadigâr."

Beğeniyle açtım tabakanın kapağını.

"Babamın da vardı bundan," diye bir de yalan uydurdum. Kapağın arkasındaki, "Aziz kardeşim, Cezmi Kenan'a... Yaşasın Hürriyet, Yaşasın Müsâvât, Yaşasın Uhuvvet! 23 Temmuz 1908" yazısını görünce, daha fazla uzatmadan iade ettim tabakayı. Kahveme uzandım tekrar. Demek Cezmi'yi bunlar öldürmüştü. Elbette tek başına Cafer değil, Fuad ve arkadaşları. Dün akşam beni kaçıran grup. İyi ama neden? Yeniden kahveme uzanırken bu soru yankılandı zihnimde. "İttihat ve Terakki'yi tekrar canlandıracağız," diyen Fuad, cemiyetin kahramanlarından birini niye öldürtsün?

"Siz burada mı kalıyorsunuz?" Cafer'in sesiyle toparlandım. "Yani ev filan yok mu?"

Dostça gülümsedim.

"Şimdilik buradayız, daimi değil. Yarın öbür gün ayrılacağım..."

Başka bir soru sormadı Cafer, vazifesini yerine getirmiş olmanın yanı sıra eski bir hemşerisini görmüş olmanın verdiği mutlulukla, kahvesini içip sigarasını bitirdikten sonra aynı efendi tavır içinde ayrıldı yanımdan. Birilerine bu ezik, bu utangaç adamın birkaç gün önce çok sevdiği bir arkadaşının öldürülmesi vakasına karıştığını söylesem kimse inanmazdı bana...

Odama çıkıncaya kadar hep bu mevzuyu düşündüm. Neler oluyordu? Yoksa casus olan Cezmi miydi? Yok canım, daha neler? Adam için hayatın bir tek manası vardı, o da cemiyetti. Bütün olup bitenlere rağmen davasına duyduğu inancı hiçbir zaman yitirmemişti. O yüzden öldürülmüştü zaten. Hayır, şüphelenmem gereken kişi Cezmi değil, Fuad'dı. Zaten eski İttihat ve Terakki mensupları bu kadar sıkı takibat altındayken, şehrin göbeğinde birini kaçırmaları, üstelik bilinen bir tiyatroda bir yemin sahnesi tezgâhlamaları olacak iş değildi. İyi de ne istiyordu Fuad benden? Tek bir cevabı vardı bunun, emin olmak, evet benden emin olmak istiyorlardı. Mehmed Esad'la birlikte oynadıkları bir oyundu bu. Evet, birlikte çalışıyorlardı, başka türlüsü olamazdı... Ya yanılıyorsam, ya aynı merkez için çalışmıyorlarsa? Ya ikisinden biri yalan söylüyorsa? Sorular, sorular, sorular, cevabını hâlâ bulamadığım, artık zihnime sığmayan sorular... Ama bu belirsizlik içinde bile mutluydum, zira sana ulaşabilecek bir yol bulmuştum. Bu öğleden sonra Leon Dayı'yı ziyaret edecek, senin hakkında bilgi alacaktım. Ama daha vakit vardı, yine oturdum masamın başına.

Evet, 1914 senesi... Harb-i Umumi başlamıştı, fakat biz henüz iştirak etmemiştik bu kanlı kavgaya. Teşkilat-ı Mahsusa'daki ilk aleni vazifemiz, meclisteki ve hükümetteki İngiliz ve Fransız ajanlarını tespit etmekti. Bu vazife bizzat Süleyman Askeri tarafından verilmişti bize. Meselenin ne kadar mühim olduğunu şu sözlerle açıklamıştı:

"Vaziyet çok karışık arkadaşlar. Yedi düvel birbirine girmiş durumda. Biz harpte değiliz ama onların casusları İstanbul'da. Evet, hepsi cirit atıyor payitahtımızda. Almanların bize zarar verecek halleri yok, ama İngilizler ya da Fransızlar hesabına casusluk yapan alçaklar her an bir sabotaj ya da suikast hareketine girişebilir. İşin fenası, bu casuslar, yabancı da olmayabilir, bizzat Osmanlı vatandaşlarından şahsiyeti zayıf, hamiyetsiz kişileri devşirmiş olabilirler. İşte bizim vazifemiz bu vatan hainlerini ortaya çıkarmak ve yıkıcı faaliyetlerine son vermektir."

Kim olduklarını bilmeden, yabancı ülkelerin hesabına faaliyet gösterdiği söylenen kişileri "vatan haini" diye tanımlamak kolaydı ama casus olduklarından şüphe edilen bu adamların isimlerini duyunca sadece Fuad değil ben de tereddüde kapıldım. Elimizdeki şüpheliler listesinde öyle isimler vardı ki, hayrete düşmemek mümkün değildi. Hadi ötekiler neyse de, Maliye Nazırı Cavit Bey ve Ahmed Rıza'nın isimlerini okuduğumda gözlerime inanamadım.

"Bunlar delirmiş Şehsuvar," diye söylendi Fuad. "En yakın arkadaşlarından şüphe etmek nedir yahu? Cavit Bey, en başından beri cemiyetin üyesidir. Ahmed Rıza ittihatçıların fikir babasıdır. Ahmed Rıza'yla senin hukukun da var. Yahu bu adamlar nasıl casus olur?"

Konuşurken yüzümde sabitlenen mavi gözlerinden öfke parıltıları geçiyordu.

"Olur mu öyle şey Fuad! Bu adamlar casussa vatan külliyen batmış demektir. Ne için uğraşıyoruz ki? Yok, yok böyle olmaz. Bir yerde bir hata olmalı. Belki de Almanlar yanlış yönlendiriyor bizimkileri..."

"Almanlar mı bizimkileri yönlendiriyor, yoksa bizimkiler mi onları, bilmiyorum," dedi arkadaşım gergin bir sesle. "Zaten bunun artık pek bir kıymeti harbiyesi de yok. Belli ki kaderimizi Almanya'ya bağladılar. Bu durumu değiştirecek ne bir siyasi irade ne de askerî bir kuvvet var. Dua edelim de Almanlar mağlup olmasınlar yoksa halimiz harap."

Onun vaziyeti kabullenmiş hali içime dokundu.

"Dur yahu Fuad, her şey bitmiş değil henüz. Gerekirse Süleyman Bey'e çıkar anlatırız durumu. Böyle kepazelik mi olur?"

Ümitlenir gibi oldu.

"Konuşmak iyi ama Süleyman Askeri'nin bizi dinleyeceğini zannetmiyorum. Süleyman Bey bir zabit, üstelik inanmış bir zabit. Kendisine verilen emirleri uyguluyor. Farklı bir fikir içinde olması mümkün değil, çünkü şüphe duymuyor. Bizden de beklediği düşünmeden, sorgulamadan emirleri yerine getirmemiz. Ama Talat Bey farklı. Enver'e boyun eğmiş görünse de hâlâ tarafsız kalmanın yollarını arıyor olabilir. O nedenle, bizi dinleyebilir, belki de bu takibata müdahale edebilir."

Söyledikleri mantıklıydı, derhal Talat Bey'in huzuruna çıkmalı, bu garabeti anlatmalıydı. Ama o anda Büyük Efendi'nin Fuad'a benim kadar itimat etmediğini hatırladım. Arkadaşımın hep mesele çıkaran adam olarak görülmesini istemediğimden,

"Yerden göğe kadar haklısın kardeşim," dedim sakince. "Derhal gidip Talat Bey'le konuşacağım. Evet, bizler emir altındayız ama hatalı gördüğümüz bir kararı da tenkit edebilmeli, gerekirse iptal ettirebilmeliyiz."

Hazin ama anlayışlı bir gülümseme belirdi yakışıklı çehresinde.

"Git konuş tabii. Her seferinde itiraz eden kişi olarak ben çıkmayayım adamın karşısına..."

Kırıldığını düşünerek savunmaya geçtim.

"Yanlış anlama, istersen birlikte gideriz..."

Uzanıp dostça elime dokundu.

"Boşuna dert etme Şehsuvar. Beni korumaya çalıştığını biliyorum. Bunun için sana minnet borçluyum. Münasip olan Talat Bey'le tek başına konuşmandır. Ama onunla konuştuğunu Süleyman Askeri öğrenirse pek hoş olmaz, zaten bizim hakkımızda şüpheleri de var, o zaman itimadı tamamıyla sarsılır."

"Merak etme, Talat Bey çok ketumdur. Ne konuşursan konuş yanında kalır."

Fuad'ın beni anlamasına sevindim, hiç vakit kaybetmeden, o öğleden sonra Bab-ı Âli'nin yolunu tuttum. Büyük Efendi bu defa çok samimi karşıladı beni. Adeta bir ağabey gibi büyük bir alakayla dinledi sözlerimi. Hatta yüzünde takdir ettiğine dair bir ifade belirdi.

"Hassasiyetin için çok teşekkür ederim Şehsuvar," dedi koltuğunda geriye yaslanarak. "Seninle tamamıyla aynı fikirdeyim. Bu iki isim son derece değerli iki zattır. Cavit Bey zaten Maliye Nazırımız... Ahmed Rıza Bey epey bir zamandır bize muhalefet yapıyor olsa bile onun da namusundan, hamiyetinden asla şüphe duymayız. Bu iki mühim şahsiyeti, casusluk yapmakla yahut bilerek isteyerek bir başka ülkenin menfaati için çalışmakla itham etmek kimsenin haddi değil. Lakin, vaziyet ortada. Cavit Bey'in de Ahmed Rıza Bey'in de bu harpte Alman karşıtı ittifakta yer almak istedikleri malumundur. Zaten bu fikirlerini de saklamıyorlar. Biz ise tarafsızlığımızı sürdürmeye çalışıyoruz."

Laf yerine gelmişti kendimi tutamadım söyledim.

"Fakat Talat Bey, hem cemiyette, hem hükümette Alman yanlıları da var. Onlar tarafsızlıktan değil, Almanlarla beraber harbe girmekten yanalar. Üstelik şu iki Alman gemisinin bize sığınmasından sonra elleri de bir hayli güçlendi."

Esmer yüzü gölgelendi, bakışları kapıya kaydı.

"Açık kalmış," dedi. "Sana zahmet şunu kapatsana."

Evet, Bab-ı Âli binasında, kendi nazırlık odasında dahi rahat değildi, aslına bakarsan artık hiçbirimiz, Enver Paşa dahil hiç kimse rahat değildi. Herkes, hepimiz birbirimizden kuşkulanıyorduk. Kim, kimin adamıdır, kim, kimin hesabına çalışmaktadır, kime itimat edilir, kime edilmez, bu soruların cevabı her gün, hatta her saat başı değişiyordu. Söylediğini yapıp, kapıyı kapattıktan sonra da tedirginliğini üzerinden atamadı Talat Bey.

"Haklısın Almanya ile harbe girelim diyenler de var aramızda," dedi sesini kısarak. "Ama onların eli, Goeben ve Breslau'nun bize sığınmasıyla değil, çok daha önce İngilizlerin satın aldığımız Sultan Osman ve Reşadiye gemilerini vermemesiyle güçlendi. 'İngilizler bize kazık attılar, oysa Almanlar Abdülhamit devrinden beri yanımızda,' diye konuşmaya başlayanlar çoğaldı. Acayip bir istihbarat harbi var Şehsuvar. Almanlar, İngilizler, Fransızlar, Ruslar aklına kim gelirse. Bu kadar nazik bir vaziyette harbe girmemek için adeta siyasi cambazlık yapıyoruz. Hal böyle olunca konuşulan her söz, verilen her vaat bir anlam taşıyor. İster istemez bizim dengemizi bozuyor. Elbette Cavit Bey, Ahmed Rıza Bey gibi mühim şahıslar, bilerek, vatana kötülük yapmıyorlar ama istemeden de olsa taraflardan birinin işine gelebilecek davranışlarda bulunabilirler. Bizler hükümet olarak bu hatalı davranışların da farkında olabilmeliyiz. Böylece vatana gelebilecek zararı asgari düzeye indirebiliriz. İşte bu sebepten, ne kadar zor olursa olsun, bu kıymetli insanları izlemek, hata yapmalarına mani olmak, hatta belki yüz yüze konuşarak fikirlerini öğrenmek, bizim için bir mecburiyet haline geliyor.

Biliyorum hiç hoş değil, hatta rezilce bir iş gibi görünüyor ama başka çaremiz yok. Şunu de belirtmeliyim ki, içimizde en zor olanı belki de siz yapıyorsunuz."

Karşı çıkmadığımı görünce, sanki rahatladı, hatta hınzırca gülümsedi.

"Hem mahir davranırsan, kimse ne olduğunu anlamaz bile..." Aklına bir fikir gelmiş gibi heyecanlandı. "Sen zaten Ahmed Rıza'yı tanıyorsun. Bence doğrudan git yanına. Çengelköy'de baba yadigârı bir çiftlikte kalıyor. Çal kapısını, konuş onunla. Eminim fikirlerini söylemekten çekinmeyecektir. Böylece bir sürü malumat edinirsin, daha önemlisi Ahmed Rıza hakkında bir kanaate varırsın. Süleyman Askeri Bey'in buna bir itirazı olacağını da sanmıyorum, aksine çok memnun olacaktır."

Her konuşmamızın ardından karmaşık hislerle ayrılıyordum Talat Bey'in yanından. Güya, yine ikna etmişti beni, ama içim hiç rahat değildi, dahası derin bir huzursuzluk duyuyordum.

Fuad'ın yanına gitmedim o gece. Halbuki Tophane'deki kahvede buluşacaktık, görüşmenin neticelerini anlatacaktım ona. Ama o kadar bunalmıştım ki, beni merakla bekleyen arkadaşıma uğrayıp bütün bu mevzuları bir kez de onunla konuşmayı göze alamadım. Beşiktaş'a, eve gittim. Erken geldiğimi gören Madam Melina sevinmişti. Ama onunla da sohbet edecek halim yoktu. Yemeğimi yedikten sonra odama çekildim. Erkenden yatağıma uzandım, uyumaya çalıştım. Fakat sağa dön, sola dön, olmadı, kalktım. Havanın sıcaklığı da cabası. Pencereyi açtım, denizden esen bir rüzgâr birazcık serinletti odayı. Yatağa döndüm, fakat yine uyuyamadım. Zor bir gece olmuştu benim için, uykuyla uyanıklığın, rüyalarla kâbusların iç içe geçtiği bir gece. Sonra sızmışım.

Sabah serçe cıvıltılarıyla uyandım. Benim çektiğim ızdıraptan uzak, yepyeni ışıklı bir gün başlamıştı sokakta. Beni de etkiledi doğanın bu güzelliği. Geceki karamsarlığım yok oluvermişti sanki. "Zaten senin esintili bir şahsiyetin var, üzüntün de sevincin de tez gelir, tez geçer," deme hemen. Belki dün gerektiğinden fazla etkilenmiştim olaylardan. Fuad'ın tesiriyle olduğundan daha berbat görünmüştü vaziyet gözüme diye düşündüm. Halbuki o sabah yeniden doğmuş gibiydim; hem aklım hem bedenim o kadar sağlıklıydı ki, sanki ne kadar güç olursa olsun bütün meseleleri çözebilirmişim gibi zinde hissediyordum kendimi. Bu iyimserlikle, yataktan kalkar kalkmaz bir karar aldım. Uzatmanın âlemi yoktu. Hemen kahvaltıdan sonra Çengelköy'e geçecek, Ahmed Rıza'nın çiftliğine gidecek, onunla samimi bir sohbete

444

oturacaktım. Ne zamandır görüşmemiştik, eminim sevinirdi onu ziyaret etmeme. Böylece teşkilatın benden istediği raporu da fazla geciktirmeden hazırlamış olurdum. Hatta bu ziyareti Fuad'a anlatmama bile gerek olmayabilirdi. Eminim bu isteğimi Süleyman Askeri de anlayışla karşılardı. Öyle ya, bizim teşkilatta gizlilik esastı.

Beşiktaş'tan bir kayıkla karşıya geçtim. Bir fayton kiralayıp Çengelköy'e çıktım. Sora sora çiftliği bulduğumda vakit öğleye gelmişti. Çiftlik denildiğine bakma, oldukça mütevazı bir yerdi. Faytondan inip erik, kiraz, şeftali ağaçlarının arasından geçerek iki katlı binaya yöneldim. Uzaktan uzağa miskin bir köpek isteksizce üç kez havladı. Bir eşek anırdı acı acı. Galiba bir de horoz öttü ama bundan çok emin değilim. Ses namına duyduklarım sadece bunlardı. Taş binanın kapısı ardına kadar açıktı. Kapıdaki çıngırağa dokunduysam da kimseye işittiremedim. Çaresiz süzüldüm içeri.

Dışarıdaki sıcaklıktan sonra sofa oldukça serin gelmişti. Büyükçe bir salona girdim, burada da in cin top oynuyordu. "Kimse yok mu?" diye seslenecektim ki, bir tıkırtı duydum. Salonun dar penceresine çapraz duran kapıdan biri çıktı. Işık arkadan vurduğu için yüzünü tam seçemiyordum, birkaç adım atınca tanıdım: Ahmed Rıza'ydı. Gözlerini kısarak bakıyordu, sonunda tanıdı beni ama çatılmış kaşları açılmadı.

"Oo Şehsuvar," dedi manidar bir sesle. "Hayrola, beni tutuklamaya mı, yoksa öldürmeye mi geldin?"

Ne diyeceğimi bilemeden kalakaldım salonun ortasında.

"Gel, gel," dedi şaşkınlığım uzun sürünce. "Latife ettim, o vazifeyi sana vermezler." Durdu, tepeden tırnağa bir kez daha süzdü beni. "Ne de olsa okumuş adamsın, kalbi katı, katil sürüsünden birine yaptırırlar o işi." Elini uzattı. "Hoşgeldin, gel, gel, şuraya otur."

Kırmızı bir örtüyle kaplı divana oturmak yerine, olduğum yerde kalarak mahcup bir ifadeyle gülümsedim.

"Rahatsız ettiysem özür dilerim. Kaç zamandır görüşmedik, bir uğrayıp hatırınızı sormak istedim."

İnanmamıştı ama daha fazla yüzüme vurmak istemedi.

"İyi yaptın, dikilme orada, gel otur şöyle."

Kırmızı örtünün altındaki divan sertti, rahatsızlık vericiydi, hiç aldırmadan yerleştim. O da tam karşımdaki kum sarısı koltuğa çöktü. Alnındaki çizgiler derinleşmiş, saçları sakalları iyice beyazlamıştı ama yine de dinç görünüyordu. Gözlerinde teslim olmamanın, bildiğini, inandığını her şart altında müdafaa etmenin verdiği gurur okunuyordu. Belki de onu hem zihinsel hem de bedensel olarak ayakta tutan bu inatçılıktı. Her ne olursa olsun, bu ülkede her zaman saygı duyulacak kişilerin arasında yer alacak bir adamdı Ahmed Rıza. Ki yaşanacak sosyal depremler, siyasi çalkantılar, ahlaki yıkımlar bu fikrimi hiçbir zaman değiştirmeyecekti. Fakat daha beni görür görmez niyetimi anlayan bu kurt siyasetçiyi nasıl konuşturacaktım? Aklım, işte bu zor bilmeceyle meşguldü.

"Şu senin arkadaşını gördüm," diyerek beni bu yükten de kurtardı ama neden bahsettiğini henüz anlamamıştım. "İki sene kadar önce, Paris'te... Mösyö Naum'un kızından bahsediyorum. Matmazel Ester'den..."

Güya sohbet edip ağzından laf alacağım adam, ardı ardına şoka uğratıyordu beni.

"İyi görünüyordu, edebiyat tahsiline başlamış. Hatta Paris'te kadın haklarını savunan radikal bir çevreye de katılmış. Kitapları da yayınlanıyormuş ardı ardına." Sustu, mim koyacakmış gibi açık renk gözlerini yüzüme dikti. "Seni sormadı, ama ben anlattım. 31 Mart Hadisesi'nde benim emniyetimi sağladığını, Şehzadebaşı'ndaki o evde konuştuklarımızdan bahsettim. Ve aynen şöyle söyledim: 'Yazık, kendine yazık etmiş bir kabiliyet. Keşke fedai olacağına yazar olsaydı.' Evet, bu devirde kaybolan yüzlerce genç insandan biri de sensin Şehsuvar."

Zaten rahatsızlık veren divanda sıkıntıyla kıpırdadım.

"Öyle diyorsunuz da Ahmed Rıza Bey, yazarlık kabiliyetimin olduğu bile şüpheli. Ne bir roman yazdım ne büyük bir hikâye, birkaç çiziktirme, birkaç karalama hepsi bu. Belki Ester mübalağa yapmıştır yazdıklarım hakkında ama..."

"Ester seni hiç övmedi... Hakkında fazla konuşmadı zaten. Sadece dinledi söylediklerimi. Evet, kaşları çatılmış, gergin bir halde ve alakayla dinledi hakkında anlattıklarımı. Fakat hiç soru sormadı. Sözlerim bitince de senin hakkındaki kanaatini şu cümleyle açıkladı: 'Hayatta iki tür insan vardır Ahmed Rıza Bey, rüzgârın önünde savrulanlar ve rüzgârı önüne katanlar. Şehsuvar ilk kısma mensup olanlardandır. Ülkemizde kopan siyasi fırtına, onu kendi çizdiği yoldan uzaklaştırdı. Ona bambaşka bir kader armağan etti. Ne yazık ki demeyeceğim, çünkü bu onun tercihiydi. Mesut olmasını dilemekten başka söylenecek söz yok.' Senin için bir anlamı var mı bilmiyorum ama aynen bunları söyledi."

Elbette benim için çok büyük bir anlamı vardı ama bunu itiraf edemezdim. Demek benden tümüyle ümidini kesmiştin. Demek, artık seni öfkelendiremiyordum bile. "Mesut olmasını dilemekten başka söylenecek söz yok," demiştin ya, en ağırı buydu. Demek, ne hali varsa görsün deyip kapamıştın defteri. Artık umurunda değildim senin. Derin bir kahır, büyük bir öfke uyanmıştı içimde. Fakat daha beteri, bunu belli etmemek zorundaydım Ahmed Rıza'ya. Lakin buna nasıl muvaffak olacağımı ben de bilmiyordum. Adam, gafil avlamış, darmadağın etmişti beni. Tecrübeli bir boksör gibi dur durak bilmeden ardı ardına birbirinden ağır yumruklar yapıştırıyordu zaten iyice örselenmiş ruhuma. Nitekim suskunluğum uzayınca, o insanı delip geçen gözlerini bir kez daha yüzüme dikerek alaycı bir ses tonuyla sormuştu.

"Matmazel Ester merak etmiyordu ama ben ediyorum. Sahi mesut oldun mu Şehsuvar? Gayene ulaştın mı?"

"Kim tamamıyla gayesine ulaşabilir ki hayatta?" Adeta kendiliğinden dökülmüştü bu sözcükler dudaklarımdan. Yalan söylemiyordum, numara yapmıyordum, içimden gelen sözlerdi bunlar. İyi başlamıştım, cesaretle sürdürdüm konuşmamı. "Hele vatanın yangın yerine döndüğü bu devirde. İnsanlar bu kadar mutsuzken, birbirlerini öldürmek için fırsat kolluyorken mesut olmak mümkün mü?"

Galiba onu etkilemiştim, gözleri dalgalandı, dikkati dağıldı.

"Haklısın, mutlu olmak artık pek mümkün değil ama huzur duyabilir insan. Evet, dünyanın cehenneme döndüğü bu Harb-i Umumi'de bile huzur duyabiliriz. Yeter ki doğru olanı yapalım. Yeter ki kimseyi öldürmeyelim, kimsenin ölümüne sebep olmayalım. Hem ülkemiz, hem kendimiz için söylüyorum bunu. Eğer tarafsız kalmayı başarırsak, Alman harp makinesinin bir çarkı olmazsak, bu kanlı kapışmanın içinde bile huzur duyabiliriz. Hem öldürmekten kurtulmuş oluruz, hem de ölmekten..." Yüzünde acıklı bir ifade belirdi. Çaresizce başını salladı. "Ama bunu yapamayacağız... Sizinkiler, ülkeyi çoktan harbe sürdüler bile."

"Hayır," diye itiraz ettim. "Talat Bey harbe katılmaya katiyetle karşı. Hükümetteki nazırlar da Almanya'yla ittifaka muhalefet ediyorlar..."

Derin bir şüpheyle bakıyordu.

"Bu kadar saf olamazsın!" diye mırıldandı başını sallayarak. "Bu kadar saf olsan seni yanlarında tutmazlar. Beni konuşturmak için böyle söylüyorsun değil mi?"

"Rica ederim efendim," diyecek oldum, sağ elini kaldırarak susturdu.

"Lütfen, lütfen, daha fazla küçülmeyin karşımda."

Suratım kıpkırmızı olmuştu. Ahmed Rıza halime aldırmadan, belki fark bile etmeden sürdürdü sözlerini.

"Buraya niye geldiğinizi çok iyi biliyorum Şehsuvar. Merak etmeyin istediğinizi de vereceğim size. Zaten mahrem değil ki benim fikirlerim. Mecliste de, gazetelerde de, dost sohbetlerinde de açıkça söylüyorum düşüncelerimi. Evet, ilk olarak Almanya ile harbe girmemize karşıyım. Bu ittifak bizi mahva sürükleyecek. Ama sadece Almanya değil İngilizlerle birlikte de harbe girmemize karşıyım. Sizin aptalların anlamadığı hakikat şu: Biz bu harbin tarafı değil hedefiyiz. Evet, Memalik-i Osmaniye hepsinin iştahını kabartıyor. Yapmamız icap eden, dünya haritasını değiştirmek isteyen bu açgözlü devletlerin birine yamanmak değil, kendi topraklarımızı korumak için bağımsız bir siyaset gütmekti. Evet, çok zor, evet, taraf olmayanın bitaraf olma tehlikesi var. Ama başka çaremiz yoktu. Bu zor olanı başarmalıydık."

"Hâlâ başarabiliriz," diyecek oldum,

"Artık çok geç. Truva atı kalemize girdi. Üstelik bir değil, iki tane. Goeben ve Breslau adındaki gemilerden bahsediyorum. Adlarını Yavuz ve Midilli diye değiştirince Osmanlı olmadı o gemiler. Asıl maksatları başka. İngiltere tarafıyla zaten gerilen ilişkilerimizi koparmak için son bir hamle yapmayı bekliyorlar. Bizzat Kayzer Wilhelm'in tezgâhladığı sinsi planları var. Yaz şuraya, bu iki geminin başımızı belaya sokması an meselesi. Çünkü Almanlar, Fransa cephesinde zafer kazanamadılar, Ruslar, Avusturyalıları fena sıkıştırıyor. Şimdi Kayzer'in, bizim kanı sudan ucuz askerlerimize her zamankinden daha çok ihtiyacı var. Ve emin ol, istediklerini kolayca alacaklar..."

O gün ikindiye kadar kaldım Ahmed Rıza'nın evinde. Evet, o kadar uzun sürmüştü konuşmamız. Hayır, o birkaç saat içinde bir an inanmadı benim samimi olduğuma ama hâlâ sağduyuma güveniyor gibiydi. Belki değişebilirdim, beni yaka paça çiftliğinden atmamasının nedeni de nezaketinden çok bu umudu olmalıydı. Belki de eski silah arkadaşlarına ilk elden mesajını iletmemi istiyordu. Zannederim bu niyetle, zorla öğle yemeğine alıkoydu beni. Çiftliğe geldiğimde göremediğim Mürşit Ağa'yla karısı birden ortalığa çıkıp, kaşla göz arasında hazırlamışlardı sofrayı. Hayatımdaki en leziz papaz yahnisini yedim o çiftlikte. İkram edilen buz gibi kızılcık şerbetini içerken şunları söyledi:

"Siyasi partilerde münevverlerle, teşkilatçılar arasında bir uyum olmalıdır. Biz münevverler, teşkilatçılar gibi milletin arasına kolayca giremeyiz. Bilmenin getirdiği sorumluluklar ve sıkıntılar vardır. Ama bir teşkilatçı için tek sorumluluk, güçlü bir cemiyet kurmaktır. Bu maksada ulaşmak için ahaliyi ikna etmesi yeterlidir. O sebepten çoğu zaman ne ahlaki değerlere aldırırlar, ne partinin prensiplerine. Üstelik biz münevverlere de kızarlar, onları engelliyoruz diye. İttihat ve Terakki Fırkası'nda da bu oldu. Teşkilatçılar, askerlerle el ele verip, cemiyetin münevverlerini tasfiye ettiler. Ama bizimle birlikte prensipler de tasfiye oldu. Artık ne hürriyet umurlarında, ne eşitlik, ne kardeşlik ne de adalet. Talat Bey de, Enver Paşa da 1906 yılındaki o inanmış inkılapçılar değil artık. Yıkmak istedikleri rejimin bizzat kendisine dönüştüler. Abdülhamit'te tenkit ettikleri ne varsa, bugün hepsini kendileri yapıyorlar. Belki de daha fenasını..." Alaycı bir gülümsemeyle adeta dikte ettirir gibi işaret parmağını havada salladı. "Raporuna şöyle yazmanı istiyorum. Ben Ahmed Rıza, millete hiçbir zaman yalan söylemedim, ne millete ne de cemiyete. Yirmi yıl önce ne dediysem bugün de aynısını savunuyorum. Ama cemiyetin bugünkü liderleri hem kendi ideallerine, hem de kendi tarihine ihanet etti. İşte bunun için ne millet, ne de tarih affedecek onları."

"Kaybedilmiş bir davanın umutsuz neferleri..."

✵

Ah Esterciğim, Ah! (12. Gün, Akşamüzeri)

Yine mutsuz döndüm otele, yine hayal kırıklığına uğramış, yine ızdıraplar içinde... Yok, gelmemiştin İstanbul'a. Ne İstanbul'a ne de bana. Oysa ne kadar da inandırmıştım kendimi seni bulacağıma? Ne kadar da emindim geldiğinden. Hepsi bomboş bir hayalmiş, hepsi aptalca bir iyimserlik. Bir umuda ihtiyacım varmış, kendi uydurduğum bir yalana. Düpedüz kendimi kandırmaya...

Leon Dayı'nın yazıhanesinden çıktıktan sonra amaçsızca dolaştım sokaklarda. Ne yapacağımı bilmeden, ayaklarım beni nereye götürürse oraya. Kasımpaşa'ya indim önce, Haliç'in kenarına. Deniz boyunca yürüdüm, tıpkı Selanik'te olduğu gibi. Sanki yıllar önce değil de bugün ayrılmışız gibi keder doluydu içim; ızdırap ve kahır dolu. Bir banka oturdum, denize giren çocukların sesleri geliyordu bir yerlerden; alabildiğine uçarı, alabildiğine hoyrat, alabildiğine neşeli. Nefret ettim onlardan, nefret ettim onların sevinçlerinden. Kalktım, yürüdüm, kilometrelerce yürüdüm. Ama ne kadar yürürsem yürüyeyim, çıkış yoktu. Etrafı ateşle çevrili, fasit bir dairenin içinde dolanıp duruyordum. On iki gün önce evden ayrılıp, Pera Palas'a taşınmama sebep olan şartların hiçbiri değişmemişti. O gün nelerden kaygı duyuyorsam bugün de aynı tehditlerle karşı karşıyaydım. Hayat, beni tümüyle gözden çıkarmıştı, yeni bir fırsat vermeyecekti. Sen de gelmediğine göre, mutluluk ihtimali tümüyle ortadan kalkmıştı. Evet, on iki gün önceki ruh haline geri dönmüştüm. Zaten doğrusu da buydu; çünkü hakikat buydu.

Yürümekten yorulunca otele döndüm. Odama çıktım, masanın üzerindeki kâğıtlar, kalem hadi gel dercesine bana bakıyorlardı. Ama yazma isteğimi kaybetmiş gibiydim. Yazsam ne olacaktı? Ne değişecekti? Balkona çıktım, ama çok duramadım, artık bu yaşlı şehre bakmaya da katlanamıyordum. Bir an çekip Paris'e gitsem diye geçirdim içimden. Ama ne yararı olacaktı ki? Yeni bir hayal kırıklığı, yeni bir hissi bozgun, yeni bir ruhsal hezimet... Odama geri döndüm, *La Bohem*'in taş plağını koydum gramofona. Zavallı *Mimi*'nin öldüğü sahneyi dinledim. Gözlerim doldu ağlamaya başladım, önce sessizce, sonra hüngür hüngür, hıçkıra hıçkıra... Ağlamak iyi geldi, ağladıkça açıldım. Elbette, ne içimdeki kahır azaldı ne de o derin ızdırap son buldu. Ama kararsızlıktan kurtuldum. Bizimki tamamlanmamış bir hikâyeydi ama hiç değilse sana yazacaklarımı yarıda bırakmamalıydım. Evet, ne kadar zor olursa olsun, anlatacaklarımı bitirmeliydim. O anda senin sesini duyar gibi oldum. "Yazmalısın Şehsuvar, mutlaka yazmalısın."

Yeniden oturdum, sessizce beni bekleyen yazı masasının başına. Evet 1914 senesi... Harb-i Umumi başlamıştı, ama önce bugünü yazmalıyım. Leon Dayı'nın yazıhanesinde yaşadıklarımı anlatmalıyım sana. Evet, hiç de zor olmamıştı adresi bulmak. Kapıyı çaldım ama açan olmadı. Bir kez daha vurdum medusa başlı pirinç tokmağı kapıya, hayır ne bir ses, ne bir seda. Demek ki gelmemiş diye düşündüm. Dönüp gidecektim ki,

"Şehsuvar!" diye seslendi biri. "Şehsuvar sen misin?"

Başımı çevirince Leon Dayı'yla göz göze geldim. Çökmüştü; saçları dökülmüş, yüzü kuru bir toprak gibi kırış kırış olmuştu. Kelimenin tam anlamıyla ihtiyar bir adama dönmüştü.

"Merhaba," dedim gülümseyerek. "Az kalsın gidecektim."

Düşük kaşlarının altındaki koyu renk gözleri neden geldiğimi anlamak istercesine merakla bakıyordu ama izah etmekten geri durmadı.

"Öğleden sonra açıyorum yazıhaneyi. Sabahları adliye işleri filan oluyor..."

Hiç sevinmemişti beni gördüğüne ama nezaketi de elden bırakmıyordu.

Usulen elimi sıktıktan sonra,

"Nasılsın Şehsuvar?" diye sordu. "Çok zaman oldu görüşmeyeli."

Kalender bir tavırla başımı salladım.

"Çok zaman oldu Mösyö Leon, koca bir imparatorluğun yıkılışı, bir cumhuriyetin kuruluşu kadar çok..."

İlk kez sıcak bir ifade belirdi yıpranmış yüzünde.

"Güzel cümle, ne de olsa yazarlık kumaşı vardı sende."

Kapıda durduğumuzu fark edince,

"Buyur içeri geçelim," dedi ama aslında beni yazıhanesinde istemiyordu. "Sohbet ederiz biraz..."

İlk kez, bu kadar soğuk davranıyordu bana. Eğer seni bulma umudum olmasaydı, asla girmezdim içeriye. Selanik'tekinden oldukça küçüktü yazıhanesi. Ama ahşap mobilyaların rengi aynıydı, kırmızıya çalan kahverengi.

"Fazla iş almıyorum," diye söylendi çalışma odasına geçerken. "Eski halim yok, eski tahammülüm de kalmadı. İnsanlara katlanamıyorum artık."

Maun masasının arkasındaki kahverengi koltuğa otururken, ben de karşısına yerleştim. O zaman gördüm fotoğrafını. O sana çok yakışan narçiçeği elbise vardı üzerinde, gülümsüyordun. Güzeldin, çok güzeldin ama bu fotoğraf seni anlatmıyordu. Evet, abartılı bir poz vermiştin, kendin olmaktan çıkmıştın. Ne isyankarlığın ne dünyayı umursamayan o halin, ne meydan okuyan bakışların, yani, seni sen yapan hiçbir hususiyet yoktu bu fotoğrafta. Sadece genç bir kız, neşeli, hayat dolu o genç kızlardan biri. Hayır, sen, bu değildin.

"Evet," diyen Leon Dayı'nın sesiyle toparlandım. "Hayrola Şehsuvar, senelerden sonra neye borçluyuz bu ziyaretini?"

Böyle söyleyince heveslendim, demek ki bir yanlış anlama söz konusuydu. Hemen telafi etmeye çalıştım.

"İstanbul'a geldiğinizi daha bu sabah öğrendim. Burada olduğunuzu bilseydim, çoktan uğrardım yanınıza... Benim de konuşacaklarım vardı."

Hiç umursamadı, artık çok geç der, gibiydi.

"Hayat diyelim, insanlar kopup gidiyorlar birbirlerinden..." Çok içmekten kanlanmış gözlerinde soru dolu bir ifade belirdi. "Başın belada mı yoksa? Şu İzmir Suikastı sebebiyle diyorum. Sizinkilerin hepsini toparlıyor hükümet. Topyekûn bir hesaplaşmaya girdiler İttihatçılarla..."

Siz de bir zamanlar ittihatçıydınız, demek geçti içimden ama senin hakkında bilgi almadan Leon Dayı'yla tartışmak istemiyordum. Onu öfkelendirmek hiç işime gelmezdi.

"Benim bir alakam yok. Malta'dan döndüğümden beri uzak duruyorum siyasetten..."

Ötekiler gibi Leon Dayı da inanmadı sözlerime.

"Terakkiperver Cumhuriyet Fırkası'na da katılmadın mı? Eski ittihatçıların hepsi oradaydı."

Kati bir ifadeyle başımı salladım.

"Hayır, katılmadım. Son olarak Karakol Teşkilatı'ndaydım, işgalcilere karşı koymak için. O esnada yakalandım zaten. Bir süre Bekirağa Bölüğü'nde tuttular beni. Akabinde Malta'ya sürgüne gönderildim. İstanbul kurtulduktan sonra da hiçbir cemiyete ya da fırkaya bulaşmadım. Bulaşmayacağım da, zira siyaset, mutluluk getirmedi bana..."

Manidar bir gülümseme belirdi yüzünde.

"Siyaset değil, İttihat ve Terakki diyelim şuna. Evet, ittihatçı siyaset, ülkeyi mahvetti, hayatlarımızı parçaladı. Daha kötüsü ne olabilirdi bilmiyorum..."

Mevzuyu değiştirmek için,

"Siz, ne zaman geldiniz Selanik'ten?" diye sordum. "Son mübadelede mi?"

Acı bir olayı hatırlamış gibi gölgelendi gözleri.

"Daha önce geldik. İstanbul işgal atındayken... Tehlikeliydi ama Selanik'te yaşamanın da imkânı kalmamıştı..." Sesi umutsuzdu. "İstanbul'da ne kadar yaşarız, onu da bilmiyorum... Yanlış anlama, sitem ettiğim filan yok. Dünyanın her yanındaki Yahudiler de aynı vaziyette. Tanrı, bizi sürekli oradan oraya göç edelim diye yaratmış galiba..."

Leon Dayı anlatırken, söylediği bir kelimeye takılmıştım, "geldik" demişti, "geldim" değil. Demek ki tek başına gelmemişti. Geldik derken seni mi kastediyordu? Lakırdıyı nasıl eder de bu mevzuya bağlarım diye kıvranırken...

"Ester gelmedi," diye kötü havadisi verdi. "İstanbul ona göre bir yer değilmiş. Zannederim hayatını mahveden olaylar silsilesinin bu şehirde başladığına inanıyor." Duygusuz, kupkuru bir sesle konuşuyordu. "Paris'te kaldı. İyi bir çevresi var orada. Bu yıl üçüncü şiir kitabını neşretti. Çok da iltifat görüyor yazdıkları..."

"Mesut olmalı, sevdiği işi yaptığına göre."

"Çok mesut," dedi sözcüğün üzerine basarak. "Çok da iyi bir adamla evlendi. Bir Yahudi ressamla... Çok seviyor Ester'i... Evet, geçtiğimiz haziranda oldu düğünleri..." Şöyle bir baktı yüzüme. "Ne o, niye asıldı suratın? Yoksa hâlâ umudun mu vardı? Seni affedeceğini mi bekliyordun? Yapma Şehsuvar! Demek Ester'i hiç tanımamışsın..."

Hayır, acımasız değildi, hatta merhamete benzer bir ifade belirmişti yüzünde.

"Unut artık onu Şehsuvar," diye söylendi. "Unut artık, Ester diye biri yok senin için..."

Evet, aynen bunları söyledi. "Kalk git, defol buradan," deseydi daha az yaralardı beni. Hayır, nezaketini sonuna kadar muhafaza etti. Hatta ayrılırken, elimi sıkıp, "arada kahve içmeye gel," demeyi de ihmal etmedi. Ona kızmadım zaten, sana da öfkelenmedim, sinirlenilecek biri varsa o da bendim. O yüzden çaresizce sokaklara vurdum kendimi. Kapıldığım boş umutlar, sürüklendiğim birbirinden güzel hayallerle hesaplaşmak, tekrar o acı hakikate dönmek için. Döndüm de, bak işte, masama oturmuş, hiç okumayacağını bile bile içimi döküyorum sana, yaşadıklarımı anlatıyorum birer birer, ne faydası olacaksa... Hayır, bu işi yarıda bırakmayacağım, son sözümü söyleyinceye kadar yazmaya devam edeceğim sana. Ki, o günün çok da uzak olduğunu zannetmiyorum.

1914 senesine dönelim yine. Ahmed Rıza'yla çiftliğinde yaptığımız sohbetin ardından oldukça teferruatlı bir rapor kaleme aldım. Ahmed Rıza Bey'in düşüncelerini olduğu gibi aktardıktan sonra, bu fikirlerinde son derece samimi olduğunu, herhangi bir ecnebi devletle irtibatının bulunduğuna dair bir intiba edinmediğimi belirttim. Kendimce onu müdafaa etmeye çalışıyordum ama buna hiç ihtiyacı yokmuş, zira çok geçmeden Ahmed Rıza'nın söyledikleri bir bir hakikat olacaktı.

Evet, 29 Ekim günü ateşlenmişti kıyametin fitili, ama ben bir gün sonra öğrenecektim. 30 Ekim 1914 Cuma... Hiç unutmam güneşli bir sabah, Kurban Bayramı'nın ilk günü. Madam Melina'nın sesini duyduğumda hâlâ yataktaydım. Evet, uyuyordum, çünkü, gece geç saatlere kadar roman okumuştum. Tekrar edebiyat merakım nüksetmişti o sıralar. Bir gün önce, Beyazıt'a kadar uzanmış, ne zamandır görmediğim Vezir'e uğramış, bu sevimli kitapçının bir kahvesini içmiştim. Flaubert'in *Madam Bovary*'sinin Fransızca özel baskısından bir kopyasını saklamıştı benim için. Şu deri ciltli, sayfalarında çizimler olan nefis kitaplardan biri. Daha önce okumuş olmama rağmen, daha ilk sayfasından bağlamıştı roman kendine. Satırların nasıl aktığını anlamamıştım, yatağa girdiğimde şafak sökmek üzereydi.

"Şehsuvar Bey... Şehsuvar Bey oğlum..." diye kapının önünde çırpınan Madam Melina'nın sesiyle uyandım. "Arkadaşınız geldi... Fuad Bey, sizi bekliyor aşağıda..."

Fuad mı? Anında uyandım. Fuad niye gelirdi ki benim evime? En son Basri Bey'le birlikte gelmişti. Beş sene evvel, 31 Mart Ayaklanması'nda... Ne olmuştu yine? Korsakov adındaki şu Rus casus... En son Kumkapı'da kaybetmiştik izini, onun adresini mi bulmuştu acaba?

"Tamam Madam, tamam, uyandım, geliyorum," diyerek ev sahibemi yolladıktan sonra aceleyle giyinip aşağıya indim. Mutfakta oturuyordu Fuad; bir yandan kahvesini yudumluyor, bir yandan da Madam Melina'yla sohbet ediyordu. İndiğimi görünce ayağa kalkarak, bana sarıldı.

"Bayramın kutlu olsun." Kulağıma eğilerek fısıldadı. "Önemli havadisler var. Konuşmamız lazım." Sesini yükselterek devam etti. "Böyle bir günde ne bu uyku Şehsuvar?"

Yanındaki iskemleye çökerken cevapladım:

"Hiç sorma Fuad, dün gece geç yatmışım, bugün kalkamadık işte."

Madam Melina da bir şeyler döndüğünü hissetmişti ama bozuntuya vermedi, misafirperver ev sahibi rolüne büründü.

"Fuad Bey, kahvaltı istemedi," diye sitem etti. "Siz bir şey söyleyin bari Şehsuvar Bey oğlum, bu eve gelip aç oturmak olur mu?"

Nazikçe gülümsedi Fuad.

"Aşk olsun Madam, söyledim ya, tokum. Yoksa yemez miyim?"

"İyi o zaman ben Şehsuvar Bey'in kahvaltısını hazırlayayım," diyerek kalktı yaşlı kadın. Ama içi rahat etmemişti, mutfağa girmeden önce Fuad'a döndü. "Size de bir tabak koyacağım, belki fikrinizi değiştirirsiniz."

Ne desin Fuad, uysal bir gülümsemeyle boyun eğdi. Madam Melina odadan çıkar çıkmaz,

"Harbe girdik Şehsuvar," diye fısıldadı öfkeyle. "Allem ettiler, kallem ettiler, sonunda soktular bizi harbe."

Şaşkınlıkla sordum.

"Harp mi ilan ettik?"

"Ne ilanı Şehsuvar, hücum ettik, hücum. Rusları bombaladık, Odessa, Sivastopol ve Novrosiski limanlarını..."

Donanma 27 Ekim'de Karadeniz'e açılmıştı. Güya tatbikat yapacaklardı. Demek ki Osmanlı Donanması'nın Alman Amirali Suşon bu tatbikatı fırsat bilerek ateş açmıştı Rus limanlarına. Evet, Ahmed Rıza'nın söyledikleri bir bir çıkıyordu. Öteki cephelerde bekledikleri zaferi elde edemeyen Almanlar, bizim, kanı da, canı da sudan ucuz askerlerimizi çatışmaya sürmek istiyorlardı. Ama hem hükümet üyelerinin çoğunluğu hem de cemiyetin önemli bir kısmı tarafsız kalmaktan yanaydı. Bir oldu bittiye ihtiyaç vardı. İşte onu da, adlarını Yavuz ve Midilli diye değiştirdikleri Goeben ve Breslau adındaki gemilerle yapmışlardı. Elbette Enver Paşa'nın desteği ve teşvikiyle...

"Peki şimdi ne olacak?" diye sordum kaygıyla. "Talat Bey ne diyor buna?"

Umutsuzca başını salladı.

"Ne kıymeti harbiyesi var ki. Artık bilfiil Harb-i Umumi'nin içindeyiz. Tüm vatana geçmiş olsun."

Teferruatı bayram sonrası, öğrenecektik. Ruslara yapılan saldırıdan hükümetin de, meclisin de, cemiyetin de haberi yoktu. Nitekim Sadrazam Said Halim Paşa saldırı haberi üzerine istifa etmiş, ancak Cemal Paşa'nın müdahalesi üzerine vazifesinin başında kalmaya razı olmuştu.

Süleyman Askeri Bey ise bu çatışma haberini, tümüyle resmî bir ağızla izah etmişti bize.

"Önce Ruslar ateş açmış, ardından donanma karşılık vermiş."

Evet, hükümet de bu fikre sarılmıştı ama bu yalanın hiç kimseye yararı olmayacaktı. Artık bir uçurumun kıyısında değildik, o dibi görünmeyen karanlık boşluğa yuvarlanmıştık bile. Aklı başında olan herkes farkındaydı vaziyetin. Nitekim Posta ve Telgraf Nazırı Oskan Efendi, Ziraat ve Ticaret Nazırı Süleymanül Büstani Efendi, Nafia Nazırı Çürüksulu Mahmud Paşa ve Maliye Nazırı Cavit Bey harp kabinesinde yer almak istemedikleri için derhal istifa ettiler.

Beni en çok hayal kırıklığına uğratan Talat Bey'in sessizliğiydi. Hiç itiraz etmeden kabullenmişti vaziyeti. Sadrazam Said Halim Paşa kadar olamamıştı. Peki bunu niye yapıyordu? Enver'den çekindiği için mi? Yoksa Harb-i Umumi'ye girmekten başka çaremiz kalmadığına inandığı için mi? Belki her ikisi birden ama Cemal Paşa'nın vaziyeti kabul etmesi de hayret vericiydi. Fantazyalarını hakikat zannetme konusunda oldukça kabiliyetli olan Enver Paşa'yı anlamak kolaydı. Ama Talat ve Cemal Paşalar hangi akla hizmetle bu korkunç neticeye razı olmuşlardı? Demek ki cemiyetin bu üç lideri de alttan alta harpten galip çıkacağımıza inanıyorlardı. Ama düpedüz kumardı bu; kazanma ihtimali çok düşük olan bir kumar. Evet, Almanya son elli yılın yükselen devletlerinden biriydi, evet kuvvetli bir ordusu vardı ama karşımızdaki İtilaf Devletleri, hem silah açısından hem asker sayısı açısından bizden çok üstündü.

Almanya için vaziyet gayet anlaşılırdı. Artık çökmek üzere de olsa Osmanlı hâlâ önemli bir toprak parçasını bayrağı altında bulunduruyor, büyük bir nüfusa hükmediyordu. Daha da mühimi, Sultan Mehmed Reşad halife olarak, Müslümanların dini lideriydi. Almanlar, Sultan Reşad'ın "kutsal cihad" çağrısıyla Hindistan'daki Müslümanların ve Arapların, İngiltere ve Fransa'ya karşı ayaklanmasını umut ediyorlardı. Nitekim, Harb-i Umumi'ye katılmamızın üzerinden üç gün geçtikten sonra Sultan Reşad, cihat ilan etti. 14 Kasım günü, Şeyhülislam Hayri Efendi'nin hazırladığı "Cihad-ı Ekber Fetvası"nın, Süleymaniye'den Fatih Camii'ne getirilmesinde Fuad'la ben de hazır bulunmuştuk. Ali Haydar Efendi, caminin bahçesinde fetvayı okuduktan sonra coşkuya kapılan ahali, huşu içinde tekbir getirirken, Fuad kulağıma şu sözcükleri fısıldamıştı:

"Bu akşam Kayzer Wilhem'in sarayında kutlama var. Lezzetli sülün kızartmalarının yanında Ren şaraplarının en pahalısını açacak. Maksatlarına ulaştılar nihayet..."

Osmanlı'nın o eski şanlı günlerine döneceğine inanarak galeyana gelen asker, sivil gençlerin haykırışları arasında,

"Peki, biz ne yapacağız Fuad?" diye sordum. "Bize ne olacak?"

"Bize olan oldu zaten," dedi omuz silkerek. "Yıllar önce, ben aktör olmalıydım, sen ise yazar. Ama artık çok geç, buradan geri dönüş yok. Burası yolun sonu Şehsuvar... Bizim için en hayırlısı, acısız ve acil bir ölüm. Mümkünse harp meydanında, düşmanla dövüşürken göğüs göğüse... Süngüye de razıyım, kurşuna da, şarapnel parçasına da... Seni bilmem ama ben cepheye gitmek istiyorum. Kafkasya da olur, Irak da, Yemen de... Yeter ki şerefimle can vereceğim bir harp meydanı olsun..."

Tümüyle aynı fikirdeydim. Artık Talat Bey'le konuşmaktan, aynı siyasi lakırdıları işitmekten yorulmuştum? Süleyman Askeri Bey'le bile tartışmak istemiyordum. Nasıl olsa kader, yolumuzu çizmişti artık. Vatanın eli silah tutan erkeklerinin önemli bir ekseriyeti ölecekti bu harpte. Evet, bu netice kaçınılmazdı. Ben de Fuad gibi, daha ilk hücumda can verecek o şanslı askerlerden biri olmak istiyordum. Birkaç gün sonra bu niyetle çıktık Süleyman Askeri Bey'in huzuruna.

"Biz harbe gitmek istiyoruz efendim," dedi Fuad sakin ama kararlı bir ses tonuyla. "Payitahtta değil, cephede çok daha fazla yararımız dokunur vatana."

Önce sessizce ikimizi süzdü, ardından çocuksu bir masumiyetle aydınlandı Süleyman Askeri'nin çehresi.

"Merak etmeyin arkadaşlar, hep birlikte gideceğiz. Biraz sabredin, şu toz duman dağılsın, hep birlikte gideceğiz dövüşmeye... Şimdi vazifenizi sürdürün ve haber bekleyin..."

Aslında hiç bekleyecek halimiz yoktu, artık sabrımızın sonuna gelmiştik. Bir an önce silaha sarılmak istiyorduk, bir an önce düşmanın karşısına dikilmek, bir an önce şehadet şerbetini içmek... Ama olmadı, hayat bu kadarını bile çok gördü bana. Oysa bütün hazırlıklarımı yapmıştım. Elimdeki üç beş kuruşu Madam Melina'ya vermiş, erzak tedarik etmesini söylemiştim. Çünkü harbe katılacağımız söylentisiyle birlikte, un, şeker, gazyağı çekilmişti pazarlardan. Yaşlı kadının zor durumda kalmasını istemiyordum. Kendi nüfuzumu da kullanarak epeyce bir erzak depolamıştık evde.

Cepheye çağrı haberi kasım ayının sonunda geldi. İngiliz kuvvetlerinin Basra'yı işgal etmeye başlamasıyla birlikte.

Süleyman Askeri Bey bizi çağırdığında, beklediğimiz anın geldiğinden artık emindik. İkimiz de büyük bir mutluluk içinde gittik görüşmeye. O gece, harbe gitmeden önce sana uzun bir mektup yazmayı bile düşündüm. Zira cepheden geri döneceğimi hiç zannetmiyordum. Elbette bu yazdıklarım kadar kapsamlı olmayacaktı ama en azından söyleyemediklerimi yazıya dökecek, senin için hissettiklerimi açıklaya-caktım. Fakat olaylar istediğim gibi gelişmedi.

Teşkilat binasına gittiğimizde, on iki kişi daha gelmişti toplantı için. Hepsi bizim fedai takımındandı; hamiyetper-ver, gözü kara ve namuslu insanlardı. Müslüman nüfusun yoğun olduğu bölgelere gidecek, İtilaf devletlerine karşı yerli ahaliyi teşkilatlandıracaklardı. Ama Süleyman Askeri Bey'in yaveri yanımıza gelerek, toplantının iki saat ertelendiğini söyledi. Bab-ı Âli'den acil bir davet gelmiş, Kumandan Bey de oraya gitmişti. Dert değildi, günlerce sabretmiştik iki saat daha bekleyebilirdik. Fuad'la aşağıdaki bir kıraathaneye oturduk. Fuad bir nargile söyledi, ben de şekerli bir kahve...

"Ya yanılıyorsak?" diye sordum kahvemi yudumladıktan sonra. "Ya biz galip gelirsek. İngilizleri, Rusları yenersek... Öyle ya, zafer her zaman silah ve asker sayısına bağlı olmayabilir. Hava şartlarından, askerin o günkü moral durumuna kadar, akla hayale gelmeyen pek çok sebep etkili olabilir neticede."

Nargilesinin marpucunu ağzından çıkardı,

"Ne fark eder Şehsuvar," dedi boşvermiş bir tavırla. "Bu kez kazansak bile, bu adamlar ne yapar eder yine batırır memleketi."

Son zamanlarda kendime sık sık sorduğum o soruyu dile getirdim.

"O kadar mı kötü? Hiç mi güvenin kalmadı cemiyete?"

Şöyle bir baktı yüzüme.

"Senin var mı sanki?"

Kendi fikrimi söylemek yerine,

"Millet hâlâ inanıyor bize," diye kışkırtmaya çalıştım onu. "Baksana harp kararını dahi sevinçle karşıladılar. Hükümet lehine nümayişler hâlâ sürüyor..."

Alaycı bir gülümseme belirdi dudaklarında.

"Herkesin aynı yalana inanıyor olması, onu hakikat yap-maz. Bunlar zavallı. Başlarına gelecek felaketin farkında ol-mayan alık taifesi."

Kaybedilmiş bir davanın, umutsuz bir neferi gibiydi.

"Onları suçlama, ne yapsınlar, hakikat o kadar berbat ki, çaresiz yalana sarılıyorlar."

Boynunu büktü.

"Daha önce de söylediğim gibi, şerefimizi korumak için ölmekten başka ihtimal kalmadı artık..."

Cevap vermedim, kıraathaneden kalkıncaya kadar ikimiz de sustuk.

Binaya girdiğimizde Süleyman Askeri'nin yaveri kapıda karşıladı bizi.

"Şehsuvar Bey," dedi emreden bir sesle. "Kumandan sizi yalnız bekliyor."

Bu da nereden çıkmıştı şimdi? Fuad'la göz göze geldik ama o hiç şaşırmış görünmüyordu.

"Her işte bir hayır vardır," dedi o tevekküllü haliyle. "Git, bir konuş bakalım."

Hep iğreti durduğunu düşündüğüm o ahşap masanın başında, birtakım kâğıtları imzalarken buldum Süleyman Askeri Bey'i.

"Bitmiyor," diye söylendi. "İmzala imzala bitmiyor. Otur Şehsuvar, şöyle otur."

Birkaç imza daha attıktan sonra kalemi bıraktı.

"Biliyorum cepheye gitmek için can atıyorsun ama sana kötü bir haberim var. Az önce Bab-ı Âli'deydim. Talat Bey, senin payitahtta kalmanı istiyor." İtiraz etmeme fırsat vermeden devam etti: "Aslına bakarsan haklı da. Bizim teşkilatın bütün mühim kadroları cepheye gidiyor. Kuşçubaşı Eşref, Atıf Bey, Nuri Bey, Yakup Cemil, Cezmi Kenan, Mehmed Akif... Aklına kim gelirse... Dile kolay Şehsuvar on cephede birden harp ediyoruz. Bazı bölgelerde, Trablusgarp'ta yaptığımız gibi, Müslüman halkı teşkilatlandırmak gerekiyor. Anlayacağın yine köylülerden asker yaratacağız. Fakat bu esnada payitahtın boş kalmaması lazım. Cephe gerisini tahkim etmeden, harpte galip gelmek mümkün değildir. Yani diyeceğim o ki, belki de size, cephede dövüşenlerden daha mühim bir vazife düşüyor."

Öyle kati bir ifadeyle söylemişti ki bu sözleri, kabul etmemeyi göze alamadım. Dışarı çıktığımda, suratımı görür görmez anlamıştı Fuad vaziyeti.

"Hayırlısı olsun," diye tekrarladı. "Hiç değilse gözüm arkada kalmayacak. Ne zaman Dersaadet'i düşünsem, itimat edilir birinin burada olduğunu hatırlayacağım."

Çok sürmemişti ayrılmamız, bu konuşmanın üzerinden bir ay geçmeden, Süleyman Askeri Bey ve Fuad, Basra'ya doğru yola çıkmışlardı. İşte bu, Fuad'ı son görüşüm olmuştu, ta ki dün gece karşılaşıncaya kadar...

"Bu topraklarda bir kötülük var..."

✻

İyi Geceler Ester, (12. Gün, Gece)

Kafam o kadar karışık, kalbim o kadar kederle doluydu ki, eğer bir daha karşılaşacağımızı bilsem Arşak'la buluşmamızı ertelerdim. Ama bırak, onunla bir daha konuşmamayı, belki bir daha hiç görüşemeyecektim bile. Yıllarca aynı sırada oturmuş, aynı koridorda dolaşmış, aynı bahçede sohbet etmiştik. Fuad nasıl ki gençlik yıllarımın ayrılmaz bir parçasıysa, Arşak da ergenlik dönemimin bir parçasıydı. Selanik'ten kopup, Dersaadet'e döndüğüm yıllarda hep yanımdaydı. Hem maddi hem de manevi desteğini hiç esirgememişti benden. Şu hayatta gönül borcum olan birkaç insandan biriydi. Hem belki de sohbet ederiz, biraz içim açılırdı. Öyle ya şahsi meselelerimi konuşabileceğim kimse de kalmamıştı etrafımda. Fuad'ın hakiki maksadını bilmiyordum, doğru söylüyorsa bile bana dostluk için değil, kendi davasının menfaati için yaklaşıyordu. Mehmed Esad da ondan farklı değildi. Evet, sadece Arşak eski bir arkadaş olduğum için alakadar oluyordu benimle. Ne siyasi bir gaye, ne gizli kapaklı işler... Kendimi böyle ikna ederek, buluşma vaktimizin dolmasına beş dakika kala Maksim'in kapısında dikilmeye başladım. Arşak ortalıkta görünmüyordu henüz. Işıklar yakılmış, şık giyimli beyler, hanımlar arzıendam etmeye başlamışlardı.

"İçeri girseydiniz Beyefendi," diyen bir sesle yana döndüm. Gözlerinde sevecen bir ifadeyle, iri yarı siyahi bir adam dikiliyordu karşımda. "Ayakta kalmak yorucu değil mi?"

Türkçesi bozuktu ama meramını gayet güzel anlatıyordu. Müzisyenlerden biri olmalı diye düşündüm, sokaktan müşteri toplaması biraz garibime gitmişti doğrusu.

"Bir arkadaşımı bekliyorum, gelmek üzeredir," diyecektim ki, Arşak'ın sesi duyuldu. "Geldim, geldim. Merhaba Şehsuvar..." Eski dostumla el sıkıştık. Arşak yanımda dikilen siyahi adama baktı. "Siz, Frederick Thomas olmalısınız. Tebrik ederim valla, ününüz Paris'e kadar yayılmış durumda..."

"Öyle mi?" dedi Frederick geniş ağzı kulaklarına kadar vararak. "Çok sevindim bunu duyduğuma. Biz de mütevazı bir yer açtık İstanbul'da diyorduk."

"Şöyle söyleyeyim Mr. Frederick, İstanbul'a gideceğimi öğrenen dostlarımın neredeyse hepsi, 'Mutlaka Maksim'e uğramalısın,' dedi bana."

İri siyah gözleri mutluluk içinde ışıyordu.

"Lütfen, Paris'e dönünce o arkadaşlarınıza selam söyleyin. Ayrıca içeride ilk içkiler benden..."

Neler olup bittiğini tam anlayamamıştım, kapıdan girerken sordum Arşak'a:

"Maksim'in sahibi bu adam mı?"

Şaşkınlıkla baktı arkadaşım yüzüme.

"Bilmiyor musun?"

"Nerden bileyim Arşak? Maksim'in sahibinin ihtilalden kaçan bir Rus olduğunu zannediyordum. Şu Beyaz Ruslardan biri ama karşıma bir siyahi çıktı..."

Küçük bir kahkaha koyuverdi arkadaşım.

"Aslında haklısın, Frederick Thomas Rusya'dan gelmiş buraya. İhtilalden kaçanlarla birlikte ama adam Amerika doğumlu. Amerika'da kölelikten kurtulmak için kapağı Rusya'ya atıyor. Tam işleri yoluna koyacakken, garibim orada da ihtilale yakalanıyor. Amerikan uyruklu Beyaz bir Rus olarak İstanbul'a kaçıyor... Ama adam çok kabiliyetli, gördüğün gibi burada da işini yoluna koymuş."

Son cümleyi söylerken bakışları mekânın içini taramaya başlamıştı bile. Beyaz örtülü masaların üzerine ustaca yerleştirilmiş tabaklar, bardaklar, garsonluk yapan Rus kızları, mekânı tatlı bir aydınlığa boğan ışıklar...

"Hayrola?" dedim merakla. "Neden bu kadar alakadar oluyorsun eğlence yerleriyle?"

Bakışlarını tavandan sarkan kristal avizelerden çekerek, bana döndü.

"Yahu hiç sorma Şehsuvar, Paris'te bu eğlence işine giriyoruz. Eğlence dediysem *Moulin Rouge* gibi kabareler, *Kankan* dansları filan gelmesin aklına. Daha mütevazı bir mekân düşünüyoruz..."

"Bedros'la birlikte mi?" Yüzündeki neşe anında kayboldu. "Sahi ağabeyin ne yapıyor?" diye ısrar ettim. "Ne zamandır görmedim onu da..."

Birden durdu Arşak.

"Bedros öldü." Hayır, keder yoktu sesinde, bir tür sitem vardı. Belki biraz daha fazlası. "On bir yıl önce... Bütün ailemle birlikte..."

1915 senesindeki tehcirden bahsediyordu. Sarıkamış'taki ağır yenilginin ardından Alman Genelkurmayı'nın tavsiyesine uyarak, İttihat ve Terakki'nin aldığı o meşum karardan... Anadolu topraklarındaki Ermenilerin, düşman kuvvetlerle iş birliği yapma ihtimaline karşı bulundukları yerlerden sürgün edilmesinden... O sürgün sırasında hayatlarını kaybeden yaşlı, çocuk, kadın on binlerce Ermeni vatandaşımızdan... Harbin en büyük trajedilerinden birinden... Ama anlamazlığa vurdum...

"Öyle mi?" dedim hayretler içinde kalmışım gibi. "Nasıl oldu bu felaket?"

İnanmayan bir ifade belirdi yüzünde, sanki bilmiyor musun diyen, bir ifade...

"Tehcirde öldürüldüler... Sivas'tan Lübnan'a sürgün giderken..."

"Keşke haberim olsaydı." Adeta kendiliğinden dökülmüştü bu sözcükler ağzımdan. "Belki bir yardımım..."

Kalbinin derinliklerinde saklanan acı yüzünde belirdi.

"Hangisini kurtaracaktın Şehsuvar? İki yüz kişilik bir aileydik biz. Nasıl seçecektin kurtaracağın insanları? Annemi babamı mı kurtaracaktın, altı kardeşimi mi? Yirmi üç yeğenim vardı, onları mı? Amcalarım, teyzelerim, onların çocukları... Yok Şehsuvar, hiç kimseyi kurtaramazdın..."

"İyi akşamlar," diyen bir kadın sesiyle bölündü konuşması. Lacivert gözlü Rus bir hanım gülümseyerek bize bakıyordu. Pek genç değildi ama güzeldi. İnce uzun parmağıyla sahnenin önündeki masalardan birini gösterdi. "Buyurun sizi şuraya alalım. Mr. Thomas'ın tavsiyesidir."

Öyle berbat bir halde yakalanmıştık ki, ben ne diyeceğimi bilemedim ama Arşak kurtuldu o kederli ruh halinden.

"Tabii, çok güzel bir yer, teşekkür ederiz. Hadi oraya geçelim Şehsuvar."

Hiç konuşmadan yürüdük masaya, birbirimizin yüzüne bakmadan sandalyelerimize oturduk. Dudaklarından gülümseme eksik olmayan garson,

"Birazdan geliyorum," diyerek ayrıldı yanımızdan.

"Güzel kadın, değil mi?" Severdi cazibeli kadınları ama şimdi aramızdaki suskunluğu bozmak için öylesine konuşuyordu arkadaşım. "Hakikaten başka bir ırk bu Ruslar azizim..."

Muhabbetle baktım Arşak'a. Kocaman bir yüreği vardı bu ufak tefek adamın.

"Nasıl öğrendin?" diye sordum bu defa ben gözlerinin içine bakarak. "Kim söyledi ailenin katledildiğini?"

Anında değişti yüzü, bakışları masanın beyaz örtüsüne kaydı, bir süre öylece kaldı, sonra derinden bir iç geçirerek başını kaldırdı.

"Kendim öğrendim..." Gözleri nemlenir gibi olmuştu, başını usulca salladı. "Kendim öğrendim Şehsuvar. Ama aylar sonra, iş işten geçtikten çok sonra... Çanakkale'deydim ben... Seddülbahir Cephesi'nde... Senin haberin yok bundan. Gönüllü katılmıştım harbe... Bizim Mekteb-i Sultani'den arkadaşlarla... Her safhasında bulundum o cehennemin... Çanakkale Harbi hakkında kâfi malumatın vardır. Ama ne duyduysan daha fenası yaşandı orada, daha korkuncu. Ben şanslı olanlardandım... Ne tifüse yakalandım, ne dizanteriye. Bir kere vuruldum ama önemsiz bir yaraydı. Siperlerde, kanla karışmış o toz toprağın içinde yatarken, beni en fazla endişelendiren mevzu kendi canım değil, Bedros Ağabeyimin nisan ayından sonra kesilen mektuplarıydı. Evet, hiçbir haber gelmiyordu memleketten. Ama insan hep bir izah buluyor kendine. Harp zamanı dedim, kim bilir nerede kaybolmuştur mektuplar. İşin acı tarafı, ben, ailem öldüğümü zannedip üzülecek diye endişe ederken, onlar hakikaten ölmüşlerdi..." Gözlerinden yaşlar akmaya başladı. "Hepsi, Şehsuvar, hepsi yok olmuştu. Dedem Abig'den, en küçük yeğenim Vaçe'ye kadar. Hiçbirini bulamadım. Ne kendilerini ne mezarlarını...

Evet, terhis edildikten sonra öğrendim. Sivas'a, eve döndüğümde. İçinde Tanrı'nın tek bir kulunun dahi olmadığı bir köy gördün mü hiç? O kulakların zarını yırtacak kadar kuvvetli sessizliği işittin mi? En tatlı çocukluk hatıralarının birer kâbusa dönüştüğüne şahit oldun mu? Ben bunların hepsini yaşadım Şehsuvar. 'Niye?' diye sordum kendime, 'Niye öldürdüler benim ailemi?' Diyeceksin ki harp şartları... Diyeceksin ki, bazı Ermeni isyancılar Ruslarla birlikte oldu... Biliyorum bizimkiler de Yunanlar gibi, Bulgarlar gibi kendi devletlerini kurmak istiyorlardı, biliyorum Osmanlı kendini emniyete almak istiyordu... Tamam ama bütün bunlar, o kadar insanın ölmesini icap ettirir miydi? Bu kadar can almak, bu kadar kan dökmek, bu kadar acı, bu kadar zulüm şart mıydı?

Evet, Şehsuvar, artık bu ülkede yaşayamazdım. Bu sebepten gittim Paris'e. Aslında bir daha adım atmayı da düşünmüyordum. Ama kopup gidemiyorsun öyle... Hangi mezrada, hangi karanlık uçurumun dibinde, hangi nehrin bulanık sularında olduğunu bilmesem de ailedeki herkesin mezarı burada. O nedenle çekiyor ayaklarım beni bu topraklara. Malatya'daydım iki hafta önce, Hasan Çelebi diye bir yer... Yüksek dağlar arasında bir vadi. Güya orada öldürmüşler bizimkileri. Erkekleri toplayıp dağların tepesine götürmüşler, bıçak, balta, nacak ne varsa saldırmışlar... Cesetleri de yuvarlamışlar yalçın dağlardan aşağıya... Kurtlara, kuşlara yem olsun diye. Ama hiçbir iz bulamadım bizimkilerden... Bu topraklarda bir lanet var Şehsuvar. Sanki suyla değil, kanla beslemişiz tarlaları, sanki güneş değil, vahşi bir ışıkmış günümüzü aydınlatan, bizi emziren annelerimiz memelerinden sanki süt değil, öfke akmış... Öyle acımasız, öyle sert, öyle merhametsiz... Başka türlü bir neden bulamıyorum bu katliamlara, bu vicdansızlıklara, bu gaddarlığa... O millet, bu millet de değil benim derdim. Hepimiz Osmanlı'ydık işte, al birimizi vur ötekine... Ama adım gibi eminim, bu topraklarda bir kötülük var, her geçen gün biraz daha büyüyen, mani olunamaz bir kötülük..."

Sustu, gözlerinden sessizce akan yaşları silmeye bile kalkışmadı. Ne diyeceğimi bilemeden öylece kalakalmıştım çocukluk arkadaşımın karşısında. "Ben, bu tehcir teklifini duyduğumda itiraz ettim," demenin de bir manası yoktu artık. Ne içten bir bakış, ne samimi bir söz, ne şefkatli bir dokunuş, hiçbir çaba telafi edemezdi acısını. Belki zaman, sadece zaman unutturabilirdi bu derin ızdırabı. Ama o güne daha çok vardı.

"Evet, efendim, işte menüleriniz." Garson kız yeniden bitivermişti yanımızda. Ama o da anladı, masada bir tuhaflık olduğunu. Laciverdi gözlerinde belli belirsiz bir telaş belirdi. "Bunları bırakayım, karar verince bana seslenin," diyerek uzaklaştı.

Önündeki peçeteye uzandı Arşak, gözlerini, yanaklarını kuruladı.

"Kusura bakma Şehsuvar, geceyi berbat ettim." Buruk güldü. "Ama biz acıyla yaşamaya alışmışız, değil mi? Bir yanımız ağlarken, bir yanımız güler... Tabii ne kadar güler, orası belli değil. Çünkü ateş düştüğü yeri yakıyor."

Dostça dokundum eline.

"Çok üzüldüm Arşak, sahiden çok üzüldüm. Keşke yapabileceğim bir şey olsa..."

Umutsuzca başını salladı.

"Yok Şehsuvar, yok aziz kardeşim, bu işin çaresi yok..."

O anda başladı Habeş Orkestrası çalmaya. Hepsi siyahilerden oluşan müzisyenler yemek saatinin başladığını ilan ediyorlardı çalgılarıyla... Bakışları müzisyenlere kayan Arşak,

"Evet, bu kadar yeter," dedi sesini toparlayarak. "Ağlamaya gelmedik buraya. Hadi yiyeceklerimizi söyleyelim... Ne içeriz? Votka mı?"

Ne yalan söyleyeyim, acayip rahatlatmıştı beni Arşak'ın bu olgunluğu.

"Sen seç," dedim ben de canlanarak. "Votka şart değil, Paris'te bulamıyorsundur, istersen rakı içelim..."

Abartılı bir hevesle etrafa bakındı.

"Nereye gitti bu kız?"

Sahiden de Rus hanım ortalıkta görünmüyordu.

"Mutfağa gitmiş olmalı," diye söylenirken, Mehmed Esad'ı fark ettim. Barın orada ayakta duruyordu, yanında da mekânın sahibi bizim siyahi Thomas. Rastlantı mıydı, yoksa Arşak'la buluştuğumu görüp... Yok canım, daha neler. Hem öyle olsa bizzat Mehmed mi gelirdi? Takip memurları kâfiydi bu vazife için. İşin enteresanı pek bir samimi görünüyorlardı mekân sahibiyle, ellerindeki kadehleri tokuşturup şerefe kaldırdılar. Biraz tedirgin oldum. Mehmed Esad beni görünce, mutlaka yanıma gelecekti, belki de bizimle oturmak isteyecekti. Şu anda bu masada olmaması gereken tek kişi oydu. Arşak'la aralarında nahoş bir münakaşa çıkabilirdi. Bu ihtimal beni telaşlandırdı.

"Arşak kusura bakma," diyerek doğruldum. "Barda bir arkadaşımı gördüm, şuna bir selam verip geleyim. Kırılır yoksa... Ha bu arada, sen de ne yiyeceğimize karar ver."

İtiraz edecek oldu.

"Hiç sesini çıkarma," diye lafı ağzında koydum. "Hatırlarsan gittiğimiz her yerde, sen seçerdin ne yiyeceğimizi... Hani hep derdin ya, ne anlar Selanikliler yemekten, mezeden diye... Hadi, şimdi de yine sen seç bakalım."

Vakitsiz kırışmış yüzünde o çocuksu gülümseyiş belirdi yine...

"Tamam, tamam ama şunu beğenmedim, bunu beğenmedim diye mızıklanmak yok..."

Eyvallah manasında sağ elimi göğsüme götürüp, anlaşmayı kabul ettiğimi onayladım. Mehmed Esad, yaklaşmadan fark etti beni. O sırada siyahi Rus ayrılmıştı yanından.

"Vay Şehsuvar, sen de mi buradaydın yahu?"

Elini sıkarken cevapladım.

"Eski bir arkadaşla geldim."

Bakışları kuşkuyla geldiğim yönü taradı. Öyle ya, kiminle buluşmuştum acaba? Rahatlatmak için oturduğumuz masayı gösterdim.

"Mekteb-i Sultani'den bir arkadaş. Tesadüfen karşılaştık. Maksim'i merak ediyormuş..."

Gözlerini kısarak bizim Arşak'ı süzerken sordu:

"İttihatçılardan biri mi?"

"Yok canım, hiç bize katılmadı. Kendi hayat gailesinde bir adam." Mevzuyu geçiştirmek için sordum: "Ee, sen ne yapıyorsun burada?"

"Birini görmek için geldim, fakat ortalıkta yok." Başıyla elindeki votka kadehini gösterdi. "Şunu içip kaçacağım. Ha Şehsuvar, nasıl gidiyor, var mı bir gelişme? Biliyorum, daha yeni görüştük ama... Vakit de daralıyor... Kimseyle irtibat kurdun mu?"

Eğer Fuad'la buluşmamız beni sınamak için yapılan bir tezgâhsa, Mehmed Esad'a bu olaydan bahsetmem gerekirdi. Ama bundan emin değildim. Muallak konuştum.

"Buluştuğumuzda anlatırım," dedim manidar bir ifade takınarak. "Yakında uğrarım sana."

Umutlanır gibi oldu, kadehini kaldırdı.

"Hadi hayırlısı. Hissediyorum, çok iyi neticeler alacağız yakında."

"Afiyet olsun."

Mehmed Esad, Maksim'in çıkış kapısına yollanırken, ben de Arşak'ın yanına döndüm.

"Şahane mezeler ısmarladım, rakı da söyledim." Az önceki kederden sıyrılmamıştı, istese de sıyrılamazdı ama öyle görünmeye çalışıyordu.

"Havyar da vardı ama itimat edemedim. Hakiki midir, bozulmuş mudur?"

"İyi yapmışsın, hem rakının yanında havyar mı olurmuş..."

Daha sözümü bitirmemiştim ki, bizim siyahi Thomas düştü masamıza. Muhtemelen sözlerimi duymuştu, elinde kocaman votka şişesini koydu masaya.

"Biliyorum, rakı içecekmişsiniz ama önce şunu bir tadın..." Hemen arkasından gelen garsona döndü. "Onları şöyle bırak Larissa." Garson hanım, kucağındaki tepsinin üzerinde küçük kadehleri, birkaç parça ekmeği, tereyağı ve simsiyah havyarı yerleştirdi masanın üzerine. "Bunlar benden," diyen mekân sahibi daha fazla beklemeyerek teklifsizce çöktü boş iskemleye. Şişeye uzanıp kadehlerimize votka doldurdu. "Bu benim spesiyal şişem. Rusya'dan gelirken yanımda getirdiklerimden." Şişeyi bırakıp kadehini aldı. "E, hadi, şerefe!" Kadehi dudaklarına götürüyordu ki durdu. "Ama hepsi bitecek, bir dikişte."

Hep birlikte götürdük kadehleri dudaklarımıza, soğuk votka boğazımızı yakarak kanımıza karıştı. Ama kâfi gelmemişti Thomas'a, dur dememize fırsat vermeden tekrar doldurdu kadehlerimizi. Baktım Arşak dünden razı, ben mani oldum:

"Biraz bekleyelim. Arka arkaya o kadar alışık değilim ben votkaya."

Şaşırmış gibi iri iri açıldı kara gözleri.

"Nasıl olur? Siz, Mehmed Esad'ın arkadaşı değil misiniz? Az önce gördüm sizi, sıkı fıkı konuşuyordunuz. Mr. Mehmed iyi içicidir. Votka, cin, viski, ne bulursa... Hiç de etkilenmez. Ne kadar içerse içsin hep dimdik, hiç yalpalamadan kalkar masadan."

Meraktan çok, muhabbet olsun diye sordum:

"Nerden tanıyorsunuz Mehmed Esad'ı?"

İri esmer ellerini beyaz masanın üstüne koydu.

"Epeyce eskiden tanışırız. Bana çok faydası dokundu... Rusya'dan ilk geldiğimde Şişli'de Stella Bahçesi'nde bir dans kulübü açmıştım... İşgal yıllarından bahsediyorum. Bizim bölgeye İngilizler bakıyordu. Zabitler canımıza okuyordu. Güzel kızlar çalışıyordu mekânda. İngiliz zabitler askıntı oluyordu tabii. Kızlar yüz vermeyince de, arbede çıkıyordu. Rezillikler, kepazelikler... Kaç kere mekânı kapatacak oldular... Her seferinde Mehmed Esad girdi araya... Hatırlı tanıdıkları vardı İngiliz Karargâhı'nda... İngilizlerle şeydi..." Hatırlayamamıştı... "Hani sizin bir lafınız var. Kuzulu, ciğerli bir şey..."

"Can ciğer kuzu sarması," diye hatırlattı Arşak. "Yakın dostlar için kullanılır."

"Tamam işte, aynı öyleydiler..." Eliyle kadehleri gösterdi. "E, hadi ama ısınınca tadı kaçar bu meretin..."

Kadehleri kafamıza dikerken hâlâ Mehmed Esad'ın masum olabileceğini düşünüyordum. İngilizlerle yakın olması onun işgalcilerle iş birliği yaptığı anlamına gelmeyebilirdi. Direnişçilerin yararına kullanacağı bilgi ve vesikalara ulaşmak için İngilizlerle irtibat kurmuş olabilirdi. Öte yandan Binbaşı Cezmi'nin anlattığı gemi baskınıyla, Thomas'ın farkında olmadan söyledikleri birleşince kuşku uyandıran bir vaziyet de ortaya çıkmıyor değildi. Ayrıca, İngiliz istihbaratının, Mehmed Esad gibi ittihatçı bir zabite kanması pek mümkün değildi. Onları nasıl ikna etmiş olabilirdi ki?

Thomas masamızdan kalktıktan sonra Arşak'la istikbalde neler yapacağını konuşurken, hatta arkadaşımın artık "Paris'te de bir evin var, ne zaman istersen gel," diye cazip bir teklif yapmasına, ben de "Aa, tabii gelirim," diye cevaplamama rağmen, aslında aklım tümüyle Mehmed Esad'ın casus olma ihtimaliyle meşguldü.

Otele dönüp yazı masasının başına geçtiğimde hâlâ bu mevzuyu zihnimden söküp atamamıştım... Eğer Mehmed, casussa, Fuad'ın rolü neydi bu entrikada? Her ikisi birden hükümete karşı mı mücadele ediyorlardı? Yoksa birbirlerinin düşmanları mıydılar? Her ikisi de birbirlerini sormuştu? Bilhassa Fuad, "Madem cemiyet bitti, niye görüşüyorsun o eski ittihatçıyla?" diyerek kuşkularını açıkça dile getirmişti.

Hatta laflarının arkasında bir ikaz vardı. Aklım iyice karışmıştı. Ya zannettiğim gibi, beni sınamıyorlarsa, ya sahiden de birbirleriyle irtibatları yoksa? İhtimaller, şüpheler, vehimler, kuruntular... Alev alev yanıyordu zihnim ama bu yolla bir neticeye ulaşmam imkânsızdı. "Doğru soru yoksa, doğru cevap da yoktur," derdi rahmetli Basri Binbaşım. O halde doğru soruları bulmalıydım, hem kendim için hem de Fuad ile Mehmed Esad'a sormak için. Zihnim bu karmaşık mevzuyla meşgulken yazmak istemedim, uyumak için yatağa uzandım, ama ne mümkün, uykunun zerresi yoktu gözlerimde. Yastık azap vermeye başlayınca kalktım. Balkonun kapısını açtım, taze bir serinlik doldu içeriye. Dışarıda şehir, motorlarını susturmuş, ışıklarını kısmış devasa bir gemi gibi belli belirsiz kıpırdanıyordu sonbahar rüzgârında... Çok durmadım açık havada, belki aklımdaki karmaşayı bitirir umuduyla odama dönüp, oturdum yazı masasının başına.

Doğru tercihmiş, zihnimde sürüp giden ihtimaller kavgasını sona erdirmenin en iyi yolu, insan ırkının o güne dek gördüğü en kanlı harbi yazmakmış. Kafkas Cephesi, Irak Cephesi, Filistin-Suriye Cephesi, Çanakkale Cephesi, Galiçya Cephesi, Makedonya Cephesi, Romanya Cephesi, Yemen ve Hicaz Cephesi, İran Cephesi, Libya Cephesi... Kara harpleri, deniz harpleri, siper harpleri, çöl harpleri, dağ harpleri... Askerlerin sapır sapır denize döküldüğü çıkartmalar, aylarca süren kuşatmalar, ölümün muhakkak olduğu süngü dövüşleri. Açlık, soğuk ve hastalık... Tifüs, dizanteri, sıtma ve kolera. Azrail'in, insan ırkına dört bir koldan saldırısı... Kadın, erkek, çocuk, yaşlı... Binlerce, yüz binlerce, milyonlarca ölü... Mezarları bile bulunamayan insancıklar...

Elbette bu dört küsur yıllık kanlı çatışmanın bütün cephelerini, bütün yıkımlarını, bütün galibiyetlerini ya da mağlubiyetlerini yazacak değilim ama bu harbin hayatımızı nasıl etkilediğini gösteren birkaç ibretlik vakayı anlatacağım. Evet, 1914 senesinin yaz aylarında başlayan Harb-i Umumi'ye, sonbaharda katılmıştık. Daha doğrusu katılmak zorunda bırakılmıştık.

Harbin sonuna doğru, Cemal Paşa, "Neden harbe girdik?" sorusuna şöyle cevap verecekti: "Maaş ödeyebilmek için girdik! Hazine bomboştu. Orduya ekmek alacak paramız dahi yoktu. Durumumuzu bizden daha iyi bilen Almanlar ittifak karşılığı para önerdi. Biz de kabul ettik."

Bence bu izah noksandı, hatalıydı, utanç vericiydi; çünkü gerek Cemal Paşa, gerek Enver Paşa, gerekse Talat Bey ittifak güçlerinin galibiyetiyle bütün dertlerimizden kurtulmayı amaçlıyorlardı. Bilhassa Enver Paşa, hem Müslüman dünyasını hem de Orta Asya'daki Türkleri tek bir bayrak altında toplayarak, Osmanlı'nın eski muhteşem günlerine kavuşmayı hayal ediyordu. Elbette bu yeni imparatorluğun lideri de kendisi olacaktı. Fakat hakikatle, onun ateşli hayalleri arasında kapanmaz bir uçurum vardı. Nitekim, harbe girdiğimizin daha ilk aylarında ardı ardına ağır mağlubiyetler ayaklarımızın suya ermesini sağlayacaktı ama artık çok geçti.

Kaderin tecellisi mi diyelim, kendisinin böyle bir harp tecrübesinin olmaması mı, ilk hezimet Enver Paşa'nın komuta ettiği Sarıkamış Harekâtı'nda yaşanacaktı. 1915 senesinin 19 Aralık günü, "Saadet, şan ve şeref ileride; alçaklık, sefalet ve ölüm geridedir!" taarruz emriyle 3. Ordu'yu harekete geçiren Enver Paşa mükemmel bir planla Rusları kuşatmayı amaçlıyordu. Fakat hava şartlarını hesaplamaktan dahi aciz olduğu için on binlerce askerimizin, Allahuekber Dağları'nda tek kurşun atmadan donarak ölmesine sebep olacaktı. İşin rezil tarafı hezimete uğrayacaklarını anlayan Enver Paşa, derhal harp bölgesini terk ederek 15 Ocak'ta payitahta geri dönecekti. Ama mağlubiyetten kimse söz etmeyecek, dahası bu konuda hiçbir gazetenin hakikati yazmasına da izin vermeyecekti. Yaşanılan felaketi bizzat Talat Bey'den duymuştum.

"Facia Şehsuvar," diyordu eliyle dizlerine vurarak. "Hakiki bir facia, binlerce vatan evladı, binlerce Mehmetçik dağlarda zayi oldu." Ardından ikaz etmeyi de unutmamıştı. "Aman Şehsuvar, milletin maneviyatını bozmaya lüzum yok, ahali bu feci neticeyi ne kadar geç öğrenirse o kadar iyi."

Bu korkunç hezimetten çok kısa bir süre sonra ikinci büyük mağlubiyetimizi alacaktık. Bu kez, bizzat Cemal Paşa'nın kumanda ettiği 4. Ordu, 2 Şubat'ı 3 Şubat'a bağlayan gece Süveyş Kanalı'nı ele geçirmek isterken İngilizlerin yoğun mitralyöz ateşi karşısında bozguna uğrayacaktı. Altı yüze yakın asker kaybetmiştik, elbette Sarıkamış'taki felaketin yanında önemsiz sayılabilirdi ama kendini Mısır Fatihi olarak gören Cemal Paşa için bu yenilgi büyük bir yıkım olacaktı. Her iki paşa da benzer tepkileri gösterdiler mağlubiyete. Enver Paşa o büyük yıkımdan Ermeni çetelerini mesul tuttu. "Eğer onlar olmasaydı, bu felaketi yaşamazdık," dedi. İşte Arşak'ın bütün ailesinin ölümüne sebep olan Ermeni tehcirinin ilk fikirleri böyle oluştu. Cemal Paşa ise Suriye-Filistin bölgesinde acımasız bir siyaset gütmeye başladı. İstiklal peşinde olan Arap milliyetçilerini idam ettirdi, bölge aşiretlerinden seçilmiş iki bine yakın insanı Anadolu ve Rumeli'ne sürgüne yolladı...

Evet, işte böyle iki büyük bozgunla başlamıştı Harb-i Umumi. Ama baharla birlikte mühim bir zafer kazanacaktık. Çanakkale Cephesi'nden söz ediyorum... Sıradan askerlerin yarattığı hakiki bir destandan... Bu kanlı muharebede İngiliz ve Fransız donanmaları boğazdan geçemeyecek, itilaf kuvvetlerinin yaptığı sayısız kara harekâtı hiçbir netice vermeyecekti. Açlığa ve hastalıklara rağmen, insanüstü bir gayretle direnen askerlerimiz düşmanların azmini kırarak, 9 Ocak 1915'te geri çekilmelerini sağlayacaktı. Ancak bu cephede de Enver Paşa'yla, Anafartalar'da gösterdiği muvaffakiyet sebebiyle miralay rütbesine yükseltilen Mustafa Kemal arasında bir tatsızlık yaşanacaktı. Cepheyi ziyaret eden Enver Paşa, Anafartalar bölgesine uğramayınca Mustafa Kemal istifasını vermişti. Ancak Ordu Kumandanı Liman Von Sanders istifayı kabul etmemiş, Enver Paşa'dan rica ederek Mustafa Kemal'in gönlünü almasını istemişti.

Elbette bu küçük tatsızlığı öğrenmekte gecikmeyecektik. Talat Bey'in tepkisi yine enteresan olacaktı. "Enver Paşa'yı anlamıyorum. Takıntı haline getirdi şu Mustafa Kemal'i. Tamam 31 Mart Ayaklanması'nda cevval davrandı. Mustafa Kemal, ondan önce vardı İstanbul'a. Tamam Balkan Harbi'nde yine karşı karşıya geldiler... Ama Enver Paşa gibi bir asker, astını kıskanmamalı... Evet, kabiliyetli bir zabit Mustafa Kemal ama öteki Hürriyet Kahramanı... Destanlaşmış bir isim. Yanlış yapıyor bence Enver, kendi kıymetini düşürüyor insanların gözünde..."

Talat Bey'in sık sık fikir değiştirdiğine alıştığımdan, asla kendi görüşümü açıklamayacaktım. Ama artık burada yazabilirim. Bugünün Reisicumhur'u, o zamanın Miralay Mustafa Kemal'ini fazla tanıdığımı söyleyemem, o sebepten yorum yapamayacağım ama Enver Paşa'dan pek hazzetmediğimi anlamışsındır artık. Neyse biz kanlı mevzumuza dönelim yine...

Harb-i Umumi'deki ikinci büyük muvaffakiyetimiz ise yaklaşık bir yıl sonra Dicle Nehri'nin kıyısındaki Kut'ül Ammare'de gerçekleşecekti. İngiliz kuvvetleri Kut'ül Ammare kasabasına yerleşmişlerdi. Mareşal Von der Goltz kumandasında olan 6. Ordu, onları amansız bir çemberin içine alarak, dışarıyla tüm irtibatlarını koparmıştı. Açlıktan atlarını kesip yemek zorunda kalan İngilizlerin arasındaki Hintli askerler, bu binek hayvanının etini yemedikleri için açlık ve hastalıktan kırılmaya başlamışlardı. Aslında harp şartları o kadar ağırdı ki, sadece kuşatılanlar değil kuşatanlar da tehlike altındaydı. Nitekim Osmanlı birliklerinin kumandanı Mareşal Von der Goltz da kuşatma sırasında tifüsten ölecekti. Alman kumandanın ölmesi üzerine, Enver Paşa'nın kendisinden bir yaş küçük amcası Halil Paşa'nın idaresindeki ordumuz, İngiliz General Charles Townshend'a diz çöktürecekti. Esir alınan General Townshend payitahta getirilecekti.

Bu iki zafer haricinde, kayda değer bir galibiyet alamadığımız o büyük harpte, beni en çok etkileyen olaylardan biri, Süleyman Askeri Bey'in ölümüdür. Olayı Fuad'ın yazdığı son mektupta öğrenmiştim. Önceden de söylediğim gibi, Süleyman Askeri Bey bizim Fuad'la birlikte cepheye gitmişti. Vazife bölgeleri Basra'ydı. 1915 senesinin Nisan sonuna kadar Fuad düzenli olarak yazdı bana. İlk karşılaştıkları zaman pek de hazzetmediği Süleyman Askeri'den artık büyük bir hayranlıkla, büyük bir sitayişle bahsediyordu. Ne yazık ki, son mektubunda bu cesur kumandana dair acı bir haber veriyordu.

Üzgündü, satırlarına akseden ızdırap hissedilmeyecek gibi değildi. Süleyman Askeri Bey için kötü kader, 20 Ocak 1915'te bir keşif sırasında, karşılaştıkları İngiliz birlikleriyle çıkan çatışmada bacaklarından yaralanmasıyla başlamıştı. Derhal Bağdat Hastanesi'ne kaldırılmıştı, ancak aklı cephede kalan Süleyman Askeri, tam olarak şifa bulmamış olmasına rağmen, doktorların ikazına aldırmayarak yeniden düşman karşısına çıkmıştı. Evet, yaralı olarak, evet sedye üzerinde... O haliyle 9000 kişilik bir kuvvete kumanda etmişti. Günlerce, haftalarca, düşman birliklerine baskınlar vererek ilerlemeyi sürdürmüştü. İngiliz ordusuyla mukadder olan karşılaşma, nihayet 12 Nisan 1915'te Bercisiyye Ormanı etrafında gerçekleşecekti. Büyük bir çatışma çıkmıştı. Korkunç bir boğazlaşma. Başlarda bizimkiler galipken, İngilizlerin kuvvetlerini takviye etmeleriyle, durum değişmiş, ne yazık ki birliğimizin yarısından çoğu şehit düşmüştü. Hiç beklenilmeyen, ol-

473

dukça ağır bir hezimetti. Ama mağlup olduklarını anlayan Süleyman Askeri, kaçmamış, askerlerine geri çekilme emrini vermişti. Birliği kendini koruyarak ricat ederken, o silahında kalan son mermiyi başına sıkarak intihar etmişti.

Fuad'ın mektubunu gözyaşları içinde okumuştum. Ve aklıma Enver Paşa gelmişti... Sarıkamış'ta mağlup olacağımızı anlayınca, emrindeki orduyu bir başka kumandana bırakarak payitahta dönen namıdiğer "Hürriyet Kahramanı" Enver Paşa...

"Aşk hikâyesi diyorlar buna, değil, asla değil;
bu bir arkadaşlık hikâyesi."

❊

Günaydın Ester, (13. Gün, Sabah)

Bu sabah yine berbat bir halde kalktım yataktan. Ağzı-
mın içinde tuhaf bir his. Damaklarımda bir basınç, adeta bir
sancı. Yine dişlerimi sıkmış olmalıydım uyurken. Bir sürü
rüya görmüştüm zaten... Renkler, sesler, silüetler... Sokaklar,
meydanlar, insan yüzleri... Bölük pörçük, ipe sapa gelmez
olaylar... Hiçbirini tam olarak hatırlamıyordum. Hem ruhen
bezgin, hem bedenen yorgundum, o kadar bitkin hissediyor-
dum ki kendimi, hiç çıkmasam şu yataktan diye geçirmiştim
içimden. Hep bu ılık yorganın altında yatsam, hep bu odada
kalsam, kimse bana dokunmasa, ben kimseden korunmak
mecburiyetinde olmasam, bütün belalardan uzak dursam...
Elbette olmayacak hayallerdi bunlar, elbette bırakmayacaktı
peşimi hayat. Çaresiz kalktım, ayaklarımı sürükleyerek ban-
yoya gittim, yıkandım, temizlendim, kurulandım.

Kahvaltı salonu her zamankinden daha sakindi, daha ses-
siz. Laf olsun diye sordum geveze başgarsona:

"Ne oluyor İhsan? Otel boşalmış gibi..."

"Orient Ekspres'in yolcuları gittiler Şehsuvar Bey," dedi
ciddi bir tavırla. "Ama yakında yine gelirler." Böyle söyleme-
sine rağmen durumdan pek şikâyetçi olduğunu zannetmi-
yordum. Nitekim etrafa şöyle bir göz attıktan sonra ekledi:

"Böylece biz de biraz nefes alırız." Ama yanlış anlamış olabileceğimi düşünerek hemen ekledi: "Sözüm size değil elbette? Siz, bizden sayılırsınız..." Bakışları, yarım kalmış ekmeğime, tabağımda öylece duran peynir dilimine takıldı. "Bu sabah pek bir şey yememişsiniz, size güzel bir omlet yaptırayım mı? Yanında da taze sıkılmış portakal suyu..."

Başka zaman olsa, sadece bu iyi niyetli adamın hatırı için bile kabul ederdim cömert teklifini ama hakikaten bu sabah hiç iştahım yoktu.

"Çok teşekkür ederim, sen bana bir kahve yaptır kâfi. Yanında da bir bardak su ama soğuk olsun... Akşam rakıyı fazla kaçırmışız gene..."

Anlayışla gülümsedi İhsan.

"Baş üstüne efendim," diyerek uzaklaşırken ben de, kahvaltı tabağımın yanında duran gazetelere uzandım. En üstte *İkdam* gazetesi vardı, önce onu aldım. Bir köşe yazarı hâlâ Musul meselesini tartışıyordu. İngilizlerin 1918 senesinde hukuksuzluk yaptığını, haklarımızı gasp ettiğini iddia ediyordu. Doğruydu ama geçtiğimiz haziran ayında imzaladığımız Ankara Antlaşması'ndan sonra artık ne yapılabilirdi? Bir başka köşe yazarı, bu yıl kabul edilen Medeni Kanun'la, kadınlara sağlanan haklardan bahsediyordu. Bu hürriyetlerin bir kısmı Avrupa ülkelerinde dahi yok diyordu. O da doğruydu, kadınlarımızın çoğu bu durumdan bihaber olsa da çok önemli haklardı bunlar... Ön sayfada ise İstanbul Valisi Süleyman Bey'in fotoğrafı yer alıyordu. Haberin başlığı şöyleydi: "Şehrimiz, Reisicumhur Hazretlerini Karşılamaya Hazırdır." Altındaki yazıyı okumak için gazeteyi önüme çekerken duydum aşina olduğum o sesi:

"Mustafa Kemal sekiz yıl sonra İstanbul'a dönüyor demek."

Başımı kaldırınca Fuad'ın cüretkâr gülümsemesiyle karşılaştım. Başucumda durmuş, okuduğum gazeteye bakıyordu. İrkildim, sabahın bu saatinde görmeyi umduğum son kişi eski arkadaşım olurdu. Fuad ise son derece sakindi.

"Günaydın Şehsuvar... Ne o, şaşırmış gibisin? Unuttun mu, sen çağırdın beni." Yalandan sitem etti: "Yoksa yanlış mı hatırlıyorum?"

"Yok, yok, doğru hatırlıyorsun," diyerek ayağa kalktım. "Seni öyle birdenbire karşımda görünce..." Arkadaşıma sarıldım. "Hoş geldin, hoş geldin Fuad..." O da bana sarıldı, da-

hası, dostça vurdu sırtıma. Karşımdaki iskemleyi gösterdim.
"Geç, geç şöyle otur. Karnın aç mı, şahane kahvaltı hazırlıyorlar burada."

Hiç acele etmeden iskemleye yerleşti, elindeki deri çantayı da dizlerinin üzerine koydu.

"Sağ olasın, karnım tok ama bir çayını içerim."

Hayretle söylendim:

"Çay!"

Neredeyse mahcup bir tavırla izah etti:

"Yahu hiç sorma, cephede çaya alıştırdılar bizi. Kahveden vazgeçmedim ama arada bir çay içmek de fena olmuyor." Dizlerinin üzerindeki çantayı açtı, içinden bir plak çıkarttı. Üzerindeki *Tosca* yazısı çarptı gözüme. Evet, Puccini'nin ünlü operası *Tosca*... Plağı uzattı. "Senin için." Eğlenceli bir ifade belirmişti yüzünde. "Trablusgarp'taki çadırda az kafa şişirmemiştin bu operalarla..."

"Teşekkür ederim," diyerek aldım plağı. "Severim, hem de çok severim. Üstelik odamda bir de gramofon var. Hemen dinleyeceğim..."

"Yalan söylemeyeceğim, ben dinlemedim. Dinlemeyi de istemem ama operanın hikâyesini okudum. Aşk hikâyesi diyorlar buna, değil, asla değil, bu bir arkadaşlık hikâyesi... Arkadaşını hükümete teslim etmemek için ölümü göze alan bir adamın hikâyesi."

Bakışları sevecen, sesi sıcaktı; eski günlerdeki gibi... Sanki 1918 senesinin sonbaharında o, Harb-i Umumi'ye katılmak için Basra'ya gitmemiş, sanki aradan onca yıl geçmemiş gibi samimi görünüyordu.

Ama hakikaten öyle miydi, bundan hiç emin değildim. İhsan'a çay siparişimizi de verdikten sonra, aramızdaki buzların erimiş olmasını umut ederek sordum:

"Ee, anlat bakalım, ne oldu, ne bitti? Başından neler geçti? En son 1915 senesinin Mayıs ayında yazmıştın bana. Süleyman Askeri Bey'in şehit olduğunu haber vermiştin. Ondan sonrası yok..."

Neşesi gölgelendi.

"Süleyman Bey tanıdığım en yiğit askerlerden biriydi. Ömrühayatımda iki kişinin ölümüne çok üzüldüm; biri bizim Basri Bey'di, öteki ise Süleyman Askeri. Ama bugün başımıza gelenleri görünce, iyi ki cephede ölmüşler diyorum, iyi ki bugünkü kepazelikleri görmemişler... Arkadaşlarımızdan bahsediyorum Şehsuvar, arkadaşımız olmasa bile bizimle aynı tarafta vuruşanlardan bahsediyorum. Biliyorsun birçok fedainin akıbeti fena oldu... Büyük kahramanlıklar yaşandı, büyük çileler çekildi. Çok acı hikâyeler var..."

Gergin başlayan konuşmamız, iki eski dava adamının hatıralarla kederlenen duygusal sohbetine dönüşmüştü.

"Haklısın Fuad, cesaret ve fedakârlık hususunda kimse laf söyleyemez bize ama maziye şöyle bir baktığım zaman..."

"Bırak maziyi artık," diyerek kesti sözümü. "Yaşanmış olanlar yaşandı, biz bugünü konuşalım."

Hayır, eski dostum değil, beni kendi gayesi için kullanmaya çalışan bir ittihatçı vardı karşımda. Nitekim, ellerini masanın üzerine koyarak sertçe gözlerime baktı.

"Ne yapıyorsun Şehsuvar?" Hakikaten merak mı ediyordu yoksa, ikazda mı bulunuyordu belli değildi. Bakışları etrafı dolaştı, yeniden yüzünde durdu. "Evet, ne yapıyorsun bu otelde?"

Şaşkınlıkla mırıldandım:

"Anlattım ya vakit geçiriyorum..."

Uzanıp bileğimi yakaladı, usulca sıktı.

"Anlatmadın. Vakit geçirdiğini filan da zannetmiyorum. Bana hakikati söyle! Neyin peşindesin Şehsuvar?"

Gülümsemeye çalıştım, beceremedim.

"Hiç, hiç," diyebildim sadece...

Bakışlarını bir an olsun yüzümden çekmemişti.

"Yapma Şehsuvar, bana karşı dürüst ol. Aradan çok sene geçmiş olabilir, hâlâ en iyi arkadaşım sensin. Emin ol, şu dünyada hâlâ senin de en iyi arkadaşın benim." Sanki halime üzülürmüş gibiydi. "Ne demek istediğimi anlıyor musun? Senin zarar görmeni istemem. Söyle bana maksadın ne?" Ağzımı açmama fırsat vermeden, başıyla masanın üzerinde duran *İkdam* gazetesini gösterdi. "Yoksa bunun mu peşindesin?" Ne demek istediğini anlamamıştım. Uzanıp gazeteyi aldı, az önce okuduğum haberi gösterdi. "Yoksa sen de bizim gibi Mustafa Kemal'in mi peşindesin?"

Neredeyse hayretten ağzım açık kalacaktı.

"Ne! Ne diyorsun Fuad! Ne Mustafa Kemal'i?"

Arkadaşım cevap vermek yerine dudaklarında müstehzi bir gülümsemeyle bakmayı sürdürünce, gözlerim ister istemez bir kez daha gazeteye kaydı. Ve o haber başlığı çarptı gözüme: "Şehrimiz, Reisicumhur Hazretlerini Karşılamaya Hazırdır."

İşte o anda çaktı şimşek, o anda çözdüm muammayı. Evet, birdenbire, bütün resim olanca çıplaklığıyla serilivermişti gözlerimin önüne. Nasıl olmuş da görememiştim burnumun ucundaki hakikati? Nasıl olmuş da teferruatlara takılıp olayların etrafında dolanıp durmuştum... Halbuki olan biten belliydi. Mehmed Esad'ın bu otele gelmesi, sivil polislerin takipten vazgeçmesi, Cezmi Kenan'ın öldürülmesi, Fuad'ın beni kaçırması... Evet, aslında çok basitti. Sadece Mehmed Esad'ın değil Fuad'ın da hakiki niyetini anlamıştım ama kendimi tuttum, salağı oynamayı sürdürdüm.

"Nasıl yani?" diye abartılı bir sesle söylendim. "Gazi Paşa'yı mı vuracaksınız? İzmir'de yapamadığınızı İstanbul'da mı yapacaksınız?"

Kurnazca bir ifade belirmişti Fuad'ın yüzünde.

"Kendini niye ayrı tutuyorsun? Sadece biz değil, sen de bu işin içindesin. Hadi Şehsuvar, bırak numarayı. Beşiktaş'ta gül gibi evin dururken bu pahalı otele taşınmanın bir sebebi olmalı..."

Hiç tereddüde kapılmadan açıkladım:

"Elbette bir sebebi var. Eski bir ittihatçı olarak canımdan korkuyorum. Evet, ben sizin kuvvetinize sahip değilim. Benim bir teşkilatım yok, olmasını da istemiyorum zaten. Tek derdim, yakalanırsam yahut öldürülürsem, milletin bunu bilmesi. O sebepten Pera Palas'ta kalıyorum..."

Mavi gözlerindeki şüphe bulutlarının dağıldığını gördüm ama Fuad öyle kolay kolay teslim olmazdı.

"Ya Mehmed Esad? Onunla bu kadar sıkı fıkı olmanın sebebi ne?" Daha ağzımı açmadan ikaz etti: "Sakın eski arkadaşım teranelerine filan sarılma. Ondan günahın kadar hoşlanmadığını sen de, ben de çok iyi biliyoruz. İşin aslı o da senden hoşlanmaz. Bu kadar sık görüşmenizin bir sebebi olmalı..." Bir kez daha gazetedeki haberi gösterdi. "Böyle mühim bir sebep... Hıı, yanılıyor muyum?"

Belki de artık kartları açık oynamak gerekirdi; yavaşça arkama yaslandım, sakince sordum:

"Mehmed Esad hâlâ cemiyet adına çalışıyorsa, bunu en iyi senin bilmen gerekmez mi? Hâlâ İttihat Terakki'nin idarecisi olduğuna göre, onun da ne dolaplar çevirdiğinin farkında olmalısın."

Öylece durdu karşımda, bir açıklama yapacak diye düşünmeye başlamıştım ki,

"Mehmed Esad'ı ne kadar tanıyorsun?" diye mırıldandı. "Bu karşılaşmanızdan evvel, en son ne zaman görmüştün onu?"

Sahiden anlamak istiyordu, belki de bana itimat etmek istiyordu.

"İşgalden önceydi..." Hatırlamaya çalıştım. "Evet, sen, Süleyman Askeri'yle birlikte Basra'ya gittikten sonra... 1914 senesinin sonları olmalı. Cemiyetin Merkez-i Umumisi'nde karşılaşmıştık... Pembe Köşk'te... Cepheye gideceğini söylemişti. Bir daha da görmedim..."

"Yani işgal sırasında hiç karşılaşmadınız mı?" diye eşeledi. "O da Karakol Teşkilatı'nda çalışmış..."

"Hayır, ne karşılaştım ne de adını duydum. Zaten işgalin ikinci yılında yakalanmıştım ben. İngilizler Malta'ya yolladılar bizi."

"İngilizler," diye söylendi dişlerinin arasından. "Evet İngilizler..." Ciddileşmişti. "Mehmed Esad'ın İngilizlerle ilişkisi olduğunu duydun mu? İşgal sırasında diyorum..."

Cezmi Kenan'ın anlattığı olayı hatırladım, söylese miydim acaba? Yok, sabırlı olmalıydım, önce Fuad bildiklerini anlatmalıydı, eteğimdeki bütün taşları birden dökmenin âlemi yoktu.

"O zamanlar duymadım. Yani ne Karakol Teşkilatı'nda çalışırken, ne Bekir Ağa Bölüğü'nde tutukluyken ne de Malta'da sürgündeyken... Mehmed Esad'a kimse hain gözüyle bakmıyordu..." Birden o delice fikir aklıma geldi. "Neden kendisine sormuyorsun?" diye atıldım. "Buluşturayım sizi, yüz yüze görüşün... Hem o da eski ittihatçı arkadaşlarla görüşmek istediğini söylüyordu."

Oturduğu iskemlede huzursuzca kıpırdadı.

"Öyle mi? Niye buluşmak istiyormuş ittihatçılarla?"

Evet, tam düşündüğüm gibiydi, eski arkadaşımın tepkileri haklı olduğuma işaret ediyordu.

"Valla, o kadarını bilmiyorum ama seni bile sordu."

Yüzü bir bıçak gibi gerildi.

"Beni mi sordu? Nasıl yani?"

Önemsiz bir meseleden bahsediyormuşum gibi açıkladım:

"Öylesine yani. 'Şu senin Fuad diye bir arkadaşın var-
dı. Hani gözü kara bir zabit. O ne yapıyor şu sıralar?' dedi."
Güya eski arkadaşımın heyecanını yeni fark ediyormuş gibi
şaşkınlıkla söyledim. "Neler oluyor Fuad? Mehmed Esad'la
aranızda bir mesele mi var? Niye bu kadar mühim bu adam?
Altı üstü eski bir zabit. Şimdi de ticaret yapıyor sadece... Ama
söylediğim gibi istersen yüz yüze görüş. Hemen şurada za-
ten, Avrupa Pasajı'nda. Ne dersin, çayımızı, kahvemizi içip
gidelim mi?"

Bakışları yüzümde kalmıştı; hayır endişe yoktu mavi göz-
lerinde, bir muammayı çözmeye çalışan bir adamın temkin-
liliği vardı sadece.

"Yok, şimdi gitmeyelim." Bakışlarını kaçırmıştı. "Ama..."
diye fısıldadı düşünceli bir sesle. "Ama..." Mavi gözleri ye-
niden yüzümde durduğunda kararını vermişti. "Ama yarın,
Mehmed Esad'ı Ferah Tiyatrosu'na getir. Orada buluşalım,
daha rahat konuşuruz..."

Hiç şaşırtmamıştı beni bu teklif.

"Olur, benim için sakıncası yok. Ama Mehmed Esad'ın da
evet demesi lazım. Takdir edersin ki onun yerine söz veremem."

Sinsi, adeta vahşi bir gülümseme geçti dudaklarından.

"Merak etme," dedi kendinden emin bir sesle. "Çok sevi-
necek bu davete..."

Evet Esterciğim, bunları konuştuk bir zamanlar canımı
bile gözü kapalı teslim edebileceğim ama artık kim olduğu-
nu bilmediğim Fuad'la. Çayını içtikten sonra ayrıldı otelden
ama gitmeden önce sıkı sıkı tembihlemeyi unutmadı.

"Yarın öğleden önce bekliyorum sizi, saat tam on birde...
Tamam mı? Çok enteresan bir sohbet olacak. En az Mehmed
Esad'la senin yaptığın kadar enterasan bir sohbet..."

Sözlerindeki imayı anlamazlıktan geldim.

"Tamam, Mehmed kabul ederse, yarın on birde sendeyiz."

Fuad gider gitmez oteldeki çalışanlardan biriyle Mehmed
Esad'a bir not gönderdim. "Bazı olaylar cereyan etti, buluş-
malıyız. Bu akşam saat on yedide sana geleceğim. Hürmet-
ler." Sonra odama çıktım. Gümüş çerçeveli aynada kendime
baktım. Son derece zinde görünüyordum, adeta mutlu...
Rahmetli Basri Bey haklıydı galiba, benim kanımda vardı bu
iş... Hayır, hayır, bu hakikat değildi. Fiyakalı bir laftı ama ya-
landı. Artık kendimi kandırmanın anlamı yoktu, sadece gö-

rüntüde öyleydim, artık bu entrikalardan bıkmıştım, hiçbir karanlık planın parçası olmak istemiyordum. Ne parçası ne de hedefi. Ama önce, istemeden sürüklendiğim bu beladan kurtulmam lazımdı. Tabii kurtulabilirsem. Öyle ya da böyle yolun sonuna geldiğimizi hissediyordum. Düğüm yarın çözülecekti. Yarın, saat on birde Ferah Tiyatrosu'nda... Ama ondan önce sana yazdıklarımı bitirmeliydim. Çünkü yarın çözülecek düğümün neticesinde, o tiyatrodan hür bir adam olarak da çıkabilirdim, ölü bir adam olarak da... O sebepten, yeniden masama döndüm, Harb-i Umumi'nin son senelerini yazmaya devam ettim.

Harbin patlak verdiği 1914'ten 1918'e kadar, dört sene boyunca payitahttan hiç ayrılmamıştım. Aslında ayrılmamıştım değil, ayrılamamıştım. Buna Talat Bey müsaade etmemişti. Göze çarpmayan ama olan biten hakkında kendisini bilgilendirmemi isteyen bir gölge olarak hep yanında tutmuştu beni. Sadece düşman ajanlarına karşı değil, kendi dava arkadaşlarına karşı da... Evet, Teşkilat-ı Mahsusa'da vazife yapıyordum. İstanbul'dan Bakü'ye, Kırım'dan Bağdat'a kadar, cephede ve cephe gerisindeki mücahitlerimizden haber alıyor, onlara lüzum eden desteği sağlamaya çalışıyordum. Ama vazifem bununla sınırlı değildi. Aynı zamanda Enver Paşa ile Cemal Paşa'nın faaliyetlerini takip etmek, kuşkulu bir hadiseye şahit olursam anında Talat Paşa'ya rapor etmek gibi daha mahrem bir vazifem de vardı. Evet, her ne kadar memleketin idaresinde Talat Paşa, Enver Paşa ve Cemal Paşa'nın adı geçiyorsa da, devletin kaderini sırtlanmış bu üç devlet adamının arasında kardeşlikten daha sıkı bir bağ varsa da, aslında kimse birbirine itimat etmiyordu. Bilhassa mağlubiyetlerin artması neticesinde, üç paşalar grubunda çatlak sesler yükselmeye başlamıştı. 1916 senesindeki mağlubiyetlerden Enver'i mesul tutan Cemal Paşa'nın bir darbe planladığı dedikodusu bize kadar ulaşmıştı. O vakitler dahiliye nazırı olan Talat Bey'in, dedikodu dahi olsa böyle bir teşebbüse katiyetle karşı çıkacağını belli etmesi neticesinde, üç paşalar yeniden "Hepimiz birimiz için, birimiz hepimiz için" şiarına geri dönmüşlerdi.

Aslına bakarsan Talat Paşa, siyasi hayatı boyunca hiç değilse bir mevzuda tutarlılığını korumuştu: İdareimaslahatta. Rahat bir insan olması, iyimserliğini en çetin şartlar altında dahi yitirmemesi, umudunu hep koruması ona böyle bir misyon kazandırmıştı. Her daim bir orta yol bulmuş, meseleleri çözmese de, kervan yolda düzülür mantığıyla tarafları bir arada tutarak, siyasetin devamını sağlamıştı. Kimi ittihatçı arkadaşlar, bu metodu günü kurtarma anlayışı sayarak tenkit etseler de Talat Paşa, hep cemiyetin denge unsuru olarak kalmıştı. Benim gizli vazifem de, onun bu kaynaştıran, teskin eden, birliği muhafaza eden siyasetini sürdürmesine yardımcı olmaktı. Ama işim son derece zordu. Çünkü adım "Talat'ın adamı"na çıkmıştı. Ve Teşkilat-ı Mahsusa'nın başındakiler hep Enver Paşa'nın en yakınındakilerden müteşekkildi. Mesela son başkan vekili Hüsamettin Bey, yıllardır onun yanında yer almış, en güvenilir adamlarından biriydi. Eğer bir açık verir de, Harbiye Nazırı aleyhine bilgi topladığım anlaşılırsa, bırak benim vaziyetimin ne olacağını, Bab-ı Âli birbirine girerdi.

Ama payitahtta karşılaştığımız tek mesele paşaların kendi iç çekişmelerinden ibaret değildi. Ne yazık ki, harpten biteviye kötü haberler geliyordu. İttifak kuvvetleri mağlubiyet üzerine mağlubiyet alıyordu. Milletin hali ise kelimenin tam anlamıyla korkunçtu. Açlık, sefalet, hastalık. Ve bütün bunların üzerine tüy diken, yolsuzluk iddiaları... Evet, Kara Kemal'in milli bir iktisat yaratma siyaseti ne yazık ki uygulamada levazım işlerine bakan İsmail Hakkı Paşa gibi adamların basiretsizlikleriyle sekteye uğruyor, cemiyet ağır ithamlar altında kalıyordu. Bu kadar menfi olayın üzerine, müttefikimiz Almanların her geçen gün artan talepleri de eklenince, Sadrazam Sait Halim Paşa isyan etmeye başlamıştı. İsyanında haksız da sayılmazdı. Osmanlı karargâhında Alman istihbaratçılar cirit atıyordu. Güya iş birliği altında, aldığımız her nefesi dinliyor, attığımız her adımı biliyorlardı. Sait Halim Paşa haklı olmasına rağmen, boş boğazlık göstererek, bu tepkisini bir devlet adamından çok, mesuliyeti olmayan bir vatandaş gibi ulu orta her yerde dile getirmeye başlamıştı.

"Artık bu harbe bir son vermeliyiz," diyordu. "Ermeni tehciri sırasında zalimlik yapanların mahkeme önüne çıkarılması gerekir," diyordu. "Vagon zenginlerine fırsat vermemeliyiz, millet kuru ekmeğe muhtaçken bu alçakların semirmelerine mani olmalıyız," diyordu. "Almanların her dediğine boyun eğmemeliyiz," diyordu.

Elbette bu lakırdılar, günü gününe Teşkilat-ı Mahsusa'ya rapor olarak geliyordu. Elbette Enver Paşa bunları duyuyordu. Bunların içinde onu en çok öfkelendiren ise hiç kuşkusuz, barış isteğiydi.

"Yahu bu nasıl başbakan?" diye gürlemişti benim yanımda Talat Paşa'ya. "Ordumuz cephelerde kahramanca çarpışırken, şehit olurken, bu adam düşman kuvvetlerinin temsilcisi gibi konuşuyor. Askerin maneviyatını bozuyor."

Talat Paşa her zamanki gibi dava arkadaşını teskin etmeye çalışmış, "Merak etme, yakında halledilir bu mesele," demişti. Halledilmesi de zorunluydu. Aksi takdirde, hükümetin başbakanıyla, harbiye bakanı birbirine girecekti. Nitekim iki hafta sonra toplanan Merkez-i Umumi'de, Kara Kemal'in teklifiyle, Sait Halim Paşa vazifeden alındı ve olması gerektiği gibi Talat Paşa sadrazam ilan edildi. Bu değişikliğe en çok sevinen haliyle Enver Paşa olmuştu. Ama şaşılacak iş, Talat Paşa vaziyetten hiç memnun değildi.

"Sadrazamlığınız kutlu olsun efendim," dediğimde,

"Sağ ol Şehsuvar, sağ ol ama kutlanacak bir durum yok," diye yakınmıştı. "Çok zor bir vazife bu, çok ağır bir yük..."

Cepheden bahsettiğini zannetmiştim.

"Üzülmeyin, harpte henüz son söz söylenmedi, talih her an bizim lehimize dönebilir."

Acı acı gülmüştü.

"Şu benim aptalca iyimserliğim sana geçti demek..." Sonra gönlümü almak istercesine dostça dokunmuştu elime. "Cephede de işimiz zor, lakin beni düşündüren o değil. Cepheyi işin ehli paşalarımız düşünsün." Paşalarımız derken sesi manidar çıkmıştı. "Ben millete nasıl yiyecek bulurum diye dertleniyorum Şehsuvar... Nasıl yakacak bulurum, nasıl ilaç bulurum? Millet aç, hasta ve donuyor... Böyle giderse, sivil kayıplarımız harpteki kayıplarımızı aşacak..."

Talat Paşa'nın endişeli hallerine daha önceden de şahit olmuştum ama bu kadar çaresiz oluşunu ilk kez görüyordum.

Ülkede buhran böyle katmerlenirken, 1917 senesinde harbin kaderini belirleyecek iki büyük gelişme oldu. İlki, bizim aleyhimizeydi; Nisan ayında Amerikalılar, İngilizlerin safında harbe katıldılar. Doğrudan bizimle harp etmeyeceklerdi ama itilaf devletlerine taptaze bir kan gelmişti. Zaten bozuk olan maneviyatımız biraz daha sarsılmıştı. Elbette bu mühim gelişmeler ahalinin üzerinde de çok büyük tesir yaratıyor, Teşkilat-ı Mahsusa milletin isyana kalkışmasından endişe ediyordu. Fakat bu korkumuz boşunaydı, tarihi boyunca devleti idare edenlere biat eden bu millet, belli ki isyan etmeyi çoktan unutmuştu. O vakitler saygı duyuyordum milletimizin bu hususiyetine. Ama bugün düşündüğümde keşke ayaklansalarmış, keşke kanlı bir ihtilalle hepimizi ortadan kaldırsalarmış demekten kendimi alamıyorum.

Ama bizde vuku bulmayan ihtilal, o senenin kasım ayında Rusya'da patlak verdi. Evet, senin Leon Dayı'nın sosyalist yoldaşları, Rus Çarı II. Nikolay'ı devirerek, kısmi de olsa barışın yolunu açtılar. Çarın yıkılması sadece Ruslara ve dünya amelelerine değil, bize de büyük umut vermişti. İhtilal, Allah'ın bir lütfuydu. En zorda olduğumuz anlarda Hızır gibi yetişmişti yardımımıza. Hiç beklemediğimiz halde, doğumuzdaki kuvvetli düşmandan kurtulmuştuk bir anda. Ruslar, Doğu Anadolu'dan çekiliyor, Kars, Ardahan ve Batum bize bırakılıyordu. Talat Bey'in eski neşesi yerine gelmeye başlamış, uzun süredir toplantılarda işitilmeyen galibiyet kelimesi Cemiyetin Merkez-i Umumisi'nde tekrar telaffuz edilir olmuştu. Neden olmasın, hâlâ muzaffer olma ihtimalimiz vardı. Enver Paşa'ya sorarsanız o ihtimal hiç azalmamıştı, bu kanlı boğuşmadan zaferle çıkacak taraf zaten bizdik. Ama büyük umutlarla başlayan 1918 senesi, büyük bir yıkımla son bulacaktı. Fakat dur, yaklaşan felaketin ayak seslerini yazmadan önce saraydaki yaprak dökümünü anlatmalıyım sana.

Evet 1918, sadece millet için değil, Osmanlı Hanedanı için de acı olaylarla dolu bir seneydi. Şubat ayının onuncu günü öğleden sonra bir haber aldık. Sabık padişah Abdülhamit Han'ın durumu ağırlaşmıştı. Kimse benden böyle bir istekte bulunmamasına rağmen, o pazar gecesi kalkıp Beylerbeyi Sarayı'na gittim. Evet, 1912 senesinde Selanik düşmeden evvel Abdülhamit de yurda getirilmiş, Beylerbeyi Sarayı'na yerleştirilmişti. Orada suya sabuna dokunmadan bir ömür sürüyordu. Hastalığının ilerlediği haberini alınca, neden yanına gitme lüzumu hissettiğimi bilmiyorum. Belki bundan on yıl önce onu sürgüne götürürken yaptığımız sohbetin neticesi, belki bana armağan ettiği kitabın üzerimde bıraktığı tesir. Belki de kuvvetli bir hasma duyulan saygı. Ama yıllar önce birisi çıkıp, gün gelecek babanın ölümüne neden olan sultanın cenazesine gideceksin deseydi, adama her türlü hakareti ederdim. Beylerbeyi Sarayı'nda, hususi doktoru Atıf Hüseyin

Bey'i buldum. Üzgündü, sultanın öldüğünü söyledi. On gün evvel rahatsızlanmıştı ama birkaç gün sonra iyileştiğini söylemiş, hatta bir gün evvel kendini son derece zinde hissettiğini belirterek doktorunu göndermişti. Ama dün akşam durumu tekrar kötülemiş ve ne yazık ki bugün öğleden sonra kalp yetmezliği neticesinde hayata gözlerini yummuştu. Cenazeyi görmek istemedim, istesem de göstermezlerdi zaten.

Pazartesi günü bir çatanaya konan naaşı Topkapı Sarayı'na getirildi. Bu kadim sarayda teçhiz ve tekfini yapıldı. İkindi namazını müteakip, sultanlara özgü bir törenle büyükbabası II. Mahmud'un türbesinde toprağa verildi. Nedense bu cenaze beni derinden sarsmıştı. Hayır, biten sadece kudretli bir Osmanlı Sultanı'nın hayatı değildi, aslında bir devir sona eriyordu. Elbette henüz harp neticelenmemişti, ama yaklaşmakta olan felaketi idrak etmek için müneccim olmak gerekmezdi. Abdülhamit'in ölümü de bu korkunç neticenin alametlerinden biriydi.

O sene, hanedanın tek kaybı Abdülhamit değildi. Aradan daha beş ay geçmeden, bu kez tahtta oturan padişahımız Mehmed Reşad hakka kavuşacaktı. Zaten sağlığı pek de iyi olmayan sultan, cepheden gelen kötü haberleri işittikçe, milletin perişan halini gördükçe, vatanın istikbalini düşündükçe günden güne içine kapanıyordu. Cemiyetin istediklerinin dışına çıkamayan Sultan Reşad, derin bir bezginliğe kapılarak, devletin işlerinden adeta el ayak çekmişti. Mecbur olduğu törenlere bile gitmekten imtina ediyor, huzuru bozacak her hadiseden kaçınıyordu. Zaten ölümüne neden olacak olay da böyle bir törende vuku buldu. Topkapı Sarayı'ndaki Hırka-i Saadet ziyaretinde düşmesinin üzerinden dokuz gün geçtikten sonra hayata gözlerini yumdu.

İki padişahın ölümü, hem saray ahalisi hem millet üzerinde bir uğursuzluk etkisi yaratmıştı. Fakat memleketi idare edenler üzerinde böyle bir tesirden söz edilemezdi. Sultan Reşad'ın ölümü elbette hem Talat Paşa'yı hem de Enver Paşa'yı biraz düşündürmüştü. Çünkü yeni sultanımız Vahdeddin, İttihat ve Terakki'den hiç hazzetmeyen bir padişahtı. Yetkileri her ne kadar sınırlandırılmış olsa da, cemiyet düşmanı bir sultanın böylesi zor bir dönemde tahtta olması sıkıntı yaratabilirdi. Nitekim, tahta çıktığı ilk günlerde yaşanan bir olay da bu intibayı pekiştirmişti. Şöyle ki; Vahdeddin, cülus töreni için Topkapı Sarayı'nda Bâbüsaade önünden Bağdat Köşkü'ne yürürken birden durmuş ve maiyetine sormuştu: "Bastonum nerede?" Herkesin suratı kıpkırmızı olmuştu. Hakikatin ortaya çıkması çok sürmedi. Baston Çengelköy'deki yalıda unutulmuştu. Bastonunu uğurlu sayan yeni padişahın dudaklarından. "Bu bir felaket!" cümlesi dökülmüştü. Padişahın yanında bulunan Enver Paşa'nın bu cümleyi ciddiye aldığını hiç zannetmiyorum. Çünkü o sıralar, bizzat hükümete ve kendi dava arkadaşlarına kurulacak bir komplonun hazırlıklarıyla meşguldü.

Bu entrikadan, Talat Paşa'nın beni evine gizlice çağırmasıyla haberdar oldum. Davet notunda, "Lütfen dikkat et, eve girişini kimse görmesin," ibaresi de yer alıyordu. Kahvelerimizin gelmesini beklemeden,

"Seni buraya acilen çağırdım," dedi telaşla. "Çünkü bugüne kadar yaptıklarından çok daha mahrem, çok daha mühim bir vazifeyi yerine getirmeni istiyorum. Hem de en kısa zaman müddetinde..." İşaret parmağını sallayarak tekrarladı. "Kulağıma dedikodular geliyor. Güya Enver Paşa, lüzum ederse Bab-ı Âli'yi basıp, hükümet üyelerini tutuklamak için hem Anadolu yakasında hem de İstanbul yakasında hazır kuvvetler bulunduruyormuş. Bunun ne derece hakikat olduğunu öğrenmeni rica ediyorum. Fakat bir an önce. Çünkü bu işte zaman çok mühim Şehsuvar. Anlıyor musun zaman çok mühim..."

Olayların teferruatını bilmediğim için merak edip sordum:

"İyi de Enver Paşa bunu niye yapsın? Sizin sadrazam olmanızı isteyen kişilerin başında kendisi geliyordu."

"Ah Şehsuvar, ah," diye söylendi. "Hakikat hissini yitiren insanın aklına her türlü hinlik gelir. Enver Paşa, bizim hükümetin İngilizlerle, Almanlardan bağımsız bir barış anlaşması yapacağımızı zannediyor. Öyle bir çabamız olursa, bu kuvvetlerle idareye el koyacak... Lütfen, bu işin aslını öğren. Lakin çok dikkatli olmalısın, hiç kimse bu işi etüt ettiğini bilmemeli..."

Öyle de yaptım. Kısa bir araştırmanın neticesinde, Talat Paşa'nın kulağına gelenlerin hepsinin doğru olduğunu öğrenmiştim. Enver Paşa ve arkadaşları, birkaç saat içinde hükümete el koyabilecek bir askerî kuvveti hazır tutuyorlardı. Raporumu okuyan Talat Paşa küplere bindi.

"Bunca yıllık hukukumuz var, adam hâlâ bize itimat etmiyor, hâlâ komitacılık peşinde."

Elbette bu zor durumdan da kendini sıyırmasını bilecekti Enver Paşa.

"Evet," demişti. "Kuvvet bulunduruyorum ama hükümeti yıkmak için değil, aksine Yakup Cemil gibi sergüzeştler Bab-ı Âli'yi basmaya kalkarsa mani olmak için..."

Hakikatin farkında olmasına rağmen bunu da sineye çekti Talat Paşa. Hatta lafı açılınca, "Almanları müdafaa etmek için yapmıyor, hâlâ harpten galibiyetle ayrılacağımıza inanıyor," diyerek Enver Paşa'yı mazur göstermeye bile kalktı. Ama tarihin öyle kuvvetli bir hafızası vardı ki, bütün hataların, bütün noksanlıkların, bütün basiretsizliklerin kaydını muntazaman tutmaktaydı. Ve bu hafızanın dayandığı mantık, Enver Paşa'nınki gibi hayallerin değil, hakikatlerin üzerinde yükseliyordu. Hiç kimseye iltimas geçmezdi, elindeki iktidar ne kadar kudretli, ne kadar ceberrut olursa olsun kimseyi kayırmazdı. Kifayetsiz olanlar, kusurlu davrananlar, eninde sonunda bunun bedelini öderdi. Ama sadece onlar değil, onlara göz yumanlar da bu neticenin tesirlerinden kendilerini koruyamazlardı. Nitekim ödeşme vakti çok da gecikmeyecekti. Ama o vaktin geldiğini bile, Enver Paşa'ya yine bizim Büyük Efendi söyleyecekti.

1918 senesinin sonbaharı, belki de Osmanlı vatanı için en kederli güz mevsimi olacaktı. Artık Harb-i Umumi'nin kaderi belli olmuş, mağlubiyetimiz katileşmişti. Artık gerisi teferruattı. Artık malum olanın ilanı kalmıştı geriye. Harpte ortak tavır alanların, sulhün gerçekleşmesi için de birlikte davranmasını sağlamak maksadıyla Talat Paşa Berlin'e gitmişti. Aslında neleri kurtarabiliriz diye çırpınıyorduk. Uğradığımız mağlubiyetin ne kadar onurlu olduğu tartışılırdı ama hiç değilse haysiyetimizin yerlerde sürünmediği bir anlaşmayla bu işi neticelendirmek iyi olurdu. Fakat, artık elimize o da geçmeyecekti. Talat Paşa Berlin'e ulaştığında, Almanlar bizden bağımsız hareket etmeye çoktan karar vermişlerdi.

Büyük Efendi'nin Berlin'den dönüşünü hatırlıyorum. Sirkeci Garı'nda onu karşılayanlar arasında ben de vardım. Yorgun olmasına rağmen herkese gülümsemeye çalışıyor, hatta bazı gazetecilerle şakalaşmaktan geri durmuyordu. Ama onu yakından tanıyan biri olarak, bir şeylerin ters gittiğini hemen anlamıştım. Hayır, bu gülümsemeler, bu nüktedan tavırlar, bu abartılı neşe hakikat değildi. İstasyondan ayrılırken başıyla beni yanına çağırdı.

"Sen de bizim arabaya bin Şehsuvar," dedi boşvermiş bir tavırla. "Seninle konuşacaklarım var."

Şaşırmıştım, çünkü yakınlığımızı hep saklamaya çalışırdı, en azından ilan etmekten çekinirdi. Arabasına binince anladım. Biz bize kalınca, o iri bedeni adeta bir enkaz gibi çöküvermişti. Kara gözlerinde derin bir hezimetin solgun parıltıları okunuyordu. Araba saraya doğru giderken, derinden bir iç geçirerek,

"Selanik'ten payitahta geldiğimiz günü hatırlıyor musun?" diye sordu. "Ne kadar sıkıntılı bir dönemdi. Sait Paşa'yla görüşmeye gitmiştik. Bab-ı Âli'den sağ çıkacağımız bile şüpheliydi. Ama umutluyduk..." Gözleri nemlenir gibi oldu. "Hem de çok umutluyduk... Üstelik haklı bir umuttu bizimkisi. Hakikate dönüşebilecek bir umut. O umudu, hakikat yapamadık aziz kardeşim..." Derinden bir iç geçirdi. "Bu iş bitti Şehsuvar, bu kez katiyetle bitti. Harbi kaybettik, bugün yarın iktidarı da kaybedeceğiz, kendi canım için kaygı duymuyorum ama inşallah vatanı da tümden kaybetmeyiz."

Öyle mutsuz, öyle yıkılmış bir hali vardı ki, Berlin'de neler olduğunu soramadım bile.

"Elbette kaybetmeyiz Talat Paşa," diyebildim sadece. Ama kendi söylediklerime ben bile inanmıyordum. O da zaten şöyle bir gülümseyip geçti. Sonra tabakasını çıkarıp bir sigara yaktı, dumanını nemli sonbahar rüzgârına doğru savurdu.

"İnşallah öyle olur," dedi kirli yeşil denize bakarken. "İnşallah haklı çıkarsın..." Dışarıda renksiz, kokusuz bir yağmur, sinsice şehri ıslatıyordu.

"Öyle kahpece bir ölüm istemiyorum."

❋

İyi Geceler Ester, (14. Gün, Gece)

Bu akşam kendime bir ziyafet çektim. Evet, aşağıda Pera Palas'ın restoranında. Menüyü de kendim seçtim. Levrek filetosu, sebzeli dana rostosu, hindili Ali paşa pilavı, sigara böreği, zeytinyağlı enginar, kaymaklı ekmek kadayıfı ve kahve... Üstelik otel müdürü Reşit kardeşimi de davet ettim. Ama masaya oturmadan önce onu kati bir dille uyardım: "Bu akşam yemekler benden, aksi takdirde, seninle dostluğumuz bozulur." Kararlı olduğumu anlayınca, hiç itiraz etmedi. Ama sormaktan da geri durmadı:

"Hayrola Şehsuvar ağabey, neyi kutluyoruz?"

Az kalsın veda yemeğim diyecektim ama kendimi tuttum, yalan söyledim:

"Doğum günüm Reşit, bugün benim doğum günüm. Evet, biliyorum bu doğum günü zımbırtısı ecnebi icadıdır, ben de böyle işlerden pek hazzetmem ama bu defa içimden geldi..."

İnandı garibim.

"O zaman, şaraplar benden," diye hevesle atıldı. "Böyle vakitler için sakladığım hususi iki şişe var."

Uydurduğum yalan bozulmasın diye kabul ettim... İyi ki de etmişim, enfes bir şaraptı... Ama dur, dur, yine aceleye getirdim yazıyı, yine acemice davrandım. Evet, tekrar kaldığımız yere dönelim. Son yazdıklarımı, otelin postanesinden sana yolladıktan sonra Orient Bar'a geçtim. Çünkü orada Mehmed Esad'la buluşacaktım. Hatırlarsan, ona bir mesaj yollayarak, "Bazı olaylar cereyan etti, buluşmalıyız. Bu akşam saat on yedide sana geleceğim," demiştim. Mesajı yolladığım otel hizmetlisi cevaben bana bir not getirdi. Şöyle yazıyordu: "Kıymetli kardeşim Şehsuvar. Ne yazık ki bizim dükkân, bu görüşme için müsait değil, aynı saatte ben otelin Orient Bar'a geleyim. Hürmetler..." Daha önce iki kez gittiğim dükkân neden müsait değilmiş diye fazla kafa yormadım. Hem otelde buluşmak benim için daha iyiydi.

Orient Bar'a yürürken, lobideki koltuklardan birine çökmüş Ruşeym'i gördüm. Mehmed Esad'ın sadık adamı, siyah mermerden yapılmış bir heykel gibi gözünü bir noktaya dikmiş, kıpırtısızca efendisini bekliyordu. O kadar dalgın görünüyordu ki, fark etmeyeceğini zannetmiştim ama önünden geçerken ayağa kalkıp, saygıyla selamladı beni. Ben de gülümseyerek karşılık verdim.

Loş bir aydınlığa açılan kapıdan içeri girdiğimde, Mehmed Esad caddeye bakan geniş pencerenin önündeki masaya kurulmuş konyağını yudumluyordu. Günün bu saatinde oldukça sakin olan barda, kendi içine dönmüş, tıpkı adamı Ruşeym gibi düşüncelere dalıp gitmişti. Masasının başına gelinceye kadar fark etmedi beni. Ama görür görmez, anında sıyrıldı dalgınlığından, geniş bir gülümsemeyle doğruldu.

"Ah, merhaba Şehsuvar... Gel dostum, gel kardeşim..."

Elini sıkarken sordum:

"Çok mu oldu geleli? Keşke haber verseydin, odamdaydım..."

"Yok yahu, yok yeni geldim sayılır," dedi kalender bir sesle. "Hem hiç şikâyetçi değilim." Bardağındaki bal rengi içkiyi gösterdi. "Halis Fransız konyağının tadını çıkarıyordum."

"Afiyet olsun." Oturmadan önce barmene seslendim: "Aynısından bir tane de bana..."

Başımı çevirince, Mehmed Esad'ın beni süzdüğünü fark ettim; tıpkı Fuad gibi sorularla doluydu gözleri. Endişeli değil, anlamak isteyen bakışlar. Ama Fuad'dan daha temkinliydi, daha kurnaz.

"Ee, nasılsın bakalım görüşmeyeli diyeceğim ama daha dün görüştük..."

Aslında lisanımünasiple, neymiş şu mesajında yazdığın olaylar, demek istiyordu. Lafı dolandırmanın manası yoktu.

"Valla Mehmed, bazen yirmi dört saatte bile, insanın hayatını değiştirecek olaylar olabiliyor. Tabii anlatacaklarım ne kadar mühim, ne kadar değil, ona sen karar vereceksin..."

Artık hislerini saklamaktan vazgeçmişti.

"Hayırdır inşallah, neler oldu Şehsuvar, anlat yahu..."

"Fuad'ı buldum," diye mırıldandım. "Hani geçen gün soruyordun ya, şu eski arkadaşımı."

Gerginliği azalır gibi oldu.

"İyi, çok güzel havadis... Konuştunuz mu? Ne yapıyormuş?"

Yalan da söyleyebilirdim ama bu defa bilgi saklamayı tercih ettim.

"Aslında söyledikleri muallaktı, emin olamadım. Bu işlerin içindesin Mehmed, ne konuştuğumuzu anlatayım, belki sen daha iyi anlarsın..."

Ellerini göğsünde kavuşturdu.

"Tamam dinliyorum, neler anlattı? Pişmanlık mı duyuyordu yaptıklarından?"

Omuzlarımı silktim.

"Yok yahu, ne pişmanlığı... Hiç değişmemiş... Kafa eski kafa. Yani ittihatçılığa devam... Fakat haletiruhiyesi biraz karışık gibi geldi bana."

Tıpkı Fuad'ın bu sabah yaptığı gibi gözlerini yüzüme dikmiş, pürdikkat beni dinliyordu ama daha sakindi, daha temkinli.

"Nasıl yani?"

"Öfkeliydi, çok öfkeli ama yine de kendinden emin değil gibiydi. Hem ölümü göze alabilecek kadar kararlı, hem biz ne yapıyoruz diyebilecek kadar şüphede... Evet, her iki hissi birden yaşıyor gibiydi."

Barmenin masamıza yaklaştığını fark edince sustum. Genç adam kadehimi, masaya koyup uzaklaşırken, kaldığım yerden sözlerimi sürdürdüm:

"Bana kalırsa Fuad çaresizlik içinde. Bir yanda hatıraları, onun şahsiyetini belirleyen manevi değerleri, bir yanda ise henüz tam olarak tahlil edemediği bu ağır mağlubiyet. Aslında yeni hükümetin, bizim fikir ve ideallerimizi savunduğunu anlasa, rahatlayacak..."

Sessizce dinliyordu Mehmed. Uzanıp kadehimi aldım.

"Eh, hadi içelim bari... Eski günlere..."

Kadehimi onunkine dokundururken,

"Dostluğa," dedi Mehmed. "Hiç eskimeyen dostluğa."

Dostluk kelimesinin üzerine basa basa mı söylemişti, yoksa benim hüsnükuruntum muydu emin olamadım. Fransız konyağı boğazımı yakarak mideme inerken,

"Hükümet hakkında ne düşünüyor?" diye sordu.

Suratımı buruşturarak, başımı salladım.

"Hükümet hakkında çok konuşmadık ama Mustafa Kemal'den hiç hazzetmiyor. İzmir Suikastı'nı düzenleyenlere de çok kızgın. 'Acemi herifler, ellerine yüzlerine bulaştırdılar işi,' diyor. Galiba çıbanın başı olarak Reisicumhur'u görüyor. Mesela İsmet Paşa hakkında hiç olumsuz konuşmadı."

Mehmed Esad'ın gözlerinin derinliklerine yayılan rahatlamayı fark etmemek mümkün değildi. Elini cebine sokup sigara paketini çıkarttı.

"Peki tek başına mıymış Fuad? Onunla beraber hareket eden kimse var mıymış?"

Hâlâ elimde duran kadehi usulca salladım ama yeniden dudaklarıma götürmeden önce arkadaşımın sorusunu cevaplamaktan geri durmadım.

"Küçük bir grubu var galiba. Kaç kişi olduklarını bilmiyorum, anladığım kadarıyla kendi başlarına kalmışlar... Yani başka ittihatçılarla bir irtibatları olduğunu sanmıyorum. Fakat yeni üyeler bulmanın peşindeler, daha da mühimi sıkı bir teşkilat kurmayı düşünüyorlar. Benim de kendilerine katılmamı istedi. Kara Kemal'in intikamını almalıymışız filan..."

"Sen ne dedin?"

"Sana söylediklerimin aynısını. Artık bu işleri bıraktığımı, yatağımda ölmek istediğimi... Hayal kırıklığına uğradı tabii. O zaman senden bahsettim... Zaten maziden tanıyor seni. Elbette artık hükümet için çalıştığını açıklamadım. Tıpkı onun gibi senin de kafanın karışık olduğunu anlattım. İsterse, ikinizi buluşturabileceğimi söyledim. Aslında reddedeceğini zannediyordum fakat kabul etti. Tek şartı görüşmede benim de olmam. Zavallı beni bir tür emniyet supabı olarak görüyor..."

Yeniden kadehe uzandım, konyağımdan bir yudum daha aldım. Mehmed de sigarasını yakmış, düşünceli bir tavırla dumanını ardı ardına ciğerlerine çekmeye başlamıştı.

"Nasıl karşılaştınız Fuad'la? Seni bulması rastlantı değildi herhalde..."

Mehmed öyle kolayca istenileni yapacak biri değildi, elbette başına bir iş gelmeyeceğinden emin olmak isteyecekti. Benim vazifem ise onu kuşkularından kurtarmaktı.

"Rastlantı olur mu?" diye söylendim. "Bu sabah beni görmeye geldi. Evet, buraya... Biliyorsun, Pera Palas'ın müdürü Reşit Bey de Selanikli. Ondan duymuş otelde kaldığımı. Çok olmuştu görüşmeyeli, tam on iki sene..." Duraksadım. "Sahi kuzum, sizin haberiniz yok mu Fuad'dan? Devletin istihbarat teşkilatı, Fuad gibi şaibeli adamları izlemiyor mu?"

Bakışlarını kaçırdı, sigarasının külünü tablaya silkelerken izah etmeyi denedi:

"Aslında takip ediyorduk ama Fuad çok akıllı bir adam, epeydir izini kaybettirmişti. İyi oldu senin sayende yeniden bağ kurmuş olduk..." Sigarasından derin bir nefes daha çekti. "Peki senin intiban ne, Fuad samimi mi? Başka bir gayesi olmasın?"

Çaresizce baktım.

"Ona sen karar vereceksin Mehmed. Biliyorsun, ben paslandım, yıllardır bu işlerle uğraşmıyorum. Vaziyeti bütün açıklığıyla anlattım sana. Ona göre tertibatını alacaksın."

Sıkıntıyla soludu.

"Anladım, anladım... Peki, eskiden, yani Harb-i Umumi'den önce, cemiyetle arası nasıldı Fuad'ın?"

"Berbattı," dedim kati bir ifadeyle. "Evet, kelimenin tam manasıyla berbattı. Zaten o sebepten cepheye gitmek istemişti. Şerefli bir ölümle, bu çileli hayata son vermek için..."

Neredeyse neşeli bir sesle söylendi.

"Ama sağ döndü öyle mi?"

"Öyle," diye onayladım. "Belki de onun için bu kadar mutsuz, onun için bu kadar öfkeli..."

Kendi kendine mırıldandı:

"Tıpkı Resneli Niyazi gibi, tıpkı Yakup Cemil gibi... Yazık oldu o insanlara..."

"Çok yazık oldu. Boş yere ölüp gittiler. Hele Yakup Cemil... Ölümü korkunçtu, aynı zamanda çok da ibret verici."

Yüzü kederle kaplanmıştı. Sahiden üzülüyor muydu, yoksa öyle mi görünmek istiyordu, anlamak güçtü ama konunun, ilgisini çektiği bir hakikatti.

"Kurşuna dizmişler değil mi?"

Sanki Fuad'ı unutmuş gibiydi. Ne de olsa konuştuğumuz, hepimizin ortak mazisiydi. Aslına bakarsan, mevzunun değişmesi benim de hoşuma gitmişti, demek ki son tereddütleri de kalkıyordu Mehmed'in.

"Evet kurşuna dizdiler... Kâğıthane Köprüsü'nün orada..."

Gözleri kısıldı, bıyıkları hafifçe titredi.

"Yanında mıydın yoksa?"

Kadehimdeki son konyağı da kafaya diktikten sonra giderdim merakını:

"Yanındaydım. Olayın bütün safhalarını bire bir yaşadım. O zamanlar Teşkilat-ı Mahsusa'nın idarecilerinden biriydim. Yakup Cemil daha tutuklanır tutuklanmaz gitmiştim yanına. Hatırlar mısın bilmem? 1916 senesinin Temmuz'uydu. Bekirağa Bölüğü'ne getirmişlerdi... Silahları hâlâ üzerindeydi, kimse cesaret edip tabancalarını alamamıştı. Yakup Cemil de çok gergindi. Uyumuyor, zehirlenmek kaygısıyla yemek dahi yemiyordu. 'Öyle kahpece bir ölüm istemiyorum. Olacaksa adam gibi olsun bu iş, nasıl yaşadıysak öyle ölelim,' diyordu. Uykusuz geçen iki gecenin sonunda bitkin düşünce, askerler üzerine atlayıp silahlarını aldılar. Suçu, darbeye teşebbüs ve nazırları öldürmek için suikast planlamaktı. Bu maksadını bizzat kendi ağzından duyanlar olmuştu. 'Yeni bir Bab-ı Âli baskını düzenleyerek, Enver Paşa'yı vurup yerine Mustafa Kemal'i geçirmeyi düşünüyorum,' dediğini iddia edenler bile vardı."

Sanki Yakup Cemil ölmemiş gibi sitemle söylendi Mehmed:

"Biraz geç kalmış. Enver Bey iktidarı ele geçirmeden yapması lazımdı o işi, paşalık unvanına ulaşmadan evvel..."

Cemiyetin efsane silahşorunu savunmaya çalıştım:

"Olayların böyle neticeleneceğini nereden bilsin? O da herkes gibi Harb-i Umumi'den galip ayrılacağımıza inanıyordu. Aslında cephede yararlılıklar da göstermişti. İpten kazıktan kurtulmuş mahpushane kaçkınlarından iki bin kişilik bir birliğin başında Kafkasya Cephesi'ne gitmişti. Bana kalırsa, onu bizzat Enver Paşa göndermişti oraya. Yakup Cemil'le başa çıkamayacağını anlayınca, payitahttan uzaklaştırmak istemişti. Dediğim gibi bizim serdengeçti, cephede kısmi muvaffakiyet de sağladı. Batum ve Ardahan'ın düşmandan temizlenmesinde mühim bir rol oynadı. Ama rahat durmadı, kumandanlarıyla dalaştı, daha da fenası askerlerine çok sert davranmaya başladı. Söylentiler bize kadar geliyordu. Bunlardan en korkuncu, yine bir hezimetin ardından 16 askerini kurşuna dizdirmesiydi. Haberde hakikat payı olmalı ki, 3. Ordu Kumandanı Mahmud Kamil Paşa, olanlara daha fazla tahammül edemeyerek, onu Bitlis'e gönderdi. Ama Yakup Cemil orada da rahat durmadı, sadece askerlere eziyet etmekle kalmadı, Amele Taburları'na gençlerini vermek istemeyen Ermenilere de zulmetti. Bu arada Enver Paşa'ya mektuplar yazarak, harpte yapılması gerekenler hakkında tavsiyelerde bulunmayı sürdürüyordu. Neticede önce Bağdat'a gönderildi ama orada da fevri hareketleriyle askerlerin ölümüne sebep olunca, kumandanı, 'Enver Paşa, seni payitahta istiyor. Orada vatana daha fazla faydan dokunur,' diye yalan söyleyerek, Yakup Cemil'i İstanbul'a gönderdi.

Payitahta gelen Yakup Cemil hakikati anlamakta gecikmedi. Enver Paşa, artık ona samimi davranmıyordu. Yine de eski günlerin hatırına mı, yoksa bu deli dolu fedaiyi susturmak amacıyla mı bilinmez, Harbiye Nezareti onu binbaşılık rütbesiyle ödüllendirdi. Elbette Yakup Cemil bu rütbeyi küçümsedi. Onun gözü daha yükseklerdeydi. Neden paşa ya da ordu kumandanı olmuyordu? Teşkilat-ı Mahsusa'ya gelen raporlar arasında, Yakup Cemil'in bizzat Enver Paşa'yı tehdit ettiği bilgileri yer alıyordu. İş bununla kalsa, belki yine paçayı kurtarırdı. Fakat, yeni bir Bab-ı Âli baskını peşinde olduğu haberleri artmaya başlamıştı. Harpteki hezimetten tümüyle Enver Paşa'yı sorumlu tuttuğunu saklamayan Yakup Cemil, hükümete el koyduktan sonra barışı sağlayacağını da hiç çekinmeden ulu orta her yerde anlatıyordu. Farkına varmasa da böylece kendi ölüm hükmünü imzalamış oluyordu ki, 1916 senesinin 13 Temmuz'unda bu sebeplerle tutuklandı.

Bekirağa Bölüğü'nden silahları alındıktan sonra yargılandı, arkadaşlarının bir kısmı sürgüne gönderildi, bir kısmı beraat etti. Yakup Cemil ise idam cezasına çarptırıldı. Talat Paşa idam kararını imzalarken yanındaydım.

'Bu şart mı?' diye sordum Büyük Efendi'ye. 'Sürgün ya da hapis cezası kâfi olmaz mı?'

Talat Paşa iri kara gözlerini yüzüme dikerek kararlı bir sesle mırıldandı:

'Lüzumsuz merhametin yol açtığı felaketlerde acı çeken masumların çığlıklarını duymak istemiyorum artık.'

Ardından nazırlık mührünü, mektubun altına bastı. Bir sonbahar günü infaz edildi Yakup Cemil. Korkunun zerresi yoktu gözlerinde. Beni görünce, kaşlarının altından şöyle bir baktı.

'Nihayet intikamınızı alacaksınız ha...' diye söylendi. 'Nihayet ereceksiniz muradınıza.'

Üzüntüyle başımı salladım.

'Bu, benim ferdî meselem değil, siyaset sadece siyaset...'

Lafım hoşuna gitmiş olmalı ki, kalender bir gülümsemeyle tekrarladı:

'Öyle be Şehsuvar kardeş, siyaset, hepsi kahrolası siyaset...'

Sonra karşısında dikilen askerlere döndü. Ellerindeki tüfeklerini ona doğrultmuş olan bu genç adamlar, kendi erleriymiş gibi

'Ee, ne duruyorsunuz," diye gürledi. "Hadi, hadi bakalım, elleriniz titremesin, iyi nişan alın. Şeriatın kestiği parmak acımaz, hükümet korkusu olmazsa muvaffak olamayız!'

O anda idam mangasının zabiti düdüğü çaldı, aynı anda on dört tüfek birden patladı. Ama biliyorsun dayanıklı adamdı Yakup, hemen ölmedi, bir süre can çekişti toprağın üzerinde..."

Mehmed'in dikkatini dağıtmak için bu mevzuya girmiştim ama konuştukça, yaşananları hatırladıkça ben de etkilenmiştim. Bu infaz sanki dün olmuş gibi bütün detaylar gözümün önündeydi. Kurşunlarla delik deşik edilmiş, kanlar içinde bir beden... Gitgide kireç gibi beyazlaşan, genişçe bir yüz... Kurşun sıktıkları adamın ölüme gittiğine hâlâ inanamayan askerler.

"Cesur adamdı," dedi Mehmed takdir dolu bir sesle. "Doğru bir adam mıydı çok tartışılır ama katiyetle cesur bir adamdı. İşte bu sebepten, Fuad gibileri kazanmalıyız diyorum. Resneli Niyazi, Yakup Cemil gibi harcanıp gitmelerine engel olmak için..."

"Ama önce onu ikna etmen gerekecek," diye taşı gediğine koydum. "Sana daha evvel de söylediğim gibi, o işi ben yapamam. Bir yolunu bulup senin anlatman lazım..."

Sigarasından son bir nefes alıp, kül tablasında ezdi.

"Hiç merak etme, o meseleyi ben hallederim..." Kendinden emin bir bakış attı bana. "Sen de başlarda uzak duruyordun hatırlasana ama bak sonunda ikna oldun. Fuad'ı bana getirmen kâfi."

Kaşlarımı yukarı kaldırarak, ellerimi çaresizce yana açtım.

"Ben de onu anlatmaya çalışıyorum, Fuad, sana gelmez. Çünkü, ben de dahil kimseye güvenmiyor. Niye bu sabah baskın verir gibi otelime geldiğini zannediyorsun! Korkuyor, tıpkı benim eski ruh halim gibi. Başına bir iş gelmesinden kaygılanıyor..."

Mehmed'in hiç hoşuna gitmemişti bu durum.

"Nasıl buluşacağız peki?" diye adeta azarladı. "Görüşmeyecek mi bizimle?"

"Görüşecek ama onun istediği yerde... Yarın buluşabiliriz, tabii sana uyarsa... Ferah Tiyatrosu'nu biliyorsun... Orası tadilatta... Anladığım kadarıyla, tadilatı yapanlarla irtibatı var Fuad'ın... Sabah on birde bizi bekliyor. Sen gelmezsen, ben tek başıma gideceğim... Ona da öyle söyledim. 'Ben gelirim, ama Mehmed Esad için söz veremem,' dedim."

Gözleri yüzümde bir süre öylece kaldı.

"Dert değil," dedi sonra boşvermiş bir sesle. "Yarın birlikte gideriz, sabah ben seni alırım otelden..."

Hislerimi belli etmemek için barmene döndüm,

"Bize iki konyak daha," diye seslendim.

"Yok, yok, teşekkür ederim," diye itiraz etti Mehmed. "Ben kalkacağım Şehsuvar... Başka birine sözüm var..."

Evet, Mehmed Esad'ı böyle uğurladım. Kendimi eski bir arkadaşa tuzak kurmuş gibi hissetmiyordum, çünkü yarın neler olacağından tam emin değildim. En az Fuad'la Mehmed kadar ben de tehlike altındaydım. Belki de yanılıyordum, belki de hiçbir mesele çıkmayacak, dostça bir anlaşma sağlanacaktı Ferah Tiyatrosu'nda. Ama tahminlerim doğru çıkarsa, o vakit hakiki bir patırtıya hazır olmam gerekiyordu. İşte bu yüzden, akşam yemeğini bir ziyafete çevirmeyi düşündüm. Reşit'in bana katılması da iyi oldu, başıma bir iş gelirse, bunun bir nevi teşekkür yemeği olduğunu anlayacaktı. Geç saatlere kadar oturduk. Selanik'i konuştuk, sokaklarını, caddelerini, meydanlarını. Denizin, İstanbul'dan daha değişik koktuğunu. Çocukluğumuzu, evde yapılan yemekleri, okulumuzu, mezarları orada kalan ailelerimizi... Restoranda bizden başka kimsenin kalmamasını fırsat bilen Reşit dayanamayıp, bir de türkü patlattı sonunda.

"Selanik Selanik viran olasın
Taşını toprağacını seller alasın
Sen de benim gibi yarsız kalasın
Aman ölüm zalim ölüm üç gün ara ver
Al başımdan bu sevdayı götür yare ver"

İşte yine odamdayım, koca iki şişe şarabı devirmemize rağmen en küçük bir ağırlık yok kafamda, olsa da fark etmez, sana yazmak zorundayım. Bu benim son mektubum olabilir, son fırsatım. Hikâyemi tamamlamalı, son sözümü söylemeliyim. Evet, bunun için hiç zorlanmayacağım. Çünkü 1906 senesinde kaderimin yol ayrımında beni bambaşka bir mecraya sürükleyen o cemiyetin bitişini anlatacağım sana. Yirmi senelik bir serüvenin hazin finalini. Büyük umutlarla tutuşturulan isyan ateşinin ağır ağır sönüşünü... Tarih için küçücük bir an, bizim için koca bir ömür. Kimilerimiz için zindan, işkence, sürgün hatta ölüm. Kimilerimiz için dev zaferler, kimilerimiz için utanç verici mağlubiyetler. Kimilerimiz için destansı kahramanlıklar, kimilerimiz için rezil ihanetler, kepazelikler... Unutulmaz aşklar, büyük fedakârlıklar, derin ızdıraplar. Ve netice, paramparça olmuş bir cihan, paramparça olmuş bir vatan, paramparça olmuş hayatlar...

2 Kasım 1918... Adeta yaz sonundan kalma ılık bir gece. Evdeydim, akşam yemeğini bitirmiş, Madam Melina'nın yapacağı kahveyi bekliyordum, bahçede yaprakları çoktan dökülmüş erik ağacının altındaki tahta masada. Günün yorgunluğu çökmüştü üzerime. Bütün gün cemiyetin kongresindeydim. Rahmetli Cezmi Kenan'la birlikte gitmiştik Pembe Köşk'teki son kongreye. Hazindi, tek kelimeyle hazin. İnsanlar gibi teşkilatların da ruhu olduğunu o gün anladım. Hepimizin coşkusuyla ya da yıkımıyla hususiyet kazanan bir ruh. Bundan seneler önce Selanik'te, bütün millet, nasıl ki aynı coşkuyu, aynı hürriyeti, aynı ortak sevinci hissettikse, bugün tam aksi duygular esir almıştı bizi. Aynı hayal kırıklığını, aynı hezimeti, aynı derin ızdırabı hissediyorduk. İttihat ve Terakki'nin birçok kongresine katılmıştım. Cemiyetimizin düşmanı hükümetlerin bütün kuvvetiyle üzerimize geldiği o baskı devirlerinde bile böyle bir bozgun havası yoktu üzerimizde. Bunu anlamak için kürsüde konuşan Talat Paşa'ya şöyle bir bakmak kâfiydi. Güya metin görünmeye çalışıyor, güya ima-

nı hiç sarsılmamış gibi dimdik duruyordu. Ama cemiyetin son günlerini anlatırken, sesi titremeye başlamış, gözyaşlarını tutamamıştı. Belki de bu sebepten konuşmasını daha fazla uzatmamış, "İttihat ve Terakki'nin Merkez-i Umumisi'nden istifa ediyoruz, idareyi yüce kongreye bırakıyoruz," diyerek bitirmişti sözlerini. On altı gün önce kurulan Ahmet İzzet Paşa hükümetiyle, sadaretten uzaklaşmıştı, şimdi cemiyetin liderliğinden de kendi rızasıyla ayrılıyordu. Derin bir ızdırap kaplamıştı yüreğimi ama yanımda oturan, Cezmi Kenan, öfkeyle gürlemişti:

"Hata yapıyorlar. İstifa etmemeleri lazım, hükümeti de bırakmamalılardı. Vahdeddin'in istediği de bu. Şimdi işgal kuvvetleriyle birlikte hepimizin canına okuyacaklar... Böyle olmaz, lüzum ederse tekrar silaha sarılmalıyız... "

Keşke o kadar kolay olsaydı, keşke tekrar silaha sarılmakla halledebilseydik meseleleri ama artık o günler çok gerilerde kalmıştı. Artık çok daha kötü bir vaziyetin içindeydik. Kongrede bulunan cemiyet üyelerinin çoğu gibi, benim aklımı da kurcalayan soru aynıydı: "Şimdi ne olacak?" Talat Paşa'nın ardından başkaları da söz aldı elbette. Hem de ne konuşmalar, havada uçuşan fikirler, ateşli tartışmalar, mangalda kül bırakmamalar... Ama kimse, hem de hiç kimse, "Şimdi ne olacak?" sorusunun cevabını veremiyordu. Oysa Harb-i Umumi'de yenilmiştik. Silahlarımız susmuş, bayraklarımız yere düşmüştü. Vatan ve millet düşmanın insafına bırakılmıştı. Tehlike kapıdaydı. İşgal kuvvetlerinin payitahta gelmesi an meselesiydi.

Moral olarak yıkılmış bir halde dönmüştüm Beşiktaş'a. Ama evde güzel bir sürpriz bekliyordu beni. Madam Melina'nın uzaktan akrabası olan balıkçı Niko iki kofana getirmişti. Her gün yediğimiz kara vesika ekmeğinden sonra hakiki bir şölendi bu. İki derya kuzusunu mangal ateşinde büyük bir maharetle pişirmişti sevgili ev sahibem, yanına da komşumuz Hacı İlyas'ın bostanından gelen roka, yeşil soğanla yapılan salatayı eklemiş, bir de kara günler için saklanan okunmuş şarabı görünce ferahlar gibi olmuştu gönlüm. Ne demişler, bir günün beyliği beylik. Karnımız doyup o tatlı rehavet üzerimize çökerken, açık pencereden içeri dolan ılık gecenin çağrısına daha fazla direnemeyerek bahçeye atmıştım kendimi. Nohutla yapılan sahte kahvelerimizi bahçede erik

ağacının altındaki tahta masada içecektim ki, kapının önün-
de duran bir otomobil sesiyle dikkat kesildim. Kimdi acaba
akşamın bu vaktinde gelen münasebetsiz? Başımı uzatıp
ahşap kapının önünü görmeye çalışırken, bir gölge süzüldü
bahçeye. Korkuyla doğruldum. Gölge karanlıktan kurtulun-
ca Talat Bey'in yaveri Ömer Bey'in solgun yüzü çıktı ortaya.

"Hayrola Ömer Bey?" diye mırıldandım. "Kötü bir havadis
yok inşallah."

"Yok, yok... Talat Paşa, sizi görmek istiyor."

Ne demek istediğini tam anlamamıştım.

"Yarın mı?"

Kati bir ifadeyle başını salladı.

"Hayır Şehsuvar Bey. Şimdi, derhal gitmemiz gerek."

Lüzumsuz bir meraka kapıldım.

"Ayasofya'ya mı gideceğiz?"

"Hayır, Talat Paşa evde değil, Arnavutköy'e gideceğiz... İh-
san Namık Bey'in evine..."

Büyük Efendi'nin itimat ettiği, hamiyetperver kişilerden-
di İhsan Namık. İyi de gecenin bu vaktinde onun evinde ne
işi vardı? Acaba işgal kuvvetleri mi geliyordu? Bu sabah Cez-
mi Kenan'ın kongrede söylediği gibi bir milli mukavemet ha-
reketi mi başlatacaktık? Mühim olaylar vuku buluyordu ama
muhtemelen Ömer de olan bitenden bihaberdi ya da teferru-
ata girmek istemiyordu.

"Hadi gidelim o zaman," diyerek toparlanıyordum ki, Ma-
dam Melina'yı fark ettim; elinde tepsiyle merdivenlerden in-
meye başlamıştı bile. Yanına yaklaştım, fincanı kapıp aceley-
le ardı ardına iki yudum aldım.

"Kusura bakmayın gitmem lazım Madam Melina," dedim
fincanı tekrar tepsiye koyarken. "Dönünce yenisini yaparsı-
nız artık."

Telaşla seslendi arkamdan zavallı kadıncağız:

"Kötü bir şey yok, değil mi?"

"Merak etmeyin," dedim cümle kapısına yönelirken. "Bi-
razdan dönerim."

Otomobile binince, Ömer Bey, şoförün omzuna dokundu.

"Hadi Şakir gidelim ama gelirken yaptığımız gibi gözün
arkada olsun. Şüpheli bir vaziyet hissedersen, haber ver."

Neler oluyor, dercesine baktığımı görünce,

"Tedbir," diye mırıldandı. "Sadece tedbir."

Allahtan kimse peşimize takılmadı da kısa yolculuğumuz sakin geçti. Otomobilde hiç konuşmadık Ömer Bey'le ama Arnavutköy'e varıncaya kadar zihnimde birbirinden karamsar fikirler uçuşup durdu. İhsan Namık Bey'in yalısından içeri adım atar atmaz anladım olup biteni. Giriş katında bir masada oturuyorlardı. Yemek çoktan bitmiş olmalıydı. Hazin bir hali vardı odanın. Neden öyleydi, önce anlayamamıştım. Oysa Talat Paşa, genç kayınbiraderi Hayreti'yle yan yana oturmuş sohbet ediyor, ev sahibi İhsan Namık Bey ortalıkta dört dönüyordu. Yani hayat normal akışında gibiydi. Odanın köşesinde duran valizleri görünce anladım. Odadaki herkesin bakışlarına, davranışlarına sinen o kederin sebebini. Gidiyordu, evet, ansızın verilmiş bir kararla, bizi bir başımıza bırakıp gidiyordu Büyük Efendi. Önce tepki duydum. Sormadan, etmeden, fikrimizi almadan nasıl giderdi? Ama Talat Paşa'nın yüzündeki o mahcup ifadeyi görünce, değişmeye başladı kanaatim...

"Kusura bakma Şehsuvar," diyerek ayağa kalkmıştı Büyük Efendi. "Gecenin bu vakti ta buralara kadar getirdik seni. Lüzumlu olmasa çağırmazdım. Gel, otur şöyle yanıma."

Gösterdiği iskemleye çökerken, Hayreti'yi başımla selamladım. Büyük Efendi lafı dolandırmadı:

"Biz gidiyoruz Şehsuvar... Cemiyetin önemli idarecileri... Evet bu gece... Evet, ayrılıyoruz payitahttan... Başka çaremiz kalmadı. Gidiyoruz ama bu bir kaçış değil..."

Aslında sormamam icap ederdi ama olaylar o kadar süratli gelişmiş ve ben öylesine şaşkındım ki, o umut dolu sözcükler adeta kendiliğinden döküldü dudaklarımdan:

"Anadolu'ya mı geçiyorsunuz?"

Duraksadı, hayır yurtdışına gidiyorlardı. Ne düşündüğümü anlamıştı, mahcubiyeti biraz daha arttı.

"Sonra o da olur inşallah," dedi bakışlarını kaçırarak. "Ama evvela vaziyetin nasıl bir hal alacağını görmemiz lazım. Neler olacak, neler bitecek bir anlayalım. Sen de takdir edersin ki, şartlar ortaya çıkmadan yeni bir strateji belirlemek doğru olmaz. En mühimi işgal meselesi. Eğer korkulan olmazsa, derhal geri döneceğiz. Kendi vatanımızın mahkemelerinden çekinecek değiliz..."

Anlatılanları sessizce dinlemem, hiç soru sormamam Talat Paşa'yı biraz rahatlatmış olmalı ki,

"Seni çağırmamın iki sebebi var," diye devam etti konuşmasına. "İlki, onca sene birlikte çalıştık, vatan toprağından ayrıldığımı, başkalarından değil, benden öğrenmeni istedim. İkincisi ise senden bir ricam var. Zevcem Hayriye Hanım'a, aile efradına elinden geldiğince göz kulak olmanı istiyorum. Hayriye Hanım cesurdur, beceriklidir, lakin önümüzde kötü günler var, eğer olur da sana ihtiyaç duyarlarsa..."

Daha fazla söyletmedim:

"Hiç merak etmeyin efendim, kendi ailemmiş gibi alakadar olurum onlarla..."

Minnettar gülümsedi.

"Biliyorum Şehsuvar, sen her zaman vefalı bir dost oldun." Derinden bir iç geçirdi. Bakışları pencerenin dışına, usulca kıpırdanan karanlık denize takıldı. "Neler gördük biz, neler atlattık. Elbet bu günler de geçer, geriye sadece hatıralar kalır." Bakışları tekrar bana döndü. "Seninle ilgili hep iyi şeyler hatırlayacağım Şehsuvar. Umarım sen de beni öyle hatırlarsın..."

Boğazımın düğümlendiğini hissettim.

"Elbette öyle hatırlayacağım efendim," dedim kendimi tutarak. "Başka türlüsü mümkün mü?"

Zannederim onun da gözleri dolmuştu, bakışlarını kaçırarak birden ayağa kalktı.

"Ee, hadi seni daha fazla tutmayalım... Sokaklar tekin değil, daha fazla geç kalma."

Ben de doğruldum ama,

"İhtiyacınız varsa kalayım," diye teklif ettim. "Emniyetinizi almak için diyorum."

Aşina olduğum rahat gülümseme yayıldı yüzüne.

"O mesele halledildi." Geniş kollarını açtı. "Gel bir sarılayım sana aziz kardeşim, kim bilir bir daha ne zaman görüşürüz."

Hiçbir zaman görüşmeyecektik, belki o da tahmin ediyordu bunu, o yüzden sımsıkı sarıldı bana. O anda anladım ki, sadece bir teşkilat lideri değildi Talat Paşa benim için. Onu, ölmüş babamın yerine koymuştum. Ona da tıpkı babama hissettiğim gibi saygıyla karışık bir sevgi beslemiştim... Kaderin cilvesine bakın ki, şu an o da tıpkı babam gibi sürgüne gidiyordu.

Talat Paşa ayrılıyoruz dediğinde kendi adıma endişeye kapılmadım, ki aslında kapılmam lüzum ederdi. Çünkü İttihat ve Terakki'nin mimli adamlarından biriydim. Vahdeddin'in polisleri ve işgal kuvvetlerinin peşime düşmemesi imkânsızdı. Öyle de oldu; iki sene boyunca işgalcilere karşı dövüştükten sonra İngiliz işgal kuvvetleri tarafından tutuklanacak, işkence görecek, iki sene Malta'da sürgün kalacaktım.

Büyük Efendi'yle vedalaşırken elbette çok üzüldüm ama liderlerimiz kendi canlarını kurtarmak için bizi bırakıp kaçıyor diye düşünmedim. Hakikat de bu değildi zaten. Nitekim üçünün de akıbeti korkunç olacaktı. Evet, İttihat ve Terakki'nin güçlü liderleri, Enver Paşa, Cemal Paşa ve Talat Paşa, İstinye Limanı'ndaki Alman denizaltısına binerek gizlice ülkeden ayrılışlarının üzerinden daha dört yıl geçmeden gittikleri ülkelerde vurularak öldürüleceklerdi.

O gece Arnavutköy'den eve dönerken, başka bir hakikati fark ettim; Talat Bey'in gidişi de tıpkı Abdülhamit'in ölümü gibi bir simgeydi. Artık bizim devrimizin kapandığını gösteren bir simge. Evet, bu sabah başlayan son kongremiz değil ama bizzat tarihin kendisi, hakkımızda kati kararını vermiş ve acımasız mührünü basmıştı. Bu meşum geceden sonra İttihat ve Terakki Cemiyeti hükümsüzdü.

"Yaşadıklarımız hepimizi birer katile çevirdi."

※

İyi Geceler Ester, (15. Gün, Gece)

Epeyce geç de olsa yine bu masanın başına oturdum ama yazmaya başlamadan önce Fuad'ın armağan ettiği plağı gramofona koydum. Floria Tosca kederli şarkısını söylerken, ben de yazmaya koyuldum. Bu iyi bir durum mudur bilmiyorum ama evet, Esterciğim hâlâ hayattayım. Bütün tehlikelerden kurtuldum, bütün badireleri atlattım. Mucize kabilinden de olsa hâlâ yaşıyorum...

Halbuki bu sabah, Mehmed Esad'ın otomobiline binerken, yeniden otele dönebileceğimden hiç emin değildim. Dün gece, seninle vedalaşıp kalemimi bıraktıktan sonra tekrar tekrar düşünmüştüm. Mehmed Esad'la ilk buluşmamızdan, Fuad'ın beni kaçırışına kadar olan birbirinden enteresan olaylar zincirini tek tek gözden geçirmiştim. Bütün rastlantılar, bütün konuşmalar, bütün teferruat, zihnimde beliren bütün ihtimaller ne yazık ki aynı neticeye çıkıyordu. Yarın bu muamma tümüyle çözülecekti ama çözülecek muamma bize neler getirecekti, işte orası meçhuldü. O kadar ki, bir an Beşiktaş'taki evime gitmeyi, hâlâ kutsal bir emanet gibi sakladığım babamın Revolver'ini yanıma almayı bile düşündüm. Kendimi savunmak için değil ama bana bu tuzağı kuranları da yanımda götürmek için. Sonra vazgeçtim; birkaç kişinin daha ölmesinin kime ne yararı olacaktı ki? Netice ortadaydı... Tarih hükmünü çoktan vermiş, cemiyetimiz büyük bir bozguna uğramış, darmadağın olmuştuk. Gayet tabii, bunun şahsi bir bedeli de olacaktı.

Aslına bakarsan, Ferah Tiyatrosu'nda başıma gelebilecek musibetleri, çok daha önceden hak etmiştim. 1906'da başlayıp bugüne kadar geçen o fırtınalı dönem içinde hayatını kaybeden milyonlarca insandan ne ayrıcalığım vardı ki benim? Kaldı ki onların çoğu masumdu, bu insanlık trajedisinde, bu vahşette hiçbir sorumlulukları yoktu. Oysa ben, daha ilk senelerinden itibaren kanlı olayların en ön saflarında bulmuştum kendimi. O kan denizi kâfi değilmiş gibi, insanların canlarını almak için gönüllü olmuştum. Dünyada ilahi adalet diye bir şey varsa, o kadar masum ölürken benim yaşamam zaten kabul edilemezdi.

Evet, işte böyle hazırlamıştım kendimi, bu sabah karşılaşabileceğim akıbetlerin en kötüsüne ama olmadı. Sağ salim çıktım Ferah Tiyatrosu'ndaki o meşum buluşmadan.

Evet, bu sabah tam dokuz buçukta geldi otomobil kapının önüne. Arabada bir şoför vardı, yanındaki koltukta o sfenks suratıyla Ruşeym oturuyordu, arkaya ise eski ittihatçı, yeni istihbaratçı Mehmed Esad yerleşmişti. Her zamanki gibi oldukça şık giyinmişti, tıraştan sonra sürdüğü esansın kokusu olduğu gibi arabanın içini doldurmuştu. Neşeli görünmeye çalışıyordu ama değildi. Büyük bir voli vurmaya hazırlanan bir düzenbazın hırsı içindeydi, fakat muvaffak olamama ihtimali bu hevesini gölgeliyordu. Yol boyunca yaptığımız sohbet derinleştikçe tedirginliği iyice su yüzüne çıkmaya başladı. Mesela, durduk yere, lafı Cezmi'nin ölümüne getirdi. Kimseden bir malumat almış mıydım? Yeni bir havadis var mıydı?

"Senin daha iyi bilmen icap etmez mi Mehmed?" diye adeta tersledim. "Takibatı sizinkiler yürütüyor. Onlara sorsan daha fazla malumat alırdın."

Eliyle dizime vurdu usulca.

"Dur sinirlenme yahu, onlara da sordum. Pek bir netice elde edememişler... Şu hırsızlık meselesi üzerinde duruyorlar...."

"Yoksa Fuad'dan mı şüpheleniyorsun?" diye kurcaladım.

"Fuad mı?"

Hayır, aklındaki bu değildi.

"Tabii, o da olabilir... Hatta belki, sonunda itiraf da eder... Neyse canım ama belki de eve giren hırsızlar öldürmüştür Cezmi'yi..."

O anda anladım kaygısının sebebini. Mesele Fuad değil, bendim. Cezmi, benimle görüştükten sonra öldürülmüştü, ya kendisinin de akıbeti aynı olursa diye endişeleniyordu... Sahiden de berbat bir istihbaratçı olurdu bu Mehmed'den. Çünkü bu türden tedirginliklere kapılmak için artık çok geçti. Bakışlarım ön koltukta hiç kıpırdamadan oturan Ruşeym'e kaydı. Elbette bu esrarlı adamını da aynı endişeyle almıştı yanına. Siyahi adamın üzerindeki uzun redingotu o anda fark ettim. Daha önce karşılaştığımızda bu giysi yoktu üzerinde. Taşıdığı silahı saklamak için sırtına geçirmiş olmalıydı. Ne diyebilirdim ki, son derece mantıklıydı. Mehmed'in üzerindeki siyah ceketin sol tarafındaki kabarıklık da gözümden kaçmamıştı, elbette o da silahıyla gelmişti buluşmaya.

Ferah Tiyatrosu'nun önünde indik otomobilden ama içeri nasıl gireceğimiz tam bir muammaydı. Kapının önünde, sıra sıra kalaslar, metal levhalar, balya balya halılar, takım taklavat, inşaat malzemeleri... Çaresizce etrafa bakınırken,

"Merhaba Şehsuvar Bey," diyen bir sesle irkildim. Başımı çevirince Çolak Cafer'in tuhaf bir parıltıyla bakan çakır gözleriyle karşılaştım.

"Buyurun." Başıyla yandaki dar sokağı gösterdi. "Buyurun, kulis kapısından girelim." Mehmed Esad'ı sadece başıyla selamlamakla yetinmişti. Sokağa girerken benimle konuşmayı sürdürdü. "Tadilata bir hafta ara verildi. Paris'ten gelecek perdeler bekleniyormuş." Bakışları bir an Mehmed'e kaydı. "Yani kimse sizi rahatsız etmeyecek."

"İyi," diye mırıldandım. "O patırtı gürültünün arasında sohbet etmek hiç hoş olmazdı."

"Fuad Bey geldi mi?"

Mehmed Esad'dı soran. Sesi, buyurgan, adeta kabaydı. Kendisini pek iplemeyen Cafer'e, asıl misafirin kendisi olduğu mesajını veriyordu.

Hiç alınmadı Cafer, sigaradan sararmış dişlerini göstererek gülümsedi.

"Evet efendim, içeride sizi bekliyor."

Kulis hercümerç içindeydi; her yana saçılmış koltuk parçaları, eski kumaşlar, rengârenk halatlar, envaiçeşit giysiler, kılıçlar, kalkanlar, tahtadan yapılmış bir at bile vardı. Neyse ki, bütün o dağınıklığın içinden, düşmeden, bir yerlere çarpmadan çıkmayı başardık. Evet, tıpkı geçen gelişimde olduğu gibi yine sahnedeydi Fuad. Vaziyet ciddi olmasa kahkahalarla gülebilirdim. Cemiyeti yeniden teşkilatlandırmak isteyen, suikastlar düzenlemekle uğraşan eski bir komitacı tiyatro aşkına karşı koyamıyor, en mühim buluşmaları bile sahnede ayarlıyordu. Ama bu kez ne başında siyah kukuletası vardı, ne de yanında iki arkadaşı... Etrafı dört iskemleyle çevrili, tahta bir masanın başında oturmuş, önündeki kâğıt tomarına bakıyordu. Ahşap zemindeki ayak seslerimizi duymuş olacak ki, başını kaldırdı, bizi görünce gülümseyerek doğruldu.

"Oo, merhaba, merhaba arkadaşlar..." Önce Mehmed Esad'a yöneldi. Elini sıktı. "Hoş geldin. Nasılsın bakalım görüşmeyeli?"

Mehmed'in gergin yüzü, aydınlık bir gülümsemeyle gevşedi.

"Demek hatırladın beni..."

"Niye hatırlamayayım? Kaç defa karşılaştık Cemiyetin Merkez-i Umumisi'nde. Hatta birkaç kez sohbet etmişliğimiz bile vardır..." Tepeden tırnağa şöyle bir süzdü karşısındaki adamı. "Fakat değişmişsin, hepimiz gibi sen de bir parça yaşlanmışsın..."

Tedirginliğinden kurtulan Mehmed'in dili de anında çözülüvermişti.

"Ama sen hiç değişmemişsin, seneler evvel gördüğüm o genç mülazımla aynısın."

"Sahi mi?" Kendine şöyle bir baktı. "Nasıl mümkün olabilir ki bu? Seneler dokunmadan mı geçti bize? Hiç örselemeden, hiç yaralamadan, hiç incitmeden..."

Sesindeki serzeniş, hissedilmeyecek gibi değildi ama arsızlığa vurdu Mehmed.

"Ee, biz eski tüfeğiz Fuad kardeş, kolay kolay yıkılmayız. Mayamız da, naturamız da sağlamdır. Hayat öyle kolay kolay teslim alamaz bizi."

Bitkin bir tavırla başımı salladım.

"Valla, kendi adına konuş Mehmed, ben epeyce yorgun hissediyorum kendimi. Hem bedenen, hem zihnen..." Mehmed'in suratı asılacak gibi olunca, derhal çark edip nabza göre şerbet vermeyi seçtim: "Ama sizin gibi dinç kalmış arkadaşları görmek, moral veriyor bana."

Kocaman bir kahkaha patlattı Fuad.

"Talat Paşa'nın yanında yetiştiğin nasıl da belli. Hem Mehmed'i hem beni kırmadın, hem de kendi vaziyetini gayet güzel izah ettin."

Ne demek istemişti şimdi bu? Alınganlık gösterecek halim yoktu ama artık hiçbir lafın altında da kalmak istemiyordum.

"Rahmetli sadece benim liderim değildi Fuad, ikinizin de çok iyi hatırlayacağı gibi hepimizin Büyük Efendisi'ydi."

Eski arkadaşımın öncekinden daha abartılı bir kahkahasıyla çınladı boş tiyatronun içi.

"Elbette hepimizin Büyük Efendisi'ydi. Bundan gocunan yok ki?" Soran bakışları Mehmed'in yüzünde durmuştu. "Hıı, var mı?"

Omuz silkti öteki.

"Yok canım, niye gocunalım? Hepimizin ortak tarihi, ortak mazisi... Talat Paşa da hepimizin reisiydi. Tabii Enver Paşa'yı saymazsak..."

"Cemal'i de unutma," diye hatırlattı Fuad. "Gerçi üçü de rahmetli oldu ya..." Masadaki boş iki iskemleyi gösterdi. "Ee, hadi ayakta dikilmeyin, geçin şöyle..."

Ben, eski arkadaşımın karşısına oturdum, Mehmed ise yanımdaki iskemleye yerleşti. Bakışlarım öteki iskemleye takılmıştı. Fuad'ın keskin gözlerinden kaçmadı.

"Onun sahibi Cafer ama daha sahneye çıkmasına çok var."

Sahi nereye gitmişti o, etrafa bakındım ama sırra kadem basmıştı bizim çolak.

"Öyle değil mi?" diye izahatını sürdürdü Fuad. "Burası bir tiyatro sahnesi olduğuna göre, her dekorun bir anlamı olmalı. Eğer masada dördüncü bir iskemle varsa, mutlaka birinin oturması içindir."

Benim gibi Mehmed de ne demek istediğini anlamamıştı, sanki karşımızdaki boş koltukların arasından biri çıkıp gelecekmiş gibi salona baktı.

"Henüz değil," diyerek alnını kırıştırdı Fuad. "Henüz değil. Hayatta olduğu gibi, tiyatroda da herkesin sahneye çıkacağı zaman bellidir."

Sesine tuhaf bir tını yerleştirmişti, tıpkı bir aktör gibi rol kesmeye başlamıştı ki, fena da oynamıyordu.

"Piyes icabı diyorum... Ne o, şaşırdınız mı? Evet burada bir oyun oynanıyor. Adı da..." Güya, unutmuş gibi önündeki kâğıda bir göz attı. "Evet, adı da, Hain Kim?" İkimizin de irkildiğini fark edince neşeyle fısıldadı. "Ama merak etmeyin sadece bir tiyatro gösterisi bu. Aramızda bir hain olması mümkün mü? Hayır, sadece heyecanlı bir piyes bu."

Oturduğum iskemlede huzursuzca kıpırdandım. İşin tadı kaçmaya başlamıştı. Göz ucuyla Mehmed'e baktım ama oldukça sakin görünüyordu.

"Bayılırım piyeslere," diye mırıldandı hatta. "Abdülhak Hamit üstadın *Finten* piyesini izleme fırsatını bulmuştum Tepebaşı Tiyatrosu'nda... Büyük mutluluktu benim için..."

Ben de kendimi sanatsever zannederdim, meğer ne cevherler varmış içimizde. Fuad'ın tiyatro tutkusunu biliyordum da, nobranın teki zannettiğim Mehmed Esad'ın sanata duyduğu bu alaka hayret vericiydi.

"Şimdi biraz sohbet etmemiz gerekiyor..." Çok eğleniyor olmalıydı Fuad; ışıl ışıl yanan mavi gözlerini bana çevirmişti. "Önce senden başlayalım azizim. Evet, şöyle sormam lüzum ediyor: Bugüne kadar nerelerdeydin Şehsuvar? Ne yaptın, kimlere hizmet ettin? Hadi anlat bize..."

İstediği role bürünebilirdi ama kedinin fareyle oynadığı gibi benimle dalga geçmesine müsaade edemezdim.

"Ne yapıyorsun Fuad? Maksadın ne, açıkça söylesene?"

İşaret parmağını usulca dudaklarına götürdü.

"Yapma Şehsuvar, sanatı ikimizden de daha iyi bilirsin. Sanat, doğrudan ifade etmez, ima yoluyla anlatır."

Hayır, asla geri adım atmayacaktım.

"Biz buraya piyes sahnelemeye gelmedik. Lütfen asıl mevzuya girelim artık..."

Gözlerini kısarak, yapmacık bir şüpheyle süzdü beni.

"Böyle yaparsan izleyiciler, içimizdeki hainin sen olduğunu düşünecek." Masanın üzerinden bana doğru eğildi. "Öyle misin yoksa?"

"Yeter ama böyle devam edersen kalkar giderim."

Mehmed sakin bir hareketle koluma dokundu.

"Hiçbir yere gitmiyorsun." Ardından gülümseyerek Fuad'a baktı. "Şehsuvar'ı hoş gör, rolüne henüz ısınamadı. İlk benden başlasan..."

Alıngan bir ifadeyle bir süre beni süzen Fuad,

"Tamam," diyerek gönüllü arkadaşımıza döndü. "Tamam, senle başlayalım. Söyle bakalım kuzum, harpte ne yaptın? Kimin komutasındaydın?"

Adeta göğsünü gererek cevapladı Mehmed:

"Süveyş'teydim... Harpte, Cemal Paşa'nın komutasında... Kanal Harekâtı'na katıldım. Hem ilkine hem ikincisine... Ne yazık ki ikisi de hezimetle sonuçlandı."

Önündeki kâğıda baktı Fuad.

"Sonra İstanbul'a dönmüşsün..." diye dalgın mırıldandı. "1916 senesinin Eylül ayında..."

Şaşırmıştı Mehmed ama oyunu sürdürdü.

"Evet," dedi küçük bir öksürükle boğazını temizleyerek. "İkinci harekâtta yaralanmıştım."

"Lakin iyileştikten sonra da cepheye geri dönmemişsin, payitahtta kalmışsın."

Fuad'ın, kendisi hakkında bu kadar malumat sahibi olması canını sıkmıştı.

"Çünkü artık harp edecek halde değildim." Sesi daha sert çıkıyordu. "Cephe gerisinde vazife aldım. Teşkilat-ı Mahsusa'da..."

Abartılı bir tepkiyle söylendi Fuad:

"Öyle mi? O zaman Şehsuvar'la da karşılaşmışsınızdır sık sık... Yoksa birlikte mi çalıştınız o zaman?"

Kati bir tavırla başımı salladım.

"Hayır, Mehmed'i en son 1914'te görmüştüm..."

Sıkılmış gibi oflayarak savunmaya geçti Mehmed.

"Teşkilat-ı Mahsusa'da herkes bilmezdi, bizimki daha mahrem bir gruptu..."

Anlaşılan artık o da bıkmaya başlamıştı bu tuhaf muhabbetten. Ama bizim sıkıntılı halimiz umurunda değildi Fuad'ın.

"Mahrem grup," diye tekrarladı sesine esrarengiz bir hava vererek. "İngilizce biliyor musun Mehmed?"

Hiç tereddüt etmedi öteki:

"Hayır, bir parça Fransızca biliyorum ama o kadar kötü konuşuyorum ki, ecnebi kadınları ayartmaya bile kâfi gelmiyor."

Mavi gözler tekrar bana kilitlendi.

"Ya sen aziz kardeşim, sen İngilizce konuşabiliyor musun?"

Onu cevaplamak yerine,

"Niye soruyorsun bunları?" dedim anlamaya çalışan bir tavırla. "Nereye varmak istiyorsun, açıkça sor söyleyeyim."

Ciddileşti, artık oyuna bir son verecek diye düşünmeye başlamıştım ki, şeytani bir gülümsemeyle,

"Sessiz John," diye fısıldadı. Suratına korkuyormuş gibi bir ifade yerleştirmişti. "Sessiz John'u duydun mu? Kendileri meşhur bir casustu. Daha doğrusu bir efsane. İşgal yıllarında diyorum. Elbette siz daha iyi bilirsiniz, çünkü neredeyse bütün tutuklamalarda onun adı geçiyordu, bütün baskınlarda onun gölgesi vardı. Ve hiçbir zaman yakalanamadı. Hakiki kimliği anlaşılamadı..." Sağ eliyle usulca masanın üzerine vurdu. "Bu kadar malumat kâfi. Şimdi sorumuza dönelim. Evet, Şehsuvar, söyle bakalım, İngilizce konuşabiliyor musun?"

"Evet, konuşabiliyorum, mükemmel olmasa da derdimi anlatabilirim. Malta'da geçirdiğim sürgün senelerinde öğrenmiştim... Ne var bunda?"

Ellerini havaya kaldırdı.

"Sakın yanlış anlama, seni suçlamıyorum ama İngilizler adına casusluk yapan birinin onların dilini konuşmasında büyük fayda var, değil mi?"

Benim yerime Mehmed onayladı:

"Elbette, başka türlü nasıl anlaşacaklar. Şifreli yazışmalar, raporlar, hatta buluşmalarda nasıl konuşacaklar?"

Buraya gelirken, ikisinden de fena halde şüphelendiğim eski dava arkadaşlarım birlik olmuş beni itham ediyorlardı. İtham etmek ne kelime, birazdan Sessiz John adındaki İngilizler adına çalışan melun ajanın ben olduğumu ilan ederlerse şaşmamak lazımdı. Başıma bir bela geleceğinden emindim ama bu kadar alçakçasını beklemiyordum doğrusu.

"Yeter artık," diye ayağa kalktım. "Daha fazla kaldıramayacağım bu saçma sapan oyunu."

Anında çekti silahını Fuad, namluyu yüzüme doğrulttu.

"Otur lütfen Şehsuvar. Piyesin akışını bozuyorsun."

Şaka mı yapıyordu, yoksa ciddi miydi belli olmuyordu. Nitekim silahının namlusunu indirdi. Yalvarırcasına mırıldanmaya başladı:

"Hadi ama Şehsuvar, birazcık eğleniyoruz şurada."

"La havle," diye homurdanarak çöktüm iskemleye.

Silahını önüne bırakmıştı,

"Niye panikledin anlamıyorum?" diye sitem etti. "Sana casus diyen mi oldu? Sadece bir soru sorduk. Öyle değil mi Mehmed? Kimseyi suçladık mı şu masada?"

Pişkin pişkin sırıttı öteki.

"Hayır canım, ne suçlaması altı üstü bir piyes..."

"Aynen öyle," dedi nüktedan bir tavırla Fuad. "Evet, şimdi şu boş koltuğun sahibini çağıracağız. Evet, dördüncü oyuncunun sahneye çıkma vakti." Başını çevirerek kulise doğru bağırdı. "Cafer, kuzum Cafer, hadi, seyirciler seni bekliyor."

Sağ kolundaki boşluğun verdiği hazin görüntüyle Çolak Cafer göründü sahnede. Cezmi meselesini mi konuşacağız diye geçirdim içimden. Yoksa o cinayeti de bana mı yıkacaklardı? Cafer biraz tedirgin görünüyordu, lüzumundan daha hızlı yaklaştı yanımıza.

"Sakin ol," diye yatıştırdı Fuad. "Çok heyecanlısın biliyorum ama kendini tutmayı öğren. Ve sakın rolünün dışına çıkma. Yoksa piyes berbat olur." Eliyle boş iskemleyi gösterdi. "Evet, yerine oturabilirsin."

Zavallı adam sessizce söyleneni yaptı, Mehmed Esad'ın tam karşısındaki iskemleye çöktü.

"Bennett'i hatırlar mısınız?" Kupkuru bir sesle sormuştu Fuad. "Yüzbaşı Godolphin Bennett... İşgal yıllarının İngiliz istihbarat yüzbaşısı." O rahatsız edici gülümseme belirdi yine yüzünde. "Captain mıydı yüzbaşının İngilizcesi Şehsuvar?"

Bıkkın bir sesle onayladım:

"Evet, evet Captain..."

"Tamam, kızma canım, altı üstü bir kelime sorduk. Evet, Captain Bennett başarılı bir zabitti ama İngilizlerin hep yaptığı gibi, aslında bir Doğulunun hakkını yiyordu. Çünkü bu casusluk faaliyetindeki hakiki muvaffakiyet bizden birine aitti. Evet, Sessiz John'dan bahsediyorum... O efsanevi adamın Captain Bennett'e yazdığı raporlar olmasa, İngiliz zabit hayatta bu işleri başaramazdı."

"Böyle bir adamın varlığına inanıyor musun gerçekten?" diye araya girdim. "Ne gören var ne bilen... Karakol Teşkilatı, bunun İngilizlerin bir uydurması olduğunu düşünüyordu."

"Muhteşem!" Eliyle beni göstererek adeta haykırdı. "İşte doğaçlama diye buna denir. Öyle değil mi Mehmed? Bak, iyi ki gitmesine müsaade etmemişiz Şehsuvar'ın." Cafer'e bakarak başını salladı. "Evet, burada sen giriyorsun devreye. Artık söyleyebilirsin repliğini."

Cafer sahneye ilk kez çıkan acemi bir aktör gibi ne yapacağını bilemedi... Fuad cesaretlendirmek istedi.

"E hadi, hiç zor değil... Bana anlattıklarını onlara da söyle. 1919'un Kasım ayında Kroker Otel'in bodrumunda yaşadıklarını. Hadi, çekinme anlat, çok sevecekler..."

"Evet," dedi Cafer yutkunarak, ardından gözlerini bana dikti. "Evet, anlatayım... Beni yakalamışlardı... Poyrazköy yakınlarındaki bir kayıkhanede... Hiç beklemediğimiz bir anda... Gecenin bir vakti, İngilizlerle birlikte Osmanlı polisi sarmıştı etrafımızı... Silah sevk ediyorduk İnebolu'ya... Daha önceki üç sevkiyat başarılı olmuştu. Ama sonuncusunda..."

Dayanamayıp yine sözü aldı Fuad:

"Sonuncusunda baskın yediler. Çatışmada altı arkadaşı öldürülmüş, Cafer'i de sorgulamak için Kroker Otel'e götürmüşler. Öyle mi?"

Çakır gözleri öfkeyle parıldadı.

"Öyle Fuad Bey. O işkence merkezine götürdüler." Sesi artık daha cesur çıkıyordu. "İsim istiyorlardı, adres istiyorlardı. Karakol Teşkilatı'nı kim idare ediyor, nereden idare ediyor, hepsini öğrenmek istiyorlardı. Söylemeyince dövdüler, bayılana kadar dövdüler. Bayılınca su döküp ayılttılar, yine dövdüler. Yüzüm gözüm kan içinde kalmıştı. Değil arkadaşlarım, annem mezarından çıkıp gelse tanıyamazdı beni... Kaba dayaktan netice alamayacaklarını anlayınca, sağ elimden tavana astılar. Evet, tek elimden... Saatlerce öyle asılı kaldım. Beni orada unutmuşlardı. Askıdan indirdiklerinde kolum tutmuyordu. Tekrar sorguladılar, yine konuşmadım. Bir daha askıya astılar, aynı kolumdan. Geceler gündüzlere karışmıştı, ne kadar saat geçti bilmiyorum. Bir süre sonra kendimi kaybetmiştim. Sonra sesler duydum... Bodrumun soğuk duvarlarında yankılanan sesler... 'Adamın kolu kötü,' diyordu biri. 'Doktora gitmezse, kangren olur.' Evet, Türkçe konuşuyorlardı. Benim baygın olduğumu zannettiklerinden hiç sakınmıyorlardı. Ama birden sustular, iki kişi girmişti içeriye, gözümü aralayıp baktım. Biri o İngiliz zabitti, öteki ise bir Türk... Canım çok yanıyordu ama tilki uykusuna devam ettim... Beni şaşırtan İngiliz zabitin de Türkçe konuşuyor olmasıydı. Fakat bundan daha mühimi, yanındaki kişiye John diye hitap etmesiydi."

"Sessiz John mu?" diye üstüne bastı Fuad. "Duydun mu, Sessiz John mu diyordu?"

"Yok, John, sadece John..."

Üçümüz de pürdikkat Cafer'i dinliyorduk.

"Peki adamın suratını görebildin mi bari?" diye üsteledi Fuad. "Neye benziyordu?"

Cafer bakışlarını Mehmed Esad'a çeviriyordu ki, o anda patladı silah, zavallı adam göğsünü tutarak masanın üzerine yığılıverdi.

"At o silahı elinden." Bakışlarım kendiliğinden Mehmed Esad'a çevrildi. Namlusundan duman tüten tabancasını eski arkadaşıma doğrultmuştu. "Bir aptallık yapma Fuad." Gafil avlanan eski arkadaşımın mavi gözlerinde derin bir pişmanlık okunuyordu ama Luger tabancasını almayı başarmıştı.

"At o silahı diyorum sana..." diye bir kez daha bağırdı Mehmed.

Elinde silahıyla öylece kalan Fuad tereddüt ediyordu. Daha fazla bekleyemezdim, bütün dikkatini silaha yoğunlaştırmasını fırsat bilip, atıldım Mehmed'in üzerine. Ama sinsi adam benden erken davranmış, anında basmıştı tetiğe. Aynı anda iki silah birden patladı ama bir tek ah sesi duyuldu. Hayır, vurulan Mehmed değil, Fuad'dı. Eski arkadaşımın oturduğu iskemleyle birlikte geriye savrulduğunu görünce, bütün gücümle ittim Mehmed'i. Böylece biz de düştük yere. Tekrar ateş etmemesi için, iki elimle bileğinden yakalamıştım, düştüğümüz yerde cebelleşmeye başladık. Zannettiğimden çok daha kuvvetliydi hasmım. Ne ben elinden silahı alabiliyordum ne de o beni alt edebiliyordu. Tiyatronun tozlu sahnesinde debelenip duruyorduk, ta ki, enseme sert bir cisim dürtülünceye kadar. Sevinçle sırıttı Mehmed.

"Ruşeym, nihayet gelebildin."

Evet, elinde Fuad'ın Luger tabancasıyla hemen arkamızda dikiliyordu siyahi adam. Artık direnmenin manası yoktu. Bıraktım Mehmed'in bileğini... İkimiz de doğrulduk. Anlamak isteyen bir ifade belirdi Mehmed'in toza bulanmış suratında.

"Neden? Neden bana saldırdın Şehsuvar?"

Sorusuna karşılık vermek yerine,

"Sen neden Cafer'i vurdun?" diye tersledim.

Cevap yerde inlemekte olan Fuad'dan geldi:

"Anlamadın mı hâlâ, Sessiz John kendisi olduğu için..."

Sağ omzundan vurulmuştu, muhtemelen ölümcül bir yara değildi ama kötü kanıyordu.

"Maalesef doğru," dedi Mehmed yumuşak bir sesle. "Sessiz John bendim. Evet, Yüzbaşı Bennett takmıştı bu lakabı bana. Vaftizci Yahya'dan ilham alarak. Sen bilirsin Şehsuvar, İngilizler Vaftizci Yahya'ya, Vaftizci John diyorlar... Ama yukarıda Allah var, İngilizleri hiçbir zaman sevmedim. Herkes bir tarafı tutuyordu, ben de kendi tarafımı tuttum. Evet, cemiyetten de sizden de çoktan ümit kesmiştim, ki yanılmadığım da ortada. Ben de artık kendi çıkarıma çalışmaya karar verdim. Süveyş'te ölebilirdim, orada vurulan binlerce askerden biri de bendim. Tümüyle şans eseri kurtuldum. Kaldırıldığım hastanede gözlerimi açtığımda, işte o zaman kendi kendime bir söz verdim. Artık hiçbir teşkilat, hiçbir ideal için canımı tehlikeye atmayacaktım. Casus olmak için şahsi bir gayretim de olmadı, Captain Bennett'le tesadüfen karşılaştık. İlginç bir adamdı, Doğu kültürüne meraklıydı. Böyle başlayan muhabbettimiz, gitgide kârlı bir iş birliğine dönüştü... Hiç öyle nefretle bakmayın bana. Siz, benden daha iyi değilsiniz. Ne kadar suçlarsanız suçlayın, ne kadar ayıplarsanız ayıplayın, şu hakikati değiştiremezsiniz: Hepimiz katiliz. Evet, yaşadıklarımız hepimizi birer katile çevirdi..."

Küçümseyen bir ifadeyle baktı Fuad'a.

"Senin gibi akılsızlar da hâlâ cemiyetin artık paramparça olmuş sancağını dik tutmaya çalışıyor. O iş bitti. Eski ittihatçıların devri bir daha hiç gelmemek üzere kapandı, şimdi yeni ittihatçıların devri. Evet, Talat, Enver ve Cemal öldü ama fikirleri yeni cumhuriyette sürüyor..." Omuz silkti. "Sürsün, umurumda değil, ben aldığım paraya bakarım..." Adeta mahcup bir ifade belirmişti yüzünde. "Evet, sana yalan söyledim Şehsuvar, bunun için kusura bakma. Ben, cumhuriyet için filan çalışmıyorum, aksine hükümeti sarsacak etkili bir suikast hazırlamanın peşindeyim. Elbette seni öldürmek istemezdim, çünkü Selanik'te hayatımı kurtarmış olmanı unutmuş değilim ama takdir edersin ki bu vaziyette başka çarem yok. Üstelik bunun sorumlusu da ben değilim."

Elindeki silahın namlusunu Fuad'a çevirdi.

"Hâlâ o ittihatçı çeteye sadık kalmaya çalışan bu salak. Evet, Fuad kardeş, eğer işi berbat etmeseydin, hep birlikte Mustafa Kemal'i tarih sahnesinden silebilirdik. O beceriksiz ittihatçıların İzmir'de yapamadığını, önümüzdeki sene İstanbul'da yapabilirdik. Bu maksatla buluşmak istiyordum zaten sizinle, bu maksadı hakikat kılmak için topluyordum eski ittihatçı kadroları. Fakat bunu artık sizsiz yapmak mecburiyetindeyim..."

"Benim ittihatçı olduğumu nereden çıkardın?" Sol kolunun üzerinde sürünerek Mehmed'e yaklaşmıştı Fuad. Meydan okurcasına tekrarladı. "Kim söyledi sana ittihatçı olduğu mu?"

Kendisini vuran adamı etkilemeyi başarmıştı.

"Değil misin? Ne için buluştun o zaman benimle?"

Çektiği acıya aldırmadan soğuk soğuk gülümsedi Fuad.

"Önümüzdeki sene, Reisicumhur'umuza düzenleyeceğin suikasta mani olmak için."

Gözlerini açtı kapadı Mehmed.

"Neler saçmalıyorsun Fuad, senin o dangalakça piyesin sona erdi. Artık benim oyunum başladı."

Dudaklarında alaycı bir ifade belirdi eski arkadaşımın.

"Hiç sanmıyorum Mehmed, hâlâ benim piyesim devam ediyor. Ama bu oyunun baş aktörü ne sensin ne de ben." Mavi gözlerini bana çevirdi. "Evet, o. İkimizin de sevgili arkadaşı Şehsuvar. Üstelik senin sahnen burada bitiyor. Matrak olan şu ki, senin sahnedeki rolün bitince, hayattaki rolün de bitecek." Başını usulca çevirip, elinde hâlâ Luger'i tutan Mısırlı'ya seslendi: "Vur şunu Ruşeym."

Daha biz ne olduğunu anlayamadan, ardı ardına üç kez bastı tetiğe Ruşeym. Mehmed kıpırdamaya fırsat bulamadı. Suratında büyük bir hayretle boş bir torba gibi yıkıldı Ruşeym'in önüne. Ağzını açtı, birkaç kelime söyledi ama ne dediğini anlayamadık, ardından kıpkırmızı kan boşandı tahta zemine. Ben de en az Mehmed kadar şaşkındım, ne yapacağımı bilemeden öylece dikiliyordum.

"Durmayın öyle alık alık," diye bağıran Fuad'ın ikazıyla kendime geldim. "Hadi, bizi hastaneye yetiştirin."

Öyle de yaptık ama benimle birlikte yaralıları arabaya taşıyan Ruşeym'e hep şüpheyle baktım. Fuad'ın hükümet için çalıştığını anlamıştım, Mehmed'in "Sessiz John" olduğunu elbette bilmiyordum ama bana yalan söylediğinden emindim. Fakat Ruşeym kelimenin tam manasıyla bir sürpriz olmuştu benim için. Cerrahpaşa Hastanesi'nde ameliyathaneden çıkan doktordan, yaralıların her ikisinin de yaşayacağı haberini alıncaya kadar da uzak durdum ondan. Müjdeyi alınca, Ruşeym geldi yanıma. Hararetle sıktı elimi. Ben o kadar sıcak davranamadım ona. Kimin hesabına çalışırsa çalışsın hainleri sevmezdim. Ama kendini saklama kabiliyetine hayran kalmadım desem yalan olur. Demek bir heykel kadar sessiz olan bu adam cumhuriyetin istihbarat teşkilatında vazife yapıyormuş.

Bu arada istihbarat teşkilatının üyeleri de, hastaneye doluşmuşlardı. Hatta daha önce beni takip edenlerden, hani şu kahverengi kasketli, siyah deri ceketli olanı, koluma girip, "Sen benim yanımda kal," diye bir tutuklama hamlesinde bile bulunmuştu. Ama kendine gelen Fuad'ın direktifiyle olacak, sonunda gitmeme izin verdiler. Böylece otelime dönebildim, böylece tekrar sana yazabilme fırsatına kavuştum...

Ah, Esterciğim, elbette sana söylemek istediklerim henüz sona ermedi, elbette bu son mektubum olmayacak ama artık gözlerimi açık tutmakta zorlanıyorum, takatim tükeniyor... Yatağa gitmem lazım... Bu gecelik bu kadar...

"Seni kaybettiğim anda vatanımı da yitirmeye başlamışım."

※

Merhaba Ester, (16. Gün, Akşam)

Evet, merhaba diye başlıyorum, oysa bu sana son mektubum, son seslenişim. Hayır, artık bir cevap da beklemiyorum, hayatına tesir etmek de istemiyorum. Sadece beni anlamanı umuyorum. Evet, bu kâğıtların üzerine son satırı yazdıktan, son noktayı koyduktan sonra sana bir daha mektup yollamayacağım. Fakat, asla hoşça kal da demeyeceğim. Hoşça kal sevinç, hoşça kal mutluluk, hatta hoşça kal umut diyebilirim ama asla hoşça kal Ester sözcükleri dökülmeyecek kalemimden. Yeniden kavuşma ihtimalimiz olduğu için değil, bu yarıda kalmış aşkı, bu hiç bitmeyecek hasreti, bu derin ızdırabı yorgun bedenimle birlikte toprağa götüreceğim için. Evet, artık eminim, bir daha bu masanın başına oturmayacağım; kâfi miktarda yazdım, kâfi miktarda anlattım, kâfi miktarda içimi döktüm sana. Artık söyleyeceğim her kelime, yazacağım her söz, hayatı kıymetsizleştirecek, yaşananları sıradan hale getirecek, sana duyduğum hasretin kutsiyetini bozacak. Neyse, "Romancının şairaneliği berbat bir haldir," demişti meşhur tenkitçilerimizden biri. Ben de sadede geleyim artık...

Bu sabah ağrılar içinde açtım gözümü. Dün Ferah Tiyatrosu'nda, Mehmed Esad'la giriştiğimiz arbedenin eseri. Banyodaki aynada bedenime baktım, her yanım çürük içinde. Eh delikanlı değiliz artık, kavga edecek vaktimiz çoktan geçti. Ama kafamda o kadar çok soru vardı ki, giyinip, aceleyle çıktım Pera Palas'tan... Evet, Cerrahpaşa'ya gidiyordum, evet, hastaneye... Artık en küçük bir itimadım kalmayan, sevgili arkadaşım Fuad'ı görmeye.

Sol omzu sargılar içinde olmasına rağmen, Fuad neşe içinde karşıladı beni. En küçük bir suçluluk hissi yoktu yorgun yüzünde. Ne suçluluk, ne mahcubiyet...

"Oo Şehsuvar, erkencisin," diyerek takıldı hatta. "Geleceğinden emindim ama bu kadar çabuk beklemiyordum doğrusu."

Hâlâ yatağının başında oturan, muhtemelen de geceyi yanında geçiren, şu siyah deri ceketli hafiyeye döndü.

"Hadi sen kapının önüne çık, biraz dışarıda bekle Yasin."

Derhal toparlandı Yasin, çıkmadan önce başını usulca eğerek beni selamlamayı da ihmal etmedi. Boşalan iskemleyi gösterdi Fuad.

"Gel Şehsuvar, gel, şöyle otur."

İsteğini yerine getirdim. Ağzımı açmama bile fırsat vermeden sordu:

"Ne zaman anladın? Benim Milli Emniyet mensubu olduğumu diyorum, ne zaman bunun farkına vardın?"

Kendince öfkemi söndürmek istiyordu ama yanılıyordu, ona kızmamıştım. Aslına bakarsan epeydir bu hissi unutmuştum. O sebepten sakince cevapladım:

"Beni kaçırdığınız gece kuşkulanmıştım ilk. Ferah Tiyatrosu'nun sahnesindeki o kepazelik sırasında... Kendini hâlâ ittihatçı hisseden hiç kimse, bizim için kutsal sayılan o yemin törenini bir parodiye çevirmezdi. Ama senin tiyatro tutkunu bildiğim için, böyle bir densizlik yapabileceğin ihtimali kafamı karıştırmıştı."

Sessizce güldü Fuad.

"Evet, o nedenle emin olamadım. Çolak Cafer'in elinde Cezmi Kenan'ın tabakasını görünce kuşkularım iyice arttı."

Solgun yüzü buruştu.

"Ah Cafer, ah!" diye söylendi. "Aptal herif, demek almış tabakayı..." Bakışlarını kaçırdı, ilk kez utanıyordu. "Cezmi Kenan'ı öldürmek niyetinde değildik. Araştırma yapacaktık sadece. Çolak Cafer evde bir cephane olduğunu söylüyordu.

Silahların yerini öğrenmek istiyorduk. Ama Cezmi Kenan üstüne geldi. Dahası silahına davrandı... Bilirsin Cezmi Binbaşı'yı, biz onu öldürmeseydik, o bizi öldürecekti."

Kendi kendime o kadar sık söylemiştim ki bu yalanı, artık böylesi bir gerekçeye inanmam mümkün değildi. Ama Fuad'la tartışacak, onu itham edecek halim de yoktu. Hem etsem ne olacaktı?

"Orasını bilmiyorum Fuad. Binbaşı Cezmi'nin öldürülmesine çok üzüldüm tabii. Böyle kalleşçe bir ölümü hak etmiyordu. Keşke cephede harp ederken ölseydi. Daha fazla bir şey söylemek istemiyorum. Bu cinayet, seninle vicdanın arasında kalmış bir meseledir. Neyse, sorduğun soruya dönecek olursak, senin Milli Emniyet'e çalıştığından emin olduğum an, Pera Palas'a gelip, o taş plağı bana armağan ettiğin andı."

Gölgelenen mavi gözleri yeniden ışıdı.

"Şu opera..."

"*Tosca* operası... Ama daha mühimi o plağı verdikten sonra söylediklerindi. 'Operanın konusunu okudum. Aşk hikâyesi diyorlar ama bence bu bir arkadaşlık hikâyesi... Arkadaşını hükümete teslim etmemek için ölümü göze alan bir adamın hikâyesi.' Evet, işte o sözü söylediğin zaman anladım, senin İttihat ve Terakki için değil, devlet adına çalıştığını." Durdum, eski yoldaşımın yüzüne baktım. "Hayatımı kurtardığını biliyorum. Eğer Milli Emniyet'te olmasaydın, çoktan zindanı boylamış olurdum, belki de darağacını. Ama itiraf etmem gerekirse, bunun için sana minnet duymuyorum. Çünkü artık hayatın pek de bir kıymeti yok benim için..."

Alaycı bir ifade belirdi yüzünde.

"O halde niye geldin? Neden benimle konuşuyorsun?"

"Seni merak ettim. Ne de olsa eski arkadaşımsın..."

İnanmayan gözlerle süzüyordu beni.

"Tamam, bazı soruların cevaplarını öğrenmek istedim..."

Ha şöyle, dürüst olalım der gibi baktı.

"Neymiş o sorular?"

"İttihatçılıktan, Kuvvacılığa nasıl geçtin? Evvela bunu öğrenmek istiyorum. Çünkü Basra'ya harbe giderken, kafanda kuşkular olsa da hâlâ Teşkilat-ı Mahsusa'nın üyesiydin."

Yatakta doğrulmaya çalıştı, beceremedi.

"Yardım etsene," diye beni yanına çağırdı. "Evet, şu yastığı sırtıma koyarsan iyi olacak. Tamam, şimdi de biraz kaldır beni. Dikkat, dikkat, hâlâ ağrıyor omzum..."

Fuad'ı kaldırdıktan sonra yerime geçtim.

"Teşekkür ederim," dedi yaralı arkadaşım. "Şimdi merakını giderelim senin. Evet, Süleyman Askeri öldükten sonra Halil Paşa'nın Bağdat'taki birliklerine katıldım. Ne yazık ki bir süre sonra Bağdat da İngilizlerin eline geçecekti. Biz de 7. Ordu'yla birleşmek için Halep'e çekildik. Orada Mustafa Kemal Paşa ile karşılaştım. Salih Fansa'nın köşkünde kalıyordu. Vazifesinden istifa etmişti; hepimiz gibi üzgündü, öfkeliydi, çaresizdi. Sarılıktan yeni kurtulduğu için oldukça da halsizdi. Ama benim gibi bir grup zabitin isteğini kırmayarak, bizimle sohbet etti. Trablusgarp'ta karşılaştığımız o günden hatırlıyordu beni. Hatta seni de sordu. 'Basri Bey'in yanında genç bir adam daha vardı. Hani sivil olan, o arkadaşınız ne yapıyor?' diye. İşte Halep'teki o köşkte filizlenen ahbaplığımız, Kurtuluş Harbi'nin başlamasıyla, hakiki bir silah arkadaşlığına dönüştü. Evet, Milli Müdafaa Hareketi'ne katıldım. Yunanlarla yapılan muharebelerde bulundum, Büyük Taarruz'da ön saflardaydım... İzmir'e giren ilk Türk birliklerinin arasında ben de vardım. Cumhuriyetin ilan edilişinin akabinde de İstanbul'da bu mühim vazife tevdi edildi bana. Şüphesiz ki bu tercihi yapmalarında uzun yıllar Teşkilat-ı Mahsusa'da çalışmamın etkisi olmuştu."

Alıngan bir ifade takınarak sordum:

"Yani beni takip ettiren sendin?"

Masumca boynunu büktü.

"Başka çarem var mıydı? Yıllardır görüşmemiştik, ne düşündüğünü bilmem imkânsızdı. Üstelik ittihatçılar gizliden gizliye teşkilatlanıyorlardı. Büyük ekseriyetinin Gazi Paşa'dan hazzetmediğini biliyorduk. Ne hazzetmesi, ellerinden gelse bir an bile yaşamasına izin vermezlerdi. Nitekim İzmir Suikastı'nda bu alçakça niyetlerini açıkça gösterdiler."

"Yapma Fuad," diye kestim sözünü. "Öyle bir suikast olmadı, sadece teşebbüs safhasında kaldı. Ama sizi tebrik etmek gerekir doğrusu, bu aptalca teşebbüsten çok iyi faydalandınız. Evet, başarılı bir istihbarat operasyonuydu."

İtiraz etmeye hazırlanıyordu ki, onu dinlemedim.

"Hayır, hayır, tenkit etmiyorum. İktidar mücadelesinin tabiatında var bu. Ama ben İzmir Suikastı teşebbüsünün hiçbir safhasında yer almadım. Tıpkı darağacında öldürdüğünüz birçok ittihatçı gibi..."

Suçlu bir çocuk gibi başını salladı.

"Senin o işe bulaşmadığını biliyoruz Şehsuvar..."

İşte bunu duyunca patladım:

"O zaman, ne diye beni takip ettiniz?"

Aniden öksürmeye başladı, ardı ardına kesik kesik öksürdü. Eliyle yandaki sehpanın üzerinde duran sürahiyi gösterdi.

"Su, su yetiştir."

Bir bardak doldurup uzattım. Telaşla içti, derin derin nefes aldıktan sonra,

"Yaradan değil, sigaradan," diye izah etti. "Bırakamadım gitti şu mereti."

Bardağı elinden alıp, sehpanın üzerine koydum.

"Seni takip etmemizin nedeni, seni tanımak içindi. Evet, cumhuriyet hükümetine karşı bir teşkilatlanmanın içinde olacağını zannetmiyorduk. Gerek Malta'daki sürgün günlerinde, gerek İstanbul'a dönüşünden sonraki davranışların hakkında epeyce malumatımız vardı. Bizzat Kâzım Karabekir Paşa'nın teklifine rağmen Terakkiperver Cumhuriyet Fırkası'na üye olmadığını biliyoruz. O çok sevdiğin Doktor Adnan Bey'in ısrarlarına kulak asmadın. Kara Kemal'le temkinli bir münasebet sürdürdün..."

Hayretler içinde dinliyordum eski arkadaşımın sözlerini.

"Peki o halde, neden bırakmadınız peşimi?"

Mavi gözlerini iri iri açtı.

"Hâlâ anlamadın mı? Seni teşkilatımıza almak istiyorduk. Evet, Milli Emniyet'e. Eski günlerdeki gibi birlikte çalışacaktık. O sebepten sınadık, tecrübe ettik..."

"Nasıl yani? Bütün bu olanlar, bir nevi imtihan mıydı?"

Büyük bir güvenle mırıldandı:

"Aynen öyleydi. Mehmed Esad denen o alçağı çoktan beri biliyorduk. Tutuklamıyorduk, çünkü yurtdışı münasebetlerini tespit etmeye çalışıyorduk. Evet, parayı kim verirse, onların hesabına çalışan ucuz bir ajan haline gelmişti Mehmed Esad. Muhtemelen İngilizlerin parasıyla idare edilen Beyrut'taki bir avukatlık bürosundan alıyordu maaşını. Güya önümüzdeki sene, İstanbul'a geldiğinde Mustafa Kemal Paşa'ya suikast düzenleyecekti. Seninle irtibat kurmasının sebebi de buydu. Eski ittihatçıları bulup ona getirmen için. Ama, Mehmed Esad avucumuzun içindeydi; nefes alışına kadar her hareketini, her davranışını takip ediyorduk..."

O sessiz, esmer adam canlandı gözümde.

"Rüşeym?" diye sordum. "Onu nasıl devşirdiniz?"

"Kendisi geldi. Evet, iki yıl önce bize başvurdu. Hayır, Mehmed Esad kötü davrandığı için değil. İngilizler, Arap halkına ihanet ettiği için. Biliyorsun, Arap milliyetçilerini bize karşı kışkırtırken, bağımsız bir devlet sözü vermişti İngilizler. Ama Osmanlı çekilince, bu vaatlerini unuttular... Rüşeym'in neden konuşamadığını biliyor musun? Çünkü İngilizler dilini kesmişlerdi. Mehmed Esad'ın İngilizler adına casusluk yapmasını daha fazla içine sindirememişti bu şerefli adam..." Sustu, muzip bir ifade geçti yüzünden. "Kabul et, Rüşeym iyi hamleydi."

Takdir eden bir bakış attım.

"Kesinlikle, çok iyi hamleydi." Bir an sustum. "Aslına bakarsan, hepsi çok iyi düşünülmüş, çok zekice bir plandı. Ama hiçbir işe yaramayacak."

Sözlerimin anlamını kavraması için yine sustum.

"Ne?" diye çıkıştı. "Ne demek hiçbir işe yaramayacak."

"Çünkü artık ben bu işlerde yokum Fuad. Bıktım, usandım, bezdim... Kötü bir haletiruhiye içindeyim. Yapamam Fuad. Sana söz versem bile yapamam. Yaparım diye kendimi kandırsam bile yapamam. Kabiliyetimi kaybettim. İhtiyarlamaktan bahsetmiyorum, hevesimi kaybetmekten söz ediyorum. Belki benim için kefil oldun, belki bana haddinden fazla kıymet verdin ama yanıldın aziz dostum, ben artık o senin tanıdığın eski Şehsuvar Sami değilim. Ben ruhu yorgun, bedeni yorgun, bozguna uğramış, iflah olmaz bir adamım artık. Teklif ettiğin vazifeyi yapamam..."

Öylece kalakalmıştı Fuad. Ciddi miydim, yoksa bir tür oyun mu oynuyordum kestirmeye çalışıyordu. Sonunda inandı ciddi olduğuma ama yine ikna olmadı.

"Sen hep böyle söylersin... Teşkilat-ı Mahsusa'da da böyleydin. Buhran geçirir, tereddüde düşer ama sonunda hep dönerdin aramıza. Yine öyle olacak... Tamam, şimdi git, biraz düşün, kendine gel. Ama bak göreceksin, yine döneceksin aramıza... Seni iyi tanıyorum Şehsuvar. Evet, yıllarca görmedim ama çok iyi tanıyorum. Sen bu tehlikeli mesleğin tadını aldın. Entrikanın, heyecanın lezzetine vardın. Daha da mühimi, iktidarın bir parçası olmayı sevdin. Evet, bunları biliyorum, çünkü ben de senin gibiyim..."

"Kusura bakma," diye doğruldum. "Artık senin gibi değilim. Hoşça kal Fuad, sana muvaffakiyetler dilerim."

Arkamdan seslendi:

"Dur, daha konuşmamız bitmedi."

Umursamadan kapıya yürüdüm.

"Dur, şu mektuplarını al hiç değilse..."

Öylece kaldım odanın ortasında. Tabii ya, bunu nasıl akıl edememiştim? Sana yolladığım her mektuba el koymuşlardı. Hışımla geriye döndüm. Af bekleyen bir çocuk gibi yatağında büzülmüştü.

"Sadece ben okudum, başka kimseye göstermedim. Sadece ben... Hem sana söylemesem ruhun bile duymazdı. Mektupları okuduktan sonra Ester'e yollardım. Ama bilmeni istedim..."

Hayır, mazeretlerini duymak istemiyordum.

"Nerde mektuplarım? Nerde onlar?" diye bağırdım.

Sesim o kadar gür çıkmıştı ki, kapının önündeki Yasin, eli belinde hızla içeri daldı.

"Tamam, tamam Yasin," diye durdurdu adamını Fuad. "Asayiş berkemal..." Şaşkın şaşkın yüzümüze bakan Yasin daha ne olup bittiğini anlamadan sordu arkadaşım: "Suavi buralarda mı?"

"Evet, efendim, bakkala indi." Çekingen bir bakış attı bana. "Sigara istemiştiniz ya."

"İyi, birazdan burada olur yani. Şimdi sen, Şehsuvar Bey'le müdüriyete git, benim dolabı aç. Orada sarı bir kutunun içinde mektuplar var. Kutuyu Şehsuvar Bey'e ver. Anladın mı? Kutuyu diyorum olduğu gibi..."

Fuad'ı o hastane odasında bırakıp Yasin'le çıktık dışarı. Elimizle koymuş gibi bulduk sarı kutuyu. Hemen açıp, içine baktım. Evet, on beş gündür yazdıklarımın hepsi oradaydı...

Sonra otele geldim işte... Sarı kutuyu açtım, mektupları masanın üzerine yaydım. Sahi ne yapacaktım şimdi ben bunları? Ne yapacaktım elbette postaya verecektim. İyi de neden? Sen Paris'te bir hayat kurmuştun kendine. Kafanı karıştırmanın, mutluluğunu bozmanın ne manası vardı? Ama öte yandan bunları bilmek senin hakkındı. Sana mutsuzluk getirse bile benim düşündüklerimi, hissettiklerimi öğrenmeliydin... Yine de hemen karar veremedim ne yapacağıma. Mektupları toplayıp, sarı kutuya doldurdum. Ve işte yeniden yazmaya başladım sana.

Evet, son mektubumun son satırları bunlar... Belki sen de merak ediyorsundur eski arkadaşımın bana teklif ettiği bu cazip vazifeyi kabul edip etmeyeceğimi. Belki sen de Fuad gibi düşünüyorsundur. Yapmam, kabul etmem dememe rağmen bir süre sonra geri döneceğimi zannediyorsundur. Böyle düşündüğün için seni suçlayamam. Çünkü mazide pek çok kez bu tutarsızlığı gösterdim. Ama bu defa farklı. Bu defa geri dönüş yok. Evet, mazide bütün o kirli, kanlı, karanlık işleri yapmamı mazur gösterecek bir sebebim vardı. Artık yok. Ne bir ideal, ne bir hayal ne de bir vatan... Evet, sıhhatim yerinde olmasına rağmen ağır ağır öldüğümü hissediyorum... İlk mektubumu yazarken şöyle demiştim: Ölüm, şehirlerimizi kaybetmeyle başlar, vatanımızı kaybetmekle neticelenir... Sahi neydi vatan? Bir toprak parçası mı, uçsuz bucaksız denizler, derin göller, yalçın dağlar, verimli ovalar, yemyeşil ormanlar, kalabalık şehirler, tenha köyler mi? Şimdi farkına varıyorum ki, benim için bir tek vatan varmış, o da sensin... Seni kaybettiğim anda vatanımı da yitirmeye başlamışım. Evet, ağır ağır ölüyorum... Annemi, arkadaşlarımı kucaklayan toprak beni de çağırıyor. Evet, hissediyorum... Diyeceksin ki belki Fuad'ın teklifini kabul etsen, yeniden duyarsın yaşama hevesini, hayata tekrar başlama şansın olur... Hayır, bunu katiyen yapmayacağım; çünkü yaşadığım o yirmi yıllık fırtınalı hayat bana şu hakikati öğretti: "Devletin derinlikleri, toprağın derinliklerinden daha karanlıktır."

ELVEDA GÜZEL VATANIM

Tarihî romanlara duyulan alaka artıyor. İttihat ve Terakki Cemiyeti'nin son yirmi yılını anlatan yeni bir roman kitapçı raflarını süslüyor. 1926 yılının 2 Kasım gecesi şakağına bir kurşun sıkarak intihar eden eski İttihat ve Terakki idarecilerinden Şehsuvar Sami Bey'in yazdığı "Elveda Güzel Vatanım" nihayet Yeni Asır Yayınevi'nce neşredildi. İlk olarak 1931 yılında Paris'te Gallimard Yayınevi'nden Fransızca olarak piyasaya sürülen romanın önsözünde, ünlü Fransız şair Ester Dauphin şöyle yazmıştı:

"Hepimiz öleceğiz, herkes ölür. Bazen rüzgârda savurulacak hatıralar kalır geriye, bazen de unutulmaz eserler. Elinizdeki bu roman, bir zamanlar çok sevdiğim bir adam tarafından kaleme alındı. Delice bir aşka, görkemli bir ideale, kaybedilmiş bir vatana adanmış, fırtınalı bir hayattı onunkisi. Doğru muydu bilmiyorum ama büyük bir samimiyetle yaşanmıştı. İşte o hayattan sadece bu satırlar kaldı geriye... Tortusu genzi yakan bir roman..."

ELVEDA GÜZEL VATANIM

ULUS

1. İLKTEŞRİN 1935 SALI

Hafta'da yağmur yüzünden şiddetli seller olmuş, evler yıkılmış, birkaç kişi boğulmuştur. — Girensun'daki fırtına da epiy zarar vermiş, birkaç kişi bu yüzden ölmüştür.

ON ALTINCI YIL. No: 5094   Adımız andımızdır   Her yerde 5 kuruş

Negüs seferberlik emrinin neşrini geciktirdi

Habeşistan 750 bin asker çıkarıyor

Akdenizde yapılabilecek hareketler hakkında fransızlarla ingilizler arasında önemli konuşmalar oluyor

Negüs, memleketi koruma yolundaki kararlarından dönmiyeceğini söyledi

Fikinde Sevas harb atına binerek askişine Negüs

Adisababa, 30 (A.A.) — İmparator, genel seferberlik kararnamesini imzalamıştır. Fakat uluslar sosyetesine bir saygı göstermek için neşrini geciktirmiştir.

Adisababa, 30 (A.A.) — İmparator, genel seferberlik kararını imza ederken şu sözleri söylemiştir:

"—Memleketin korunması için lüzumu olan genel seferberliği ilân etmek hususunda daha uzun müddet geçikmiş olsaydık ödevi mizi yapmamış olurduk. Seferberlik, kıtalarımızı sınırdan belli bir yere kadar içeri çekmek için vermiş olduğumuz emri değiştirmiyecektir. Uluslar sosyetesi de iş biçiğine her zaman hazır olduğumuzu bildiren eski sözlerimizi gene tekrar ederiz...

Seferberliğin bu hafta içinde ilân edilmesi beklenmektedir.

Seferberlik memleketin her tarafında büyük sevinle ve savaş dayadları ile ilân edilecektir.

Silah ve gereç yüklü bir Bel çıka gemisi, Habeşistan'a gitmek üzere yola çıkmıştır.

Bundan başka Japonya'dan da önemli miktarda silah ve harb gereci yükleniyor.

Adisababa, 30 (A.A.) — Seferberlik ilân edilince, bütün kuvvetlerin ay zamanda toplanması ve imparatorluğun 750 bin asker çıkaracağı tahmin edilmektedir.

(Sonu 7. ci sayfada)

Hitler-Gömböş görüşmeleri iki saat sürdü

Berlin, 30 (A.A.) — Havas ajansı aytarı bildiriyor: Hitler - Gömböş konuşması iki saatten fazla sürmüştür. Bu konuşmada yalnız B. Göring hazır bulunmuştur. Evvelce macar başbakanı ile ancak 25 dakika lık bir görüşme yapan B. Von Nöyrat, görüşmede hazır bulunmamıştır.

Akşama doğru B. Gömböş.

B. Hitler   *B. Gömböş*

Avusturya elçisi ile italyan büyük elçisini kabul etmiştir.

Siyasal mahitler, bu iki diplomatın kabulünü, macar alman konuşmalarının, Avustur ya - macar ve italyan - macar dostluk ilgilerine hiç bir zarar verecek mahiyette olmadığını göstermek isteyen bir hareket olarak tefsir etmektedirler. *(Sonu 2. inci sayfada)*

İngiliz notası her yerde iyi karşılandı

Paris, 30 (A.A.) — Paris gazetelerinin ilgisini çeken Habeş seferberliğinden fazla, ingiliz dış bakanlığının fransız dış bakanlığına suallerine verdiği cevaplardır.

Gazeteler, bu cevapların daha az genel ve daha sıcık olmasını dilemekle beraber, bunlardan hoşnud görünüyorlar.

(Sonu 2. ci sayfada)

Memel seçimlerini herkes tenkid ediyor

Memel haritası

Memel'deki diyet seçimleri ötey gün başlamış, seçimin sonu düne bırakılmıştı. Ağlanemasi' da çıkan hadiselerde başka, öteygün sakin geçmiştir. Rey sandıklarının polis muhafazası altında olduğu Klaypeda'dan bildirilmektedir. Yukarısiki hadiselerden sonra 10 kişi yakalanmıştır. Dün alman seçmenler seçim

(Sonu 2. ci sayfada)

Selanikte kıralcılarla cumuriyetçiler çarpıştılar

Atina, 30 (A.A.) — Atina ajansı bildiriyor:

Selanikte çıkan hadiseler üzerine bu şehirde yapılan gerçin, venizelistlerle komünistlerin Plastras'ı ve ölüme mahkûm ihtilâcıları aklayandan hükümete karşı yani söylediklerini meydana çı

(Sonu 6. ci sayfada)

Elveda Güzel Vatanım

Tarihi romanlara duyulan alaka artıyor. İttihat ve Terakki Cemiyeti'nin son yirmi yılını anlatan yeni bir roman kitapçı raflarını süslüyor.

1926 yılının 2 Kasım gecesi şakağına bir kurşun sıkarak intihar eden eski İttihat ve Terakki idarecilerinden Şehsuvar Sami Bey'in yazdığı "Elveda Güzel Vatanım" nihayet Yeni Asır Yayınevi'nce neşredildi. İlk olarak 1931 yılında Paris'te Gallimard Yayınevi'nden piyasaya sürülen romanın önsözünde, ünlü Fransız şair Ester Dauphin şöyle yazmıştı: "Hepimiz öleceğiz, herkes ölür. Bazen rüzgârda savurulacak hatıralar kalır geriye, bazıde

unutulmaz eserler. Elinizdeki bu roman, bir zamanlar çok sevdiğim bir adam tarafından kaleme alındı. Delice bir aşka, görkemli bir ideale, kaybedilmiş bir vatana adanmış, fırtınalı bir hayatın onunkisi. Doğru muydu bilmiyorum ama büyük bir samimiyetle yaşanmıştı. İşte o hayattan sadece bu satırlar kaldı geriye... Tortusu gezisi yakan bir roman..."

Gündelik

KAMUTAY

Kamutay bugün toplantılarına başlıyacaktır. 1935 yılının sonbaharında Türkiye işleri ne kadar normal ve yerinde ise, Türkiye dışı o kadar dursuz ve karışıktır.

Biz içeride bayındırlık, endüstri, tarım ve her türlü kalkınma işlerimize devam ediyoruz. Para sıkıntısı içinde değiliz. Halk, yüksek devlet siyasasına yürekle ve gönülden bağlıdır. Dışarda artık amaneleşen barış ve dostluk politikamızı güdüp gidiyoruz. Her çeşit tehlikeye karşı olduğu kadar ararsalusal barış ve sükûn hazır bulunmaktayız.

Dünya ve Avrupa'nın kaygısu ise, yalnız Habeş meselesinden ibaret değildir. Tehlike muhiti uzaklaşından daha geniştir. Daha kötüsü var. Uluslar, her tarafta harb fikrine yeniden alıştırılmış tır. 1918 den sonra birkaç yıl sonra harb düşmanlığı fikri çürütülmüştür. Gençlikler, savaş ortasına çekik yetiştirilmektedirler. Dünya endüstrisinin en büyük kısmı karo, deniz ve hava kuvvetlerine silâh yetiş 'emek için çalışıyor. Düğünüdör. 'e düşman, Merih'te değildir. Genel arzımızın üstündedir.

Bütün ulusları hep birlikte barış için organize etmek ideali yeritme, yeni sergüzeştler için, grup grup, toplanmak politikasının geçirmek gayretleri artmıştır. İbre, büyük bir hızla, 1914 a doğru dönüyor. İnsanlar barut kokusunu, yara sıcısını ve ölüm izini gene gecirlecektir.

Hiç bir memlekette davası olmıyan ulusların biri oldjçumsu için, hadiseleri soğuk kanlılık ve başkalarının bahtiyarlığı dması ile seyrediyoruz. Hiç bir macera, ve fırsat peşinde kaybedecek vakti miz yoktur. Bulanık havanın Türkiye için daima sükûnlu ve aydınlık kalacaktır.

Komşularımız, uzak ve yakını dostlarımızla en tabii münasebet içindeyiz. Ne kimseden tasamız vardır, ne de kimseyi kaygulandırmaktayız.

Kamutay bugünden başlıyarak, büyük kalkınma hareketimizin normal işleri ile uğraşmakta devam ederek, başlıca hassaların dan biri olan derin öngörü ile, hadiselerin gelişimini takib edecektir.

Kamutay'a yeni inşa yılının hazırlıklarında başarı, bizden ötesize de sükün ve aydınlık dileriz.

F. R. ATAY

BB. F. Ağralı ve R. Tarhan geldiler

Finans Bakanı B. Fuad Ağralı ile Gümrükler Bakanı B. Ali Ra—na Tarhan dün İstanbuldan şehrimize gelmişlerdir.

Kamutay
bugün toplanıyor

Ötey günkü sayımızda yazdığımız gibi, Kamutay bugün öğleden sonra açılacaktır. Bugünkü toplantı, fevkalâde toplantının bir devamı olduğundan başkanlık divanı-seçimi gibi formaliteler ol mıyacak ve çoğunluk bulunduğu takdirde gündemdeki işlerin görüşülme-sine geçilecektir.

Genel sekreterlik bürosu Kamutay yaz azadına girmeden önce başılarık üyelere dağıtılmış bulunan tarih sırasına göre düzenli yerek alışıkını hazırlanmıştır.

(Sonu 2. ci sayfada)

BAYINDIRLIK İŞLERİ

Kömür hattı üzerinde çalışmalar ilerliyor

Şimdiye kadar Çankırı'ya kadar olan kısmı açılmış olan Filyos hattında yapılmakta olan ray dö şemesi ilerlemiş ve bir yandan da ilerlemekte bulunmuş olduğun dan Çankırıdan 120 kilometre ilerdeki Çerkeş ilçesi merkezine kadar olan hattın da yakında işlemeye açılması bulunacaktır.

Cumuriyet bayramına kadar hepsinin tamamlanması ve bayramda büyük törenle açılması kararında olan bu önemli demiryolunun Çerkeş'e kadar olan parçası *(Sam 4. cü sayfada)*

Selanikte bir cadde

İTTİHAT VE TERAKKİ KRONOLOJİSİ

1889- Askerî Tıbbiye'de İttihad-ı Osmanî Cemiyeti'nin kurulması.

1902- Birinci Jön Türk Kongresi.

1906- Selanik'te Osmanlı Hürriyet Cemiyeti'nini kurulması.

1907- İkinci Jön Türk Kongresi.

1908- 23 Temmuz (Rumî 10 Temmuz): Hürriyetin Rumeli'de ilan edilmesi. (II. Meşrutiyet).

1909- 13 Şubat: Kâmil Paşa'ya güvensizlik oyu.

13 Nisan (Rumî 31 Mart): 31 Mart Olayı.

27 Nisan: II. Abdülhamit'in tahttan indirilmesi, V. Mehmet Reşad'ın padişahlığı

1910- 12 Ocak: Hakkı Paşa Hükümeti.

1911- 29 Eylül: İtalyanların savaş ilanı (Trablusgarp Savaşı).

30 Eylül: Said Paşa'nın sadrazam atanması.

21 Kasım: Hürriyet ve İtilaf Fırkası'nın kurulması.

1912- Sopalı Seçimler.

16 Temmuz: Said Paşa'nın istifası, Gazi Ahmed Muhtar hükümeti.

8 Ekim: Balkan devletlerinden Bulgaristan ve Sırbistan'ın savaş ilanı. (I. Balkan Savaşı)

29 Ekim: Kamil Paşa Hükümeti.

1913- 23 Ocak: Babıâli Baskını, Mahmud Şevket Paşa Hükümeti.

30 Mayıs: Londra Barış Antlaşması.

11 Haziran: Mahmud Şevket Paşa'nın öldürülmesi, Said Halim Paşa Hükümeti.

29/30 Haziran: II. Balkan Savaşı.

1914- 1 Ağustos: Almanya'nın Rusya'ya savaş ilan etmesi (1. Dünya Savaşı).

2 Ağustos: Osmanlı-Alman gizli ittifakının imzalanması.

9 Eylül: Kapitülasyonların kalktığının ilanı.

2 Kasım: Rusya'nın Osmanlı Devleti'ne savaş ilan etmesi.

1915- 10 Ocak: Sarıkamış faciası, Enver Paşa'nın İstanbul'a dönmesi.

18 Mart: Çanakkale Zaferi.

Nisan: Ermeni Tehciri

29 Nisan: Kutülamare Zaferi.

1917- 4 Şubat: Talat Paşa Hükümeti.

Kudüs'ün düşmesi.

1918- 3. Mart: Brest-Litovsk Antlaşması.

3 Temmuz: Sultan Reşad'ın ölümü,

VI: Mehmet Vahdettin'in padişahlığı.

19 Eylül: Filistin'de İngiliz taarruzu.

14 Ekim: İzzet Paşa Hükümeti.

30 Ekim: Mondros Mütarekesi

2 Kasım: Enver, Talat ve Cemal Paşa'nın bir Alman denizaltısıyla ülkeden gidişi.

5 Kasım: İttihat ve Terakki Kongresi'nde İttihat ve Terakki'nin lağvedilmesi

SÖZLÜKÇE

Ahali	:	Bir memleket, şehir veya semtte oturanların, yaşayanların hepsi; bir yerde toplanmış olan kalabalık, halk.
Ahval	:	Haller, hadiseler, olup bitenler, vakalar.
Akıldane	:	Akıl veren kimse.
Alay-ı vâla	:	Gösterişli, törenli, tantanalı bir şekilde.
Aleni	:	Herkesin içinde ve gözü önünde yapılan, meydanda, açık.
Arzıendam (etmek)	:	Boy göstermek, ortaya çıkmak, görünmek.
Asgari	:	En az, en aşağı, minimum.
Avane	:	Yardakçı, yardımcı.
Azamet	:	Büyüklük, ululuk, yücelik, celal.
Azami	:	En çok, en fazla, maksimum.
Bab-ı Âli	:	Osmanlı Devleti'nin idare merkezi [Tanzimat'tan önce sadece sadrazamların makamı ve ikametgâhı iken daha sonra bazı önemli bakanlıkları ve daireleri de içine almış, zamanla İstanbul'da bu dairelerin bulunduğu Sirkeci ile Cağaloğlu arasındaki sem-

tin adı olmuştur]. Son iki asırda Osmanlı hükümeti.

Başıbozuk	:	Talimli asker olmadığı halde askerin arasına katılan (sivil savaşçı), halktan toplanan (asker); düzensiz, nizamsız.
Beka	:	Geleceğe doğru varlığını koruyarak devam etme, devamlılık.
Bertaraf (etmek)	:	Bir yana itip saf dışı bırakmak, ortadan kaldırmak.
Beynelmilel	:	Milletlerarası, uluslararası, enternasyonal.
Bilakis	:	Tam aksine, tersine.
Bitaraf	:	Tarafsız.
Biteviye	:	Durmadan, boyuna, sürekli olarak, aynı şekilde, muttasıl.
Buhran	:	Hastalığın en şiddetli ve ağır dönemi, birdenbire gelen ve kısa süren hastalık nöbeti, kriz; insanı şiddetle etkisi altına alan ruhi sıkıntı ve sinir bozukluğu, bunalım.
Bukağı	:	Eskiden mahkûmların ayaklarına takılan ve ucuna pranga bağlanan demir halka, künde.
Cadde-i Kebir	:	Büyük cadde; Taksim'deki İstiklal Caddesi'nin uzun zaman yaygın adı.
Ceberut	:	Zorbalık, merhametsizlik.
Cevval	:	Davranışları çabuk ve kesin olan.
Cibilliyetsiz	:	Yaratılışı kötü, mayası bozuk, sütü bozuk, soysuz.
Cihet	:	Yön, taraf, istikamet, canip; semt, yer, mahal.
Cité de Péra	:	Çiçek Pasajı; büyük Beyoğlu yangını sonucu yok olan Naum Tiyatrosu'nun arsasına 1876'da kurulan tarihî ve ünlü pasaj.
Civanmert	:	Mert yaradılışlı, yüce gönüllü, yiğit.
Cülus	:	Hükümdarlık tahtına çıkma, tahta oturma.

Çatana	:	Filika büyüklüğünde, islimle işleyen deniz teknesi, küçük vapur, istimbot.
Çolak	:	Bir kolu veya eli sakat olan (kimse).
Debdebe	:	[Kelime Farsçada "şevket ve haşmet" anlamında kullanılmaktadır] Göz alıcı gösteriş, şatafat, tantana, haşmet, ihtişam.
Derdest (etmek)	:	Ele geçirmek, tutmak, yakalamak.
Dersaadet	:	"Saadet kapısı" anlamına gelen kelime Osmanlı döneminde İstanbul için kullanılmıştır.
Devlet-i Aliyye	:	Büyük, yüce devlet; Osmanlı devleti için kullanılır.
Divan	:	Büyük meclis, yüksek meclis.
Düvel-i muazzama	:	Büyük devletler, XIX. yüzyılın ortasından I. Dünya Savaşı'na kadar (1914) İngiltere, Fransa, Almanya, Avusturya, Macaristan, Rusya ve İtalya'ya verilen isim.
Ecnebi	:	Yabancı; başka bir milletten veya yabancı bir devlet tebaasından olan kimse.
Efkâr-ı umumi	:	Bir memleket halkının bir mesele üzerindeki görüşü, kanaat ve düşüncesi, halkoyu, kamuoyu.
Esaret	:	Birinin veya bir durumun hükmü ve buyruğu altında bulunma, boyunduruk altında olma, kölelik, kulluk.
Fedai	:	Bir amaç uğruna canını vermeye, her türlü tehlikeye atılmaya hazır kimse, kendini kurban olarak öne atan kimse, ölüm eri, serdengeçti.
Feraset	:	Anlayış, seziş, sezgi; zekâ.
Fesat	:	Kargaşalık, karışıklık, fenalık, kötülük, bozgunculuk, fitne.

Fevkalade	:	Her zaman görülen, yapılan veya süregelmekte olandan başka, alışılmışın dışında, olağanüstü.
Fitne	:	Karışıklık, fesat, kargaşalık.
Gafil	:	Çevresinden ve gerçeklerden habersiz olan, gaflet içinde bulunan, dalgın, dikkatsiz ve düşüncesiz (kimse), basiretsiz, aymaz.
Garabet	:	Gariplik, tuhaflık, acayiplik.
Girizgâh	:	Bir şey anlatmaya başlamadan önce sözü asıl konuya getirmek için söylenen giriş sözleri, söz başlangıcı.
Güzergâh	:	Takip edilen yol, yol boyu.
Hafiye	:	Bir kişi veya bir mesele hakkındaki gizli şeyleri araştırıp ilgililere haber veren kimse, dedektif.
Hal' (etmek)	:	Tahttan indirmek, hükümdarlık hakkını elinden almak.
Haletiruhiye	:	Ruh hali, ruh durumu.
Hamiyet	:	Yaşadığın yerin, yurdunun, yakınlarının haysiyetini koruma gayreti, fazilet.
Harb-i Umumi	:	Dünya savaşı.
Harp	:	Devletlerin birbirleriyle diplomatik münasebetlerini keserek yaptıkları silahlı çarpışma, savaş, cenk.
Hasbıhal	:	Konuşup dertleşme, halleşme, sohbet.
Haset	:	Başkasında olan bir nimeti çekememe, kendisine faydası olmadığı halde kıskançlık sebebiyle karşısındakinin sahip olduğu nimetten mahrum kalmasını isteme.
Havadis	:	Olup biten vakalar, hadiseler, olaylar; ilgiyle karşılanan haber.
Hazzetmek	:	Hoşlanmak, zevk almak.
Hercümerç	:	Karışıklık, kargaşa.
Hezimet	:	Büyük ve kesin mağlubiyet, bozgun, yenilgi.

Hiddet	:	Öfke, kızgınlık.
Husumet	:	Hasım olma hali, durumu; düşmanlık.
Hususiyet	:	Birine veya bir şeye mahsus olan, onu diğer kimse veya şeylerden ayıran hal, özellik.
Huşu	:	Varlığının farkında olamayacak derecede kendini karşısında bulunduğu şeyin heybet ve cazibesine kaptırma.
Hüsnükuruntu	:	Herhangi bir durumu safça kendinden yana iyiye yorma.
İçtimai	:	Toplulukla, cemiyetle ilgili, sosyal.
İdadi	:	Osmanlı eğitim sisteminde yüksek okullara öğrenci yetiştiren orta dereceli okul, lise.
İdareimaslahat	:	Bir işi, gerektiği gibi değil de günün şartlarına göre yapma; işi oluruna bırakma.
İfa (etmek)	:	Bir işi yapma, yerine getirme, iş haline koyma, icra.
İhtilal	:	Mevcut düzeni ortadan kaldırmak için zor kullanılarak yapılan değişiklik, devrim.
İltimas	:	Birini, başkalarının veya bulunduğu işin zararı pahasına da olsa tutma veya birinden tutulmasını rica etme, tercih edilmesini isteme, arka çıkma, kayırma.
İmtina	:	Çekinme, kaçınma, uzak durma, tercih etmeme.
İnkılap	:	Kısa sürede yapılan köklü değişiklik, devrim.
İntiba	:	İzlenim; şekli, sureti görünme, izi çıkma.
İstibdat	:	Tek bir yöneticinin, kendine tâbi olanları mutlak hakim olarak ve keyfine göre hükmederek idare etmesi usulü, keyfe, zora ve baskıya daya-

		nan idare şekli, diktatörlük, despot- luk, despotizm.
İstikbal	:	Gelecek, gelecek zaman, âtî.
İtilaf	:	Uyuşma, anlaşmaya varma. "İtilaf Devletleri" tabiri de, "anlaşmaya var- mış, bir olmuş devletler" manasına gelir.
İtimat	:	Güvenme, emniyet etme, güven, em- niyet.
İttifak	:	Fikir birliğine varma, uyuşma, anlaş- maya varma.
İttihat	:	Bir olma, birleşme; aynı fikirde olma, aynı düşünce etrafında toplanma.
İttihatçı	:	Osmanlı devrinde II. Meşrutiyet'ten önce gayriresmî olarak gelişen, 1908'den sonra ise bir parti şeklini alıp devlet idaresine hakim olan İt- tihat ve Terakka Cemiyeti'ne (Fırka- sı'na) mensup veya bu cemiyetin fi- kirlerini benimseyen kimse.
İzah	:	Bir şeyi anlaşılacak şekilde anlatma, açıklama.
Izdırap	:	Maddi veya manevi acı, azap, eziyet, zahmet, sıkıntı.
İzzetüikram	:	Ağırlama.
Jurnal	:	Bir kimse aleyhine yüksek bir maka- ma verilen gizli rapor, ihbar yazısı.
Kadim	:	Geçmişi uzun zamana dayanan, eski.
Kâfi	:	Yeten, yetişen, elveren, yeterli, kifa- yet eden.
Kâgir	:	Taş veya tuğladan yapılmış (yapı).
Kalender	:	Gösterişsiz, sade yaşamaktan yana olan, alçak gönüllü kimse, ehlidil, rint.
Kapitülasyon	:	Bir devletin kendi ülkesinde yaban- cı tebaaya tanıdığı bazı hak ve imti- yazları hükme bağlayan anlaşma ve bu anlaşmanın doğurduğu hakların kullanılması durumu, yabancılara

tanınan imtiyazlar, "imtiyâzât-ı ecne-
biyye".

Kati : Şüphe ve tereddüde yer bırakmayan,
kesin.

Kefiye : Arap erkeklerinin kullandığı, omuz-
ları örtecek büyüklükte, kenarları
püsküllü ipek başörtüsü, ketfiye.

Ketum : Sır saklayan, sıkı ağızlı (kimse).

Kıymetiharbiye :Geçerlilik, değer, önem.

Kifayet : Yeter miktarda olma, yetişme, elver-
me, kâfi olma.

Kolağası : Eskiden orduda yüzbaşı ile binbaşı
arasındaki subay rütbesi ve bu rütbe-
deki subay.

Kukuleta : Palto, ceket vb. giyeceklere dikili
veya ayrı olarak kullanılan, başı ve
bazen yüzün bir kısmını örtecek şe-
kilde bol ve geniş başlık.

Külhanbeyi : Kendilerine mahsus giyinişleri ve
konuşmaları olan, haylaz, bıçkın bü-
yük şehir serserisi, apaş.

Külliyen : Bütünüyle, tamamen.

Lakırdı : Laf, söz.

Latife : Güldürmek, eğlendirmek amacıyla
söylenen güzel ve nükteli söz veya
hikâye, şaka.

Levazım : Silahlı kuvvetlerin cephane ve silah
dışında kalan yiyecek, giyecek mad-
deleri, çeşitli alet ve araç gibi ihtiyaç-
ları; bu ihtiyaçları sağlamakla görevli
olan askerî sınıf, levazım sınıfı.

Lisanımünasip: Karşısındakinin kolayca anlayabile-
ceği dil ve üslup.

Maktul : Öldürülmüş, katledilmiş (kimse).

Makul : Akıllıca davranan, akıllı, mantıklı.

Malumat : Herkesçe bilinen, malum şeyler; bil-
gi.

Manidar	:	Bir mana taşıyan, manalı, anlamlı; dolaylı olarak bir şey anlatmak isteyen, bir şey ima eden.
Maruf	:	Bilinen, belli, malum; herkes tarafından tanınan, tanınmış, ünlü, meşhur.
Maslahat	:	İyi olan ve iyiliğe yol açan, hayır getiren, fayda sağlayan şey; iş, husus, mesele.
Mazi	:	Bugüne göre geride kalmış zaman, geçmiş zaman.
Mekteb-i Sultani	:	Şimdiki adı Galatasaray Lisesi olan okula verilen ad.
Melun	:	Allah'ın lanetine uğramış, rahmetinden mahrum kalmış, lanetlenmiş, lanetli; lanetlenecek kadar kötü olan, nefret duyulan, nefretle karşılanan.
Melamet	:	Kınama; azarlama, çıkışma.
Menfaat	:	Fayda, yarar, çıkar, kâr.
Menfi	:	Olumsuz.
Merkez-i umumi	:	Genel merkez.
Meşruiyet	:	Meşru olma durumu, uygunluk.
Meşrutiyet	:	Yürütme organının başı durumundaki bir hükümdar yanında, yasama yetkisi kısmen halk tarafından seçilmiş meclis veya meclislerce kullanılan ve nazari de olsa kuvvetler ayrılığı sistemine dayanan yönetim şekli, şartlı monarşi; Osmanlı Devleti'nde Birinci ve İkinci Meşrutiyet isimleriyle anılan ve 1876, 1908 yıllarında ilan edilen siyasi ve hukuki dönem.
Meşum	:	Uğursuz, şom, meymenetsiz.
Metanet	:	Dayanma, sağlam, güçlü ve metin olma, sağlamlık, dayanıklılık.
Mevzi	:	Yer, mekân, mahal.
Minnet	:	Yapılan bir iyiliğin yükü, ağırlığı altında ezilme, iyilik yapana karşı ken-

dini daima borçlu hissetme; yapılan iyiliğe karşı teşekkür etme, şükür, hamdetme.

Mintan : Yakasız, uzun kollu bir çeşit erkek gömleği.

Minval : Biçim, şekil, yol, tarz, suret.

Muallak : Bir yere asılı veya bağlı olmadan boşlukta, havada duran; belirsiz, puslu, kesinlikten uzak.

Muamma : Anlaşılmaz, halledilmez şekilde güç, halli müşkül iş veya şey.

Muğlak : Açık ve net olmayan, anlaşılmaz, karışık, çapraşık.

Muhacir : Yerinden yurdundan ayrılıp başka bir ülkeye yerleşmek için giden, göç eden kimse, göçmen.

Muhafız : Koruyan, gözeten, bekleyen, muhafaza eden kimse; devlet büyüklerini korumakla görevli kimse, koruma.

Mukavemet : Karşı koyma, boyun eğmeme, dayanma, direnme, direniş.

Mutat : Alışkanlık haline gelmiş, âdet edinilmiş, alışılmış, her zamanki.

Muvaffak : Başarı kazanmış, başarmış, başarılı.

Muzaffer : Savaşta zafer kazanmış, bir mücadelede başarı, üstünlük elde etmiş, galip.

Mübadele : Bir şeyi başka bir şeyle değişme, değiş tokuş, trampa; devletlerin karşılıklı anlaşmasıyla, kimselerin yer değiştirmesi, değişime tâbi tutma, mübadil etme.

Mübalağa : Bir şeyi gerçekte olduğundan daha fazla, daha büyük gösterme, abartma.

Müdafaa : Düşman hücumuna karşı koyma, savunma, direnme; kendini, bir başkasını, bir fikri söz veya yazı ile savunma.

Müdana	:	Yaranmaya, iyi görünmeye çalışma.
Müfreze	:	Büyük bir birlikten ayrılıp geçici olarak meydana getirilen askerî kol.
Mülayim	:	Yumuşak huylu, yumuşak, uysal, halim selim.
Mülazım	:	Bir işe girmek için bir süre parasız olarak o işe devam eden; teğmen.
Münevver	:	Tahsil, bilgi ve görgü sahibi olan, fikrî meselelerle uğraşan kültürlü (kimse), aydın, entelektüel.
Müphem	:	Ne olduğu açıkça anlaşılmayan, belirsiz.
Mürekkep	:	Birden fazla şeyin bir araya gelmesinden meydana gelmiş, birleşik.
Mürüvvet	:	Bir ailede çocukların doğumu, sünneti, evliliği, iyi bir göreve geçmeleri vb. olaylardan duyulan mutluluk, sevinç; iyilik ve ihsanda bulunma, cömertlik, lütufkârlık.
Müsademe	:	Silahlı iki grup arasındaki kısa çatışma, çarpışma; uğraşma.
Müsâvat	:	Aynı seviyede olma, eşitlik, denklik.
Müspet	:	Doğruluğu ispatlanmış, doğru, sağlam.
Müstahdem	:	Hizmetli, hademe.
Müstakil	:	Bağımsız; bir şeyle ilgisi, bağı, bağlantısı olmayan.
Müstehzi	:	Alay etmekten hoşlanan (kimse), alaycı.
Müşfik	:	Şefkat gösteren, şefkatli.
Mütareke	:	Savaşan tarafların aralarında anlaşıp karşılıklı olarak ateş kesmesi, çarpışmaya ara vermesi, ateşkes.
Mütecaviz	:	Saldırgan, saldırıcı, sataşkan.
Müteşekkil	:	Şekil ve suret kazanan, şekillenen, teşekkül eden.
Müzmin	:	Devam edip giden, süregelen, kronik; ne zamana kadar devam edeceği

bilinmeyen, bir çözüm getirilmemiş olan.

Nafia : Bir yeri bayındır duruma getirmek için yapılan işlerin tamamı, bayındırlık işleri.

Naif : Saf, deneyimsiz.

Nazariye : Kuram.

Neşriyat : Yayınlanmış eserler, yazılar, yayın.

Nobran : Kırıcı, kaba, sert (kimse).

Noksan : Eksiklik, kusur.

Nümayiş : Gösteri, gürültülü yürüyüş, görünüş.

Payitaht : Başkent, başşehir, hükümet merkezinin bulunduğu yer.

Radde : Derece, mertebe, kerte.

Ricat : Geri dönme, çekilme; geriye doğru kaçma.

Riyakâr : İçi dışı bir olmayan, iki yüzlü (kimse).

Sabık : Geçen, önceki, eski.

Sadaret : Osmanlı Devleti'nde sadrazamlık makamı, sadrazamın işi ve makamı.

Sadrazam : Osmanlı devlet teşkilatında padişahın vekili olarak yönetimi elinde tutan, vezirler, vekiller heyetine başkanlık eden zat, başbakan, başvekil, veziriazam.

Sakil : Güzel ve hoş olmayan, çirkin, kaba, yakışıksız.

Salahiyet : Yetki.

Satıh : Bir şeyin dışta olan, dıştan görünen tarafı, yüzü; bir meselenin veya olayın sadece dıştan görülen, derinlemesine bilinmeyen yönü, dış yüzü.

Sebat : Kararından ve sözünden dönmeme, bir iş veya davranışta azim ve kararlılık gösterme.

Sefarad : İbrani dilinde İspanya anlamına gelir. İspanya dışında Portekiz, İtalya, Kuzey Afrika, Türkiye, Ege Adaları ve Balkan Musevilerinin de büyük bölümü bu adla anılır. 16. yüzyılda bütün bu gruplar, Judeo-Espegnol veya "Ladino" denen ve İspanya'nın Kastilya lehçesine ilave edilmiş Türkçe, İbranice ve Rumcadan gelen kelimeler deyimler ile bezeli bir dil konuşuyorlardı.

Sefir : Elçi.

Seki : Ev, kahve vb. yerlerin önlerine, havuz kenarlarına taş veya topraktan yapılan peyke şeklinde oturacak yer.

Serdengeçti : Canını esirgemeyen, kendini feda etmekten çekinmeyen kimse, ölüm eri, fedai.

Sergüzeşt : Macera.

Sitayiş : Övme, övgü; iyilikle söz etmek, methetmek.

Suhulet : Kolaylık; yumuşaklık, naziklik; uygun ortam.

Süfli : Bir yere veya bir şeye göre aşağıda, alçakta bulunan; aşağılık, adi, bayağı, değersiz; kılık kıyafeti çok kötü, üstü başı perişan (kimse).

Sükûnet : Durgunluk, hareketsizlik; sessizlik, telaşsızlık, sakinlik.

Şaşaa : Gösteriş, debdebe.

Şayia : Yayılmış haber, yaygın söylenti, duyultu.

Şehla : Kusur değil güzellik sayılabilecek şekilde şaşı, hafif şaşı (göz).

Tahayyül : Daha önce duyu organları ile idrak edilmiş bir şeyi, o şey karşımızda mevcut olmadığı bir an veya mekânda zihinde şekillendirme, hayalde canlandırma.

Tahkik : Bir şeyin ne olduğunu, doğru olup olmadığını anlamak için yapılan araştırma, soruşturma.

Tahkim	:	Kuvvetlendirme, sağlamlaştırma; (hukuken) Herhangi bir anlaşmazlığın hallini hakeme havale etme.
Tahrif	:	Bir kelime veya ibareyi değiştirip bozma, kalem oynatıp anlamını değiştirme; üzerinde oynayarak bozma, değiştirme.
Taife	:	Grup halindeki insan topluluğu, bölük, fırka, takım, cemaat.
Tasallut	:	Rahat vermeyecek, bıktıracak, sıkıntı verecek şekilde üstüne düşme, sataşma, musallat olma.
Tasfiye	:	Arıtma, arıtım, arıtılma, saflaştırma, saflaştırılma, pak ve temiz duruma getirme, getirilme.
Tecelli	:	Görünme, belirme, görünür olma, zuhur etme; kader, talih.
Teçhiz (etmek)	:	Donatmak.
Tefekkür	:	Derin düşünme, enine boyuna düşünme, fikretme.
Teferruat	:	Bir şeyin ikinci derecedeki tamamlayıcı unsurları, ayrıntılar.
Tekfin (etmek)	:	Kefenlemek.
Temayül	:	Bir tarafa doğru eğilme, bir tarafa meyletme; bir tarafa veya kimseye yakınlaşma, ilgi duyma, gönlü akma.
Tenezzül	:	(Kendi seviye ve haysiyetine aykırı düşen bir şeyi) Kabul etmek, (alçaltıcı bir duruma) razı olmak.
Tenkit	:	Gerçeği ortaya koymak maksadıyla yapılan tartışma veya inceleme; eleştirme.
Terakki	:	İleri gitme, ilerleme, gelişme; yukarı kalkma, yükselme; artma, çoğalma.
Teşekkül	:	Belli bir şekle girme, belli bir şekil alma, şekillenme, oluşum; meydana gelme, oluşma.
Tevatür	:	Bir haberin ağızdan ağıza geçerek yayılması, söylenti.

545

Tevdi	:	Teslim etme, emanet etme.
Tevekkül	:	Her türlü gerekli sebebe baş vurduktan sonra kadere razı olup sonucu Allah'tan bekleme, işlerini Allah'a bırakma, yeis ve kederden kurtulma, Allah'a güvenme.
Tevkifat	:	Tutuklamalar.
Teyakkuz	:	Gözünü açma, gafletten kurtulma, uyanıklık.
Uhuvvet	:	Kardeşlik; dostluk, bağlılık.
Vahamet	:	Güç ve tehlikeli olma durumu, tehlike.
Vehim	:	Gerçekte var olmayan, fakat var olduğu sanılan, varmış gibi tasarlanan düşünce ve zan; kötü ihtimalleri düşünüp kurma, evham, vesvese, kuruntu.
Veliaht	:	Bir hükümdardan sonra tahta çıkacak kimse.
Vesvese	:	Nefsin gönle getirdiği boş, faydasız ve huzursuzluk verici şeyler, vehim, kuruntu, şüphe, işkil.
Vuku (bulmak):		Olmak, meydana gelmek.
Vukuat	:	Meydana gelen olaylar, vakalar; öldürme, yaralama, kavga, çatışma vb. polisi ilgilendiren olaylar.
Yadigâr	:	Bir kimseyi veya olayı hatırlatmak üzere verilen yahut onlardan kalan şey.
Yaver	:	Devlet ve hükümet başkanlarının, kumandanların yanında bulunan, emirlerini yazmak ve yerine ulaşmasını sağlamakla görevli subay, emir subayı.
Zabit	:	Eskiden orduda rütbesi teğmenden binbaşıya kadar olan subay.
Zahire	:	Gerektiğinde kullanılmak üzere saklanan hububat, erzak.

Zaptiye	:	Osmanlı'da 19. yüzyılda kurulan, toplumun güvenliğini ve asayişi sağlamakla görevli askerî teşkilat.
Zaruri	:	Olması mecburi, kaçınılması imkânsız olan, mecburi, zorunlu.
Zelzele	:	Deprem, yer sarsıntısı.

KAYNAKÇA

Agatha Christie, *Hayatım*, Altın Kitaplar, 2009

Ahmed Bedevi Kuran, *İnkılap Tarihimiz ve Jöntürkler*, Kaynak Yayınları, 2000

Ahmed Bedevi Kuran, *Osmanlı İmparatorluğu'nda İnkılap hareketleri ve Milli Mücadele*, Türkiye İş Bankası Kültür Yayınları, 2012

Ahmed Rıza Bey'in Anıları, Arba Yayınları, 1988

Ahmet Tetik, *Teşkilat-ı Mahsusa Tarihi*, İş Bankası Kültür Yayınları, 2014

Ali Akyıldız, *Anka'nın Sonbaharı*, İletişim Yayınları, 2005

Ali Fahri, *Jön Türklerin Sürgün Hatıraları*, Hitabevi Yayınları, 2015

Ali Kemal, *Ömrüm*, Hece Yayınları, 2004

Ali Kemal, *Paris Musahabeleri*, Türk Tarih Kurumu, 2014

Ali Kuzu, *Atatürk'e Yapılan Suikastlar*, Kariyer Yayıncılık, 2011

Ali Şükrü Çoruk, *Abdülhamit Döneminde Kitap ve Dergi Sansürü*, Kitabevi, 2014

Alpay Kabacalı, *Bir İhtilalci'nin Serüvenleri*, Engin Yayıncılık, 1989

Alpay Kabacalı, *Tanzimat'tan 12 Mart'a*, Gürer Yayınları, 2007

Andrew Baruch Wachtel, *Dünya Tarihinde Balkanlar*, Doğan Kitap, 2009

Ari Şekeryan, *1909 Adana Katliamı: 3 Rapor*, Aras Yayıncılık, 2015

Arif Cemil, *Teşkilat-ı Mahsusa*, Arba Yayınları, 1997

Arsen Avagyan-Gaidz F. Minassian, *Ermeniler ve İttihat Terakki İşbirliğinden Çatışmaya*, Aras Yayıncılık, 2005

Atilla Oral, *İşgaldan Kurtuluşa İstanbul*, Demkar Yayınevi, 2013

Avrupalılaşmanın Yol Haritası ve Sultan Abdülmecit, Denizbank Yayınları, 2001

Aykut Kansu, *1908 Devrimi*, İletişim Yayınları, 2011

Ayşe Hür, *Öteki Tarih*, Profil Yayıncılık, 2012

Bahattin Öztuncay, *Hatıra-ı Uhuvvet*, Aygaz Yayınları, 2005

Behzet Üstdiken, *Pera'dan Beyoğlu'na 1840-1855*, Akbank Kültür Sanat Kitapları, 1999

Bilal. N. Şimşir, *Malta Sürgünleri*, Bilgi Yayınevi, 2009

Bünyamin Kocağolu, *Mütarekede İttihatçılık*, Temel Yayınları, 2006

Cavid Bey, *Meşrutiyet Ruznamesi*, Türk Tarih Kurumu, 2014

Cemal Paşa, *Hatıralar*, Türkiye İş Bankası Kültür Yayınları, 2001

Cevat Mustafa, *Sultan II. Abdülhamit Hanın Gazze ve Filistin İradeleri*, Beylik Yayınları, 2015

Emel Akal, *Mustafa Kemal, İttihat Terakki ve Bolşevizm*, İletişim Yayınları, 2012

Enver Paşa'nın Özel Mektupları, İmge Kitabevi, 1997

Erdem Sönmez, *Ahmet Rıza*, Tarih Vakfı Yurt Yayınları, 2012

Ergun Hiçyılmaz, *Belgelerle Teştilat-ı Mahsusa ve Casusluk Örgütleri*, Ünsal Yayınları, 1979

Ergun Hiçyılmaz, *Esir Kampları*, Bilge Karınca Yayınları, 2010

Ergun Hiçyılmaz, *Karakol*, Destek Yayınları, 2012

Ergün Aybars, *İstiklal Mahkemeleri*, Kültür ve Turizm Bakanlığı Yayınları, 1982

Falih Rıfkı Atay, *Çankaya*, Pozitif Yayınları

Falih Rıfkı Atay, *Zeytindağı*, Pozitif Yayınları

Feridun Kandemir, *İzmir Suikastı'nın İç Yüzü*, Tarih Yayınları, 1955

Feroz Ahmad, *İttihadçılıktan Kemalizme*, Kaynak Yayınları, 2011

Feroz Ahmad, *İttihat ve Terakki 1908-1914*, Kaynak Yayınları, 1984

François Georgeon, *Osmanlı-Türk Modernleşmesi*, Yapı Kredi Yayınları, 2013

François Georgeon, *Sultan Abdülhamit*, Homer Kitabevi, 2006

Friedrich Schrader, *İstanbul: Yüzyıl Öncesine Bir Bakış*, Remzi Yayınevi, 2015

Fuat Dündar, *İttihat ve Terakki'nin Müslümanları İskan Politikası 1913-1918*, İletişim Yayınları, 2011

Georges Haupt–Paul Dumont, *Osmanlı İmparatorluğu'nda Sosyalist Hareketler*, Ayrıntı Yayınları, 2013

Gülçiçek Günel Tekin, *İttihat Terakki'den Günümüze Yek Tarz-ı Siyaset: Türkleştirme*, Belge Yayınları, 2006

Güney Dinç, *Kartpostallarla Balkan Savaşı 1912-1913*, Yapı Kredi Yayınları, 2008

Halil İnalcık, Mehmet Seyitdanlıoğlu, *Tanzimat*, Türkiye İş Bankası Kültür Yayınları, 2011

Hans-Lukas Hieser, *Iskalanmış Barış*, İletişim Yayınları, 2005

Hasan Rahmi Paşa ve Hatıratı, Alfa Yayıncılık, 2013

Hikmet Özdemir, *Üç Jöntürk'ün Ölümü*, Remzi Kitabevi, 2008

Hulusi Turgut, *Atatürk'ün Sırdaşı Kılıç Ali'nin Anıları*, Türkiye İş Bankası Kültür Yayınları, 2005

Hüseyin Cahit Yalçın, *İttihatçı Liderlerin Gizli Mektupları*, Temel Yayınları, 2012

Hüseyin Cahit Yalçın, *Siyasal Anılar*, İş Bankası Kültür Yayınları, 1976

Hüseyin Tekinoğlu, *Osmanlı'nın İki Silahşörü*, Kamer Yayınları, 2015

İbrahim Temo, *İttihat ve Terakki Anılarım*, Alfa Yayıncılık, 2013

II. Meşrutiyet'in İlk Yılları, Yapı Kredi Yayınları, 2008

İkinci Meşrutiyet'in İlanının 100. Yılı, Sadberk Hanım Müzesi, 2008

İlhan Eksen, İstanbul'un Tadı Tuzu, Everest Yayınları, 2008

İsmet Görgülü, On Yıllık Harbin Kadrosu, 1912-1922, Türk Tarih Kurumu Yayınları, 1993

İsmet İnönü Hatıraları (2 Cilt), Bilgi Yayınevi, 2009

Jak Deleon, Bir Beyoğlu Gezisi, Remzi Kitabevi, 2002

Kalusd Sürmenyan, Harbiyeli Bir Osmanlı Ermenisi, Tarih Vakfı Yurt Yayınları, 2015

Kâzım Karabekir, Edirne Hatıraları, Yapı Kredi Yayınları, 2009

Kâzım Karabekir, Hayatım, Yapı Kredi Yayınları, 2011

Kâzım Karabekir, İstiklal Harbimiz, Yapı Kredi Yayınları, 2008

Kâzım Karabekir, İstiklal Harbimizde Enver Paşa ve İttihat ve Terakki Erkanı, Yapı Kredi Yayınları, 2010

Kâzım Karabekir, İttihat ve Terakki Cemiyeti, Yapı Kredi Yayınları, 2009

Kerem Çalışkan, 100 Yılın Örgütü, Caretta Yayınları, 2012

Leon Sciaky, Elveda Selanik, Varlık Yayınları, 2014

Leskovikli Mehmet Rauf, İttihat ve Terakki Ne idi?, Arba Yayınları, 1991

Lord Kinross, Atatürk Bir Milletin Yeniden Doğuşu, Altın Kitaplar, 2014

M. Metin Hülagü, Sultan II. Abdülhamit'in Sürgün Günleri, Pan Yayınları, 2007

M. Şükrü Hanioğlu, Osmanlı'dan Cumhuriyet'e Zihniyet, Siyaset ve Tarih, Bağlam Yayınları, 2006

Mahir Aydın, İstanbul Kurtulurken, İlgi Kültür Sanat Yayınları, 2011

Mahir Said Pekmen, 31 Mart Hatıraları, Türk Tarih Kurumu, 2013

Mark Mazower, Selanik, Alfa Yayıncılık, 2013

Mehmet Emin Elmacı, İttihat Terakki ve Kapitülasyonlar, Homer Kitabevi, 2005

Mehmet T. Hastaş, Ahmet Samim, II. Meşrutiyet'te Muhalif Bir Gazeteci, İletişim Yayınları, 2012

Metin Hülagü, *Yurtsuz İmparator Vahdeddin*, Timaş Yayınları, 2008

Mizancı Mehmet Murad, *Hürriyet Vadisinde Bir Pençe-i İstibdad*, Nehir Yayınları, 1998

Muhittin Birgen, Hazırlayan: Zeki Arıkan, *İttihat ve Terakki'de On Sene: İttihat ve Terakki Neydi?*, Kitap Yayınevi, 2006

Muhittin Birgen, Hazırlayan: Zeki Arıkan, *İttihat ve Terakki'de On Sene: İttihat ve Terakki'nin Sonu*, Kitap Yayınevi, 2006

Murat Bardakçı, *İttihadçı'nın Sandığı*, İş Bankası Kültür Yayınları, 2014

Murat Bardakçı, *Mahmut Şevket Paşa'nın Sadaret Günlüğü*, İş Bankası Kültür Yayınları, 2014

Murat Bardakçı, *Şah Baba*, Everest Yayınları, 2015

Murat Bardakçı, *Talat Paşa'nın Evrak-ı Metrukesi*, Everest Yayınları, 2013

Murat Çulcu, *İttihat ve Terakki*, E Yayınları, 2011

Murat Çulcu, *Paşaların Asya Misyonu*, E Yayınları, 2013

Murat Koç, *Türk Romanında İttihat ve Terakki*, Temel Yayınları, 2005

Mustafa Kemal Atatürk, *Nutuk*, Alfa Yayıncılık, 2005

Mustafa Ragıp Esatlı, *İttihat ve Terakki'nin Son Günleri*, Bengi Yayınları, 2007

Mustafa Ragıp Esatlı, *Meşrutiyetten Önce Manastır'da Patlayan Tabanca*, Bengi Yayınları, 2007

Naci Kutlay, *İttihat Terakki ve Kürtler*, Dipnot Yayınları, 2010

Nazmi Eroğlu, *Ayıcı Arif (Miralay Mehmed Arif Bey)*, Yeditepe Yayınları, 2014

Niyazi Berkes, *Türkiye'de Çağdaşlaşma*, Yapı Kredi Yayınları, 2002

Orhan Karaveli, *Ali Kemal*, Doğan Kitap, 2009

Orhan Koloğlu, *Curnalcilikten Teşkilatı Mahsusa'ya*, Kırmızı Kedi Yayınevi, 2013

Orhan Koloğlu, *İttihatçılar ve Masonlar*, Pozitif Yayınları 2012

Orhan Koloğlu, *Üç İttihatçı*, Kırmızı Kedi Yayınevi, 2011

Osman Selim Kocahanoğlu, *31 Mart Ayaklanması ve Sultan Abdülhamit*, Temel Yayınları, 2009

Osman Selim Kocahanoğlu, *Atatürk-Rauf Orbay Kavgası*, Temel Yayınları, 2012

Osman Selim Kocahanoğlu, *Atatürk-Vahdeddin Kavgası*, Temel Yayınları

Osman Selim Kocahanoğlu, *Atatürk'e Kurulan Pusu*, Temel Yayınları, 2012

Osman Selim Kocahanoğlu, *Hatıraları ve Mektuplarıyla Talat Paşa*, Temel Yayınları, 2008

Osman Selim Kocahanoğlu, *İttihat ve Terakki'nin Sorgulanması ve Yargılanması*, Temel Yayınları, 1998

Peter Hopkırk, *İstanbul'un Doğu'sunda Bitmeyen Oyun*, İnkılap Kitabevi, 2009

Philip H. Stoddard – H. Basri Danışman, *Hayber'de Türk Cengi*, Arba Yayınları, 1997

Philip H. Stoddard, *Teşkilat-ı Mahsusa*, Arma Yayınları, 2003

Prof. Svetlana Uturgauri, *Boğaz'daki Beyaz Ruslar 1919-1929*, Tarihçi Kitabevi, 2015

Rakı Ansiklopedisi, Overteam Yayınları, 2010

Raymond Kevorkian, *Ermeni Soykırımı*, İletişim Yayınları 2015

Refik Ahmet Sevengil, *Türk Tiyatrosu Tarihi*, Alfa Yayıncılık, 2015

Resneli Niyazi Hatıratı, Örgün Yayınevi, 2003

Rıza Nur, *Cemiyet-i Hafiye*, Şehir Yayınları, 2005

Roderic H. Davison, *Osmanlı İmparatorluğu'nda Reform, 1856-1876*, Agora Kitaplığı, 2005

Sacit Kutlu, *Didar-ı Hürriyet*, İstanbul Bilgi Üniversitesi Yayınları, 2004

Sadi Borak, *İktidar Koltuğundan İdam Sehpasına*, Kırmızı Beyaz Yayınları, 2004

Sadi Borak, *Mecliste Casus Var*, Kırmızı Beyaz Yayınları, 2004

Samih Nafiz Tansu, *İki Devrin Perde Arkası*, İlgi Kültür Sanat, 2011

Saro Dadyan, *Osmanlı'nın Gayrimüslim Tarihinden Notlar*, Yeditepe Yayınevi, 2011

Selim Ahmetoğlu, *Şehbal Mecmuası, 1909-1914*, Libra Kitapçılık ve Yayıncılık, 2010

Sema Ok, *İttihat Terakki'nin "Yemin"siz Kadınları*, Destek Yayınları, 2012

Sezen Kılıç, *Osmanlı Karargâhında Bir Alman Ajanı*, 2014

Sina Akşin, *Jön Türkler ve İttihat ve Terakki*, İmge Kitabevi, 2011

Sina Akşin, *Şeriatçı Bir Ayaklanma 31 Mart Olayı*, İmge Kitabevi, 1994

Soner Yalçın, *Teşkilatın İki Silahşoru*, Doğan Kitap, 2001

Sultan II. Abdülhamit Arşivi: İstanbul Fotoğrafları, Büyükşehir Belediyesi Kültür A.Ş.

Sultan'a Suikast, Sultan II. Abdülhamit'e Sunulan Bomba Hadisesi Fezlekesi, İstanbul Büyükşehir Belediyesi Arşiv Serisi: 2, 2013

Süleyman Kani İrtem, *1. Meşrutiyet ve Sultan Abdülhamit*, Temel Yayınları, 2004

Süleyman Kani İrtem, *31 Mart İsyanı ve Hareket Ordusu*, Temel Yayınları, 2003

Süleyman Kani İrtem, *Abdülhamid Devrinde Hafiyelik ve Sansür*, Temel Yayınları

Süleyman Kani İrtem, *Bilinmeyen Abdülhamid*, Temel Yayınları

Süleyman Kani İrtem, *Meşrutiyet Doğarken*, Temel Yayınları, 1999

Süleyman Kani İrtem, *Meşrutiyetten Mütarekeye 1909-1918*, Temel Yayınları, 2004

Süleyman Kani İrtem, *Sultan Abdülhamid ve Yıldız Kamarillası*, Temel Yayınları, 2003

Süleyman Kani İrtem, *Yıldız ve Jöntürkler*, Temel Yayınları, 1999

Şevket Süreyya Aydemir, *Enver Paşa* (III Cilt), Remzi Kitabevi, 2013

T. E. Lawrence, *Bilgeliğin Yedi Sütunu*, Chiviyazıları Yayınevi, 2014

Taha Akyol, *Atatürk'ün İhtilal Hukuku*, Doğan Kitap, 2012

Tamer Erdoğan, *Türk Romanında Mütareke İstanbul'u*, Everest Yayınları, 2005

Taner Baytok, *İngiliz Belgeleriyle, Sevr'den Lozan'a, Dünden Bugüne Değişen Ne var*, Doğan Kitap, 2007

Tevfik Çavdar, *Talat Paşa*, Dost Kitabevi Yayınları, 1984

Tevfik Yener, *I. Dünya Savaşı ve Osmanlı İmparatorluğu*, İnkılap Yayınları, 2015

Uğur Mumcu, *Gazi Paşa'ya Suikast*, Uğur Mumcu Vakfı Yayınları, 2006

Uygur Kocabaşoğlu, *Hürriyeti Beklerken, II. Meşrutiyet Basını*, İstanbul Bilgi Üniversitesi Yayınları, 2010

Vefa Zat, *Eski İstanbul Meyhaneleri*, İletişim Yayınları, 2002

Vefa Zat, *Eski İstanbul Otelleri*, Bilge Karınca Yayınları, 2005

William Hale, *Türkiye'de Ordu ve Siyaset*, Alfa Yayıncılık, 2014

Yorgo Bozis, *Sula Bızis, Paris'ten Pera'ya Sinema ve Rum Sinemacılar*, Yapı Kredi Yayınları, 2013

Yuriy Aşatoviç Petrosyan, *Sovyet Gözüyle Jöntürkler*, Bilgi Yayınevi, 1974

Ziya Şakir, *II. Abdülhamid'in Gizli Siyaseti ve Yunan Zaferi*, İlgi Kültür Sanat Yayıncılık, 2007

Ziya Şakir, *İttihat ve Terakki III Cilt*, Akıl Fikir Yayınları, 2014

İTTİHAT VE TERAKKİ'Yİ
KONU ALAN ROMANLAR:

Ahmet Altan, *İsyan Günlerinde Aşk*, Everest Yayınları, 2014

Ahmet Altan, *Kılıç Yarası Gibi*, Everest Yayınları, 2014

Ahmet Altan, *Ölmek Kolaydır Sevmekten*, Everest Yayınları, 2015

Bekir Fahri, *Jönler*, İletişim Yayınları, 2010

Ercüment Ekrem Talu, *Gün Batarken*, Kültür Bakanlığı Yayınları, 1990

Halid Ziya Uşaklıgil, *Nesl-i Ahır*, Özgür Yayınevi, 2009

Halide Edib Adıvar, *Ateşten Gömlek*, Can Yayınları, 2014

Halide Edib Adıvar, *Sinekli Bakkal*, Can Yayınları, 2008

Halide Edib Adıvar, *Son Eseri*, Can Yayınları, 2008

Hüseyin Rahmi Gürpınar, *Hakka Sığındık*, Hilmi Kitabevi, 1950

Janet Wallach, *Çöl Kraliçesi*, Can Yayınları, 2015

Kemal Tahir, *Esir Şehrin İnsanları*, İthaki Yayınları, 2005

Kemal Tahir, *Esir Şehrin Mahpusu*, İthaki Yayınları, 2005

Kemal Tahir, *Kurt Kanunu*, İthaki Yayınları, 2005

Kemal Tahir, *Yol Ayrımı*, İthaki Yayınları, 2013

Mehmed Rauf, *Kurtuluş*, Lacivert Yayınları

Melike İlgün, *Enver Paşa'nın Sultanı*, Alfa Yayıncılık, 2011

Mithat Cemal Kuntay, *Üç İstanbul*, Oğlak Yayıncılık, 2012

Nahid Sırrı Örik, *Sultan Hamid Düşerken*, Oğlak Yayınları, 2013

Neyzen Tevfik, *Azab-ı Mukaddes*, Kapı Yayınları, 2009

Orhan Pamuk, *Cevdet Bey ve Oğulları*, Yapı Kredi Yayınları, 2014

Ömer Seyfeddin, *Ashab-ı Kehfimiz*, Çağrı Yayınları, 2010

Reha Çamuroğlu, *Bir Anlık Gecikme*, Everest Yayınları, 2008

Reşat Nuri Güntekin, *Gizli El*, İnkılap Kitabevi,

Salahaddin Enis, *Zaniyeler*, İletişim Yayınları, 1989

Selim İleri, *Cemil Şevket Bey, Aynalı Dolaba İki El Revolver*, Everest Yayınları, 2011

Yakup Kadri Karaosmanoğlu, *Bir Sürgün*, İletişim Yayınları, 1998

Yakup Kadri Karaosmanoğlu, *Hüküm Gecesi*, İletişim Yayınları, 2011

Yakup Kadri Karaosmanoğlu, *Sodom ve Gomore*, İletişim Yayınları, 2014

Yılmaz Karakoyunlu, *Mor Kaftanlı Selanik*, Doğan Kitap, 2012